अंग्रेजी सिखलाने का एकमात्र सोर्स

रैपिडैक्स®
इंगलिश स्पीकिंग कोर्स

By

R.K. Gupta, M.

इस नए संस्करण की विशेषताएं

- सातवीं बार पूर्णतया संशोधित एवं परिवर्धित।
- साधारण बोलचाल में प्रयुक्त चुनिंदा वाक्यांशों व विभिन्न अवसरों पर की जाने वाली बातचीत के अभ्यास के लिए अब एक **ऑडियो कैसेट भी साथ में।**
- कैसेट में प्रयुक्त सामग्री (Tape Script) पुस्तक के अंत में दिए गए पीले पृष्ठों में।
- आपस में बातचीत (Conversation) सिखाने वाले अवसरों (Occasions) की संख्या 30 की बजाय अब 42।
- आम बोलचाल में अधिक प्रयुक्त होने वाले वाक्यांश **बोल्ड** टाइप में।

पुस्तक महल®

दिल्ली • मुंबई • बंगलोर • पटना • हैदराबाद

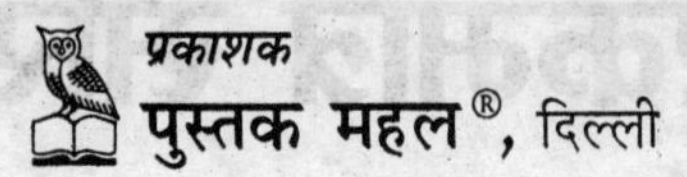

प्रकाशक
पुस्तक महल®, दिल्ली

J-3/16, दरियागंज, नई दिल्ली-110002
☎ 23276539, 23272783, 23272784 • फैक्स: 011-23260518
E-mail: info@pustakmahal.com • *Website:* www.pustakmahal.com

विक्रय केन्द्र
10-बी, नेताजी सुभाष मार्ग, दरियागंज, नई दिल्ली-110002
☎ 23268292, 23268293, 23279900 • फैक्स: 011-23280567
E-mail: rapidexdelhi@indiatimes.com

शाखा कार्यालय
बंगलोर: ☎ 22234025
E-mail: pustak@sancharnet.in • pmblr@sancharnet.in
मुंबई: ☎ 22010941
E-mail: rapidex@bom5.vsnl.net.in
पटना: ☎ 3094193 • *टेलीफैक्स:* 0612-2302719
E-mail: rapidexptn@rediffmail.com
हैदराबाद: *टेलीफैक्स:* 040-24737290
E-mail: pustakmahalhyd@yahoo.co.in

ISBN 81-223-0020-0

7वीं बार पूर्णतया संशोधित एवं परिवर्द्धित संस्करण
340वां संस्करण : दिसम्बर 2005

मुद्रक : • यूनिक कलर कॉर्टन, मायापुरी, दिल्ली-110064
• परम ऑफसेटर्स, ओखला, नई दिल्ली-110020

RAPIDEX ENGLISH SPEAKING COURSE
A book published in 13 Indian Regional Languages and One International Language.
PUSTAK MAHAL, Khari Baoli, Delhi-110006

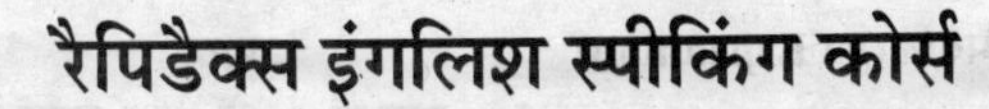

रैपिडैक्स इंगलिश स्पीकिंग कोर्स

आपका चहेता 'रैपिडैक्स इंगलिश स्पीकिंग कोर्स' अब नए रूप में आपके हाथों में है। इस नए रैपिडैक्स इंगलिश स्पीकिंग कोर्स को तैयार करने के लिए जहां हमने हजारों लोगों के बीच सर्वेक्षण किया, उनकी समस्याओं को पहचाना वहीं अंग्रेज़ी भाषा के जानकार, अनुभवी शिक्षकों की सलाह लेकर इसे आज और आने वाले कल — नई सदी, दोनों के लिए समान रूप से उपयोगी बनाने का प्रयास किया। इसमें अब भाषा व पाठ्यसामग्री की दृष्टि से सभी कुछ नया है — अपनी पुरानी सभी विशेषताओं के साथ। और वह नयापन पुस्तक पढ़ने के बाद आपको स्वयं महसूस होगा।

इस नए कोर्स में यद्यपि अंग्रेज़ी सिखाने की 'रैपिडैक्स' पद्धति को ही अपनाया गया है (क्योंकि यह पद्धति आज भी पूरी तरह से सार्थक है), लेकिन समयानुसार, अच्छी तरह से सुधार कर।

इस नए कोर्स के कन्वर्सेशन सेक्शन में भाषा की दृष्टि से अंग्रेज़ी भाषा में नए स्वीकृत व स्वीकार किए जा रहे शब्दों को अपनाने का प्रयास किया गया है, ताकि आज और आने वाले कल में आपको किसी भी तरह के पिछड़ेपन का अहसास न हो। इस तरीके से आपमें, कम शब्दों में अपनी पूरी बात कह सकने की योग्यता भी आ जाएगी।

बातचीत को और अधिक उपयोगी बनाने के लिए चुनाव करते समय इस बात का विशेष ध्यान रखा गया है कि वह ज्यादा-से-ज्यादा ऐसे क्षेत्रों को छुए, जो व्यक्तिगत और सामाजिक तो हों ही साथ ही करियर से जुड़े हुए हों। इस प्रकार एक सामान्य गृहिणी हो या आधुनिक महिला, स्कूल-कॉलेज का विद्यार्थी हो या करियर तलाशता युवा, स्टेनो हो या अफ़सर, माल बेचता हुआ दुकानदार हो या ग्राहक यह कोर्स सभी के लिए एक समान उपयोगी है।

बीच-बीच में कुछ वाक्यों को बोल्ड टाइप में दिया गया है, ताकि उनका अभ्यास करके कम-से-कम कामचलाऊ अंग्रेज़ी तो आप बोल ही सकें। वैसे ऐसा करने की सलाह हम नहीं देंगे, हम तो चाहेंगे कि आप पूरी पुस्तक को पढ़कर उसका अभ्यास करें तथा सही और अच्छी-खासी अंग्रेज़ी बोलें — आपको इस योग्य बनाना ही इस पुस्तक का उद्देश्य भी है।

इस नए कोर्स में कुछ ऐसे तरीके भी बताए गए हैं, जिन्हें अपना कर आप सही वक्त पर सही शब्द न चुन पाने की परेशानी से भी बच सकते हैं, जैसे कि ऐसी स्थिति में अंग्रेज़ी शब्दों की जगह अपनी मातृभाषा के शब्दों का प्रयोग कर। इस तरह सिर्फ आप अपनी कमी को ही नहीं छिपा लेते, आधुनिक अंग्रेज़ी बोलने वालों की श्रेणी में भी आ जाते हैं।

इस नई कोर्स किट के साथ 'रैपिडैक्स एजूकेशनल कन्वर्सेशन कैसेट' दी जा रही है। इस कैसेट की 'ए' साइड में अंग्रेज़ी शब्दों, सप्ताह-महीनों के नाम व 1 से 100 तक की गिनती के सही उच्चारण और अभिवादन, धन्यवाद, शुभकामनाएं, खेद, सहमति-असहमति, स्वीकृति-अस्वीकृति जैसे भावों को प्रकट करने वाले ऐसे जरूरी वाक्य हैं, जिनका प्रयोग हम रोज अक्सर किया करते हैं। और साइड 'बी' में परिचय, पार्टी, रास्ता पूछना, सेक्रेटरी-बॉस, दुकानदार को शिकायत, इंटरव्यू, लड़के-लड़की की शादी संबंधी बातचीत, कॉलेज में लड़के-लड़की जैसी विशेष अवसरों पर होने वाली बातचीत के वाक्य हैं।

पुस्तक को पढ़ने के बाद, दिए गए निर्देशों के अनुसार यदि कैसेट के साथ आप अभ्यास करेंगे, तो हमारा विश्वास है कि आपकी अंग्रेज़ी बोलने की हिचक बिल्कुल खत्म हो जाएगी। इस प्रकार यह कैसेट आपको जहां अंग्रेज़ी का सही उच्चारण सिखाएगी, वहीं बोलने में अटक और हिचक को खत्म करने में भी सहायक सिद्ध होगी।

अपनी अनूठी विशेषताओं के कारण यह नया 'रैपिडैक्स इंगलिश स्पीकिंग कोर्स' भविष्य में सफल जीवन के लिए एक जरूरी कोर्स बन जाएगा, यदि यह कहा जाए तो अतिशयोक्ति न होगी, क्योंकि अब यह कोर्स सिर्फ आपको अंग्रेज़ी बोलना-लिखना ही नहीं सिखाएगा, बल्कि आपके समूचे व्यक्तित्व का विकास भी करेगा।

आपने जिस तरह 28 वर्षों से इस कोर्स को सराहा है और इसकी लंबी विकास-यात्रा में समय-समय पर दिए गए सुझावों और प्रतिक्रियाओं द्वारा सहयोग दिया है, हमें आशा है कि वैसा ही स्नेह इस पूरी तरह से संशोधित व परिवर्द्धित संस्करण को भी मिलेगा।

आपके सफल भविष्य की शुभकामनाएं हैं —

—प्रकाशक

अनुक्रम (Contents)

पाठ	पृष्ठ सं.

परिशिष्ट-I (APPENDIX-I)

शब्द ज्ञान की कुंज़ी (Key to Word-Power)

वर्गीकृत शब्दावली अंग्रेज़ी-हिंदी शब्दकोश (Vocabulary and Dictionary)

परिशिष्ट-II (APPENDIX-II)

पत्र-लेखन (Letter Writing)

आइए, शुरू करें!

दोस्तो, इस कोर्स में आपका हार्दिक स्वागत है!

यह कोर्स आम कोर्स नहीं है, क्योंकि हज़ारों लोगों के बीच की गई खोज और अंग्रेज़ी भाषा के विशेषज्ञ शिक्षकों के बरसों के अनुभवों का निचोड़ है यह। इसी के साथ, आप पाठकों की प्रतिक्रियाओं और सुझावों के अनुसार इसमें बहुत कुछ नया जोड़ा गया है, जिसे आप सिर्फ पढ़कर व दिए गए निर्देशों के अनुसार अभ्यास करके ही महसूस कर सकेंगे।

60 दिनों के इस कोर्स को तैयार करते समय हमने दो बातों को अपने सामने प्रमुख रूप से रखा था, एक तो यह कि आप धाराप्रवाह अंग्रेज़ी बोलने लगें और दूसरे अंग्रेज़ी भाषा की प्रकृति, वाक्य-विन्यास, स्पेलिंग, विराम चिह्न आदि लेखन की समस्याओं की आपको क्रमिक जानकारी हो। इस प्रकार यह कोर्स आपको अंग्रेज़ी बोलना और लिखना दोनों ही सिखाएगा।

इस कोर्स द्वारा आप 60 दिनों की यात्रा तय करेंगे, जिसके छह पड़ाव होंगे। हर दिन की एक इकाई (यूनिट) है। इस तरह इसकी छह इकाइयां या यूनिट्स हुईं। प्रत्येक इकाई का आखिरी दिन, अर्थात् 10वां, 20वां, 30वां आदि, अभ्यास-दिवस है। इन्हीं दिनों में आपको नई या अतिरिक्त जानकारी भी मिलेगी। इनमें exercises, tests और tables की सहायता से आप अपनी परीक्षा भी स्वयं ले सकेंगे कि आपने कितना सीखा है।

वैसे तो इस कोर्स में शामिल किए गए सभी वाक्य बहुत जरूरी और उपयोगी हैं, पर कुछ ऐसे वाक्यों को जो दिन-प्रतिदिन के जीवन में बार-बार प्रयोग में आते हैं और ऐसे ही कुछ और अधिक प्रचलित वाक्यों को बोल्ड टाइप में दिया गया है। संख्या में कम होने के कारण इन वाक्यों को जल्दी और आसानी से याद किया जा सकता है। आप इनका आम बातचीत में इस्तेमाल कर लोगों पर अपनी धाक जमा सकते हैं।

किसी भी भाषा का अच्छा जानकार उस भाषा में पूरे आत्मविश्वास के साथ बोल पाए यह जरूरी नहीं। जब तक मन में यह भय बना रहेगा 'कि लोग क्या कहेंगे' तब तक आप बातचीत में अटकेंगे। इसी प्रकार यदि आपका उच्चारण सही नहीं होगा, तो आप 'लोग हंसी न उड़ाएं' इस डर से बोलने में हिचक महसूस करेंगे या फिर सही समय पर सही बात नहीं कह पाएंगे। बातचीत में होने वाली इन्हीं परेशानियों से आपको बचाने के लिए पुस्तक के साथ जो ऑडियो कैसेट आपको दी गई है, उसका 16 पृष्ठों का स्क्रिप्ट भी पुस्तक के

अंत में दिया गया है। इसके शुरू में जो निर्देश दिए गए हैं, आप उन्हें पढ़ें और कैसेट के साथ-साथ सही उच्चारण का अभ्यास करें, निश्चय ही कुछ समय के अभ्यास के बाद आपको अपने में आत्मविश्वास महसूस होगा और अंग्रेज़ी बोलना इतना स्वाभाविक लगेगा, मानो आप अपनी मातृभाषा बोल रहे हों।

यहां एक बात विशेषरूप से ध्यान देने योग्य है कि पुस्तक को बिना पढ़े कैसेट का प्रयोग न करें, इससे लाभ के स्थान पर हानि हो सकती है, क्योंकि यह कैसेट पुस्तक का ही एक हिस्सा है, आपको अंग्रेज़ी सिखाने के लिए अपने-आप में यह कैसेट पूर्ण नहीं है।

इस कोर्स को तैयार करते समय क्योंकि पूरी तरह से मनोवैज्ञानिक सोच को सामने रखा गया है, इसलिए आपको 60 दिनों के बाद सुखद आश्चर्य होगा यह महसूस करके कि अंग्रेज़ी बोलना और लिखना तो कोई समस्या ही नहीं था। लेकिन यह 60 दिनों के बाद का अनुभव है। यहां तक पहुंचने के लिए आपको पहले इन शर्तों को निभाना होगा —

1. सबसे पहले **संकल्प** करना होगा, फिर
2. उस संकल्प को पूरा करने के लिए **प्रयत्न** करना होगा, और
3. उस प्रयत्न को तब तक **जारी रखना** होगा, जब तक कि आप अपने लक्ष्य तक भली-भांति पहुंच नहीं जाते।

और हमें यह पूरा विश्वास है कि इन तीनों शर्तों को मानने की अवस्थाओं में से गुज़रने के लिए आप पूरी तरह से तैयार हैं। बस समझ लीजिए आप अंग्रेज़ी बोलने की कला में निपुण हो गए। अंग्रेज़ी में एक उक्ति है — Well begun is half done — अर्थात् कोई भी काम ठीक विधि से शुरू किया जाए, तो समझना चाहिए कि आधा काम पूरा हो गया।

तो आइए, चलिए हमारे साथ पहले अभियान पर, इसमें आपका परिचय होगा अंग्रेज़ी में अभिवादन, शिष्टाचार, भावबोधक शब्दावली, सरल-संक्षिप्त वाक्यों, क्रिया के तीनों काल (tenses) के रूपों, अंग्रेज़ी की कुछ सहायक और विध्यर्थक क्रियाओं से, व्याकरण की माथापच्ची किए बिना। इसी के साथ अब आगे प्रत्येक दिन कुछ बोलने के लिए होगा, कुछ सीखने के लिए होगा और कुछ होगा पक्का करने के लिए, जो कि आपको साथ-साथ समझाया जाएगा।

हमारी शुभकामनाएं हैं कि आपकी यह यात्रा शुभ हो !

—प्रकाशक

1 पहला दिन
st Day

पहला अभियान (1st Expedition)

आइये, पहला दिन अभिवादन से शुरू करें। भारत में सभी अवसरों पर *'नमस्ते'* या *'नमस्कार'* कहकर अभिवादन किया जाता है। मुसलमान, *'अस्सलामालेकुम'* तथा सिख आपस में मिलने पर *'सत श्री अकाल'* कहते हैं। पर अंग्रेज़ी में ऐसा नहीं है। इसमें दिन के अलग-अलग समय पर अलग-अलग शब्दों द्वारा अभिवादन करने का चलन है।

बोलचाल में अभिवादन के वाक्य

अपने से बड़ों, रिश्तेदारों व पद में ऊंचे अधिकारियों के साथ

उषाकाल से लेकर दोपहर बारह बजे तक

1. नमस्ते, दादाजी! — **Good morning,** Grandpa! गुड मॉर्निंग, ग्रैंडपा!
2. नमस्ते, पिताजी! — Good morning, Dad! गुड मॉर्निंग, डैड!
3. नमस्ते, सर! — Good morning, Sir! गुड मॉर्निंग, सर!

दोपहर बारह बजे से शाम पांच बजे तक

4. नमस्ते, दादीजी! — **Good afternoon,** Grandma! गुड आफ़्टरनून, ग्रैंडमां!
5. नमस्ते, माताजी! — Good afternoon, Mummy! गुड आफ़्टरनून, मम्मी!
6. नमस्ते, बेटी! — Good afternoon, dear! गुड आफ़्टरनून, डियर!

सायं पांच बजे के बाद

7. नमस्ते, चाचाजी! — **Good evening,** Uncle! गुड ईवनिंग, अंकल!
8. नमस्ते, चाचीजी! — Good evening, Auntie! गुड ईवनिंग, आन्टी!
9. नमस्ते, बेटे! — Good evening, dear! गुड ईवनिंग, डियर!

रात को विदाई के समय

10. शुभ रात्रि! — **Good night!** गुड नाइट!
    Sweet dreams, darling! स्वीट ड्रीम्ज़, डार्लिंग!

दिन में किसी समय

11. अच्छा सर, चलते हैं! — **Good day** to you, Sir! गुड डे टु यू, सर!

भेंट के समय

12. आपसे मिलकर बहुत खुशी हुई! — Pleased to meet you! प्लीज़्ड टु मीट यू!

किसी भी समय (Informal greetings) अपने मित्रों व बराबरी के लोगों के साथ

1. हाय सिमी! — **Hi** Simi! हाइ सिमी!
2. हाय अंकुर! — Hi Ankur! हाइ अंकुर!
3. हलो अंकल! — **Hello** Uncle! हलो अंकल!
4. हलो निशि! — Hello Nishi! हलो निशि!
5. हलो कुश! — Hello Kush! हलो कुश!
6. हलो मिसिज़ मेहरा! — Hello Mrs. Mehra! हलो मिसिज़ मेहरा!

Note: यदि संबंध बेतकल्लुफ़ी का हो तो 'हलो' और 'हाइ' का प्रयोग अपने से बड़ों के साथ भी किया जा सकता है।

विदाई के समय

1. अच्छा चलते हैं, बच्चो! — Goodbye, children! गुडबाइ, चिल्ड्रन!
2. अच्छा ! — **Bye, bye!** बाइ-बाइ!
3. चलते हैं, प्रिय! — Farewell, dear! फ़ेयरवेल, डियर!
4. अच्छा, फिर मिलेंगे! — Bye, see you/so long! बाइ, सी यू./सो लौंग!

याद रखें (Remember)

हिन्दी और अंग्रेज़ी में सम्बोधन का अंतर

A

अंग्रेज़ी में

1. Grandfather को संक्षेप में Grandpa कहते हैं।
2. Father के लिए Dad या Daddy शब्दों का भी प्रयोग किया जाता है।
3. Grandmother को संक्षेप में Grandma कहते हैं।
4. Mother के लिए Mom या Mummy शब्द का भी प्रयोग किया जाता है।

B

अंग्रेज़ी में

1. चाचा, ताया, मामा, मौसा, फूफा — सभी को अंकल (Uncle) कहा जाता है।
2. चाची, ताई, मामी, मौसी, बूआ — सभी को आंट या आंटी (Aunt, Aunty or Auntie) कहा जाता है।
3. किसी भी पुरुष के लिए आदरसूचरक शब्द 'सर' (Sir) का प्रयोग किया जाता है।
4. किसी भी महिला के लिए आदरसूचक शब्द 'मैडम' (Madam) का प्रयोग किया जाता है।
5. चचेरे, ममेरे, मौसेर या फुफेरे भाई या बहिन, किसी के लिए भी केवल 'कज़न' (Cousin)शब्द प्रयोग में आता है, कज़न ब्रदर या कज़न सिस्टर (Cousin Brother/Cousin Sister) नहीं।
6. विवाहित महिला के नाम या उपनाम से पहले मिसेज़ (Mrs) तथा अविवाहित महिला के लिए मिस (Miss) का प्रयोग किया जाता है। मिस (Ms) का प्रयोग अविवाहित या विवाहित किसी भी स्त्री के नाम या उपनाम से पहले किया जा सकता है।

2 दूसरा दिन
2nd Day

अंग्रेज़ी में शिष्टाचार (Good Manners in English)

अंग्रेज़ी भाषा सीखने के साथ-साथ इसके शिष्टाचार की जानकारी भी ज़रूरी है। अंग्रेज़ बात और व्यवहार में तहज़ीब का बहुत ध्यान रखते हैं। बार-बार कुछ विशेष नम्र शब्दों का प्रयोग करना उनकी बातचीत का ज़रूरी हिस्सा है। उनका हर बात को कहने का एक विशेष तरीका है। किस बात को कैसे कहें, किन शब्दों का इस्तेमाल करें, ऐसी ही कुछ ज़रूरी बातों की जानकारी इस पाठ में दी गई है।

A

हिन्दी भाषा की तरह, अंग्रेज़ी में बात-बात में नाम के साथ 'जी' लगाने का रिवाज नहीं है, और न ही इसमें 'आप' या 'वे' जैसे आदरसूचक शब्दों का प्रयोग किया जाता है। इसमें 'मैं' के लिए 'हम' कहने की प्रथा भी नहीं है इसीलिए कई हिन्दी भाषी लोगों को यह कहते हुए सुना गया है कि अंग्रेज़ी रूखी भाषा है, क्योंकि इसमें अपने से बड़ों से भी बातचीत करते हुए 'तुम', (You) 'यू' शब्द का प्रयोग किया जाता है।

लेकिन वास्तव में ऐसी बात नहीं है। हालांकि अंग्रेज़ी भाषा में 'आप' और 'वे' शब्द नहीं हैं, पर अंग्रेज़ी में बात-बात पर शिष्टाचार जताने की प्रथा है। सच्ची एवं स्वाभाविक अंग्रेज़ी सीखने के लिए इस बात का हमेशा ध्यान रखिए।

अंग्रेज़ी के इन शब्दों को मन में दोहराइए। इन शब्दों में पूरी अंग्रेज़ जाति का शिष्टाचार समाया हुआ है। ये अंग्रेज़ी भाषा के बड़े महत्वपूर्ण शब्द हैं:

1. Please प्लीज़
2. Thanks थैंक्स
3. Welcome वेल्कम
4. Kindly काइन्डली
5. Allow me अलाउ मी
6. After you आफ़्टर यू
7. Sorry सॉरी
8. Excuse me एक्सक्यूज़ मी
9. Pardon पार्डन
10. That is alright दैट इज़ ऑलराइट
11. It's my pleasure इट्स माइ प्लेज़र

1. यदि आपको किसी से पेन लेना हो, या एक गिलास पानी मांगना हो, अथवा किसी से समय पूछना हो, या फिर किसी को उत्तर में 'हां' कहना हो, तो वाक्य में **Please** प्लीज़ शब्द का प्रयोग करना होगा। यदि आप केवल **Please** प्लीज़ कह देंगे तो भी चलेगा, परन्तु यदि आप **Please** या **Kindly** आदि समान अर्थ वाले शब्द का प्रयोग नहीं करते हैं, तो आप '**अभद्र**' कहलाएंगे। हिन्दी में आप यूं भी कह देते हैं:

1. ज़रा अपना पेन देना। 2. एक गिलास पानी। 3. क्या बजा है? 4. हां, पी लूंगा।

लेकिन हिन्दी की तरह यदि आप अंग्रेज़ी में भी निम्न वाक्य बोलेंगे, तो कोई भी अंग्रेज़ पहचान लेगा कि या तो आप असभ्य हैं, या कोई विदेशी, जो कि उनके शिष्टाचार से परिचित नहीं है:

1. Give me your pen. गिव मी योर पेन.
2. Give me a glass of water. गिव मी अ ग्लास ऑफ़ वॉटर.
3. What is the time? वॉट इज़ द टाइम?
4. Yes, I will drink it. येस, आइ विल ड्रिंक इट.

और यदि आप कहेंगे:

1. May I have your pen, please? मे आइ हैव योर पेन, प्लीज़?
2. A glass of water, please. अ ग्लास ऑफ़ वॉटर, प्लीज़.
3. Time please? टाइम प्लीज़?
4. Yes, please. येस प्लीज़.

या, यदि आप इन वाक्यों को इस प्रकार भी कहेंगे, तो भी यह समझा जाएगा कि आप सभ्य हैं:

1. May I borrow your pen, please? मे आइ बॉरो योर पेन, प्लीज़?
2. Give me a glass of water, please. गिव मी अ ग्लास ऑफ़ वॉटर, प्लीज़.
3. What is the time, please? वॉट इज़ दि टाइम, प्लीज़?

2. (a) यदि किसी व्यक्ति ने आपका मामूली-सा भी कोई काम किया है, उदाहरण के लिए — आपने टाइम पूछा या मकान का पता पूछा और उसने बता दिया, आपने तनिक-सी बात पूछी और उसने बता दी, तो उसे **Thank you** थैंक्यू कहना न भूलिए। हां, आप Thanks (थैंक्स) भी कह संकते हैं। यदि आप अधिक अहसान प्रकट करना चाहें, तो कह सकते हैं:

Many many thanks to you. मेनी मेनी थैंक्स टु यू.
या
Thank you very much. थैंक्यू वेरी मच.

(b) कोई आपसे कुछ और लेने के लिए कहे और आप न लेना चाहते हों, तो आप हिन्दी की तरह मत कहिए — मैं और नहीं लेना चाहता, I don't want to take more. आइ डोन्ट वांट टु टेक मोर, बल्कि संक्षेप में कहिए — **No, thanks.** नो, थैंक्स.

3. आपने किसी का कोई छोटा-सा काम किया और बदले में उसने आपको कहा 'Thank you' तो अंग्रेज़ी में बात यहीं पर खत्म नहीं हो जाती। यदि आप Thanks सुनकर चुप रह जाएंगे, तो आप अभद्र या घमण्डी कहलाएंगे। इस पर आपको कहना पड़ेगा:

It's* all right. इट्स ऑल राइट (सब ठीक है).
या 1. No mention. नो मैन्शन (कोई बात नहीं).
या 2. It's fine. इट्स फ़ाइन (सब ठीक है).
या 3. My pleasure. माइ प्लेज़र (इसमें मेरी खुशी है).
या 4. Welcome/you're welcome. वेल्कम/यू आर वेल्कम (ऐसी तकलीफ़ फिर दें).

ऊपर की पांच अभिव्यक्तियों में से आप स्वयं ही समझ सकते हैं कि पांचवीं अभिव्यक्ति सबसे अधिक नम्रता-सूचक है। वैसे ऊपर की दोनों अभिव्यक्तियां भी बोलचाल में खूब प्रचलित हैं।

4. यदि कोई आपसे कोई वस्तु मांगे और वह आप देना चाहते हों, तो हिन्दी में आप कहेंगे — ले लीजिए। पर अंग्रेज़ी में यदि आपने कहा — Take it, तो अंग्रेज़ी में इसे शिष्टाचार नहीं माना जाएगा इसलिए आप कहेंगे — **Yes, you are welcome.** यस, यू आर वेल्कम या **With great pleasure.** विद ग्रेट प्लेज़र.

5. यदि आप किसी की कोई छोटी-सी सेवा या सहायता करना चाहें तो उसे कहने का अंग्रेज़ी में एक अपना तरीका है, उदाहरण के लिए, आप किसी महिला की गोद से बच्चा लेने या किसी वृद्ध का थैला उठाने की पेशकश करने के लिए यूं कहेंगे — **Allow me.** अलाउ मी... या **May I help you?** मे आइ हेल्प यू... अर्थात् मुझे अवसर दें... अर्थात् क्या मैं आपकी सहायता कर सकता हूं? किसी शो रूम या प्रदर्शनी में यदि आप सेल्समेन हैं या गाइड हैं तो विज़िटर्स ग्राहकों को भी **May I help you** कहकर अपनी ओर आकर्षित कर सकते हैं।

6. किसी महिला या किसी वृद्ध को रास्ता देते समय आप कह देते हैं — 'पहले आप', जबकि अंग्रेज़ी बातचीत में आप **'First you'** फ़र्स्ट यू नहीं कहेंगे। अंग्रेज़ी में कहेंगे — **'After you'**. आफ़्टर यू.

7. अंग्रेज़ी में बात-बात पर खेद प्रकट करने का रिवाज है। हिन्दी में भी हम खेद प्रकट करते हैं या क्षमा मांगते हैं, पर तब, जब हमसे वस्तुत: कोई बड़ी भूल हो जाए, जैसे हम किसी से समय लेकर फिर समय पर नहीं पहुंचें, तो खेद प्रकट करते हैं, और समय लेकर उस दिन बिल्कुल न पहुंचें, तो अपने इस अपराध के लिए क्षमा मांगते हैं। पर अंग्रेज़ी में छोटी-छोटी बातों में भी **Sorry** सॉरी, **Excuse me** एक्सक्यूज़ मी, **Pardon** पार्डन आदि शब्दों का प्रयोग होता है, जैसे:

(a) आपका किसी से हाथ छू जाए, तो आपको झट कहना होगा, **Sorry** सॉरी।

(b) दो आदमी रास्ते में खड़े-खड़े बात कर रहे हों और आपको बीच में से गुज़रना हो, तो आप कहेंगे — **Excuse me**

---

* अंग्रेज़ी में short forms (शब्दों के संक्षिप्त रूप) बहुत प्रचलित हैं, जैसे It is के लिए It's और You are के लिए you're का बातचीत में बहुत प्रयोग होता है। कुछ और उदाहरण नीचे दिये गये हैं:

I am — I'm	He is — He's
I have — I've	She is — She's
We are — We're	Is not/are not — Isn't/aren't

इनके प्रयोग से बातचीत में गति और सहजता आती है।

एक्सक्यूज़ मी। इसी तरह लोगों के बीच से उठकर आपको किसी काम से थोड़ी देर के लिए जाना है, तो आप बिना कुछ कहे नहीं उठेंगे, बल्कि कहेंगे — **'Excuse me'.** किसी व्यक्ति का ध्यान अपनी ओर आकर्षित करने के लिए भी **Excuse me** कहकर आप अपनी बात कह सकते हैं।

(c) आप टेलीफ़ोन सुन रहे हैं या आमने-सामने किसी से बातचीत कर रहे हैं, आपको बात सुनाई नहीं देती और आप उसे फिर से सुनना चाहते हैं, तो आप ऐसे नहीं कहेंगे — 'ऊंचा बोलो न! मुझे कुछ सुनाई नहीं देता।' Speak loudly! I cannot hear anything. बल्कि इसके स्थान पर आप अंग्रेज़ी में केवल यह कहेंगे — **'Pardon'** पार्डन या **I beg your pardon** आइ बेग योर पार्डन. और सामने वाला व्यक्ति इससे समझ जाएगा कि आपको बात सुनाई नहीं दी है।

(d) कोई कमरे में बैठा है। आप उसके मकान पर उससे मिलने गए हैं, तो बिना सूचना दिये या आज्ञा लिये आपको अन्दर दाखिल नहीं होना चाहिए, बल्कि अंग्रेज़ी में आप इस आशय का वाक्य कहेंगे — **May I come in, please?** मे आइ कम इन, प्लीज़ (क्या मैं अन्दर आ सकता हूं?) और वह पलट कर कहेगा — Yes please come in येस प्लीज़ कम इन (अवश्य) या With great pleasure विद ग्रेट प्लेज़र (ख़ुशी से) या Of course ऑफ़ कोर्स (अवश्य)।

ऐसी है औपचारिकता, अथवा शिष्टाचार से पूर्ण अंग्रेज़ी भाषा! अपने वाक्य बनाते समय इस भाषा की रीति को सदा याद रखना चाहिए।

B

शिष्टाचार के कुछ वाक्य (Some Polite Phrases)

1.	मैंने मिलने का समय दिया था, परन्तु मैं आ नहीं सका, मुझे माफ करें।	I'm sorry, I couldn't make it that day. आइम सॉरी, आइ कुडन्ट मेक इट दैट डे.
2.	मैं ठीक समय पर नहीं आ सका, इसके लिए मैं माफी मांगता हूं।	I'm sorry, I couldn't make it in time. आइम सॉरी, आइ कुडन्ट मेक इट इन टाइम.
3.	माफ कीजिए, मुझे थोड़ी-सी देर हो गई है।	**I'm sorry, I got a little late.** आइम सॉरी, आइ गॉट अ लिटिल लेट.
4.	मेरी ओर से माफी मांग लीजिए।	Please convey my apologies. प्लीज़ कनवे माइ अपॉलोजीज़.
5.	ऐसा गलती से हो गया। माफ कीजिए।	It was all by mistake. Please excuse me. इट वॉज़ ऑल बाइ मिस्टेक। प्लीज़ एक्सक्यूज़ मी.
6.	मुझे बड़ा दुःख है।	I 'm very sorry. आइम वेरी सॉरी.
7.	माफ करें, मैंने आपके काम में बाधा डाली।	Sorry to have disturbed you.सॉरी टु हैव डिस्टर्ब्ड यू.
8.	माफ कीजिए।	**I beg your pardon.** आइ बेग य़ोर पार्डन.
9.	आपकी आज्ञा से कहना चाहता हूं।	Allow me to say. अलाउ मी टु से.
10.	ज़रा ध्यान दीजिए।	**May I have your attention, please?** मे आइ हैव योर अटेन्शन, प्लीज़?
11.	इसे अपनी ही चीज़ समझें।	It's all yours. इट्स आल योर्ज़.
12.	ज़रा मुझे बोलने दें।	Will you please permit me to speak? विल यू प्लीज़ परमिट मी टु स्पीक?
13.	अपने काम में मेरी मदद ले लीजिए।	Let me also help you. लेट मी ऑल्सो हैल्प यू.
14.	क्या आप थोड़ा खिसकेंगे?	Will you please move a bit? विल यू प्लीज़ मूव अ बिट?
15.	ज़रा धीरे बोलें।	Will you please speak slowly? विल यू प्लीज़ स्पीक स्लोली?
16.	ज़रा धीमा बोलने की कृपा करें।	Will you mind speaking a bit softly, please? विल यू माइन्ड स्पीकिंग ए बिट सॉफ़्टली, प्लीज़?
17.	क्या आप मुझे बैठने देंगे?	Will you please let me sit? विल यू प्लीज़ लेट मी सिट?
18.	क्या मैं आपका थोड़ा-सा समय ले सकता हूं?	Could you spare a few moments for me? कुड यू स्पेअर अ फ़्यू मोमेन्ट्स फ़ॉर मी?
19.	जैसी आपकी मर्ज़ी।	As you please. ऐज़ यू प्लीज़.
20.	आराम से बैठिए।	Please make yourself comfortable. प्लीज़ मेक योरसेल्फ़ कम्फ़र्टेबल.

21. कष्ट के लिए क्षमा करें।	Sorry for the inconvenience. सॉरी फ़ॉर दि इन्कन्वीन्यन्स.
22. आपकी बड़ी कृपा है।	That's very/so kind of you. दैट्स वेरी/सो काइंड ऑफ़ यू.
23. लीजिए।	Please help yourself. प्लीज़ हेल्प योरसेल्फ़.
24. आपसे मिलकर खुशी हुई।	Glad to meet you. ग्लैड टु मीट यू.
25. आपकी अच्छी सलाह के लिए धन्यवाद।	Thanks for your kind/valuable advice. थैंक्स फ़ॉर योर काइंड एडवाइस.
26. मैं पूरी कोशिश करूंगा/करूंगी।	I will try my level best. आइ विल ट्राइ माइ लैवल बेस्ट.
27. आशा है आप मज़े में हैं।	Hope you are enjoying yourself/yourselves. होप यू आर एन्ज़ॉइंग योरसेल्फ़/योरसेल्व्ज़.

याद रखें (Remember)

A

1. प्रत्येक देश में सभ्यता एवं शिष्टाचार प्रकट करने का अलग-अलग ढंग होता है। हिन्दी में नाम के बाद 'जी' लगाकर आदर प्रकट करने का रिवाज़ है, बड़ों को आदर देने के लिए बहुवचन का प्रयोग भी किया जाता है, जबकि अंग्रेज़ी में आदरसूचक में भी एकवचन (Singular सिंग्युलर) ही रहता है। उदाहरण के लिए:

    श्री केदारनाथ **जी आए हैं**। Mr. Kedarnath has come. (मि. केदारनाथ हैज़ कम.)

2. हिन्दी में मध्यम पुरुष में आदर प्रकट करने के लिए 'तुम' की जगह 'आप' का प्रयोग होता है, परन्तु अंग्रेज़ी में 'तुम' और 'आप' दोनों के लिए 'यू' (You) का प्रयोग होता है, जैसे:

    आप क्या चाहते हैं? What do you want? (वॉट डू यू वॉन्ट?)

    इसी प्रकार हिन्दी में अन्यपुरुष में आदर की दृष्टि से 'वह' के स्थान पर 'वे' का प्रयोग होता है, जबकि अंग्रेज़ी में एकवचन का प्रयोग होता है, जैसे:

    वे रात को आ सकते हैं। He may come at night. (ही मे कम ऐट नाइट.)

B

क्षमा मांगने के अर्थ में अंग्रेज़ी में कई शब्द हैं जिनका बातचीत में व्यवहार किया जाता है। इन शब्दों के वास्तविक अर्थों को यहां दिया जा रहा है:

1. Excuse (V*.) — क्षमा करना, साधारण अर्थ में प्रयोग होता है। मुझे माफ करें (Please excuse me.)
2. Forgive (V.) — दण्डित करने की भावना को सदा के लिए मन से निकाल देना, हृदय से क्षमा कर देना, जैसे — गलती करना इंसान का काम है, उसे क्षमा करना परमात्मा का (To err is human, to forgive is divine).
3. Pardon (V.) — अपराधी को मिले हुए दण्ड से मुक्त करना। मेरी गलती के लिए मुझे क्षमा करें (Please pardon me for my mistake.)
4. Mistake (V.) — गलत समझना। गलती से मुझे आप डॉक्टर समझ रहे हैं (Don't mistake me for a doctor.)
5. Sorry (Adj.) — मुझे खेद है। मुझे देर से आने का अफसोस है (I am sorry for being late.)

आजकल साधारण बोलचाल में I beg your pardon का हल्के-फुल्के शिष्टाचार वाक्य के रूप में आम प्रयोग होने लगा है। फ़ोन पर जब आपको आवाज सुनाई नहीं देती, तो आप कहते हैं, I beg your Pardon या 'Pardon' तो उसका यह आशय होता है कि आप तो ठीक बोल रहे हैं, पर मुझे सुनाई नहीं दे रहा है। कृपया दोबारा कहें — 'Please repeat it' — यह भी चलेगा पर आपको मूल अर्थ भी ज्ञात होना चाहिए।

*V का अर्थ 'क्रिया' या 'Verb' से है।

3 तीसरा दिन
3rd Day

भावबोधक (Exclamation)

अंग्रेज़ी में मन के अलग-अलग भावों को प्रकट करने का अपना ही तरीका है। यह सरल भी है और सुन्दर भी। हैरानी, खुशी, दुख, नाराज़गी और भी दूसरे कई भावों को छोटे-छोटे वाक्यों व दो-तीन शब्दों में बहुत अच्छे ढंग से कहा जा सकता है। इन शब्दों और वाक्यों का हम आम बोलचाल में बार-बार प्रयोग कर सकते हैं।

1. वाह, वाह!	Marvellous! मार्वलस!
2. **शाबाश!**	**Well done!** वेल डन!
3. अति सुन्दर!	Beautiful! ब्यूटिफ़ुल!
4. अरे!	Hey! हे!
5. **वाह!**	**Wow!** वाउ!
6. हे राम!	My/Oh God ! माइ/ओ गॉड!
7. आपने तो कमाल कर दिया!	Wonderful ! वन्डरफ़ुल
8. **बेशक!**	**Of course !** ऑफ़ कोर्स!
9. **ईश्वर का धन्यवाद !**	**Thank God !** थैंक गॉड!
10. ईश्वर की कृपा से!	By God's grace ! बाइ गॉड्स ग्रेस!
11. खुदा आपको बरकत दे!	May God bless you ! मे गॉड ब्लेस यू!
12. **आपको भी!**	**Same to you !** सेम टु यू!
13. **बहुत बढ़िया!**	**Excellent !** एक्सीलेन्ट!
14. **बड़े दुख का समाचार!**	**How sad !** हाउ सैड!
15. बड़ी खुशी का समाचार !	That is a good news ! दैट इज़ अ गुड न्यूज़!
16. कितनी बड़ी विजय!	What a great victory ! वॉट ए ग्रेट विक्ट्री!
17. प्रभु मेरे! (आश्चर्य में)	Good heavens ! गुड हेवन्ज़!
18. सुनिए!	Hello ! Listen ! हलो! लिसिन!
19. **फटाफट करिए!**	**Hurry up, please !** हरी अप, प्लीज़!
20. कितनी बुरी बात!	How terrible ! हाउ टैरिबल!
21. कितने अपमान की बात है!	How disgraceful ! हाउ डिसग्रेसफ़ुल!
22. बड़ी फिजूल बात है!	How absurd ! हाउ एब्सर्ड!
23. **उसकी इतनी हिम्मत!**	**How dare he !** हाउ डेअर ही!
24. क्या खूब!	How sweet ! हाउ स्वीट!
25. कितना सुन्दर!	How lovely ! हाउ लवली!
26. ऐसा कहने की तुम्हें हिम्मत कैसे हुई!	How dare you say that ! हाउ डेअर यू से दैट!
27. प्यारे!	Oh dear ! ओ डियर!
28. जल्दी चलो!	Hurry up ! हरी अप! वॉक फ़ास्ट!

29. **चुप रहिए!**	**Quiet, please/Please keep quiet !** क्वायट प्लीज़ ! प्लीज़ कीप क्वायट !
30. हां, ऐसा ही !	Yes, it is ! येस इट इज़ !
31. **सचमुच!**	**Really !** रिअली !
32. सच !	Is it ! इज़ इट !
33. धन्यवाद !	Thanks ! थैंक्स !
34. **आपका धन्यवाद!**	**Thank you !** थैंक यू !
35. भगवान का लाख शुक्र है !	Thank God ! थैंक गॉड !
36. **यह दिन बार-बार आए!**	**Many happy returns of the day !** मैनी हैपी रिटर्न्ज़ ऑफ़ द डे !
37. **आहा! मैंने मैच जीत लिया!**	**Hurrah ! I have won !** हुर्रे, आइ हैव वन !
38. आपके स्वास्थ्य के लिए !	For your good health ! फ़ॉर योर गुड हेल्थ !
39. **बधाई!**	**Congratulations !** कौंग्रेच्युलेशन्ज़ !
40. **कितनी बेहूदगी है!**	**What nonsense !** वॉट नॉनसेन्स !
41. कितनी शर्म की बात है !	What a shame ! वॉट अ शेम !
42. कितनी दुःखद बात है !	How tragic ! हाउ ट्रैजिक !
43. **कितना सुखद आश्चर्य!**	**What a pleasant surprise** वॉट अ प्लेज़ेन्ट सरप्राइज़ !
44. आश्चर्यजनक !	Wonderful ! वन्डरफ़ुल !
45. छि: छि: !	How disgusting ! हाउ डिसगस्टिंग !
46. खबरदार !	Beware ! बीवेअर !
47. कितने दुख की बात है !	What a pity ! वॉट अ पिटी !
48. **कितनी बढ़िया सूझ है!**	**What an idea !** वॉट ऐन आइडिया !
49. **आपका स्वागत है!**	**Welcome sir !** वेल्कम सर !
50. आपके स्वागत के लिए !	Cheers ! चिअर्ज़ !
51. क्या मुसीबत है !	What a bother ! वॉट अ बॉदर !
52. सावधानी से/संभल कर !	Watch out ! वॉच आउट !
53. कहीं नज़र न लगे !	Touch wood ! टच वुड !
54. अब चाहे जो हो !	Come what may ! कम वॉट मे !

याद रखें (Remember)

1. सामान्य वाक्य में जहां अल्पविराम (,) या पूर्ण विराम (।) लगता है, वहां भावबोधक वाक्य में विस्मयादि बोधक चिह्न (!) Exclamatory sign लगता है, जैसे — Really! Wonderful! आदि।
2. लज्जा, दुःख, आश्चर्य, हर्ष, क्रोध आदि अनेकानेक भावों को प्रकट करने के लिए What, How आदि शब्दों का प्रयोग होता है, जैसे — What a shame ! How wonderful! आदि।
3. विस्मयादिबोधक वाक्य (Exclamatory sentence) बोलते समय ध्वनि में आश्चर्य आदि भावों का स्वर देना चाहिए।

4 चौथा दिन
4th Day

छोटे-छोटे वाक्यांश (Phrases)

अंग्रेज़ी में वाक्य की जगह कई बार वाक्यांश अथवा केवल दो-एक शब्दों से काम चलाया जाता है। उदाहरण के तौर पर Yes, Sir ! (येस, सर), No sir ! (नो सर), Very good, sir! (वेरी गुड, सर) आदि। ये वाक्यांश इतने अधिक प्रचलित हैं कि अंग्रेज़ी बोलने और समझने के इच्छुक प्रत्येक व्यक्ति को इनसे परिचित होना अत्यन्त आवश्यक है। ये वाक्यांश बहुत सरल भी हैं, क्योंकि ये व्याकरण के पेचीदा नियमों से बंधे हुए नहीं हैं।

A

1. **मैं अभी आ रहा हूं।** — **Just coming.** जस्ट कमिंग.
2. बहुत अच्छा। — Very well. वेरी वेल.
3. अच्छी बात है। — **Fine**/Very good. फ़ाइन / वेरी गुड.
4. जैसी आपकी मर्ज़ी। — As you like/**As you please.** ऐज़ यू लाइक/ ऐज़ यू प्लीज़.
5. **और कुछ?** — **Anything else?** एनीथिंग एल्स?
6. **बस, रहने दो।** — **That's enough.** दैट्स एनफ़.
7. इस सम्मान के लिए धन्यवाद। — Thanks for this honour. थैंक्स फ़ार दिस ऑनर.
8. **अच्छा।** — **O.K.** ओ.के.
9. क्यों नहीं? — Why not? वाइ नॉट?
10. थोड़ा-सा भी नहीं। — Not a bit. नॉट अ बिट.
11. **ध्यान रखना।** — **Take care.** टेक केअर.
12. **कल मिलेंगे।** — **See you tomorrow.** सी यू टुमॉरो.
13. हां, जरूर! — Yes, by all means! येस, बाइ ऑल मीन्ज़!
14. बहुत है। — That is too much. दैट इज़ टू मच.
15. **हां, सर।** — **Yes, Sir !** येस, सर!
16. नहीं, कभी नहीं। — No, not at all. नो, नॉट ऐट ऑल.
17. **कोई बात नहीं।** — **Never mind/Doesn't matter.** नेवर माइन्ड/डज़न्ट मैटर.
18. **और कुछ नहीं।** — **Nothing else.** नथिंग एल्स.
19. कोई खास बात नहीं। — Nothing special. नथिंग स्पेशल.
20. **आइए।** — **Welcome!** वेल्कम!
21. **भरोसा रखें।** — **Rest assured.** रेस्ट अश्योर्ड.
22. बहुत दिन से देखा नहीं। — Long time no see. लौंग टाइम नो सी.
23. अच्छा चलते हैं/ गुड बाइ! — Goodbye ! गुड बाइ!
24. आपको भी विदा! — Bye bye ! बाइ बाइ!
25. ज़रा-सा भी नहीं! — Not the least ! नॉट द लीस्ट!

ये लगभग सभी वाक्यांश हैं, पूर्ण वाक्य नहीं, पर इनसे पूर्ण वाक्य जैसा काम लिया जाता है।

B

आज्ञा या आदेश के वाक्य (Sentences of Command/Order)

1. रुको।	**I say stop.** स्टॉप.
2. बोलो।	**Speak.** स्पीक.
3. सुनो।	**Listen.** लिसन.
4. यहां ठहरो।	**Wait here.** वेट हिअर.
5. इधर आओ।	**Come here.** कम हिअर.
6. इधर देखो।	**Look here.** लुक हिअर.
7. यह लो।	**Take it.** टेक इट.
8. पास आओ।	**Come near.** कम निअर.
9. बाहर इंतज़ार करो।	**Wait outside.** वेट आउटसाइड.
10. ऊपर जाओ।	**Go up.** गो अप.
11. नीचे जाओ।	**Go Down.** गो डाउन.
12. उतर जाओ।	**Get off.** गेट ऑफ़.
13. तैयार हो जाओ।	**Be Ready./Get ready.** बी रेडी/गेट रेडी.
14. चुप रहो।	**Keep quiet.** कीप क्वायट.
15. सावधान रहो।	**Be careful./Be cautious.** बी केअरफ़ुल/बी कॉशस.
16. धीरे चलो।	**Go slowly./Walk slowly.** गो स्लोली/वॉक स्लोली.
17. तुरन्त जाओ।	**Go at once.** गो एट वन्स.
18. यहां रुको।	**Stop here.** स्टॉप हिअर.
19. सीधे जाओ।	**Go straight.** गो स्ट्रेट.
20. चले जाओ/निकल जाओ।	**Go away/Get out.** गो अवे/गेट आउट.

कर्त्ता न होते हुए भी ये पूर्ण वाक्य हैं, क्योंकि इनमें क्रियाएं अपने स्थान पर हैं। ये आदेश (Command) के वाक्य हैं। इनमें You (तुम) यानि कि कर्त्ता अर्थ को देखते हुए अपनी ओर से लगाना पड़ता है — अर्थात्, 'You' understood है।

याद रखें (Remember)

1. ऊपर B भाग में सभी आज्ञा या आदेश के वाक्य हैं। आप इन्हें थोड़े से प्रयत्न से प्रार्थनासूचक वाक्यों में भी बदल सकते हैं। ऊपर के सभी वाक्यों से पहले 'Please' जोड़ें। पहला वाक्य इस प्रकार बनेगा — Please stop. (ज़रा रुकिए). इसी तरह सभी वाक्य बनेंगे। इस तरह इन वाक्यों की क्रियाओं का अर्थ आदर सूचक हो जायेगा।
2. जब आप अपने अधिकारी से अवकाश मांगें या ऐसी ही कोई और प्रार्थना करें, वहां Please के स्थान पर Kindly का प्रयोग करें, जैसे — (i) कृपया मुझे एक दिन का अवकाश प्रदान करें. Kindly grant me leave for one day. (ii) कृपया मामले की जांच-पड़ताल करें Kindly look into the matter. इन दोनों वाक्यों में Please शब्द का प्रयोग उचित नहीं है, Kindly शब्द का प्रयोग किया जाना चाहिए।
3. Don't — Do not शब्द का संक्षिप्त रूप है तथा can't — can not का।
4. आदेश और प्रार्थना के वाक्य 9वें दिन में देखिए।

5 पांचवां दिन
th Day

वर्तमान काल (Present Tense)

अंग्रेज़ी भाषा में Present Tense की क्रिया को चार रूपों में बांटा गया है: **1. Ram studies.** (राम स्टडीज़.) राम पढ़ता है। **2. Ram is studying.** (राम इज़ स्टडींग) राम पढ़ रहा है। **3. Ram has studied.** (राम हैज़ स्टडीड) राम ने पढ़ लिया है। **4. Ram has been studying since morning.** (राम हैज़ बीन स्टडींग सिंस मॉर्निंग.) राम सुबह से पढ़ रहा है। यहां पहले वाक्य में क्रिया वर्तमान काल की तो है, पर समय निश्चित नहीं है। **Ram studies.** राम पढ़ता है, परन्तु यह पता नहीं कि कब से पढ़ता है ? दूसरे वाक्य में वर्तमान काल की क्रिया 'चल रही है' **Ram is studying.** यानि राम इस समय पढ़ रहा है। तीसरे भेद में — **Ram has studied** — राम ने पढ़ लिया है, अर्थात् क्रिया पूरी हो चुकी है, पर उसे अधिक समय नहीं बीता। और चौथे भेद में **Ram has been studying since morning.** — अर्थात् क्रिया एक निश्चित समय से चल रही है। इन्हें क्रमश: **Present Indefinite, Present Continuous, Present Perfect** और **Present Perfect Continuous** कहा जाता है।

A

— Does/Do —

मनीष : क्या, तुम अंग्रेज़ी पढ़ते हो? — **Manish :** *Do* you study English? डू यू स्टडी इंगलिश?

श्यामल : हां। — **Shyamal :** Yes, I *do.* येस, आइ डू.

मनीष : क्या लता तुम्हारे घर आती है? — **Manish :** *Does* Lata come to your house? डज़ लता कम टु योर हाउस?

श्यामल : हां, वह कभी-कभी आती है। — **Shyamal :** Yes, she comes sometimes. येस, शी कम्ज़ समटाइम्ज़.

मनीष : क्या दूसरे मित्र भी तुम्हारे पास आते हैं? — **Manish :** *Do* other friends also come to you? डू अदर फ्रेंन्ड्ज़ ऑल्सो कम टु यू?

श्यामल : हां, वे भी आते हैं। — **Shyamal :** Yes, they *do.* येस दे डू.

मनीष— क्यां तुम मुम्बई रहते हो ? — **Manish :** *Do* you stay in Mumbai? डू यू स्टे इन मुम्बई ?

श्यामल — नहीं, मैं कोलकाता रहता हूं। — **Shyamal :** No, I stay in Kolkata. नो, आइ स्टे इन कोलकाता.

B

— Is/Are/Am —

बाला : क्या यही पुस्तक तुम्हें चाहिए? — **Bala :** *Is* this the book you are looking for ? इज़ दिस द बुक यू आर लुकिंग फ़ॉर?

मधु : हां, यही पुस्तक मुझे चाहिए। — **Madhu :** Yes, this *is* it. येस, दिस इज़ इट.

बाला : क्या रीटा फ़िल्म देख रही है? — **Bala :** *Is* Rita watching a movie? इज़ रीटा वॉचिंग अ मूवी?

मधु : नहीं, वह वीडियो गेम खेल रही है! — **Madhu :** No, she *is* playing a Video game. नो, शी इज़ प्लेइंग अ वीडियो गेम.

बाला : क्या तुम अब बाज़ार नहीं जा रही हो? — **Bala :** *Are* you not going to market now? आर यू नॉट गोइंग टू मार्केट नाउ?

मधु : नहीं! — **Madhu :** No, I *am* not. नो आइ ऐम नॉट.

बाला : क्या तुम्हारे पिता जी सरकारी नौकरी करते हैं? — **Bala :** *Is* your father in government service? इज़ योर फ़ादर इन गवर्नमेण्ट सर्विस?

मधु : नहीं, मेरे पिताजी व्यापारी हैं। — **Madhu :** No, he *is* a businessman. नो, ही इज़ ए बिज़नेसमैन.

बाला : क्या तुम्हारा भाई किसी परीक्षा की तैयारी कर रहा है? — **Bala :** *Is* your brother preparing for some examination? इज़ योर ब्रदर प्रिपेरिंग फ़ॉर सम इग्ज़ैमिनेशन

मधु : हां, वह आई. ए. एस. परीक्षा की तैयारी कर रहा है। — **Madhu :** Yes, he *is* preparing for the I. A. S. examination. येस, ही इज़ प्रिपेरिंग फ़ॉर दि आई. ए. एस. इग्ज़ैमिनेशन.

C

— Has/Have —

मोहन : क्या तुमने राधा को कोई पत्र लिखा है? — **Mohan :** *Have* you written any letter to Radha? हैव यू रिटन एनी लेटर टु राधा?

भानु : हां! — **Bhanu :** Yes, I *have.* येस, आइ हैव.

मोहन : क्या उसने तुम्हारे पत्र का उत्तर दिया है? — **Mohan :** *Has* she replied to your letter? हैज़ शी रिप्लाइड टु योर लेटर?

भानु : नहीं। — **Bhanu :** No, She *hasn't.* नो, शी हैज़न्ट.

मोहन : क्या तुमने खाना खा लिया है? — **Mohan :** *Have* you taken your meals? हैव यू टेकन योर मील्ज़?

भानु : नहीं, मैंने सुबह का नाश्ता काफी भारी किया था। — **Bhanu :** No, I had a heavy breakfast in the morning. नो, आइ हैड ए हैवी ब्रेकफ़ास्ट इन द मॉर्निंग.

मोहन : क्या, तुम उसके घर गये थे? — **Mohan :** Did you go to his place? डिड यू गो टू हिज़ प्लेस?

भानु : नहीं, अभी मुझको जाना है। — **Bhanu :** No, I *have* yet to go. नो, आइ हैव येट टु गो.

D

— Has been/Have been —

श्याम : तुम सुबह से क्या कर रहे हो? — **Shayam :** What have you been doing since morning? वॉट हैव यू बीन डूइंग सिंस मॉर्निंग?

गोपाल : यह किताब पढ़ रहा हूं। — **Gopal :** *I have been* reading this book. आइ हैव बीन रीडिंग दिस बुक.

श्याम : क्या कल से यहां भी बरसात हो रही है? — **Shyam :** Has it been raining here also since yesterday? हैज़ इट बीन रेनिंग हिअर ऑल्सो सिंस येस्टरडे?

गोपाल : हां, हो तो रही है, पर रुक-रुक कर। — **Gopal :** Yes, it *has been,* but not continuously. येस, इट हैज़ बीन, बट नॉट कन्टिनुअसलि.

श्याम : क्या पानी काफी देर से उबल रहा है? — **Shyam :** *Has* the water been boiling for long? हैज़ द वॉटर बीन बॉयलिंग फ़ॉर लौंग.

गोपाल : नहीं, अभी थोड़ी देर से ही उबल रहा है। — **Gopal :** No, it *has been* boiling only for a little time. नो, इट हैज़ बीन बॉयलिंग ओन्ली फ़ॉर अ लिटिल टाइम.

हम इस घर में दस वर्षों से रह रहे हैं। | We *have been* living in this house for ten years.
वी हैव बीन लिविंग इन दिस हाउस फॉर टेन ईयर्ज़.

वह पिछली जनवरी से एक नये प्रोजेक्ट पर काम कर रहा है। | He *has been* working on a new project since January.
ही हैज़ बीन वर्किंग ऑन अ न्यू प्रोजेक्ट सिन्स जैनुअरी.

याद रखें (Remember)

इन वाक्यों को ध्यान से देखिए:

1. You are writing a letter (यू आर राइटिंग अ लेटर). तुम पत्र लिख रहे हो।
2. You have written a letter (यू हैव रिटन अ लेटर). तुम पत्र लिख चुके हो।

ये दोनों सकारात्मक (Affirmative) वाक्य हैं, इनको नकारात्मक (Negative) तथा प्रश्नात्मक (Interrogative) वाक्यों में इस प्रकार बदला जा सकता है:

नकारात्मक (Negative)

1. You are **not** writing a letter.
2. You have **not** written a letter.

प्रश्नात्मक (Interrogative)

1. **Are** you writing a letter?
2. **Have** you written a letter?

आपने देखा कि सकारात्मक वाक्यों को नकारात्मक वाक्य बनाने के लिए सहायक क्रिया are, have के बाद not जोड़ना पड़ता है। इसी तरह प्रश्नात्मक वाक्यों में सहायक क्रियाएं, are, have वाक्य के शुरू में आ गई हैं। इससे हमने सीखा कि Present Continuous Tense तथा Present Perfect Tense में सकारात्मक से नकारात्मक तथा प्रश्नात्मक वाक्य आसानी से बनाये जा सकते हैं।

अब Present Indefinite Tense के उदाहरण लीजिए:

1. You write a letter (यू राइट अ लेटर). तुम पत्र लिखते हो।
2. I read English (आइ रीड इंगलिश). मैं अंग्रेज़ी पढ़ता हूं।

अब इनके नकारात्मक तथा प्रश्नात्मक वाक्य देखिए:

नकारात्मक (Negative)

1. You **do not** write a letter.
2. I **do not** read English.

प्रश्नात्मक (Interrogative)

1. **Do** you write a letter?
2. **Do** I read English?

इस Tense में Do या Does जोड़ा जाता है, तभी नकारात्मक या प्रश्नात्मक वाक्य बनते हैं। Do का प्रयोग बहुवचन कर्ता के साथ और Does का प्रयोग एकवचन कर्ता के साथ होता है, पर I तथा You दोनों के साथ Do का ही प्रयोग होता है Does का कभी भी नहीं।

6 छठा दिन th Day

भूतकाल (Past Tense)

अंग्रेज़ी भाषा में भूतकाल की क्रिया को भी (वर्तमान की तरह) मुख्य चार भेदों में बांटा गया है: **1. Ram studied.** (राम स्टडीड). **2. Ram was studying.** (राम वॉज़ स्टडींग). **3. Ram had studied.** (राम हैड स्टडीड). **4. Ram had been studying since morning.** (राम हैड बीन स्टडींग सिंस मॉर्निंग), अर्थात् क्रमशः राम पढ़ा, राम पढ़ रहा था, राम ने पढ़ लिया था तथा राम सुबह से पढ़ रहा था। **Ram Studied** — राम पढ़ा, इससे पता चलता है कि क्रिया बीते समय में पूरी हो गई, पर यह पता नहीं लगता कि कब हुई **(Past Indefinite)**; **Ram was studying** — राम पढ़ रहा था, इससे ज्ञात होता है कि क्रिया ज़ारी थी, खत्म नहीं हुई थी **(Past Continuous)**; **Ram had studied** — राम ने पढ़ लिया था अर्थात् क्रिया बहुत पहले पूरी हो गई थी **(Past Perfect)**; **Ram had been studying since morning** — राम सुबह से पढ़ रहा था अर्थात् क्रिया एक निश्चित समय से चल रही थी **(Past Perfect Continuous)**।

E

— Did —

अध्यापिका : क्या तुम कल जल्दी उठीं?

Teacher : *Did* you get up early yesterday?
डिड यू गेट अप अर्ली येस्टर्डे?

उमा : जी मैडम।

Uma : Yes, madam, I *did.* येस मैडम, आइ डिड.

अध्यापिका : क्या तुमने डबल रोटी और मक्खन खाया?

Teacher : *Did* you have bread and butter?
डिड यू हैव ब्रेड ऐंड बटर?

उमा : जी हां मैडम। खाया।

Uma : Yes madam, I *did.* येस मैडम, आइ डिड.

अध्यापिका : क्या रजनी तुम्हारे पास दोपहर को आयी थी?

Teacher : *Did* Rajni come to you at noon?
डिड रजनी कम टु यू ऐट नून?

उमा : नहीं।

Uma : No, she *didn't.* नो, शी डिडन्ट.

अध्यापिका : क्या तुमने रात को यह निबन्ध लिखा?

Teacher : *Did* you write this essay at night?
डिड यू राइट दिस एसे ऐट नाइट?

उमा : मैंने नहीं, मेरे भाई ने लिखा।

Uma : No, I *didn't,* my brother did. नो आइ डिडन्ट, माइ ब्रदर डिड.

अध्यापिका : क्या तुमने स्कूल आने से पहले अपना बिस्तर ठीक किया?

Teacher : *Did* you make your bed before coming to school?
डिड यू मेक योर बेड बिफ़ोर कामिंग टु स्कूल?

उमा : जी मैडम मैंने किया?

Uma : Yes madam, I *did.* येस मैडम, आइ डिड.

अध्यापिका : क्या तुमने कल अपना पाठ याद किया?

Teacher : *Did* you learn your lesson yesterday?
डिड यू लर्न योर लेसन यस्टर्डे?

उमा : नहीं, मैंने नहीं किया।

Uma : No, I *didn't.* नो आइ डिडन्ट.

F

— Was/Were —

अध्यापक : क्या कल तुम बाज़ार गए थे?

Teacher : *Were* you out shopping yesterday?
वर यू आउट शॉपिंग येस्टरडे?

रमेश : जी सर! मैं मार्केट गया था।

Ramesh : Yes sir, I *was.* येस सर, आइ वॉज़.

अध्यापक : क्या तुम चलते-चलते पुस्तक नहीं पढ़ रहे थे?

Teacher : *Were* you not reading a book while walking?
वर यू नॉट रीडिंग ए बुक व्राइल वॉकिंग?

रमेश : जी, पढ़ रहा था।

Ramesh : Yes Sir, I *was.* येस सर, आइ वॉज़.

अध्यापक : क्या रमा भी चलते-चलते पढ़ रही थी?

Teacher : *Was* Rama also reading while walking?
वॉज़ रमा ऑल्सो रीडिंग वाइल वॉकिंग?

रमेश : नहीं, वह केवल सुन रही थी।

Ramesh : No, she *was* just listening. नो, शी व्रॉज़ जस्ट लिसनिंग.

अध्यापक : क्या तुम्हारे घर में तुम्हारी बुआ गा रही थी?

Teacher : *Was* your aunt singing at your house?
वॉज़ योर आन्ट सिंगिंग ऐट योर हाउस?

रमेश : नहीं, मेरी बहिन गा रही थी।

Ramesh : No, it *was* my sister. नो इट वॉज़ माइ सिस्टर.

राधा : क्या तुम अखबार पढ़ रही थीं?

Radha : *Were* you reading the newspaper? वर यू रीडिंग द न्यूज़ पेपर?

सुधा : हां, पढ़ रही थी।

Sudha : Yes, I *was.* येस आइ वॉज़.

G

— Had —

कमल : क्या तुम सिनेमा नहीं गए थे?

Kamal : *Had* you not gone to the Cinema? हैड यू नॉट गॉन टु द सिनेमा?

विमल : नहीं।

Vimal : No I *had* not. नो, आइ हैड नॉट.

रमा : क्या वह दुकान बंद कर चुका था?

Rama : *Had* he closed the shop? हैड ही क्लोज़्ड द शॉप?

राधा : हां, कर चुका था।

Radha : Yes, he *had.* येस, ही हैड.

राम : क्या वह आपको कल तक नहीं मिला था?

Ram : *Had* he not met you till yesterday?
हैड ही नॉट मेट यू टिल येस्टरडे?

श्याम : नहीं, वह कल तक मुझे नहीं मिला था।

Shyam : No, he *hadn't.* नो, ही हैडन्ट.

रमन : क्या तुम कल खेलने नहीं गए थे?

Raman : *Had* you not gone to play yesterday?
हैड यू नॉट गॉन टु प्ले येस्टरडे?

सुधीर : नहीं, मैं नहीं गया था।

Sudhir : No, I *had* not. नो, आइ हैड नॉट.

सचिन : क्या तुम रोहित से पहले कहीं मिल चुके थे?

Sachin : *Had* you met Rohit anywhere before.
हैड यू मेट रोहित एनीवेअर बिफ़ोर?

अनुज़ : हां मैं उसे दो साल पहले शिमला में मिला था।

Anuj : Yes, I *had* met him in Shimla two years ago.
येस आइ हैड मेट हिम इन शिमला टू ईयर्ज़ अगो.

नीरज : क्या तुम्हारे स्टेशन पहुंचने से पहले गाड़ी जा चुकी थी?

Neeraj : *Had* the train left before you reached the station?
हैड द ट्रेन लेफ़्ट बिफ़ोर यू रीच्ड द स्टेशन?

सौरभ : हां जा चुकी थी।

Saurabh : Yes, it *had.* येस इट हैड.

सीमा : क्या तुम्हारी मां तुम्हारे घर पहुंचने से पहले बाज़ार जा चुकी थीं?

Seema : *Had* your mother gone to market before you reached home? हैड योर मदर गॉन टु मार्किट बिफ़ोर यू रीच्ड होम?

मीरा : नहीं, वे नहीं जा चुकी थीं।

Meera : No, she *hadn't.* नो शी हैडन्ट.

H

— Had been —

नरेश : क्या तुम कल पिछले दो घंटे से पढ़ रहे थे?

Naresh : *Had* you been studying for the last two hours yesterday? हैड यू बीन स्टडींग फ़ॉर द लास्ट टू आवर्ज़ येस्टरडे?

रमेश : हां, क्योंकि मैं अपना काम खत्म करके पिक्चर देखने की योजना बना रहा था।

Ramesh : Yes, because I *had been* planning to see a film after finishing my work. येस, बिकॉज़ आइ हैड बीन प्लैनिंग टु सी अ फ़िल्म आफ़्टर फ़िनिशिंग माइ वर्क.

नरेश : पर तुम्हारे साथ राम भी क्यों पढ़ रहा था?

Naresh : But, Why *had* Ram also been studying with you? बट, वाइ हैड राम ऑल्सो बीन स्टडींग विद यू?

रमेश : क्योंकि वह भी मेरे साथ पिक्चर के लिए जाने की जिद कर रहा था।

Ramesh : Because, he *had* also *been* insisting on going with me for the film. बिकॉज़, ही हैड ऑल्सो बीन इंसिस्टिंग ऑन गोइंग विद मी फ़ॉर द फ़िल्म.

नरेश : पर तुम्हारी माताजी तो कह रहीं थीं कि तुम कुछ दोस्तों के साथ घूमने का प्रोग्राम बना रहे थे।

Naresh : But, your mother was saying that you *had been* planning to go out with some friends. बट, योर मदर वॉज सेइंग दैट यू हैड बीन प्लैनिंग टु गो आउट विद सम फ्रेंड्ज.

रमेश : हां, पहले हम ऐसा ही कुछ सोच रहे थे, पर बाद में प्रोग्राम बदल गया।

Ramesh : Yes, previously we *had been* planning something of the sort, but later we changed our programme. येस, प्रीवियसली वी हैड बीन प्लैनिंग समथिंग ऑफ़ द सोर्ट, बट लेटर वी चेंज्ड आवर प्रोग्राम.

याद रखें (Remember)

अब हम Past Tense के सकारात्मक (Affirmative) वाक्यों से नकारात्मक (Negative) तथा प्रश्नात्मक (Interrogative) वाक्य बनाते हैं। नियम वही है कि Past Indefinite Tense में did सहायक क्रिया बढ़ाई जाती है। Past Continuous Tense में was, were तथा Past Perfect Tense में had के बाद निषेधात्मक वाक्यों में not बढ़ जाता है। इसी प्रकार प्रश्नात्मक वाक्यों में यही संहायक क्रियाएं did, was, were तथा had वाक्यों में सबसे पहले प्रयोग में आती हैं।

Affir: I ate bread and butter. (आइ एट ब्रेड ऐंड बटर). मैंने डबलरोटी और मक्खन खाया।
Neg: I did not eat bread and butter. **Int:** Did I eat bread and butter?
Affir: You were reading a book.(यू वर रीडिंग अ बुक). तुम पुस्तक पढ़ रहे थे।
Neg: You were not reading a book. **Int:** Were you reading a book?
Affir: You had read a book. (यू हैड रेड अ बुक). तुमने पुस्तक पढ़ ली थी।
Neg: You had not read a book. **Int:** Had you read a book?

7 सातवां दिन
7th Day

भविष्यत् काल (Future Tense)

भविष्यत् काल की क्रिया को भी, अंग्रेज़ी में मुख्य चार भेदों में बांटा गया है: **1. Ram will study.** (राम विल स्टडी) **2. Ram will be studying.** (राम विल बी स्टडींग) **3. Ram will have studied.** (राम विल हैव स्टडीड) **4. Ram will have been studying since morning.** (राम विल हैव बीन स्टडींग सिंस मॉर्निंग) वर्तमान काल, भूतकाल और भविष्यत्काल की तरह इन्हें क्रमश: **Future Indefinite, Future Continuous, Future Perfect** और **Future Perfect Continuous** कहा जाता है।

I

—Will/Shall—

गोविन्द : क्या तुम खेलोगे?	**Govind :** *Will* you play? विल यू प्ले?
राम : नहीं, खेलूंगा।	**Ram :** No, I *Won't.* नो, आइ वोन्ट.
गोविन्द : क्या तुम कल आओगे?	**Govind :** *Will* you come tomorrow? विल यू कम टुमॉरो?
राम : हां, आऊंगा।	**Ram :** Yes, *I will*. येस, आइ विल.
गोविन्द : क्या तुम रात को यहां ठहरोगे?	**Govind :** *Will* you stay here tonight? विल यू स्टे हिअर टुनाइट?
राम : नहीं, मैं लौट जाऊंगा।	**Ram :** No, *I'll* go back. नो, आइल गो बैक.
गोविन्द : क्या तुम शुक्रवार को राजा से मिलोगे।	**Govind :** *Will* you see Raja on Friday? विल यू सी राजा ऑन फ्राइडे?
राम : नहीं, मैं घर पर तुम्हारी प्रतीक्षा करूंगा।	**Ram :** No, *I'll* Wait for you at home. नो, आइल वेट फ़ॉर यू ऐट होम.

J

— Will be/Shall be —

अमिताभ : क्या कल तुम इस समय गाड़ी में यात्रा कर रहे होगे?	**Amitabh :** *Will you be* in the train at this time tomorrow? विल यू बी इन द ट्रेन ऐट दिस टाइम टुमॉरो?
राकेश : हां, मैं कल इस समय कानपुर पहुंच रहा होऊंगा।	**Rakesh :** Yes, *I'll be* about to reach Kanpur at this time tomorrow. येस, आइल बी अबाउट टु रीच कानपुर ऐट दिस टाइम टुमॉरो.
अमिताभ : क्या हम कल इस समय मैच नहीं खेल रहे होंगे?	**Amitabh :** *Shall* we not be playing a match at this time tomorrow? शैल वी नॉट बी प्लेइंग अ मैच ऐट दिस टाइम टुमॉरो?
राकेश : हां।	**Rakesh :** Yes, *we will be*. येस, वी विल बी.
अमिताभ : क्या हम शिमला बार-बार आते रहेंगे?	**Amitabh :** *Shall* we *be* coming to Simla again and again? शैल वी बी कमिंग टु शिमला अगेन ऐंड अगेन?
राकेश : नहीं।	**Rakesh :** No, we *Won't be*. नो, वी वोन्ट बी.

K

— Will have/Shall have —

मीनाक्षी : क्या वह जा चुकी होगी?	**Meenakshi :** *Will* she *have* gone? विल शी हैव गॉन?
रजनी : नहीं।	**Rajni :** No, she *won't* have. नो, शी वोन्ट हैव.
मीनाक्षी : क्या तुम अगले मास तक कालका से आ चुकी होओगी।	**Meenakshi :** *Will* you have come back from Kalka by next month? विल यू हैव कम बैक फ़्रॉम कालका बाइ नेक्स्ट मन्थ?
रजनी : हां, मैं तब तक वहां से आ चुकी होऊंगी।	**Rajni :** Yes, *I'll have* come back by then. येस, आइल हैव कम बैक बाइ देन.
मीनाक्षी : क्या कल इस समय तक तुम परीक्षा दे चुकी होगी?	**Meenakshi :** *Will* you *have* taken your test by this time tomorrow? विल यू हैव टेकन योर टेस्ट बाइ दिस टाइम टुमॉरो.
रजनी : हां, मैं अपने जीवन का एक महत्त्वपूर्ण अध्याय समाप्त कर चुकी होऊंगी।	**Rajni :** Yes, I *will have* finished an important chapter of my life. येस, आइ विल हैव फ़िनिश्ड एन इम्पॉर्टेन्ट चैप्टर ऑफ़ माइ लाइफ़.
मीनाक्षी : क्या तेरा भाई कनाडा से आ चुका होगा?	**Meenakshi :** *Will* your brother *have* returned from Canada? विल योर ब्रदर हैव रिटर्न्ड फ़्रॉम कैनेडा?
रजनी : नहीं, वे कनाडा से नहीं आ चुके होंगे।	**Rajni :** No, he *won't have.* नो, ही वोन्ट हैव.

L

—Will have been/Shall have been—

प्रभात : क्या कल तुम इस समय सो रहे होगे?	**Prabhat :** *Will* you *have been* sleeping at this time tomorrow? विल यू हैव बीन स्लीपिंग ऐट दिस टाइम टुमॉरो?
सुधीर : नहीं, शायद मैं इस समय पढ़ रहा होऊंगा।	**Sudhir :** No, probably I *shall have been* studying at this time. नो, प्रोबैब्ली आइ शैल हैव बीन स्टडींग ऐट दिस टाइम.
प्रभात : और, तुम्हारा भाई राजीव क्या कर रहा होगा?	**Prabhat :** And, What *will* your brother, Rajiv *have been* doing? ऐंड, वॉट विल योर ब्रदर, राजीव हैव बीन डूइंग?
सुधीर : वह शिमला जाने की तैयारी कर रहा होगा।	**Sudhir :** He *will have been* preparing to leave for Simla. ही विल हैव बीन प्रिपेरिंग टु लीव फ़ॉर शिमला.

याद रखें (Remember)

इन वाक्यों पर ध्यान दीजिए (A) I shall not play. आइ शैल नॉट प्ले. (B) He will not play. ही विल नॉट प्ले. पहले वाक्य में 'I' के साथ shall आया है और दूसरे वाक्य में 'He' के साथ will आया है। ये साधारण भविष्यत् काल की क्रिया को सूचित करते हैं। नियम यह है कि साधारणतया अन्य पुरुष He, She, They, It, Ram आदि और मध्यम पुरुष you के साथ will का प्रयोग किया जाता है, और उत्तम पुरुष I, We के साथ Shall का, लेकिन यदि I, We के साथ will का तथा He, She, It, They, You आदि के साथ shall का प्रयोग होता है, तो वहां उसका अर्थ निकलता है कि बात को अधिक ज़ोर देकर कहा जा रहा है, जैसे: (1) I will not play tomorrow. (2) You shall not return. इन वाक्यों का अर्थ इस प्रकार है: 1. मैंने कल न खेलने का निश्चय किया है अथवा में कल बिलकुल नहीं खेलूंगा। 2. तुम लौटोगे कतई नहीं।

8 आठवां दिन
8th Day

कुछ महत्वपूर्ण सहायक क्रियाएं (Some Important Helping Verbs)
Can, Could, May, Might, Must/Ought (to), Should/Would

अब तक आपने तीनों कालों (Tenses) की क्रियाओं का अभ्यास किया है। वहां भी आपने सहायक क्रियाओं (Special Verbs अर्थात् helping Verbs) का सहारा लिया था। चलिए, अब कुछ और सहायक क्रियाओं का अभ्यास करें। Can (कैन) और May (में) ये सहायक क्रियाएं हैं, दोनों का अर्थ है — 'सकना'। पर इस 'सकना' के अर्थों में भेद है, जिसे आप नीचे दिये गये वाक्यों में स्वयं समझ सकेंगे। 'Could' Can का भूतकाल है। 'Might have' may का भूतकाल है। Could और would से वाक्य शुरू करने पर request या आग्रह का भाव आता है।

— Can —

रजनी : क्या तुम सितार बजा सकती हो? — **Rajni :** *Can* you play sitar? कैन यू प्ले सितार?

शशि : हां, मैं बांसुरी भी बजा सकती हूं। — **Shashi :** yes, I *can* play the flute as well. येस आइ कैन प्ले द फ़्लूट ऐज़ वैल.

रजनी : क्या तुम मेरी पुस्तकें लौटा सकती हो? — **Rajni :** *Can* you return my books? कैन यू रिटर्न माइ बुक्स?

शशि : नहीं, मैं वे अभी नहीं लौटा सकती। — **Shashi :** No, I *can't* return them yet. नो आइ कान्ट रिटर्न देम येट.

रजनी : क्या तुम संस्कृत पढ़ सकती हो? — **Rajni :** Can you read Sanskrit? कैन यू रीड संस्कृत?

शशि : हां। — **Shashi :** yes, I *can.* येस, आइ कैन.

— May —

छात्र : क्या मैं अन्दर आ सकता हूं। — **Student :** *May* I come in Sir? मे आइ कम इन सर?

अध्यापक : हां, आओ। — **Teacher :** Yes, you *may.* येस, यू मे.

छात्र : क्या मैं बाल सभा में सम्मिलित हो सकता हूं? — **Student :** *May* I attend Bal Sabha, Sir? मे आइ अटेण्ड बाल सभा, सर?

अध्यापक : हां, बड़ी खुशी से। — **Teacher :** Yes, with great pleasure/of course. येस, विद ग्रेट प्लेज़र/ऑफ़ कोर्स.

छात्र : क्या मैं सुरेश के साथ जा सकता हूं, सर? — **Student :** Sir, *may* I accompany Suresh? सर, मे आइ अकम्पनी सुरेश?

अध्यापक : नहीं। तुम पहले अपना काम पूरा करो। — **Teacher :** No. You better finish your work first. नो. यू बेटर फ़िनिश योर वर्क फ़र्स्ट.

— Could —

राजू : क्या तुम यह काम अकेले कर सके? — **Raju :** *Could* you do this work alone? कुड यू डू दिस वर्क अलोन?

सुरेश : नहीं, मैं इसे अकेला नहीं कर सका। — **Suresh :** No, I *couldn't.* नो, आइ कुडन्ट.

राजू : क्या वह समय पर तुम्हारी मद्दद कर सकी? — **Raju :** *Could* she help you in time? कुड शी हेल्प यू इन टाइम?

सुरेश : हां, कर सकी। — **Suresh :** Yes, she *could.* येस, शी कुड.

राजू : क्या तुम मेरे लिए पानी ला सकते हो?

Raju : *Could* you bring me a glass of water? कुड यू ब्रिंग मी अ ग्लास ऑफ़ वॉटर?

सुरेश : खुशी से।

Suresh : With *pleasure.* विद प्लेज़र.

— Might/Must/Ought (to)/Would/should —

शायद सोहन ने उसकी मदद की।

Sohan *might* have helped him. सोहन माइट हैव हेल्प्ड हिम.

शायद वह यहां आया होगा।

He *might* have come here. ही माइट हैव कम हिअर.

मुझे उसके विवाह पर अवश्य जाना चाहिए।

I *must* attend his marriage. आइ मस्ट अटेण्ड हिज़ मैरिज.

मुझे दस बजे तक घर अवश्य पहुंच जाना चाहिए।

I *must* reach home by 10 O'clock. आइ मस्ट रीच होम बाइ टेन ओ' क्लॉक.

हमें अपने से छोटों से प्यार करना चाहिए।

We *ought* to love our youngers. वी ऑट टू लव आवर यंगर्ज़.

ज़रा यह चिट्ठी पोस्ट कर देंगे?

Would you post this letter please? वुड यू पोस्ट दिस लेटर प्लीज़?

तुम्हें कक्षा में अधिक नियमित रूप से जाना चाहिए।

You *should* attend the class more regularly. यू शुड अटेण्ड द क्लास मोर रेगुलरली.

याद रखें (Remember)

1. (a) Can I walk? (a) May I walk?
   (b) Can you do this job? (b) May I do this job?
   (c) Can you sing a song? (c) May I sing a song?

   ऊपर दिये गये Can वाले वाक्यों में शक्ति, समर्थता आदि भावों का बोध होता है, और May वाले वाक्यों से अनुमति, आज्ञा मांगने अथवा इच्छा आदि भाव प्रकट होते हैं। Can I walk? का अर्थ है कि क्या मुझमें चलने-फिरने की शक्ति है? इसी तरह May I walk? का मतलब इजाज़त मांगने से है — क्या मैं सैर कर लूं?

   वैसे तो लोग कहीं-कहीं May के अर्थ में Can का प्रयोग करते हैं। यह बोलचाल में तो चलता है, पर उचित नहीं है।

2. जैसा कि पहले भी बताया गया है, could और might शब्द can और may के भूतकाल के रूप हैं, इसी तरह ought और should का प्रयोग कर्तव्य भाव (करना चाहिए) को प्रकट करने के लिए किया जाता है। इन शब्दों के अर्थ को, वाक्यों में इनका प्रयोग करके अच्छी तरह समझ लेना चाहिए।

9 नवां दिन
th Day

आज्ञा और प्रार्थना के वाक्य (Sentences of Order and Request)

नीचे आज्ञा तथा प्रार्थना के कुछ वाक्य दिये गये हैं। ये विध्यर्थक वाक्य अर्थात् imperative mood के वाक्य कहलाते हैं। उक्त 'मूड' (Mood) में कोई 'टेन्स' (Tense) नहीं लगाना पड़ता। प्रायः क्रिया (Verb) के मूल रूप के साथ ही वाक्य रचना हो जाती है। इनका अभ्यास सरलता से किया जा सकता है।

विध्यर्थक क्रियाएं (Imperative Mood)

A

1. सामने देखो। — Look ahead. लुक अहेड.
2. आगे बढ़ो। — Go ahead. गो अहेड.
3. गाड़ी धीरे चलाओ। — Drive slowly. ड्राइव स्लोली.
4. अपना काम करो। — Mind your own business. माइंड योर ओन बिजनेस.
5. वापस जाओ। — Go back. गो बैक.
6. उसका ख़याल रखना। — Take care of him/her. टेक केअर ऑफ़ हिम/हर.
7. सुनिए तो। — Just listen. जस्ट लिसन.
8. जल्दी आना। — Come soon. कम सून.
9. मुझे देखने दो। — Let me see. लेट मी सी.
10. तैयार रहना — Be ready. बी रेडी.
11. एक तरफ़ हो जाओ। — Move aside. मूव असाइड.
12. सोच-समझ कर बोलो। — Think before you speak. थिंक बिफ़ोर यू स्पीक.
13. अवश्य आना। — Do come. डू कम.

B

14. उसकी खबर देना। — Inform me about her/him. इन्फ़ार्म मी अबाउट हर/हिम.
15. मज़ाक मत करो। — Don't cut jokes. डोन्ट कट जोक्स.
16. बकवास मत करो। — Don't talk nonsense. डोन्ट टॉक नॉन्सेन्स.
17. **कुछ परवाह न करो।** — **Never mind.** नेवर माइण्ड.
18. **मुझे अकेला छोड़ दो।** — **Leave me alone.** लीव मी अलोन.
19. **जाने दो।** — **Let it be.** लेट इट बी.
20. कुछ तो ख़याल करो। — Have a heart हेव अ हार्ट.
21. ज़रा रुको/रुकिए। — **Hold on.** होल्ड ऑन.

22. कभी मत भूलो। Never forget. नेवर फ़ोरगेट.

23. **फिक्र मत करो।** **Don't worry.** डोन्ट वरी.

C

25. ज़रा फिर कोशिश करो। Please try again. प्लीज़ ट्राइ अगेन.

26. ज़रा ठहरिए। Please wait a bit. प्लीज़ वेट अ बिट.

27. **आइए।** **Please come in.** प्लीज कम इन.

28. **बैठिए।** **Please be seated.** प्लीज़ बी सीटिड.

29. उत्तर दीजिए। Please reply. प्लीज़ रिप्लाइ.

30. ज़रा और ठहरिए। Please stay a little longer. प्लीज़ स्टे ए लिटिल लौंगर.

31. **मुझे शर्मिंदा मत कीजिए।** **Please don't embarrass me.** प्लीज़ डोन्ट इमबैरस मी.

32. जैसी आपकी मर्जी। As you like/As you please. ऐज़ यू लाइक / ऐज़ यू प्लीज़.

33. **फिर ज़रूर आइएगा।** **Do come again.** डू कम अगेन.

D

34. असली बात पर आओ, इधर-उधर की बातें छोड़ो। Come to the point, don't beat about the bush./Stop rambling and come to the point. कम टु द पॉइंट, डोन्ट बीट अबाउट द बुश./स्टॉप रैम्बलिंग एंड कम टु द पॉइंट.

35. **पागल मत बनो।** **Don't be silly.** डोन्ट बी सिली.

36. यह खुंराक लो। Take this dose. टेक दिस डोस.

37. मेरे पीछे आओ। Follow me/Come with me. फ़ॉलो मी./कम विद मी.

38. काम के समय काम करो, खेल के समय खेलो। Work while you work, and play while you play. वर्क वाइल यू वर्क, ऐंड प्ले वाइल यू प्ले.

39. उचित समय पर प्रयास करो। Strike the iron when it is hot. स्ट्राइक द आयरन वेन इट इज़ हॉट

40. जगह खाली करो। Vacate the place. वैकेट द प्लेस.

41. ख़याल मत करो। Never Mind. नेवर माइंड.

42. ज़ुबान पर काबू रखो। Hold your tongue/Mind your words. होल्ड योर टंग/माइंड योर वर्ड्स.

43. **इसे फ़ैक्स कर दो।** **Fax it.** फ़ैक्स इट.

E

44. सम्पर्क बनाये रखियेगा। Please keep in touch. प्लीज़ कीप इन टच.

45. अपने आप पर भरोसा रखो। Have faith in yourself. हैव फ़ेथ इन योरसेल्फ़.

46. अपने काम से काम रखो। Mind your own business. माइंड योर ओन बिज़नेस.

47. अपने मन की बात कहो। Speak your mind. स्पीक योर माइंड.

48. तकल्लुफ़ की ज़रूरत नहीं है। Please don't be formal. प्लीज़ डोन्ट बी फॉर्मल.

49. यह पैकिट कूरिअर से भेज दो। Send this packet by courier. सेंड दिस पैकिट बाइ कूरिअर.

50. दिल खोल कर दान दें। Donate generously. डोनेट जेनरसली.

51. कृपया मेरी सहायता करें। — Please help me. प्लीज़ हेल्प मी.

52. सावधानी से काम लो। — Be careful. बी केअरफ़ुल.

53. ज़रा हाथ लगाना। — Lend me a hand please. लेंड मी अ हेंड प्लीज़.

54. समझने की कोशिश करो। — Try to understand. ट्राइ टु अंडरस्टैंड.

याद रखें (Remember)

1. आपने देखा कि is, are, am, was, were, has, had, will, would, shall, should, can, could, may, do, did, might आदि यदि वाक्य के आरम्भ में आएं, तो प्रश्नवाचक वाक्य बनते हैं और बीच में (Subject के बाद) आएं, तो साधारण वाक्य, जैसे कि:

A	B
(1) Am I a fool?	I am not a fool.
(2) Were those your books?	Those were your books.
(3) Can I walk for a while?	You can walk for a while.
(4) May I come in?	You may come in.

2. Do और Did का प्रयोग नकारात्मक और प्रश्नात्मक वाक्य बनाने के लिए आवश्यक है। नीचे दिये वाक्यों को ध्यान से पढ़ें:

(1) मैं प्रातः जल्दी उठता हूं। — I get up early in the morning.

(2) मैं प्रातः जल्दी उठा। — I got up early in the morning.

अब इनके नकारात्मक वाक्य बनाइए:

(3) मैं प्रातः जल्दी नहीं उठता हूं। — I do not get up early in the morning.

(4) मैं प्रातः जल्दी नहीं उठा। — I did not get up early in the morning.

आपने देखा कि नकारात्मक वाक्य बनाने के लिए क्रमशः do not और did not जोड़ना पड़ा। प्रश्नवाचक वाक्य बनाने के लिए यही do और did सबसे पहले लगता है। जैसे:

(5) क्या मैं जल्दी उठता हूं? — Do I get up early in the morning?

(6) क्या मैं जल्दी उठा? — Did I get up early in the morning?

10 दसवां दिन
th Day

आप बिना रुके, बिना झिझके, साफ और सही अंग्रेज़ी बोलना चाहते हैं। *रैपिडैक्स कोर्स* का भी यही लक्ष्य है। इसके लिए हम कुछ सुझाव नीचे दे रहे हैं। उन्हें मान कर आप ज़ल्दी और अधिक आसानी से अंग्रेज़ी भाषा सीख सकते हैं तथा बातचीत में कुशलता और आत्मविश्वास पा सकते हैं।

1. बातचीत के लिए एक साथी बनाइये। ध्यान से रैपिडैक्स में दिये वाक्यों को पढ़िए। इस्तेमाल करने के निर्देशों का भी ध्यान रखिए। अब साथी के साथ इन वाक्यों को बोलने का अभ्यास कीजिए। बातचीत प्रश्न-उत्तर के रूप में की जा सकती है। ग़लतियां होंगीं, पर निराश न हों। एक-दूसरे की ग़लती बता कर उसे सुधारने की कोशिश करें। धीरे-धीरे ग़लतियां कम होती जायेंगी और बातचीत की भाषा सुधरती जायेगी।
2. शीशे के सामने बैठ कर वाक्यों को बोलिए- सही भाव तथा उच्चारण के साथ बार-बार बोलिए। अभ्यास के साथ आपकी भाषा, आपका उच्चारण सुधरेगा और आपका विश्वास बढ़ेगा।

दसवें दिन के इस भाग में कुछ टेस्ट व कुछ Exercises दी गई हैं। उन्हें करने से आपका भाषा का ज्ञान बढ़ेगा और आप खुद ही जांच व परख सकेंगे कि आपने कितना सीखा है और कहां सुधार की ज़रूरत है।

अभ्यास तालिकाएं (Drill Tables)

तालिका [Table]—1

1	2	3
He She	is	ready.
I	am	hungry. thirsty.
They You We	are	tired.

तालिका [Table]—2

1	2	3
He She I	was	rich. poor.
They you We	were	pleased. sorry.

(i) तालिका 1 और 2 से 24-24 वाक्य बोलिए। फिर बोलकर किसी दूसरे को उनके अर्थ बताइए।

(ii) ऊपर की दोनों तालिकाओं के अड़तालीस वाक्य सकारात्मक (Affirmative) हैं। इनके नकारात्मक (Negative) वाक्य बनाने के लिए आप क्या करेंगे? ठीक है, is, am, are, was, were क्रियाओं के बाद not जोड़ेंगे। उदाहरण के रूप में — She is not ready. इसी प्रकार आप दोनों तालिकाओं से नकारात्मक वाक्य बनाएं।

(iii) तालिका-2 के सकारात्मक (Affirmative) वाक्यों के प्रश्नात्मक (interrogative) वाक्य बनाइए।

तालिका [Table]—3

1	2	3
The boy His friends	did not can may must not ought to should will can not	use this train. do as I say. go for hunting. enter the cave.

ऊपर दी हुई तालिका-3 में 64 वाक्य दिगे गगे हैं। अपने मित्र को तालिका में से पढ़कर सुनाइए।

तालिका [Table]—4

1		2
(i)	Be	day after tomorrow?
(ii)	Go	Sanskrit?
(iii)	Have you written	Ramesh, sir?
(iv)	Did you wake up	this problem?
(v)	Will you come	at once.
(vi)	Can you read	to Radha?
(vii)	May I accompany	early yesterday?
(viii)	Could Rama solve	your own business.
(ix)	Mind	ready.
(x)	Don't	befool me.

तालिका-4 में 1 और 2 कॉलमों में तोड़कर दस वाक्य दिये गये हैं। ये वाक्य आपके पिछले पाठों में से लिये गये हैं। इन्हें इस प्रकार जोड़ें कि ये सभी सार्थक वाक्य बन जाएं। फिर उनका अनुवाद कीजिए।

अभ्यास (Practice)

पहला दिन

1. इन वाक्यों में कुछ गलतियां हैं। गलतियां सुधारिए और वाक्यों का अभ्यास कीजिए:
   1. Good night uncle, how are you? (शाम छ: बजे)
   2. Is he your cousin brother?
   3. She is not my cousin sister.
   4. Good afternoon, my son. (प्रात: नौ बजे)
   5. Good morning, mother. (दो बजे दोपहर)
2. इन वाक्यों के अंग्रेज़ी और हिन्दी के रूपों पर ध्यान दीजिए और समझिए कि दोनों भाषाओं के वाक्यों के वचन (Number) में क्या अन्तर है?
   1. पिता **जी आए हैं**। Father **has** come.
   2. शर्मा **जी** अभी-अभी **गए हैं**। Mr. Sharma **has** just left.
   3. **उन्होंने आपको** फिर बुलाया है। **He** has called **you** again.

देखा अंतर? हिन्दी वाक्य 'पिताजी आए हैं' का अंग्रेज़ी में Father has come (पिता आया है) अनुवाद हुआ है। इसी प्रकार दूसरे और तीसरे वाक्य में 'जी', 'गए हैं', 'उन्होंने आपको' — ये सभी शब्द एक व्यक्ति (एकवचन) 'पिता' और 'तुम' से सम्बोधित हैं,

'बहुवचन' से नहीं, इसलिए जब भी आप हिन्दी से अंग्रेज़ी में वाक्य बनाने लगें, सबसे पहले मन में आदरसूचक वाक्य को सीधा कर लें — '(श्री) शर्मा अभी-अभी **गया है। उसने तुम्हें** बुलाया है।' फिर ऊपर लिखे वाक्य का अंग्रेज़ी में अनुवाद करने में कठिनाई नहीं होगी। (देखिए, पहला दिन, Tail Box).

दूसरा दिन

3. शिष्टाचार की कुछ बातों को दोहरा लीजिए।

(a) आप किसी के यहां जाएं और वह आपकी बड़ी खातिर करे, तो आप कहेंगे — Thanks for your hospitality. (आपकी मेहमानवाज़ी का शुक्रिया)।

(b) I **am** very grateful to you. I **shall be** very grateful to you. You have been a great help. इन तीनों वाक्यों को पढ़कर देखिए कि इनमें क्या अन्तर है? कहां किस वाक्य का प्रयोग करना चाहिए?

कोई व्यक्ति आपके लिए आपके कहने पर, आपका कोई काम कर दे, तो आप कहेंगे — I am very grateful to you. (मैं आपकी/आपका बहुत अहसानमंद हूं)। You have been a great help. (आपने मेरी बहुत मदद की)।

इसी प्रकार जब आप किसी से अपना कोई काम करने के लिए कहें तो 'आप पहले से ही' में धन्यवाद देने के लिए कहेंगे — I shall be very grateful to you. (मैं आपका बड़ा शुक्रगुज़ार होऊंगा)।

(c) कोई आपके ही मुंह पर आपकी प्रशंसा करने लगे तो आप उसके उत्तर में कह सकते हैं — Oh, I don't deserve this praise. (मैं इस प्रशंसा के योग्य नहीं हूं)।

तीसरा दिन

4. इन शब्दों पर ध्यान दीजिए — (a) God, gods; (b) good, goods. ये दो जोड़े हैं। God अर्थात् परमात्मा, खुदा या ईश्वर gods अर्थात् उनके देवता। ईश्वर यानी खुदा या परमात्मा एक ही है, जबकि देवता या देवदूत अनेक हैं, हर धर्म के। Good (विशेषण है) अर्थात् अच्छा, goods (संज्ञा है) अर्थात् सामान।
5. इन शब्दों को शब्दकोश में देखिए और इनके अर्थ दोहराइए — Marvellous, Splendid, Disgraceful, Absurd, Excellent, Nonsense.
6. इन शब्दों का आशय समझिए कि ये किस-किस भाव को प्रकट करते हैं — Nasty, Woe, Hello, Hurrah.

चौथा दिन

7. इन वाक्यों पर ध्यान दीजिए — (a) Well begun, half done. (b) To err is human, to forgive divine. (c) Thank you. (d) Just coming. ये वाक्य देखने में अधूरे लगते हैं। a और b, वाक्यों में क्रिया गायब है। c व d वाक्यों में कर्ता गायब है। बोलचाल में ये वाक्य ऐसे ही बोले जाते हैं, परन्तु ये संक्षिप्त या अधूरे वाक्य हैं, जो पूर्ण वाक्य का काम देते हैं। अंग्रेज़ी में ऐसे वाक्यों को eliptical sentences कहा जाता है। ऐसे वाक्यों का अंग्रेज़ी में बड़ा प्रचलन है।
8. Just coming. का चौथे दिन के पहले वाक्य में अर्थ दिया है — 'मैं अभी आ रहा हूं, यहां आप पूछ सकते हैं कि क्या इसका अर्थ 'वह अभी आ रहा है' नहीं हो सकता? उत्तर होगा 'हो सकता है'। ठीक है। मान लीजिए कोई आपके घर आए और आपसे आपके भाई के बारे में पूछे। आप अंदर जाएंगे और उसे उसके मित्र के आने की सूचना देकर जल्दी से वहां लौटेंगे और कहेंगे — Just coming. यहां पूर्ण वाक्य होगा — He is just coming.

पांचवां दिन

9. इन वाक्यों को ध्यान से देखिए — (i) You speak English. (ii) do you speak English? पहला सकारात्मक (Positive) वाक्य है, दूसरा प्रश्नात्मक (Interrogative)।

पहले वाक्य में 'do' special (सहायक) क्रिया आरंभ में जोड़ने से प्रश्नात्मक वाक्य बन गया है। ऐसे ही do और does सहायक क्रियाएं जोड़ कर नीचे लिखे वाक्यों से प्रश्नात्मक वाक्य बनाइये और उन प्रश्नात्मक वाक्यों का अर्थ हिन्दी में भी लिखिए — (1) You go to school. (2) You play hockey. (3) She is back from office at 6 p. m. (4) Mother takes care of her children. (5) They go for a morning walk. (6) I always work hard.

10. प्रश्न 11 में छपे सकारात्मक वाक्यों का हिन्दी में अनुवाद कीजिए।

11. वर्तमान काल की अन्य Special (सहायक) Verbs में से कुछ विशेष हैं — is, am, are, has, have. नीचे दिये वाक्यों में इन्हीं का प्रयोग हुआ है।

(i)	The moon *is* shining.	*Is* the moon shining?
(ii)	We *are* listening to you.	*Are* we listening to you?
(iii)	*My father* has gone out.	*Has* my father gone out?
(iv)	I *have* seen it.	*Have* I seen it?

आमने-सामने के दोनों वाक्यों को देखिए और ध्यान दीजिए कि ये Positive से Interrogative कैसे बने हैं, क्योंकि is, are, am, has, have ये सभी special verbs वाक्यों में सबसे पहले निकालकर रखे जाते हैं और लिखने के अन्त में प्रश्नवाचक चिह्न लगाते हैं। इन्हें बोलते समय tone या लहज़ा प्रश्नवाचक रखा जाता है।
अब ऊपर के आठों वाक्यों को हिन्दी में अनुवाद करके पढ़िए।

12. नीचे दिये वाक्यों को प्रश्नवाचक बनाइए और साथ ही उनका हिन्दी में रूपान्तर कीजिए:

(1) Someone *is* knocking at the door. (2) Your friends *are* enjoying themselves. (3) I *am* reading a comic. (4) It *is* Friday today. (5) Your hands *are* clean. (6) The train *has* just arrived. (7) We *have* studied English. (8) It *has* rained for two hours. (9) They *have* gone to bed. (10)You *have* already finished your dinner.

छठे से नवां दिन

13. अंग्रेज़ी में 24 सहायक क्रियाएं हैं:

(i) do, does, did, is, are, am, was, were, has, have, had, will shall, (ii) would, should, can, could may, might, must, ought (to) (iii) need, dare, used (to)

(i) पहली 13 क्रियाएं प्राय: Tenses में काम आती हैं। इनका प्रयोग आप पांचवें, छठे व सातवें दिन में देख सकते हैं।

(ii) would, should, could और might का परिचय आप आठवें दिन में प्राप्त कर चुके हैं।

आपने देखा है कि प्राय: ये सभी क्रियाएं प्रधान क्रिया की सहायता करती हैं, जैसे — I may go. प्रश्नसूचक (Interrogative) वाक्य बनाना हो तो प्राय: ये सब वाक्य के आरम्भ में आ जाती, जैसे — May I go? नकारात्मक (Negative) वाक्य बनाना हो तो इन सहायक क्रियाओं के बाद और मुख्य क्रियाओं से पहले not जुड़ता है, जैसे — I may not go.

14. नीचे दिये गये प्रश्नात्मक वाक्यों का हिन्दी में अनुवाद कीजिए:

(1) Must I tell you again? (2) Must she write first? (3) Can't you find your book? (4) Could they repair it for me? (5) Could you show me the way? (6) Won't she be able to get the cinema tickets? (7) Won't you be able to come to see us? (8) Should he go to bed early? (9) Should not the rich help the poor? (10) Dare I do it? (11) Need you be told to be careful? (12) May I have the room? (13) May I accompany you? (14) Should I ask him first? (15) Would you wait for a few minutes? (16) Did he give you money often?

15. अब आप जानते हैं कि must, ought, need, dare, used (to) ये सहायक क्रियाएं (special verbs) अन्य क्रियाओं के समान ही प्रयोग में आती हैं।

नीचे के सकारात्मक (Positive) और नकारात्मक (Negative) वाक्यों का अनुवाद कीजिए और साथ ही इस बात को समझने का प्रयत्न कीजिए कि ये क्रियाएं किस तरह प्रयोग में आती हैं।

(1) I need a towel. (2) She needn't go to the bank. (3) You needed rest, didn't you? (4) I might go to Qutab Minar? (5) You needn't worry. (6) I ought to sleep now. (7) You needn't go there. (8) I must save money. (9) There isn't any need to discuss this. (10) He won't attend the meeting, will he?

16. आगे प्रश्न तथा उनके संक्षिप्त उत्तर दिये गये हैं। इनका अभ्यास कीजिए। इससे आप नए अपरिचित प्रश्नों के उत्तर भी दे सकेंगे।

	प्रश्न (Question)	संक्षिप्त उत्तर (Short Answer)
(1)	Can you speak correct English?	No, I can't.
(2)	Will you speak to her?	No, I won't.
(3)	*Could* they *have* gone there alone?	Yes, they could have.
(4)	*Should* I wait for you at the station?	No, you shouldn't.
(5)	Does she tell a lie?	No, she doesn't.
(6)	*Do* you speak the truth?	Yes, I do.
(7)	*May* we go now?	Yes, you may.
(8)	*Weren't* you off to the market?	Yes, I was.
(9)	Hadn't she finished her work?	Yes, she had.
(10)	Must they work hard?	No, they needn't.

17. प्रश्नों का उत्तर दो प्रकार से दिया जा सकता है — 1. पूर्ण (Complete) रूप से, 2. संक्षिप्त रूप से। उदाहरण के रूप में:

Q. Do you read English? (Question)

A. Yes, I read English. (Complete Answer)

A. Yes, I do. (Short Answer).

आम बातचीत में संक्षिप्त उत्तरों का प्रयोग करना ठीक रहता है। जब कभी हम ज़ल्दी में होते हैं, फ़ोन पर बात करते हैं या दुकान पर ग्राहकों के प्रश्नों का उत्तर देते हैं तो संक्षिप्त उत्तर ही अधिक स्वाभाविक और अच्छे लगते हैं। इससे बातचीत की गति बढ़ती है और समय की बचत भी होती है।

अब नीचे दिये गये वाक्यों से 'संक्षिप्त उत्तर वाक्य' बनाइए:

(1) No, I am not going there.
(2) Yes, I have written to her.
(3) No, she has not replied to my letter.
(4) Yes, Madam, I woke up early.
(5) Yes, I ate chat.
(6) Yes sir, I was reading a book while walking.
(7) No, I had not gone to cinema.
(8) No, I shall not play.
(9) No, we shall not be coming again and again.
(10) No, she will not have gone.

18. नीचे दिये हिन्दी के वाक्यों का अंग्रेजी में अनुवाद कीजिए, फिर नीचे उल्टे छपे अंग्रेज़ी अनुवाद से मिलान क़ीजिए:

1. क्या तुम जानते हो? 2. आप उसे जानते हैं क्या? 3. क्या आप उनका पता जानते हैं? 4. चोट तो नहीं आई है? 5. तुम्हें कुछ और कहना है? 6. क्या आप नाराज़ हैं? 7. क्या आप बाज़ार जा रहे हैं? 8. क्या टमाटर ताज़े हैं? 9. क्या उसने तुम्हारा मकान देखा है? 10. क्या उसका कोई पत्र आया है? 11. क्या वह आपको जानता था? 12. क्या आपने दवा ली? 13. कुछ मिला तुम्हें क्या? 14. मैं कुछ निवेदन करूं? 15. सब ठीक-ठाक है? 16. क्या यह सच है? 17. क्या वह आपको जानती है? 18. क्या अब मैं घर जाऊं? 19. क्या हम यह पत्रिका आपके लिए मंगवा दें। 20. क्या आप एक कृपा करेंगे? 21. आप सैर करने चलेंगे? 22. क्या यह बस मद्रास होटल रुकेगी? 23. क्या उसे बुलाऊं? 24. क्या उसे मिलने जाऊं? 25. क्या तुम एक दिन नहीं रह सकते? 26. क्या तुम अपनी पुस्तक एक सप्ताह के लिए नहीं दें सकते? 27. क्या मैं प्रकाश से मिल सकता हूं?

(1) Do you know? (2) Do you know him? (3) Do you know his address? (4) You haven't got hurt, have you? (5) Have you anything else to say? (6) Are you annoyed? (7) Are you going to the market?/ Are you going out for shopping? (8) Are the tomatoes fresh? (9) Has he seen your house? (10) Has he written to you? (11) Did he know you? (12) Have you taken the medicine? (13) Did you get something? (14) May I make a request? (15) Is everything fine? (16) Is it true? (17) Does she know you? (18) May I go home now? (19) Shall we get this magazine for you? (20) Will you do me a favour? (21) Will you go for a walk? (22) Will this bus stop at Madras Hotel? (23) Should I call him/her? (24) Should I visit him/her? (25) Can't you stay for a day? (26) Ca'nt you lend me your book for a week? (27) Can I see Mr. Prakash?

निर्देश: इस तरह आप अंग्रेजी के कई वाक्य अपने आप बनाएं। आप मित्रों और परिचितों के साथ इन्हें बोलने का अभ्यास कीजिए।

11 ग्यारहवां दिन
th Day

दूसरा अभियान (2nd Expedition)

पिछले दस दिनों में आप एक पड़ाव पर पहुंचे हैं। अब आपको उससे आगे बढ़ना है। अब तक हम आपको अंग्रेज़ी बोलचाल की प्रारम्भिक जानकारी दे रहे थे। अब ग्यारहवें दिन हम आपको उन सभी बातों से परिचित कराना चाहते हैं, जिन्हें जाने बिना आप अंग्रेज़ी भाषा के व्यवहार को नहीं समझ सकते। आने वाले पांच दिनों में आपको रोमन लिपि की वर्तनी, अक्षरों की बनावट, अक्षर-लेखन, रोमन लिपि में हिन्दी लेखन, अंग्रेज़ी-स्वर-व्यंजनों के विशिष्ट उच्चारण तथा अनुच्चरित वर्णों (Silent Letters) आदि विषयों की आवश्यक जानकारी दी जायेगी। इसके पश्चात् 16वें से 19वें दिनों में आप प्रश्नवाचक वाक्य रचना तथा नकारात्मक वाक्यों संबंधी जानकारी प्राप्त करेंगे। आइये, शुरू करें दूसरा अभियान।

रोमन लिपि की वर्णमाला

अंग्रेज़ी की लिपि रोमन है, हिन्दी की देवनागरी।

अंग्रेज़ी में A से Z तक कुल 26 वर्ण होते हैं, जबकि हिन्दी में अ से ह तक 46 वर्ण होते हैं।

अंग्रेज़ी वर्णमाला में वर्ण (Letters) दो प्रकार के होते हैं — बड़े (Capital) जैसे — A और छोटे (Small) जैसे — a आदि। फिर ये सभी वर्ण छापे में भिन्न-भिन्न आकार के होते हैं, और लिखने में भिन्न-भिन्न आकार के। इस प्रकार वर्ण चार प्रकार के हुए:

(1) छापे के बड़े (Capital) वर्ण
(2) छापे के छोटे (Small) वर्ण
(3) लिखने के बड़े (Capital) वर्ण
(4) लिखने के छोटे (Small) वर्ण

वर्णमाला (Alphabet)

रोमन क्रम से

छापे के बड़े अक्षर (Capital Letters)

A	B	C	D	E	F	G	H
ए	बी	सी	डी	ई	एफ़	जी	एच
I	J	K	L	M	N	O	P
आइ	जे	के	एल	एम	एन	ओ	पी
Q	R	S	T	U	V	W	X
क्यू	आर	एस	टी	यू	वी	डब्ल्यू	एक्स
			Y	Z			
			वाइ	जैड			

छापे के छोटे अक्षर (Small Letters)

a	b	c	d	e	f	g	h
ए	बी	सी	डी	ई	एफ़	जी	एच
i	j	k	l	m	n	o	p
आइ	जे	के	एल	एम	एन	ओ	पी
q	r	s	t	u	v	w	x
क्यू	आर	एस	टी	यू	वी	डब्ल्यू	एक्स
			y	z			
			वाइ	जैड			

1. बीच की दो पंक्तियों में लिखे जाने वाले वर्ण — a, c, e, i, m, n, o, r, s, u, v, w, x, z = 14 वर्ण
2. ऊपर की तीन पंक्तियों में लिखे जाने वाले वर्ण — b, d, h, k, l, t = 6 वर्ण
3. चार पंक्तियों में लिखे जाने वाले वर्ण — f = 1 वर्ण
4. नीचे की तीन पंक्ति में लिखे जाने वाले वर्ण — g, j, p. q, y = 5 वर्ण

बहुत से लोग अंग्रेज़ी में अपना भद्दा लेख देखकर सिर धुनने लगते हैं और यह समझते हैं कि उनका लेख इतना खराब है कि

उसमें सुधार नहीं हो सकता। कुछ लोग आशावादी होते हैं, वे अपना लेख सुधारने का यत्न करते हैं और उन्हें पूरी सफलता मिलती है। ऐसे हज़ारों उदाहरण आपको देखने को मिलेंगे। परन्तु सुलेख का रहस्य क्या है — क्या आप जानते हैं?

अंग्रेज़ी की लिपि रोमन है। रोमन बड़ी स्टायलिश (Stylish) भाषा है। इसकी लिखाई के नियम हैं। इसके अक्षरों की चौड़ाई कम-ज्यादा होती है। आप यह अभ्यास अच्छी तरह कर लें कि कौन-सा वर्ण 2, 3 या 4 पंक्तियों में लिखा जाने वाला है। पहले आप अच्छी तरह चार लाइनों वाली कापी पर अभ्यास कीजिए। जब आपका हाथ सध जाए तो फिर यदि आप सिंगल लाइन वाली कापी में भी लिखेंगे तो भी आपका हाथ ठीक से चलेगा।

अभ्यास करने पर आप देखेंगे कि आपका लेख पहले से काफी सुधर रहा है। ग्यारहवें दिन की यह सीख अपनाइए और चार लाइनों वाली कापी में एक पृष्ठ प्रतिदिन लिखिए, भले ही आप हाईस्कूल पास हों या ग्रेजुएट, अच्छी बात सीखने के लिए हर उम्र ठीक है। केवल पक्के इरादे की ज़रूरत है। लेख को सुधारने का अभियान शुरू कीजिए, हमारी शुभकामना आपके साथ है।

अंग्रेज़ी के लिखित कर्सिव (Cursive) अक्षर

a b c d e f g h i j k l

m n o p q r s t u v w

x y z

याद रखें (Remember)

1. अंग्रेज़ी में बड़े (Capital) और छोटे (Small) दो तरह के वर्ण होते हैं। बड़े वर्णों का प्रयोग वाक्य के आरम्भ में, व्यक्तिवाचक संज्ञा में (जैसे Delhi) शब्दों के संक्षिप्त रूपों में (जैसे Doctor के लिए Dr.) तथा महीनों व दिनों के नाम (जैसे March, Saturday) आदि के लिए होता है। बड़े (Capital) वर्णों के होने से भाषा देखने में अच्छी लगती है (बारहवें दिन में और देखें)।

   सोचिए, यदि अंग्रेज़ी में Capital लैटर न होते, तो 'मैं' के लिए 'i' लिखा जाता, 'I' नहीं।
2. हिन्दी (देवनागरी लिपि में) लाइन पर शिरोरेखा डाली जाती है जबकि अंग्रेज़ी (रोमन लिपि में) लाइन के ठीक ऊपर लिखी जाती है।

12 बारहवां दिन
12th Day

अंग्रेज़ी के स्वर और व्यंजन

अंग्रेज़ी में स्वर (Vowels) और व्यंजन (Consonants) दो तरह के वर्ण होते हैं — बड़े (Capital) और छोटे (Small)। इनका ग्यारहवें दिन में उल्लेख हो चुका है। अब यहां स्वरों और व्यंजनों के भिन्न-भिन्न उच्चारणों के बारे में बताया जा रहा है। साथ ही आप नागरी लिपि के माध्यम से रोमन वर्णमाला सीखेंगे।

अंग्रेज़ी में पांच स्वर वर्ण (vowels वावल्ज़) हैं और इक्कीस व्यंजन वर्ण (Consonants कान्सोनेन्ट्स)। ये वर्ण इस प्रकार हैं:

Vowels: A E I O U Consonants: B C D F G H J K L M N P Q R S T V W X Y Z

अंग्रेज़ी में कई Vowels तथा Consonants का अकेले रूप में भिन्न उच्चारण होता है, पर शब्दों के बीच में प्रयुक्त होने पर उनका भिन्न उच्चारण होता है, जैसे — G, H, L, M, N, P आदि वर्ण अकेले में जी, एच, एल, एम, एन, पी आदि बोले जाते हैं, परन्तु शब्दों में प्राय: इनका उच्चारण क्रमश: ग, ह, ल, म, न, प आदि होता है।

अंग्रेज़ी वर्णों का उच्चारण

अंग्रेज़ी वर्णमाला के वर्णों को बोलने में जो-जो उच्चारण होते हैं, वे उदाहरण के रूप में इस प्रकार हैं:

अंग्रेज़ी वर्ण	आवाज़ एवं शब्द	अंग्रेज़ी वर्ण	आवाज़ एवं शब्द
A (ए)	आ (Car कार); ए (Way वे) ऐ (Man मैन)	N (एन) O (ओ)	न (Nose नोज़) ओ (Our आवर) ओ (Open ओपन)
B (बी)	ब (Book बुक)		
C (सी)	क (Cat कैट); स (Cent सेन्ट)	P (पी)	प (Post पोस्ट)
D (डी)	ड (Did डिड)	Q (क्यू)*	क (Quick क्विक)
E (ई)	ई (She शी); ए (Men मेन)	R (आर)	र (Remind रिमाइन्ड)
F (एफ़)	फ (Foot फ़ुट)	S (एस)	स (Sand सैन्ड)
G (जी)	ग (Good गुड); ज (George जॉर्ज)	T (टी)	ट (Teacher टीचर)
H (एच)	ह (Hen हेन)	U (यू)	अ (Up अप, Cup कप) ऊ (Salute सलूट)
I (आइ)	इ (India इण्डिया); आइ (Kind काइण्ड)	V (वी)	व (Value वैल्यू)
J (जे)	ज (Joke जोक)	W (डब्ल्यू)	व (Walk वॉक)
K (के)	क (Kick किक)	X (एक्स)	(X-ray एक्सरे)
L (एल)	ल (Letter लेटर)	Y (वाइ)	य (Young यंग); आइ (My माइ)
M (एम)	म (Man मैन)	Z (ज़ैड)	ज़ (Zebra ज़ेबरा)

अंग्रेज़ी के संयुक्त अक्षर: Ch च, th थ; ठ; ph फ़; sh श; gh ग; gh के पूर्व दीर्घ (Vowel) स्वर हो, तो gh का उच्चारण मूक (Silent) होता है, जैसे — Right (राइट) अन्यथा 'ग' होता है, जैसे ghost (गोस्ट) — भूत, आत्मा। कभी-कभी gh से फ़ का उच्चारण भी आता है, जैसे rough रफ़।

---

* q के साथ सदा u लगता है, जैसे — quick, Cheque आदि।

बड़े और छोटे अक्षरों का प्रयोग

अंग्रेज़ी की वाक्य-रचना में छोटे (Small) और बड़े (Capital) दोनों अक्षरों का प्रयोग होता है। बड़े वर्णों (Capital) का प्रयोग निम्न स्थानों पर होता है:

1. प्रत्येक वाक्य का पहला अक्षर।	This is a box. When did you come? etc. etc.
2. किसी व्यक्तिवाचक संज्ञा शब्द का पहला अक्षर।	The Ganges, The Taj, Mathura, Ram Nath, etc.
3. अंग्रेज़ी कविता के हर एक चरण का प्रथम अक्षर।	His coat is ragged, And blown away. He drops his head, And he knows not why?
4. संक्षिप्त शब्द के लिए प्रयुक्त अक्षर के लिए।	P. T, O., N. B.
5. महीने व सप्ताह के दिनों के नाम का पहला अक्षर।	January, March, Sunday, Monday, etc.
6. मनुष्य की उपाधि के प्रथम अक्षर।	B. A., LL. B., M. Com, etc.
7. ईश्वर के नाम तथा उसके लिए प्रयोग में आने वाले सर्वनाम के पहले अक्षर।	God, Lord, He, His.
8. अंग्रेज़ी में 'मैं' के लिए।	How can I ever forget What you have done for me?
9. पत्र शुरू करते समय संबोधन (Salutation) का तथा समापन वाक्यांश (Complementary clause) का पहला अक्षर।	Dear kavita/Aunt/Sir, Yours sincerely, / Affectionately yours,
10. Quotation mark के अंदर वाक्य शुरू करते समय, वाक्य का पहला अक्षर।	He said, "Don't forget to inform me the date of your interview."

याद रखें (Remember)

(i) 'क' के लिए अंग्रेज़ी (रोमन) वर्णमाला में c, k, q वर्ण आते हैं। कहीं-कहीं 'क' के लिए ck भी (block ब्लॉक) आता है। c का 'स' भी उच्चारण होता है (Cease सीज़);

(ii) ग् के लिए बहुधा g आता है (good) और 'ज्' के लिए j (jam), पर कई बार ज के लिए g भी आता है (germजर्म, generation जेनरेशन);

(iii) 'व' के लिए अंग्रेज़ी में v और w प्रयुक्त होते हैं, जैसे — very वेरी, wall वॉल;

(iv) फ् के लिए f प्रयोग में आता है, ph भी अंग्रेज़ी में फ् के लिए प्रयुक्त होता है e. g fruit, Philosophy पर अंग्रेज़ी में उच्चारण हमेशा 'फ' नहीं (फ़) होता है।

13 तेरहवां दिन
th Day

अंग्रेज़ी उच्चारण (English Pronunciation)

अंग्रेज़ी स्वरों (Vowels) का उच्चारण समझना बहुत महत्वपूर्ण है। अंग्रेज़ी स्वरों के उच्चारण में बड़ी विविधता होती है, जैसे — A का उच्चारण आ, ए, ऐ, ए होता है; E का ए, इ तथा ई (लम्बा उच्चारण); I का उच्चारण ई, आई, अ, आइ; O का उच्चारण ऑ, आ, उ, ऊ, अ; और U का उ, ऊ और अ आदि। यहां आपको इन सबकी बड़ी ही मनोरंजक जानकारी प्राप्त होगी।

प्राय: देखा गया है कि लोग अंग्रेज़ी के उच्चारण में बड़ी भूल करते हैं। अंग्रेज़ी भाषा के उच्चारण के कुछ विशेष नियम हैं, जिन्हें जानना प्रत्येक अंग्रेज़ी सीखने वाले के लिए आवश्यक है। हम पहले स्वरों (Vowels) के उच्चारण के विषय में विचार करते हैं।

अंग्रेज़ी स्वरों के उच्चारण

A के उच्चारण के नियम

A (a) के उच्चारण बहुधा ये होते हैं — ऐ, आ, ए।

A = ऐ (ै)

An (ऐन) एक
Lad (लैड) लड़का
Man (मैन) मनुष्य
Mad (मैड) पागल
At (ऐट) पर
Rat (रैट) चूहा
Stand (स्टैंड) खड़े होना
Ban (बैन) मनाही

A = ऑ (ॅ)

All (ऑल) सब
Fall (फ़ॉल) गिरना
Call (कॉल) बुलाना
Wall (वॉल) दीवार
War (वॉर) युद्ध
Small (स्मॉल) छोटा

A = आ

Far (फ़ार) दूर, Are (आर) हैं, Star (स्टार) तारा

A = एअ

Ware (वेअर) बर्तन
Fare (फ़ेअर) किराया
Dare (डेअर) साहस करना
There (देअर) वहां
Share (शेअर) हिस्सा बांटना
Spare (स्पेअर) अतिरिक्त
Care (केअर) परवाह

A = ए

यदि A के बाद Y या I का प्रयोग होता हो, तो उसका उच्चारण 'ए' के समान हो जाता है। पर यह 'ए' कुछ लम्बा उच्चारण देता है:

Pay (पे) वेतन
Stay (स्टे) ठहरना
Brain (ब्रेन) दिमाग
Way (वे) मार्ग
Gay (गे) प्रसन्न
Main (मेन) मुख्य

E के उच्चारण के नियम

E (e) के बहुधा ये उच्चारण होते हैं — ए (ॆ), इ, ई।

E = ए (ॆ)

Net (नेट) जाल
Sell (सेल) बेचना
Leg (लेग) टांग
Wet (वेट) गीला
Men (मेन) मनुष्य (बहुवचन)
Well (वेल) कुआं, अच्छा
Then (देन) तब
When (वेन) कब, जब

E = ई

Be (बी) होना
He (ही) वह (पुलिंग)
We (वी) हम
She (शी) वह (स्त्रीलिंग)

EE = ई (दीर्घ उच्चारण)

See (सी) देखना
Bee (बी) मधुमक्खी
Weep (वीप) रोना
Sleep (स्लीप) सोना

EA = ई

Clean (क्लीन) साफ या साफ करना
Heat (हीट) गर्मी या गर्म करना
Sea (सी) समुद्र
Meat (मीट) मांस

E = अपनी कोई ध्वनि नहीं

यदि किसी शब्द के अन्त में e आये तो उसका अपना कोई उच्चारण नहीं होता, और उससे पहले आये एक या एक से अधिक व्यंजनों (Consonants) को छोड़कर जो अन्य स्वर (Vowel) होता है, उसका उच्चारण लंबा हो जाता है। नीचे पूर्ववर्ती स्वर A, I, O, U के साथ अंतिम स्वर E के प्रयोग के उदाहरण नीचे दिये जाते हैं:

(a) यदि पूर्ववर्ती स्वर 'A' हो, तो 'A' का उच्चारण 'ए' होता है और **E** का अपना कोई उच्चारण नहीं होता।

Shame (शेम) लज्जा — Name (नेम) नाम
Lame (लेम) लंगड़ा — Same (सेम) वही

(b) यदि पूर्ववर्ती स्वर 'I' हो, तो 'I' का उच्चारण 'आई' होता है और अंतिम **'E'** का अपना कोई उच्चारण नहीं होता।

Wife (वाइफ़) पत्नी — Nine (नाइन) नौ (9)
White (वाइट) सफेद — Line (लाइन) लकीर

(c) यदि पूर्ववर्ती स्वर 'O' हो, तो 'O' का उच्चारण 'ओ' होता है और अंतिम E का अपना कोई उच्चारण नहीं होता।

Nose (नोज़) नाक — Hope (होप) आशा
Smoke(स्मोक) धुआं — Joke (जोक) मज़ाक

(d) यदि पूर्ववर्ती स्वर 'U' हो तो 'U' का उच्चारण 'ऊ' या यू होता है और अंतिम E का अपना कोई उच्चारण नहीं होता।

Rule (रूल) नियम — Tune (ट्यून) ध्वनि
June (जून) जून — Tube (ट्यूब) नली

EW= इयू

Few (फ़्यू) कुछ — Mew (म्यू) म्याऊं-म्याऊं
New (न्यू) नया — Dew (ड्यू) ओस

I के उच्चारण के नियम

I (i) के बहुधा ये उच्चारण होते हैं — ई. आइ। कभी-कभी 'अ' जैसा भी उच्चारण होता है।

I = इ (ह्रस्व उच्चारण)

Ill (इल) बीमार — Kill (किल) मार डालना
Big (बिग) बड़ा — With (विद) साथ
Ink (इंक) स्याही — Ship (शिप) जहाज़

I = आइ

Kind (काइन्ड) दयालु — Mild (माइल्ड) नर्म
Behind (बिहाइंड) पीछे — Mike (माइक) माइक्रोफोन
Bind (बाइंड) बांधना — Mile (माइल) मील

I = आइ या आई

यदि I के बाद GH आए, तो I का उच्चारण आइ (या आई) होता है:

Right (राइट) ठीक — Sight (साइट) दृष्टि
Light (लाइट) रोशनी — High (हाई) ऊंचा

I = अ

Firm (फर्म) संस्था — First (फ़र्स्ट) पहला

I = आय

Fire (फ़ायर) आग
Admire (एडमायर) प्रशंसा करना/सराहना

IE = ई, EI = ई (दीर्घ)

Brief (ब्रीफ़) संक्षिप्त — Siege (सीज) घेरा
Achieve (अचीव) प्राप्त करना
Receive (रिसीव) लेना
Deceive (डिसीव) धोखा देना

O के उच्चारण के नियम

O (0) के बहुधा उच्चारण ये होते हैं — ऑ, ओ, उ, ऊ, अ।

O = ऑ (ह्रस्व उच्चारण)

Ox (ऑक्स) बैल
On (ऑन) पर — Fox (फ़ॉक्स) लोमड़ी
Hot (हॉट) गर्म — Pot (पॉट) बर्तन
Spot (स्पॉट) दाग़ — Top (टॉप) ऊपरी भाग
Drop (ड्रॉप) गिरना, गिराना — Dot (डॉट) बिन्दु
Soft (सॉफ़्ट) मुलायम — Not (नॉट) नहीं
God (गॉड) ईश्वर — Got(गॉट) पाया

O = ओ (दीर्घ उच्चारण)

Open (ओपन) खोलना — So (सो) ऐसा
Hope (होप) आशा — No (नो) नहीं
Old (ओल्ड) पुराना — Gold (गोल्ड) सोना
Home (होम) घर — Most (मोस्ट) सर्वाधिक
Joke (जोक) मज़ाक — Post (पोस्ट) डाक

OW = ओ (दीर्घ उच्चारण)

आगे W के होने पर

Low (लो) नीचा — Show (शो) प्रदर्शन
Row (रो) पंक्ति — Crow (क्रो) कौआ
Sow (सो) बीज बोना

OO = उ (ह्रस्व उच्चारण)

Look (लुक) देखना
Book (बुक) पुस्तक
Took (टुक) लिया
Good (गुड) अच्छा

OO = ऊ (दीर्घ उच्चारण)

Room (रूम) कमरा
Moon (मून) चांद
Boot(बूट) जूता
Noon (नून) दोपहर
Do(डू) करना
Root (रूट) जड़

O = अ (ह्रस्व उच्चारण)

Son (सन) पुत्र
Come (कम) आना

OW = आऊ

How (हाउ) कैसे
Now (नाउ) अब
Cow (काउ) गाय

OY = ऑय

Joy (जॉय) हर्ष
Boy (बॉय) लड़का
Toy (टॉय) खिलौना

OU = आव

Our (आवर) हमारा
Sour (सावर) खट्टा
Hour (आवर) घंटा

U के उच्चारण के नियम

U (U) के उच्चारण होते हैं — अ, उ, यू, यो।

U = अ (ह्रस्व उच्चारण)

Up (अप) ऊपर
Cup (कप) प्याला
Hut (हट) झोपड़ी
Fun (फ़न) मज़ा
Mud (मड) कीचड़
Sun (सन) सूर्य

U = उ

Put (पुट) रखना
Pull (पुल) खींचना
Push (पुश) दबाना
Puss (पुस) बिल्ली

U = यू, यो

Duty (ड्यूटी) कर्तव्य
Sure (श्योर) पक्का
Durable(ड्यूरेबल) टिकाऊ
Pure (प्योर) शुद्ध

Y के उच्चारण के नियम

कहीं-कहीं व्यंजन भी स्वर का काम करता है। दरअसल पुरानी अंग्रज़ी में तो यह स्वर था, लेकिन अब धीरे-धीरे इसका स्थान I ने ले लिया है। सिर्फ कहीं-कहीं अब भी यह स्वर का काम करता है, जैसे:

Y = ई

Polygamy (पॉलीगैमी) बहु-विवाह
Felony (फ़ेलनी) घोर अपराध
Policy (पॉलिसी) नीति

Y = आय

Tyre (टायर) टायर
Typhoid (टायफ़ॉइड) मियादी बुखार

Y = आई

Dyke (डाइक) खाड़ी
Dynasty (डाइनेस्टी) वंश

इस प्रकार आपने स्वरों के विविध उच्चारणों की जानकारी पा ली है। अभ्यास करके आप इसमें दक्षता प्राप्त कर सकते हैं। आगे व्यंजनों के उच्चारण पर प्रकाश डाला जाएगा।

मूक अक्षर (Silent letters)

अंग्रेज़ी के बहुत से शब्दों में कई अनुच्चारित या मूक अक्षर होते हैं। स्वर या व्यंजन दोनों में से कोई भी अनुच्चारित हो सकता है। इस विषय में अधिक विस्तृत जानकारी पंद्रहवें दिन के पाठ में दी गई है। नीचे उदाहरण के लिए मूक अक्षरों वाले कुछ शब्द आपके ज्ञान व अभ्यास के लिए दिये जा रहे हैं।

A Silent

Caesar (सीज़र) रोमन सम्राट
Haemoglobin (हीमोग्लोबिन) लाल रक्त कण

B Silent

Crumbs (क्रम्स) खाना, रोटी आदि के छोटे-छोटे टुकड़े
Indebted (इन्डेटिड) ऋणी
Plumber (प्लमर) नल आदि ठीक करने वाला
Succumb (सकम) हार जाना, मर जाना

C Silent

Sceptre (सेप्टर) राज दंड
Scissors (सिज़र्ज़) कैंची

D Silent

Budget (बज़ट) बज़ट
Bridge (ब्रिज़) पुल
Midget (मिज़ट) बौना

G Silent

Benign (बिनाइन) दयालु, हानिरहित

Design (डिज़ाइन) नमूना

Malign (मलाइन) बदनाम करना

H Silent

Honorary (ऑनरेरी) अवैतनिक

Honorariam (ऑनरेरियम) सम्मान के लिए दिया गया पारिश्रमिक

K Silent

Knife (नाइफ़) चाकू

Knock (नॉक) खटखटाना

Knuckle (नकल) उंगली का जोड़

L Silent

Alms (आम्ज़) दान / भीख

Balm (बाम) दर्दनाशक मरहम

P Silent

Psyche (साइकी) आत्मा, मानस

Psychiatrist (साइक्याट्रिस्ट) मनोचिकित्सक

T Silent

Tsar (ज़ार) रूसी शासक

Fasten (फ़ासन) बांधना

Nestle (नेसल) प्यार से चिपकाना

R Silent

Iron (आयन) लोहा, प्रेस

World (वल्ड) संसार

W Silent

Wrath (रैथ) क्रोध

Wrap (रैप) लपेटना

Wreck (रेक) तोड़ना, टूटा हुआ

याद रखें (Remember)

1. Fan, Fall, Fail, Far — इन शब्दों में क्रमश: A का उच्चारण फ़ैन (ऐ), फ़ॉल (ऑ), फ़ेल (ए), फ़ार (आ) होता है। ऐसे और शब्दों को ढूंढिए और सामान्य नियम जानने की कोशिश भी कीजिए।
2. Wet, Be, See — इन शब्दों में क्रमश: E का उच्चारण वेट, बी, सी होता है, अर्थात (ए, ई, ई)। Shame, Line, Hope में 'ई' का उच्चारण कुछ नहीं होता। पहला स्वर (क्रमश: a, i, o) कुछ और दीर्घ हो जाता है।
3. I का 'अ' भी उच्चारण होता है, क्या आपको पता है ? देखिए, Firm (फ़र्म)। इसके अतिरिक्त I का 'आय' उच्चारण भी होता है, जैसे — Fire (फ़ायर)।
4. OO का 'ऊ' उच्चारण तो होता ही है — Room (रूम), छोटा 'उ' भी होता है — (Book बुक, look लुक आदि)।
5. O का उच्चारण 'ओ' तथा U का 'उ' तो होता ही है, O या U का 'अ' भी होता है। देखिए, Son सन (पुत्र), Sun सन (सूर्य)।

इस पाठ के आधार पर आप सभी स्वरों के नए उच्चारण पुस्तकों में से ढूंढते रहने की आदत डालिए। आप देखेंगे कि आपके सामने अंग्रेज़ी भाषा के नए-नए रहस्य खुलकर आएंगे। मूक अक्षरों का भी ध्यान रखिए।

14 चौदहवां दिन
14th Day

अंग्रेज़ी व्यंजनों के उच्चारण

स्वरों की तरह कुछ अंग्रेज़ी के व्यंजनों (Consonants) के उच्चारण में भी भिन्नता पाई जाती है, जैसे — C का उच्चारण 'स' और 'क' होता है; G का 'ग' और 'ज'; S का 'ज़', स और श; T का श, च, थ, द आदि — ये उच्चारण होते हैं। यदि आप दिये गये विवरण के अनुसार अंग्रेज़ी व्यंजनों के उच्चारण पर थोड़ा ध्यान देंगे, तो आपके लिए अंग्रेज़ी शब्दों के उच्चारण की कोई समस्या नहीं रह जायेगी।

अंग्रेज़ी भाषा में ये व्यंजन हैं

B	C	D	F	G	H	J	K	L	M	N
ब	स	ड	फ़	ग	ह	ज	क	ल	म	न
P	**Q**	**R**	**S**	**T**	**V**	**W**	**X**	**Y**	**Z**	
प	क	र	स	ट	व	व	क्स	य	ज़	

मोटे रूप में, अंग्रेज़ी के इन वर्णों का उच्चारण लगभग वैसा ही होता है जैसा कि उनके नीचे दिये गये हिन्दी के वर्णों का होता है। परन्तु यदि आप अंग्रेज़ी के व्यंजनों का ठीक-ठीक उच्चारण जानना चाहते हैं, तो हम आपसे केवल यही कह सकते हैं कि यदि आप बारीकी से ध्वनि को पहचानने की कोशिश करें, तो आप देखेंगे कि इन सभी अंग्रेज़ी व्यंजनों का उच्चारण भिन्न-भिन्न होता है।

आप किसी अंग्रेज़ से, जिसकी मातृभाषा अंग्रेज़ी हो, इन व्यंजनों का उच्चारण सुनेंगे, तो इस निष्कर्ष पर पहुंचेंगे कि K, P, T बिल्कुल क, प, ट के समान नहीं हैं। बल्कि ये क-ख, प-फ, त-ट के बीच में कहीं बोले जाते हैं। इसी प्रकार J 'ज' की तरह न होकर कुछ-कुछ 'ड' (Job ड्जाब) की तरह बोला जाता है। पर यह इतना सूक्ष्म अन्तर है कि बहुत बार ध्यान देने पर ही पकड़ में आ सकता है। इसके लिए आप टेलीविज़न पर या रेडियो पर प्रसारित होने वाले समाचार सुनिए या जब कभी कोई अंग्रेज़ टेलीकास्ट या ब्राडकास्ट कर रहा हो, तो ध्यान से सुनिए। यह अंतर आपको सुनाई देगा। वैसे भारतीय अंग्रेज़ी की अपनी ही पहचान है। हमें पूरी तरह अंग्रेज़ी उच्चारण की नकल करने की जरूरत नहीं है।

अब R को लीजिए, हम 'अर्र' बोलते हैं, तब जीभ में थिरकन पैदा होती है। हम 'धर्म' बोलते हैं, तब भी 'र' बोलते समय जीभ में थिरकन पैदा होती है। अंग्रेज़ी के R का कुछ ऐसा ही उच्चारण है — Round, Real, Roll, Run इसका अन्तर भी आप बार-बार सुन कर ज्ञात कर सकते हैं।

R के पहले स्वर (Vowel) हो और R के बाद व्यंजन हो, तो R लगभग अनुच्चरित (Silent) रहता है, और पहला स्वर बोलने में दीर्घ बोला जाता है — Form (फ़ॉम), Arm (आ'म), Art (आ'ट)।

S का उच्चारण 'स' की तरह होता तो है, पर 'स' ऐसे बोला जाता है जैसे सीटी बजाते समय ध्वनि निकलती है — Sweet (स्वीट)।

C	F	H	L	M	N	Q	V	W	X	Y	Z
स, क	फ़	ह	ल	म	न	क	व	व	क्स	य	ज़

इन व्यंजनों का उच्चारण लगभग नागरी वर्णों के उच्चारण की तरह ही होता है।

F और Ph दोनों वर्णों का 'फ़' उच्चारण ही होता है 'फ़' नहीं, जैसे — Fall (फ़ॉल), Philosophy (फ़िलॉसफ़ी) आदि।

अक्षरों का क्रम बदल जाने से उच्चारण में भेद

हिन्दी में 'स' आदि कोई भी वर्ण किसी भी क्रम से पड़ा हो उसका उच्चारण एक-सा ही रहता है, किन्तु अंग्रेज़ी में ऐसा नहीं है, इसमें Cent का उच्चारण होगा — 'सेंट' पर Cant को 'कैन्ट' पढ़ा जाएगा। ऐसे शब्दों के कुछ नियम तथा उदाहरण नीचे दिये जा रहे हैं।

'C' के उच्चारण

'C' के उच्चारण हैं— स और क।

1. C के बाद E, I, Y आये, तो C का उच्चारण 'स' होगा, जैसे:

Receive (रिसीव) प्राप्त करना
Rice (राइस) चावल
Cinema (सिनेमा) चित्रपट
Cyclone (साइक्लोन) तूफ़ान
Niece (नीस) भतीजी
Piece (पीस) टुकड़ा
Icy (आइसी) बर्फ़ीला
Celebrate (सेलिब्रेट) उत्सव मनाना
Century (सेंचुरी) शताब्दी
Certificate (सर्टिफ़िकेट) प्रमाणपत्र
Circle (सर्कल) घेरा
Citizenship (सिटिज़नशिप) नागरिकता
Force (फ़ोर्स) शक्ति

2. C के बाद A, O, U, K, R, T, आदि कोई वर्ण हो, तो प्रायः C का उच्चारण 'क' होगा, जैसे:

Cot (कॉट) चारपाई
Cap (कैप) टोपी
Cow(काउ) गाय
Cat (कैट) बिल्ली
Candidate (कैंडीडेट) सदस्य
Cattle (कैटल) पशु/जन्तु
Back (बैक) पीठ
Cock (कॉक) मुर्गा
Lock (लॉक) ताला
Dock (डॉक) बंदरगाह
Cutting (कटिंग) काटना
Curse (कर्स) कोसना
Custom (कस्टम) रिवाज
Cruel (क्रुअल) क्रूर

3. कभी-कभी C के बाद IA या EA, हो, तो 'श' की ध्वनि देते हैं, जैसे:

Social (सोशल) सामाज़िक
Ocean (ओशन) समुद्र
Musician(म्यूज़िशियन) संगीतकार

'G' के उच्चारण

'G' के दो उच्चारण हैं— ग और ज।

1. जब किसी शब्द के अन्त में 'GE' हो, तो इसका उच्चारण 'ज' होता है, जैसे:

Age (एज) आयु
Page (पेज) पृष्ठ
Rage (रेज) गुस्सा
Cage (केज) पिंजरा
Sage (सेज) महात्मा
Gauge (गेज) माप-यंत्र

इसी प्रकार इनमें भी 'ज' बोला जाता है, जैसे:

Ginger (जिंजर) अदरक
Imagine (इमेजिन) कल्पना करना
Germ (जर्म) कीटाणु
Pigeon (पिजन) कबूतर
Gist (जिस्ट) सार
Gem (जेम) कीमती पत्थर

2. शेष स्थलों पर बहुधा 'ग' का उच्चारण होता है, जैसे:

Big (बिग) बड़ा
Bag (बैग) थैला
Hang (हैंग) लटकाना
Go (गो) जाना
Gold (गोल्ड) सोना
Hunger (हंगर) भूख
Give (गिव) देना
Finger (फ़िंगर) अंगुली
Forget (फ़ॉरगेट) भूलना

'S' के उच्चारण

'S' के प्रमुख तीन उच्चारण हैं— ज़, स, श।

1. शब्द के अन्त में BE, G, GG, GE, IE, EF, Y आदि आएं, तो इनके बाद लगे S का उच्चारण 'ज़' होता है, जैसे:

Tribes (ट्राइब्ज़) जातियां
Bags (बैग्ज़) थैले
Eggs (एग्ज़) अण्डे

Ages (एजिज़) युग
Rupees (रुपीज़) रुपये
Heroes (हीरोज़) नायक
Toys (टॉयज़) खिलौने
Stories (स्टोरीज़) कहानियां
Rays (रेज़) किरणें

2. शब्द के अन्त में F, P, KE, GHT, PE, TE आदि वर्ण हों, तो उनके बाद लगे S का उच्चारण 'स्' होता है, जैसे:

Roofs (रूफ़्स) छतें
Lips (लिप्स) होंठ
Jokes (जोक्स) मज़ाक
Chips (चिप्स) टुकड़े
Kites (काइट्स) पतंगें
Nights (नाइट्स) रातें
Hopes (होप्स) आशाएं
Ships (शिप्स) जहाज़

3. शब्द में S या SS के बाद IA, ION हों, तो प्राय: S 'श' की ध्वनि देता है, जैसे:

Asia (एशिया) महाद्वीप का नाम
Aggression (एग्रेशन) हमला
Pension (पेन्शन) पेंशन
Mansion (मैंशन) महल
Session (सेशन) कार्यकाल
Russia (रशिया) रूस

'T' के उच्चारण

'T' के स्थिति के हिसाब से ये उच्चारण होते हैं— श, च, थ, द।

1. शब्द में T के बाद IA, IE, IO आदि हों, तो T को 'श' बोला जाता है, जैसे:

Initial (इनिशियल) प्रारम्भिक
Portion (पोर्शन) भाग
Patient (पेशंट) रोगी
Promotion (प्रमोशन) वृद्धि
Illustration (इलस्ट्रेशन) चित्र
Ratio (रेशो) अनुपात

2. यदि शब्द में S के बाद TION आये, या T के बाद URE आये तो T का उच्चारण 'च' जैसा होता है:

Question (क्वेश्चन) प्रश्न
Future (फ़्यूचर) भविष्य
Creature (क्रीचर) जन्तु
Culture (कल्चर) सभ्यता
Capture (कैप्चर) कैद करना
Nature (नेचर) प्रकृति
Picture (पिक्चर) तस्वीर

3. यदि शब्द में T के बाद H आये, तो कभी-कभी 'थ' की ध्वनि होती है, तो कई बार 'द' की

th = थ

Thick (थिक) मोटा
Three(थ्री) तीन
Thin (थिन) पतला
Thread (थ्रेड) धागा

th = द

This (दिस) यह
Then(देन) तब
That (दैट) वह
There (देअर) वहां

4. कई बार TH हिन्दी का अक्षर 'ट' (T) की ध्वनि देता है, जैसे:

Thames (टेम्स) टेम्ज़ नदी
Thomas (टॉमस) व्यक्ति का नाम

याद रखें (Remember)

The को कई लोग 'द' बोलते हैं कई 'दि' — दोनों सही हैं। आमतौर पर 'स्वर' से शुरू होने वाले शब्द से पहले 'दि' बोला जाता है (जैसे दि एग, दि आंसर आदि) और व्यंजन से शुरू होने वाले शब्द से पहले 'द' e.g. द कैट, द रैट आदि!

15 पन्द्रहवां दिन th Day

शब्दों में अनुच्चरित अक्षर (Silent Letters in Words)

अंग्रेज़ी भाषा में कुछ शब्दों के कुछ अक्षर मूक (Silent) होते हैं, जिनका उच्चारण पता न होने के कारण भारतीय विद्यार्थियों के लिए एक समस्या बन जाते हैं। यहां ऐसे शब्दों को बड़े रोचक ढंग से प्रस्तुत किया गया है। आप अध्ययन और अभ्यास के द्वारा ऐसे शब्दों पर अधिकार (mastery) प्राप्त कर सकेंगे।

1

क्या शब्दों का पहला अक्षर भी 'साइलेंट' होता है?

जी हां, कई बार शब्दों का पहला अक्षर भी Silent अर्थात् अनुच्चरित या मूक होता है। इन शब्दों को बोलिए तथा हिज्जों और उच्चारण को याद कीजिए:

*G*nat (नैट) लड़ाकू विमान
*H*onour (आनर) सम्मान
*H*our (आवर) घंटा
*P*neumonia (न्यूमोनिया) फेफड़ों की सूजन
*P*sychology (साइकॉलॉजी) मनोविज्ञान
*W*rite (राइट) लिखना
*K*nowledge (नॉलिज) ज्ञान

आपने देखा कि इन शब्दों के प्रथम अक्षर का शब्द में उच्चारण नहीं होता। अब इन शब्दों का उच्चारण करें:

Wrong, Know, Knitting, Honest, Psalm, रौंग, नो, निटिंग, ऑनेस्ट, साम।

अब देखिए कि Knitting में K और दूसरी T का उच्चारण नहीं हुआ, बोलने में niting ही आया। इसी प्रकार Psalm में P और L दोनों Silent हैं।

2

High का उच्चारण है 'हाई' और Right का उच्चारण है 'राइट'। उक्त आधार पर इन शब्दों का उच्चारण करें:

Sigh (आह भरना)	Fight (लड़ाई)	Might (शक्ति)	Flight (उड़ान)
Thigh (जांघ)	Light (प्रकाश)	Night (रात)	Delight (आनन्द)
Though (यद्यपि)	Bright (चमकीला)	Tight (कसा हुआ)	Knight (शूरवीर)
Through (द्वारा)	Slight (थोड़ा-सा)	Fright (भय)	Sight (नज़ारा)

इन शब्दों से आप भलीभांति परिचित हैं। अच्छा बताइए, इनमें कौन-से ऐसे दो वर्ण हैं, जो सबमें एक समान Silent हैं? ठीक है — 'gh' और Knight में K भी अनुच्चरित अर्थात् silent है।

अब नीचे दी गयी शब्दों की तालिका में देखिए, कौन -कौन से वर्ण अनुच्चरित हैं। फिर इन शब्दों व स्पेलिंग्स को याद कीजिए और लिखकर उनका अभ्यास भी कीजिए।

B Silent	**C Silent**	**G Silent**
Comb (कोम) कंघा	Scent (सेन्ट) इत्र	Sign (साइन) चिह्न
Lamb (लैम) मेमना	Science (साइंस) विज्ञान	Design (डिज़ाइन) रचना
Thumb (थम) अंगूठा	Scene (सीन) दृश्य	Resign (रिज़ाइन) इस्तीफा देना

H Silent
Honour (ऑनर) इज़्ज़त
Hour (आवर) घंटा
Thomas (टॉमस) टामस

N Silent
Autumn(ऑटम) पतझड़
Condemn (कंडेम) निन्दा करना
Hymn (हिम) स्तोत्र
Column (कालम) पृष्ठ का भाग
Damn (डैम) बद्दुआ देना

U Silent
Guard(गार्ड) चौकीदार
Guess (गेस) अनुमान
Guest (गेस्ट) अतिथि

K Silent
Knock (नॉक) खटखटाना
Knife (नाइफ़) चाकू
Knot (नॉट) गांठ

T Silent
Hasten(हेसन) जल्दी करना
Listen (लिसन) सुनना
Often(ऑफ़न) प्राय:
Soften (सॉफ़न) कोमल करना

W Silent
Wrong (रौंग) गलत
Answer (आन्सर) उत्तर
Sword (सोर्ड) तलवार

L Silent
Palm(पाम) हथेली
Calm (काम) शान्ति
Half (हाफ़) आधा
Walk (वाक) चलना
Folk (फ़ोक) जनसमूह
Talk (टॉक) बातचीत
Should (शुड) चाहिए
Would (वुड) जाएगा
Could (कुड) सकना

और अब ज़रा नीचे दिये गये अंग्रेज़ी शब्दों का उच्चारण करके अपना मनोरंजन कीजिए और पता लगाइए कि कौन से अक्षर अनुच्चरित (silent) हैं?

Asthma, Heir, Island, Doubt, Reign, Wrapper, Wednesday

जी नहीं, ये अस्थमा, हेयर, इज़लैण्ड, डाउब्ट, रिअग्न, व्रापर, वेडनसडे नहीं है, ये हैं ऐस्मा (दमा), एअर (उत्तराधिकारी), आइलैंड (टापू), डाउट (शक), रेन (राज्य), रैपर (लपेटने का कागज़ व कपड़ा), वेंसडे (बुधवार)।

डिक्शनरी में ऐसे ही दूसरे शब्द ढूंढिए और उनका अभ्यास कीजिए।

16 सोलहवां दिन
16th Day

प्रश्नवाचक वाक्य-रचना में What, Who, How आदि का प्रयोग

बीच में रोमन लिपि की वर्तनी और वर्णों के उच्चारण का प्रसंग आ गया था, जिनका ज्ञान होना हमारे लिए आवश्यक है। अब फिर पीछे जहां छोड़ा था, वहां से आगे चलें। छठे से आठवें दिन में हमने सीखा था कि तीनों कालों के वाक्यों में उपक्रिया या सहायक क्रिया को वाक्य में सबसे पहले लाकर प्रश्नवाचक वाक्य बनाये जा सकते हैं, जैसे — Does he know? Was Gopal reading? Will you play? आदि। अब हम यहां इतना और जोड़ना चाहते हैं कि जब इन्हीं प्रश्नवाचक वाक्यों के शुरू में What, Who, How, Which, When, Where या Why आदि लगते हैं, तो ये वाक्य व्यापक अर्थ देने लगते हैं। इसे आप पहले एक-एक करके और फिर मिले-जुले रूप में 16वें से 18वें दिन के कोर्स में पाएंगे। आइए, अभ्यास करें।

What | **A**

1. **प्र. तुम क्या चाहते हो?** — **Q. *What* do you want?** वॉट डू यू वॉन्ट?
   उ. एक गिलास दूध। — A. *A* glass of milk. अ ग्लास ऑफ़ मिल्क.
2. **प्र. तुम क्या लिख रहे हो?** — **Q. *What* are you writing?** वॉट आर यू राइटिंग?
   उ. पत्र लिख रहा हूं। — A. *A* letter. अ लेटर.
3. **प्र. तुम क्या कहना चाहते हो?** — **Q. *What* do you want to say?** वॉट डू यू वॉन्ट टु से?
   उ. कुछ नहीं। — A. Nothing. नथिंग.
4. **प्र. तुम्हारा नाम क्या है?** — **Q. **What's* your name?** वॉट्स योर नेम?
   उ. अमिताभ। — A. *Amitabh.* अमिताभ.
5. **प्र. तुम्हारे पिताजी क्या काम करते हैं?** — **Q. *What's* your father?** वॉट्स योर फ़ादर?
   उ. वे एक सम्पादक हैं। — A. *He's an editor.* हीज़ ऐन एडिटर.
6. प्र. तुम्हारी माताजी क्या करती हैं? — Q. *What's* your mother? वॉट्स योर मदर?
   उ. वे घर का काम संभालती हैं। — A. *She* is a housewife. शी इज़ अ हाउसवाइफ़.
7. **प्र. तुम इन दिनों क्या कर रही हो?** — **Q. *What* are you doing these days?** वॉट आर यू डूइंग दीज़ डेज़?
   उ. पढ़ रही हूं। — A. *Studying.* स्टडींग
8. प्र. तुमने आगरा में क्या देखा है? — Q. *What* have you seen in Agra? वॉट हैव यू सीन इन आगरा?
   उ. ताजमहल। — A. *The* Taj Mahal. द ताजमहल.
9. प्र. तुमने पिताजी को क्या लिखा? — Q. *What* did you write to your father? वॉट डिड यू राइट टु योर फ़ादर?
   उ. नतीजे के बारे में लिखा। — A. About my result. अबाउट माइ रिजल्ट.

---

*'What is' का छोटा रूप (Shortened form) what's है। What's का बोलचाल की भाषा में अधिक प्रयोग होता है। अब लिखने में भी इन 'Shortened forms' का काफी प्रयोग होने लगा है। ऐसे दूसरे उदाहरण हैं, It is के लिए It's, you are के लिए You're, I have के लिए I've आदि।

10. प्र.	वह मुम्बई में क्या कर रही थी?	Q.	*What* was she doing in Mumbai? वॉट वॉज़ शी डूइंग इन मुम्बई?
उ.	एक प्राइमरी स्कूल में अध्यापिका थी।	A.	*She* was teaching in a primary school. शी वॉज़ टीचिंग इन ए प्राइमरी स्कूल.
11. प्र.	दसवीं कक्षा उत्तीर्ण करके तुम क्या करोगे?	Q.	*What* do you intend doing after passing High School? वॉट डू यू इन्टेंड डूइंग आफ़्टर पासिंग हाई स्कूल?
उ.	आगे पढ़ूंगा।	A.	*I'll* study further. आइ विल स्टडी फ़रदर।

Who | **B**

12. प्र.	आप कौन हैं?	Q.	*Who* are you? हू आर यू?
उ.	मैं एक व्यापारी हूं।	A.	*I* am a businessman. आइम अ बिज़नेसमैन।
13. प्र.	वे कौन हैं?	Q.	*Who* are they? हू आर दे?
उ.	मेरे संबंधी हैं।	A.	*They* are my relatives. दे आर माइ रिलेटिव्ज़.
14. प्र.	गीत किसने गाया?	Q.	*Who* sang the song? हू सैंग द सौंग?
उ.	लता ने।	A.	Lata did. लता डिड.
15. प्र.	मार्किट में कौन जाएगा?	Q.	*Who* will go to the market? हू विल गो टु द मार्किट?
उ.	मैं जाऊंगा।	A.	*I* will. आइ विल.
16. प्र.	इस काम् को कौन कर सकता है?	Q.	*Who* can do this work? हू कैन डू दिस वर्क?
उ.	राधा।	A.	*Radha* can. राधा कैन.
17. प्र.	उसे किससे मिलना है?	Q.	*Whom* does she want to meet? हूम डज़ शी वॉन्ट टु मीट?
उ.	अपनी मां से।	A.	*Her* mother. हर मदर.
18. प्र.	इस मकान का मालिक कौन है?	Q.	*Who* is the owner of this house? हू इज़ द ओनर ऑफ़ दिस हाउस?
उ.	मेरे पिता।	A.	*My* father. माइ फ़ादर.

How | **C**

19. प्र.	वह विद्यालय कैसे जाता है?	Q.	*How* does he go the school? हाउ डज़ ही गो टु स्कूल?
उ.	स्कूल बस से।	A.	*By* bus. बाइ बस.
20. प्र.	**आपके पिता जी कैसे हैं?**	**Q.**	***How* is your father?** हाउ इज़ योर फ़ादर?
उ.	वे स्वस्थ नहीं हैं।	A.	*He's* not well. हीज़ नॉट वेल.
21. प्र.	तुम शिमला कैसे गये?	Q.	*How* did you go to Simla? हाउ डिड यू गो टु शिमला?
उ.	रेलगाड़ी से।	A.	*By* train. बाइ ट्रेन.
22. प्र.	तुम कैसे लौटे?	Q.	*How* did you return? हाउ डिड यू रिटर्न?
उ.	बस से।	A.	*By* bus. बाइ बस.
23. प्र.	शिमला में आपका स्वास्थ्य कैसा था?	Q.	*How* was your health in Simla? हाउ वॉज़ योर हैल्थ इन शिमला?
उ.	मैं वहां बिल्कुल ठीक था।	A.	I *was* perfectly alright there. आइ वॉज़ परफेक्टली ऑलराइट देअर.
24. प्र.	**वहां मौसम कैसा था?**	**Q.**	***How* was the weather there?** हॉउ वॉज द वेदर देअर?
उ.	काफी ठंडा था।	A.	*It* was quite cold. इट वॉज़ क्वाइट कोल्ड.
25. प्र.	**आपके पुत्र की कितनी आयु है?**	**Q.**	***How* old is your son?** हाउ ओल्ड इज़ योर सन?
उ.	वह बारह वर्ष का है।	A.	*He* is twelve. ही इज़ ट्वेल्व।

26. प्र. यहां से कनॉट प्लेस कितनी दूर है?
Q. *How* far is Connaught Place from here?
हाउ फ़ार ईज़ कनॉट प्लेस फ्रॉम हिअर?

उ. करीब छः किलोमीटर।
A. About six kilometres. अबाउट सिक्स किलोमीटर.

27. प्र. अब तुम कैसा महसूस कर रहे हो?
Q. *How* are you feeling now? हाउ आर यू फ़ीलिंग नाउ?

उ. पहले से बहुत अच्छा
A. Much better. मच बेटर.

याद रखें (Remember)

A	B
1. What do you say?	I do not know what you say.
2. What did you say?	I do not remember what you said.
3. What had you said?	I do not remember what you had said.
4. What is this?	Tell me, what this is?
5. What was that?	Tell me, what that was.

A वाले वाक्य प्रश्नसूचक हैं, B वाले सीधे हैं। प्रश्नवाचक वाक्यों को सामान्य वाक्य में बदलने के लिए (1) सहक्रियाएं do, did आदि हट जाती हैं और इन सामान्य क्रियाओं का प्रयोग होता है, जैसे — What do you say का you say और What did you say का What you said आदि (2) प्रश्नसूचक वाक्यों में सहायक क्रिया is, was, had आदि हो तो वह क्रिया object के बाद चली जाती है। इसी प्रकार इन साधारण वाक्यों के प्रश्नसूचक वाक्य इस प्रकार बनेंगे।

A	B
1. I do not know *who* he is.	*Who* is he?
2. Tell me *whom* you want.	*Whom* do you want?
3. Tell me whose book that was.	*Whose* book was that?
4. I do not know how old you are.	*How* old are you.
5. Tell me *how* she knew.	*How* did she know?
6. You did not say *whom* you had promised.	*Whom* had you promised?

प्रश्नवाचक वाक्यों में साधारण वाक्य, साधारण वाक्यों से प्रश्नवाचक वाक्य बनाने का अभ्यास कीजिए और इन्हें ऊंचे स्वर से बोलकर एक-दूसरे को सुनाइए।

17 सत्रहवां दिन th Day

प्रश्नवाचक वाक्य-रचना में Which, When, Where, Why आदि का प्रयोग

आप पीछे — What, Who, How शब्दों का प्रयोग करना सीख चुके हैं। अब यहां Which, When, Where, When, Why का प्रयोग सीखिए। Which शब्द का प्रयोग प्राय: बेजान वस्तुओं के संबंध में होता है। When काल बोधक शब्द है और Where स्थानबोधक। इसी प्रकार Why कारण को सूचित करता है। इन सब शब्दों के प्रयोग की एक विशेषता यह है कि इनके साथ do, did या कोई अन्य helping verb अवश्य लगाना पड़ता है।

Which — D

1. प्र. तुमने कौन सा गाना ज़्यादा पसंद किया–लता का या आशा का?
   उ. मुझे वही पसंद है, जो तुम्हें पसंद आया है।

   Q. *Which* song did you prefer— Lata's or Asha's? विच सौंग डिड यू प्रिफ़र— लता 'ज़ ऑर आशा 'ज?
   A. I like what you have liked.आइ लाइक वॉट यू हैव लाइक्ड.

2. प्र. तुम कौन सी पुस्तक पढ़ रहे हो?
   उ. वह उपन्यास जो तुमसे कल मांगकर लाया था।

   Q. *Which* book are you reading? विच बुक आर यू रीडिंग?
   A. It's the novel *which* I borrowed from you yesterday. इट्स द नॉवल विच आइ बॉरोड फ्रॉम यू येस्टरडे.

3. प्र. तुम्हारी मनपसंद फ़िल्म कौन-सी है?
   उ. साउंड ऑफ़ म्यूज़िक।

   Q. *Which* is your favourite movie? विच इज़ योर फ़ेवरिट मूवी?
   A Sound of Music. साउंड ऑफ़ म्यूज़िक.

When — E

4. प्र. तुम अपना पाठ कब दोहराते हो?
   उ. सवेरे।

   Q. *When* do you revise your lesson? वेन डू यू रिवाइज़ योर लेसन?
   A. In the morning. इन द मॉर्निंग.

5. **प्र. तुम हमारे यहां कब आ रहे हो?**
   उ. जैसे ही समय मिलेगा

   Q. *When* are you coming to us? वेन आर यू कमिंग टू अस?
   A. *As* soon as I get time. एज़ सून एज़ आइ गेट टाइम.

6. प्र. तुम संजय से कब मिले?
   उ. मैं उससे पिछले शनिवार को मिला था, जब वह दिल्ली आया था।

   Q. *When* did you meet Sanjay? वेन डिड यू मीट संजय?
   A. Last Saturday, when he came to Delhi. लास्ट सैटर्डे वेन ही केम टु डेलही.

Where — F

7. प्र. आप कहां काम करते हैं?
   उ. एक सरकारी दफ़्तर में।

   Q. *Where* do you work? वेअर डू यू वर्क?
   A. In a government office. इन अ गवर्नमेण्ट ऑफ़िस.

8. प्र. आप पुस्तकें कहां से खरीदते हैं?
   उ. पुस्तक महल, दरियागंज।

   Q. *From where* do you buy books? फ्रॉम वेअर डू यू बाइ बुक्स?
   A. *From* Pustak Mahal, Daryaganj. फ्रॉम पुस्तक महल, दरियागंज.

9. **प्र. आप कहां रहते हैं?**
   उ. रूप नगर में?

   Q. *Where* do you live? वेअर डू यू लिव?
   A. In Roop Nagar. इन रूप नगर.

10 **प्र. आपने अपना सूट कहां से खरीदा?**
   उ. कनॉट प्लेस से?

   Q. *From where* did you buy your suit? फ्रॉम वेअर डिड यू बाइ योर सूट?
   A. *From* Connaught Place. फ्रॉम कनॉट प्लेस.

Why **F**

11. प्र. आप प्रतिदिन दूध क्यों पीते हैं?	**Q. *Why* do you drink milk daily?** वाइ डू यू ड्रिन्क मिल्क डेली?
उ. अपना स्वास्थ्य बनाये रखने के लिए।	A. To maintain good health. टु मेन्टेन गुड हेल्थ.
12. प्र. मीनाक्षी की अध्यापिका इतनी कठोर क्यों है?	**Q. *Why* is Meenakshi's teacher so strict?** वाइ इज़ मीनाक्षी 'ज़ टीचर सो स्ट्रिक्ट?
उ. क्योंकि वह अपनी छात्राओं की उन्नति चाहती है?	A. *Because* she is interested in the progress of her students. बिकॉज़ शी इज़ इन्ट्रेस्टिड इन द प्रोग्रेस ऑफ़ हर स्टूडेन्ट्स.
13. प्र. तुम यहां क्यों बैठे हो?	**Q. *Why* are you sitting here?** वाइ आर यू सिटिंग हिअर?
उ. अपने मित्र मनीष की प्रतीक्षा कर रहा हूं।	A. I'm wating for my friend Manish. आइम वेटिंग फ़ॉर माइ फ्रेंड मनीष.

याद रखें (Remember)

Who और Which इन दोनों के अर्थ के अन्तर को समझिए। Who का अर्थ है कौन और Which का कौन-सा/कौन-सी। Who मनुष्यों के लिए प्रयोग होता है और Which पशुओं तथा बेजान वस्तुओं के लिए। इस बात को नीचे दिये गये उदाहरण से अच्छी तरह मन में बैठा लीजिए:

Who:	1. वहां कौन है?	Who's there?
	2. आगरा कौन गया?	Who went to Agra?
	3. यहां कौन आएगा?	Who will come here?
Which:	4. मेज़ पर कौन-सी पुस्तक है?	Which book is on the table?
	5. कौन-सी पुस्तक मेरी है?	Which book is mine?
	6. आपका कौन-सा कुत्ता है?	Which is your dog?

Who और Which का एक-एक अर्थ और भी है — 'जो'। नियम वही है। मनुष्यों के लिए Who = जो और बेजान वस्तुओं के लिए Which = जो, जैसे:

1. मैं उस लड़की से मिला जो मॉनीटर है।	I met the girl who is the monitor.
2. वह लड़की जो पियानो बजा रही है, मेरी बहन है।	The girl, who is playing the piano, is my sister.
3. जो पुस्तक तुम चाहते हो, चुन लो।	Select the book, which you want.

*Where's—where is का संक्षिप्त बोलचाल का रूप है।

18 अठारहवां दिन
18th Day

प्रश्नवाचक वाक्य-रचना (मिश्रित Miscellaneous)

प्रश्नवाचक रचना को दोहराइए। अब what, where आदि शब्दों के साथ is, are, am, was, were, has, have, had, will-shall, would, should आदि क्रियाओं को भी दोहरा लीजिए। इन क्रियाओं के प्रयोग से प्रश्नवाचक वाक्य बनते हैं। यह बात आप पीछे भी देख चुकें हैं, अब फिर से दोहराइए।

1. क्या हुआ?	What happened? वॉट हैपन्ड?
2. क्या आपने मुझे बुलाया था?	Had you asked for me? हैड यू आस्क्ड फ़ॉर मी?
3. मैं जाऊं?	May I go? मे आइ गो?
4. मैं भी चलूं?	May I accompany you? मे आइ अकम्पनी यू?
5. क्या तुम आ रहे हो?	Are you coming? आर यू कमिंग?
6. मैं लाऊं?	Should I bring it? शुड आइ ब्रिंग इट?
7. मिजाज़ कैसे हैं?/आप कैसे हैं?	How are you? हाउ आर यू?
8. समझे?	Did you understand?/ Understood? डिड यू अंडरस्टैण्ड?/अंडरस्टुड?
9. क्या मतलब?	What do you mean? वॉट डू यू मीन?
10. क्या साहब अंदर हैं?	Is the boss in? इज़ द बॉस इन?
11. कौन है?	Who is it? हू इज़ इट?
12. क्या है?	What's the matter? वॉट्स द मैटर?
13. दिनेश कहां है?	Where is Dinesh? वेअर इज़ दिनेश?
14. कब आये?	When did you come? वेन डिड यू कम?
15. शुरू करें?	Do/shall we begin? डू/शैल वी बिगिन?
16. एक काम करोगे?	Will you do one thing? विल यू डू वन थिंग?
17. क्या आज छुट्टी है?	Is it a holiday today? इज़ इट अ होलिडे टु डे?
18. तुम्हें मालूम है?	Do you know? डू यू नो?
19. तुम जाओगे नहीं?	Won't you go? वोन्ट यू गो?
20. क्या गड़बड़ है?	What's the trouble? वॉट्स द ट्रबल?
21. आप नाराज़ हैं क्या?	Are you angry? आर यू एंग्री?
22. बाल-बच्चे अच्छे हैं न?	How is the family? हाउ इज़ द फ़ैमिली?
23. मैं आपकी क्या सेवा करूं?	What can I do for you? वॉट कैन आइ डू फ़ॉर यू?
24. हम अब कहां पर हैं?	Where are we now? वेअर आर वी नाऊ?
25. कैसे तकलीफ़ की?	What brings you here? वॉट ब्रिंग्ज यू हिंअर?
26. क्या उसके पास कार है?	Has he got a car? हैज़ ही गॉट अ कार?
27. आपको मुझसे कुछ काम है?	Have you any business with me? हैव यू एनी बिज़नेस विद मी?

28. **कौन आ रहा है?** — **Who's coming?** हूज़ कमिंग?

29. रात के भोजन में क्या-क्या है? — What's the menu for dinner? वॉट्स द मेन्यू फ़ॉर डिनर?

30. यह किसका टेलीफ़ोन नंबर है? — Whose telephone number is this? हूज़ टेलीफ़ोन नंबर इज़ दिस?

31. **हम कहां मिलेंगे?** — **Where shall we meet?** वेअर शैल वी मीट?

32. **तुम वापस कैसे आ गये हो?** — **How have you come back?** हाउ हैव यू कम बैक?

33. तुमने पढ़ना क्यों छोड़ दिया? — Why have you dropped your studies? वाइ हैव यू ड्राप्ड योर स्टडीज़?

34. अब आपकी मां का क्या हाल है? — How is your mother now? हाउ इज़ योर मदर नाउ?

35. आप कैसे हैं? — How do you do? हाउ डू यू डू?*

36. यहां सबसे अच्छा होटल कौन-सा है? — Which is the best hotel here? विच इज़ द बेस्ट होटल हिअर?

37. **यह कौन है?** — **Who's this?** हू'ज़ दिस?

38. वागीश कहां है? — Where is Vagish? वेअर इज़ वागीश?

39. **क्या ख़बर है?** — **What's the news?** वॉट्स द न्यूज़?

40. अब फिर भेंट कब होगी? — When shall we meet again? वेन शैल वी मीट अगेन?

41. **तुम्हारी उम्र क्या है? या आपकी उम्र क्या है?** — How old are you? हाउ ओल्ड आर यू?

42. इस कोट में कितना खर्च पड़ा है? या इस कोट पर क्या लागत लगी है? — How much did this coat cost you? हाउ मच डिड दिस कोट कॉस्ट यू?

43. आप यहां कब से हैं? — For how long have you been here? फ़ॉर हाउ लौंग हैव यू बीन हिअर?

44. **कितना समय लगेगा?** — **How long will it take?** हाउ लौंग विल इट टेक?

45. आप क्यों तकलीफ़ करते हैं? — Why do you trouble yourself? वाइ डू यू ट्रबल योरसेल्फ़?

46. सड़क बन्द क्यों है? — Why is the road closed? वाइ इज़ द रोड क्लोज़्ड?

47. आज कौन सी पिक्चर लगी है? — What movie is on today? वॉट मूवी इज़ ऑन-टुडे?

48. **आप क्या ढूंढ रहे हैं?** — **What are you looking for?** वॉट आर यू लुकिंग फ़ॉर?

49. आप इतने गंभीर क्यों हैं? — Why are you so serious? वाइ आर यू सो सीरियस?

50. मैं आज की पार्टी में क्या पहनूं? — What should I wear in the party tonight? वॉट शुड आइ वेअर इन द पार्टी टुनाइट?

51. मैं आपसे कहां संपर्क करूं? — Where should I contact you? वेअर शुड आइ कॉन्टेक्ट यू?

52. क्या कोई परेशानी है? — Is there any problem? इज़ देअर एनी प्रॉब्लम?

53. क्या आज आप देर से आयेंगे? — Are you going to be late tonight? आर यू गोइंग टु बी लेट टुनाइट?

54. क्या मैं आपके साथ डांस कर सकता हूं? — May I have a dance with you? मे आइ हैव अ डांस विद यू?

55. क्या आप हमारे साथ बैठेंगे? — Would you like to join us? वुड यू लाइक टु जॉइन अस?

56. अब मुझे क्या करना चाहिए? — What should I do now? वॉट शुड आइ डू नाउ?

57. तुम मेरी बात क्यों नहीं सुनते? — Why don't you listen to me? वाइ डोंट यू लिसन टु मी?

58. इन दिनों पोशाकों में से कौन-सी मुझ पर अधिक फ़बेगी? — Which of these two dresses will suit me better? विच ऑफ़ दीज़ टू ड्रेसिज़ विल सूट मी बेटर?

---

* 'How do you do? का प्रयोग किसी से पहली बार मिलने पर किया जाता है। खासतौर पर जब दो व्यक्तियों का आपस में परिचय कराया जाये। 'हाउ डू यू डू'? के जवाब में 'हाउ डू यू डू' ही कहा जाता है।

59. मुझे उसे कहां ढूंढ़ना चाहिए? — Where should I look for him? वेअर शुड आइ लुक फॉर हिम?

60. मैं तुम्हारे लिए क्या कर सकता हूं? — What can I do for you? वॉट कैन आइ डू फ़ॉर यू?

61. क्या मैं आपका फ़ोन इस्तेमाल कर सकता हूं? — May I use your phone? मे आइ यूज़ योर फ़ोन?

62. क्या आप उसे पहचानते हैं? — Do you recognize him? डू यू रेकोग्नाइज़ हिम?

याद रखें (Remember)

(i) आपने देखा कि is, am, are, was, were, had, will, would, shall, should, can, could, may, might आदि यदि वाक्य के आरम्भ में आएं तो प्रश्नसूचक वाक्य बनते हैं और बीच में (Subject के बाद) आएं तो साधारण वाक्य बनाते हैं, जैसे कि:

A	B
1. Am I a fool?	I am not a fool.
2. Were those your books?	Those were your books.
3. Had you gone there?	You had gone there.
4. Can I walk for a while?	I Can walk for a while.
5. May I come in?	I may come in.

(ii) नीचे दिये गये साधारण वाक्य ध्यान से देखिए:

1. मैं सुबह जल्दी उठता हूं। — I get up early in the morning.
2. मैं सुबह जल्दी उठा। — I got up early in the morning.

अब इनके नकारात्मक (Negative) वाक्य बनाइए:

3. मैं सुबह जल्दी नहीं उठता हूं। — I do not get up early in the morning.
4. मैं सुबह जल्दी नहीं उठा। — I did not get up early in the morning.

आपने देखा कि नकारात्मक वाक्य बनाने के लिए क्रमशः do और did जोड़ने पड़े। प्रश्नवाचक वाक्य बनाने के लिए अन्दर वाला यही do और did सबसे पहले लगता है, जैसे:

5. क्या मैं जल्दी उठता हूं? — Do I get up early in the morning?
6. क्या मैं जल्दी उठा? — Did I get up early in the morning?

19 उन्नीसवां दिन th Day

पीछे आपने सभी कालों (Tenses) में क्रियाओं के रूप दोहराये हैं। सोलहवें और सत्रहवें दिनों में आपने प्रश्नवाचक वाक्यों की रचना भी की है। क्या आप बतला सकते हैं कि सकारात्क (Assertive) वाक्यों को प्रश्नवाचक (Interrogative) वाक्य बनाने के लिए आपको क्या करना पड़ा है ? आपने सभी कालों (Tenses) में सहायक क्रियाओं को वाक्य में सबसे पहले लाकर प्रश् नवाचक वाक्य बनाये हैं। (1) अब आप ध्यान दीजिए कि नकारात्मक (negative) वाक्य कैसे बनते हैं। वाक्य में do, did, is, are, was, were, have, had, will, would, shall, should, can, could, may, might आदि क्रियाओं के साथ not जोड़ा जाता है, इससे नकारात्मक वाक्य बनते हैं। (2) लिखने में do not, did not, were not, have not, can not, will not, shall not, should not, would not आदि प्रायः ये रूप आते हैं, किन्तु बोलने में अधिकतर संक्षिप्त रूपों का प्रयोग होता है, जो क्रमशः इस प्रकार हैं: don't, didn't, weren't, can't, won't, shouldn't, wouldn't आदि। वैसे आजकल लिखने व बोलने में दोनों रूप प्रचलित हैं, do not की तरह पूरे और don't की तरह संक्षिप्त भी। आइए, इनका अभ्यास करें।

नकारात्मक वाक्य (Negative Sentences)

1. मैं नहीं जानता।	I do not know. आइ डू नॉट नो.
2. मैं कुछ नहीं पूछता।	I don't ask anything. आइ डोन्ट आस्क एनिथिंग.
3. वह यहां नहीं आती।	She does not come here. शी डज़ नॉट कम हिअर.
4. वह चाय बनाना नहीं जानती।	She doesn't know how to make tea. शी डज़न्ट नो हाउ टु मेक टी.
5. कल उससे बस नहीं छूटी।	He did not miss the bus yesterday. ही डिड नॉट मिस द बस येस्टरडे.
6. हमने यह समाचार नहीं सुना है।	We haven't heard this news. वी हैवन्ट हर्ड दिस न्यूज.
7. आज ठंड नहीं है।	It's not cold today. इट्स नॉट कोल्ड टुडे.
8. वह स्त्री शादीशुदा नहीं है।	She isn't married. शी इज़न्ट मैरिड.
9. आज हम लेट नहीं हैं।	We are not late today. वी आर नॉट लेट टुडे.
10. वह दिल्ली में नहीं थी।	She wasn't in Delhi. शी वॉज़न्ट इन डेलही.
11. हमने लेक्चर नहीं सुना।	We didn't attend the lecture. वी डिडन्ट अटेंड द लैक्चर.
12. उसके लड़का नहीं है।	She doesn't have a son. शी डज़न्ट हैव अ सन.
13. मुझे चिट्ठी नहीं मिली।	I didn't get the letter. आइ डिडन्ट गेट द लेटर.
14. उनके पास सवारी नहीं थी।	They didn't have a conveyance. दे डिडन्ट हैव अ कन्वेयन्स.
15. घबराओ नहीं, पिताजी नाराज़ नहीं होंगे।	Don't worry, father won't be angry. डोन्ट वरी, फ़ादर वोन्ट बी ऐंग्री.
16. पिता जी कल घर पर नहीं होंगे।	Father won't be at home tomorrow. फ़ादर वोन्ट बी एट होम टुमॉरो.
17. हमें कल देरी नहीं होगी।	We shan't (shall not) be late tomorrow. वी शान्ट (शैल नॉट) बी लेट टुमॉरो.
18. मैं मोटर साइकिल नहीं चला सकता।	I can't ride a motor cycle. आइ कान्ट राइड अ मोटर साइकिल.
19. आपको अपनी कार फ़ुटपाथ पर नहीं चलानी चाहिए।	You must not drive the car on the footpath. यू मस्ट नॉट ड्राइव द कार ऑन द फ़ुटपाथ.

20. मैं परसों समय पर नहीं पहुंच सका। — I couldn't reach in time day before yesterday. आइ कुडन्ट रीच इन टाइम डे बिफ़ोर येस्टरडे.

21. आपको वहां जाने की आवश्यकता नहीं है। — You needn't go there. यू नीडन्ट गो देअर.

22. कोई समस्या नहीं। — No problem. नो प्रॉब्लम.

23. अब हमें अपनी दुकान बंद नहीं करनी चाहिए न। — Now we shouldn't close our shop, should we? नाउ वी शुडन्ट क्लोज़ आवर शॉप, शुड वी?

प्रश्नवाची नकारात्मक वाक्य (Interrogative-cum-Negative Sentences)

1. अंग्रेज़ी में It's hot today, is'nt it- 'आज बड़ी गर्मी है, ना?' अथवा It's not cold today, is it? 'आज ठंड नहीं हैं, ना?' इस तरह के वाक्य बहुत प्रचलित हैं। इन्हें अंग्रेज़ी में Tail Questions कहा जाता है। ये वाक्य के अन्त में छोटे से प्रश्न के रूप में रहते हैं। यदि वाक्य सकारात्मक होता है, तो Tail Question नकारात्मक होता है, जैसे—It's hot today, isn't it? (देखिए वाक्य 26, 28) और यदि वाक्य, नकारात्मक होता है, तो Tail Question सकारात्मक होता है, जैसे — It is not cold today, is it? (देखिए वाक्य 27, 30)।
2. वाक्य के पहले भाग में सहायक क्रिया (helping verb) के साथ not पृथक या मिला हुआ दोनों चलते हैं, जैसे— is not, isn't. परन्तु Tail Question में isn't आदि संक्षिप्त रूप ही अधिक मान्य हैं, वही प्राय: प्रयुक्त होते हैं। इसे नीचे दिये वाक्यों से आप भलीभांति समझ सकते हैं।

24. आज बड़ी गर्मी है, है ना? — It is very hot today, isn't it? इट इज़ वेरी हॉट टुडे, इज़न्ट इट?

25. वे विदेशी हैं, है ना? — They are foreigners, aren't they? दे आर फ़ॉरिनर्ज़, आर्न्ट दे?

26. तुम खुश नहीं थे, है ना? — You weren't pleased, were you? यु वर्न्ट प्लीज़्ड, वर यू?

27. कल रविवार होगा, है ना? — It will be Sunday tomorrow, won't it? इट विल बी सन्डे टुमॉरो, वोन्ट इट?

28. हम जल्दी तैयार हो जाएंगे, है ना? — We'll be ready soon, won't we? वील बी रेडी सून, वोन्ट वी?

29. मैं यह कभी नहीं भूल सकता, है ना? — I can never forget it, can I? आइ कैन नेवर फ़ोरगेट इट, कैन आइ?

30. कल मैं तुम्हारे साथ नहीं होऊंगा, है ना? — I Won't be with you tomorrow, will I? आइ वोन्ट बी विद यू टुमॉरो, विल आइ?

31. हम पहले मिल चुके हैं, है ना? — We have met before, haven't we? वी हैव मेट बिफ़ोर, हेवन्ट वी?

32. तुमने अपना काम समाप्त कर लिया था, है ना? — You had finished your work, hadn't you? यू हैड फ़िनिश्ड योर वर्क, हैडन्ट यू?

33. तुम मेरे लिए पुस्तक नहीं ढूंढ सके, है ना? — You couldn't find the book for me, could you? यू कुडन्ट फ़ाइन्ड द बुक फ़ॉर मी, कुड यू?

34. मीनाक्षी को देर से नहीं सोना चाहिए, है ना? — Meenakshi shouldn't go to bed late, should she? मीनाक्षी शुडन्ट गो टु बेड लेट, शुड शी?

35. अमिताभ को 12 बजे तक अवश्य प्रतीक्षा करनी चाहिए, है ना? — Amitabh must wait till 12 O'clock, mustn't he? अमिताभ मस्ट वेट टिल ट्वेल्व ओ क्लॉक, मसन्ट ही?

36. उसने अंग्रेज़ी नहीं सीखी है, है ना? — She hasn't learnt English, has she? शी हैज़न्ट लर्न्ट इंगलिश, हैज़ शी?

37. तुम अंग्रेज़ी बोल सकते हो, है ना? — You can speak English, can't you? यू कैन स्पीक इंग्लिश, कान्ट यू?

38. महान व्यक्ति समय खराब नहीं करते, है ना? — Great men don't waste their time, do they? ग्रेट मेन डोन्ट वेस्ट देअर टाइम, डू दे?

39. तुम्हें इस तरह की बात नहीं करनी चाहिए, है ना? — You should not talk like this, should you? यू शुड नॉट टॉक लाइक दिस, शुड यू?

40. कितना सुहावना मौसम है, है ना? — How pleasant it is, isn't it? हाउ प्लेज़ेंट इट इज़, इज़न्ट इट?

41. तुम अपने को बहुत होशियार समझते हो, है ना? — You think yourself to be very clever, don't you? यू थिंक योरसेल्फ टु बी वेरी क्लेवर, डोंट यू?

42. वह जल्दी ही यहां आ जायेगी, है ना? — She will reach here soon, won't she? शी विल रीच हिअर सून, वोन्ट शी?

43. वह फिर घर देर से पहुंची, है ना? — She reached home late again, didn't she? शी रीच्ड होम लेट अगेन, डिडन्ट शी?

44. हम अपना बचपन कभी नहीं भूलते, है ना? — We never forget our childhood, do we? वी नेवर फ़ॉरगेट ऑवर चाइल्डहुड, डू वी?

याद रखें (Remember)

A

A. अंग्रेज़ी में कुछ संयुक्त शब्दों के संक्षिप्त रूप (Short forms) बोलने में अत्यंत प्रचलित हैं, इन्हें बोलने व लिखने का अभ्यास कीजिए:

do + not = don't
is + not = isn't
were + not = weren't
had + not + hadn't
can + not + can't
need + not = needn't
does + not = doesn't
are + not= aren't
has + not = hasn't
will + not = won't
must + not = mustn't
would + not = wouldn't
did+ not = didn't
was + not = wasn't
have + not = haven't
shall + not = shan't
could + not = couldn't
should + not = shouldn't

B. n't forms में n पर लगे संकेत ('n') को Apostrophe कहते हैं।

B

Tail-Question वाले वाक्यों में से विपरीतार्थी जोड़े काम आते हैं। इनको एक साथ स्मरण कीजिए:

I did—didn't I?
He was—wasn't he?
We can—can't we?
I must—mustn't I?
She does not— does she?
He is— isn't he?
You were—weren't you?
You will—won't you?
You would—wouldn't you?
You do not—do you?
We are— aren't we?
They had—hadn't they?
I shall—shan't I?
She could—couldn't she?

अब इनका अभ्यास कीजिए:

I am— I'm आइम
You are—You're यू'अर
He is—He's ही'ज़
She is—She's शी'ज़
We are— We're वी'अर
They are— They're दे'अर

इसी प्रकार से I have, you have, she/he has के लिए I've आइ' व, यू'अव, शी.'ज/ही.'ज तथा We have और They have के लिए We've वी'अव, They've दे'अव आदि का प्रयोग होता है।

20 बीसवां दिन
20th Day

11 से 15 दिन:

1. अंग्रेजी में मुख्य 5 स्वर (Vowels) हैं — A, E, I, O, U, नीचे दिये शब्दों का उच्चारण कीजिए। उच्चारण करते हुए स्वरों के उच्चारण पर ध्यान दीजिए:

(a) a = आ (जैसे car)

far	star	card	hard	dark	mark
arm	farm	harm	art	part	start
heart	guard	answer	can't	balm	palm
calm	half	craft	draft	graph	laugh

(b) y या i = आइ (जैसे my)

by	buy	cry	try	spy	style
die	lie	tie	eye	life	wife
like	strike	high	sight	right	height
fight	light	might	night	tight	bind
find	mind	kind	fine	line	nine
pipe	ripe	five	strive	drive	knife

(c) u या o = अ (जैसे cup)

but	cut	rub	bud	dull	sum
fun	gun	up	hunt	lunch	luck
rush	sun	vulgar	cutter	butter	hut
front	worry	some	dozen	cousin	Monday
son	govern	nothing	young	tongue	southern
colour	comfort	become	brother	mother	other

(d) i = इ (जैसे it)

fit	hit	this	fish	wish	him
in	sin	thin	big	bid	kid
lip	slip	trip	ill	fill	will
kill	still	kick	pick	sick	trick
quick	king	link	spring	wing	fist
list	give	live	stick	clip	pin

(e) ea,ee = इअ (जैसे near)

clear	tear	near	hear	fear	appear
ear	year	dear	rear	peer	gear
sheer	beer	deer	cheer	queer	compere

(f) ea = ई (जैसे seat)

teat	beat	heat	meat	neat	heap
mean	sea	tea	lead	read	meal
each	reach	breach	preach	teach	speak

2. ऊपर प्रश्न 1 में (a) से (f) तक कुल 168 शब्द हैं। इनके अर्थ बताइए। न आने पर उन्हें डिक्शनरी में देखिए। इनमें से 150 के अर्थ ठीक हों, तो very good; 125 ठीक हों, तो good; 100 ठीक हों, तो 'Not bad' मानिए।

3. प्रश्न I के 168 शब्दों में से कुछ शब्दों में स्वर तथा कुछ में व्यंजन मूक या अनुच्चरित हैं। For example, guard' 'balm' और 'palm' में 'l', 'tight' व 'eight' में 'g' आदि! ऐसे ही कुछ और मूक वर्ण 'Silent letters' वाले शब्द ढूंढ कर उनकी लिस्ट बनाइए! यह भी बताइए कि उनमें कौन-सा वर्ण मूक है।

4. इन शब्दों का उच्चारण नागरी लिपि में लिखिए, जैसे — rough - रफ

rough	fall	philosophy	forgive	age	page
from	arm	tribes	hopes	Asia	Simla
Russia	thin	then			

5. नीचे दिये शब्दों में जो अक्षर अनुच्चरित हैं, उन्हें लिखिए:

Calm शान्त, Debt ऋण, Folk जनता, Half आधा, Knoll छोटी पहाड़ी, Lodge छोटा घर, Match दियासलाई, Villain दुष्ट, Reign शासन, Stalk टहनी, Unknown अज्ञात, Walk चलना।

6. इन शब्दों का उच्चारण नागरी लिपि में लिखिए — ice, can, come, policy, chocolate, receipt, received, pierce, of, off, accept, borne, born, clothes, morale, moral, island, gnat, known, psychology, written, honesty, psalm, knitting, honour, wrong, hour, deny. अब किसी अच्छे शब्द-कोश से उच्चारण मिलाइए।

7. अभ्यास के लिए इन शब्दों में से ठीक स्पेलिंग वाले शब्द छांटकर डिक्शनरी से मिलाएं:

hieght	height	speek	speak	call	calle
procced	proceed	speach	speech	near	nare
exceed	excede	treat	treet	reech	reach
exprress	express	harrass	harass	ocasion	occasion
havy	heavy	tension	tention	attack	atacke
angry	angary	attension	attention	sleep	sleap
new	nue	simpaly	simply	whitch	which
plastek	plastic	nature	nateur	velley	valley
pleese	please	tuche	touch	flower	flover
compeny	company	midal	middle	substract	subtract

16 से 19 दिन:

8. अंग्रेज़ी में प्रश्नवाचक शब्द (Interrogative words) हैं — what, who, how, which, when, where, why आदि। नीचे दिये वाक्यों में इन शब्दों का प्रयोग हुआ है। इनका हिन्दी में अनुवाद कीजिए:

1. *What* do you mean?
2. *What* does your father do?
3. *What's* wrong with you?
4. *What* has he decided?
5. *Who* do you think will be chosen?
6. *Whom* do you think I saw yesterday?
7. *Who* cleans your house?
8. *How* do you know his address?
9. *How many* boys ran in the race?
10. *How* did he work?
11. *Which* is your note book?
12. *Who* answered the question?
13. *When* did you return from Bombay?
14. *When* will you be able to repay the loan?
15. *When* are you going to start learning English?
16. *Where* do you live?
17. *Where* did she spend her summer vacation.
18. *Why* should we take exercise?
19. *Why* didn't you get up early?
20. *Why* Do people read the newspaper?
21. *What's* troubling you?

9. निम्नलिखित अंग्रेज़ी वाक्यों का हिन्दी में अनुवाद कीजिए, फिर उसे उल्टे छपे हिन्दी अनुवाद से मिलाइए:

(1) The shop is closed, isn't it? (2) we are late, aren't we? (3) You did come, didn't you? (4) You won't come tomorrow, will you? (5) We won't go there, will we? (6) If you hadn't told her, she wouldn't have known. (7) I'm not late today. (8) They played well, but you didn't (9) They won't reach in time, but we will. (10) My mother won't attend the wedding, but my father will. (11) I must go, but you need not. (12) You must not write in red ink. (13) He is wrong, isn't he? (14) I was with you, wasn't I? (15) You know him well, don't you? (16) We have done the work, haven't we? (17) You have learnt a lot, haven't you?

(1) दुकान बंद है, है न? (2) हम लेट हैं, हैं न? (3) तुम आए थे, है न? (4) तुम कल नहीं आओगे, है न? (5) हम वहां नहीं जाएंगे, है न? (6) यदि तुमने उसे बताया न होता, तो वह न जानती। (7) मैं आज लेट नहीं हूं। (8) वे अच्छी तरह खेले, पर तुम नहीं? (9) वे समय पर नहीं पहुंचेंगे, पर हम पहुंच जाएंगे। (10) मेरी मां शादी पर नहीं जाएंगी, पर मेरे पिताजी जाएंगे। (11) मुझे अवश्य जाना चाहिए, पर तुम्हारे जाने की आवश्यकता नहीं है। (12) तुम्हें लाल स्याही से नहीं लिखना चाहिए। (13) वह गलत है, है न? (14) मैं तुम्हारे साथ था, है न? (15) तुम उसे अच्छी तरह से जानते हो न? (16) हमने काम कर लिया है न? (17) तुमने बहुत कुछ सीख लिया है न?

निर्देश: अब आपने अंग्रेज़ी के कई नए वाक्य सीख लिये हैं, उन्हें मित्रों के साथ बोलने का अभ्यास कीजिए।

10. नीचे अभ्यास के लिए प्रश्न और उनके उत्तर दिये गये हैं। आप अपने साथी से कहिए कि वह आपसे प्रश्न करे और आप उत्तर दें। फिर हमारे उत्तर से मिलाएं:

प्रश्न (Questions)	**उत्तर** (Answers)
1. What's her dog's name?	It's Juno.
2. What do they want now?	They want more money.
3. Whom do you wish to see?	Mr. B. N. Kohli.
4. Who owns this car?	My cousin does.
5. What do you think?	I think that she will come soon.
6. What did you say?	I said that I would help her.
7. Who is coming today?	My uncle.
8. How do you earn so much money?	I work day and night.
9. How can a man make many friends?	By being a good friend himself.
10. Which book do you want now?	The Bhagvad Gita.
11. What has happened to him?	He walked into a lamp-post and hurt himself.
12. What is your suit made of?	Woollen cloth.
13. When do you plan to visit your auntie?	On Monday.
14. When will you be able to see me?	In a day or two.
15. Where did you sleep last night?	At my uncle's home.
16. Where did she invest the money?	In book trade.
17. Why must you work hard?	To succeed.
18. Why did you lend him your cycle?	Because he had to go to the market.
19. Why did you vote for Dr. Mishra?	Because he is very competent.
20. Whose telephone number is this?	Mr. Gupta's.
21. Who's it?	It's me.
22. How are you?	Fine. And you?
23. Does Rama know how to prepare tea?	No, she doesn't
24. Shall we be late tomorrow?	No, I don't think so.
25. What is the date tomorrow?	20th February.

उपर्युक्त वाक्यों का हिन्दी में अनुवाद कीजिए।

11. निम्नलिखित वाक्यों का हिन्दी में अनुवाद कीजिए। आपकी सुविधा के लिए वाक्यों का हिन्दी अनुवाद आगे उल्टा छपा है।

(1) I want three hundred rupees on loan. (2) He is known to the Prime Minister. (3) No, not at all. He is a book-worm. (4) No sir, the postman hasn't come yet. (5) Yes, he is weak but he is good in English. (6) No, it is slow by five minutes. (7) Raju, I don't have any appetite. (8) No, this is no thoroughfare. (9) Yes, It is snowing too. (10) Yes, but it gains ten minutes every day. (11) No, I'm not thirsty. (12) I have nothing else to

say. (13) No, he had a headache. (14) It takes me half an hour. (15) She has gone to her school. (16) I have been working here for the last five years. (17) Don't give up. (18) No. He is an author.

(1) मुझे तीन सौ रुपये उधार चाहिए (2) उसे प्रधानमंत्री जानते हैं। (3) नहीं, बिलकुल नहीं, वह किताबी कीड़ा है। (4) जी नहीं, डाकिया अभी नहीं आया है। (5) जी हां, वह कमज़ोर है, पर अंग्रेज़ी में अच्छा है। (6) नहीं, वह पांच मिनट पीछे है। (7) ज़रूर, मुझे भूख नहीं है (8) नहीं, यह आम रास्ता नहीं है (9) हां, बर्फ भी पड़ रही है (10) हां, लेकिन रोज़ यह 10 मिनट आगे हो जाती है (11) नहीं, मुझे प्यास नहीं है। (12) मुझे और कुछ नहीं कहना है (13) नहीं, उसे सरदर्द था (14) मुझे आधा घंटा लगता है (15) वह अपने स्कूल गई है। (16) मैं यहां पिछले पांच साल से काम कर रहा हूं। (17) हार मत मानो। (18) नहीं वह एक लेखक है।

12. प्रश्न 11 के उत्तर वाक्यों के लिए उपयुक्त प्रश्न बनाइए। आपकी सुविधा के लिए अधिकांश उत्तरों के सम्भव प्रश्न नीचे दिये गये हैं। यह ज़रूरी नहीं है कि आपका प्रश्न हमारे प्रश्न से हूबहू मिले, परन्तु यह ज़रूरी है कि आपके प्रश्न का भावार्थ हमारे प्रश्न के भावार्थ के समान ही हो।

(1) What do you want? (2) Who knows him? (3) Isn't Mahesh fond of games? (4) Is there any letter for me? (5) Is he weak in Hindi? (6) Does your watch give the correct time? (7) Will you have some milk? (8) Can we pass through this way? (9) Is it raining? (10) Is your timepiece working properly? (11) Are you thirsty? (12) What do you want to say next, Gopal? (13) Did he have fever? (14) How much time does it take you to reach school? (15) Where is your sister? (16) How long have you been working here? (17) What should I do? (18) Is your father a businessman?

अभ्यास तालिकाएं

तालिका-5: What, That, This, It के साथ a, an का प्रयोग। That और This में खत्म होने वाले प्रश्नवाची वाक्यों के उत्तरों में it का प्रयोग होता है। Vowels की sound वाले शब्दों के साथ an और शेष शब्दों में a का प्रयोग होता है।

तालिका [TABLE]—5

1	2	1	2	3
What is	that? this? it?	It is	a	book large bottle small cup
			an	old book empty bottle empty cup

तालिका-6: What, Why, Where, How — प्रश्नवाची शब्दों वाले वाक्य।

तालिका [TABLE]—6

1	2	3	4	5
What Why Where How	did	we you they she/he	criticise support invest manage	him for? him in the election? the money? to keep it a secret?

तालिका-7: Shall, Should, Will, Would को प्रश्नवाची शब्दों की तरह वाले वाक्य? प्रयोग में लाने, नम्र बनाते हैं, Should और Would प्रश्नों को नम्र बनाने के लिए प्रयोग किए जाते हैं।

तालिका [TABLE]—7

1	2	3	4
Shall Should Will Would	I we you they	stop walking begin to do it like to see it try the other way	now? soon? at once? tomorrow?

ऊपर की तालिकाओं से वाक्यों का अभ्यास कीजिए।

21 इक्कीसवां दिन
21st Day

तीसरा अभियान (3rd Expedition)

तीसरे अभियान में हम आपको अंग्रेज़ी व्याकरण के कुछ आवश्यक पहलुओं का ज्ञान कराने जा रहे हैं। यदि आप इन्हें जान लेंगे तो आपको, मोटे रूप से, अंग्रेज़ी समझ आ जायेगी। 21 वें से 30 वें दिन के इस सेट में इन विषयों पर ध्यान दिया गया है: **Pronouns, Prepositions, Co-relatives, Active and Passive Voices, Temporals, Countable Nouns, Emphasis and some notable usages.** अन्त में प्रचलित **Idioms** भी दिये गये हैं। प्रत्येक दिन के अन्त में इन विषयों से संबंधित टिप्पणियां भी दी गयी हैं, जो विषय को समझने में बड़ी सहायक होंगीं।

आप एक-एक दिन में एक-एक करके अभ्यास कीजिए और फिर देखिए कि आप कहां-से-कहां पहुंच गये हैं। सबसे पहले सर्वनाम शब्दों का प्रयोग देखिए।

He, She, It, This, That, You, I, Each, None आदि सर्वनाम शब्दों का प्रयोग

a, an, the — articles (सामान्य प्रयाग)

1. यह हमीद है। — *This* is Hamid. दिस इज़ हमीद.
2. वह अंजु है। — *That* is Anju. दैट इज़ अंजु.
3. यह उसकी पुस्तक है। — *This* is *his* book. दिस इज़ हिज़ बुक.
4. वह उसकी डायरी है। — *That* is *her* diary. दैट इज़ हर डायरी.
5. वह लड़का है। — *He* is a boy. ही इज़ अ बॉय.
6. वह लड़की है। — *She* is a girl. शी इज़ अ गर्ल.
7. तुम एक छात्र हो। — *You* are a student. यू आर अ स्टूडेंट.
8. मैं एक क्लर्क हूं। — *I* am a clerk. आइ ऐम अ क्लर्क.
9. यह एक कलम है। — *This* is *a* pen. दिस इज़ अ पेन.
10. यह एक सेब है। — *This* is *an* apple. दिस इज़ ऐन ऐपल.
11. वह एक संतरा है। — *That's an* orange. दैट्स ऐन ऑरेन्ज.
12. मैं एक भारतीय हूं। — *I* am *an* Indian. आइ ऐम ऐन इण्डियन.
13. यही कैमरा मैं चाहता हूं। — *This* is *the* camera *I* need. दिस इज़ द कैमरा आइ नीड.
14. वही पेन मैंने भी खरीदा है। — *I* have also bought *the* same pen. आइ हैव आल्सो बॉट द सेम पेन.
15. यह पेन्सिल है, और यह मेरी है। — *This* is a pencil, and *it's mine*. दिस इज़ अ पेन्सिल, ऐंड इट्स माइन
16. वह मेरी बकरी है। — *That* is *my* goat. दैट इज़ माइ गोट.
17. ये मेरी पुस्तकें हैं। वे तुम्हारी पुस्तकें हैं। — *These* are *my* books. *Those* are *your* books. दीज़ आर माइ बुक्स. दोज़ आर योर बुक्स.
18. ये पुस्तकें मेरी हैं। वे पुस्तकें तुम्हारी हैं। — *These* books are *mine*. *Those* books are *yours*. दीज़ बुक्स आर माइन. दोज़ बुक्स आर योर्ज़.
19. ये तुम्हारी कापियां हैं। वे मेज़ पर हैं। — *These* are *your* notebooks. *They* are on the table. दीज़ आर योर नोटबुक्स. दे आर ऑन द टेबल.

20. वे मेरे कंचे हैं। वे कई रंगों के हैं।	*Those* are *my* marbles. *They* are of different colours. दोज़ आर माइ मारबल्ज़. दे आर ऑफ़ डिफ़रेंट कलर्ज़.
21. भारत हमारा देश है। हम उसके वासी हैं।	India is *our* country. *We* are *her* inhabitants. इण्डिया इज़ आवर कन्ट्री. वी आर हर इनहैबिटेन्ट्स.
22. श्री शर्मा तुम्हारे टीचर हैं।	Mr. Sharma is *your* teacher. मि. शर्मा इज़ योर टीचर.
23. मीता और नीता बहनें हैं। उनकी मां टीचर है।	Meeta and Neeta are sisters. *Their* mother is a teacher. मीता ऐंड नीता आर सिस्टर्ज़. देअर मदर इज़ अ टीचर.
24. इन लड़कों में से हरेक खेल खेलता है।	*Each* of *these* boys plays games. ईच ऑफ़ दीज़ बॉयज़ प्लेज़ गेम्ज़.
25. वहां हममें से कोई न गया।	*None* of *us* went there. नन ऑफ़ अस वेन्ट देअर.
26. हमने छुट्टियों के दौरान आनन्द मनाया।	*We* enjoyed ourselves during the holidays. वी एंजॉयड आवर- सेल्व्ज़ ड्यूरिंग द हॉलीडेज़.
27. जो कोई सबसे बढ़िया रहेगा, उसे पुरस्कार मिलेगा।	*Whoever* is the best, will get a prize. हूएवर इज़ द बेस्ट, विल गेट अ प्राइज़.
28. वह मुझसे बुद्धिमान है।	*He* is wiser than *me*. ही इज़ वाइज़र दैन मी.
29. मेरी लिखाई मेरे भाई की लिखाई से अच्छी है।	*My* handwriting is better than *that* of *my* brother. माइ हैंडराइटिंग इज़ बेटर दैन दैट ऑफ़ माइ ब्रदर.
30. वह क्या है? वह एक कंप्यूटर है।	What is *that?—That's* a computer. वॉट इज़ दैट? दैट्स अ कंप्यूटर.
31. वे क्या हैं? वे कैसेट्स हैं।	What are *those?— Those* are cassettes. वॉट आर दोज़? दोज़ आर कैसेट्स.
32. यह एक बक्सा है। ये इसके कोने हैं।	*This* is a box. *These* are *its* corners. दिस इज़ अ बॉक्स, दीज़ आर इट्स कॉर्नर्ज़.
33. वह कौन है? वह मेरा सहकर्मी है।	*Who* is *that?— He* is *my* colleague. हू इज़ दैट?—ही इज़ माइ कोलीग.
34. यह किसकी कापी है?	*Whose* notebook is *this?* हूज़ नोटबुक इज़ दिस?
35. यह उसकी है।	It's *hers.* इट्स हर्ज़.
36. यह गाय हमारी है।	*This* cow is *ours.* दिस काउ इज़ आवर्ज़.
37. वे दुकानें उनकी हैं।	*Those* shops are *theirs.* दोज़ शॉप्स आर देअर्ज़.
38. यह घड़ी मेरी है।	*This* watch is *mine.* दिस वॉच इज़ माइन.
39. यह घर आपका है।	*This* house is *yours.* दिस हाउस इज़ योर्ज़.
40. यह घर उसका है।	*This* house is *his*. दिस हाउस इज़ हिज़.
41. तुम्हारी पेंटिंग सबसे अच्छी है।	*Your* painting is the best. योर पेंटिंग इज़ द बेस्ट.
42. मैं तुम्हारी बात ध्यान से सुन रहा हूं।	*I* am listening to you attentively. आइ एम लिसनिंग टु यू अटेंटिवली.
43. दरवाज़ा कौन खटखटा रहा है।	*Who* is knocking at the door? हू इज़ नॉकिंग एट द डोर?
44. वह किसका सामान है?	*Whose* luggage is this? हूज़ लगेज इज़ दिस?
45. वह बिल्कुल दूसरी बात है।	*That's* a different matter altogether. दैटस अ डिफ़रेंट मैटर ऑलटुगेदर.
46. उसे समय की कीमत नहीं मालूम है।	*She* doesn't know the value of time. शी डज़न्ट नो द वैल्यू ऑफ़ टाइम.
47. तुम उन पर भरोसा कर सकते हो।	*You* can trust them. यू कैन ट्रस्ट देम.
48. मैं आपका बहुत एहसानमंद हूं।	*I* am very thankful to *you.* आइ ऐम वेरी थैंकफुल टु यू.

This, that, these, those are called Demonstrative adjectives when they are used with nouns. For example: This book, that dog, these shops, those houses etc.

49. उसके रुखे व्यवहार से मुझे धक्का पहुंचा। *His* rude behaviour shocked *me*. हिज़ रूड बिहेविअर शॉक्ड मी.

50. मुझे तुमसे ऐसी आशा कभी न थी। *I* never expected this from *you*. आइ नेवर एक्सपेक्टिड फ्रॉम यू.

51. ये किताबें मेरे किसी काम की नहीं हैं। *These* books are of no use to *me*. दीज़ बुक्स आर ऑफ़ नो यूज़ टु मी.

52. हमें अभी तुरंत जाना है। *We* have to leave at once. वी हैव टु लीव ऐट वन्स.

53. उनके दिल्ली में अपने मकान हैं। *They* have their own houses in Delhi. दे हैव देअर ओन हाउसिज़ इन डेल्ही.

54. वह दुकान मेरे चाचा जी की है। *That* shop belongs to *my* uncle. दैट शॉप बिलोंग्ज़ टु माइ अंकल.

याद रखें (Remember)

1. *He (She)* और That इन सभी का अर्थ 'वह' होता है, पर He, She पुरुषवाचक सर्वनाम हैं, और That निश्चयवाचक सर्वनाम है अर्थात् He और She क्रमश: पुरुष और स्त्री का बोध कराते हैं, पर That (वह) उस वस्तु का निश्चय करता है — यह नहीं, वह लाओ Bring that, not this.
2. This, That निश्चयवाचक सर्वनाम हैं। These (This का) बहुवचन रूप है और Those (that) का।
3. This (यह) That (वह) — इन दोनों के बदले अगले वाक्यों में (प्रसंग में) It का प्रयोग होता है।
4. These (ये), Those (वे) — इन दोनों के बदले अगले वाक्यों में (प्रसंग रूप में) They आता है।
5. A, an, the— ये articles कहलाते हैं। A, an अनिश्चयवाची है, the निश्चयवाची? सामान्यतया जिन संज्ञा शब्दों की गिनती हो सकती है (countable), उनके आगे a या an लगता है, जैसे — a book, a cat, an animal, an egg आदि। जिन Countable शब्दों का पहला वर्ण a, e, i, o, u, में से कोई हो या जो वावल या स्वर की ध्वनि से शुरू हो, वहां प्राय: 'an' लगता है, जैसे — an animal, an Indian आदि। जिन शब्दों में पहला वर्ण व्यंजन होता है, वहां a लगता है — a man, a cat आदि।
6. The निश्चयवाची article किसी व्यक्ति या वस्तु विशेष को इंगित करने के लिए प्रयोग में आता है, जैसे — This is *the* book I need. यह है (वही) पुस्तक जिसकी मुझे आवश्यकता है, आदि। इसका विस्तृत प्रयोग आगे देखें।

22 बाईसवां दिन
nd Day

स्थान सूचक (Platial) शब्दों से बने वाक्य

[on, at, into, in, of, to, by, with, besides, beside, between, among, over]

अंग्रेज़ी भाषा की वाक्य-रचना में Prepositions का बड़ा महत्त्व है। अंग्रेज़ी भाषा के शिक्षार्थियों को बड़ी सावधानी से इनका ठीक-ठाक प्रयोग सीखना चाहिए। कुछ Prepositions का संबंध स्थान, समय, विधि आदि के साथ होता है, और कुछ का कारण और गति के साथ। इन सबका अभ्यास बड़े ध्यान से करना चाहिए। Prepositions प्राय: संज्ञा, सर्वनाम या संज्ञार्थक अन्य शब्दों का दूसरे शब्दों के साथ संबंध बताती हैं। ये प्राय: संज्ञा आदि शब्दों से पहले लगती हैं, और कभी-कभी बाद में भी जोड़ी जाती हैं। इनका अच्छी तरह अभ्यास करके आप इन्हें आसानी से सीख सकते हैं।

1. पुस्तक बक्से पर है।	The book is on the box. द बुक इज़ ऑन द बॉक्स.
2. कंप्यूटर मेज पर है।	The computer *is* on the table.द कम्प्यूटर इज़ ऑन द टेबल.
3. क्लर्क सीट पर बैठा है।	The clerk is *at* the seat. द क्लर्क इज़ ऐट द सीट.
4. दरवाज़े पर हरा पेन्ट है।	There is green paint *on* the door. देअर इज़ ग्रीन पेन्ट ऑन द डोर.
5. पिंताजी दरवाजे पर खड़े हैं।	Father is standing *at* the door. फ़ादर इज़ स्टैंडिंग ऐट द डोर.
6. मैं आपको घर पर मिलूंगा।	I'll see you *at* home. आइल सी यू ऐट होम.
7. नेहा कमरे में आ रही है।	Neha is coming *into* the room. नेहा इज़ कमिंग इन्टू द रूम.
8. रिषभ और रिचा दोनों कमरे में हैं।	Rishabh and Richa, both are *in* the room. रिषभ ऐंड रिचा बोथ आर इन द रूम.
9. मैं गिलास में थोड़ा-सा और पानी डालूंगा।	I'll pour some more water *into* the glass. आइल पोर सम मोर वॉटर इन्टू द ग्लास.
10. लोग नदी में स्नान करते हैं।	People bathe *in* the river. पीपल् बेद इन द रिवर.
11. हम बेन्च पर बैठते हैं, किन्तु पिताजी आराम कुर्सी पर बैठते हैं।	We sit *on* the bench, but father sits *in* the arm-chair. वी सिट ऑन द बेन्च, बट फ़ादर सिट्स इन दी आर्म-चेयर.
12. आप मेज़ पर क्यों नहीं बैठते?	Why don't you sit *at* the table. वाइ डोन्ट यू सिट ऐट द टेबल?
13. फ़्लॉपी को कंप्यूटर में डाल दो।	Feed the floppy *into* the Computer. फ़ीड द फ़्लॉपी इनटू द कम्प्यूटर.
14. वह अपने मकान के अंदर गया।	He went *into* his house. ही वेन्ट इन्टू हिज़ हाउस.
15. पत्र कूरियर द्वारा भेजा गया।	The letter was sent *by* Courier. द लेटर वॉज़ सेन्ट बाइ कूरियर.
16. इसका हिन्दी से अंग्रेज़ी में अनुवाद कीजिए।	Please translate this from Hindi *into* English. प्लीज़ ट्रान्सलेट दिस फ्रॉम हिन्दी इन्टू इंगलिश.
17. हिमाचल प्रदेश उत्तर भारत में है।	Himachal Pradesh is *in* Northern India. हिमाचल प्रदेश इज़ इन नॉर्दर्न इंडिया.
18. नेपाल भारत के उत्तर की ओर है।	Nepal is *to* the North of India. नेपाल इज़ टु द नॉर्थ ऑफ़ इण्डिया.
19. किसी व्यक्ति को उसके कपड़ों से मत जानो।	Don't judge a person *by* his clothes. डोन्ट जज अ पर्सन बाइ हिज़ क्लोद्ज़.

20. मैंने दूध से बोतल भरी।	I filled the bottle *with* milk. आइ फ़िल्ड द बॉटल विद मिल्क.
21. बाघ शिकारी द्वारा मारा गया (बाघ शिकारी ने मारा)।	The tiger was killed by the hunter. द टाइगर वॉज़ किल्ड बाइ द हंटर.
22. वह अपने भाई के पास खड़ा हुआ।	He stood *beside* his brother. ही स्टुड बिसाइड हिज़ ब्रदर.
23. मैं हॉकी के अलावा फ़ुटबाल खेलता हूं।	I play football *besides* hockey. आइ प्ले फ़ुटबॉल बिसाइड्ज़ हॉकी.
24. मिठाई को कीर्ति और सौरभ के बीच बांट दो।	Divide the sweets *between* Kirti and Saurabh. डिवाइड द स्वीट्स बिटवीन कीर्ति ऐंड सौरभ.
25. शिमला पहाड़ों के बीच स्थित है।	Simla is situated *amongst* the mountains. शिमला इज़ सिचुएटेड अमंगस्ट द माउंटेन्ज़.
26. वह सिद्धान्तप्रिय व्यक्ति है।	He is a man *of* principles. ही इज़ ए मैन ऑफ़ प्रिंसिपल्ज़.
27. यमुना नदी पर पुल है।	There is a bridge *over* the Yamuna river. देअर इज़ अ ब्रिज ओवर द यमुना रिवर.
28. गेंद को दीवार से ऊपर फेंको।	Throw the ball *over* the wall. थ्रो द बॉल ओवर द वॉल.
29. पक्षी पुल के ऊपर उड़ रहे हैं।	Birds are flying *over* the bridge. बर्ड्ज़ आर फ़्लाइंग ओवर द ब्रिज़.
30. नावें पुल के नीचे हैं।	Boats are *under* the bridge. बोट्स आर अंडर द ब्रिज़.
31. अमर, राज और विकास के बीच में खड़ा है।	Amar is standing *between* Raj and Vikas. अमर इज़ स्टैंडिंग बिटवीन राज ऐंड विकास.
32. राम सीता से आगे हैं। सीताजी राम के पीछे खड़ी हैं।	Ram is in *front* of Sitaji, Sitaji is standing *behind* him. राम इज़ इनफ्रन्ट ऑफ़ सीताजी, सीताजी इज़ स्टैंडिंग बिहाइण्ड हिम.
33. हम दुविधा में हैं। पैसा मेरी जेब में है। मछलियां समुद्र में हैं। अन्दर कौन है?	We are *in* confusion. The money is *in* my pocket. Fishes are *in the sea.* Who is *inside?* वी आर इन कन्फ़्यूज़न. द मनी इज़ इन माइ पॉकेट. फ़िशेज़ आर इन द सी. हू इज़ इनसाइड?

याद रखें (Remember)

1. at, on, in, with, by आदि prepositions का प्रयोग प्राय: स्थानवाची (platial) और कालवाची (temporal) शब्दों के रूप में होता है। ऊपर आपने स्थानवाची अर्थ में इनके प्रयोग देखे हैं।
2. on और at दोनों का अर्थ 'पर' है तथा by और with का अर्थ 'साथ' है। पर इन शब्दों के अर्थ में बड़ा अन्तर है। 'on the table' का अर्थ है 'मेज के ऊपर', और 'at the table' का अर्थ है मेज पर। by का अर्थ 'के द्वारा' (से) तथा with का अर्थ 'के साथ' (से) है।
3. between दो व्यक्तियों या वस्तुओं के लिए आता है। among दो से अधिक व्यक्तियों के साथ प्रयोग में आता है।
4. Kamla is going in her room. (✗)
   Kamla is going into her room. (✓)
   ऊपर के दो वाक्यों में दूसरा वाक्य ठीक है। यहां अर्थ है बाहर से कमरे के अंदर जाना न कि अंदर चलना-फिरना, इसलिए into प्रयोग किया गया है। in का प्रयोग वहां होता है, जहां यह अर्थ निकले कि वह कमरे के अंदर ही कोई काम कर रही है। उदाहरण के लिए नीचे दिये वाक्य पढ़िए:

कमला अपने कमरे के अंदर है।	Kamla is in her room. कमला इज़ इन हर रूम.
कमला अपने कमरे के अंदर सो रही है।	Kamla is sleeping in her room. कमला इज़ स्लीपिंग इन हर रूम.

23 तेईसवां दिन
rd Day

Co-relatives and Temporals

अंग्रेज़ी भाषा में कहीं-कहीं वाक्यों में एक-दूसरे के पूरक शब्द (Co-relatives) प्रयोग में आते हैं। ये शब्द एक-दूसरे से संबंधित होते हैं। दो पदों में से एक के थोड़ा भी बदल जाने से वाक्य अशुद्ध हो जाता है, इसलिए इनका ठीक से अभ्यास कर लेना चाहिए, जैसे — no sooner–than, scarcely–when, hardly–when आदि। कुछ शब्द अपने साथ दूसरा पूरक शब्द नहीं रखते, जैसे — As soon as we reached the bus stop, the bus left, यहां as soon as के साथ कोई शब्द नहीं आया। इसी पाठ के (B) भाग में काल सूचक शब्दों (Temporals) का प्रयोग करना सिखलाया गया है।

A

वाक्यों में एक-दूसरे के पूरक शब्द (Co-relatives)

as soon as —x	as long as—x	unless—x	As far as—x
x— until	x—till	x—so that	no sooner—than
hardly— when	not only—but also	either—or	neither—nor
although—	Scarcely—when	rather—than	no less—than
thé—the			

1. जैसे ही हम स्टेशन पर पहुंचे, गाड़ी चल पड़ी।	As *soon as* we reached the staion, the train left. ऐज़ सून ऐज़ वी रीच्ड द स्टेशन, द ट्रेन लेफ़्ट.
2. ज्योंही वह अपना भाषण देने के लिए उठा, हाल तालियों से गूंजने लगा।	*No sooner* did he get up to deliver his speech than the hall began to resound with cheers. नो सूनर डिड ही गेट अप टु डिलिवर हिज़ स्पीच दैन द हॉल बिगैन टु रिज़ाउन्ड विद चिअर्ज़.
3. हम अभी स्कूल पहुंचे ही थे कि घंटी बज गयी।	We had *scarcely* reached the school *when* the bell rang. वी हैड स्कैर्सली रीच्ड द स्कूल वेन द बेल रैन्ग.
4. वह अभी घर से निकला ही था कि बारिश शुरू हो गयी।	He had *hardly* left his house *when* it started raining. ही हैड हार्डली लेफ़्ट हिज़ हाउस वेन इट स्टार्टिड रेनिंग.
5. जब तक आप तेज़ न दौड़ेंगे, गाड़ी को नहीं पकड़ सकेंगे।	*Unless* you run fast, you will not be able to catch the train. अनलेस यू रन फ़ास्ट, यू विल नॉटबी एबल टु कैंच द ट्रेन.
6. जब तक मैं वापिस न आऊं, कृपया आप मेरा इंतज़ार कीजिए।	Please wait for me *until* I return. प्लीज़ वेट फ़ॉर मी अंटिल आइ रिटर्न.
7. जब तक मैं यहां हूं, आपको किसी बात की चिंता करने की ज़रूरत नहीं।	*As long* as I am here, you needn't worry about anything. ऐज़ लौंग ऐज़ आइ ऐम हिअर, यू नीडन्ट वरी अबाउट एनिथिंग.
8. यद्यपि वह गरीब है, वह ईमानदार है।	*Although* he is poor, he is honest. ऑल्दो ही इज़ पुअर, ही इज़ ऑनेस्ट.
9. जहां तक मुझे याद है, वह कल यहां पर था।	*As far as* I remember, he was here yesterday. ऐज़ फ़ार ऐज़ आइ रिमेम्बर, ही वॉज हिअर येस्टरडे.
10. छत की मरम्मत करा लो ताकि वह चू न पड़े।	Get the roof repaired *before* it *should* leak. गेट द रूफ़ रिपेअर्ड बिफ़ोर इट शुड लीक.

11. प्रथम आने की तो बात ही क्या, वह तो परीक्षा में पास भी नहीं हो सकता?
What to speak of standing first, he cannot even pass the examination. वॉट टु स्पीक ऑफ़ स्टैंडिंग फ़र्स्ट, ही कैननॉट ईवन पास द इग्ज़ैमिनेशन?

12. वह असफल हो जाएगा, परंतु नकल नहीं करेगा।
He would *rather* fail *than* copy. ही वुड रादर फ़ेल दैन कॉपी.

13. प्रदेश के मुख्य मंत्री से कम महत्त्वपूर्ण व्यक्ति ने राष्ट्रीय झंडा नहीं फहराया।
No less a person *than* the Chief Minister of the state hoisted the National Flag. नो लेस अ परसन दैन द चीफ़ मिनिस्टर ऑफ़ द स्टेट होइस्टेड द नैशनल फ़्लैग.

14. वह इतना बीमार है कि बिस्तर से उठ नहीं सकता।
He is *so* ill *that* he cannot rise from his bed.
ही इज़ सो इल दैट ही कैननॉट राइज़ फ्रॉम हिज बेड.

15. वह परिश्रम करता है ताकि पुरस्कार पाये।
He works hard *so that* he may win a prize.
ही वर्क्स हार्ड सो दैट ही मे विन अ प्राइज़.

16. जितना ऊंचा चढ़ें, उतनी ठंडक बढ़ती जाती है।
The higher you go *the* colder it is. द हायर यू गो, द कोल्डर इट इज़.

17. तुम या तुम्हारा भाई दोषी है।
Either you *or* your brother is guilty. आइदर यू ऑर योर ब्रदर इज़ गिल्टी.

18. वह इतनी कमज़ोर है कि चल नहीं सकती।
She is *too* weak *to* walk. शी इज़ टू वीक टु वॉक.

19. वह इतनी कमज़ोर है कि वह चल नहीं सकती।
She is *so* weak *that* she cannot walk.
शी इज़ सो वीक दैट शी कैननॉट वॉक.

20. मैं सिर्फ़ अंग्रेज़ी ही नहीं, फ्रैन्च भी पढ़ता हूं।
I study *not only* English *but* French *also*.
आइ स्टडी नॉट ओन्ली इंगलिश बट फ्रेंच ऑल्सो.

21. न समीर और न ही उसका भाई इस पार्क में खेलता है।
Neither Samir *nor* his brother plays in this park. नाइदर समीर नॉर हिज़ ब्रदर प्लेज़ इन दिस पार्क.

B

कालसूचक शब्दों (Temporals) से बने वाक्य

22. आज जनवरी उन्नीस सौ सतहत्तर (1977) है, वह मार्च में आयेगा।
It is January nineteen hundred and seventy seven (1977). He will come *in* March. इट इज़ जैनवरी नाइन्टीन हंड्रेड ऐंड सेवंटी सेवन (1977) ही विल कम इन मार्च.

23. आपको उसका पत्र तीन दिनों में मिलेगा।
You will receive his letter *in* three days.
यू विल रिसीव हिज़ लेटर इन थ्री डेज़.

24. आपको उसका पत्र तीन दिनों के अन्दर मिलेगा।
You will receive his letter *within* three days.
यू विल रिसीव हिज़ लेटर विदिन थ्री डेज़.

25. हम 20 फरवरी को मुंबई के लिए रवाना हुए।
We left for Mumbai *on* 20th February.
वी लेफ़्टफ़ॉर मुंबई ऑन ट्वेन्टियथ फ़ेब्रुअरी.

26. तुम साढ़े तीन बजे आये।
You came *at* half past three. यू केम ऐट हाफ़ पास्ट थ्री.

27. दुकान सवेरे 9.30 बजे से शाम 7.00 बजे तक खुलती है।
The shop remains open *from* 9.30 A.M. to 7 P.M.
द शॉप रिमेन्ज़ ओपन फ्रॉम नाइन थर्टी ए.एम. टु सेवन पी.एम.

28. वह कल यहां 5 बजे तक थी।
She was here *till* 5.00 P.M. yesterday.
शी वॉज हिअर टिल फ़ाइव पी.एम. येस्टरडे.

29. लड़के प्रतिदिन एक घंटा खेलते हैं।
The boys play every day *for* one hour.
द बॉयज़ प्ले एवरी डे फ़ॉर वन ऑवर.

30. वह कल से यहां रह रहा है। — He has been staying here *since* yesterday. ही हैज़ बीन स्टेइंग हिअर सिंस येस्टरडे.

31. वह यहां 1770 से है। — She has been living here *since* 1970. शी हैज़ बीन लिविंग हिअर सिंस नाइन्टीन सेवंटी.

32. आप कितने अरसे से अंग्रेज़ी सीख रहे हैं? — *How long* have you been learning English? हाउ लौंग हैव यू बीन लर्निंग इंगलिश?

33. मैंने उसे पहले ही लिख दिया है। — I have *already* written to her/him. आइ हैव ऑलरेडी रिटन टु हर/हिम.

34. वह अभी नहीं आई। — She hasn't come *yet.* शी हैज़न्ट कम येट.

35. शो शुरू होने वाला है। — The show is *about* to start. द शो इज़ अबाउट टु स्टार्ट.

36. मैं अपना काम अगले शुक्रवार तक समाप्त कर लूंगा। — I shall finish my work *by* next Friday. आइ शैल फ़िनिश माइ वर्क बाइ नेक्स्ट फ्राइडे.

37. वह अपना काम लगभग चार घंटों में पूरा कर लेगा। — He'll finish his work *in about* four hours. ही'ल फ़िनिश हिज़ वर्क इन अबाउट फ़ोर आवर्ज़.

38. मैं वहां लगभग तीन बजे पहुंचा। — I reached there *around* 3 o'clock. आइ रीच्ड देअर अराउण्ड थ्री ओ'क्लॉक.

39. जब राधा आयी, तो माधव चला गया। — *When* Radha came, Madhav left. वेन राधा केम, माधव लेफ़्ट.

40. उषा होने तक उसकी सांस उखड़ने लगी। — He was breathing his last *by* dawn. ही वॉज़ ब्रीदिंग हिज़ लास्ट बाइ डॉन।

41. मैं उसे अगले महीने मिलूंगा। — I'll meet him *next* month. आइल मीट हिम नेक्स्ट मन्थ.

याद रखें (Remember)

1. No sooner did Rajendra reach the school than the bell started ringing.

   इस प्रकार के वाक्यों में शब्दों के जोड़े बरते जाते हैं। No sooner अकेला नहीं आ सकता। इसके साथ than का लगना आवश्यक है। शब्दों का यह जोड़ा मिलकर वाक्य के दो भागों did Rajendra reach the school और bell started ringing को जोड़ता है इसीलिए ऐसे जुड़वां शब्दों को co-relatives या co-relative conjunctions (पूरक संयोजक) कहते हैं।

2. महीनों के नाम के साथ in, वारों के नाम के साथ on, समय बतलाने में at का प्रयोग होता है — जैसे in February, on Tuesday, at 6.30 A.M. इसी प्रकार morning और evening के पूर्व in, और noon और night से पूर्व at लगता है — in the morning, in the evening, at night, at noon आदि।

3. जहां कार्य आरंभ होने का निश्चित दिन या समय दिया हो, वहां since का प्रयोग होता है, जैसे — since 1974, since last Tuesday, since 4 A.M., और जहां समय की केवल अवधि दी गयी हो, वहां for लगता है जैसे — for two months, for three years. आदि।

24 चौबीसवां दिन
24th Day

क्रिया तथा अन्य शब्दों के साथ आवश्यक Prepositions का प्रयोग

(from, by, with, in, of, for, in, into, against, on, over, about)

अंग्रेज़ी में शब्दों के साथ कुछ खास Prepositions लगाने का नियम है। तो आइए, शब्दों के साथ कुछ और Preposition लगाने का अभ्यास करें। आप देखेंगे कि Preposition लगाने के पीछे कोई-न-कोई नियम काम कर रहा है। समझिए, सीखिए और प्रयोग कीजिए।

From

1. लड़का स्कूल से अनुपस्थित था। — The boy was absent *from* school. द बॉय वॉज़ ऐब्सेंट फ्रॉम स्कूल.
2. आपको धूम्रपान से बचना चाहिए। — You must abstain/refrain *from* smoking. यू मस्ट एब्सटेन/रिफ्रेन फ्रॉम स्मोकिंग. You must *avoid* smoking. यू मस्ट अवॉइड स्मोकिंग.
3. मेरे चाचा आसाम से आये हैं। — My uncle has come *from* Assam. माइ अंकल हैज़ कम फ्रॉम आसाम.
4. वह मुझे वहां जाने से रोकता है। — He prevents/stops me *from* going there. ही प्रिवेंट्स/स्टॉप्स मी फ्रॉम गोइंग देअर.

By

5. उसकी कम्पनी दिन दूनी रात चौगुनी उन्नति कर रही है। — His company is progressing *by* leaps and bounds. हिज़ कंपनी इज़ प्रोग्रेसिंग बाइ लीप्स ऐंड बाउंड्स.
6. मेरे पिताजी मेरे साथ थे। — I was *accompanied by* my father. आइ वॉज अकम्पनीड बाइ माइ फ़ादर.
7. इस खबर से घबराइए नहीं। — Please don't *get disturbed by* this news. प्लीज डोन्ट गेट डिस्टर्ब्ड बाइ दिस न्यूज़.
8. मेरी कहानी सुनकर उसका बड़ा मनोरंजन हुआ। — He was *highly amused by* my story. ही वॉज़ हाइली अम्यूज़्ड बाइ माइ स्टोरी.
9. यह पैकिट सोमवार तक मुंबई पहुंच जाना चाहिए। — This packet should reach Mumbai *by* Monday. दिस पैकिट शुड रीच मुंबई बाइ मंडे.

With

10. तुम दूसरों से व्यवहार करना नहीं जानते। — You don't know how to *deal with* others. यू डोन्ट नो हाउ टु डील विद अदर्ज़.
11. हमें अंग्रेज़ी भाषा से परिचित होना चाहिए। — We should be *acquainted with* the English language. वी शुड बी अक्विन्टेड विद दि इंगलिश लैंगुएज.

12. वह चित्रकला की प्रतिभा से संपन्न था। He was *gifted with* a talent for painting.
ही वॉज़ गिफ़्टेड विद ए टैलेण्ट फ़ॉर पेंटिंग.

13. हम उसके व्यवहार से उकता गये। We got *fed up with* his behaviour.
वी गॉट फ़ेड अप विद हिज़ बिहेवियर.

14. मेरा अधिकारी (बॉस) मुझ पर मेहरबान था। My boss was *pleased with* me. माइ बॉस वॉज़ प्लीज़्ड विद मी.

In

15. वह अपने काम में तल्लीन था। He was *absorbed/busy in* his work.
ही वॉज़ एब्ज़ॉर्ब्ड/बिज़ी इन हिज़ वर्क.

16. शीला एक कान से बहरी है। Shiela is *deaf in* one ear. शीला इज़ डेफ़ इन वन इअर.

17. तुम्हें अपने व्यवहार में नम्र होना चाहिए। You must be *polite in* your behaviour.
यू मस्ट बी पुलाइट इन योर बिहेवियर.

18. वह संगीत में दक्ष है। He is *well versed in* music. ही इज़ वेल वर्स्ड इन म्यूज़िक.

Of

19. उसे सफलता का पूरा भरोसा था। He was *sure of* success. ही वॉज़ श्योर ऑफ़ सक्सैस.

20. वह अपनी कमज़ोरी को पूरी तरह जानता है। He is fully *aware of* his weakness.
ही इज़ फुली अवेयर ऑफ़ हिज़ वीकनेस.

21. उसे आम बहुत भाते हैं। He is *fond of* mangoes. ही इज़ फ़ौंड ऑफ़ मैंगोज़.

22. उसे देखकर मुझे उसके भाई की याद आती है। He *reminds* me of his brother. ही रिमाइंड्स मी ऑफ़ हिज़ ब्रदर.

23. **यह मेरे लिए बड़े सम्मान की बात है।** It's a matter *of* great honour for me.
इट्स अ मैटर ऑफ़ ग्रेट ऑनर फ़ॉर मी.

For

24. क्या वह परीक्षा के लिए तैयारी कर रही है? Is she *preparing/studying* for the test?
इज़ शी प्रिपेअरिंग/स्टडींग फ़ॉर द टेस्ट?

25. मैं हमेशा उसका खयाल रखता हूं। I always *care for* him. आइ ऑलवेज़ केअर फ़ॉर हिम.

26. उसने अपने दुर्व्यवहार के लिए मुझसे क्षमा मांगी। He *apologized* to me *for* his misbehaviour.
ही अपोलोजाइज़्ड टु मी फ़ॉर हिज़ मिसबिहेविअर.

27. उसे पैसे का हिसाब देना होगा। He'll have to *account for* the money.
ही'इल हैव टु एकाउण्ट फ़ॉर द मनी.

To

28. **वह धूम्रपान का आदी हो गया है।** He is *addicted to* smoking. ही इज़ एडिक्टेड टु स्मोकिंग.

29. उसने नियमों के विरुद्ध आचरण किया। He acted *contrary to* the rules. ही एक्टेड कॉन्ट्रेरी टु द रूल्स.

30. कुछ लोग स्वास्थ्य की हानि करके पैसा कमाते हैं। Some people *prefer* wealth *to* health.
सम पीपल् प्रिफ़र वेल्थ टु हैल्थ.

31. उसने मामला उच्चाधिकारियों के सामने रख दिया। He *referred* the matter *to* the higher authorities.
ही रेफ़र्ड द मैटर टु द हायर अथॉरिटीज़.

Into

32. **पुलिस ने मामले की जांच-पड़ताल की।** The police *inquired/looked into* the matter. द पोलिस इनक्वॉयर्ड/लुक्ड इन्टु द मैटर.

33. हमने अपनी पुस्तकें अपने बस्तों में डालीं। We *put* our books *into* our bags. वी पुट आवर बुक्स इन्टु आवर बैग्स.

34. वह कमरे में गया। He went *into* the room. ही वैन्ट इन्टु द रूम.

Against

35. मैं तुम्हारे शत्रुओं के विरुद्ध तुम्हें सदा चेताता हूं। I always *warn* you *against* your enemies. आइ ऑलवेज़ वॉर्न यू अगेंस्ट योर एनीमीज़.

36. डॉक्टर ने उसे बहुत अधिक काम करने के विरुद्ध चेतावनी दी। The doctor *warned* him *against* working too hard. द डॉक्टर वॉर्न्ड हिम अगेंस्ट वर्किंग टू हार्ड.

On

37. उसकी आलोचना तथ्यों पर आधारित नहीं है। His criticism is not *based on* facts. हिज़ क्रिटिसिज़्म इज़ नॉट बेस्ड ऑन फ़ैक्ट्स.

38. **आप वहां जाने पर क्यों तुले हुए हो?** Why are you *bent on* going there? वाइ आर यू बेंट ऑन गोइंग देअर?

39. **हम उस पर भरोसा नहीं कर सकते।** We cannot *rely on* him. वी कैननॉट रिलाइ ऑन हिम.

Over

40. बर्फ़ सड़क पर फैली है। Snow/Ice is *scattered over* the road. स्नो/आइस इज़ स्कैटर्ड ओवर द रोड.

41. पुल नदी के ऊपर है। The bridge is *over* the river. द ब्रिज इज़ ओवर द रिवर.

About

42. मां अपने लड़के के स्वास्थ्य के बारे में चिंतित है। The mother is worried about her son's health. द मदर इज़ वरीड अबाउट हर सन्ज़ हैल्थ.

43. वह सीमा के बारे में पूछ रही थी। She was enquiring *about* Seema. शी वॉज इन्क्वॉयरिंग अबाउट सीमा.

[Phrase Prepositions]

44. **मैं जाने ही वाला था।** I was *about* to go. आइ वॉज़ अबाउट टु गो.

45. वह कठिन परिश्रम के फलस्वरूप सफल हुआ। He succeeded *by dint of* hard work. ही सक्सीडिड बाइ डिंट ऑफ़ हार्ड वर्क.

46. हमें अपने देश के लिए हर वस्तु का त्याग करने के लिए तैयार रहना चाहिए। We should be prepared to sacrifice everything *for the sake of* our country. वी शुड बी प्रिपेअर्ड टु सैक्रीफ़ाइस एवरीथिंग फ़ॉर द सेक ऑफ़ आवर कंट्री.

47. हमें अपने मित्रों की भलाई में रहना चाहिए। We should act *in favour of* our friends. वी शुड एक्ट इन फ़ेवर ऑफ़ आवर फ्रेंन्ड्ज़.

48. हमें जीने के लिए काम करना होगा। We must work *in order* to live. वी मस्ट वर्क इन आर्डर टु लिव.

49. बहुत व्यस्त होने के बावजूद भी मेरा मित्र मुझसे मिलने आया।

My friend came to see me inspite of being very busy.
माइ फ्रेंड केम टु सी मी इन्स्पाइट ऑफ बींग वेरी बिज़ी.

50. क्या तुम मेरी घड़ी के बदले में अपनी साइकिल दे सकते हो?

Can you give me your bicycle in exchange for my watch?
कैन यू गिव मी योर बाइसिकल इन एक्सचेंज फ़ॉर माइ वॉच?

51. उसे मीटिंग के बीच में से अचानक जाना पड़ा।

He had to leave suddenly in the midst of meeting.
ही हैड टु लीव सडन्ली इन द मिड्स्ट ऑफ अ मीटिंग.

52. पंकज को पैसे की कमी की वजह से पढ़ाई छोड़नी पड़ी।

Pankaj had to give up studies for want of money.
पंकज हैड टु गिव अप स्टडीज़ फॉर वॉन्ट ऑफ़ मनी.

याद रखें (Remember)

1. क्रिया आदि शब्दों के साथ में कुछ खास Prepositions का प्रयोग होता है। उनका अच्छी तरह से अभ्यास कर लेना चाहिए। प्राय: abstain, prevent, recover के साथ में from का प्रयोग होता है। इसी प्रकार accompany, replace, deal, please, satisfy के साथ में with का; prepare, care, apologise के साथ में for का; addict, prefer, refer के साथ to का; base, rely के साथ on का प्रयोग होता है। इनके बारे में ऊपर के उदाहरणों से आप अच्छी तरह समझ सकते हैं।
2. Prepositions के कुछ प्रयोग बहुत पक्के हो गये हैं। Phrase Prepositions ज्यों-के-त्यों प्रयोग में आते हैं। उदाहरण के लिए 'by dint of', 'for the sake of', 'in order to', 'in the midst', 'on the eve of', आदि के प्रयोग ऊपर के वाक्यों में देखिए। ऐसे सैकड़ों Phrase prepositions अंग्रेज़ी में प्रचलित हैं। इनसे सीखने वाले को शब्द भंडार बढ़ाने में बड़ी सहायता मिलती है।

25 पच्चीसवां दिन th Day

कर्तृवाच्य और कर्मवाच्य (Active Voice And Passive Voice)

हम बात को दो प्रकार से कह सकते हैं — (i) कर्त्ता (doer) पर बल देते हुए, जैसे — Hari learns the first lesson. (हरि पहला पाठ याद करता है); (ii) कर्म (receiver) पर बल देते हुए, जैसे — The first lesson is learnt by Hari. (पहला पाठ हरि द्वारा याद किया जाता है)। पहले प्रकार के वाक्य को कर्तृवाच्य (active voice) और दूसरे प्रकार को कर्मवाच्य (passive voice) कहते हैं। बातचीत करते समय कहने वाले को अपने आशय के अनुसार वाक्य का चुनाव करना चाहिए। इनका अभ्यास कीजिए और बोलने की अपनी योग्यता को बढ़ाइए।

	Active Voice	Passive Voice
1.	वह गीत गाता है। He sings a song. ही सिंग्ज़ अ सॉन्ग.	उससे गीत गाया जाता है। A song is sung by him. अ सॉन्ग इज़ संग बाइ हिम.
2.	मैंने संदेश पहुंचा दिया। I delivered the message आइ डिलिवर्ड द मैसिज.	संदेश पहुंचा दिया गया। The message was delivered. दि मैसिज वॉज़ डिलिवर्ड.
3.	वे क्रिकेट खेलेंगे। They'll play cricket. देइल प्ले क्रिकेट.	क्रिकेट उनके द्वारा खेली जाएगी। Cricket will be played by them. क्रिकेट विल बी प्लेड बाइ देम.
4.	क्या तुम चिट्ठी लिख रहे हो? Are you writing a letter? आर यू राइटिंग अ लेटर?	क्या तुमसे पत्र लिखा जा रहा है? Is a letter being written by you? इज़ अ लेटर बींग रिटन बाइ यू?
5.	मज़दूर नहर खोद रहे थे। Labourers were digging a canal. लेबरर्ज़ वर डिगिंग अ कैनाल.	मज़दूरों द्वारा नहर खोदी जा रही थी। A canal was being dug by the labourers. अ कैनाल वॉज़ बींग डग बाइ द लेबर्ज़.
6.	क्या तुमने यह काम कर लिया है? Have you finished this job? हैव यू फ़िनिश्ड दिस जॉब?	क्या यह काम तुम्हारे द्वारा किया गया है? Has this job been finished by you? हैज़ दिस जॉब बीन फ़िनिश्ड बाइ यू?
7.	क्या गाड़ी आने से पहले तुम अपना सामान बांध चुके होगे? Will you have packed your luggage before the train's arrival? विल यू हैव पैक्ड योर लगेज बिफ़ोर द ट्रेन्ज़ अराइवल?	क्या गाड़ी आने से पहले तुम्हारा सामान बांधा जा चुका होगा? Will your luggage have been packed before the train's arrival? विल योर लगेज़ हैव बीन पैक्ड बिफ़ोर द ट्रेन्ज़ अराइवल?
8.	उसकी मदद करो। Help him. हेल्प हिम.	(तुम) अपने द्वारा उसकी सहायता होने दो। Let him be helped. (By you). लेट हिम बी हेल्प्ड. (बाइ यू).

वाच्य बदलने के लिए अर्थात् कर्ता के स्थान, पर कर्म को प्रमुख बनाने के लिए दो बातें की जाती हैं, 1. वाक्य में कर्ता को कर्म तथा कर्म को कर्ता बना दिया जाता है, जैसे — (i) राम (कर्ता) ने रावण (कर्म) को मारा। Rama killed Ravana. (ii) कर्मवाच्य में यह हो जाएगा — रावण राम द्वारा मारा गया। Ravana was killed by Rama. 2. क्रिया का रूप बदल जाता है अर्थात् किसी भी काल (Tense) का कर्तृवाच्य हो उसमें मुख्य क्रिया Participle के रूप में हो जाती है, जैसे — do, doing आदि बदलकर done हो जाएंगे और दूसरे इसके साथ एक सहायक क्रिया is, was, be being, has been आदि और जुड़ जाती है। ऊपर दिये गये वाक्यों में विभिन्न कालों के रूप देखिए।

नीचे कुछ वाक्य दिये गये हैं जो कर्मवाच्य हैं, लेकिन इनमें कर्ता गायब है, अतः कर्ता न होने के कारण इनको कर्तृवाच्य में बदलना संभव नहीं है। ऐसे वाक्यों में कर्ता ज़रूरी नहीं होता। इस प्रकार के बहुत से वाक्य हो सकते हैं, यह ध्यान रहे।

कर्मवाच्य (Passive Voice)

9.	ताजमहल बहुत खर्च करके बनवाया गया था।	The Taj *was built* at an enormous cost. द ताज वॉज़ बिल्ट ऐट ऐन इनॉर्मस कॉस्ट.
10.	मकई वर्षा ऋतु में बोई जाती है।	Maize *is sown* in the rainy season. मेज़ इज़ सोन इन द रेनी सीज़न.
11.	आपको आपकी लापरवाही की सज़ा दी जाएगी।	You *will be punished* for your negligence. यू विल बी पनिश्ड फ़ॉर योर नेग्लिजेंस.
12.	उस पर चोरी का दोष लगाया गया था।	He *was accused of* theft. ही वॉज़ अक्यूज़्ड ऑफ़ थेफ़्ट.
13.	सभी पेपर देखे जा चुके होंगे।	All the papers *will have been marked.* ऑल द पेपर्स विल हैव बीन मार्क्ड.
14.	क्या आपको धोखा दिया गया है?	*Have* you *been cheated.* हैव यू बीन चीटेड.
15.	क्या उसे सूचना दे दी गयी है?	*Has* he *been* informed? हैज़ ही बीन इन्फ़ॉर्म्ड?
16.	वह चीनी आक्रमणकारियों से लड़ता हुआ मारा गया।	He *was killed* fighting the Chinese aggressors. ही वॉज़ किल्ड फ़ाइटिंग द चाइनीज़ अग्रैसर्ज़.
17.	गांधीजी का जन्म 2 अक्तूबर, 1869 के दिन हुआ।	Gandhiji *was born* on 2nd October 1869. गांधीजी वॉज़ बोर्न ऑन सैकिण्ड ऑक्टूबर एटीन सिक्सटी-नाइन.
18.	नौचंदी का मेला हर साल मेरठ में लगता है।	The Nauchandi fair *is held* every year at Meerut. द नौचण्डी फ़ेयर इज़ हेल्ड एवरी ईयर ऐट मेरठ.
19.	दिल्ली से कई दैनिक समाचार पत्र प्रकाशित होते हैं।	Many dailies *are published* from Delhi. मेनी डेलीज़ आर पब्लिश्ड फ़्रॉम डेलही.
20.	उन्हें आपसे मिलकर खुशी होगी।	He *will be pleased/happy* to see you. ही विल बी प्लीज़्ड/हैपी टु सी यू.
21.	मैं बाढ़ का प्रकोप देखकर दंग रह गया।	I *was surprised* to see the fury of the floods. आइ वॉज़ सरप्राइज़्ड टु सी द फ़्यूरी ऑफ़ द फ़्लड्ज़.
22.	कहा जाता है कि शिवाजी भगवान शिव के अवतार थे।	*It is said/believed* that Shivaji was an incarnation of Lord Shiva. इट इज़ सैड/बिलीव्ड दैट शिवाजी वॉज़ ऐन इनकार्नेशन ऑफ़ लॉर्ड शिवा.

Imperative Sentences

(a) आज्ञार्थक एवं प्रार्थनापरक (Imperative mood) कर्तृवाच्य के वाक्य कर्मवाच्य में बदलने के लिए 'let' का प्रयोग वाक्य के शुरू में होता है। (b) कई बार कर्तृवाच्य (active voice) वाक्यों में आशय के अनुसार (request और should) आदि शब्द जोड़कर कर्म वाच्य (passive voice) के वाक्य बनाये जाते हैं। दोनों का अभ्यास कीजिए। उदाहरण के लिए आगे दिये वाक्य ध्यान से पढ़िए।

23. यह काम करो।
Do this work.
डू दिस वर्क.

वह काम होने दो।
Let this work be done (by you).
लेट दिस वर्क बी डन (बाइ यू).

24. उसे बैठने को कहो।
Ask him to sit down.
आस्क हिम टु सिट डाउन.

उसे बैठने को कहा जाए।
Let him be asked to sit down.
लैट हिम बी आस्क्ड टु सिट डाउन.

25. उसे दण्ड दो।
Punish him.
पनिश हिम.

उसे दण्ड दिया जाए।
Let him be punished (by you)
उसे दण्ड दिया जाए।

26. रिक्त स्थान का विज्ञापन दो।
Advertise the post.
ऐडवर्टाइज़ द पोस्ट.

रिक्त स्थान का विज्ञापन दिया जाए।
Let the post be advertised.
लैट द पोस्ट बी ऐडवर्टाइज़्ड.

27. **कृपया धूम्रपान न कीजिए।**
Please don't smoke.
प्लीज़ डोन्ट स्मोक.

आपसे धूम्रपान न करने का अनुरोध किया जाता है।
You are requested not to smoke.
यू आर रिक्वेस्टिड नॉट टु स्मोक.

28. अनुशासनहीनता को प्रोत्साहन मत दो।
Don't encourage indiscipline.
डोन्ट एन्करेज इन्डिसिप्लिन.

अनुशासनहीनता को प्रोत्साहित न किया जाए।
Indiscipline shouldn't be encouraged.
इन्डिसिप्लिन शुडन्ट बी एन्करेज्ड.

याद रखें (Remember)

1. (a) Rama killed Ravana.
   (b) Ravana was killed by Rama.
   पहला वाक्य कर्तृवाच्य (Active Voice) का है; दूसरा वाक्य कर्मवाच्य (Passive Voice)। कर्तृवाच्य में कर्ता (राम) प्रधान है, और कर्मवाच्य में कर्म (रावण)।
2. कर्तृवाच्य से कर्मवाच्य में बदलने पर कई बार by का प्रयोग किया जाता है, जैसे — (i) Ravana was killed by Rama (ii) Cricket will be played by them. आदि।
3. कई बार कर्मवाच्य में by का प्रयोग नहीं होता, जैसे — (i) Let your lesson be learnt. (ii) He was charged with theft. आदि।

एक बात अच्छी तरह समझ लीजिए — कर्मवाच्य बहुधा वहां प्रयोग में आता है, जहां कथन में कर्म पर बल दिया जाता है। उदाहरण के रूप में यदि कोई छात्र कहना नहीं मानता तो कहा जाता है — You will be punished for your negligence. (तुम्हारी लापरवाही पर तुम्हें दंड दिया जाएगा)। आप (कर्तृवाच्य में) ऐसे भी कह सकते थे — The teacher will punish you for your negligence. (अध्यापक तुम्हारी लापरवाही पर तुम्हे दंड देगा)। आप ध्यान देंगे तो आपको पता चलेगा कि इसका वह प्रभाव नहीं पड़ता जैसा पहले वाक्य का पड़ता है, क्योंकि यहां महत्त्व दंड देने वाले का नहीं है, 'दंड' का है, इसीलिए दंड 'क्रिया' पर बल दिया जाना चाहिए।

26 छब्बीसवां दिन th Day

वाक्य-परिवर्तन (Transformation of Sentences)

हम एक ही बात को एक से अधिक तरीकों से कह सकते हैं। जब हम एक बात को दूसरे तरीके से कहते हैं, तो हम देखते हैं कि वाक्य बदल गये हैं, पर अर्थ वही है। इसी क्रिया को वाक्य-परिवर्तन (transformation of sentences) कहते हैं।

पीछे कर्तृवाच्य और कर्मवाच्य (Active Voice and Passive Voice) की जानकारी दी गई थी, वह भी वाक्य परिवर्तन का एक प्रकार है। अब यहां हम दूसरे प्रकारों के बारे में जानकारी हासिल करते हैं।

वाक्य के कई प्रकार हैं — प्रश्नवाचक (Interrogative), निश्चयात्मक (Assertive), विस्मयादिबोधक (Exclamatory), विध्यर्थक (Imperative), सकारात्मक (Affirmative), नकारात्मक (Negative) आदि। आइए, एक प्रकार के वाक्य को दूसरे प्रकार में बदलें और फिर देखें कि अर्थ में कितनी समानता है। इस विधि से आप अपनी बात को एक से अधिक तरीकों से कहने की क्षमता बढ़ा सकते हैं।

	प्रश्नवाचक (Interrogative)	निश्चयात्मक (Assertive)
1.	कोई इतना अपमान सह सकता है क्या? Can anybody/anyone bear such an insult? कैन एनीबडी/एनीवन बेअर सच ऐन इन्सल्ट? Who can bear such an insult? हू कैन बेअर सच ऐन इन्सल्ट?	कोई व्यक्ति इतना अपमान नहीं सह सकता। Nobody/No one can bear such an insult. नोबडी/नो वन कैन बेअर सच ऐन इन्सल्ट.
2.	क्या स्वास्थ्य धन से अधिक मूल्यवान नहीं है? Is not health more precious than wealth? इज़ नॉट हेल्थ मोर प्रेशस दैन वेल्थ?	स्वास्थ्य धन से अधिक मूल्यवान है। Health is more precious than wealth. हेल्थ इज़ मोर प्रेशस दैन वेल्थ.
3.	क्या पार्टी में उन्हें आनंद नहीं आया? Did they not enjoy at the party? डिड दे नॉट एन्जॉय ऐट द पार्टी?	उन्हें पार्टी में आनंद आया। They enjoyed the party. दे एन्जॉयड ऐट द पार्टी.
4.	क्या हम कभी इन भले दिनों को भूल सकेंगे? Shall we ever forget these good days. शैल वी एवर फ़ॉरगेट दीज़ गुड डेज़?	हम इन भले दिनों को कभी नहीं भूल सकेंगे। We'll never be able to forget these good days. वी 'इल नैवर बी एबल टु फ़ॉरगेट दीज़ गुड डेज़.

	विस्मयादिबोधक (Exclamatory)	सकारात्मक (Affirmative)
5.	कितना सुंदर दृश्य था वह! What a beautiful scene/lovely sight it was! वॉट अ ब्यूटिफुल सीन/लवली साइट इट वॉज़!	दृश्य बहुत सुंदर था। It was a beautiful scene/lovely sight. इट वॉज़ अ ब्यूटिफ़ुल सीन/लवली साइट.
6.	रात को कितनी ठंड है! What a cold night it is! वॉट अ कोल्ड-नाइट इट इज़!	रात को बड़ी ठंड है। It is a bitterly/terribly cold night. इट इज़ अ बिटर्ली/टैरिब्ली कोल्ड नाइट.

7. हम कितना कठिन जीवन व्यतीत करते हैं!
What a hard life we live/lead!
वॉट अ हार्ड लाइफ़ वी लिव/लीड!

हम बड़ा कठिन जीवन व्यतीत करते हैं।
We live/lead a very hard life.
वी लिव/लीड अ वेरी हार्ड लाइफ़.

विध्यर्थक (Imperative)

8. **कृपया दरवाज़ा खोलिए।**
Please open the door.
प्लीज़ ओपन द डोर.

9. कृपया एक कप दूध लीजिए।
Please have a cup of milk.
प्लीज़ हैव अ कप ऑफ़ मिल्क.

10. चुप रहो।
Please keep quiet.
प्लीज़ कीप क्वायट.

प्रश्नवाचक (Interrogative)

क्या आप कृपया दरवाज़ा खोलेंगे?
Will you please open the door?
विल यू प्लीज़ ओपन द डोर?

आप एक कप दूध लेंगे?
Will you please have a cup of milk?
विल यू प्लीज हैव अ कप ऑफ़ मिल्क?

क्या तुम चुप रहोगे?
Will you please keep quiet?
विल यू प्लीज़ कीप क्वायट?

प्रथमावस्था (Positive)

द्वितीयावस्था (Comparative)

एक ही बात को तुलना की दो या तीन अवस्थाओं में रखा जा सकता है। केवल शब्द बदलते हैं अर्थ पहले की तरह समान रहता है।

11. अमिताभ उतना ही लंबा है जितना संजय।
Amitabh is as tall as Sanjay.
अमिताभ इज़ ऐज़ टॉल ऐज़ संजय.

संजय अमिताभ की अपेक्षा लम्बा नहीं है।
Sanjay is not taller than Amitabh.
संजय इज़ नॉट टॉलर दैन अमिताभ.

12. हमारे देश में कुछ ही नगर उतने बड़े हैं जितना मुंबई।
Very few cities in India/our country are as big as Mumbai.
वेरी फ़्यू सिटीज़ इन इण्डिया/आवर कंट्री आर ऐज़ बिग ऐज़ मुंबई.

मुंबई हमारे देश के बहुत से नगरों की अपेक्षा बड़ा शहर है।
Mumbai is bigger than most other cities in India/ our country.
मुंबई इज़ बिगर दैन मोस्ट अदर सिटीज़ इन इण्डिया/आवर कंट्री.

13. दूसरा कोई व्यक्ति इतना शक्तिशाली नहीं था जितना भीम।
No other man was as strong as Bhim.
नो अदर मैन वॉज़ एज़ स्ट्रॉन्ग एज़ भीम.

भीम किसी भी व्यक्ति से अधिक शक्तिशाली था।
Bhim was stronger than any other man.
भीम वॉज़ स्ट्रॉन्गर दैन ऐनी अदर मैन.
Bhim was the strongest man.
भीम वॉज़ द स्ट्रॉन्गेस्ट मैन.
भीम सबसे अधिक शक्तिशाली व्यक्ति था।

14. बहुत कम भारतीय संत थे जो विवेकानंद जैसे लोकप्रिय थे।
Very few Indian saints were as popular/ famous as Vivekanand.
वेरी फ़्यू इंडियन सेंट्स वर ऐज़ पॉपुलर/फ़ेमस ऐज़ विवेकानन्द.

विवेकानंद भारत के कई दूसरे संतों से अधिक लोकप्रिय थे।
Vivekanand was more popular/famous than many other saints in India.
विवेकानंद वाज़ मोर पॉपुलर/फ़ेमस दैन मैनी अदर सेंट्स इन इंडिया.

Vivekanand was one of the most popular/famous saints in India.
विवेकानंद वॉज़ वन ऑफ़ द मोस्ट पापुलर/फ़ेमस सेंट्स इन इंडिया.
विवेकानंद भारत के सर्वाधिक लोकप्रिय संतो में से एक थे।

नकारात्मक (Negative) सकारात्मक (Affirmative)

नकारात्मक (Negative) वाक्यों को भी सकारात्मक (Affirmative) वाक्यों में बदला जा सकता है। इसमें प्राय: विपरीतार्थक शब्दों का प्रयोग करके दोनों वाक्यों का आशय एक समान रखा जाता है।

15. कोई मनुष्य अमर नहीं है।
No man is immortal.
नो मैन इज़ इम्मॉर्टल.
मनुष्य नाशवान है।
Man is mortal.
मैन इज़ मॉर्टल.

16. आबिदा उतनी सुंदर नहीं है जितनी सोनिया।
Abida is not as beautiful as Sonia.
आबिदा इज़ नॉट ऐज़ ब्यूटिफुल ऐज़ सोनिया.
सोनिया आबिदा से अधिक सुन्दर है।
Sonia is more beautiful than Abida.
सोनिया इज़ मोर ब्यूटिफुल दैन आबिदा.

17. कोई उपलब्धि बिना श्रम के नहीं मिलती।
There is no gain without hard work.
देअर इज़ नो गेन विदाउट हार्ड वर्क.
श्रम किया जाता है तो उपलब्धि भी होती है।
Where there is hard work there is gain.
वेअर देअर इज़ हार्ड वर्क देअर इज़ गेन.

18. वह अपने रोज़ के काम की कभी उपेक्षा नहीं करती।
She never neglects her daily routine work.
शी नेवर निग्लेक्ट्स हर डेली रूटीन वर्क.
वह अपने रोज़ के काम पर पूरा ध्यान देती है।
She always pays attention to her daily/routine work.
शी ऑलवेज पेज़ अटैन्शन टु हर डेली/रूटीन वर्क.

19. मैं स्टेशन पर पहुंचा भी न था कि गाड़ी छूट गई।
No sooner had I reached the station *than* the train left.
नो सूनर हैड आइ रीच्ड द स्टेशन **दैन** द ट्रेन लेफ़्ट.
मुश्किल से मैं स्टेशन पर पहुंचा ही था जब गाड़ी छूट गयी।
Scarcely had I reached the station *when* the train left.
स्केर्सली हैड आइ रीच्ड द स्टेशन वेन द ट्रेन लेफ्ट.

याद रखें (Remember)

(a) India is our country. We are *her* citizens.
ऊपर के वाक्य में 'country' कंट्री (देश) शब्द आया है। इसके साथ अंग्रेज़ी में प्राय: स्त्रीलिंग प्रयोग होता है, इसीलिए यहां *her* (हर) शब्द आया है।

1. अंग्रेज़ी भाषा में tree ट्री (पेड़), spider स्पाइडर (मकड़ी) इत्यादि को नंपुसक लिंग (neuter gender न्यूटर जैन्डर) में रखा गया है, परन्तु हैं तो ये जीवधारी, और वैज्ञानिकों के अनुसार इनमें भी नर और मादा होते हैं। जो भी हो ये मामूली जीवों से सम्बन्धित हैं, इसलिए इन्हें नपुंसक लिंग में रखा गया है, इनकी बात करते हुए it शब्द का प्रयोग होता है। इसी प्रकार निम्नलिखित शब्द भी नपुंसक लिंग हैं:

ice आइस (बर्फ़)	sugar शुगर (चीनी)	water वॉटर (पानी)
flower फ़्लावर (फूल)	grass ग्रास (घास)	bread ब्रेड (डबल रोटी)

2. इसके विपरीत कुछ ऐसे शब्द भी हैं जो जीवधारी नहीं, परन्तु उन्हें या तो स्त्रीलिंग (feminine gender) में रखा गया है या फिर पुल्लिंग (masculine gender) में, उदाहरण के लिए — The ship hasn't come yet. She is probably late. द शिप हैज़न्ट कम येट, शी इज़ प्रॉबैब्ली लेट. (जहाज अभी तक नहीं आया है, शायद वह लेट है)। इस वाक्य में ship एक निर्जीव वस्तु है, परन्तु इसे feminine gender दिया गया है। इसी प्रकार sun (सूरज) तथा death डेथ (मौत) पुल्लिंग शब्द हैं।

27 सत्ताईसवां दिन th Day

गणना एवं मात्रासूचक शब्द

कुछ संज्ञा-शब्द गिने जा सकते हैं और कुछ नहीं गिने जा सकते। गिनने योग्य और न गिनने योग्य शब्दों का अलग-अलग अभ्यास कीजिए। मोटेतौर से समझ लीजिए कि जातिवाचक संज्ञाएं गिनी जा सकती हैं (Countable), पर द्रव्यवाचक संज्ञाएं तथा भाववाचक संज्ञाएं नहीं गिनी जा सकतीं। यह भी याद रखें, कि केवल (Countable nouns) गणना की संज्ञाएं ही एक वचन (Singular) या बहुवचन (Plural) हो सकती हैं। e.g. Boy (Singular) Boys (Plural).

A

गणना के शब्द (Countable Words)

1. क्लास में कुछ स्टूडेंट्स हैं। — There are *some/a few* students in the class. देअर आर सम/अ फ़्यू स्टूडेंट्स इन द क्लास.
2. क्या हॉल में कोई लड़की है? — Is there *any* girl in the hall'? इज़ देअर एनी गर्ल इन द हॉल?
3. मैदान में कोई लड़का नहीं है। — There is *no* boy in the playground. देअर इज़ नो बॉय इन द प्लेग्राउंड.
4. इन लड़कियों में से कोई भी वहां मौजूद नहीं थी। — *None* of these girls was present there. नन ऑफ़ दीज़ गर्ल्ज़ वॉज़ प्रेज़ेंट देअर.
5. क्या तुममें से कोई फ़ुटबाल खेला? — Did *any* of you play football? डिड एनी ऑफ़ यू प्ले फ़ुटबॉल?
6. लड़कों में से बहुत-से कल स्कूल नहीं आये थे। — *Many* of the boys hadn't come to school yesterday. मेनी ऑफ़ द बॉयज़ हैडन्ट कम टु स्कूल येस्टरडे.
7. टोकरी में कितने आम हैं? — How many mangoes are there in the basket? हाउ मेनी मैंगोज़ आर देअर इन द बास्किट?
8. शायद ही कोई लड़की उसे पसंद करेगी। — *Hardly* would any girl like him. हार्डली वुड एनी गर्ल लाइक हिम.
9. इस पुस्तक में इस पुस्तक की अपेक्षा अधिक पृष्ठ है। — That book has *more* pages than this book. दैट बुक हैज़ मोर पेजिज़ दैन दिस बुक.
10. उसके हाथों कई लोगों ने दुःख उठाया है। — *Many a* man has suffered at his hands. मेनी अ मैन हैज़ सफ़र्ड ऐट हिज़ हैंड्ज़.
11. दोनों व्यक्तियों में से कोई नहीं आया है। — *Neither* man has come. नाइदर/नीदर मैन हैज़ कम.
12. उसे थोड़ा वेतन मिलता है। — He gets *a small* salary. ही गेट्स अ स्मॉल सैलरी.

B

मात्रा सूचक शब्द (Uncountable Words)

13. क्या बोतल में बिल्कुल दूध नहीं है? — Isn't there *any* milk in the bottle? इज़ंट देअर एनी मिल्क इन द बॉटल?

14. क्या बोतल में कुछ दूध है? — Is there *any* milk in the bottle? इज़ देअर एनी मिल्क इन द बॉटल?

15. ज़रा मुझे थोड़ा-सा पानी दीजिए। — Get me *some* water, please./Let me have *some* water please. गेट मी सम वॉटर प्लीज़. लेट मी हैव सम वॉटर प्लीज़.

16. गिलास में कितना दूध है? — How *much* milk is there in the glass? हाउ मच मिल्क इज़ देअर इन द ग्लास?

17. तुम्हारे गिलास में मेरे गिलास से कम दूध है। — Your glass has *less* milk than mine. योर ग्लास हैज़ लेस मिल्क दैन माइन्.

18. क्या मैं तुम्हें थोड़ा दूध और दूं? — Shall I give you *some more* milk?/ Will you have *some more* milk? शैल आइ गिव यू सम मोर मिल्क?/विल यू हैव सम मोर मिल्क?

19. नदी में बहुत पानी था। — There was *a lot of* water in the river. देअर वॉज़ अ लॉट ऑफ़ वॉटर इन द रिवर.

20. क्या यह उसका ठीक आधा है? — Is it exactly *half*-of that? इज़ इट एक्ज़ैक्टली हाफ़ ऑफ़ दैट?

C

अर्थ में बल (The Emphasis)

21. कल ज़रूर आना-भूल न जाना। — *Do* come tomorrow—*Don't* forget./You *must* come tomorrow. डू कम टुमॉरो—डोन्ट फ़ॉर्गेट./यू मस्ट कम टुमॉरो.

22. कमला और उसका भाई-दोनों मुझे देखने आये। — *Both* Kamla and her brother came/dropped in to see me. बोथ कमला ऐंड हर ब्रदर केम/ड्राप्ड इन टु सी मी.

23. मैं इसे कभी माफ नहीं करूंगा। — I will never forgive him. आइ विल नेवर फॉरगिव हिम.

24. मैं वाकई प्रसन्न हूं। — *Indeed/Of course,* I am happy. इनडीड/ऑफ़ कोर्स आइ ऐम हैपी.

25. तुम पढ़ाई में सख्त मेहनत नहीं कर रहे हो, न? — You *don't* study hard, do you? यू डोन्ट स्टडी हार्ड, डू यू?

26. निस्संदेह मैं करता हूं। — *Of course,* I do. ऑफ़ कोर्स आइ डू.

27. चुप भी रहिए। — *Please* keep quiet/ *Please* be quiet. प्लीज़ कीप क्वायट./प्लीज़ बी क्वायट.

28. अपने पिताजी को चिट्ठी ज़रूर लिख दो। — *Do* write to your father. डू राइट टू योर फ़ादर.

याद रखें (Remember)

1. विशेषण (Adjective) की तीन degrees होती हैं, पहली positive, जैसे — poor, दूसरी comparative, जैसे — poorer और तीसरी superlative, जैसे — poorest.
2. Ram is *poorer than* Mahesh.
   He is *more careful than* his brother.
   Comparative degree का प्रयोग करते समय poorer आदि विशेषणों के बाद than अवश्य लगता है।
3. Superlative degree का प्रयोग करते समय the को विशेषण से पहले रखते हैं, जैसे — Manohar is the *oldest* boy in the class.

28 अट्ठाईसवां दिन th Day

कुछ फुटकर प्रयोग (Miscellaneous Uses)

A

It और That के प्रयोग

1. **वह कौन है?**	Who is *that/he/she?* हू इज़ दैट/ही/शी?
2. वह मेरा दोस्त है।	*It's* my friend. इट्स माइ फ्रेंड.
3. यह ठीक उत्तर नहीं था।	*It* was not the correct answer. इट वॉज़ नॉट द करेक्ट आन्सर.
4. यह पुस्तक तुम्हारी है। वह मेरी है।	This is your book. *That is* mine. दिस इज़ योर बुक. दैट इज़ माइन.
5. **वहां कौन है?**	Who is there? हू इज़ देअर?
6. मैं हूं।	*It's* me. इट्स मी.
7. क्या मुझसे ही मिलना चाहते हैं?	Is *it* me you want to see. इज़ इट मी यू वॉन्ट टु सी?
8. क्या आप मुझे ही बुला रही हैं?	Is *it* me you are calling? इज़ इट मी यू आर कॉलिंग?
9. उसके जीवन का वह सबसे बड़ा खुशी का दिन था।	*It* was the happiest day of her life. इट वॉज़ द हैपिएस्ट डे ऑफ़ हर लाइफ़.
10. **इससे कोई फ़र्क नहीं पड़ता।**	*It* doesn't make any difference. इट डज़'न्ट मेक एनी डिफ़रेंस.
11. इससे मुझे फर्क नहीं पड़ता।	*It* doesn't matter to me. इट डज़'न्ट मैटर टु मी.
12. चार बजे हैं।	*It's* four o'clock. इट्स फ़ोर ओ'क्लॉक.

B

13. क्या आप मुझे एक पेन या एक पेंसिल देंगे?	Will you please give me *either* a pen *or* a pencil? विल यू प्लीज़ गिव मी आइदर अ पेन ऑर अ पेंसिल?
14. दोनों उत्तर ठीक हैं।	Both the answers are correct. बोथ दी आन्सर्ज़ आर करेक्ट.
15. यह न तो अध्यापिका है, न ही छात्रा।	She is *neither* a teacher *nor* a student. शी इज़ नाइदर अ टीचर नॉर अ स्टूडेंट.
16. दोनों कैदियों में से कोई अपराधी नहीं हैं।	None of the two prisoners is guilty. नन ऑफ़ द टू प्रिज़नर्स इज़ गिल्टी.
17. कक्षा में बहुत से लड़के हैं।	*There* are many/a number of *students* in the class. देअर आर मेनी/अ नम्बर ऑफ़ स्टूडेन्ट्स इन द क्लास.
18. रजनी और मीनाक्षी दोनों को मेहनत करनी चाहिए।	Both Rajni and Meenakshi should work hard. बोथ रजनी ऐंड मीनाक्षी शुड वर्क हार्ड.
19. मेरी कमीज़ सफेद है, तुम्हारी कमीज़ भी सफेद है।	My shirt is white. Your shirt is white too. माइ शर्ट इज़ वाइट. योर शर्ट इज़ वाइट टू.
20. मेरा कोट काला नहीं हैं, तुम्हारा कोट भी काला नहीं है।	My coat is not black. Your coat is not black *either.* माइ कोट इज़ नॉट ब्लैक. योर कोट इज़ नॉट ब्लैक आइदर.

C

21. यहां के दृश्य सुंदर हैं। — The scenery here is nice/beautiful/lovely. द सीनरी हिअर इज़ नाइस/ब्यूटिफ़ुल/लवली.
22. मैंने इस पुस्तक को दो-तिहाई पढ़ लिया है। — I have finished *two-thirds* of this book. आइ हैव फ़िनिश्ड टू-थर्ड्स ऑफ़ दिस बुक.
23. मजिस्ट्रेट ने उसकी गिरफ़्तारी का आदेश दिया। — The magistrate *ordered* his arrest. द मैजिस्ट्रेट आर्डर्ड हिज़ अरेस्ट.
24. जब मैं मुंबई जाऊंगा, तो उसे मिलूंगा। — I'll see him when I go to Mumbai. आइल सी हिम वेन आइ गो टु मुंबई.
25. मैंने खाना खा लिया है। — I *have had* my food/meals. आइ हैव हैड माइ फ़ूड/मील्ज़.
26. समय कीमती है। — Time is money. टाइम इज़ मनी.
27. क्या तुम्हें सौ रुपये का मासिक भत्ता मिला? — Did you get *a* monthly allowance of *a* hundred rupees? डिड यू गेट अ मंथली एलाउंस ऑफ़ अ हंड्रेड रुपीज़?
28. मैं पैंतालीस बरस का हूं। — I am forty-five. आइ ऐम फ़ोर्टी फ़ाइव.
29. अब क्या किया जा सकता है? — What *can be done* now?/What's *to be done* now? वॉट कैन बी डन नाउ? वॉट्स टु बी डन नाउ?
30. मेरे दोनों हाथ ज़ख्मी हो गये हैं। — *Both my* hands have been injured. बोथ माइ हैंड्ज़ हैव बीन इंजर्ड.
31. मैंने चित्रकला छोड़ दी है। — I have *given up painting*. आइ हैव गिवन अप पेंटिंग.

याद रखें (Remember)

सर्वनाम (pronoun प्रोनाउन) it का कई प्रकार से प्रयोग किया जाता है, जैसे :

1. किसी Lower animal (छोटे पशु) या छोटे बच्चों के लिए, जैसे — After dressing the wound of the dog, the doctor patted it and sent it home. (कुत्ते के ज़ख्म पर पट्टी करने के बाद डॉक्टर ने उसे थपथपाया और घर भेज दिया.) As soon as the child saw its mother, it jumped towards her. (जैसे ही बच्चे ने अपनी माता को देखा, वह उसकी तरफ लपक पड़ा.)
2. किसी Noun या Pronoun पर ज़ोर देने के लिए — It was Gandhiji, who started the Civil Disobedience Movement. (गांधी जी ने ही नागरिक अवज्ञा आंदोलन चलाया था.)
3. मौसम के बारे में बात करने के लिए — It is hot गर्मी है, It is cold सर्दी है, It is raining outside बाहर वर्षा हो रही है।
4. Object के रूप में Children find it difficult to sit quietly. (बच्चों के लिए चुपचाप बैठना कठिन है.)
5. पहले हुई बात के लिए — He was wrong and he realises it. (वह गलत था और वह इस बात को महसूस करता है.) इस वाक्य में It का प्रयोग he was wrong के लिए किया गया है।

29 उनतीसवां दिन
th Day

A

गणना और मात्रा-सूचक वाक्य (Countables & Uncountables)

1. इस मेज़ पर रखी सभी पुस्तकें नीली हैं। — *All* the books on this table are blue. ऑल द बुक्स ऑन दिस टेबल आर ब्लू.
2. भीड़ का हर व्यक्ति स्तब्ध खड़ा था। — *Everyone* in the crowd was stunned. एवरीवन इन द क्राउड वॉज़ स्टंड.
3. उनमें हर एक की अपनी कार है। — *Each* of them has his own car. ईच ऑफ़ देम हैज़ हिज़ ओन कार.
4. मैंने चार पेंसिलें पंद्रह पैसे हर एक पेंसिल के हिसाब से खरीदीं। — I bought four pencils at fifteen paise *each*. आइ बॉट फ़ोर पेन्सिल्ज़ ऐट फ़िफ़्टीन पैसे ईच.
5. सोनिया और रीना एक-दूसरे को चाहती हैं। — Sonia and Rina are fond of *each other*. सोनिया ऐंड रीना आर फ़ॉन्ड ऑफ़ ईच अदर.
6. राजीव अपनी माताजी को हर दूसरे सप्ताह देखने जाता है। — Rajiv visits his mother *every other* week. राजीव विज़िट्स हिज़ मदर एवरी अदर वीक.
7. इन दोनों में से कोई भी चाभी ताले में लग जाएगी। — *Either* of these two keys will fit the lock. आइदर ऑफ़ दीज़ टू कीज़ विल फ़िट द लॉक.
8. **मुझे कुछ खाने को दो।** — Give me *something* to eat. गिव मी समथिंग टु ईट.
9. तुम्हारी जेब में कुछ हो तो निकाल लो। — Take out *anything* you have in your pocket. टेक आउट एनीथिंग यू हैव इन योर पॉकेट.
10. मैंने बहुत सी चीजें गुम की हैं। — I've lost *many a thing*. आइ 'व लॉस्ट मेनी अ थिंग.
11. **क्या कोई आया है?** — Has *someone* come? हैज़ समवन कम?
12. हां, कोई आपका इंतज़ार कर रहा है। — Yes, *somebody* is waiting for you. येस, समबडी इज़ वेटिंग फ़ॉर यू.
13. घर-घर में शोर मचा हुआ था। — There was commotion/uproar in *every* house. देअर वॉज़ कमोशन/अपरोर इन एवरी हाउस.
14. क्या और कोई आदमी आया था? — Had *anybody/anyone* else come? हैड एनीबडी/एनीवन एल्स कम?
15. **यहां कोई नहीं आया।** — *Nobody/No one* came here. नोबडी/नो वन केम हिअर.
16. इस घर की हरेक वस्तु आपके लिए हाज़िर है। — *Everything* in this house is at your disposal./You can use anything in this house. एवरीथिंग इन दिस हाउस इज़ ऐट योर डिस्पोज़ल./यू कैन यूज़ एनीथिंग इन दिस हाउस.
17. मेरे घर में हर एक बीमार है। — *Everyone* in my house is ill. एवरीवन इन माइ हाउस इज़ इल.
18. वे सारा समय बाग में रहे। — They were in the garden *all* the time./They spent *all* the time in the garden. दे वर इन द गार्डन ऑल द टाइम/-दे स्पेंट ऑल द टाइम इन द गार्डन.
19. हमने सारे बाग का चक्कर लगाया। — We went *all around* the garden. वी वेंट ऑल अराउण्ड द गार्डन.

20. उन्होंने देश-भर की यात्रा की। — They travelled *all over* the country. दे ट्रैवल्ड ऑल ओवर द कंट्री.

21. इस सारे वक्त मैं उसकी प्रतीक्षा करता रहा। — *All* this while I waited for her. ऑल दिस वाइल आइ वेटेड फ़ॉर हर.

B

मुहावरेदार वाक्य (Idiomatic Sentences)

22. बुरी आदतें शुरू में ही रोक देनी चाहिए। — Bad habits should be *nipped in the bud.* बैड हैबिट्स शुड बी निप्ड इन द बड.

23. मोहन का कठिनता से निर्वाह होता है। — Mohan lives from *hand to mouth.* मोहन लिव्ज़ फ्रॉम हैंड टू माउथ.

24. डाकू अभी तक नहीं पकड़े गये। — The dacoits are still *at large.* द डेकॉइट्स आर स्टिल ऐट लार्ज.

25. खूनी रंगे हाथों पकड़ा गया। — The murderer was caught *red handed.* द मर्डर वॉज़ कॉट रेड-हैंडिड.

26. मुझे इस बात का पता लग गया। — I *got* wind of this matter. आइ गॉट विंड ऑफ़ दिस मैटर.

27. उसकी मृत्यु बिलकुल निकट है। — His *days are numbered.* हिज़ डेज़ आर नम्बर्ड.

28. खयाली पुलाव पकाने से क्या लाभ है? — *Building castles in the air* won't help. बिल्डिंग कासल्ज़ इन द एयर वोन्ट हेल्प.

29. वह लारी की दुर्घटना में बाल-बाल बचा। — He had a *narrow escape* in the lorry accident. ही हैड अ नैरो एस्केप इन द लॉरी ऐक्सीडेंट.

30. हमें इतनी छोटी-छोटी बातों पर आपे से बाहर नहीं होना चाहिए। — We should not *lose our temper* over trifles. वी शुड नॉट लूज़ आवर टेम्पर ओवर ट्राइफ़ल्ज़.

31. उसने जीवन के बहुत उतार-चढ़ाव देखे हैं। — He has seen many *ups and downs* in his life. ही हैज़ सीन मेनी अप्स ऐंड डाउन्ज़ इन हिज़ लाइफ़.

32. मैं लगातार बारह घंटे काम कर सकता हूं। — I can work for twelve hours *at a stretch.* आइ कैन वर्क फ़ॉर ट्वेल्व आवर्ज़ ऐट ए स्ट्रेच.

33. वह किसी भी तरह सबसे ऊंचे पद पर पहुंचना चाहता है। — He wants to reach the top *by hook or by crook.* ही वॉन्ट्स टु रीच द टॉप बाइ हुक और बाइ क्रुक.

याद रखें (Remember)

1. प्रत्येक भाषा में बोलते-बोलते कुछ शब्द बहुत रूढ़ हो जाते हैं। कुछ तो इतने प्रचलित हो जाते हैं कि वे अपना मूल अर्थ छोड़कर अन्य अर्थ देने लगते हैं। इन्हें मुहावरा या Idiom कहते हैं।
   यदि हम किसी भाषा को ठीक से सीखना चाहते हैं तो उसके मुहावरों को बिलकुल ठीक उसी रूप में हमें याद करना होगा, तभी हम उस भाषा के जानकार कहला सकेंगे।
2. कुछ लोग मुहावरे के शब्दों में हेर-फेर कर देते हैं यह गलत है, जैसे यदि कोई कहे — 'Mohan lives from foot to mouth' तो इसे अशुद्ध माना जाएगा। ठीक प्रयोग होगा — 'Mohan lives from hand to mouth' मुहावरों का प्रयोग भाषा में बहुत ध्यान से करना चाहिए।

30 तीसवां दिन
30th Day

अभ्यास तालिकाएं (Drill Tables)

ये अभ्यास तालिकाएं वाक्यों को बार-बार दोहराने के लिए हैं। आप जितनी अधिक बार दोहरा सकते हैं, दोहराइए। इससे आपकी ज़ुबान पर अंग्रेज़ी के ये और ऐसे वाक्य बखूबी चढ़ जाएंगे। इस प्रकार आप बिना रुके नये-नये वाक्य बोल सकेंगे।

तालिका 8 में his, her, their, your आदि सर्वनाम शब्द, संज्ञा-शब्द house से पहले आए हैं (सार्वनामिक संबंध सूचक विशेषणों के रूप में)। ये शब्द प्राय: इसी प्रकार प्रयोग में आते हैं। पर तालिका 8-B में his, hers, theirs, yours, mine or ours शब्द वाक्य के अंत में अकेले आये हैं possessive pronouns (संबंध सूचक सर्वनामों) के रूप में। Possessive pronouns के साथ संज्ञा का प्रयोग नहीं होता।

Example: This is my pen. (Possessive Adjective)

This pen is mine. (Possessive pronoun) इस अंतर को हमेशा याद रखना चाहिए।

इक्कीसवां दिन

तालिका (TABLE)—8 **(a) 12 वाक्य** **(b) 12 वाक्य**

	1	2	3
A	This is That isn't	his her their your my our	house.

	1	2
B	This house is That house isn't	his. hers. theirs. yours. mine. ours.

Mr. Ram's का अर्थ है-मिस्टर राम का। Apostrophe'+s ('s) का प्रयोग किसी वस्तु या व्यक्ति का दूसरे व्यक्ति से संबंध बताने के लिए होता है। This is Mr. Mehta's house. She is Meena's sister. ज्यादातर प्रयोग प्राणवान वस्तुओं के साथ होता है। पर कभी-कभी प्राणहीन पदार्थों के साथ भी इसका प्रयोग मान्य माना जाता है — a day's work, a month's supply, a year's growth आदि। ये इसीलिए शुद्ध अथवा सही माने जाते हैं, क्योंकि ये expressions भाषा में काफी प्रचलित हो गए हैं। इन्हें अशुद्ध कहकर निकाला नहीं जा सकता।

बाईसवां दिन

तालिका [TABLE]—9

तालिका-9 में in, under, on, near स्थानवाची शब्द (Platial Words) वाक्य में प्रयोग हुए हैं। **384 वाक्य**

1	2	3	4	5
It Your plate The bottle The cup	is isn't	in under on near	that this your Mr. Ram's	bag. basket. table.

तेईसवां दिन

तालिका-10 में too—to संबंधित शब्दों (Linking Words) का अभ्यास दिया जाता है। I am *too* tired to do such heavy work का अर्थ है–मैं **इतना** अधिक थक गया हूं **कि** ऐसा कठिन काम नहीं कर सकता। इसी प्रकार अन्य वाक्यों में इन शब्दों का अर्थ समझना चाहिए।

तालिका [TABLE]—10

27 वाक्य

1	2	3	4	5
I am The little boy was You will be	too	tired hungry weak	to	do such heavy work. go back so soon. answer their questions.

तालिका-11 में when, as well as, after, before शब्दों का अभ्यास दिया गया है। **इनके साथ** Linking Words नहीं जुड़ते, सीधे दूसरी Clause जुड़ जाती है, जैसे When we arrived (then नहीं आता) it began to rain. आदि।

तालिका [TABLE]—11

64 वाक्य

1	2	3
When As soon as After Before	we arrived the train left they came she noticed	it began to rain. he started crying. the lights went out. he moved away.

तालिका-12 में since और for के सकारात्मक (Positive) वाक्य दिये गये हैं।

तालिका [TABLE]—12

64 वाक्य

1	2	3	4
She He I You	has been have been	discussing this matter quarrelling over it playing hockey reading a novel	since morning. for many days. since 2 P.M. for two hours.

चौबीसवां दिन

तालिका-13 में prepositions के उलट-पुलट वाक्य दिये गये हैं। उन्हें ठीक से मिलाकर सार्थक वाक्य बनाइये। एक Preposition का प्रयोग एक से अधिक वाक्य में हो सकता है। कठिनाई होने पर संबंधित पाठ की सहायता लीजिए।

तालिका [TABLE]—13 **24 वाक्य**

1	2	3
You must refrain	by	my story
He was highly amused	into	working too hard
He prevents me	against	her son's health
The mother is worried		music
His work is progressing		his work
We got fed up		the matter
He was absorbed	about	his behaviour
The police looked	in	smoking
He is well versed		going there
My boss is pleased	with	leaps and bounds
She went		my work
The doctor warned him	from	the room

पच्चीसवां दिन

तालिका-14 में कर्मवाच्य (Passive Voice) के वाक्य दिये गये हैं। इनको बोलकर अच्छी तरह अभ्यास कीजिए और इसका अर्थ मन में बैठाइए। सहायक क्रियाओं (is, is being, has been) के साथ प्रधान क्रिया की 3rd form जुड़ती है।

तालिका [TABLE]—14 **165 वाक्य**

1	2	3
	is	
	is being	
	has been	collected.
The money	is going to be	kept in a secret place.
	was	
The jewellery	was being	
	had been	sent away.
The body of the lion	will be	
	will not be	buried in my garden.
	will have been	
	should be	moved from here.

तालिका-15 में be (infinitive) के साथ कर्मवाच्य (Passive Voice) के वाक्यों की रचना की गयी है।

छब्बीसवां दिन

तालिका-16 में विशेषणों की द्वितीयावस्था (Comparative Degree) के वाक्यों का अभ्यास दिया गया है। इसमें than का प्रयोग होता है।

तालिका [TABLE]—15 **60 वाक्य**

1	2	3	4	5
He was They were	more	wicked honest cruel willing cheerful foolish	than	any one else. she was. you were. I was. we were.

तालिका-17 में विशेषणों की तृतीयावस्था (Superlative Degree) के वाक्य दिये गये हैं। इनमें 'best of' आदि शब्द प्रयोग किये जाते हैं।

तालिका [TABLE]—16 **48 वाक्य**

1	2	3	4	5	6
Your coat This one That one	is	the	thickest worst best finest	of	all. those in the shop. the lot. any I have seen.

सत्ताईसवां दिन

तालिका-18-A में गणनासूचक (Countable) शब्दों के प्रश्न-वाक्य दिये गये हैं। तालिका-18-B में मात्रा सूचक (Uncountable) शब्दों के प्रश्न वाक्य? Many गणनासूचक (Countable) शब्द हैं, much मात्रा सूचक (Uncountable)। ध्यान दीजिए — cup, knife, pen, pencil, book गणना-योग्य (Countable) वस्तुएं हैं, जबकि money, oil, bread, tea, sand मात्रा सूचक (Uncountable) शब्द।

तालिका [TABLE]—17 **(a) 15 वाक्य (b) 15 वाक्य**

A

1	2	3	4
How many	cups knives pens pencils books	are there	on the table? in the store? in the cupboard?

B

1	2	3	4
How much	money oil salt tea sand	is there	in the house? in his possession? for use?

अट्ठाईसवां दिन

तालिका-19 में सर्वनाम 'it' के विभिन्न उपयोगों का अभ्यास दिया गया है।

तालिका [TABLE]—18 **14 वाक्य**

1	2	3
It	is was	my friend. not my turn. four O'clock. not noon yet. not true. very easy.

तालिका-20 में दो प्रकार के कर्ता हैं — नकारात्मक (Negative) और सकारात्मक। Nobody (Negative) नकारात्मक है। Somebody तथा everybody (Positive) सकारात्मक हैं। Nobody took anything last time का अर्थ है — किसी ने पिछली बार कोई वस्तु नहीं ली, जबकि Somebody took something last time का अर्थ है — किसी ने पिछली बार कुछ वस्तु ली।

नकारात्मक वाक्य में प्रायः anything और सकारात्मक वाक्य में something शब्द का प्रयोग आता है।

उनतीसवां दिन

तालिका [TABLE]—19 **100 वाक्य**

1	2	3	4
No one Nobody one of us None of you	wrote wanted cared for	anything	at that time.
Everybody Somebody Some of you A few of us	noticed took	something	before breakfast. last time.

अभ्यास (Practice)

I. नीचे प्रश्नवाक्य और उत्तरवाक्य दिये गये हैं। प्रश्न या उत्तर में से अधिकांश वाक्य 21 से 29 दिनों के वाक्यों में से लिये गये हैं, पर कुछ वाक्यों को बदल दिया गया है। आप अपने साथी से कहें कि वह आपसे प्रश्न पूछे। आप उसका उत्तर दें। फिर वह Answer वाक्य बोले और आप प्रश्नवाक्य बनाएं। इस तरह दोहरा अभ्यास कीजिए।

प्रश्न (Question)	उत्तर (Answer)
21 वां दिन	
1. What are vou?	I'm a clerk. (8)
2. What's your nationality?	Indian. (12)
3. Is this the book you need?	Yes, this is it. (13)
4. Who went there?	None of us. (25)
22 वां दिन	
5. Where is the book?	On the table. (2)
6. Where is the clerk?	At the table/seat. (3)
7. Where is Kamla going?	Into the room. (7)

8. Where is Kamla? — In the room. (8)
9. What do you play besides hockey? — Football. (23)
10. Who is inside? (33) — My brother.

23 वां दिन

11. Why does he work hard? — Because he wants to win a prize.
12. Can she walk easily? — No, she is quite weak. (20) or She can't.
13. Who is guilty? — Either you or your brother. (19)
14. For how long have you been learning English? (35) — For the last two years.
15. When shall I receive his letter? — Within three days. (27)

24 वां दिन

16. Was the boy absent from school? — Yes, he was. (1)
17. Does he know his weakness? — Yes, he is fully conscious/aware of it. (22)
18. Are you sure of your success? (19) — Yes, I'm dead sure.
19. Are his remarks based on facts? — No, they aren't (37)
20. Why do you want to leave? — To try for a better job or For better prospects.

25 वां दिन

21. What's to be done? — Let the post be advertised. (26)
22. What am I requested to do? — You are requested not to smoke. (27)

26 वां दिन

23. Shall we ever forget these good days? (4) — No, we'll never forget them or No, how can we?
24. Is man immortal? — No, he is not. (19)
25. Is there any gain without hard work? — No, there isn't

27 वां दिन

26. Did any of you play football? (5) — No, none of us did.
27. Isn't there any milk in the bottle? — No, there isn't.
28. Shall I give you some more milk? (14) — No, thank you./I need no more.
29. Will you give whatever I want? (18) — With great pleasure./Yes, of course.

28 वां दिन

30. Who is that? (1) — It's my friend. (2)
31. Is it me you are calling? (10) — Yes, I need you.
32. How many boys are there in the class? — There are many.(19)

29 वां दिन

33. Had anybody else come? (15) — No, nobody.
34. For how long did you stay in the garden? (20) — We stayed there all the time.
35. How much money can you lend me? — At the most I can lend you ten rupees.

II. प्रश्न I के प्रश्न और उत्तर दोनों वाक्यों का सरल हिंदी में अनुवाद कीजिए:

III . (i) Lata *does* come. (ii) Lata *comes.* (iii) Lata *did* come. (iv) Lata *came.*

ऊपर के वाक्यों को ध्यान से देखिए और बताइए कि कौन से शुद्ध हैं? आप कहेंगे कि पहला और तीसरा वाक्य अशुद्ध है। हमारा कहना है, ये चारों वाक्य बिलकुल शुद्ध हैं।

आप पूछेंगे कि यदि ये चारों वाक्य शुद्ध हैं, तो आपस में इनके अर्थ में क्या अंतर है। हां, जो अंतर है उसे समझिए — Lata does come और Lata did come — दोनों वाक्य 'आना' (come) क्रिया के अर्थ में बल (emphasis) देते हैं। ऊपर के दोनों वाक्यों का अर्थ होगा — (1) 'लता अवश्य आती है', और 'लता अवश्य आई।' या-'लता आती तो है', और 'लता आयी तो थी'।

दूसरे और चौथे वाक्य Lata comes और Lata came — का अर्थ होगा — 'लता आती है,' और 'लता आयी।' ये दोनों सामान्य अर्थ वाली क्रियाएं हैं।

सकारात्मक वाक्यों (Positive Sentences) में do, does और did के प्रयोग के विषय में ऊपर जो कुछ कहा गया है, उसके अनुसार नीचे दिये वाक्यों का हिन्दी में अर्थ बताइए:

(i) My mother does like children.
(ii) Children do like to play.
(iii) The labourers did shout loudly.
(iv) Do come tomorrow.

IV. निम्नलिखित रिक्त स्थानों को कोष्ठक में दिये गये शब्दों में से उपयुक्त शब्द चुनकर भरिए:

1. He is...(a,an) American. 2. The train is late by half...(a,an) hour. 3. Is he...(a,an) Russian? 4. Qutab Minar is...(a,an,the) highest tower in India. 5. Sonepat is...(a,an,the) small town in Haryana. 6. These pictures...(is,are) mine. 7. He has gone...(to,out) of Delhi. 8. Are you going...(to,for) sleep? 9. Put on a raincoat lest you...(will, shall, should) get wet. 10. Neither Mahesh nor Ramesh... (play/plays) football. 11. Is she...(known, knew) to you? 12. They pray every day...(for, till) fifteen minutes. 13. Either Sati or Mati...(is, are) to blame. 14. She is...(too, so), weak to walk. 15. I am...(too, so) weak that I can't walk.

ठीक उत्तर ये हैं:

1. (an), 2. (an), 3. (a), 4. (the), 5. (a), 6. (are) 7. (out), 8. (to), 9. (should), 10. (plays), 11. (known), 12. (for), 13. (is), 14. (too), 15. (so).

V. नीचे दो-दो वाक्यों में एक-एक वाक्य शुद्ध है। ध्यान से पढ़कर शुद्ध वाक्यों का चुनाव कीजिए:

1. (A) He looks older to his years/age. (B) He looks older than his years/age.
2. (A) My mother is right now. (B) My mother is alright now.
3. (A) Mother as well as father is happy. (B) Mother as well as father are happy.
4. (A) I couldn't understand but a few words. (B) I could understand but a few words.
5. (A) He was capable to support himself. (B) He was capable of supporting himself.
6. (A) I always see you with one particular person. (B) I always see you with one certain person.

ठीक उत्तर ये हैं: 1. B, 2. B, 3. A, 4. B, 5. B, 6. A.

VI. निम्नलिखित वाक्यों को शुद्ध करके लिखिए:

1. This is a ass. 2. That is a book. Thats my book. 3. We travelled by ship. It is a fine ship. 4. I am taller than he. 5. He was looking me. 6. He had hardly finished the work then his friend came. 7. Either you are thief or a robber. 8. I have been studying this subject since ten years. 9. He spent plenty of money at his wedding. 10. I no sooner left the house when it began to rain. 11. Though his arms were week, but his legs were strong. 12. Neither you nor I are lucky. 13. It is too hot for work. 14. Have you much toys? 15. This is a bread. Bread is a food. 16. She is too weak that she can't walk. 17. He works hard lest he will fail. 18. Somebody spoke to me, I forget whom. 19. He is a man whom I know is corrupt. 20. Put everything in their place. 21. None of them were available there. 22. There is misery in the life of all men. 23. Are you senior from him?

शुद्ध रूप नीचे छपे हैं परंतु उल्टे:

1. This is *an* ass. 2. That is a book. *It* is my book. 3. We travelled by ship. *It* was a fine ship. 4. I am taller than *him*. 5. He was looking *at* me. 6. He had *hardly* finished the work *when* his friend came. 7. You are *either* a thief *or* a robber. 8. I have been studying this subject *for* ten years. 9. He spent plenty of money *on* his wedding. 10. No *sooner* did I leave the house *than* it began to rain. 11. Though his arms were weak, his legs were strong. 12. *Neither* of us is lucky. 13. It is *too* hot *to* work. 14. Do you have *many* toys? 15. This is *bread*. Bread is *food*. 16. She is *too* weak to walk. 17. He works hard *lest* he *should* fail. 18. Somebody spoke to me, I forget who. 19. He is *the* man *who* I know is corrupt. 20. Put everything in *its* place. 21. None of them was available there. 22. There is misery in the *lives* of all men. 23. Are you senior *to* him?

31 इकत्तीसवां दिन
31st Day

चौथा अभियान (4th Expedition)

अब शुरू हुआ आपकी यात्रा का चौथा अभियान — जहां से आप व्याकरण की भूलभुलैया से निकल कर व्यावहारिक भाषा के प्रयोग को समझेंगे। पिछले तीन सेटों में आपको शुद्ध-अशुद्ध का परिचय प्राप्त हुआ। आपने जाना कि शब्दों को वाक्य में कैसे रखें ताकि सार्थक वाक्य बन सकें। अब आप सीखेंगे विषयानुसार छोटे-छोटे वाक्यों का बोलना-चालना। आपने पिछले तीन पड़ावों में जो कुछ सीखा है, उसके सहारे आपको आगे बढ़ना है। इस पाठ में दिये गये वाक्य, रोज़ की ज़िन्दगी में काम आने वाले वाक्य हैं। इन्हें सीख कर, इनका अभ्यास कीजिए और बातचीत में प्रयोग करना शुरू कर दीजिए। अभ्यास के लिए साथ दिये गये उच्चारण को सीख लेने पर आप सरलता से वाक्यों को बोल सकेंगे और अंग्रेज़ी में बात कर पाने का आनंद उठा सकेंगे। धीरे-धीरे आपकी झिझक खत्म हो जाएगी और विश्वास बढ़ता जाएगा। आइए, सबसे पहले निमंत्रण के वाक्यों को सीखें।

1. निमंत्रण (Invitation)

1. अंदर आइए। — **Come in please.** कम इन प्लीज़.
2. कुछ ठंडा लीजिए। — **Please have something cold.** प्लीज़ हैव समथिंग कोल्ड.
3. क्या आप ज़रा यहां आएंगे? — Will you please come over here? विल यू प्लीज़ कम ओवर हिअर?
4. टहलने के लिए आइए। — Come for a walk please./Let's have a stroll. कम फ़ॉर अ वॉक प्लीज़./लेट्स हैव अ स्ट्रोल.
5. क्या आप हमारे साथ सिनेमा देखने चलेंगे? — Would you like to come with us to the cinema?/Would you like to see a film/movie with us. वुड यू लाइक टु कम विद अस टु द सिनेमा?/वुड यू लाइक टु सी अ फ़िल्म/मूवी विद अस?
6. क्या आप सारा दिन हमारे साथ बितायेंगे? — Will you spend the whole day with us? विल यू स्पेंड द होल डे विद अस?
7. मुझे वैसा करने में खुशी होगी। — I'll be glad/pleased to do so. आइल बी ग्लैड/प्लीज़्ड टु डू सो.
8. आओ बस में चलें। — *Let's go by bus. लेट्स गो बाइ बस.
9. क्या आप मेरे साथ नाचेंगी? — Would you join me in the dance?/May I dance with you? वुड यू जॉइन मी इन द डांस/मे आइ डांस विद यू?
10. नहीं, मैं नहीं नाचती। — No, I don't dance. नो, आइ डोन्ट डान्स.
11. नहीं, मैं ताश खेलना नहीं जानता। — No, I don't know how to play cards. नो, आइ डोन्ट नो हाउ टु प्ले कार्ड्स.
12. आप अगला रविवार हमारे यहां बिताइए। — Please, spend next Sunday with us. प्लीज़, स्पेन्ड नेक्स्ट संडे विद अस.
13. खाने पर आपके निमंत्रण के लिए धन्यवाद। हम समय पर आने की कोशिश करेंगे। — Thanks for your invitation to dinner. We'll try to be punctual. /Thanks for inviting us to dinner. We'll try to come in time. थैंक्स फ़ॉर योर इन्विटेशन टु डिनर. वी'ल ट्राइ टु बी पंक्चुअल./थैंक्स फ़ॉर इन्वाइटिंग अस टु डिनर. वी'ल ट्राइ टु कम इन टाइम.

---

*'Let's' let us का संक्षिप्त रूप है।

14.	खाने पर आपका निमंत्रण स्वीकार नहीं कर सकता हूं। इसका मुझे दु:ख है। आपने याद किया, उसके लिए धन्यवाद।	I'm sorry, I can't accept your invitation to dinner./Thank you for remembering me. आइम सॉरी, आइ कान्ट ऐक्सेप्ट योर इन्विटेशन टु डिनर/थैंक यू फ़ॉर रिमेम्बरिंग मी.
15.	क्या आप फ़तेहपुर सीकरी तक टैक्सी में हमारे साथ चलेंगे?	Will you come with us in taxi to Fatepur Sikri? विल यू कम विद अस इन टैक्सी टु फ़तेहपुर सीकरी?
16.	आपके आमंत्रण के लिए बहुत धन्यवाद। आपका टैक्सी-टूर का सुझाव बड़ा ही अच्छा है। मैं जरूर साथ में चलूंगा।	Many thanks for your kind invitation. Your idea of a taxi-tour is really grand. I'll surely join you. मैनी थैंक्स फ़ॉर योर काइंड इन्विटेशन. योर आइडिया ऑफ़ अ टैक्सी-टुअर इज़ रिअली ग्रैण्ड. आइल श्योर्ली जॉइन यू.

2. भेंट और विदा (Meeting & Parting)

17.	सलाम! नमस्कार! सत श्री अकाल! (प्रात:काल में)	Good morning! गुड मार्निंग!
18.	**आप कैसे हैं?**	**Hello, how are you?** हलो, हाउ आर यू?
19.	**बहुत बढ़िया, शुक्रिया आपका। आप कैसे हैं?**	**Very well, thank you. And you?** वेरी वेल, थैंक्यू. ऐंड यू?
20.	**मैं ठीक-ठाक हूं।**	**I'm fine.** आइम फ़ाइन.
21.	**आपसे मिलकर मुझे बड़ी खुशी हुई।**	**I'm glad to see you.** आइम ग्लैड टु सी यू.
22.	**यह मेरे लिए खुशी की बात है।**	**It's my pleasure.** इट्स माइ प्लेज़र.
23.	बहुत दिनों बाद मिले हैं।	It's been a long time since we met. इट्स बीन अ लौंग टाइम सिन्स वी मेट.
24.	मैंने आपके बारे में बहुत सुना है।	I've heard a lot about you. आइव हर्ड अ लॉट अबाउट यू.
25.	देखो, कौन है?	Look, who is it?/Who is here? लुक, हू इज़ इट?/हू इज़ हिअर?
26.	क्या आप मुझे देखकर चकित हो रहे हैं?	Are you surprised to see me? आर यू सरप्राइज़्ड टू सी मी?
27.	वाकई, मैं सोचता था कि आप लंदन में हैं।	Really, I thought/was under the impression that you were in London. रियली, आइ थॉट/वाज़ अण्डर दी इम्प्रेशन दैट यू वर इन लंडन.
28.	मैं वहां था, पर मैं वहां से पिछले सप्ताह लौटा हूं।	I was there, but I returned/came back last week. आइ वॉज़ देअर, बट आइ रिटर्न्ड/केम बैक लास्ट वीक.
29.	**अच्छा! फिर मिलेंगे।**	**O.K. See you again.**/O.K., we'll meet again. ओ.के. सी यू अगेन./ओ.के., वील मीट अगेन.
30.	क्या आप अब जरूर जाएंगे?	Must you go/leave now? मस्ट यू गो/लीव नाउ?
31.	**आपकी यात्रा अच्छी हो!**	**Have a pleasant/nice journey!** हैव अ प्लेज़ेन्ट/नाइस जर्नी!
32.	ईश्वर आप पर कृपा करे।	God bless you. गॉड ब्लेस यू.
33.	कृपया पिताजी से मेरा नमस्कार कहिएगा।	Please convey my regards/compliments to your father. प्लीज़ कन्वे माइ रिगार्ड्/कॉम्पलीमेंट्स टु योर फ़ादर.
34.	भाग्य आपके साथ हो।	May luck be with you. Best of luck. मे लक बी विद यू. बेस्ट ऑफ़ लक.
35.	अच्छा चलें। (रात को)	Good night. गुड नाइट.
36.	नमस्ते (विदा में नमस्ते का उत्तर)	Bye bye./Goodbye. बाइ बाइ./गुडबाइ.

3. आभार (Gratitude)

37. बहुत-बहुत धन्यवाद! — Thanks a lot. थैंक्स अ लॉट.

38. **आपकी सलाह के लिए धन्यवाद।** — **Thanks for your advice.** थैंक्स फ़ॉर योर ऐडवाइस.

39. भेंट के लिए धन्यवाद। — Thanks for the present/gift. थैंक्स फ़ॉर द प्रेज़ेंट/गिफ़्ट

40. यह बहुत कीमती भेंट है। — This is a very costly/expensive present. दिस इज़ अ वेरी कॉस्टली/एक्सपेन्सिव प्रेज़ेंट.

41. मैं आपका बहुत आभारी हूं। — I'm much/very obliged/grateful to you. आइम मच/वेरी ऑब्लाइज़्ड/ग्रेटफ़ुल टु यू.

42. आप बहुत दयालु हैं। — You are very kind. So kind of you. यू आर वेरी काइंड. सो काइंड़ ऑफ यू.

43. बिल्कुल नहीं, मुझे तो खुशी हुई। — Not at all. It's my pleasure. नॉट ऐट ऑल, इट्स माइ प्लेज़र.

44. यह कृपा की बात नहीं, इससे मुझे प्रसन्नता होगी। — This is no matter of kindness. It will rather please me. दिस इज़ नो मैटर ऑफ़ काइंडनेस. इट विल रादर प्लीज़ मी.

4. बधाई एवं आशीष (Congratulations & Good Wishes)

45. **हम आपके लिए नये वर्ष की शुभ कामना करते हैं।** — **Wish you a happy new year.** विश यू अ हैपी न्यू ईयर.

46. आपके जन्म दिन पर हार्दिक अभिनंदन। — Hearty felicitations on your birthday. हार्टी फ़ेलिसिटेशन्ज़ ऑन योर बर्थडे.

47. यह दिन बार-बार आये। — Many happy returns of the day. मेनी हैपी रिटर्न्ज़ ऑफ़ द डे.

48. आपकी सफलता पर बधाई। — Congratulations on your success. कौंग्रैच्युलेशन्ज़ ऑन योर सक्सैस.

49. आपके विवाह पर बधाई। — Congratulations on your wedding. कौंग्रैच्युलेशन्ज़ ऑन योर वेडिंग.

50. आप पर भाग्य सदा मुस्कुराये। — May you always be lucky./May luck always shine on you. मे यू ऑलवेज़ बी लकी./मे लक ऑलवेज़ शाइन ऑन यू.

51. आपको परीक्षा में सफलता प्राप्त हो। — Hope you do well in the examination. होप यू डू वेल इन दि इग्ज़ैमिनेशन.

52. मैं आपको सबकी ओर से बधाई देता हूं। — I congratulate you on behalf of all. आइ कौंग्रैच्युलेट यू ऑन बिहाफ़ ऑफ़ ऑल.

53. **आप सफल हों!** — **Wish you all the best.** विश यू ऑल द बेस्ट.

5. मिले-जुले वाक्य (Miscellaneous Sentences)

54. आओ, अब खाना खाएं। — Let's have food now. लेट्स हैव फूड नाउ.

55. आप क्या पसंद करेंगे, चाय या कॉफ़ी। — What would you like, tea or coffee? वॉट वुड यू लाइक, टी और काफ़ी?

56. मैं आपको स्टेशन तक छोड़ने चलूंगा। — I will come to the station to see you off. आइ विल कम टु द स्टेशन टु सी यू ऑफ़.

57. जब भी आप दिल्ली आएं, मुझसे मिलिएगा। — Please look me up whenever you come to Delhi. प्लीज़ लुक मी अप वेन ऐवर यू कम टु डेल्ही.

58. आइए, मैं आपको अपने परिवार से मिलाऊं। — Let me introduce you to my family. लेट मी इन्ट्रोड्यूस यू टु माई फैमिली.

59. मेरी पत्नी निशा, मेरी बेटी किटी और बेटे सुमित से मिलिए। — Please meet my wife, my daughter Kitty and son Sumit. प्लीज़ मीट माइ वाइफ़, माइ डांटर किटी ऐंड सन सुमित.

60. आपके बच्चे बहुत प्यारे हैं। — You have lovely children. यू हैव लवली चिल्ड्रन.

61. मुझे लगता है, हम पहले मिल चुके हैं। — I think we have met before. आइ थिंक वी हैव मेट बिफ़ोर.

62. ऐसी भी क्या जल्दी है, थोड़ा रुको न। — What's the hurry? Please stay a little more. वॉट्स द हरी? प्लीज़ स्टे अ लिटिल मोर.

63. मेरे पास आपको धन्यवाद देने के लिए शब्द नहीं हैं। — I have no words to express my thanks to you. आइ हैव नो वर्ड्स टु एक्सप्रेस माइ थैंक्स टु यू.

64. आपने वाकई मुझे बचा लिया. — You really saved my life. यू रिअली सेव्ड माइ लाइफ़।

65. आपका विवाहित जीवन लम्बा, सुखी व समृद्ध हो। — May you have a long, happy and prosperous married life. मे यू हैव अ लौंग हैपी ऐंड प्रास्परस मैरिड लाइफ़.

याद रखें (Remember)

* प्रार्थना (request) करने के लिए would और please दोनों का एक साथ प्रयोग करना चाहिए, जैसे — Would you please lend me one rupee? वुड यू प्लीज लेंड मी वन रूपी ? (क्या आप मुझे एक रुपया उधार देंगे?) में अधिक शिष्टाचारयुक्त नम्रता है। ऐसी नम्रता Will you please lend me one rupee? में नहीं है।

** केवल Thanks कहना रूखापन दर्शाता है। इससे बेहतर प्रयोग है Thank you. Thanks के साथ for भी लगता है। ऐसा प्रयोग भी अच्छा है, यद्यपि यह कुछ लंबा है — I thank you, sir, for your interest in my family. (आप जो रुचि मेरे परिवार में लेते हैं, उसके लिए मैं आपका धन्यवाद करता हूं।) परंतु केवल I thank you कदापि न कहिए। यह अपेक्षाकृत रूखा प्रयोग है।

*** Congratulations और Felicitations के साथ on लगता है, for और at नहीं. Congratulations for/at your success गलत है। आपको कहना चाहिए Congratulations on your success.

किसी भी बधाई के अवसर पर हम सिर्फ Congratulations या Congrats ही कहें, तो भी ठीक है।

32 बत्तीसवां दिन
32nd Day

6. अस्वीकृति (Refusal)

1. **मैं नहीं आ सकूंगा।**	**I won't be able to come.** आइ वोन्ट बी एबल टु कम.
2. आप जो चाहते हैं, वह मैं नहीं कर सकूंगा।	I won't be able to do as you wish. आइ वोन्ट बी एबल टु डू ऐज़ यू विश.
3. मैं आना नहीं चाहता।	I don't want to come. आइ डोन्ट वॉन्ट टु कम.
4. मुझे अफ़सोस है, लेकिन मुझे इन्कार करना पड़ रहा है।	I'm sorry to refuse. आइम सॉरी टु रिफ़्यूज़.
5. वे इससे सहमत नहीं होंगे।	They won't agree to this. दे वोन्ट अग्री टु दिस.
6. **यह संभव नहीं है।**	**It's not possible/impossible.** इट्स नॉट पॉसिबल/इम्पॉसिबल.
7. अफ़सोस है, मैं यह प्रस्ताव मंज़ूर नहीं कर सकता।	I regret, I can't accept this proposal. आइ रिग्रेट, आइ कांट ऐक्सेप्ट दिस प्रपोज़ल.
8. आप मेरे विचार से सहमत नहीं हैं, न?	You don't agree with me, do you? यू डोन्ट अग्री विद मी, डू यू?
9. **इसका प्रबंध नहीं हो सकता है।**	**It can't be arranged.** इट कांट बी अरेंज्ड.
10. उसे यह पसंद नहीं है।	She's averse to this idea/to it./She does not like it. शी'ज अवर्स टु दिस आइडिया/टु इट./शी डज़ नॉट लाइक इट.

7. विश्वास (Believing)

1. क्या आप विश्वास नहीं करते?	Don't you believe it? डोन्ट यू बिलीव इट?
2. यह केवल अफ़वाह है।	It's only a rumour. इट्स ओन्ली अ र्‌यूमर.
3. यह सुनी-सुनायी बात है।	It's only a hearsay/rumour. इट्स ओन्ली अ हिअरसे/र्‌यूमर.
4. क्या हमें इस टैक्सी ड्राइवर का विश्वास करना चाहिए?	Should/Can we trust this taxi driver? शुड/कैन वी ट्रस्ट दिस टैक्सी ड्राइवर?
5. आप उनका पूरी तरह विश्वास कर सकते हैं।	You can trust them fully. यू कैन ट्रस्ट देम फ़ुली.
6. **मुझे उस पर पूरा भरोसा है।**	**I have full faith in him.** आइ हैव फुल फ़ेथ इन हिम.

8. प्रार्थना (Request)

1. ज़रा ठहरिए।*	Please wait. प्लीज़ वेट.
2. वापस आइए।	Please come back. प्लीज़ कम बैक.
3. जाने दीजिए।**	Let it be. लेट इट बी.
4.. ज़रा यहां आना।	Please come here. प्लीज़ कम हिअर.
5. उत्तर दीजिए।	Please reply/answer. प्लीज़ रिप्लाइ/आन्सर.
6. **ज़रा उसे जगाइए।**	**Please wake him up.** प्लीज़ वेक हिम अप.
7. **आशा है, तुम पत्र लिखोगे।**	**Hope to hear from you.** होप टु हिअर फ्रॉम यू.

8. **मेरा एक काम करोगे?** — **Will you do me a favour?** विल यू डू मी अ फ़ेवर?

9. मुझे काम करने दो।** — Let me work. लेट मी वर्क.

10. जरा देखने तो दो। — Let me see. लेट मी सी.

11. **उन्हें आराम करने दीजिए।** — **Let them relax.** लेट देम रिलैक्स.

12. जरा कागज़-पेंसिल दीजिए। — Please give me a pencil and paper. प्लीज़ गिव मी अ पेंसिल ऐंड पेपर.

13. परसों ज़रूर आइएगा। भूलिएगा नहीं। — Please do come day after tomorrow. Don't forget. प्लीज़ डू कम डे आफ़्टर टुमॉरो. डोन्ट फ़ॉरगेट.

14. **फिर से कहिए।** — **Please repeat./Pardon./ I beg your pardon.** प्लीज़ रिपीट./पार्डन./आइ बेग योर पार्डन.

15. **थोड़ा खिसक सकते हैं आप?** — **Could you move/shift a little.** कुड यू मूव/शिफ़्ट अ लिटिल.

16. क्या आप मुझसे परसों मिल सकते हैं? — Can you see me day after tomorrow? कैन यू सी मी डे आफ़्टर टुमॉरो?

17. **मुझे माफ करें।** — **Please forgive me.** प्लीज़ फ़ॉरगिव मी.

18. ज़रा खिड़की खोल दीजिए। — Will you please open the window. विल यू प्लीज़ ओपन द विण्डो.

19. **सभी से प्रार्थना है कि समय पर पहुंचें।** — **All are requested to reach in time.** ऑल आर रिक्वेस्टेड टु रीच इन टाइम.

याद रखें (Remember)

* अंग्रेज़ी वार्तालाप में please का स्थान बहुत महत्त्वपूर्ण है। इसके प्रयोग से व्यक्ति के शिष्ट व्यवहार का पता चलता है, इसलिए please का अभिकाधिक प्रयोग कीजिए। केवल yes (हां) कहना बहुत रूखा और धृष्ट उत्तर है। इसके विपरीत yes please (हां जी) बहुत स्निग्ध और शिष्ट उत्तर है। किसी व्यक्ति से वार्तालाप करते समय please कहना न भूलिए। Give me a glass of water (मुझे एक गिलास पानी दो)। मत कहिए बल्कि इसके स्थान पर Please give me a glass of water (मुझे ज़रा एक गिलास पानी दीजिए) कहिए।

** (i) Let का प्रयोग सदा first person और third person के साथ होता है, जैसे — What a fine weather! Let us go to the river bank. (कितना सुहावना मौसम है ! आओ नदी किनारे चलें।) Let them play football. (उन्हें फुटबॉल खेलने दो।) Second person के साथ let का प्रयोग नहीं होता, जैसे — Let you go for a walk. कहना गलत होगा। पर यदि Second Person के साथ First Person भी हो तो हम कह सकते हैं Let us go for a walk. (आओ मैं और तुम घूमने चलें)

33 तेंतीसवां दिन
3rd Day

9. आहार (Meals)

1. **मुझे भूख लग रही है।** — **I am feeling hungry.** आइ ऐम फ़ीलिंग हंग्री.
2. **आप क्या खाएंगे?** — **What will you like to eat?** वॉट विल यू लाइक टु ईट?
3. आपके पास कौन-कौन से अचार हैं? — Which pickles do you have? विच पिकल्ज़ डू यू हैव?
4. **क्या आपने नाश्ता कर लिया है?** — **Have you had your breakfast?** हैव यू हैड योर ब्रेकफ़ास्ट?
5. अभी तक नहीं, रमा। — Not yet, Rama. नॉट येट रमा.
6. नाश्ता तैयार कर लो। — Prepare/make the breakfast. प्रिपेअर/मेक द ब्रेकफ़ास्ट.
7. **आओ, हम लोग एक साथ नाश्ता करें।** — **Let's have breakfast together.** लेट्स हैव ब्रेकफ़ास्ट टुगेदर.
8. **चखकर देखो।** — **Just taste it.** जस्ट टेस्ट इट.
9. नहीं, मुझे एक पार्टी में जाना है। — No, I have to attend a party. नो, आइ हैव टु अटेंड अ पार्टी.
10. आपके पास मीठी चीज़ें क्या हैं?** — What sweet dishes do you have? वॉट स्वीट डिशिज़ डू यू हैव?
11. क्या लता ने खाना खा लिया है? — Has Lata finished her meals? हैज़ लता फ़िनिश्ड हर मील्ज़?
12. **जल्दी आओ, खाना परोस दिया गया है।** — **Hurry up, food has been served.** हरी अप फ़ूड हैज़ बीन सर्व्ड.
13. क्या आपको सिगरेट का एक पैकेट चाहिए? — Do you want a packet of cigarettes? डू यू वॉन्ट अ पैकेट ऑफ़ सिगरेट्स?
14. मैं सिगरेट से सिगार अधिक पसंद करता हूं। — I prefer cigar to cigarettes. आइ प्रिफ़र सिगार टु सिगरेट्स.
15. **तुमने तो कुछ खाया ही नहीं।** — **You hardly ate/had anything./You ate very little.** यू हार्डली एट/हैड एनिथिंग./यू एट वेरी लिटिल.
16. **थोड़ा और लीजिए।** — **Have a little more./Please have some more.** हैव अ लिटिल मोर./प्लीज़ हैव सम मोर.
17. क्या आप भी सिगरेट पीते हैं? — Do you also smoke? डू यू ऑल्सो स्मोक?
18. **आप चाय लेंगे या कॉफ़ी?** — **Would you have tea or coffee?** वुड यू हैव टी और कॉफ़ी?
19. **मुझे एक प्याला कॉफ़ी ला दो।** — **Bring/Get me a cup of coffee.** ब्रिंग/गेट मी अ कप ऑफ़ कॉफ़ी.
20. **कॉफ़ी डालिए।** — **Pour the coffee.** पोर द कॉफ़ी.
21. **चम्मच साफ नहीं है, बैरा।** — **Waiter, the spoon is dirty/not clean.** वेटर, द स्पून इज़ डर्टी/नॉट क्लीन.
22. **ज़रा नमक पकड़ाइए।** — **Pass me the salt, please.** पास मी द सॉल्ट, प्लीज़.
23. मुझे थोड़ा-सा ताज़ा मक्खन दीजिए। — Give me some fresh butter, please. गिव मी सम फ्रेश बटर, प्लीज़.
24. थोड़ा और लाइए। — Get/Bring some more, please. गेट/ब्रिंग सम मोर, प्लीज़.
25. **अपने-आप खाइए।** — **Help yourself, please.** हेल्प योरसेल्फ़, प्लीज़.
26. प्लेटें बदलिए। — Change the plates, please. चेंज द प्लेट्स, प्लीज़.
27. **क्या आप वेजीटेरियन (शाकाहारी) हैं?** — **Are you a vegetarian?** आर यू अ वेजिटेरियन?
28. नहीं, मैं नॉन-वेजिटेरियन (मांसाहारी) हूं। — No, I am a non-vegetarian. नो, आइ ऐम अ नॉन-वेजिटेरियन.

29. आज मेरा खाना बाहर ही है। — I'll dine out today./I'll have my dinner out today. आइल डाइन आउट टुडे./आइल हैव माइ डिनर आउट टुडे.

30. क्या आप दूध पीएंगे? — Would you like some milk? वुड यू लाइक सम मिल्क?

31. मैं खाना खाने को अभी बैठा हूं। — I have just sat down to have my meals. आइ हैव जस्ट सैट डाउन टु हैव माइ मील्ज़.

32. मैं चावल नहीं खाता। — I'm not fond of rice./I don't eat rice. आइम नॉट फ़ॉण्ड ऑफ़ राइस./आइ डोन्ट ईट राइस.

33. **खाने के बाद मीठा क्या है?** — **What is there for dessert?** वॉट इज़ देअर फ़ॉर डिज़र्ट?

34. दो रोटियों से तो मेरी भूख नहीं मिटी। — Two chappatis were not enough for me. टू चपातीज़ वर नॉट इनफ फ़ॉर मी.

35. आलू तथा मटर मेरा मन पसंद खाना है। — Alu-mutter is my favourite dish. आलू-मटर इज़ माइ फ़ेवरिट डिश.

36. खाने का समय हो गया है। तैयार हो जाओ। — It is dinner time. Get ready. इट इज़ डिनर टाइम, गेट रेडी.

37. सब्जी में नमक कम है। — There is less salt in the vegetable/curry. देअर इज़ लेस सॉल्ट इन द बेजिटेबल/करी.

38. खाली पेट पानी न पियो। — Don't take water on an empty stomach. डोन्ट टेक वॉटर ऑन एन एम्प्टी स्टमक.

39. आज क्या दाल-भाजी बनी है? — What dishes are cooked today? वॉट डिशिज़ आर कुक्ड टुडे?

40. अपनी माता जी से चुटकी-भर नमक लाओ। — Bring a pinch of salt from your mother. ब्रिंग अ पिंच ऑफ़ सॉल्ट फ्रॉम योर मदर.

41. आलू के अलावा यहां कुछ नहीं मिलता। — Potatoes is all we get here. पटेटोज़ इज़ ऑल वी गेट हिअर.

42. मेरी प्यास अभी नहीं बुझी। — I'm still thirsty. आइम स्टिल थर्स्टी.

43. **उन्होंने मुझे दोपहर के खाने पर बुलाया है।** — **They have invited me to lunch.** दे हैव इन्वाइटिड मी टु लन्च.

44. **आप रात का खाना मेरे साथ खाइए।** — **Please have your dinner with me.** प्लीज़ हैव योर डिनर विद मी.

45. उबले हुए अंडे लेंगे या तले हुए? — Will you have boiled or fried eggs ? विल यू हैव बॉइल्ड ऑर फ्राइड एगज़

46. उनकी पार्टी में सात प्रकार के खाने परोसे गये। — There were seven items/dishes at their party. देअर वर सेवन आइटम्ज़/डिशिज़ ऐट देअर पार्टी.

47. नीना अच्छा खाना बनाती है। — Nina is an expert cook. नीना इज़ एन एक्सपर्ट कुक.

48. थोड़ी तरी और दीजिए। — May I have little/some more gravy? मे आइ हैव लिटिल/सम मोर ग्रेवी?

49. मुझे तंदूरी चिकन बहुत पसंद है। — I like tandoori/grilled chicken very much. आइ लाइक तंदूरी/ग्रिल्ड चिकन वेरी मच.

50. **वह बड़ा पेटू है।** — **He's a glutton.** ही'ज़ अ ग्लटन.

याद रखें (Remember)

* Feel के साथ विशेषण लगता है, संज्ञा नहीं लगती। उदाहरण के लिए, I'm feeling thirsty. आइम फ़ीलिंग थर्स्टी. (मुझे प्यास लगी है।) कहा जाता है; हिन्दी की नकल करते हुए I feel thirst. नहीं कहा जाता।

**पकवान के लिए dish शब्द का प्रयोग किया जाता है। वैसे इसका अर्थ तश्तरी भी होता है। उदाहरण के लिए — आपके यहां क्या खाना मिलता है ? के लिए कहेंगे, What dishes do you serve?

***अंग्रेज़ी में आमतौर पर खाने के लिए eat और पीने के लिए drink शब्दों का प्रयोग नहीं किया जाता। इसके विपरीत खाने और पीने के लिए take शब्द का प्रयोग किया जाता है, जैसे — Do you take tea? (क्या आप चाय पीते हैं ?) और Do you take fish? (क्या आप मछली खाते हैं ?) Drink का साधारण अर्थ होता है, शराब पीना।

34 चौंतीसवां दिन
34th Day

10. समय (Time)

1. आपकी घड़ी में क्या बजा है?* — What's the time by your watch? वॉट्स द टाइम बाइ योर वॉच?
2. साढ़े सात बजे हैं। — It's half past seven. इट्स हाफ़ पास्ट सेवन.
3. तुम कब उठते हो? — When do you wake up? वेन डू यू वेक अप?
4. मैं रोज सुबह साढ़े छः बजे उठता हूं। — I wake up every morning at half past six. आइ वेक अप एवरी मॉर्निंग ऐट हाफ़ पास्ट सिक्स.
5. मेरी बहिन लगभग आठ बजे नाश्ता करती है। — My sister has her breakfast around eight o'clock. माइ सिस्टर हैज हर ब्रेकफास्ट अराउण्ड एट ओ'क्लॉक.
6. टीचर स्कूल में कब पहुंचती हैं? — When does the teacher come to the school? वेन डज़ द टीचर कम टु द स्कूल?
7. नौ बजे से थोड़ा पहले। — A little before nine. अ लिटिल बिफ़ोर नाइन.
8. उसके स्कूल में पढ़ाई कब खत्म होती है? — When are the classes over in her school? वेन आर द क्लासिज़ ओवर इन हर स्कूल?
9. सवा तीन बजे। — At quarter past three. ऐट क्वार्टर पास्ट थ्री.
10. आप रात का भोजन कब करते हैं? — When do you have your dinner? वेन डू यू हैव योर डिनर?
11. साढ़े सात बजे। — At half past seven. ऐट हॉफ़ पास्ट सेवन.
12. मैं घर पौने चार बजे पहुंचता हूं। — I reach home at quarter to four. आइ रीच होम ऐट क्वार्टर टु फ़ोर.
13. इस वक्त तीन बजकर दस मिनट हुए हैं। — It's ten past three now. इट्स टेन पास्ट थ्री नाउ.
14. मुझे चार बजने से बीस मिनट पहले जाना है। — I have to go/leave at twenty to four/at three-forty. आइ हैव टु गो/लीव ऐट ट्वेंटी टु फ़ोर/ऐट थ्री फ़ोर्टी.
15. आपके पिता जी रात को घर में कितने बजे तक आ जाते हैं? — By what time does your father usually come home every night? बाइ वॉट टाइम डज़ योर फ़ादर यूज़ुअली कम होम एवरी नाइट?
16. वे अपने दफ़्तर से कितने बजे छुट्टी करते हैं? — At what time does he leave his office? ऐट वॉट टाइम डज़ ही लीव हिज़ ऑफ़िस?
17. वे अपने दफ्तर से पांच बजे छुट्टी कर लेते हैं। — He leaves his office at/by five o'clock. ही लीव्ज़ हिज़ ऑफ़िस ऐट/बाइ फ़ाइव ओ'क्लॉक.
18. **आज क्या तारीख है?** — **What's the date today?** वाट्स द डेट टुडे?
19. आज 15 दिसम्बर 1976 है। — It is fifteenth of December, nineteen seventy-six. इट इज़ फ़िफ़्टीन्थ ऑफ़ डिसेम्बर, नाइन्टीन सेवन्टी-सिक्स.
20. तुम्हारा जन्मदिन कब होता है? — When is your birthday? वेन इज़ योर बर्थडे?
21. मैं नहीं जानता सर। — I don't know, sir. आइ डोन्ट नो, सर.
22. मेरी घड़ी रोज दो मिनट आगे हो जाती है। — My watch gains two minutes daily. माइ वाच गेन्ज़ टू मिनिट्स डेली.
23. अपने समय का पूरा लाभ उठाओ। — Make the best use of your time. मेक द बेस्ट यूज़ ऑफ़ योर टाइम.

24. अब उसे समय की कीमत पता लग गई है। — Now he values punctuality/time./Now he knows the importance of time. नाउ ही वैल्यूज़ पन्क्चुअलिटी/टाइम./नाउ ही नोज़ द इम्पॉर्टेन्स ऑफ़ टाइम.

25. वह अपना समय बर्बाद करता है। — He wastes his time. ही वेस्ट्स हिज़ टाइम.

26. वह एक-एक मिनट का पाबंद है। — He is punctual to the minute. ही इज़ पंक्चुअल टु द मिनट.

27. **समय कितनी तेज़ी से बीतता है।** — **How time flies!** हाउ टाइम फ़्लाइज़!

28. मेरी घड़ी टूट गयी है। — My watch has broken. माइ वाच हैज़ ब्रोकन.

29. **उठने का समय हो गया है।** — **It is time to wake up.** इट इज़ टाइम टु वेक अप.

30. उसे देर नहीं हुई है। — He is quite in time. He isn't late. ही इज़ क्वाइट इन टाइम. ही इज़न्ट लेट.

31. वह ठीक समय पर आ गया। — He came at the right time. ही केम ऐट द राइट टाइम.

32. आपको आधा घंटा देर हो गयी है। — You are late by half an hour. यू आर लेट बाइ हाफ़ ऐन आवर.

33. **हमारे पास बहुत समय है।** — **We have enough time./We have plenty of time.** वी हैव इनफ़ टाइम./वी हैव प्लेन्टी ऑफ़ टाइम.

34. करीब-करीब आधी रात है। — It's almost mid-night. इट्स ऑलमोस्ट मिड-नाइट.

35. हम बहुत जल्दी आ गये हैं। — We are too early. वी आर टू अर्ली.

36. आप बिल्कुल समय से आये हैं। एक मिनट में मैं चला गया होता। — You are just in time. I would have left in another minute. यू आर जस्ट इन टाइम. आइ वुड हैव लेफ़्ट इन अनदर मिनिट.

37. अच्छे दिन आएंगे। — Better days will come./Good days are ahead. बेटर डेज़ विल कम./ गुड डेज़ आर अहेड.

38. मैं तो एक-एक क्षण बचाने की कोशिश कर रहा हूं। — I am trying to save each/every moment. आइ ऐम ट्राइंग टु सेव ईच/एवरी मोमेन्ट.

39. हर चीज़ का सही समय होता है। — There is a time for everything. देअर इज़ अ टाइम फ़ॉर एवरीथिंग.

40. क्या आप कुछ समय दे सकते हैं? — Can you spare a little time? कैन यू स्पेअर अ लिटिल टाइम?

41. गया वक्त फिर हाथ नहीं आता। — Time once lost can never be regained. टाइम वन्स लॉस्ट कैन नेवर बी रिगेन्ड.

11. अनुमति (Permission)

1. शुरू करें?* — Do/Should we begin? डू/शुड वी बिगिन?

2. मैं चलूं?** — May I go/leave? मे आइ गो/लीव?

3. मैं भी चलूं? — May I join you?/May I also come along? मे आइ जॉइन यू? मे आइ ऑल्सो कम अलॉन्ग?

4. मुझे जाने दो। — Let me go. लेट मी गो.

5. अब आप जा सकते हैं। — You may go/leave now. यू मे गो/लीव नाउ.

6. अब, मुझे जाने की इजाज़त दीजिए। — Please permit/allow me to go now. प्लीज़ परमिट/अलाउ मी टु गो नाउ.

7. क्या मैं टेलीफ़ोन कर लूं? — Can I use your phone? कैन आइ यूज़ योर फ़ोन?

8. क्या मैं बिजली बंद कर दूं? — Can I switch off the light? कैन आइ स्विच ऑफ़ द लाइट?

9. क्या मैं तुम्हारी वीडियो गेम खेल सकता हूं? — May I play your video game? मे आइ प्ले योर वीडियो गेम?

10. क्या मैं अंदर आ सकता हूं? — May I come in, please? मे आइ कम इन, प्लीज़?

11. क्या मैं अपनी पुस्तकें तुम्हारे पास छोड़ जाऊं? — Can I leave my books with you? कैन आइ लीव माइ बुक्स विद यू?

12. **क्या हम तुम्हारे कमरे में सिगरेट पी सकते हैं?** — **Can we smoke in your room?** कैन वी स्मोक इन योर रूम?

13. हां, बड़ी खुशी से। Of course, with great pleasure. ऑफ़ कोर्स, विद ग्रेट प्लेज़र.

14. **क्या आप मुझे अपनी कार में ले चलेंगे?** **Will you please give me a lift/take me in your car?** विल यू प्लीज़ गिव मी अ लिफ़्ट/टेक मी इन योर कार?

15. क्या मैं थोड़ी देर के लिए आपकी साईकल ले सकता हूं? May I borrow your bike for a while? मे आइ बॉरो योर बाइक फ़ॉर ए वाइल?

16. **क्या मैं आपको तकलीफ़ दे सकता हूं?** **Can I disturb you?** कैन आइ डिस्टर्ब यू?

17. क्या मैं इस कमरे में ठहर सकता हूं? Can I stay in this room? कैन आइ स्टे इन दिस रूम?

18. क्या हम यहां थोड़ा सुस्ता लें? May we rest here for a while? मे वी रेस्ट हिअर फ़ॉर ए वाइल?

19. क्या मैं आज पिक्चर देखने जा सकता हूं? May I go to see a movie today? मे आइ गो टु सी अ मूवी टुडे?

याद रखें (Remember)

* प्रश्न दो प्रकार से बनाये जा सकते हैं। एक तो प्रश्नवाचक सर्वनामों (pronouns) की सहायता से, जैसे What is your name, please? (आपका नाम क्या है ?) और दूसरे Auxiliary Verb (सहायक क्रिया) को वाक्य से पहले रख कर, जैसे — Are you going? (क्या आप जा रहे हैं ?) इस दूसरे तरीके का प्रयोग अंग्रेज़ी में होता है, हिंदी में नहीं। इसी प्रकार दूसरी सहायक क्रियाएं, जैसे — is, has, have, will, shall आदि को वाक्य में पहले रख कर प्रश्नवाचक वाक्य बनाये जा सकते हैं, जैसे — Is she unwell? (इज़ शी अनवेल) क्या वह बीमार है ? Have you a pen? (हैव यू अ पेन) क्या तुम्हारे पास पेन है ? Shall we go? (शैल वी गो) क्या हम चलें ? आदि।

** आज्ञा मांगने के लिए अंग्रेज़ी में may शब्द का प्रयोग होता है। इसका यह अर्थ नहीं कि आज्ञा के लिए यही एकमात्र शब्द है। कुछ और शब्द भी हैं, जिनके द्वारा आज्ञा मांगी जा सकती है, जैसे — Shall we set out now? (क्या हम अब चल पड़ें ?)। कई बार तो may शब्द द्वारा मांगी हुई आज्ञा सही नहीं लगती है, जैसे — मान लीजिए कि आंधी आ गई हो तो उसे देखते हुए May I shut the window? न कह कर Should I shut the window? कहना सही व उपयुक्त होगा। हिंदी में दोनों वाक्यों का अर्थ है, क्या मैं खिड़की बंद कर दूं ?

35 पैंतीसवां दिन
th Day

12. (A) निर्देश/आज्ञा (Instruction/Order)

1. आप अपना काम करें — Do your work. डू योर वर्क.
2. उसे स्टेशन तक छोड़ आओ। — See him off at the station. सी हिम ऑफ़ ऐट द स्टेशन.
3. सच कहना, झूठ न बोलना। — Speak the truth, don't lie. स्पीक द ट्रूथ, डोन्ट लाइ.
4. यह कोट पहन कर देखो। — Try this coat on. ट्राइ दिस कोट ऑन.
5. दिल लगाकर काम करो। — Work wholeheartedly. वर्क होलहार्टिडली.
6. शराब मत पिओ। — Don't drink. डोंट ड्रिंक.
7. मेरे लिए एक गिलास ताज़ा जल लाओ। — Fetch/get me a glass of fresh water. फ़ेच/गेट मी अ ग्लास ऑफ़ फ्रेश वॉटर
8. ज़रा नर्मी से बात करो। — Talk politely./Be polite. टॉक पोलाइटली./बी पोलाइट.
9. इस चिट्ठी का जवाब वापसी डाक से दो। — Reply by return post. रिप्लाइ बाइ रिटर्न पोस्ट.
10. हिसाब चेक कर लो। — Check the accounts. चेक दी एकाउंट्स.
11. गर्म चाय को धीरे-धीरे पीओ। — Sip the hot tea slowly. सिप द हॉट टी स्लोली.
12. अड्डे से तांगा लाओ। — Get a tonga from the tonga-stand. गेट अ टांगा फ़्रॉम द टांगा स्टैंड.
13. **यहां गाड़ी खड़ी करना मना है।** — **Parking is not allowed here.** पार्किंग इज़ नॉट अलाउड हिअर.
14. दो संतरे निचोड़ दो। — Squeeze two oranges. स्क्वीज़ टू आरेन्जेज़.
15. बायें हाथ चलो। — Keep to the left. कीप टु द लेफ़्ट.
16. **मुझे सुबह उठा देना।** — **Wake me up early in the morning.** वेक मी अप अर्ली इन द मॉर्निंग.
17. **अपने-आपको सुधार लो।** — **Mend your ways.** मेंड योर वेज़.
18. परदा कर दो। — Draw the curtain. ड्रॉ द कर्टन.
19. उसे सारा शहर दिखा दो। — Take him round the city. टेक हिम राउंड द सिटी.
20. मेहमान को अंदर ले आओ। — Bring the guest in. ब्रिंग द गेस्ट इन.
21. सबके साथ नरमी से बोलो। — Be polite to all./Speak politely with everybody. बी पोलाइट टु ऑल./स्पीक पोलाइट्ली विद एवरीबडी.
22. यह बात मुझे समय पर याद दिला देना। — Remind me of it at the proper time. रिमाइंड मी ऑफ़ इट ऐट द प्रॉपर टाइम.
23. मेरे साथ पैर मिलाकर चलो। — Keep pace with me. कीप पेस विद मी.
24. बच्चे को सुला दो। — Put the child to sleep/bed. पुट द चाइल्ड टु स्लीप/बेड.
25. मुझे कल इसकी याद दिलाना। — Remind me about it tomorrow. रिमाइंड मी अबाउट इट टुमॉरो.
26. **सब बंदोबस्त कर रखना।** — **Keep everything ready.** कीप एवरीथिंग रेडी.
27. **संभल कर चलना।** — **Walk cautiously.** वॉक कॉशसली.
28. बाद में आ जाना। — Come afterwards. कम आफ़्टरवर्ड्ज़.
29. मुझे पांच बजे जगा देना। — Wake me up at 5 o'clock. वेक मी अप ऐट फ़ाइव ओ'क्लॉक.
30. **चलना हो तो तैयार हो जाओ।** — **Get ready if you want to come along.** गेट रेडी इफ़ यू वॉन्ट टु कम अलॉन्ग.

31. जब तक मैं न आ जाऊं यहीं बैठे रहना। Wait here until I'm back. वेट हिअर अंटिल आइम बैक.

32. ऐसी बात नहीं कहते। Don't speak like this. डोन्ट स्पीक लाइक दिस.

33. अपना काम ध्यान से करो। Work carefully. वर्क केअरफ़ुली.

34. अपना काम करो। Do your own work. डू योर ओन वर्क.

35. अब तुम जाओ, मुझे काम है। You may go now, I have some work. यू मे गो नाउ, आइ हैव सम वर्क.

36. इसे लिख लो। Note this down. नोट दिस डाउन.

37. **जल्दी वापस आना। Come back soon.** कम बैक सून.

38. फिर कभी आकर मिलना। Come and see me some other time. कम ऐंड सी मी सम अदर टाइम.

39. अपना काम देखिये। Please mind your own business. प्लीज़ माइंड योर ओन बिज़निस.

40. **जरा सब्र करो। Have patience.** हैव पेशेंस.

41. बड़ों का आदर करो। Respect your elders. रिस्पेक्ट योर एल्डर्ज़.

42. तुम वहीं रहना। You stay there. यू स्टे देअर.

43. अच्छे समंय की आशा करो। Hope for good times. होप फ़ॉर गुड टाइम्ज़.

44. **बच्चे का ध्यान रखना। Take care of the baby.** टेक केअर ऑफ़ द बेबी.

याद रखें (Remember)

* हिन्दी में, और विशेषकर संस्कृत में, एक ही मूल शब्द से उपसर्गों की सहायता से अनेक भिन्न-भिन्न अर्थ वाले शब्द रचे जाते हैं। उदाहरण के लिए, आहार, विहार, प्रहार, संहार, परिहार आदि भिन्नार्थक शब्द 'हार' में आ, वि, प्र, सं, और परि उपसर्ग लगाने से बने हैं। अंग्रेज़ी में भी ऐसा होता है। उदाहरण के लिए Adjudge, misjudge, prejudge, subjudge आदि शब्द judge में ad, mis, pre, sub, उपसर्ग (prefix) लगाने से बने हैं, परंतु अंग्रेज़ी में एक विशेषता ऐसी है, जो हिन्दी में नहीं। अंग्रेज़ी में एक ही क्रिया के साथ अनेक अव्यय (preposition) लगा कर अनेक अर्थों का बोध कराया जाता है, जैसे — go (जाना) मूल क्रिया को लीजिए। Go out का अर्थ है बुझना — The light went out during the storm. (तूफान के दौरान बत्तियां बुझ गयीं।) Go off का अर्थ है धमाके के साथ फटना — The gun went off by itself. (बंदूक अपने आप चल पड़ी) Go through का अर्थ है ध्यानपूर्वक पढ़ना — He went through the whole book, but could not discover anything new in it. (उसने सारी पुस्तक पढ़ डाली, परंतु उसमें से कुछ भी नई बात नहीं निकली) इन वाक्यों में Go के स्थान पर उसका Past Tense 'Went' लिया गया है।

36 छत्तीसवां दिन th Day

12. (B) निर्देश/आज्ञा (Instruction/Order)

45. **तुम्हीं जाओ।**	**Go yourself.** गो योरसेल्फ़.
46. तैयार रहना।	Be ready. बी रेडी.
47. दीया जलाना।	Light the lamp. लाइट द लैम्प.
48. **बिजली जला दो।**	**Switch on the light.** स्विच ऑन द लाइट.
49. लैम्प बुझा दो।*	Put off the lamp. पुट ऑफ़ द लैम्प.
50. **बिजली बुझा दो।**	**Switch off the light.** स्विच ऑफ़ द लाइट.
51. पंखा चला दो।	Switch on the fan. स्विच ऑन द फ़ैन.
52. **किसी को भेजकर उसे बुलाओ।**	**Send for him.** सेण्ड फ़ॉर हिम.
53. इन लोगों को अपना काम करने दो।	Let these people do their work. लेट दीज़ पीपल डू देअर वर्क.
54. **हाथ धोओ।**	**Wash your hands.** वाश योर हैंड्ज़.
55. जल्दी आओ।	Come soon. कम सून.
56. गाड़ी रोको।	Stop the car. स्टॉप द कार.
57. वापस जाओ।	Go back. गो बैक.
58. **देर मत करो।**	**Don't delay./Don't be late.** डोन्ट डिले./डोन्ट बी लेट.
59. पेंसिल से मत लिखो।	Don't write with a pencil. डोन्ट राइट विद अ पेंसिल.
60. पेन से लिखो।	Write with a pen. राइट विद अ पेन.
61. दूसरों की नकल न करो।	Don't copy others. डोन्ट कॉपी अदर्ज़.
62. कोई किराये की मोटर कर लो।	Hire a taxi. हायर अ टैक्सी.
63. कोट के बटन बंद करो।	Button up your coat. बटन अप योर कोट.
64. आग बुझने न देना।	Keep the fire going. कीप द फ़ायर गोइंग.
65. घोड़े को घास डाल दो।	Feed the horse with grass. फ़ीड द हॉर्स विद ग्रास.
66. जाओ, नाक साफ करो।	Go, and blow your nose. गो, ऐंड ब्लो योर नोज़.
67. **मुझे खबर देना मत भूलना।**	**Don't forget to inform me.** डोन्ट फ़ॉरगेट टु इन्फ़ॉर्म मी.
68. बूट के तसमें कस कर बांधो।	Tighten your shoe-laces. टाइटन योर शू लेसिज़.
69. स्वास्थ्य को बिगाड़ कर मत पढ़ो।	Don't study at the cost of your health. डोन्ट स्टडी ऐट द कॉस्ट ऑफ़ योर हेल्थ.
70. विस्तार के साथ चिट्ठी लिखो।	Write a detailed letter./Write a long letter. राइट अ डिटेल्ट लेटर./राइट अ लौंग लेटर.
71. भविष्य में ऐसा मत करना।	Don't do so in future./Let this not happen in future. डोन्ट डू सो इन फ़्यूचर./लैट दिस नॉट हैपन इन फ़्यूचर.
72. तुम खुद चिट्ठी डाल कर आओ।	Post this letter yourself. पोस्ट दिस लेटर योरसेल्फ़.

73. समय का पालन करो। — Be punctual. बी पंक्चुअल.

74. इधर-उधर की बातें न करो। — **Don't beat about the bush.** डोन्ट बीट अबाउट द बुश.

75. फूल मत तोड़ो। — Don't pluck the flowers. डोन्ट प्लक द फ़्लावर्ज़.

76. खराब आदतें छोड़ दो। — Give up bad habits. गिव अप बैड हैबिट्स.

77. खाना अच्छी तरह चबाकर खाओ। — Chew your food well. च्यू योर फ़ूड वेल.

78. दांतों को ब्रश कर लो। — Brush your teeth. ब्रश योर टीथ.

79. बक-बक न करो। — Don't chatter./Don't talk nonsense. डोंट चैटर./डोन्ट टॉक नॉनसेंस.

80. प्रत्येक वस्तु क्रम से रखो। — Arrange/keep everything in order. अरेन्ज/कीप एवरीथिंग इन ऑर्डर.

81. स्याही से लिखो। — Write in ink. राइट इन इंक.

82. मूर्ख मत बनो। — **Don't be silly.** डोन्ट बी सिली.

83. मेहमानों की सेवा करो। — Look after the guests. लुक आफ़्टर द गेस्ट्स.

84. तुम अपने कार्य में ध्यान दो। — **Mind your own business.** माइंड योर ओन बिज़निस.

85. दोनों हाथों से पकड़े रहो। — **Hold with both hands.** होल्ड विद बोथ हैंड्ज़.

86. देश सेवा में जान दे दो। — Sacrifice your life for the Motherland/country. सैक्रिफ़ाइस योर लाइफ़ फ़ॉर द मदरलैंड./कंट्री.

87. काम में रुकावट मत डालो। — Don't hold up the work. डोन्ट होल्ड अॅप द वर्क.

88. बुरी आदतों से सावधान रहना चाहिए। — **Be careful against bad habits.** बी केयरफ़ुल अगेंस्ट बैड हैबिट्स.

89. कम्प्यूटर रीसेट करो। — **Reset the computer.** रीसेट द कम्प्यूटर.

90. इस रेज़गारी को रखो। — **Keep the change.** कीप द चेन्ज.

याद रखें (Remember)

* अंग्रेज़ी में Put क्रिया का अर्थ होता है रखना। परंतु यह बात देखने योग्य है कि अव्ययों (Prepositions) के जोड़ने से put के कैसे विचित्र अर्थ बन जाते हैं, उदाहरण के लिए, निम्न वाक्यों को ध्यान से पढ़िए:

Put down का अर्थ है लिखना: Please put down all that I say. (जो मैं कहता हूं उसे लिख लीजिए।)

Put forward का अर्थ है पेश करना: He hesitated to put forward his plan. (वह अपनी योजना पेश करने में हिचकिचाया।)

Put off का अर्थ है स्थगित करना: For want of a quorum the meeting was put off. (कोरम के अभाव में सभा स्थगित कर दी गयी।)

Put on का अर्थ है कपड़े पहनना: He put on new clothes on the Id day. (उसने ईद के दिन नए कपड़े पहने।)

Put out का अर्थ है बुझाना: Put out the fire lest it should spread around. (आग को बुझा दो कहीं यह आसपास फैल न जाए।)

37 सैंतीसवां दिन th Day

13. प्रोत्साहन (Encouragement)

1. **विश्वास रखिये।** — **Rest assured.** रेस्ट अश्योर्ड.
2. चिन्ता मत करो। — Stop worrying. स्टॉप वरीइंग.
3. बच्चों की तरह मत रोओ। — Don't cry like children. डोन्ट क्राइ लाइक चिल्ड्रन.
4. तुम्हें चिंता किस बात की है? — What's bothering you? वॉट्स बॉदरिंग यू?
5. **मेरी चिंता न करो।** — **Don't worry about me.** डोन्ट वरी अबाउट मी.
6. **डरो मत।*** — **Don't be scared.** डोन्ट बी स्केअर्ड.
7. फ़िक्र की कोई बात नहीं। — There is no need to worry. देअर इज़ नो नीड टु वरी.
8. मुझे इसकी परवाह नहीं। — I'm not bothered about it. आइम नॉट बॉदर्ड अबाउट इट.
9. कोई कठिनाई हो तो पूछिए। — You can ask me if there is any difficulty. यू कैन आस्क मी इफ़ देअर इज़ एनी डिफ़िकल्टी.
10. **जिस चीज़ की ज़रूरत पड़े वह ले जाना।** — **Take whatever you need.** टेक वॉटेवर यू नीड.
11. आप फ़िजूल परेशान हो रहे हैं। — You are unnecessarily worried. यू आर अन्नेसेसरिली वरीड.
12. **मुझे आप पर गर्व है।** — **I'm proud of you.** आइम प्राउड ऑफ़ यू.
13. **हिचकिचाओ नहीं।** — **Don't hesitate.** डोन्ट हेज़िटेट.
14. कोई हर्ज नहीं। — It doesn't matter. इट डज़ंट मैटर.

14. सान्त्वना (Consolation)

15. बड़े अफ़सोस की बात है। — It's a pity./It's very sad. इट्स अ पिटी/इट्स वेरी सैड.
16. **उसे सान्त्वना दो।** — **Console him.** कन्सोल हिम.
17. संसार का कुछ ऐसा ही नियम है। — That's the way things are. दैट्स द वे थिंग्ज़ आर.
18. **ईश्वर की यही इच्छा थी।** — **It was God's will.** इट वाज़ गॉड्ज़ विल.
19. **जिस कष्ट का इलाज नहीं हो सकता उसे सहना ही पड़ता है।** — **What cannot be cured must be endured.** वॉट कैननॉट बी क्योर्ड मस्ट बी एन्ड्योर्ड.
20. ईश्वर पर भरोसा रखो, संकट टल जाएगा। — Have faith in God, misfortune will pass. हैव फ़ेथ इन गॉड, मिसफ़ॉर्च्यून विल पास.
21. ईश्वर तुम्हें इस गहरे धक्के को सहन करने की शक्ति दे। — May God give you strength to bear this terrible blow. मे गॉड गिव यू स्ट्रेंथ टु बेअर दिस टेरिबल ब्लो.
22. हम अपनी संवेदना प्रकट करते हैं। — We offer our condolences. वी ऑफ़र अवर कंडोलेंसिज़.
23. हम उसके पिता के देहांत पर दुःखी हैं। — We are deeply grieved at the death of her father. वी आर डीप्ली ग्रीव्ड ऐट द डेथ ऑफ़ हर फ़ादर.

15. नाराज़गी (Annoyance)

24.	**आप अभी तक काम में क्यों नहीं लगे?**	**Why haven't you begun/started the work yet?** वाइ हैवन्ट यू बिगन/स्टार्टिड द वर्क येट?
25.	**आप मेरी बात को क्यों काटते हैं?**	**Why do you contradict me?** वाइ डू यू कॉन्ट्रडिक्ट मी?
26.	आप मेरी ओर क्यों घूरते हैं?	Why do you stare at me? वाइ डू यू स्टेअर ऐट मी?
27.	आप बेकार गुस्सा हो रहे हैं।	You are angry for nothing./You are unnecessarily getting annoyed. यू आर ऐंग्री फ़ॉर नथिंग./यू आर अननैसेसरिली गेटिंग अनोइड.
28.	**तुम बेकार में समय खोते हो।**	**You just/simply waste your time.** यू जस्ट/सिम्पली वेस्ट योर टाइम.
29.	**किसका दोष है?**	**Who is to blame?** हू इज़ टु ब्लेम?
30.	**क्या मैंने आपको चोट पहुंचायी है?**	**Have I hurt you?** हैव आइ हर्ट यू?
31.	**कैसी शर्म की बात है!**	**What a shame!** वॉट अ शेम!
32.	मैं यह विश्वास नहीं कर सका कि तुम ईमानदार नहीं हो।	I couldn't believe that you are not an honest person! आइ कुडन्ट बिलीव दैट यू आर नॉट ऐन ऑनेस्ट पर्सन!
33.	मैं किसका विश्वास करूं?	Whom can I trust? हूम कैन आइ ट्रस्ट?
34.	**यह मेरा कसूर नहीं था।**	**It was not my fault.** इट वॉज़ नॉट माइ फ़ॉल्ट.
35.	दरअसल ऐसा गलती से हो गया।	Actually, it was done by mistake. एक्चुअली, इट वॉज़ डन बाइ मिस्टेक.
36.	**उसने नाक में दम कर रखा है।**	**He is a nuisance.** ही इज़ अ न्यूसन्स.
37.	उसने मेरे विश्वास को ठेस पहुंचायी।	He has let me down. ही हैज़ लेट मी डाउन.
38.	**मुझे उससे चिढ़ आती है।**	**He irritates me.** ही इरीटेट्स मी.
39.	उसने मुझे धोखा दिया।	He has betrayed/cheated me. ही हैज़ बिट्रेड/चीटिड मी.

16. स्नेह-प्रशंसा (Affection)

40.	तुमने बड़े साहस का काम किया है।	That was very brave of you. दैट वॉज़ वेरी ब्रेव आफ़ यू.
41.	शाबास!	Well done! Good show! Keep it up! वैल डन!/गुड शो! / कीप इट अप!
42.	कमाल कर दिया।	That's wonderful. दैट्स वण्डरफ़ुल.
43.	तुम्हारा काम तारीफ़ के काबिल है।	Your work is praiseworthy. योर वर्क इज़ प्रेज़वर्दी.
44.	**तुम कितने अच्छे हो।**	**You are so nice./How nice you are.** यू आर सो नाइस./हाउ नाइस यू आर.
45.	**आपने मेरी बड़ी सहायता की।**	**You have been a great help to me.** यू हैव बीन अ ग्रेट हेल्प टु मी.

याद रखें (Remember)

*Don't be afraid (डरो मत) में Don't डोन्ट दो शब्दों के मेल से बना शब्द है। Don't=Do+not — यह दिखाने के लिए not का o लुप्त करके उसके स्थान पर apostrophe (') लगा देते हैं। Won't=Wo+not नहीं है, बल्कि Won't=Will + not है। इस प्रकार इन शब्दों की बनावट का कोई एक नियम नहीं है। हां not का सदा n't लिखा जाता है। इसी प्रकार can't 'कान्ट' cannot का संक्षिप्त रूप है। याद रखिए कि यद्यपि cannot का अर्थ can not है, परंतु इसे अधिकतर एक ही शब्द के रूप में लिखा जाता है, अलग-अलग can और not नहीं। इसी प्रकार बने कुछ और प्रचलित शब्द निम्नलिखित हैं:

Doesn't = does + not	Aren't = Are + not	Shouldn't = should + not
Shan't = Shall + not	Weren't = were + not	Needn't = need + not
Wouldn't = would + not	Couldn't = could + not	Didn't = did + not

उपरोक्त शब्दों का उच्चारण पहले शब्द का पूरा उच्चारण करके 'न्ट' लगाने से बनता है, जैसे वुडन्ट, कुडन्ट, शुडन्ट, नीडन्ट आदि।

38 अड़तीसवां दिन
th Day

17. निषेध (Negation)

1. मैं आपका कहना नहीं मान सकता।	I can't accept what you say. आइ कान्ट ऐक्सेप्ट वॉट यू से.
2. मैं इस बारे में कुछ नहीं जानता।	I know nothing in this connection. आइ नो नथिंग इन दिस कनेक्शन.
3. ऐसी शरारत फिंर न करना।	Don't do such a mischief again. डोन्ट डू सच ए मिस्चिफ़ अगेन.
4. **ऐसा नहीं है।**	**It's not so/like that.** इट्स नॉट सो/लाइक दैट.
5. उसे छुट्टी नहीं मिल सकी।	He couldn't manage to get leave. ही कुडेन्ट मैनेज टु गेट लीव.
6. **मुझे कोई शिकायत नहीं।**	**I have no complaints. / I don't have any complaint.** आइ हैव नो कम्पलेन्ट्स./आइ डोन्ट हैव ऐनी कम्प्लेन्ट.
7. ऐसा नहीं हो सकता।	It's impossible./It can't be so. इट्स इम्पॉसिबल./इट कान्ट बी सो.
8. **नहीं, मैं नहीं जा सका।**	**No, I couldn't go.** नो, आइ कुडन्ट गो.
9. **मैं नहीं जानता।**	**I don't know.** आइ डोन्ट नो.
10. मुझे कुछ नहीं चाहिए।	I don't want anything. आइ डोन्ट वॉन्ट एनीथिंग.
11. **कुछ नहीं।**	**Nothing.** नथिंग.
12. यह मैं कैसे कर सकता हूं!	How can I do this! हाउ कैन आइ डू दिस!
13. **मुझसे यह काम नहीं होगा।**	**I can't do this.** आइ कान्ट डू दिस.
14. मैं नहीं मानता।	I don't agree/believe. आइ डोन्ट अग्री/बिलीव.
15. **यह सच नहीं है।**	**This is not true.** दिस इज़ नॉट ट्रू.
16. तुम्हें इस बात की इजाज़त नहीं देनी चाहिए।	You should not allow this. यू शुड नॉट अलाउ दिस.
17. दूसरों की आलोचना न करो।	Don't find fault with others./Don't criticise others. डोन्ट फ़ाइंड फ़ॉल्ट विद अदर्ज़/डोन्ट क्रिटिसाइज़ अदर्ज़.
18. अपने धन का घमंड न करो।	Don't be proud of your riches/money. डोन्ट बी प्राउड ऑफ़ योर रिचिज़/मनी.
19. किसी को धोखा न दो।	Don't cheat anybody. डोन्ट चीट ऐनीबॉडी.
20. लंबी घास पर मत चलो।	Don't walk on the tall grass. डोन्ट वॉक ऑन द टॉल ग्रास.
21. **ज़िद्दी मत बनो।**	**Don't be stubborn.** डोन्ट बी स्टबर्न.
22. **मैं इसे खरीद नहीं सकता।**	**Sorry, I can't buy/afford it.** सॉरी, आइ कान्ट बाइ/अफ़ोर्ड इट.
23. **मेरे पास रेज़गारी नहीं है।**	**Sorry, I don't have any change.** सॉरी, आइ डोन्ट हैव एनी चेंज.
24. **मैं गाना नहीं जानता।**	**I don't know how to sing.** आइ डोन्ट नो हाउ टु सिंग.
25. **गुस्सा मत करो।**	**Don't be angry./Don't lose your temper.** डोन्ट बी ऐंग्री./डोन्ट लूज़ योर टेम्पर.
26. किसी आदमी के साथ रूखा मत बोलो।	Don't be rude to anybody./Don't speak harshly with anybody. डोन्ट बी रूड टु एनीबडी. डोन्ट स्पीक हार्शली विद एनीबडी.

18. सहमति (Consent)

1. **जैसी आपकी मर्ज़ी।**	**As you like/As you please** ऐज़ यू लाइक/ऐज़ यू प्लीज़।
2. **आपका कहना ठीक है।**	**You are right.** यू आर राइट.
3. **मुझे कोई एतराज़ नहीं है।**	**I have no objection./I don't have any objection.** आइ हैव नो ऑब्जेक्शन./आइ डोन्ट हैव एनी ऑब्जेक्शन.
4. कोई हर्ज नहीं।	It doesn't matter. इट डज़न्ट मैटर.
5. ऐसा ही होगा।	It will be so. इट विल बी सो.
6. **मैं आपसे सहमत हूं।**	**I agree with you.** आइ अग्री विद यू.
7. **मैं आपके साथ हूं।**	**I am with you.** आइ ऐम विद यू.
8. हां, यह सच है।	Yes, it's true. येस, इट्स ट्रू.
9. **मैं आपकी सलाह के मुताबिक काम करूंगा।**	**I'll follow your advice.** आइल फ़ॉलो योर ऐडवाइस.
10. मैं आपका निमंत्रण स्वीकार करता हूं।	I accept your invitation. आइ ऐक्सेप्ट योर इन्विटेशन.
11. मैं इसके लिए अपनी स्वीकृति देता हूं।	I give my consent to this. आइ गिव माइ कनसेंट टु दिस.
12. अपने पिता का कहा करो।	Do as your father says. डू ऐज़ योर फ़ादर सेज़.
13. मैं आपके ऊपर ज़बरदस्ती अपनी मर्ज़ी लादने की कोशिश नहीं कर रहा हूं।	I'm not trying to impose my will on you. आइम नॉट ट्राइंग टु इम्पोज़ माइ विल ऑन यू.
14. तुम मेरे साथ सहमत नहीं लगते।	You don't seem to agree with me. यू डोन्ट सीम टु अग्री विद मी.

19. दुःख (Sadness)

1. क्षमा करें/माफ़ कीजिए/माफ़ी चाहता हूं।	Excuse me/Forgive me/Pardon me. एक्सक्यूज़ मी/फ़ॉरगिव मी/पार्डन मी.
2. खेद है, मेरी वजह से आपको कष्ट हुआ।	I'm sorry, you had to suffer because of me. आइम सॉरी, यू हैड टु सफ़र बिकॉज़ ऑफ़ मी.
3. मुझे यह सुनकर बड़ा दुख हुआ।	I'm very sorry to hear this. आइम वेरी सॉरी टु हियर दिस.
4. **मेरी सहानुभूति आपके साथ है।**	**My sympathies are with you.** माइ सिम्पथीज़ आर विद यू.

याद रखें (Remember)

* Give का अर्थ है देना। अब देखिए Prepositions का कमाल। Give up का अर्थ है त्यागना — Maulana Abdul gave up all hopes of recovering from his illness. (मौलाना अब्दुल ने अपनी बीमारी से छुटकारा पाने की सभी आशाएं त्याग दीं।) Give in = हारना — Inspite of Akbar's larger resources Maharana Pratap refused to give in. (अकबर के अधिक साधनों के बावजूद महाराणा प्रताप ने हार मानने से इनकार कर दिया।) इसी प्रकार Give way = बैठना (अधिक भार से पुल आदि का); give out = बताना, प्रकट करना; give off = छोड़ना; give ear = सुनना; give a piece of one's mind = झिड़कना; give oneself airs = शान बघारना; give chase = पीछा करना; give around = पीछे हटना, आदि।

39 उनतालीसवां दिन th Day

20. झगड़ा (Quarrel)

1. आप आपे से बाहर क्यों हो रहे हैं? — Why are you losing* your temper? वाइ आर यू लूज़िंग योर टेम्पर?
2. सावधान, यह दोबारा मुख से न निकालना! — Beware, don't utter it again! बिवेअर, डोन्ट अटर इट अगेन!
3. तुम बड़े चिड़चिड़े स्वभाव के हो। — You are very short-tempered. यू आर वेरी शॉर्ट टेम्पर्ड.
4. **उसने मेरी नाक में दम कर रखा है।** — **He has got* on my nerves.** ही हैज़ गॉट ऑन माइ नर्व्ज़.
5. **जो हो सो हो।** — **Come what may!** कम वॉट मे!
6. मैंने तुम्हारा क्या बिगाड़ा है। — What harm/wrong have I done to you? वॉट हार्म/रौंग हैव आइ डन टु यू?
7. तुम्हें अपने को सुधारना पड़ेगा। — You'll have to mend your ways. यू'ल हैव टु मेन्ड योर वेज़.
8. क्यों इससे व्यर्थ में झगड़ा मोल लेते हो? — Why do you quarrel with him unnecessarily? वाइ डू यू क्वॉरल विद हिम अननैसेसरिली?
9. आवेश में न आओ। — Don't get worked up/excited. डोन्ट गेट वर्क्ड अप/एक्साइटिड.
10. अब किसी-न-किसी तरह बात को निबटाओ। — Now settle the matter somehow. नाउ, सेटल द मैटर समहाउ.
11. **क्या आपके होश ठिकाने हैं?** — **Are you in your senses?** आर यू इन योर सैंसिज़?
12. **मेरी आंखों से दूर हो जाओ?**** — **Get out of my sight./Get lost.** गेट आउट ऑफ़ माइ साइट./गेट लौस्ट.
13. आपका हमारी बातों से क्या संबंध! — How are you concerned with our affairs! हाउ आर यू कन्सर्न्ड विद आवर अफ़ेअर्ज़!
14. बात को अधिक न बढ़ाओ। — Now, put an end to controversy./Don't stretch the matter further. नाउ पुट ऐन ऐंड टु कॉन्ट्रोवर्सी./डोन्ट स्ट्रेच द मैटर फ़र्दर.
15. **भाड़ में जाओ।** — **Go to hell.** गो टु हेल.
16. इन्हें दोनों पक्षों के बीच फैसला कराने दो। — Let him mediate between the two parties. लेट हिम मीडिएट बिटवीन द टू पार्टीज़.
17. झगड़े का फैसला हो गया। — The quarrel is settled./The matter ends here! द क्वॉरल इज़ सेटल्ड./द मैटर एंड्ज़ हिअर!
18. अब एक-दूसरे से मिलो। — Now be friends. नाउ बी फ्रेंड्ज़.

21. क्षमा-प्रार्थना (Apologies)

1. **आप बुरा न मानें।** — **Please don't mind this./Please don't feel bad about it.** प्लीज़ डोन्ट माइंड दिस./प्लीज़ डोन्ट फ़ील बैड अबाउट इट.
2. **मैं तो मज़ाक कर रहा था।** — **I was just joking.** आइ वॉज़ जस्ट जोकिंग.
3. माफ़ कीजिए, मैं समय पर नहीं आ सका। — I'm sorry, I got late. आइम सॉरी, आइ गॉट लेट.

4. मुझे यह जानकर दुःख हुआ। — I was sorry/pained to hear this. आइ वॉज़ सॉरी/पेन्ड टु हिअर दिस.

5. कोई गलती हो गयी हो तो क्षमा करना। — Excuse me if there has been any mistake. एक्सक्यूज़ मी इफ़ देअर हैज़ बीन एनी मिस्टेक.

6. मैं आपसे माफ़ी चाहता हूं। — I beg your pardon. आइ बेग योर पार्डन.

7. मेरे गलत उच्चारण को माफ़ करें। — Please excuse my incorrect pronunciation. प्लीज़ एक्सक्यूज़ माइ इनकरेक्ट प्रनन्सिएशन.

8. **बीच में बोलने के लिए मुझे माफ़ करें।** — **I'am sorry for interrupting you.** आइम सॉरी फ़ॉर इन्ट्रप्टिंग यू.

9. माफ़ कीजिए, मैं टेलीफ़ोन नहीं कर सका। — I'm sorry, I couldn't call you. आइम सॉरी, आइ कुडन्ट कॉल यू.

10. **मेरी ओर से माफ़ी मांग लीजिए।** — **Apologize on my behalf.** अपॉलोजाइज़ ऑन माइ बिहाफ़.

11. माफ़ी मत मांगिए। कोई बात नहीं। — Don't apologize. It does not matter. डोन्ट अपॉलोजाइज़. इट डज़ नॉट मैटर.

12. यह तो केवल गलती से हो गया। — It was merely done by mistake. इट वॉज़ मियरली डन बाइ मिस्टेक.

13. मुझे बहुत अफ़सोस है। — I am very sorry. आइ ऐम वेरी सॉरी.

14. आप चिंता न करें। कोई हानि नहीं हुई। — Don't worry. No harm is done. डोन्ट वरी. नो हार्म इज़ डन

15. अगर अनजाने में मैंने आपको दुःख पहुंचाया है, तो मुझे खेद है। — I'm very sorry if I have unknowingly hurt you. आइम वेरी सॉरी इफ़ आइ हैव अननोइन्गली हर्ट यू.

16. यह अनजाने में हुआ था। — It was done unknowingly. इट वॉज़ डन अननोइंगली.

17. यह आपका दोष नहीं था। — It was not your fault. इट वॉज़ नॉट योर फ़ॉल्ट.

18. मुझे बड़ा अफ़सोस है जो आपको इतनी देर तक मेरा इंतजार करना पड़ा। — I am awfully sorry to have kept you waiting so long. आइ ऐम ऑफुली सॉरी टु हैव केप्ट यू वेटिंग सो लौंग.

19. कोई हर्ज़ नहीं। — That's all right. दैट्स ऑल राइट.

22. क्रोध (Anger)

1. **चुल्लूभर पानी में डूब मरो।** — You should be ashamed of yourself./Shame on you. यू शुड बी अशेम्ड ऑफ़ योरसेल्फ़./शेम ऑन यू.

2. तुम्हें शर्म आनी चाहिए। — You should be ashamed of yourself. यू शुड बी अशेम्ड ऑफ़ योरसेल्फ़.

3. तुम बड़े चलते-पुर्ज़े हो। — You are too clever/smart. यू आर टू क्लेवर/स्मार्ट.

4. तुम बड़े चालू आदमी हो। — You are an extremely cunning man. यू आर ऐन एक्स्ट्रीम्ली कनिंग मैन.

5. **लानत है तुम पर।** — **Shame on you.** शेम ऑन यू.

6. तुम बड़े नीच/धूर्त हो। — You are a mean/cunning fellow. यू आर अ मीन/कनिंग फ़ेलो.

7. मैं तुम्हारी सूरत देखना नहीं चाहता। — I don't want to see your face./Don't show me your face again. आइ डोन्ट वॉन्ट टु सी योर फ़ेस./डोन्ट शो मी योर फ़ेस अगेन.

8. बक-बक मत करो। — Don't talk nonsense/Stop yapping. डोन्ट टॉक नॉनसेन्स/स्टॉप यैपिंग.

9. **यह सब तुम्हारे कारण हुआ है।** — **It's all because of you.** इट्स ऑल बिकॉज़ ऑफ़ यू.

10. **यह सब तुम्हारी करतूत है।** — **It's all your doing.** इट्स ऑल योर डूइंग.

11. **तुम इससे बच नहीं सकते।** — **You can't get away like this./You can't escape from this.** गेट कान्ट गेट अवे लाइक दिस./यू कान्ट एस्केप फ़्रॉम दिस.

12. तुम्हें कभी माफ़ नहीं किया जा सकता। You don't deserve forgiveness./You can never be forgiven. यू डोन्ट डिज़र्व फ़ॉरगिवनेस./यू कैन नेवर बी फ़ॉरगिवन.

13. उसके ज़िम्मेदार तुम हो। You're responsible for this/that. यू आर रिस्पॉन्सिबल फ़ॉर दिस/दैट.

याद रखें (Remember)

*उच्चारण की दृष्टि से lose लूज़ (खोना) और loose लूस (ढीला) एक समान नहीं हैं। अर्थ भी एकदम भिन्न हैं। हम भारतीय उच्चारण के अनुसार spelling करने के अभ्यस्त होने के कारण lose के स्थान पर loose [समानान्तर शब्द goose (बत्तख), noose (फांसी का फंदा) को दृष्टिगत रखते हुए] लिख दिया करते हैं। इस गलती से सावधान रहिए।

**Get गेट (प्राप्त करना) क्रिया के साथ विभिन्न विभक्ति-अव्यय (Preposition) लगाकर कैसे-कैसे विचित्र अर्थ बन जाते हैं, यह देखने योग्य है।

Get about का अर्थ है चलना-फिरना: He gets about with difficulty since his illness. (अपनी बीमारी के समय से वह कठिनाई से चल-फिर सकता है।)

Get back = वापस आना: When will you get back? (आप वापस कब आएंगे?)

Get down = उतरना: She climbed the tree but then couldn't get down again. (वह पेड़ पर चढ़ तो गयी, परंतु फिर उतर न सकी।)

Get going = शुरू करना: They wanted to get going on the construction of the house. (वे मकान बनाना शुरू करना चाहते थे।)

Get in = प्रवेश करना: "Please get in the train," said the guard. "The train is about to start". (गाड़ी के अंदर आइये।)

Get off = उतरना: He got off the noon train. (वह दोपहर की गाड़ी से उतरा।)

Get out = निकलना: He couldn't get out of the room. (वह कमरे से बाहर नहीं निकल सका।)

Get up = सोकर जागना: It is a good habit to get up early in the morning. (सुबह जल्दी उठना एक अच्छी आदत है।)

Get together = इकट्ठे होना: We are planning a get together to celebrate our friend's marriage. (हम अपने मित्र के विवाह पर इकट्ठे होने की सोच रहे हैं।)

Get through = सफल होना — He got through his examination. (वह परीक्षा में उत्तीर्ण हो गया।) आदि।

40 चालीसवां दिन
th Day

यहां कुछ Tests दिए गए हैं।

आइए, अब इनसे अपनी योग्यता को परखिए। 20 वाक्यों के 20 अंक हैं। आपके 16 या इससे अधिक वाक्य ठीक हों तो आपकी स्थिति 'अति-उत्तम' (very good), 12 या इससे अधिक वाक्य ठीक हों तो उत्तम (fair) है।

Test No. 1

31 से 35 दिन

I. नीचे कुछ वाक्य दिये गये हैं, जिनमें कोई ऐसी अशुद्धि है, जिसे बोलने या लिखने की लोग प्रायः गलती करते हैं। आप इन्हें शुद्ध कीजिए। फिर 31 से 35 दिनों के वाक्यों से मिलाकर देखिए और समझिए कि इनके पीछे नियम क्या है। **(विषय संख्या और वाक्य संख्याएं वाक्यों के साथ दी गयी हैं):**

1. Would you like to come with us to cinema? [1:5]. 2. Let us go through bus. [1:8]. 3. No, I don't know to play it. [1:11]. 4. It's mine pleasure. [2:22]. 5. Have nice journey. [2:31]. 6. Thanks for present. [3:39]. 7. Wish you new year. [4:45]. 8. Congratulations for your success. [4:48]. 9. Please wake up him. [7:6]. 10. Let me do work. [7:9]. 11. Please repeat again. [7:14]. 12. What sweet dishes you have? [8:10]. 13. Have little more. [8:16]. 14. Are you an vegetarian? [8:27]. 15. He is glutton. [8:50]. 16. When you have dinner? [9:11]. 17. You are late by half hour. [9:36]. 18. May we rest here for while? [10:19]. 19. Tell the truth and speak no lies. [11:3]. 20. Note down this. [11:36].

Test No. 2

36 से 39 दिन

II. नीचे जो वाक्य दिये गये हैं, इन्हें आपने पिछले दिनों में थोड़े-बहुत परिवर्तनों के साथ देखा है। अब आप इन्हें ध्यान से पढ़िए और जहां कहीं गलती हो उसे सुधार कर कारण ज्ञात कीजिए। **(वाक्यों के साथ Topic No. और Sentence No. दिया गया है):**

1. Don't write in pencil. please write with pen. [12:59-60]. 2. Chew your food good. [12:77]. 6. It was God will. [14:18]. 7. Whom I should trust? [15:33]. 8. He is nuisance. [15:36]. 9. I can't accept what do you say. [17:1]. 10. How I can do this! [17:12]. 11. Don't be proud for your riches. [17:20]. 12. Do not walk at the grass. [17:22]. 13. I don't know to sing. [17:26]. 14. Don't angry. [17:27]. 15. I entirely agree to you. [18:8]. 16. Yes, that is truth. [18:10]. 17. I'll follow your advices. [18:12]. 18. Forgive me to interrupt you sir! [21:8]. 19. It was merely done with mistake. [21:12]. 20. I am awfully sorry for kept you waiting so long. [21:18].

Test No. 3

III. नीचे दिये गये वाक्यों में कोई-न-कोई अशुद्धि है। उसे शुद्ध करके लिखें। गलतियां टेढ़े (Italics) टाइप वाले शब्दों में हैं।

1. Be careful not to *loose* your money. 2. Has the clerk *weighted* the letter? 3. Physics *are* not easy to learn. 4. You have a *poetry* to learn by heart. 5. My *luggages are* at the station. 6. You have five *thousands* rupees. 7. When she entered the room, she saw a notebook on the *ground*. 8. Let us see a *theater* tonight. 9. Which is the *street* to the village? 10. My younger brother is five and a half feet *high*. 11. Are you *interesting* in your work? 12. I have now *left* cricket. 13. Madam, *will* I go home to get my exercise book? 14. She sometimes *puts on* red shoes. 15. She *wears* her clothes in the morning. 16. There *is* a lot of flowers on this tree. 17. How *many* paper do you want? 18. He has given up smoking, *isn't it*? 19. Why *he not sees* a film? 20. What does *elephants* eat?

शुद्ध उत्तर:

1. lose, 2. weighed, 3. is, 4. poem, 5. luggage is, 6. thousand, 7. floor, 8. play, 9. road, 10. tall, 11. interested, 12. given up, 13. may, 14. wears, 15. puts on, 16. are, 17. much, 18. hasn't he, 19. doesn't he see, 20. what do.

Test No. 4

IV. निम्नलिखित वाक्यों में रिक्त स्थान के आगे कोष्ठक में शब्द दिये गये हैं। उनमें उपयुक्त शब्द चुनकर रिक्त स्थान भरिए:

1. ... (shall, will) you please help me out of this difficulty? 2. She was over-joyed... (to, into) see her lost baby. 3. Thanks... (to, for) your good wishes. 4. We congratulated him... (at, on) his success. 5. ...(Get, Let) me go home. 6. Are you feeling... (thirst, thirsty)? 7. Do you... (drink, take) milk or tea? 8. What... (is, are) the news. 9. remind him... (of, on) his promise. 10. Switch... (out, off) the light. 11. Go... (on, in) person to post this important letter. 12. Give... (in, up) smoking; it's harmful. 13. Is there any need... (for, to) worry? 14. Do not find fault... (on, in, with) others. 15. Are you angry... (on, with) me? 16. I know very little... (of, in, on) this connection. 17. Get out (from, of) my sight. 18. You are... (loosing, losing) your temper. 19. We... (may, shall) have some coffee. 20. We must avoid... (smoking, to smoke).

ठीक पूरक शब्द:

1. will, 2. to, 3. for, 4. on, 5. Let, 6. thirsty, 7. take, 8. is, 9. of, 10. off, 11. in, 12. up, 13. to, 14. with, 15. with, 16. in, 17. of, 18. losing, 19. shall, 20. smoking.

Test No. 5

V. निम्नलिखित वाक्यों का हिन्दी में अनुवाद कीजिए:

1. No, I don't take tea. 2. I won't be able to attend his birthday party. 3. He does not agree with me. 4. They didn't come. 5. The lion killed two Shepherds. 6. The Yamuna was flooded. 7. Raise the curtain. 8. Don't they run fast? 9. How can it be so? 10. The tiger in the cage frightened the children. 11. I want your kind help. 12. He did it. 13. Who plays football in the park? 14. He lives only on milk. 15. Isn't he twelve years old?

Test No. 6

VI. प्रश्न **V** के नकारात्मक वाक्यों को सकारात्मक वाक्यों में और सकारात्मक वाक्यों को नकारात्मक वाक्यों में नीचे दिये गये उदाहरणों के अनुसार बदलिए:

दिया गया वाक्य	दिये हुये वाक्य का उलटा
He didn't play cricket.	He played cricket.
She sings very well.	She doesn't sing very well.

Test No. 7

VII. इन शब्दों का शुद्ध उच्चारण नागरी लिपि में लिखिए, जैसे — would — वुड।

invite, invitation, pleasure, journey, hearty, rumour, success, little, stomach, quarrel, minutes, forty, fourteen, receipt, honest.

Test No. 8

VIII. *(i)* नीचे कुछ क्रियाएं दी गयी हैं। उनके अर्थ लिखिए:

to fetch, to enjoy, to meet, to burst, to bring, to enter, to chew, to cheat, to want, to agree, to obey, to move, to forget, to forgive, to hire, to abstain.

(ii) इन दोनों में क्या अंतर है? लिखिए, believe—belief, (to) check—cheque, (to) speak—speech, (to) agree—agreement, cool—cold, (to) invite—invitation, (to) pride—proud, (to) accept—except.

(iii) इनके विषरीतार्थक शब्द लिखिए, जैसे — possible — impossible

Patience, come, accept, clean, improper, without, switch off, back, early, disagree, many, able, empty.

Test No. 9

IX. अंग्रेजी क्रिया go के बाद विभिन्न prepositions लगाने से विभिन्न अर्थ हो जाते हैं। इस प्रकार के मुहावरेदार प्रयोग प्रत्येक भाषा की अपनी विशेषता होती है। हम go के कुछ बहुप्रचलित मुहावरेदार प्रयोग नीचे दे रहे हैं। इनको याद करें और अभ्यास के लिए वाक्यों में प्रयोग करें।

go on = ज़ारी रखना	go down = डूबना	go out = बुझना
go in for = किसी काम में जुटना	go with = साथ, मेल खाना	go about = किसी काम में लगना
go into = छानबीन करना।	go back on = न निभाना	

41 इकतालीसवां दिन
41st Day

पांचवां अभियान (5th Expedition)

चौथे अभियान में हमने निमंत्रण, अभिवादन, स्वीकृति, अस्वीकृति, आज्ञा, अनुमति, झगड़ा, नाराज़गी, क्षमा, प्रार्थना आदि अनेक प्रसंगों पर बोले जा सकने वाले वाक्यों को अंग्रेज़ी में बोलना सीखा है। पांचवें अभियान में हम स्वास्थ्य, मौसम, चरित्र, वेशभूषा, पढ़ाई-लिखाई, खेलकूद तथा घर में और घर से बाहर किसी से मिलने पर अथवा शॉपिंग करते समय इस्तेमाल हो सकने वाले अंग्रेज़ी वाक्यों को बोलना सीखेंगे। जहां इन वाक्यों के माध्यम से आप मौके के अनुसार अंग्रेज़ी में बात कर सकेंगे वहीं पाठ के अंत में दी गयी टिप्पणियों की सहायता से नये शब्दों को पढ़ना तथा प्रत्यय लगाकर बनाये गये तरह-तरह के शब्दों का ठीक-ठीक प्रयोग भी आप जान सकेंगे।

23. घर में (At Home)

1. देखो, यहां बिस्तर लगा दो। — Look, make the bed over here. लुक, मेक द बेड ओवर हिअर.
2. **दूध फट गया है।** — **The milk has turned sour.** द मिल्क हैज़ टर्न्ड सावर.
3. ठहरो, मैं गाय बांध आऊं। — Let me tether the cow. लैट मी टेथर द काउ.
4. कमरा साफ़ रखो। — Keep the room clean/dusted. कीप द रूम क्लीन/डस्टिड.
5. क्रोयले जल कर राख हो गये। — The coals were burnt to ashes. द कोल्ज़ वर बर्न्ट टु ऐशिज़.
6. **आपके कितने बच्चे हैं?** — **How many children do you have?** हाउ मेनी चिल्ड्रन डू यू हैव?
7. हमारे यहां आलू रोज़ पकते हैं। — We cook potatoes everyday for our meals. वी कुक पटेटोज़ एवरीडे. फ़ॉर ऑवर मील्ज़.
8. आज नई वस्तु क्या पकी है? — What new dish is made today? वॉट न्यू डिश इज़ मेड टुडे?
9. धोबी पिछली धुलाई कब ले गया था? — When did the washerman last take the clothes for washing? वेन डिड द वॉशरमैन लास्ट टेक द क्लोद्ज़ फ़ॉर वॉशिंग?
10. इस कोट को फिर इस्तरी कराओ। — Get this coat ironed again. गेट दिस कोट आयन्ड अगेन.
11. **गीले कपड़े धूप में डाल दो।** — **Put wet clothes in the sun.** पुट वेट क्लोद्ज़ इन द सन.
12. **मैं ज़रा तैयार हो लूं।** — **Let me get ready.** लेट मी गेट रेडी.
13. **तुम बड़ी देर लगा रहे हो।** — **You are taking too long./You are being very slow.** यू आर टेकिंग टू लौंग./यू आर बींग वेरी स्लो.
14. **हम वहां वक्त से पहले पहुंचेंगे।** — **We'll reach there before time.** वी 'ल रीच देअर बिफ़ोर टाइम.
15. उसकी सास अच्छे स्वभाव की महिला है, परंतु उसकी बहुएं बुरे स्वभाव की हैं।* — Her mother-in-law is good-natured, but not her daughters-in-law. हर मदर-इन-लॉ इज़ गुड नेचर्ड बट नॉट हर डॉटर्ज़-इन-लॉ.
16. आपका स्वागत है। — You are welcome. यू आर वेल्कम.
17. तुम्हें अपने वायदे से नहीं फिरना चाहिए। — You should not go back on your words./You should keep your word. यू शुड नॉट गो बैक ऑन योर वर्ड्ज़/यू शुड कीप योर वर्ड.
18. **उसने बहुत रूखा बर्ताव किया।** — **He behaved very rudely./He was impudent/rude.** ही बिहेव्ड वेरी रूडली./ही वॉज़ इम्प्यूडेन्ट/रूड.

19. अपने बर्तनों को कलई करा लो। Get your utensils tinned. गैट योर युटेन्सिल्ज़ टिन्ड.
20. **अब मैं ज़्यादा इंतजार नहीं कर सकता।** **I can't wait any longer.** आइ कांट वेट एनी लौंगर.
21. मैं सुबह का घर से निकला हूं। I have been out since morning. आइ हैव बीन आउट सिन्स मॉर्निंग.
22. मुझे नींद आ रही है। I'm feeling sleepy. आइम फ़ीलिंग स्लीपी.
23. रात खूब नींद आयी। I had a sound sleep last night. आइ हैड अ साउंड स्लीप लास्ट नाइट.
24. **अंदर कोई नहीं है।** **There is nobody inside.** देअर इज़ नोबडी इन्साइड.
25. **बस, अब सो जाओ।** **Now go to sleep/bed.** नाउ गो टु स्लीप/बेड.
26. तुमने बड़ी देर लगाई। You took a long time. यू टुक अ लौंग टाइम.
27. **मैं अभी तैयार होता हूं।** **I'll be ready in a moment.** आइल बी रेडी इन अ मोमेंट.
28. आपने मुझे जगा क्यों नहीं लिया? Why didn't you wake me up?. वाइ डिडन्ट यू वेक मी अप.
29. मैंने आपको जगाना मुनासिब नहीं समझा। I didn't think it proper to wake you up. आइ डिडन्ट थिंक इट प्रॉपर टु वेक यू अप.
30. **मैं ज़रा आराम कर लूं।** **I'll relax/rest for a while.** आइल रिलैक्स/रेस्ट फ़ॉर अ वाइल.
31. कुर्सी लीजिए। Pull/Have a chair, please. पुल/हैव अ चेअर प्लीज़.
32. **आप अभी तक जाग रहे हैं!** **You are still awake!** यू आर स्टिल अवेक!
33. **दरवाज़ा कौन खटखटा रहा है?** **Who is knocking at the door?** हू इज़ नॉकिंग ऐट द डोर?
34. आज सुबह मेरी आंख देर से खुली। I woke up late this morning. आइ वोक अप लेट दिस मॉर्निंग.
35. **आपसे कोई मिलने आया है।** **Someone has come/There is someone to see you.** समवन हैज़ कम/देअर इज़ समवन टु सी यू.
36. अंदर आइये! Please come in. प्लीज़ कम इन.
37. **बैठिए!** **Please be seated. Please have a seat./Please sit down.** प्लीज़ बी सीटिड./प्लीज़ हैव अ सीट./प्लीज़ सिट डाउन.
38. अनुपम कहां है? Where is Anupam? वेअर इज़ अनुपम?
39. मालूम नहीं कहां है। I don't know where he is. आइ डोंट नो वेअर ही इज़.
40. क्या है? What's it? वॉट्स इट?
41. कौन है? Who's it? हू'ज़ इट?
42. मैं मनीष हूं। It's me, Manish. इट्स मी, मनीष.
43. अरुण अंदर है क्या? Is Arun in? इज़ अरुण इन?
44. दिन बहुत चढ़ आया है। The day is far advanced. द डे इज़ फ़ार एडवांस्ड.
45. **आजकल मेरा हाथ तंग है।** **I'm hard up/tight these days.** आइम हार्ड अप/टाइट दीज़ डेज़.
46. कोई बढ़िया बावर्ची रख लो। Engage some expert cook. इंगेज़ सम ऐक्सपर्ट कुक.
47. **मैं बहुत थका हूं।** **I am dead/terribly tired.** आइ ऐम डैड/टेरिब्ली टायर्ड.
48. **आओ, गप्प लगाएं।** **Let's have a chat.** लेट्स हैव अ चैट.
49. **द्वार की चटकनी लगा दो।** **Bolt the door.** बोल्ट द डोर.
50. अब जाने का समय है। It's time to depart now. इट्स टाइम टु डिपार्ट नाउ.
51. घर की चीज़ों को ठीक से रखो। Keep the household things in their place. कीप द हाउसहोल्ड थिंग्ज़ इन देअर प्लेस.
52. आज रात यहीं आराम करें। Take rest/Relax here tonight. टेक रेस्ट/रिलैक्स हिअर टुनाइट.
53. आप तो ऊंघ रहे हैं। You are dozing. यू आर डोज़िंग.

54. **मेरा बिस्तर बना दो।**	**Make my bed.** मेक माइ बेड.
55. तुम्हारी नाक बह रही है।	Your nose is running. योर नोज़ इज़ रनिंग.
56. हम बहुत देर तक बातें करते रहे।	We kept talking/chating till very late. वी केप्ट टॉकिंग/चैटिंग टिल वेरी लेट.
57. **डॉक्टर साहब को फ़ोन करो।**	**Ring up the doctor.** रिंग अप द डॉक्टर.
58. मेरे मामा मुझसे मिलने आये हैं।	My maternal uncle has come to see me. माइ मैटरनल अंकल हैज़ कम टु सी मी.
59. **इनको आपसे कुछ काम है।**	**This gentleman has some work with you.** दिस जेन्टलमैन हैज़ सम वर्क विद यू.
60. मुझे उसके घर जाना है।	I have to go to his house./I have to call on him. आइ हैव टु गो टु हिज़ हाउस/आइ हैव टु कॉल ऑन हिम.
61. वह अपने माता-पिता से अलग है।	He lives separately from his parents. ही लिब्ज़ सेपरेटली. फ्रॉम हिज़ पैरेन्ट्स.
62. अगर उसने मुझसे कहा होता, तो मैं रुक गया होता।	Had he asked me, I would have stayed. हैड ही आस्क्ड मी, आइ वुड हैव स्टेड.
63. मैं रोज सवेरे फव्वारे के नीचे नहाता हूं।	I take/have a shower-bath every morning. आइ टेक/हैव ए शॉवर बाथ एवरी मार्निंग.

याद रखें (Remember)

*अंग्रेज़ी में शब्द के अंत में s लगाकर बहुवचन बनाते हैं, परंतु कुछ शब्दों के साथ s बड़ी सावधानी से लगाना पड़ता है। उदाहरण के लिए, son-in-law सन-इन-लॉ (दामाद) का बहुवचन sons-in-law सन्ज़-इन-लॉ है, son-in-laws सन-इन-लॉज़ नहीं। इसी प्रकार निम्नलिखित शब्दों के बहुवचन बनते हैं:

Father-in-law (फ़ादर-इन-लॉ) ससुर	Fathers-in-law
Brother-in-law (ब्रदर-इन-लॉ) बहनोई; साला; देवर; जेठ	Brothers-in-law
Mother-in-law (मदर-इन-लॉ) सास	Mothers-in-law
Sister-in-law (सिस्टर-इन-लॉ) भाभी; साली; सलहज	Sisters-in-law
Governor-General (गवर्नर-जनरल) शासनाध्यक्ष	Governors-General
Commander-in-chief (कमांडर-इन-चीफ़) प्रधान सेनापति	Commanders-in-chief

देखना यह होता है कि शब्द समूह में जो अधिक महत्त्वपूर्ण शब्द हो उसी के साथ s जोड़ा जाए। इसी नियम के अनुसार step-son स्टेप-सन (सौतेला पुत्र) का बहुवचन step-sons स्टेप सन्स बनता है और maidservant मेडसर्वेंट का बहुवचन maidservants मेडसर्वेंट्स।

42 बयालीसवां दिन
nd Day

24. घर से बाहर (Out of Home)

1. **यह जूता बहुत तंग है।** — **This shoe is very tight.** दिस शू इज़ वेरी टाइट.
2. यह सड़क किधर जाती है? — Where does this road lead to? वेअर डज़ दिस रोड लीड टु?
3. यह सड़क रोहतक जाती है। — This road leads to Rohtak. दिस रोड लीड्ज़ टु रोहतक.
4. ज़रा मेरी साइकिल पकड़ना। — Just hold my cycle/bike. जस्ट होल्ड माइ साइकल/बाइक.
5. मुझे रात को जागना पड़ता है। — I have to keep awake/wake up at night. आइ हैव टु कीप अवेक/वेक अप ऐट नाइट.
6. सदा बायें हाथ चलो। — Always keep to the left. ऑलवेज़ कीप टु द लेफ़्ट.
7. सदा फ़ुटपाथ पर चलो। — Always walk on the footpath. आलवेज़ वॉक ऑन द फ़ुटपाथ.
8. **जेबकतरों से बचो।** — **Beware of pickpockets.** बिवेअर ऑफ़ पिकपॉकिट्स.
9. मुझे नाटक देखने का शौक नहीं है। — I am not fond of theatre/seeing plays. आइ ऐम नॉट फ़ौंड ऑफ़ थियेटर/सीइंग प्लेज़.
10. **मैंने अपना मकान बदल लिया है।** — **I have changed my house/I've shifted from the old place.** आइ हैव चेंज्ड माइ हाउस/आइव शिफ्टिड फ्रॉम दि ओल्ड प्लेस.
11. **क्या यहां कोई किराये की मोटर मिल सकती है?*** — **Can one get a taxi/cab here?** कैन वन गेट अ टैक्सी/कैब हिअर?
12. चाहे कुछ हो, हमें मीटिंग में ठीक समय पर पहुंच जाना चाहिए। — Come what may, we must reach the meeting in time. कम वॉट मे, वी मस्ट रीच द मीटिंग इन टाइम.
13. यह सड़क लोगों के लिए बंद है। — This road is closed to the public. दिस रोड इज़ क्लोज़्ड टु द पब्लिक.
14. बिना आज्ञा अंदर आना मना है। — No entry without permission. नो एन्ट्री विदाउट परमिशन.

25. नौकर से (To Servant)

1. यहां आओ लड़के! — Come here, boy. कम हिअर, बॉय.
2. खाना लाओ। — Bring the food. ब्रिंग द फ़ूड.
3. **एक गिलास पानी लाओ।** — **Get me a glass of water.** गेट मी अ ग्लास ऑफ़ वॉटर.
4. वहां जाओ और चिट्ठियां लेटर बॉक्स में डालो। — Go and post these letters. गो ऐंड पोस्ट दीज़ लेटर्ज़.
5. कपड़े धोओ। — *Wash the clothes. वॉश द क्लोद्ज़.
6. जल्दी करो। — Hurry up./Make haste. हरी अप./मेक हेस्ट.
7. बंडल उठाओ। — Lift/Pick up/Carry the bundle. लिफ़्ट/पिक अप/कैरी द बंडल.
8. मुझे आधी (डबल) रोटी दो। — Give me half a bread / chapati. गिव मी हाफ़ अ ब्रेड / चपाती.

(i) Clothes (क्लोद्ज़) सिले हुए कपड़ों को कहते हैं, Cloth (क्लॉथ) बिना सिले कपड़ों को।
(ii) Clothe (क्लोद्) क्रिया भी है अर्थात् कपड़े पहनना या पहनाना।

9. अब तुम जाओ, मुझे कुछ काम करना है।	You go now, I have to do some work. यू गो नाउ, आइ हैव टु डू सम वर्क.
10. रास्ता दिखाओ।	Show the way. शो द वे.
11. इन्हें बाहर छोड़ आओ।	Show him out. शो हिम आउट.
12. बीच में मत बोलो।	**Don't interrupt.** डोन्ट इंट्रप्ट.
13. ज़रा सुनो।	Just listen. जस्ट लिसन.
14. घबराओ नहीं।	Don't worry. डोन्ट वरी.
15. थोड़ी देर ठहरो।	Wait a bit. वेट अ बिट.
16. पंखा चला दो।	Switch on the fan. स्विच ऑन द फ़ैन.
17. शोर मत मचाओ।	**Don't make a noise. डोंट मेक अ नॉइज़.**
18. देखो, बालक क्यों रो रहा है।	Go and see why the child is weeping/crying. गो ऐंड सी वाइ द चाइल्ड इज़ वीपिंग.
19. ज़रा कागज़-पेंसिल देना।	Give me a pencil and a piece of paper. गिव मी अ पेंसिल ऐंड अ पीस ऑफ़ पेपर.
20. जब तक मैं न आऊं यहीं बैठे रहो।	Wait here until I'm back. वेट हिअर अंटिल आइम बैक.
21. अब तुम जा सकते हो।	**You may go now.** यू मे गो नाउ.
22. मुझे चार बजे जगा देना।	Wake me up at 4 o'clock. वेक मी अप ऐट फ़ोर ओ'क्लॉक.
23. लैम्प जलाओ (मिट्टी के तेल वाला)	Light the lamp. लाइट द लैम्प.
24. बिजली जलाओ / बुझाओ।	Switch on / off the light. स्विच ऑन / ऑफ द लाइट.
25. एक तरफ़ हो जाओ।	**Move aside.** मूव असाइड.
26. अपनी अक्ल से काम लो।	Use your mind/brains. यूज़ योर माइंड/ब्रेन्ज.
27. कल जल्दी आना न भूलना।	Don't forget to come early tomorrow. डोन्ट फ़ॉर्गेट टु कम अर्ली टुमॉरो.
28. बस, अब थोड़ा आराम करो।	Go and relax for a while. गो ऐंड रिलैक्स फ़ॉर अ वाइल.

याद रखें (Remember)

*संज्ञाओं की तरह अनेक विशेषणों के केवल अंतिम भाग को देखकर पहचाना जा सकता है। Articles of daily use are now available in the market. (रोज़मर्रा काम में आने वाली चीज़ें अब बाज़ार में मिलती हैं) avail क्रिया के आगे able लगाकर available विशेषण बनाया गया है। इसी प्रकार agreeable (अच्छा लगने वाला); comfortable (आरामदेह), dependable (जिस पर निर्भर रह सकें), eatable (खाने योग्य), manageable (प्रबंध करने योग्य), payable (जिसका भुगतान किया जा सके), saleable (बेचने योग्य), washable (जो धोया जा सके) मूल शब्द (संज्ञा या क्रिया) में able लगाने से बने हैं। कई बार able का कार्य करने के लिए ible भी लगता है, जैसे combust (जलना) से combustible (ज्वलनशील), eligible (चुने जाने योग्य), illegible (जो पढ़ा न जा सके)।

कुछ संज्ञाओं और क्रियाओं आदि के अंत में al लगाकर भी विशेषण बनते हैं, जैसे:

brute से brutal (क्रूर)	continue से continual (लगातार)
centre से central (केंद्रीय)	term से terminal (अंतिम भाग का)

ऐसे में शब्द के अंत में यदि 'e' हो तो वह हट जाता है।

43 तेंतालीसवां दिन
rd Day

26. मिलने पर (On Meeting)

1. आपके आने से बड़ा आनंद रहा। — It's been nice seeing you. इट्स बीन नाइस सीइंग यू.
2. अब कब मुलाकात होगी? — When do I see you again?/When shall we meet again? वेन डू आइ सी यू अगेन?/वेन शैल वी मीट अगेन?
3. आपसे मिलकर बड़ी ख़ुशी हुई। — I am glad to see you. आइ एम ग्लैड टु सी यू.
4. एक ज़रूरी काम आ गया है। — There is something important to do. देअर इज़ समथिंग इंपार्टेंट टु डू.
5. **आप उस दिन क्यों नहीं आये?** — **Why didn't you come that day?** वाइ डिडन्ट यू कम दैट डे?
6. **तुम गल़ती पर हो।** — **You are mistaken./You are at fault.** यू आर मिस्टेकन./यू आर ऐट फ़ॉल्ट.
7. **तुम बहुत दिनों से नज़र नहीं आये।** — **Long time no see. (informal)/Didn't see you for a long time.** लौंग टाइम नो सी./डिडन्ट सी यू फ़ॉर अ लौंग टाइम.
8. **उन्होंने आपको याद किया है।** — **He has asked for you.** ही हैज़ आस्क्ड फ़ॉर यू.
9. अभी मेरा काम खत्म नहीं हुआ। — My work is not yet over. माइ वर्क इज़ नॉट येट ओवर.
10. मैं आपसे सलाह लेने आयी हूं। — I've come to seek your advice. आइ'व कम टु सीक योर ऐडवाइस.
11. मुझे तुमसे बातें करनी हैं। — I wish to talk to you. आइ विश टु टॉक टु यू.
12. आपका बड़ा इंतज़ार किया। — I waited long for you. आइ वेटिड लौंग फ़ॉर यू.
13. आप आधा घंटा देर से हैं। — You are late by half an hour.* यू आर लेट बाइ हाफ़ ऐन आवर.
14. हम बहुत ही जल्दी आ गये हैं। — We have come too early. वी हैव कम टू अर्ली.
15. **आपका क्या हाल-चाल है?** — **How are you?** हाउ आर यू?
16. **उससे मेरा परिचय करा दो।** — **Introduce me to him.** इंट्रोड्यूस मी टु हिम.
17. अपनी राज़ी-खुशी का तार दो। — Wire about your welfare. वायर अबाउट योर वेलफ़ेयर.
18. हर रोज़ व्यायाम अवश्य करो। — Take exercise daily/everyday. टेक एक्सरसाइज़ डेली/ऐवरीडे.
19. **बहुत समय से उसकी कोई खबर नहीं आयी है।** — **I haven't heard about him for long.** आइ हैवन्ट हर्ड अबाउट हिम फ़ॉर लौंग.
20. कोई अच्छी खबर सुनाइये। — Let's have some good news. लेट्स हैव सम गुड न्यूज़.
21. आपका पत्र अभी-अभी मिला है। — Your letter has just been received. योर लेटर हैज़ जस्ट बीन रिसीव्ड.
22. **जाते ही चिट्ठी लिखना।** — **Write immediately on reaching.** राइट इमीजिएटली ऑन रीचिंग.
23. **कहीं भूल न जाना।** — **Don't forget it./Keep it in mind.** डोन्ट फ़ॉरगेट इट./कीप इट इन माइंड.
24. उनके आ जाने पर मुझे खबर देना। — Let me know when he comes. लेट मी नो वेन ही कम्ज़.
25. फिर मिलेंगे। — See you again. सी यू अगेन.
26. उन्हें मेरा प्रणाम लिख देना। — Give/Convey my regards to him. गिव/कन्वे माइ रिगार्ड्ज़ टु हिम.
27. कभी-कभी चिट्ठी ज़रूर डाल दिया करो। — Do write to me sometimes/off and on. डू राइट टु मी समटाइम्ज़ ऑफ़ ऐंड ऑन.

28. मुझे अपना पता देते जाइये।	Please give me your address. प्लीज़ गिव मी योर अड्रेस.
29. अगले इतवार मुझे मिलो।	Meet me next Sunday. मीट मी नेक्स्ट संडे.
30. क्या तुमने उसके साथ मुलाकात तय कर ली है?	Have you arranged/fixed up a meeting with her/him? हैव यू अरेंज्ड फ़िक्स्ड अप अ मीटिंग विद हर/हिम?
31. उनसे मिलकर बड़ी खुशी हुई।	It was nice meeting him. इट वॉज़ नाइस मीटिंग हिम.
32. **आप किसी समय भी आइये।**	**You are always welcome.** यू आर ऑलवेज़ वेलकम.
33. **तकल्लुफ़ मत कीजिए।**	**There is no need for formality./Don't be formal.** देअर इज़ नो नीड फ़ॉर फ़ॉरमेलिटी./डोन्ट बी फ़ॉर्मल.
34. **मेरे उसके साथ संबंध बिगड़े हुए हैं।**	**I am not on good terms with him.** आइ ऐम नॉट ऑन गुड टर्म्ज़ विद हिम.
35. हमारे आपसी संबंध बहुत अच्छे हैं।	We have an excellent / perfect relationship with each other. वी हैव ऐन एक्सीलेंट / पर्फ़ेक्ट रिलेशनशिप विद ईच अदर।
36. आज की सुहावनी शाम के लिए धन्यवाद!	Thanks for a pleasant/wonderful / lovely evening! थैंक्स फॉर अ प्लेज़ंट / वंडरफ़ुल / लवली इवनिंग!

याद रखें (Remember)

अंग्रेज़ी में कुछ ऐसे शब्द हैं जिनका बहुवचन में प्रयोग करने पर अर्थ थोड़ा भिन्न हो जाता है। उदाहरण के लिए Rich का अर्थ धनी है पर Riches, Rich का बहुवचन नहीं। Example: (1) He is a richman. वह एक अमीर आदमी है, Riches make men proud रिचेज़ मेक मेन प्राउड (दौलत लोगों को घमंडी बना देती है)। इसी प्रकार निम्नलिखित शब्द सदा बहुवचन ही होते हैं:

alms आम्ज़ (दान), spectacles स्पेक्टेक्ल्ज़ (ऐनक), trousers ट्राउज़र्ज़ (पैंट), scissors सीज़र्ज़ (कैंची), shorts शॉर्ट्स (निक्कर)।

कुछ शब्द ऐसे भी हैं जो हैं तो बहुवचन के, परंतु सदा एकवचन शब्द के समान प्रयोग में लाये जाते हैं, जैसे कि — Mathematics is difficult मैथेमैटिक्स इज़ डिफ़िकल्ट (गणित कठिन विषय है)। इसी प्रकार ये शब्द बहुवचन शब्द की तरह प्रयुक्त होते हैं — इनका अच्छी तरह अभ्यास कीजिए:

Innings इनिंग्ज़ (पारी), news न्यूज़ (समाचार), means मीन्ज़ (उपाय), corps कोर (सेना की टुकड़ी), series सीरीज़ (ग्रन्थमाला)।

*आधे घंटे के लिए half an hour प्रयोग होता है।

44 चवालीसवां दिन
44th Day

27. खरीदारी (Shopping)

1. वह तो एक साधारण दुकानदार है।	He is a petty/an ordinary shopkeeper. ही इज़ अ पेटि/ऐन ऑर्डिनरी शॉप-कीपर.
2. छाबड़ी वाले ऊंची आवाज़ से चिल्ला रहे हैं।	The hawkers are shouting at the top of their voice. द हॉकर्ज़ आर शाउटिंग ऐट द टॉप ऑफ़ देअर वॉइस.
3. **यह चावल घटिया दर्ज़े का है।**	**This rice is of an inferior quality.** दिस राइस इज़ ऑफ़ ऐन इनफ़ीरिअर क्वॉलिटी.
4. यह वस्तु तो कौड़ियों के भाव बिक रही है।	This article is selling at a throw-away price. दिस आर्टिकल इज़ सेलिंग ऐट अ थ्रो-अवे प्राइस.
5. **आजकल व्यापार में मंदा है।**	**There is a depression in trade these days./There is a slump in business these days.** देअर इज़ अ डिप्रेशन इन ट्रेड दीज़ डेज़./देअर इज़ अ स्लम्प इन बिज़नेस दीज़ डेज़.
6. यह पुस्तक धड़ाधड़ बिक रही है।	This book is selling like hot cakes. दिस बुक इज़ सेलिंग लाइक हॉट केक्स.
7. **मेरे पास पचास पैसे कम हैं।**	**I am short by fifty paise.** आइ ऐम शॉर्ट बाइ फ़िफ़्टी पैसे.
8. यह हलवाई बासी वस्तुएं बेचता है।	This confectioner sells stale stuff/things. दिस कनफ़ेक्शनर सेल्ज़ स्टेल स्टफ़/थिंग्ज़.
9. तुमने मुझे एक रुपया कम दिया है।	You have given me one rupee less. यू हैव गिवन मी वन रुपी लेस.
10. **यह कपड़ा धोने पर सिकुड़ जाता है।**	**This cloth shrinks on washing.** दिस क्लॉथ श्रिंक्स ऑन वॉशिंग.
11. यह आम अधिक पका हुआ है।	This mango is over-ripe. दिस मैंगो इज़ ओवर-राइप.
12. हड़ताल के कारण सब काम बंद है।	Everything is closed because of the strike. एवरीथिंग इज़ क्लोज़्ड बिकॉज़ ऑफ़ द स्ट्राइक.
13. हर प्रकार का कपड़ा इस दुकान से मिल सकता है।	All varieties of cloth are available at this shop. ऑल वैरायटीज़ ऑफ़ क्लॉथ आर अवेलेबल ऐट दिस शॉप.
14. **यह पुस्तक खूब चलती है।**	**This book is very popular.** दिस बुक इज़ वेरी पॉपुलर.
15. **भाव गिर रहे हैं।**	**The prices are falling.** द प्राइसेज़ आर फ़ॉलिंग.
16. यह कोट तंग है।	This coat is tight for me. दिस कोट इज़ टाइट फ़ॉर मी.
17. यह कुर्सी साठ रुपये में बहुत सस्ती है।	This chair is quite cheap for sixty rupees. दिस चेअर इज़ क्वाइट चीप फ़ॉर सिक्सटी रुपीज़.
18. **बाल बहुत छोटे न काटना।**	**Don't cut the hair too short.** डोन्ट कट द हेअर टू शॉर्ट.
19. उधार कभी मत खरीदो।	Don't buy on credit. डोन्ट बाइ ऑन क्रेडिट.
20. **मेरा हिसाब चुका दो।**	**Clear my accounts.** क्लीअर माइ अकाउंट्स.
21. बाज़ार से बीस रुपये का आटा ले आओ।	Bring flour for twenty rupees from the bazaar/market. ब्रिंग फ़्लावर फ़ॉर ट्वेन्टि रुपीज़ फ्रॉम द बाज़ार/मार्किट.

22. मेरी पतलून ढीली / तंग है। — My trousers are loose / tight. माइ ट्राउज़र्ज़ आर लूस / टाइट.

23. मेरी घड़ी को तेल और सफ़ाई चाहिए। — My watch needs cleaning and oiling. माइ वॉच नीड्ज़ क्लीनिंग ऐंड ऑयलिंग.

24. **क्या तुम्हें अपना जूता पांव में लगता है?** — **Does your shoe pinch you?** डज़ योर शू पिंच यू?

25. **यह कपड़ा कोट के लिए पूरा है।** — This cloth is enough for a coat. दिस क्लॉथ इज़ इनफ़ फ़ॉर अ कोट.

26. मेरा नाप लो। — Take my measurements. टेक माइ मैज़रमेन्ट्स.

27. मुझे कुछ अच्छी पुस्तकें दीजिए। — Give me some good books. गिव मी सम गुड बुक्स.

28. डॉक्टर साहब का काम खूब चलता है। — The doctor has a large practice. द डॉक्टर हैज़ ए लार्ज प्रैक्टिस.

29. **इस कमीज़ के ठीक-ठीक दाम ले लो।** — **Charge a reasonable price for this shirt.** चार्ज अ रीज़नेबल प्राइस फ़ॉर दिस शर्ट.

30. **क्या माल अच्छा है?** — **Is the stuff good?** इज़ द स्टफ़ गुड?

31. **रंग पक्का है न?** — **Is the colour fast?** इज़ द कलर फ़ॉस्ट?

32. **यहां से बाज़ार कितनी दूर है?** — **How far is the market from here?** हाउ फ़ार इज़ द मार्किट फ़्रॉम हिअर?

33. **काफी दूर है।** — **It's quite far.** इट्स क्वाइट फ़ार.

34. अगर तुम एक ही स्थान से सभी चीजें खरीदना चाहते हो, तो सुपर बाज़ार में जाओ। — If you wish to buy everything from one place, go to Super Bazaar. इफ़ यू विश टु बाइ एवरीथिंग फ़्रॉम वन प्लेस, गो टु सुपर बाज़ार.

35. यह दुकानदार मिलावट की हुई चीज़ें बेचता है। — This shopkeeper sells adulterated stuff/things. दिस शॉपकीपर सेल्ज़ एडल्टरेटिड स्टफ़/थिंग्ज़.

36. **क्या आप चेक स्वीकार करते हैं?** — **Do you accept cheques?** डु यू अक्सेप्ट चेक्स?

37. **यह मैला है।** — **It's soiled/dirty.** इट्स सॉयल्ड/डर्टी.

38. **यह फटा हुआ है।** — **It's torn.** इट्स टॉर्न.

39. **यह बिलकुल नया है।** — **It's brand new.** इट्स ब्रैण्ड न्यू.

40. यह दुकानदार उधार चीजें नहीं बेचता। — This shopkeeper doesn't sell things on credit. दिस शॉपकीपर डज़ंट सेल थिंग्ज़ ऑन क्रेडिट.

Describing People/things

1. वह लंबा है। — He is tall. ही इज़ टॉल.

2. वह छोटे कद की है। — She is short. शी इज़ शॉर्ट.

3. समीर मंझले कद का है। — Sameer is of medium height. समीर इज़ ऑफ़ मीडियम हाइट.

4. ममता मोटी है। — Mamta is fat. ममता इज़ फ़ैट

5. किटी दुबली-पतली है। — Kitty is slim. किटी इज़ स्लिम.

6. नितिन का शरीर सुडौल है। — Nitin is well built. नितिन इज़ वेल बिल्ट.

7. नेहा सुंदर है। — Neha is pretty/beautiful. नेहा इज़ प्रिटी/ब्यूटिफ़ुल.

8. विपिन सुंदर है। — Vipin is handsome. विपिन इज़ हैंडसम.

9. सिमी गोरी है। — Simi is fair. सिमी इज़ फ़ेअर.

10. सौरभ सांवला/काला है। — Saurabh is dark. सौरभ इज़ डार्क.

11. उसका रंग गेहुंआ है। — His complexion is wheatish. हिज़ कॉम्प्लेक्शन इज़ वीटिश.

12. नितिन के मूंछ है। — Nitin has mustache. नितिन हैज़ मुस्टैश.

13. मि. सिंह की दाढ़ी / मूंछ है। — Mr. Singh has a beard / moustache. मि. सिंह हैज़ ए बियर्ड / मुस्टैश.

14. प्रदीप की दाढ़ी-मूंछ नहीं है। — Pradeep is clean shaved. प्रदीप इज़ क्लीन शेव्ड.

15. यह बक्सा भारी है। — This box is heavy. दिस बॉक्स इज़ हेवी.
16. यह पैकिट हल्का है। — This packet is light. दिस पैकिट इज़ लाइट.
17. यह मेज़ गोल है। — This table is round. दिस टेबल इज़ राउंड.
18. मेरा पर्स चौकोर है। — My purse is square. माइ पर्स इज़ स्क्वेयर.
19. यह टोकरी अंडाकार है। — This basket is oval. दिस बास्किट इज़ ओवल.
20. यह पुस्तक वृत्ताकार है। — This book is circular. दिस बुक इज़ सरकुलर.
21. यह कुआं बहुत गहरा है। — This well is very deep. दिस वेल इज़ वेरी डीप.
22. यह तालाब उथला है। — This pond is shallow. दिस पौंड इज़ शैलो.
23. यह रास्ता लंबा पर सुरक्षित है। — This route is long but safe. दिस रूट इज़ लौंग बट सेफ़.
24. यह रास्ता छोटा पर खतरनाक है। — This route is short but risky/dangerous. दिस रूट इज़ शॉर्ट बट रिस्की/डेंजरस.
25. चपाती बासी और कड़ी है। — This chapati is stale and hard. दिस चपाती इज़ स्टेल ऐंड हार्ड.
26. डबल रोटी ताज़ी और नर्म है। — The bread is fresh and soft. द ब्रेड इज़ फ्रेश ऐंड सॉफ़्ट.
27. खाना बहुत स्वादिष्ट है। — The food is delicious. द फ़ूड इज़ डिलिशयस.
28. दो घरों के बीच ऊंची दीवार है। — There is a high wall between the two houses. देअर इज़ अ हाइ वॉल बिटवीन द टू हाउसिज़.
29. इस कमरे की छत नीची है। — This room has a low ceiling. दिस रूम हैज़ अ लो सीलिंग.

याद रखें (Remember)

जिन शब्दों के अंत में ant होता है, वे संज्ञा अथवा विशेषण होते हैं, जैसे abundant (प्रचुर मात्रा में उपलब्ध), distant (दूर का), ignorant (अनभिज्ञ), important (महत्त्वपूर्ण)। ये शब्द विशेषण हैं, परंतु applicant (प्रार्थी), servant (नौकर) आदि संज्ञा हैं, यद्यपि इनके अंत में भी ant है।

ent में समाप्त होने वाले शब्द भी (ant में समाप्त होने वाले शब्दों के समान) संज्ञा — जैसे कि ascent (चढ़ाई), comment (टिप्पणी) — भी होते हैं और विशेषण भी, जैसे — content (संतुष्ट), dependent (निर्भर), excellent (अत्युत्तम), intelligent (प्रतिभाशाली), violent (हिंसक) आदि।

विशेषण की मोटी पहचानों में से एक यह है कि शब्द के अंत में ful हो। उदाहरण के लिए, This is a beautiful garden. (यह सुंदर बाग है।)। यहां beauty में ful लगाया गया है और y बदलकर i हो गया है। कुछ और उदाहरण:

awe से awful (ऑफ़ुल), भयानक — bash से bashful (बैशफ़ुल), लज्जाशील
colour से colourful (कलरफ़ुल), रंगीन — delight से delightful (डिलाइटफ़ुल), प्रफ़ुल्ल
power से powerful (पावरफ़ुल), बलवान — truth से truthful (ट्रूथफ़ुल), सच्चा आदि।

45 पैंतालीसवां दिन th Day

28. अध्ययन (Study)

1. जैसा हम परिश्रम करेंगे, वैसा ही हमें उसका पुरस्कार मिलेगा। — As we labour, so shall we be rewarded./Our reward will depend on our labour. ऐज़ वी लेबर, सो शैल वी बी रिवॉर्डिड./आवर रिवॉर्ड विल डिपेन्ड ऑन आवर लेबर.
2. आपने अंग्रेज़ी की कौन-कौन सी पुस्तकें पढ़ी हैं? — Which books in English have you read? विच बुक्स इन इंगलिश हैव यू रेड?
3. मैं इतना थक गया हूं कि अपनी क्लास में पढ़ने नहीं जा सकता। — I'm too tired to attend the class. आइम टू टायर्ड टु अटेंड द क्लास.
4. **उसकी परीक्षा कब से है?** — **When does her examination begin?** वेन डज़ हर इग्ज़ैमिनेशन बिगिन?
5. **मैं इस वर्ष बी.ए. पास कर लूंगा।** — **I'll pass my B.A. this year./I'll be a graduate this year.** आइल पास माइ बी.ए. दिस ईयर./आइल बी अ ग्रेजुएट दिस ईयर.
6. **आज मैं कुछ नहीं पढ़ सका।** — **I couldn't study anything today.** आइ कुडन्ट स्टडी एनिथिंग टुडे.
7. **वह बी.ए. परीक्षा में असफ़ल हो गया।** — **He failed in the B.A. examination.** ही फ़ेल्ड इन द बी.ए. इग्ज़ैमिनेशन.
8. **प्रश्न बड़ा आसान है।** — **The question is very easy.** द क्वेश्चन इज़ वेरी ईज़ी.
9. न तो आशा और न ही उसकी बहन लगातार स्कूल आती है। — Neither Asha nor her sister comes to school regularly. नाइदर आशा नॉर हर सिस्टर कम्ज़ टु स्कूल रेग्युलर्ली.
10. **मैं ज़रूर पास हो जाऊंगा।** — **I'll definitely pass/get through.** आइल डेफ़िनिटली पास/गेट थ्रू.
11. मैंने पिछली रात बड़ी मज़ेदार पुस्तक पढ़ी — I read a very interesting book last night. आइ रेड अ वेरी इंट्रेस्टिंग बुक लास्ट नाइट.
12. वह हिन्दी में कमज़ोर है। — He is weak in Hindi. ही इज़ वीक इन हिन्दी.
13. आजकल क्लास जल्दी लग जाती है। — Classes start early nowadays/these days. क्लासेज़ स्टार्ट अर्ली नाउअडेज़/दीज़ डेज़.
14. **हमने अपनी पढ़ाई पूरी कर ली है।** — **We have completed/finished our studies.** वी हैव कम्पलीटेड /फ़िनिश्ड आवर स्टडीज़.
15. तुम या तो उससे माफ़ी मांगो या फिर ज़ुर्माना अदा कर दो। — Either you beg his pardon, or pay the fine. आइदर यू बेग हिज़ पार्डन, ऑर पे द फ़ाइन.
16. **उसे कुछ नहीं आता-जाता।** — **He doesn't know anything./He's good for nothing.** ही डज़न्ट नो एनिथिंग./ही इज़ गुड फ़ॉर नथिंग.
17. वह बुधवार से हाज़िर नहीं है। — She has been absent since Wednesday. शी हैज़ बीन ऐबसेंट सिन्स वेन्ज़डे.
18. मेरे पास अपना काम पूरा करने का समय नहीं था। — I had no time to finish my work. आइ हैड नो टाइम टु फ़िनिश माइ वर्क.
19. **इसका अर्थ क्या है।** — **What does it mean?** वॉट डज़ इट मीन?
20. वह अच्छी तरह मन लगाकर पढ़ती है। — She takes keen interest in her studies. शी टेक्स कीन इंट्रेस्ट इन हर स्टडीज़.

21. स्टूडेंट्स को रिज़ल्ट कल पता चलेगा। The students will know the result tomorrow. द स्टूडेंट्स विल नो द रिज़ल्ट टुमॉरो.

22. **तुम परीक्षा में पास हो गये। You have passed the examination.** यू हैव पास्ड दी इग्ज़ैमिनेशन.

23. **मुझे पढ़ने क्यों नहीं देते? Why don't you let me read/study?** वाइ डोन्ट यू लेट मी रीड/स्टडी?

24. यदि तुम पास हुए, तो तुम्हारे माता-पिता खुश होंगे। If you pass, your parents will be happy. इफ़ यू पास, योर पेरेंट्स विल बी हैपी.

25. **मैं अंग्रेज़ी बोलना जानती हूं। I know how to speak English.** आइ नो हाउ टु स्पीक इंगलिश.

26. **तुम किस कॉलेज में पढ़ते हो? In which college are you?** इन विच कॉलिज आर यू?

27. तुम्हारी पढ़ाई कैसी चल रही है? How are you getting on with your studies? हाउ आर यू गेटिंग ऑन विद योर स्टडीज़?

28. मैं इस कॉलेज में दो साल से हूं। I have been in this college for two years. आइ हैव बीन इन दिस कॉलिज फ़ॉर टू ईयर्ज़.

29. मैं इस कॉलेज में सन् 1980 से हूं। I have been in this college since 1980. आइ हैव बीन इन दिस कॉलिज सिंस 1980.

30. तुम्हारा स्कूल अच्छा है। Your school is good. योर स्कूल इज़ गुड.

31. **वह अंग्रेज़ी में अच्छा है। He is good at English.** ही इज़ गुड ऐट इंगलिश.

32. वह इस वर्ष परीक्षा में नहीं बैठेगा। He is dropping out of the examination this year. ही इज़ ड्रॉपिंग आउट आफ़ दि इग्ज़ैमिनेशन दिस ईयर.

33. **वह खेलों में बहुत होशियार है। He is a good sportsman.** ही इज़ अ गुड स्पोर्ट्समैन.

34. **तुम्हारी लिखाई अच्छी नहीं है। Your handwriting is not good.** योर हैन्डराइटिंग इज़ नॉट गुड.

35. पुस्तक अभी अपने पास ही रहने दो। Keep the book with you for the present. कीप द बुक विद यू फ़ॉर द प्रेज़ेंट.

36. वह अक्सर स्कूल से भाग जाता है। He often runs away from the school. ही ऑफ़न रन्ज़ अवे फ़्रॉम स्कूल.

37. **आपका ध्यान किस ओर है? What are you looking at?/Why don't you pay attention?** वॉट आर यू लुकिंग ऐट?/वाइ डोन्ट यू पे अटेंशन?

38. क्या आपका हेडमास्टर पर कोई प्रभाव नहीं? Don't you have any influence on the headmaster? डोन्ट य हैव एनी इन्फ़्लुऐंस ऑन द हेडमास्टर?

39. **हमारे स्कूल में कल छुट्टियां हो जाएंगी। Our school will be closed for vacation from tomorrow.** आवर स्कूल विल बी क्लोज़्ड फ़ॉर वेकेशन फ़्रॉम टुमॉरो.

40. **लड़को, समय समाप्त हो गया, पर्चे दे दो। Boys, time is over, hand in your papers.** बॉयज़, टाइम इज़ ओवर, हैंड इन योर पेपर्ज़.

41. **नया टाइम-टेबल पहली मई से चालू होगा। The new time-table will come into force from 1st May.** द न्यू टाइम-टेबल विल कम इन्टु फ़ोर्स फ़्रॉम फ़र्स्ट मे.

42. बकवास क्यों करते हो, मुंह बंद करो। Why do you chatter/speak nonsense? Hold your tongue./Keep shut. वाइ डू यू चैटर/स्पीक नॉन्सन्स. होल्ड योर टंग./कीप शट.

43. मेरे पास फालतू पेंसिल नहीं है। I don't have a spare pencil. आइ डोन्ट हैव अ स्पेअर पेंसिल.

44. **हमारी आपस में बोलचाल नहीं है। We are not on speaking terms.** वी आर नॉट ऑन स्पीकिंग टर्म्ज़.

45. **हमारा एक-दूसरे के घर आना-जाना नहीं है। We are not on visiting terms.** वी आर नॉट ऑन विज़िटिंग टर्म्ज़.

46. यह स्टूडेंट दसवीं क्लास में नहीं चल सकेगा। This boy won't be able to get on in the 10th class. दिस बॉय वोन्ट बी एबल टु गेट ऑन इन द टेन्थ क्लास.

47. बक-बक मत करो। Don't speak nonsense./Stop yapping. डोन्ट स्पीक नॉन्सन्स./स्टॉप यैपिंग.

48. क्या हाज़री लग गयी है? Has the roll been called? हैज़ द रोल बीन कॉल्ड?

49. **गणित तो मेरे लिए हौवा है। Mathematics is my bugbear.** मैथेमैटिक्स इज़ माइ बगबेअर.

50. सारी कोशिशें असफ़ल रहीं। All the efforts failed. ऑल दी एफ़र्ट्स फ़ेल्ड.

51. नरेन क्लास का सबसे होशियार बालक है। Naren is the best boy in the class. नरेन इज़ द बेस्ट बॉय इन द क्लास.

52. **वह मुझसे एक साल पीछे है। He is junior to me by one year.** ही इज़ जूनियर टु मी बाइ वन ईयर.

53. अच्छा विद्यार्थी कक्षा का नाम रोशन करता है। A good boy brings credit to his class अ गुड बॉय ब्रिंग्ज़ क्रेडिट टु हिज़ क्लास.

54. वह गणित में मुझसे आगे है। He is ahead of me in Mathematics. ही इज़ अहेड ऑफ़ मी इन मैथेमैटिक्स.

55. **यह पेपर किसने बनाया है? Who has set this paper?** हू हैज़ सेट दिस पेपर?

56. **स्कूल जाने का समय हो गया है। It is time for school.** इट इज़ टाइम फ़ॉर स्कूल.

57. लड़का स्कूल नहीं आया। The boy did not come to school. द बॉय डिड नॉट कम टु स्कूल.

58. **लड़के ने कविता सुनायी। The boy recited a poem.** द बॉय रिसाइटिड अ पोएम.

59. क्यां कोई फालतू कॉपी आपके पास है? Do you have a spare exercise book/notebook? डू यू हैव अ स्पेअर एक्सरसाईज़ बुक/नोट बुक?

60. हेडमास्टर ने मेरा ज़ुर्माना माफ़ कर दिया। The headmaster exempted my fine. द हेडमास्टर इग्ज़ैम्प्टेड माइ फ़ाइन.

61. **उसे अंग्रेजी में डिस्टिंक्शन मिली है। He has got a distinction in English.** ही हैज़ गॉट अ डिस्टिंक्शन इन इंग्लिश.

62. **तुम्हारे पास आर्ट्स के विषय हैं या साइंस के? Have you offered arts or science?** हैव यू ऑफ़र्ड आर्ट्स ऑर साइंस?

63. मेरे पास फ़िज़िक्स, केमिस्ट्री और बायोलोजी है। I have offered physics, chemistry and biology. आइ हैव ऑफ़र्ड फ़िज़िक्स, केमिस्ट्री ऐंड बायोलोजी.

याद रखें (Remember)

This loan is repayable within twenty years (यह ऋण बीस साल में लौटा दिया जाना चाहिए।), He recalled his school days (उसने अपने स्कूल के दिन याद किये।), When will you return? (आप कब लौटेंगे ?) इन वाक्यों में:

repayable	=	re + payable
recall	=	re + call
return	=	re + turn

re तीन शब्दों के प्रारंभ में है। 're' का अर्थ है 'वापस' जिससे:

re = payable	=	वापस + देय अर्थात् लौटाने योग्य
re + call	=	वापस + बुलाना अर्थात् याद करना
re + turn	=	वापस + मुड़ना अर्थात् वापस आना

re को prefix (उपसर्ग) कहते हैं। इसके योग से बने कुछ और शब्द

remark (रिमार्क)-टिप्पणी देना replace (रिप्लेस)-एक के बदले दूसरे को रखना

remove (रिमूव)-हटाना remind (रिमाइण्ड)-याद कराना

rejoin (रिजॉइन)-दोबारा सम्मिलित होना reform (रिफ़ॉर्म)-सुधारना, सुधरना

46 छियालीसवां दिन
th Day

29. (A) स्वास्थ्य (Health)

1. **कल रात मुझे बुखार हो गया था।** — **I had fever last night.** आइ हैड फ़ीवर लास्ट नाइट.
2. बुखार उतरने पर तीन बार कुनैन खाना। — Take quinine thrice after the fever is down. टेक क्विनीन थ्राइस आफ़्टर द फ़ीवर इज़ डाउन.
3. **मुझे अपनी सेहत की चिंता है।** — **I am worried about my health.** आइ ऐम वरिड अबाउट माइ हेल्थ.
4. **वह आंखों का डॉक्टर है।** — **He is an eye specialist.** ही इज़ ऐन आइ स्पेशलिस्ट.
5. उसका स्वास्थ्य बिगड़ गया है। — He is run down in health. ही इज़ रन डाउन इन हेल्थ.
6. मेरे पैर के अंगूठे पर चोट आयी है। — I've hurt my big toe. आइ'व हर्ट माइ बिग टो.
7. उसके सब दांत ठीक हैं। — All his teeth are intact. ऑल हिज़ टीथ आर इन्टैक्ट.
8. **वह काना है।** — **He is blind in one eye.** ही इज़ ब्लाइंड इन वन आइ.
9. **वह लंगड़ा है।** — **He is lame.** ही इज़ लेम.
10. **मुझे प्रायः कब्ज़ रहती है।** — **I often have constipation.** आइ ऑफ़न हैव कॉन्स्टीपेशन.
11. **मेरा पेट खराब है।** — **My digestion is bad./My stomach is upset.** माइ डाइजेशन इज़ बैड./माइ स्टमक इज़ अप्सेट.
12. धीरे-धीरे मेरा सिर दबा देना। इससे मुझे आराम मिलता है। — Press my head gently. It's comforting. प्रेस माइ हेड जेंटली. इट्स कम्फ़र्टिंग.
13. **उसकी आंखें दुखतीं हैं और पानी बहता है।** — **His eyes are sore and watering.** हिज़ आइज़ आर सोर ऐंड वॉटरिंग.
14. उसके सारे शरीर पर फोड़े हैं। — His body is covered with boils. हिज़ बॉडी इज़ कवर्ड विद बॉइल्ज़.
15. आजकल शहर में हैज़ा फैल गया है। — These days/Nowadays cholera has spread in the city. दीज़ डेज़/नाउ अ डेज़ कॉलरा हैज़ स्प्रेड इन द सिटी.
16. व्यायाम सभी रोगों की अचूक दवा है। — Exercise is a panacea for all diseases. एक्सर्साइज इज़ अ पैनेसिआ फ़ॉर ऑल डिज़ीज़िज़.
17. **उसे दिल की बीमारी है।** — **He has heart trouble.** ही हैज़ हार्ट ट्रबल.
18. दवाई कड़वी होती है, परंतु रोगी को ठीक करती है। — Medicine is bitter but it cures the patient. मेडिसन इज़ बिटर बट इट क्योर्ज़ द पेशंट.
19. आजकल ज्वर ज़ोर पर है, डॉक्टर पैसा बना रहे हैं। — Nowadays fever is raging violently and the doctors are minting money. नाउअडेज़ फ़ीवर इज़ रेजिंग वॉयलेंटली ऐंड द डॉक्टर्ज़ आर मिन्टिंग मनी.
20. क्या तुम्हें थर्मामीटर देखना आता है। — Can you read the thermometer? कैन यू रीड द थरमॉमीटर?
21. शहर में चेचक तथा बुखार बहुत ज़ोर पर है। — Small pox and fever are raging in the city. स्मॉल पॉक्स ऐंड फ़ीवर आर रेजिंग इन द सिटी.
22. आपके भाई को कब से बुखार है? — How long has your brother been down with fever? हाउ लौंग हैज़ योर ब्रदर बीन डाउन विद फ़ीवर?

23. कुनैन मलेरिया की असरदार दवा है।	Quinine is an effective remedy for malaria. क्विनीन इज़ ऐन इफ़ेक्टिव रेमेडी फ़ॉर मलेरिया.
24. **मुझे बुखार लग रहा है।**	**I'm feeling feverish.** आइम फ़ीलिंग फ़ीवरिश.
25. **किसी डॉक्टर को दिखाओ।**	**Consult a/some doctor.** कंसल्ट अ/सम डॉक्टर.
26. उसे पुराना बुखार है।	He has chronic fever. ही हैज़ क्रॉनिक फ़ीवर.
27. **उसका बुखार उतर गया है।**	**His fever is down.** हिज़ फ़ीवर इज़ डाउन.
28. महिला की बीमारी ठीक हो गयी।	The lady recovered from her illness. द लेडी रिकवर्ड फ़्रॉम हर इलनेस.
29. **अब रोगी खतरे से बाहर है।**	**Now the patient is out of danger.** नाउ द पेशेंट इज़ आउट ऑफ़ डेंजर.
30. **उसको बहुत चोट लगी है।**	**He is badly hurt.** ही इज़ बैडली हर्ट.
31. आपको नियम से व्यायाम करना चाहिए।	You should exercise regularly. यू शुड एक्सरसाईज़ रेग्युलरली.
32. ज़्यादा कार्य ने इसका स्वास्थ्य बिगाड़ दिया है।	Overwork has ruined his health. ओवरवर्क हैज़ रूइंड हिज़ हेल्थ.
33. उसे बदहज़मी है।	He has indigestion. ही हैज़ इन्डाइजेशन.
34. मच्छरों ने नाक में दम कर रखा है।	Mosquitoes are a menace. मॉस्किटोज़ आर अ मेनेस.
35. मेरा बुखार उतर गया है।	I have recovered from fever. आइ हैव रिकवर्ड फ़्रॉम फ़ीवर.
36. **उसकी तबीयत ढीली है।**	**He is not feeling well.** ही इज़ नॉट फ़ीलिंग वेल.
37. वह एक तंदुरुस्त बच्चा है।	He is a healthy child. ही इज़ अ हेल्दी चाइल्ड.
38. मुझे कुछ आंतों की तकलीफ़ है।	I am suffering from some intestinal disorder. आइ ऐम सफ़रिंग फ़्रॉम सम इंटेस्टाइनल डिसॉर्डर.
39. **इलाज से परहेज़ अच्छा है।**	**Prevention is better than cure. प्रिवेंशन इज़ बेटर दैन क्योर.**
40. दिन में आकर सो जाइए। रात को खाकर घूम आइए।	After lunch sleep a while. After dinner walk a mile. आफ़्टर लंच स्लीप अ वाइल./आफ़्टर डिनर वॉक अ माइल.
41. वह मासिक धर्म से है।	She is in her period. शी इज़ इन हर पीरियड.
42. वह अपना वज़न कम करने की कोशिश कर रही है।	She is trying to reduce her weight. शी इज़ ट्राइंग टु रिड्यूस हर वेट.
43. वहीदा बहुत कमज़ोर है।	Waheeda is very weak. वहीदा इज़ वेरी वीक.
44. रानी बहुत कमज़ोर है।	Rani is very weak. रानी इज़ वेरी वीक.
45. सेहत के लिए खुशी सबसे अच्छी खुराक चीज है।	Happiness is the best tonic/thing for health. हैपिनेस इज़ द बेस्ट टॉनिक/थिंग फ़ॉर हैल्थ.

याद रखें (Remember)

Action (क्रिया), Collection (संग्रह), protection (रक्षा) इत्यादि संज्ञाएं हैं। इन सबके अंत में tion है। और ये सभी 't' में समाप्त होने वाली क्रियाओं से बनी हैं (act, collect, protect आदि)। कई बार ऐसी क्रियाओं से भी tion द्वारा संज्ञाएं बनती हैं जिनके अंत में 't' न हो जैसे:

attend से attention (ध्यान)   destroy से destruction (विनाश)   describe से description (वर्णन)
convene से convention (समिति)   receive से reception (स्वागत)

Timely action by the engine driver prevented a major railway accident (इंजन चालक द्वारा समयोचित कार्रवाई ने बड़ी दुर्घटना से बचा लिया) कहना ठीक है क्योंकि act से action संज्ञा बनती है। परंतु his total investment amounts to rupees one lac (उसका कुल विनियोजन एक लाख रुपये है) में invest शब्द, जिनके अंत में 't' है, में ment जोड़कर संज्ञा investment बनी है, न कि अंत में tion लगाकर। स्पष्ट है कि t में समाप्त होने वाली क्रिया से कई बार ment जोड़कर संज्ञा बनती है, जैसे — adjust से adjustment (समझौता), assort से assortment (चयन) इत्यादि।

47 सैंतालीसवां दिन th Day

29. (B) स्वास्थ्य (Health)

46. **मेरा जी मतला रहा है।** — **I feel like vomiting. / I am feeling sick.**
आइ फ़ील लाइक वॉमिटिंग./ आइ ऐम फ़ीलिंग सिक.

47. दवा की खुराक हरेक चार घंटे पीते रहो। — Take a dose of the medicine every four hours.
टेक अ डोस ऑफ़ द मेडिसिन एवरी फ़ोर आवर्ज़.

48. शुद्ध हवा हमारी शक्ति को बढ़ाती है। — Fresh air is rejuvenating. फ्रेश एअर इज़ रिजूविनेटिंग.

49. आज मेरा जी ठीक नहीं है। — I am not feeling well today. आइ ऐम नॉट फ़ीलिंग वेल टुडे.

50. चलते-चलते उसके पैर में सूजन आ गयी। — His feet are swollen because of walking.
हिज़ फ़ीट आर स्वोलन बिकॉज़ ऑफ़ वॉकिंग.

51. मेरी सेहत बिगड़ी हुई है। — My health is down. माइ हेल्थ इज़ डाउन.

52. जुलाब ले लो। — Take a purgative. टेक अ परगेटिव.

53. वह बीमारी से तंग आया हुआ है। — He is fed up with his illness. ही इज़ फ़ेड अप विद हिज़ इल्नेस.

54. नीम-हकीमों से बचो। — Beware of/Avoid quacks. बीवेयर ऑफ़/अवोइड क्वैक्स.

55. डॉक्टर उसकी बीमारी मालूम न कर सका। — The doctor could not diagnose his disease.
द डॉक्टर कुड नॉट डाएग्नोज़ हिज़ डिज़ीज़.

56. तुम्हारी नाक बह रही है। — Your nose is running. योर नोज़ इज़ रनिंग.

57. मेरी बांह की हड्डी टूट गयी है। — My arm-bone has got fractured. माइ आर्म-बोन हैज़ गॉट फ्रैक्चर्ड.

58. मैं थक कर चूर हो गया हूं। — I am dead/extremely tired. आइम डेड/एक्सट्रीमली टायर्ड.

59. वह आज कैसा है? — How is he today? हाउ इज़ ही टुडे?

60. वॉलीबाल खेलते-खेलते उसका हाथ उतर गया। — His hand was dislocated while playing volleyball.
हिज़ हैंड वॉज़ डिसलोकेटिड वाइल प्लेइंग वॉलीबॉल.

61. वह कल से आज अच्छा है। — Today he is better than yesterday./He is feeling better today.
टुडे ही इज़ बेटर दैन येस्टर्डे./ही इज़ फ़ीलिंग बेटर टुडे.

62. यह दवा आपके बुखार को उतार देगी। — This medicine will bring your fever down.
दिस मेडिसिन विल ब्रिंग योर फ़ीवर डाउन.

63. उसके सिर में दर्द है। — He has a headache. ही हैज़ अ हेडेक.

30. मौसम (Weather)

1. कल रात भर थोड़ी-थोड़ी वर्षा होती रही। — It kept drizzing throughout the night. इट केप्ट ड्रिज़लिंग थ्रुआउट द नाइट.

2. आकाश पर काले बादल छाये हुए हैं। — The sky is overcast. द स्काइ इज़ ओवरकास्ट.

3. **आज तो बड़ी गर्मी / सर्दी है।** — **It is very/terribly hot/cold today.** इट इज़ वेरी/टेरिबली हॉट / कोल्ड टुडे.

4. गर्मी से सिर चक्कर खा रहा है। — The heat has made me giddy. द हीट हैज़ मेड मी गिडी.

5. अधिक वर्षा में छाता भी काम नहीं देता। — Even an umbrella is useless in heavy rain.
ईवन ऐन अम्ब्रेला इज़ यूसलेस इन हेवी रेन.

6. **दिन-प्रतिदिन सर्दी बढ़ रही है।**	**It is getting colder day by day.** इट इज़ गेटिंग कोल्डर डे बाइ डे.
7. शिमला में आजकल कड़ाके की सर्दी पड़ रही है।	It is biting cold in Simla these days. इट इज़ बाइटिंग कोल्ड इन शिमला दीज़ डेज़.
8. तेज़ हवा के कारण दिया बुझ जाएगा इसे अंदर ही रहने दो।	The lamp will go off/blow off because of strong wind. Let it remain inside. द लैम्प विल गो ऑफ़/ब्लो ऑफ़ बिकॉज़ ऑफ़ स्ट्रांग विण्ड. लेट इट रिमेंन इन्साइड.
9. आजकल बड़ी लू चल रही है।	Hot winds are blowing these days. हॉट विंड्ज़ आर ब्लोइंग दीज़ डेज़.
10. आपको पसीना आ रहा है।	You are perspiring. यू आर पर्स्पाइरिंग.
11. **मैं ठिठुर रहा हूं।**	**I am shivering.** आइ ऐम शिवरिंग.
12. मैं नहीं भीगा।	I did not get drenched. आइ डिड नॉट गेट ड्रेंच्ड.
13. बहुत धूल है।	It's terribly dusty. इट्स टेरिबली डस्टी.
14. आशा करता हूं, मौसम अच्छा रहेगा।	I hope the weather will remain pleasant. आइ होप द वेदर विल रिमेन प्लेज़ण्ट.
15. हवा में ठंडक है।	There is a nip in the air. देअर इज़ अ निप इन दी एअर.
16. बाहर तूफ़ान आ रहा है। मौसम बहुत खराब हो गया है।	A storm is raging outside. The weather has turned bad. अ स्टॉर्म इज़ रेजिंग आउटसाइड. द वेदर हैज़ टर्न्ड बैड.
17. ज़ोरों की वर्षा हो रही है।	It's raining heavily. इट्स रेनिंग हैविली.
18. आज सुबह ओले पड़े थे।	There was a hail-storm this morning./It hailed this morning. देअर वॉज़ अ हेल-स्टॉर्म दिस मॉर्निंग./इट हेल्ड दिस मॉर्निंग.
19. **उमस बहुत बढ़ गई है।**	**It's very humid.** इट्स वेरी ह्यूमिड.
20. गर्मी बहुत है और हवा बिल्कुल बंद है।	It's sultry. इट्स सल्ट्री.
21. हवा लगभग बंद है।	The wind is almost still. द विंड इज़ ऑलमोस्ट स्टिल.
22. हवा में हल्की ठंड है।	Cool wind is blowing. कूल विंड इज़ ब्लोइंग.
23. वर्षा के कारण मैं नहीं गई।	The rain prevented me from going. द रेन प्रिवेंटिड मी फ्रॉम गोइंग.

याद रखें (Remember)

A patriot would gladly lay down his life for the sake of his country. (कोई भी देशभक्त अपने देश के लिए खुशी-खुशी जान दे देगा), The camel walks very clumsily (ऊंट बड़े भद्दे ढंग से चलता है), में — glad से gladly, clumsy से clumsily; glad और clumsy विशेषणों में ly लगाकर ये शब्द बने हैं। ये adverb या क्रिया-विशेषण कहलाते हैं। उदाहरण के लिए:

able	से ably (योग्यतापूर्वक)	glad	से gladly (खुशी से)
aimless	से aimlessly (उद्देश्यहीनता)	humble	से humbly (नम्रता से)
bad	से badly (बुरी तरह से)	intelligent	से intelligently (बुद्धिमानी से)
calm	से calmly (शांतिपूर्वक)	kind	से kindly (दयापूर्वक)
efficient	से efficiently (कार्यकुशलता से)	honest	से honestly (ईमानदारी से)
wrong	से wrongly (गलत ढंग से)	right	से rightly (ठीक से) आदि।

48 अड़तालीसवां दिन
48th Day

31. जीव-जंतु (Animals)

1. प्र० कौन से जानवर हमें दूंध देते हैं? — Q. Which animals give us milk? विच ऐनिमल्ज़ गिव अस मिल्क?
   उ० गाय, भैंस और बकरी। — A. The cow, buffalo and goat. द काउ, बफ़लो ऐंड गोट.
2. प्र० कौन सा जानवर भौंकता है? — Q. Which animal barks? विच ऐनिमल बार्क्स?
   उ० कुत्ता। — A. The dog. द डॉग.
3. प्र० कौन से जानवर की गर्दन लंबी होती है? — Q. Which animal has a long neck? विच ऐनिमल हैज़ अ लौंग नेक?
   उ० जिराफ़ की। — A. The giraffe. द जिराफ़.
4. प्र० कौन सा जानवर हमें ऊन देता है? — Q. Which animal gives us wool? विच ऐनिमल गिव्ज़ अस वुल?
   उ० भेड़। — A. The sheep. द शीप.
5. प्र० किस जानवर की पूंछ झाड़ी की तरह होती है? — Q. Which animal has a bushy tail? विच ऐनिमल हैज़ अ बुशी टेल?
   उ० गिलहरी की। — A. The squirrel has a bushy tail. द स्क्विरल हैज़ ए बुशी टेल.
6. प्र० कौन सा जानव्र आधा घोड़ा और आधा गधा होता है? — Q. Which animal is a cross between horse and donkey? विच ऐनिमल इज़ अ क्रॉस बिटवीन हॉर्स ऐंड डॉन्की.
   उ० खच्चर। — A. The mule. द म्यूल.
7. प्र० खच्चर किस काम आते हैं? — Q. What do mules do? वॉट डू म्यूल्ज़ डू?
   उ० बोझा ढोने के। — A. They carry load. दे कैरी लोड्ज़.
8. प्र० कौन से जानवर की सूंड होती है? — Q. Which animal has a trunk? विच ऐनिमल हैज़ अ ट्रंक?
   उ० हाथी की। — A. The elephant*. दी ऐलिफ़ेंट.
9. प्र० कौन से जानवर की पीठ पर कूबड़ होता है? — Q. Which animal has a hump on its back? विच ऐनिमल हैज़ अ हम्प ऑन इट्स बैक?
   उ० ऊंट की पीठ पर। — A. The camel. द कैमेल.
10. प्र० किस जानवर के सींग होते हैं? — Q. Which animal has horns? विच ऐनिमल हैज़ हॉर्न्ज़?
    उ० गाय के। — A. The cow. द काउ.
11. प्र० कौन सा जानवर गाड़ी खींचता है? — Q. Which animal pulls wagons? विच ऐनिमल पुल्ज़ वैगन्स?
    उ० टट्टू। — A. The cart-horse/mule. द कार्ट-हार्स/म्यूल.
12. प्र० कौन सा जंतु छत्ते में रहता है? — Q. Which insect lives in a hive? विच इनसेक्ट लिव्ज़ इन अ हाइव?
    उ० शहद की मक्खियां. — A. Bees. बीज़.

* "The elephant" का उच्चारण 'दि ऐलिफ़ैन्ट होता है', The का उच्चारण स्वरों पर "The owl" का 'दि आउल' तथा "The ape" का 'दि एप' "The Cow, the Giraffe" का उच्चारण 'द काउ और द जिराफ़' होता है।

जैसे a,e,o आदि से पहले 'दि' तथा व्यंजन जैसे क, ज, र आदि से पहले 'द' होता है।

13. प्र० रात को कौन सा पक्षी चीखता है?
उ० उल्लू।

Q. Which bird hoots at night? विच बर्ड हूट्स ऐट नाइट?
A. The owl. 'दि आउल'.

14. प्र० कौन सा जानवर मनुष्य से मिलता-जुलता है?
उ० बंदर।

Q. Which animal resembles human beings? विच ऐनिमल रिज़ेम्बल्ज़ ह्यूमन बींग्ज़.
A. The ape resembles human beings. दी एप रिज़ेम्बल्ज़ ह्यूमन बींग्ज़.

15. प्र० कौन सा जीव जाला बुनता है?
उ० मकड़ी।

Q. Which insect weaves webs? विच इनसेक्ट वीव्ज़ वैब्ज़?
A. The spider. द स्पाइडर.

16. प्र० शिकारी जानवर कौन से हैं?
उ० सिंह, भेड़िया, चीता आदि।

Q. Which are the beasts of prey? विच आर द बीस्ट्स ऑफ़ प्रे?
A. Lion, wolf, leopard etc. लायन, वुल्फ़, लैपर्ड एटसेटरा.

31. खेल-क्रीड़ा (Games)

1. रमा खेल रही है।	Rama is playing. रमा इज़ प्लेइंग.
2. आपको ज़्यादा चोट तो नहीं आयी?	Hope, you are not hurt badly. होप, यू आर नॉट हर्ट बैडली.
3. मैं सवारी को पैदल चलने से अच्छा समझता हूं।	I prefer* riding to walking. आइ प्रिफ़र राइडिंग टु वॉकिंग.
4. मैं पतंग उड़ा रहा हूं।	I am flying a kite. आइ ऐम फ़्लाइंग अ काइट.
5. आज हम शतरंज खेलेंगे।	We'll play chess today. वीं'ल प्ले चेस टुडे.
6. **कौन जीता?**	**Who won? हू वन?**
7. तुम कौन से खेल खेलते हो?	What games do you play? वॉट गेम्ज़ डू यू प्ले?
8. **आओ, ताश खेलें।**	**Come, let's play cards.** कम, लेट्स प्ले कार्ड्ज़.
9. **तुम पत्तों को मिलाओ, मैं काटता हूं।**	**You shuffle the cards and I'll cut.** यू शफ़ल द कार्ड्ज़ ऐंड आइल कट.
10. हमारी टीम जीती है।	Our team has won. आवर टीम हैज़ वन.
11. क्या तुम्हें लाठी चलानी आती है?	Can you wield a lathi? कैन यू वील्ड अ लाठी?
12. चलो, खेलें।	Come, let's play. कम, लेट्स प्ले.
13. **खेल शुरू हो गया।**	**The game has started.** द गेम हैज़ स्टार्टिड.
14. खेलना उतना ही आवश्यक है जितना कि पढ़ना।	Games are as important as studies. गेम्ज़ आर ऐज़ इम्पॉर्टेंट ऐज़ स्टडीज़.
15. छलांग लगाते हुए मुझे मोच आ गयी।	I sprained my ankle while jumping. आइ स्प्रेन्ड माइ ऐंकल वाइल जम्पिंग.
16. उसने ऊंची कूद में रिकार्ड कायम किया है।	He has set a record in high jump. ही हैज़ सेट अ रिकार्ड इन हाइ जम्प.
17. वह तेज दौड़ने वाला है।	He is a fast sprinter/racer. ही इज़ अ फ़ास्ट स्प्रिंटर/रेसर.
18. क्या तुम्हारे स्कूल में व्यायाम सिखाते हैं?	Do they teach you exercise/gymnastics in your school? डू दे टीच यू एक्सरसाईज/जिमनास्टिक्स इन योर स्कूल?
19. हमारे स्कूल का खेलने का मैदान काफी बड़ा है।	Our school has a big playground. आवर स्कूल हैज़ अ बिग प्लेग्राउण्ड.
20. तुम्हारी बेसबॉल टीम का कप्तान कौन है?	Who is the captain of your baseball team? हू इज़ द कैप्टेन ऑफ़ योर बेसबॉल टीम?

*Prefer क्रिया के बाद में जो बातें आती हैं उनमें पहली बात को दूसरी से अच्छा समझा जाता है।

21. क्या मैं बैडमिंटन तुम्हारे बल्ले से खेल लूं? — Can I play badminton with your racket? कैन आइ प्ले बैडमिंटन विद योर रैकिट?

22. क्या तुम्हारी टीम भी राष्ट्रीय फ़ुटबाल प्रतियोगिता में भाग ले रही है। — Is your team also playing/taking part in the national foot ball tournament? इज़ योर टीम ऑल्सो प्लेइंग/टेकिंग पार्ट इन द नेशनल फ़ुटबाल टूर्नामेंट?

23. मुझे नाव चलाना अच्छा लगता है। — I like rowing. आइ लाइक रोइंग.

24. वह टीम के लिए लगातार खेलती है। — She plays regularly for the team. शी प्लेज़ रेग्युलरली फ़ॉर द टीम.

25. हम हफ़्ते में एक बार ड्रिल करते हैं। — We do drill once a week. वी डू ड्रिल वन्स अ वीक.

याद रखें (To Remember)

आपने पिछले पाठ में पढ़ा है कि 'ly' विशेषण को क्रिया विशेषण में बदल देता है, जैसे — kind से kindly। यही 'ly' संज्ञा को विशेषण में भी बदल देता है, जैसे — 'His brotherly behaviour endeared him to all his colleagues (उसके भाई के समान व्यवहार ने उसे अपनी सभी सहयोगियों का प्रिय बना दिया) में brother संज्ञा में ly लगाने से brotherly विशेषण बन गया, इसी प्रकार:

father से fatherly (पिता जैसा) — man से manly (मर्द जैसा)
mother से motherly (माता जैसा) — woman से womanly (स्त्री जैसा)
sister से sisterly (बहन जैसा) — king से kingly (बादशाह जैसा)
body से bodily (शारीरिक) — scholar से scholarly (विद्वान जैसा)

It was a windy day (उस दिन हवा चलती रही), A fish has a scaly body (मछली के बदन पर छिलके होते हैं) में wind से windy (हवादार), scale से scaly (छिलकों वाला) विशेषण wind or scale संज्ञाओं में y जोड़ने से बने हैं। इसी प्रकार बने कुछ विशेषण ये हैं:

breeze से breezy (हल्की हवा वाला) — hand से handy (उपयोगी)
craft से crafty (चालाक) — dust से dusty (धूलभरा)
greed से greedy (लालची) — room से roomy (खुला)
rain से rainy (वर्षा युक्त) — sun से sunny (धूपवाला)

49 उनचासवां दिन th Day

33. व्यक्ति और आयु (Person & Age)

1. आपका नाम?	Your name, please?/What is your good name? योर नेम, प्लीज़?/वॉट इज़ योर गुड नेम?
2. कृपया अपना परिचय दें।	Please introduce yourself.? प्लीज़ इन्ट्रोड्यूस योरसेल्फ़.
3. आपकी उम्र क्या है?	What is your age?/How old are you? वॉट इज़ योर एज?/हाउ ओल्ड आर यू?
4. मैंने अभी बीस साल पूरे किये हैं।	I have just completed twenty. आइ हैव जस्ट कम्पलीटिड ट्वेंटी.
5. आप मुझसे बड़े / छोटे हैं?	You are older / younger than me? यू आर ओल्डर / यंगर दैन मी?
6. **मैं अविवाहित हूं।**	**I am a bachelor.** आइ ऐम अ बैचलर.
7. वह विवाहिता है।	She is married. शी इज़ मैरिड.
8. उसके केवल दो लड़कियां हैं।	She has only two daughters. शी हैज़ ओन्ली टू डॉटर्ज़.
9. आपके पिता क्या करते हैं?	What is your father?/What does your father do? वॉट इज़ योर फ़ादर/वॉट डज़ योर फ़ादर डू?
10. वह सरकारी नौकरी से रिटायर हो चुके हैं।	He has retired from Government service. ही हैज़ रिटायर्ड फ्रॉम गवर्नमेंट सर्विस.
11. वह अधिक उम्र के लगते हैं।	He looks aged. ही लुक्स एज्ड.
12. उनके बाल सफ़ेद हैं।	He has grey hair.* ही हैज़ ग्रे हेअर.
13. क्या वह अपने बालों को डाइ करती है?	Does she dye her hair? डज़ शी डाइ हर हेअर?
14. **क्या आपका संयुक्त परिवार है?**	**Do you have a joint family?/Is yours a joint family?** डू यू हैव अ जॉइंट फ़ैमिली?/इज़ योर्ज़ अ जॉइंट फ़ैमिली?
15. हां।	Yes it is. येस इट इज़.
16. **आप कितने भाई हैं?**	**How many brothers do you have?** हाउ मेनी ब्रदर्ज़ डू यू हैव?
17. आपकी कितनी बहनें हैं?	How many sisters do you have? हाउ मेनी सिस्टर्ज़ डू यू हैव?
18. हमारे बड़े भाई अलग रहते हैं।	Our eldest brother lives separately. आवर एल्डेस्ट ब्रदर लिव्ज़ सेपेटली.
19. **वह बच्चा है।**	**He is just a kid.** ही इज़ जस्ट अ किड.
20. **आप अपनी उम्र से कम दिखाई देते हैं।**	**You look younger than your age./You look young for your age.** यू लुक यंगर दैन योर ऐज़./यू लुक यंग फ़ॉर योर ऐज़.
21. मेरा भाई सोलह साल का है।	My brother is sixteen years old. माइ ब्रदर इज़ सिक्सटीन ईयर्ज़ ओल्ड.

34. चरित्र (Character)

1. गुस्सा करना कमज़ोरी की निशानी है।	To get angry is to show weakness. टु गेट ऐंग्री इज़ टु शो वीकनेस.
2. आलसी आदमी अधमरे के समान है।	An idle man is as good as half-dead. ऐन आइडल मैन इज़ ऐज़ गुड ऐज़ हाफ़ डेड.

3. न उधार लो, न दो। — Neither borrow nor lend. नाइदर बॉरो नॉर लेंड.

4. तुम्हें सच बात बता देनी चाहिए। — You must come out with the truth./You must tell/speak the truth. यू मस्ट कम आउट विद द ट्रुथ./यू मस्ट टेल/स्पीक द ट्रुथ.

5. निःस्वार्थ सेवा में बड़ा आनंद है। — There is great joy in selfless* service. देअर इज़ ग्रेट जॉय इन सेल्फ़लेस सर्विस.

6. उसने अपने पाप का प्रायश्चित किया है। — He has atoned for his sin. ही हैज़ अटोन्ड फ़ॉर हिज़ सिन.

7. न धोखा दो, न खाओ। — Neither deceive, nor be deceived. नाइदर डिसीव, नॉर बी डिसीव्ड.

8. सिर्फ नेक लोग ही सुखी हैं। — The virtuous alone are happy. द वर्चुअस अलोन आर हैपी.

9. खाली दिमाग शैतान की दुकान है। — An idle mind is a devil's workshop. ऐन आइडल माइंड इज़ अ डेविल्ज़ वर्कशॉप.

10. ज़िन्दगी औरों की सेवा के लिए है। — Life is for others' service. लाइफ़ इज़ फ़ॉर अदर्ज़ सर्विस.

11. किसी से कुछ न मांगो। — Don't ask anything from anybody. डोन्ट आस्क ऐनिथिंग फ्रॉम एनीबडी.

12. मेरा ज़मीर इजाज़त नहीं देता। — My conscience doesn't permit. माइ कॉनशन्स डज़न्ट परमिट.

13. आराम हराम है। — To rest is to rust. टु रेस्ट इज़ टु रस्ट.

14. जो मेहनत किये बगैर खाता है, चोरी करता है। — He who eats without earning is committing a theft. ही हू ईट्स विदाउट अर्निंग इज़ कामिटिंग अ थेफ़्ट.

15. वह हर समय बात करती रहती है। — She always keeps on talking. शी ऑलवेज़ कीप्स ऑन टॉकिंग.

16. वह अपनी बहन से बहुत ईर्ष्या करती है। — She is very jealous of her sister. शी इज़ वेरी जेलस ऑफ़ हर सिस्टर.

17. हमें तुम्हारी ईमानदारी पर पूरा भरोसा है। — We are sure of your honesty. वी आर श्योर ऑफ़ योर ऑनेस्टी.

18. वह ऐसे दिखाता है कि जैसे सब कुछ जानता है। — He pretends to know everything. ही प्रीटेन्ड्ज़ टु नो एवरीथिंग.

35. वेशभूषा (Dress)

1. यह कपड़ा बारह रुपये मीटर है। — This cloth is twelve rupees a/per metre. दिस क्लोथ इज़ ट्वेल्व रूपीज़ अ/पर मीटर.

2. कृपया बरसाती कोट पहनना मत भूलें। — Please don't forget to wear a rain-coat. प्लीज़ डोन्ट फ़ॉर्गेट टु वेअर अ रेन-कोट.

3. यह कपड़ा बहुत गर्म है। — This cloth is extremely/very warm. दिस क्लॉथ इज़ एक्स्ट्रीमली/वेरी वॉर्म.

4. भारतीय महिलाएं प्रायः साड़ी पहनती हैं। — Indian women usually/mostly wear sarees. इंडियन विमेन युज़्वली/मोस्टली वेअर सारीज़.

5. गीले कपड़े न पहनो। — Don't wear/put on wet clothes. डोन्ट वेअर/पुट ऑन वेट क्लोद्ज़.

6. पुराना कोट पहनो, नई किताब खरीदो। — Wear old coat, buy a new book. वेअर ओल्ड कोट, बाइ अ न्यू बुक.

7. मैं कपड़े बदल कर आता हूं। — I will come after changing my clothes. आइ विल कम आफ़्टर चेन्जिंग माइ क्लोद्ज़.

8. आजकल के युवक नये फ़ैशन के कपड़े पहनते हैं। — Nowadays the youth wear clothes of the latest fashion. नाउ अ डेज़ द यूथ वेअर क्लोदज़ ऑफ़ द लेटेस्ट फ़ैशन.

9. वह रेशमी साड़ी पहने हुई थी। — She was wearing/clad in a silk sari. शी वॉज़ वेअरिंग/क्लैड इन अ सिल्क सारी.

10. मेरे कपड़े धोबी के पास गये हैं। — My clothes have gone to the laundry. माइ क्लोद्ज़ हैव गॉन टु द लॉन्ड्री.

11. वह नीली वर्दी पहने हुए था। — He was wearing a blue uniform. ही वॉज़ वेअरिंग अ ब्लू यूनीफ़ॉर्म.

12. ये कोट पानी से नहीं भीगता। — It is a water-proof coat. इट इज़ अ वॉटर-प्रूफ़ कोट.

13. यह कपड़े आपके लिए हैं। — These dresses are for you. दीज़ ड्रेसेज़ आर फ़ॉर यू.

14. मनुष्य की पहचान उसके कपड़ों से की जाती है। — A man is judged by his clothes/by the clothes he wears. अ मैन इज़ जज्ड बाइ हिज़ क्लोद्ज़/बाइ द क्लोद्ज़ ही वेअर्ज़.

15. यह ड्रेस मुझे कुछ तंग है। — This dress is a little tight for me. दिस ड्रेस इज़ अ लिटिल टाइट फ़ॉर मी.

16. यह कोट कमर से ढीला है। — This coat is loose at the waist. दिस कोट इज़ लूस ऐट द वेस्ट.

17. **आपके पास कमीज़ों का कपड़ा है?** — **Do you have shirtings?** डू यू हैव शर्टिंग्ज़?

18. जी हां, हमारे पास सूट के अच्छे क़पड़े भी हैं — Yes we have good suitings also. येस वी हैव गुड सूटिंग्ज़ ऑल्सो.

19. मेरा सूट तुम्हारे सूट से भिन्न है। — My suit is different from yours./Your suit is not like mine. सूट इज़ डिफ़रेंट फ्रॉम योर्ज़/योर सूट इज़ नॉट लाइक माइन.

20. उसकी कमीज़ मेरी कमीज़ जैसी नहीं है। — His shirt is not like mine/similar to mine. हिज़ शर्ट इज़ नॉट लाइक माइन/सिमिलर टु माइन.

याद रखें (Remember)

*किसी शब्द के अंत में 'less' आए तो उसे नकारात्मक विशेषण समझिए, जैसे—He is a shameless person (यह निर्लज्ज आदमी है); needless to say that you are a thorough gentleman (यह कहना अनावश्यक है कि आप सज्जन व्यक्ति हैं); cloudless sky in the month of 'Sawan' can really worry the poor Indian farmers (सावन के महीने में बादल विहीन आकाश भारत के गरीब किसानों को सचमुच चिंतित कर सकता है); Astronauts remain weightless while travelling in space. अंतरिक्ष यात्री, अंतरिक्ष यात्रा के दौरान भारहीन रहते हैं। less का अर्थ है बिना या हीन।

कई ऐसे शब्द हैं, जिनके साथ full लगाया जा सकता है तथा less भी लगाया जा सकता है। उदाहरण के लिए merciful (दयालु), merciless (निर्दय), colourful (रंगीन), colourless (बेरंग), careful (सावधान), careless (लापरवाह), pitiful (दयालु), pitiless (निर्दय), आदि। 'full' और 'less' से बने विपरीतार्थक शब्दों के जोड़े हैं, पर सभी शब्दों में जिनके साथ 'less' लगाया जा सकता है 'full' नहीं लगाया जा सकता, जैसे — Friendless (मित्रहीन) और landless (भूमिहीन) इनके साथ full लगाकर friendful और landful नहीं बनाया जा सकता। ध्यान रहे कि किसी दूसरे शब्द के साथ जोड़ने पर 'ful' में single 'l' लिखा जाता है double 'll' नहीं।

50 पचासवां दिन th Day

Test No. 1

कुल अंक 20

41 से 45 दिन

16 या इससे अधिक very good; 12 या इससे अधिक fair

I. नीचे दिये वाक्यों से मिलते-जुलते वाक्य आपने पीछे सीखे हैं। इनमें कोई-न-कोई छोटी-मोटी अशुद्धि है। उसे ठीक करके अपनी भाषा ज्ञान की परीक्षा लीजिए और टेढ़े टाइप वाले *(italics)* अशुद्ध शब्दों का नीचे दिये गये शुद्ध शब्दों से मिलान करके जांचिए।

1. The milk has *become* sour. 2. Why didn't you wake me *on*? 3. You should not go back *from* your words. 4. Sonia is taller of *a* two girls. 5. Wait *the* bit. 6. I saw the woman *whom* the boss said was away. 7. This rice is *on* inferior quality. 8. I am short *for* fifty paise. 9. This chair is quite cheap *at* sixty rupees. 10. Do not buy *at* credit. 11. Does your shoe *pinches* you? 12. Show me a shoe with *an* narrow toe. 13. As we labour, so shall we be *reward*. 14. I am *so* tired to attend the class. 15. The question is *so* easy. 16. He is *week* in Hindi. 17. She has been absent *for* Wednesday. 18. *Should* you pass, your parents will be happy. 19. I have been in this college *since* two years. 20. He is junior *than* me by one year.

Test No. 1. — शुद्ध शब्द: 1. turned, 2. up, 3. on, 4. the, 5. a, 6. who, 7. of, 8. by, 9. for, 10. on, 11. pinch, 12. a, 13. rewarded, 14. too, 15. very, 16. weak, 17. since, 18. if, 19. for, 20. to.

Test No. 2

कुल अंक 20

46 से 49 दिन

16 या इनसे अधिक very good; 12 या इनसे अधिक fair

II. इन वाक्यों में छोटी-मोटी अशुद्धियां हैं। अपनी भाषा ज्ञान का टैस्ट लीजिए और वाक्यों के अंत में दिये गये उत्तरों से मिलान करके अपनी योग्यता जांचिए।

1. He is *a* eye specialist. 2. All his *tooth* are intact. 3. He is blind *from* one eye. 4. Nothing *for* worry. 5. Can you *see* thermometer? 6. He is *bad* hurt. 7. Prevention is better *to* cure. 8. Happiness is *a* best tonic. 9. I am not feeling *good*. 10. How are you getting *of* in your business? 11. My health has gone *for* on account of hardwork. 12. The patient is shivering *from* cold. 13. Many people died from malaria. 14. It's getting *cold* day by day. 15. Sheeps give us wool. 16. I prefer riding to *walk*. 17. Who *did win* the match? 18. Is *your* a joint family? 19. My brother is sixteen *year* old. 20. We are quite sure *for* your honesty.

Test No. 2. — शुद्ध शब्द: 1. an, 2. teeth, 3. of, 4. to, 5. read, 6. badly, 7. than, 8. the, 9. well, 10. on, 11. down, 12. with, 13. of, 14. colder, 15. Sheep, 16. walking, 17. won, 18. yours, 19. years, 20. of.

Test No. 3

कुल अंक 20

41 से 49 दिन

16 या इनसे अधिक very good; 12 या इनसे अधिक fair

III. नीचे दिये अधूरे वाक्यों के बीच में दो-दो विकल्प दिये गये हैं। उनमें से उचित शब्द निकालकर वाक्य पूरे करें। साथ ही, इनमें जो सिद्धांत काम कर रहा है, उसे भी समझें।

1. I…(have passed/passed) the B.A. examination in 1976. 2. How…(many/much) letters did she write to me? 3. They have not spoken to each other…(for/since) two weeks. 4. She has been looking for a job…(for/

since) July 1975. 5. I…(had/have) already bought my ticket, so I went in. 6. He was found guilty…(for/of) murder. 7. They are leaving…(for/to) America soon. 8. She was married…(with/to) a rich man. 9. This shirt is superior… (than/to) that.. 10. Write the letter… (with/in) ink. 11. She cannot avoid… (to make/making) mistakes. 12. The train… (left/had left) before I arrived.13. She (finished/had finished) her journey yesterday. 14. You talk as if you… (know/knew) everything. 15. She is (taller/tallest) than her sister. 16. It will remain a secret between you and…(I/me). 17. A girlfriend of…(his/him) told us this news. 18. Vagish and…(myself/I) were present there. 19. Amitabh played a very good… (game/play). 20. I played well yesterday… (isn't it/didn't I?)

Test No. 3 — शुद्ध शब्द: 1. passed, 2. many, 3. for, 4. since, 5. had, 6. of, 7. for, 8. to, 9. to, 10. in, 11. making, 12. had left, 13. finished, 14. know, 15. taller, 16. me. 17. his 18. I. 19. game, 20. didn't I?

Test No. 4

IV. कोष्ठकों में दिये गये शब्दों में से उपयुक्त शब्द चुनकर रिक्त स्थान भरिए:

1. How… (much, more, many) children do you have? 2. Custard is my favourite… (food, dish). 3. Where does this road… (lead, go) to? 4. Is he a… (dependible, dependable) person? 5. He is an… (important, importent) minister. 6. When does your examination… (start, begin, commence)? 7. …(if, Should) you pass, your parents… (will, shall) be happy. 8. The boy is so weak in mathematics that he will not be able to get… (up, on, in) with the class. 9. Good boys bring credit… (to, for) their school. 10. A little girl… (recalled, recounted, recited) a beautiful poem. 11. The squirrel has a… (wooly, hairy, bushy) tail. 12. The sun is bright because the sky is… (cloudy, cloudless). 13. As he is a… (shameful, shameless) person he pays for a good deed with a bad one. 14. She had… (wore, worn) a simple sari. 15. Children need… (protection, defence) from traffic hazards. 16. … (Quitely, Quietly) he went out of the convention hall. 17. Hamid and Majid help… (each other, one another) 18. Small children help… (each other, one another). 19. Minakshi has not come… (too, either). 20. They went for a… (ride, walk) on their bicycles.

वाक्यों के पूरक शुद्ध शब्द: 1. many, 2. dish, 3. lead, 4. dependable, 5. important, 6. commence, 7. if-will, 8. on, 9. to, 10. recited, 11. bushy, 12. cloudless, 13. shameless, 14. worn, 15. protection, 16. Quietly, 17. each other, 18. one another. 19. either, 20. ride.

Test No. 5

V. (i) इन वाक्यों का हिंदी में अनुवाद कीजिए:

1. Do you have books? 2. Did the dhobi take the last wash? 3. Did you wake me up? 4. Is Anupam there? 5. Shall we meet again? 6. Why do you say this? 7. When will your college reopen? 8. Why don't you allow me to read? 9. Why are you looking at him?

Test No. 6

VI. अंग्रेजी में अनुवाद कीजिए:

(1) मैं उससे पीछा छुड़ाना चाहता हूं। (2) बक-बक बंद करो। (3) जल्दी सोओ, जल्दी उठो। (4) उसका बुखार उतर गया है। (5) उसे किसी डॉक्टर को दिखाइए। (6) उसके सिर में दर्द है। (7) मैं कांप रहा हूं। (8) मैं जीता। (9) आओ, खेलें। (10) मैं अविवाहित हूं। (11) हम वक्त से पहले पहुंचेंगे। (12) कोई मिलने आया है। (13) मैं बहुत थका हुआ हूं। (14) मैंने अपना मकान बदल लिया है। (15) उन्होंने आपको याद किया है। (16) कभी-कभी चिट्ठी ज़रूर डाल दिया करो। (17) रंग पक्का है न? (18) क्या आप चेक स्वीकार करते हैं? (19) वह गणित में कमज़ोर है। (20) मैं अंग्रेज़ी में अच्छा हूं।

Test No. 7

VII. (i) नीचे कुछ शब्द दिये गये हैं। उनके आरंभ में नया वर्ण जोड़कर एक नया शब्द बनाइए, जैसे — old से gold आदि।

now, he, ox, our, an, how, hen, ear, all, refer.

(ii) इन विशेषण शब्दों के तुलनात्मक रूप लिखिए — (जैसे, old से old, older, oldest आदि।)

good, young, pretty, bad, fine, strong, hard, wealthy.

(iii) इन शब्दों का उच्चारण नागरी लिपि में लिखकर अर्थ बताइए:

year, psalm, of, off, man, men, in, inn, to, too, answer, station, cloth, clothe, Mrs., bath, bathe, dare, dear, car, idea, idiom, white, who.

निम्न शब्दों के साथ 'more' or 'most' लगाकर तुलनात्मक रूप बनाइए, जैसे! beautiful से beautiful, more beautiful आदि।

peaceful, difficult, careful, intelligent, stupid.

Test No. 8

VIII. (i) इन शब्दों के (plural) बताइए:

knife, journey, city, woman, ox, tooth, mouse, sheep, deer, foot, child, brother, church, fly, day, brother-in-law, myself.

(ii) इन क्रियाओं के present, past और past participle के रूप लिखिए — (जैसे go क्रिया के go, went, gone. आदि।)

to light, to lose, to mean, to pay, to say, to write, to throw, to win, to beat, to begin, to lie, to lay, to know, to hurt, to put, to cut, to hold, to forget, to shut, to take.

(iii) नीचे कुछ प्रचलित शब्दों के संक्षिप्त रूप (short forms) दिये गये हैं। आप इन शब्दों को अच्छी तरह जानते हैं। इनके पूरे शब्द सामने लिखिए:

Jan.	Mar.	Aug.	Oct.	Dec.	Mon.	Wed.	Fri.
Feb.	Apr.	Sept.	Nov.	Sun.	Tues.	Thurs.	Sat.
No.	Nos.	P.S.	P.P.	Co.	P.T.O.	K.M.	Dr.

ऊपर दी गई exercises में किसी तरह की कठिनाई आने पर डिक्शनरी की सहायता लीजिए।

51 इक्यावनवां दिन
51st Day

छठा अभियान (6th Expedition)

आप अपने पांच अभियान पूरे कर चुके हैं। काफी कुछ आप जान चुके हैं। कुछेक महत्त्वपूर्ण विषय अभी शेष हैं जिनसे संबंधित बातचीत हर समय नागरिक को करनी पड़ती है, जैसे — शिष्टाचार की बातें, ऑफिस में होने वाली बातचीत, कानूनी विषयों, लेन-देन एवं व्यापार आदि से संबंधित विचारों को अंग्रेज़ी भाषा में प्रकट करने के वाक्य आदि। इसी प्रकार के उपयोगी वाक्य छठे अभियान में दिये गये हैं। इसके अलावा कुछ प्रचलित मुहावरे व कहावतें भी इस भाग में शामिल किये गये हैं।

36. सभ्यता-शिष्टाचार (Etiquette)

1. **इतना काफ़ी है।**	**That will do./This/It is enough.** दैट विल डू./दिस/इट इज़ एनफ़.
2. **आप क्यों तकलीफ़ करते हैं।**	**Please, don't bother.** प्लीज़, डोन्ट बॉदर.
3. इसमें कोई तकलीफ़ नहीं।	No trouble at all. नो ट्रबल ऐट ऑल.
4. मेरी फ़िक्र न कीजिए।	Don't worry about me. डोन्ट वरी अबाउट मी.
5. **आपकी कृपा है।**	**So kind/nice of you.** सो काइंड/नाइस ऑफ़ यू.
6. आपकी बड़ी कृपा होगी।	It would be very kind of you. इट वुड बी वेरी काइंड ऑफ़ यू.
7. मैं आपकी क्या सेवा करूं?	How can I help you? हाउ कैन आइ हेल्प यू?
8. आपने कैसे कष्ट किया?	Why did you trouble yourself? वाइ डिड यू ट्रबल योरसेल्फ़?
9. बस, इतना बहुत है।	This is sufficient. दिस इज़ सफ़ीशेन्ट.
10. तकलीफ़ मत कीजिए।	Don't bother. डोन्ट बॉदर.
11. ज़रा और ठहरिए।	Please stay a little more. प्लीज़ स्टे अ लिटिल मोर.
12. **माफ़ कीजिए।**	**Please excuse me.** प्लीज़ एक्सक्यूज़ मी.
13. मुझे खेद है।	I'm sorry. आइम सॉरी.
14. **तकल्लुफ़ मत कीजिए।**	**Don't be formal.** डोन्ट बी फ़ॉर्मल.
15. मैं कुछ अर्ज़ करूं?	May I say something? मे आइ से समथिंग?
16. बुरा न मानियेगा।	Don't mind. डोन्ट माइन्ड.
17. मैं आपकी सेवा में हाज़िर हूं।	I'm at your service/disposal. आइम ऐट योर सर्विस/डिस्पोजल.
18. हम आपकी अच्छी खातिर न कर सके।	We couldn't entertain you properly. वी कुडन्ट एन्टरटेन यू प्रॉपरली.
19. क्या मैं यहां बैठ सकता हूं?	May I sit here? मे आइ सिट हिअर?
20. आपकी मदद के लिए धन्यवाद!	Thanks for your help! थैंक्स फ़ॉर योर हेल्प!
21. हम पर आपका एहसान है।	We are grateful to you. वी आर ग्रेटफ़ुल टु यू.
22. इसमें कृपा की कोई बात नहीं, बल्कि इससे मुझे खुशी होगी।	No question of kindness.* It would rather please me. नो क्वेश्चन ऑफ़ काइंडनेस. इट वुड रादर प्लीज़ मी.
23. आपकी नेक सलाह के लिए धन्यवाद!	Thank you for your sensible/good advice. थैंक यू फ़ॉर योर सेन्सिबल/गुड ऐडवाइस.

24. हार्दिक प्रेम और शुभकामनाओं सहित आपका परम मित्र, उमेश। — With love and best wishes—yours sincerely, Umesh. विद लव ऐंड बेस्ट विशिज़-योर्ज़ सिन्सिअरली, उमेश.
25. कृपा करके कष्ट के लिए माफ़ करें। — Kindly excuse me for the trouble. काइंडली एक्सक्यूज़ मी फ़ॉर द ट्रबल.
26. बहनों को नमस्ते और बच्चों को प्यार! — Regard to sisters and love to children! रिगार्ड टु सिस्टर्ज़ ऐंड लव टु चिल्ड्रन!
27. मैं आपका अत्यंत अहसानमंद होऊंगा, यदि आप मेरा यह काम करा देंगे। — I'll feel highly obliged, if you get this work done. आइल फ़ील हाइली ऑब्लाइज्ड, इफ़ यू गेट दिस वर्क डन.
28. मैं आपकी क्या सेवा करूं? — What can I do for you? वॉट कैन आइ डू फ़ॉर यू?
29. कभी आइये न। — Please drop in sometime. प्लीज़ ड्रॉप इन समटाइम.
30. आराम से बैठिए। — Please make yourself comfortable. प्लीज़ मेक योरसेल्फ़ कम्फ़र्टेबल.

37. चेतावनी/संकेत (Signals)

1. धीरे चलिये। — Drive slowly. ड्राइव स्लोली.
2. बायीं ओर रहिये। — Keep to the left. कीप टु द लेफ़्ट.
3. आगे ख़तरनाक मोड़ है। — Dangerous turn ahead. डेंजरस टर्न अहेड.
4. यहां गाड़ी खड़ी न कीजिए। — No parking here. नो पार्किंग हिअर.
5. यहां से उस पार जाइये। — Cross from here. क्रॉस फ्रॉम हिअर
6. कुत्ते अंदर नहीं आ सकते। — Dogs not permitted. डॉग्ज़ नॉट परमिटिड.
7. अंदर आने का रास्ता नहीं। — No entrance.** नो एन्ट्रेंस.
8. बाहर जाने का रास्ता। — Exit. एग्ज़िट.
9. अंदर जाने का रास्ता। — Entrance. एन्ट्रेंस.
10. घास पर न चलिए। — Keep off the grass. कीप ऑफ़ द ग्रास.
11. बिना आज्ञा अंदर आना मना है। — No entry without permission. नो एंट्री विदाउट परमिशन.
12. धूम्रपान न कीजिए। — No smoking. नो स्मोकिंग.
13. ज़ंजीर खींचिए। — Pull the chain. पुल द चेन.
14. किराये के लिए खाली है। — To let. टु लेट.
15. आगे स्कूल है। — School ahead. स्कूल अहेड.
16. सड़क बंद है। — Road closed. रोड क्लोज़्ड.
17. आगे रास्ता बंद है। — Dead end ahead. डेड एंड अहेड.
18. गुसलखाना। — *W.C. डब्ल्यू.सी.
19. विश्रामगृह। — Waiting Room. वेटिंग रूम.
20. **एक पंक्ति में खड़े हों।** — **Please stand in a queue.** प्लीज़ स्टैंड इन अ क्यू.
21. केवल महिलाओं के लिए। — For ladies only. फ़ॉर लेडीज़ ओन्ली.
22. भारी गाड़ियों को चलाने की आज्ञा नहीं। — Heavy vehicles are not allowed. हेवी वेहिकल्स आर नॉट अलाउड.
23. फ़ोटो लेना मना है। — Photography is prohibited. फ़ोटोग्राफी इज़ प्रोहिबिटिड.

---

*W.C. दरअसल Water Closet का संक्षिप्त रूप है। आजकल शौचालय के लिए अधिकतर Gentlemen's जेटिलमैन्ज़ या Men मेन (पुरुषों के लिए) और Ladies लेडीज़ या Women विमेन (स्त्रियों के लिए) प्रयोग किया जाता है। वैसे तो बोलचाल में शौचालय के लिए Toilet (टॉयलेट) या Lavatory (लैवेटरी) शब्द का प्रयोग किया जाता है, पर सार्वजनिक प्रयोग के लिए W.C. या Gentlemen's आदि शब्दों का प्रयोग ही शोभनीय समझा जाता है।

24. कुत्तों से सावधान! Beware of dogs. बीवेअर ऑफ़ डॉग्ज़.

25. आरक्षित Reserved. रिज़र्व्ड.

26. गाड़ी पार्क न करें। Tow Away Zone. टो अवे ज़ोन.

याद रखें (Remember)

*संज्ञा की पहचान कई बार बहुत सरल होती है। उदाहरण के लिए जिस शब्द के अंत में ness हो वह शब्द संज्ञा होता है, जैसे — Long illness has made him weak (लंबी बीमारी ने उसे कमजोर बना दिया है) में illness संज्ञा है। ये शब्द विशेषण में ness लगाने से बनते हैं। उदाहरण के लिए कुछ शब्द नीचे दिये जा रहे हैं, ध्यान दें:

जैसे ill से illness
good से goodness
sad से sadness
thick से thickness
great से greatness इत्यादि।

**Assistance (सहायता) भाव वाचक संज्ञा यहां assist क्रिया से बनी है। स्पष्ट है कि assist क्रिया पद को संज्ञा में बदलने के लिए ance जोड़ा गया है। इसी प्रकार बने कुछ अन्य शब्द नीचे दिये जा रहे हैं:

allow से allowance (भत्ता)
ally से alliance (गठजोड़) (यहां ance जोड़ने से पहले y को i में बदला गया है।)
clear से clearance (सफ़ाई)
pursue से pursuance (पैरवी) (ance लगाने से pursue का अंतिम e हट गया है।)

52 बावनवां दिन
52nd Day

38. दफ़्तर (Office)

1. यह पंजाब नेशनल बैंक का चेक है। — This is a Punjab National Bank cheque. दिस इज़ अ पंजाब नैशनल बैंक चेक.
2. यह क्लर्क अफ़सरों के मुंह लगा हुआ है। — This clerk is a favourite of the officers. दिस क्लर्क इज़ अ फ़ेवरिट ऑफ़ दि ऑफ़िसर्ज़.
3. तुम्हें कितने दिनों की छुट्टी लेनी पड़ेगी? — For how many days would you have to take leave? फ़ॉर हाउ मेनी डेज़ वुड यू हैव टु टेक लीव?
4. **आजकल काम का ज़ोर है।** — **Work pressure is very heavy these days.** वर्क प्रेशर इज़ वेरी हेवी दीज़ डेज़.
5. **मुझे टेलीफ़ोन पर बात करनी है।** — **I want to make a call.** आइ वॉन्ट टु मेक अ कॉल.
6. **नोटिस को नोटिस-बोर्ड पर लगा दो।** — **Put up the notice on the notice-board.** पुट अप द नोटिस ऑन द नोटिस-बोर्ड.
7. साहब हैं? — Is the boss in? इज़ द बॉस इन?
8. **यहां साइन कीजिए।** — **Please sign here.** प्लीज़ साइन हिअर.
9. मेरी ऐप्लिकेशन मंजूर हो गयी। — My application has been accepted. माइ ऐप्लीकेशन हैज़ बीन अक्सेप्टिड.
10. उसे छुट्टी नहीं मिली। — He didn't/couldn't get leave. ही डिडन्ट/कुडन्ट गेट लीव.
11. उसे वार्निंग दे दी गयी है। — He has been warned. ही हैज़ बीन वॉर्न्ड.
12. **मैं इस मामले पर सोचूंगा।** — **I'll think over this matter.** आइल थिंक ओवर दिस मैटर.
13. उसने इस्तीफ़ा दे दिया है। — He has resigned. ही हैज़ रिज़ाइन्ड.
14. इस विषय पर कोई बात नहीं हुई। — This point was not touched. दिस पॉइंट वॉज़ नॉट टच्ड.
15. **मैं जरूर इस बात का ख्याल रखूंगा।** — **I'll surely keep this in mind.** आइल श्योर्ली कीप दिस इन माइंड.
16. आप जो कुछ कह रहे हैं, मैं सब समझ रहा हूं। — I follow all what you say./I am following whatever you are saying. आइ फ़ॉलो ऑल वॉट यू से./आइ ऐम फ़ॉलोइंग वॉट यू आर सेइंग.
17. इस दफ़्तर में हेडक्लर्क ही सब कुछ है। — The head clerk is all in all in this office. द हेड क्लर्क इज़ ऑल इन ऑल इन दिस ऑफ़िस.
18. उसका इस्तीफ़ा मंजूर हो गया है। — His resignation has been accepted. हिज़ रेज़िग्नेशन हैज बीन अक्सेप्टिड.
19. सिगरेट पीना मना है। — No smoking.* नो स्मोकिंग.
20. क्या तुम यह ग्राफ़िक डिज़ाइन कंप्यूटर पर बना सकते हो? — Can you make this graphic design on Computer? कैन यू मेक दिस ग्राफ़िक डिज़ाइन ऑन कंप्यूटर?
21. **मेरी घड़ी बंद हो गयी है।** — **My watch has stopped.** माइ वाच हैज़ स्टॉप्ड.
22. **क्या देर हो गयी है?** — **Is it late?** इज़ इट लेट?

---

*कहीं-कहीं 'No Smoking' की जगह Smoking not allowed भी लिख दिया जाता है। दरअसल, दोनों वाक्यांश हैं पूरे वाक्य नहीं।

23. आप एक घंटा देर से हैं। You are late by an hour. यू आर लेट बाइ ऐन आवर.

24. यह पत्र जल्दी से टाइप करो। Type this letter fast. टाइप दिस लेटर फ़ास्ट.

25. **आज क्या तारीख है?** **What's the date today?** वॉट्स द डेट टडे?

26. वह आज ही नौकरी पर आयी है। She has joined only today. शी हैज़ जॉइन्ड ओनली टुडे!

27. क्या मेरे लिए कोई फ़ोन है? Is there any phone call for me? इज़ देअर एनी फ़ोन कॉल फ़ॉर मी?

28. मैंने डायरेक्टर साहब से तीन बजे की अपॉइंटमेंट ली है। I have fixed an appointment with the director at 3 O'Clock. आइ हैव फ़िक्स्ड ऐन अपॉइंटमैंट विद द डायरेक्टर ऐट थ्री ओ'क्लॉक.

29. क्या तुम उस ऑफ़िस में नौकरी करते हो? Are you working in that office? आर यू वर्किंग इन दैट ऑफ़िस?

30. बेहतर होगा कि आप रिज़ाइन कर दें। It's better if you resign. इट्स बेटर इफ़ यू रिज़ाइन.

31. **आप किस पोस्ट पर हैं?** **What post do you hold?** वॉट पोस्ट डू यू होल्ड?

32. उसे अपनी सफ़लता पर बड़ा घमंड है। Success has gone to his head. सक्सेस हैज़ गॉन टु हिज़ हेड.

33. **आज मुझे बहुत काम है।** **I'm very busy today.** आइम वेरी बिज़ी टुडे।

39. वस्तुएं (Things)

1. यह बड़ी अच्छी तस्वीर है। This is a very fine/nice/beautiful picture. दिस इज़ अ वेरी फ़ाइन/नाइस/ब्यूटिफ़ुल पिक्चर.

2. कृपया चेंज दीजिए। Please give change. प्लीज़ गिव चेंज.

3. तुमने मुझे अपना फ़ोटो नहीं दिखाया। You have not shown me your photograph. यू हैव नॉट शोन मी योर फ़ोटोग्राफ़.

4. ज़रा यह सामान मेरे होटल में पहुंचा दीजिए। Please deliver the goods at my hotel. प्लीज़ डिलीवर द गुड्ज़ ऐट माइ होटेल.

5. मुझे चश्मा बदलवाना है। I have to get my spectacles changed. आइ हैव टु गेट माइ स्पेक्टेक्ल्ज़ चेन्ज्ड.

6. मुझे एक और कंबल चाहिए। I need another blanket. आइ नीड अनदर ब्लैंकिट.

7. मेरी घड़ी बनने गयी है। My watch has been sent for repairs. माइ वॉच हैज़ बीन सेंट फ़ॉर रिपेअर्ज़.

8. मुझे चावल, दाल और करी चाहिए। I want rice, pulses and curry. आइ वॉन्ट राइस, पल्सिज़ ऐंड करी.

9. मैं एक दर्जन सिगार और दो दर्जन सिगरेट चाहता हूं। I want one dozen cigars and two dozen cigarettes. आइ वॉन्ट वन डज़न सिगार्ज़ ऐंड टू डज़न सिगरेट्स.

10. मुझसे शीशा टूट गया। The mirror was broken by me. द मिरर वॉज़ ब्रोकन बाइ मी.

11. **कुछ ठंडा लीजिये।** **Please have something cold.** प्लीज़ हैव समथिंग कोल्ड.

12. मैंने तुम्हारी किताब नहीं देखी। I haven't seen your book. आइ हैवन्ट सीन योर बुक.

13. यह बक्सा बड़ा भारी है। This box is very heavy. दिस बॉक्स इज़ वेरी हेवी.

14. इन सब चीजों को ले आओ। Bring/Get all these things. ब्रिंग/गेट ऑल दीज़ थिंग्ज़.

15. इन चीजों को बांध दो। Pack these things/articles. पैक दीज़ थिंग्ज़/आर्टीकल्ज़.

16. अपना बिस्तरबंद उठा लीजिए। Please carry your holdall. प्लीज़ कैरी योर होल्डॉल.

17. वह अपना सब सामान लेकर घर से चला गया। He left his house with bag and baggage. ही लेफ़्ट हिज़ हाउस विद बैग ऐंड बैगेज.

18. सामान कम लेकर चलें। You should travel light. यू शुड ट्रैवल लाइट.

19. उसको सुंदर चीज़ों से बहुत लगाव है। He is fond of beautiful things. ही इज़ फ़ौंड ऑफ़ ब्यूटिफ़ुल थिंग्ज़.

20. यह कपड़ा मज़बूत लगता है। — This cloth appears durable. दिस क्लॉथ अपियर्ज़ ड्यूरेबल.

21. बर्तनों को वापस शेल्फ़ पर रख दो। — Put the utensils back on the shelf. पुट द यूटेन्सिल्ज़ बैक ऑन द शेल्फ़.

22. आप अपने कमरे में हरा रंग करा लीजिए। — Get your room painted green. गेट योर रूम पेन्टिड ग्रीन.

23. क्या आपने अपने घर में सफ़ेदी करा ली? — Have you got your house white-washed? हैव यू गॉट योर हाउस वाइट-वॉश्ड?

24. मुझे अपने फ़र्नीचर की मरम्मत करानी है। — I have to get my furniture repaired. आइ हैव टु गेट माइ फ़र्नीचर रिपेयर्ड.

याद रखें (Remember)

*1. (a) 'यह आम बहुत मीठा है' (b) एक टोकरी में पचास आम आते हैं, इन वाक्यों से स्पष्ट हो जाता है कि पहले वाक्य में आम शब्द एकवचन संज्ञा है और दूसरे वाक्य में यही शब्द (बिना परिवर्तन के) बहुवचन संज्ञा है। हिंदी के 'आम' आदि शब्दों की तरह अंग्रेज़ी में भी अनेक शब्द हैं, जिनका एकवचन (singular number सिंग्यूलर नंबर) बहुवचन (Plural number प्लूरल नंबर) के समान होता है। देखिए The hunter ran after the deer. द हंटर रैन आफ़्टर द डिअर (शिकारी हिरन के पीछे दौड़ा) और The deer are fine looking animals. द डिअर आर फ़ाइन लुकिंग ऐनिमल्ज़ (हिरन देखने में बहुत सुंदर पशु हैं) में deer का plural number भी deer ही है। इसी प्रकार इन शब्दों पर ध्यान दीजिए:

sheep (शीप) भेड़ Chinese (चायनीज़) चीनी hair (हेअर) बाल.
a sheep, एक भेड़ (many) sheep, कई भेड़े; a hair, एक बाल; (many) hair, कई बाल आदि।

2. Dozen (डज़न) दर्जन, score (स्कोर) कौड़ी, gross (ग्रॉस) ग्रुस, (144 वस्तुएं), hundred (हंड्रेड) सौ, thousand (थाउज़ेंड) हज़ार आदि संख्या-वाचक शब्द अंग्रेज़ी में जब विशेषण के रूप में आते हैं तो वे एकवचन ही रहते हैं, जैसे, two dozen eggs, five hundred rupees, three thousand soldiers. लेकिन जब क्रिया विशेषण के रूप में प्रयोग किये जाते हैं तब बहुवचन हो जाते हैं, जैसे — dozens of eggs, hundreds of rupees आदि।

53 तिरेपनवां दिन
53rd Day

40. कानून (Law)

1. **उस पर खून का इल्ज़ाम लगाया गया।**	**He was accused of murder.** ही वॉज़ अक्यूज़्ड ऑफ़ मर्डर.
2. वह दो दिन जेल में रहा।	He was in the police lock-up for two days. ही वाज़ इन द पुलिस लॉक-अप फ़ॉर टू डेज़.
3. उसने इस घटना की रिपोर्ट पुलिस को दी।	He reported this incident to the police. ही रिपोर्टिड दिस इन्सीडेंट टु द पुलिस.
4. अपराधी बरी कर दिया गया।	The accused was acquitted. द अक्यूज़्ड वॉज़ अक्विटिड.
5. **वह फ़रार हो गया।**	**He absconded.** ही ऐब्सकॉन्डिड.
6. **वह ज़मानत पर छोड़ दिया गया है।**	**He was released on bail.** ही वॉज़ रिलीज़्ड ऑन बेल.
7. शहर में बदअमनी फैली हुई है।	Lawlessness prevails in the city. लॉलेसनेस प्रिवेल्ज़ इन द सिटी.
8. तुमने गैर-कानूनी काम किया है।	Your act is illegal. योर एक्ट इज़ इल्लीगल.
9. इन्साफ़ का यही तकाज़ा था।	Justice demanded it. जस्टिस डिमांडिड इट.
10. **आप मेरे गवाह हैं।**	**You are my witness.** यू आर माइ विटनेस.
11. यह कानून के खिलाफ़ है।	This is against the law. दिस इज़ अगेन्स्ट द लॉ.
12. **वह बिल्कुल बेगुनाह है।**	**He is innocent.** ही इज़ इनोसेंट.
13. आप ही इंसाफ़ करें।	It's for you to judge. इट्स फ़ॉर यू टु जज.
14. ये सब नकली दस्तावेज़ हैं।	These are all forged documents.* दीज़ आर ऑल फ़ोर्ज्ड डॉकूमेंट्स.
15. **उसने मेरे विरुद्ध केस किया।**	**He filed a suit against me.** ही फ़ाइल्ड अ सूट अगेंस्ट मी.
16. वकीलों ने गवाहों से प्रश्न किये।	The lawyers cross-examined the witnesses. द लॉयर्ज़ क्रॉस-इग्ज़ैमिंड द विटनेसिज़.
17. आजकल मुकदमेबाज़ी बढ़ गयी है।	Nowadays litigation is on the increase. नाउ अ डेज़ लिटिगेशन इज़ ऑन द इनक्रीज़.
18. **पुलिस इस विषय में छानबीन कर रही है।**	**The police is investigating the matter.** द पुलिस इज़ इनवेस्टिगेटिंग द मैटर.
19. मैंने उसके विरुद्ध क्रिमिनल केस कर दिया।	I have filed a criminal case against him. आइ हैव फ़ाइल्ड अ क्रिमिनल केस अगेंस्ट हिम.
20. मजिस्ट्रेट ने अपराधी पर अपराध लगा दिया।	The magistrate convicted the accused. द मैजिस्ट्रेट कन्विक्टेड द अक्यूज़्ड.
21. अंत में, अभियुक्त और अभियोग करने वाले ने समझौता कर लिया।	At last the plaintiff and the defendant reached a compromise. ऐट लास्ट द प्लेंटिफ़ ऐंड द डिफ़ेन्डेंट रीच्ड अ काम्प्रोमाइज़.
22. **उसको मृत्यु-दंड मिला।**	**He got a death sentence.** ही गॉट अ डेथ सेन्टेन्स.
23. ज्यूरी ने अभियुक्त के पक्ष में निर्णय दिया।	The jury gave its verdict in favour of the accused. द ज्यूरी गेव इट्स वर्डिक्ट इन फ़ेवर ऑफ़ द अक्यूज़्ड.

24. ख़ूनी को फांसी मिल चुकी है। — The murderer has been hanged. द मर्डरर हैज़ बीन हैंग्ड.

25. कानून न जानना, कोई बहाना नहीं। — Ignorance of law is no excuse. इग्नोरेंस ऑफ़ लॉ इज़ नो एक्सक्यूज़..

26. जज ने चोर को सज़ा दी। — The judge punished the thief. द जज पनिश्ड द थीफ़.

27. **मुकदमे का क्या फ़ैसला हुआ?** — **What was the judgement* in the case?** वॉट वॉज़ द जजमेंट इन द केस?

28. **वह चश्मदीद गवाह है।** — **He is an eye-witness.** ही इज़ ऐन आई-विटनेस.

29. **वह कानून का मानने वाला है।** — **He is a law abiding man.** ही इज़ अ लॉ अबाइडिंग मैन.

30. इन्साफ़ में देर का मतलब अंधेर है। — Justice delayed is justice denied. जस्टिस डिलेड इज़ जस्टिस डिनाइड.

31. सफ़ाई के वकील ने बहुत बढ़िया पैरवी की। — The defence counsel argued the case well. द डिफ़ेंस काउन्सल आर्ग्यूड द केस वेल.

41. रेडियो/टी.वी./डाकखाना (Radio/T.V./Post Office)

1. मैंने रंगीन टेलीविज़न खरीदा है। — I have bought a colour television. आइ हैव बॉट अ कलर टेलीविज़न.

2. आपका टी.वी. चल रहा है। — Your T.V. is on. योर टी.वी. इज़ ऑन.

3. मेरा रेडियो बंद है। — My radio is off. माइ रेडियो इज़ ऑफ़.

4. समाचार सभी स्टेशनों से एक साथ प्रसारित होते हैं। — News bulletin is broadcast simultaneously from all radio stations. न्यूज़ बुलेटिन इज़ ब्रॉडकास्ट साइमल्टेनिअसली फ्रॉम ऑल रेडियो स्टेशन्ज़.

5. मैं टी.वी. देखने का बड़ा शौकीन हूं। — I'm very fond of watching T.V. आइम वेरी फ़ौंड आफ़ वॉचिंग टी.वी.

6. **अब चैनल ज़ी लगा दो।** — **Now switch on/tune in to channel zee.** नाउ स्विच ऑन/ट्यून इन टु चैनल ज़ी.

7. डाकिया चिट्ठियां छांट रहा है। — The postman is sorting out the letters. द पोस्टमैन इज़ सॉर्टिंग आउट द लैटर्ज़.

8. **अगली डाक साढ़े चार बजे निकलेगी।** — **The next clearance is due at 4.30 P.M.** द नैक्स्ट क्लिअरेंस इज़ ड्यू ऐट फ़ोर-थर्टी पी.एम.

9. डाक दिन में दो समय बंटती है। — The mail is delivered twice a day. द मेल इज़ डिलिवर्ड ट्वाइस अ डे.

10. मैंने पचास रुपये मनीऑर्डर द्वारा भेजे। — I sent Rs. 50 by money order. आइ सेन्ट रूपीज़ फ़िफ़्टी बाइ मनीआर्डर.

11. रजिस्टर्ड पैकिट पर पूरे टिकट नहीं हैं। — The registered packet needs more stamps. द रजिस्टर्ड पैकेट नीड्ज़ मोर स्टैम्प्स.

12. कृपया मनीऑर्डर की रसीद भेजना। — Please acknowledge the money order. प्लीज़ अक्नॉलिज द मनीऑर्डर.

13. टेलीविज़न का हमारे जीवन में बहुत महत्त्वपूर्ण योगदान है। — The television plays an important role in our daily life. द टेलीविज़न प्लेज़ ऐन इम्पॉर्टेंट रोल इन आवर डेली लाइफ़.

14. **मेरा रेडियो बड़ी साफ़ आवाज़ पकड़ता है।** — **My radio has a very clear/sharp reception.** माइ रेडियो हैज़ अ वेरी क्लीअर/शार्प रिसेप्शन.

15. **क्या तुमने पार्सल का वज़न कर लिया है?** — **Have you weighed the parcel?** हैव यू वेड द पार्सल?

16. मुझे डाकखाने से कुछ लिफ़ाफ़े तथा इनलैंड शीट्स खरीदने हैं। — I have to buy some envelopes and inland sheets from the post office. आइ हैव टु बाइ सम ऐनवेलप्स ऐंड इनलैंड शीट्स फ्रॉम द पोस्ट ऑफ़िस.

17. इस चैनल में गड़बड़ी है। — This channel is disturbed. दिस चैनल इज़ डिस्टर्ब्ड.

18. तुमने इसे ठीक से ट्यून नहीं किया है। — You haven't tuned it properly. यू हैवन्ट ट्यून्ट इट प्रॉपर्ली.

19. डाक विभाग के कर्मचारी हड़ताल पर हैं। The workers in the postal department are on strike.
द वर्कर्ज़ इन द पोस्टल डिपार्टमेंट आर ऑन स्ट्राइक.

20. इस पत्र पर कितने की टिकट लगेगी? What will the stamp on this letter cost?
वॉट विल द स्टैम्प ऑन दिस लेटर कॉस्ट?

याद रखें (Remember)

*Here's a good government after decades (आज कई दशकों के बाद अच्छी सरकार बनी है) में govern क्रिया में ment लगाने से संज्ञा government बनी है। इसी प्रकार कुछ अन्य संज्ञाएं निम्नलिखित हैं —

agree से agreement (समझौता)
employ से employment (नौकरी)
amaze से amazement (आश्चर्य)
excite से excitement (जोश)
amend से amendment (सुधार)
settle से settlement (निपटना)
argue से argument (तर्क) [यहां argue की e का लोप हो गया है।]

He is a civil servant. (वह एक अधिकारी है) इस वाक्य में servant संज्ञा है। अंत में ant वाली कुछ और संज्ञाएं हैं — accountant (लेखापाल), applicant (प्रार्थी), consonant (व्यंजन), defendant (प्रतिवादी), merchant सौदागर आदि। ऊपर दिए गए शब्दों में servant, defendant तथा accountant जैसे शब्द क्रमश: serve, defend तथा account में 'ant' तथा apply में 'cant' लगाने से बने हैं। पर कुछ शब्द जैसे merchant और consonant अलग हैं, किसी दूसरे शब्द में जोड़ने से नहीं बने हैं। इसी तरह 'important' के अंत में 'ant' है, पर यह संज्ञा नहीं विशेषण है।

54 चौवनवां दिन th Day

42. यात्रा (Travel)

1. जल्दी चलिए।	Hurry up please. हरी अप प्लीज़.
2. **हम रास्ता भूल गये।**	**We have lost our way.** वी हैव लॉस्ट आवर वे.
3. **यात्रा लंबी है।**	**It's a long journey.** इट्स अ लौंग जर्नी.
4. मुझे आगरा जाना है।	I have to go to Agra. आइ हैव टु गो टु आगरा.
5. **तुम शीघ्र ही क्यों वापस आ गये?**	**Why did you come back so soon?** वाइ डिड यू कम बैक सो सून?
6. आप कहां ठहरे हुए हैं?	Where are you staying? वेअर आर यू स्टेइंग?
7. क्या आपने टिकट ले लिया?	Have you bought the ticket? हैव यू बॉट द टिकिट?
8. क्या जोधपुर मेल समय पर आ रही है।	Is the Jodhpur Mail arriving on time. इज़ द जोधपुर मेल अराइविंग ऑन टाइम.
9. मैं साढ़े दस बजे की गाड़ी से कोलकाता जाऊंगा।	I'll go to Kolkata by the 10.30 train. आइल गो टु कोलकाता बाइ द टेन-थर्टी ट्रेन.
10. **हम साथ-साथ चलेंगे।**	**We'll go together.** वी'ल गो टुगेदर.
11. इस वर्ष बद्रीनाथ मंदिर जून में खुलेगा।	Badrinath temple will reopen in June this year. ब्रदीनाथ टेम्पल विल रीओपन इन जून दिस ईयर.
12. पंजाब मेल किस समय छूटती है?	When does the Punjab Mail leave? वेन डज़ द पंजाब मेल लीव?
13. **हम समय पर पहुंच जाएंगे।**	**We'll reach in time.** वी'ल रीच इन टाइम.
14. **गाड़ी किस प्लेटफ़ार्म पर आयेगी?**	**On which platform will the train arrive?** ऑन विच प्लेटफ़ॉर्म विल द ट्रेन अराइव?
15. रेलवे स्टेशन यहां से कितनी दूर है?	How far is the railway station from here? हाउ फ़ार इज़ द रेलवे स्टेशन फ्रॉम हिअर?
16. जल्दी कीजिये, नहीं तो गाड़ी छूट जाएगी।	Hurry up, otherwise you'll miss the train. हरी अप, अदरवाइज़ यू'ल मिस द ट्रेन.
17. गाड़ी अब दिखाई नहीं देती।	The train is out of sight now. द ट्रेन इज़ आउट ऑफ़ साइट नाउ.
18. मैं अपने भाई को स्टेशन पर सी ऑफ़ करने जा रहा हूं।	I am going to the station to see off my brother. आइ ऐम गोइंग टु द स्टेशन टु सी ऑफ़ माइ ब्रदर.
19. **पैदल तो केवल दस मिनट का रास्ता है।**	**It is only ten minutes walk.** इट इज़ ओनली टेन मिनिट्स वॉक.
20. मैं उन्हें लेने स्टेशन जा रहा हूं।	I'm going to the station to receive them. आइम गोइंग टु द स्टेशन टु रिसीव देम.
21. यह आम रास्ता नहीं है।	It's no thoroughfare. इट्स नो थॉरोफ़ेअर.
22. हम शिकार के लिए जंगल में गये।	We went to the forest for hunting. वी वेन्ट टु द फ़ॉरेस्ट फ़ॉर हंटिंग.
23. **सड़क मरम्मत के लिए बंद है।**	**The road is closed for repairs.** द रोड इज़ क्लोज़्ड फ़ॉर रिपेयर्ज़.
24. **वे गाड़ी में न चढ़ सके।**	**They couldn't catch the train.** दे कुडन्ट कैच द ट्रेन.
25. अगले पहिये में हवा कम थी।	The front wheel had less air. द फ्रंट वील हैड लेस एअर.

26. **मोटर का टायर फट गया।** **The tyre of the car burst.** द टायर ऑफ़ द कार बर्स्ट.

27. मैं साइकिल चलाने का शौकीन हूं। I'm fond of cycling. आइमं फ़ौंड ऑफ़ साइक्लिंग.

28. मैंने सहारनपुर में गाड़ी बदली। I changed the train at Saharanpur. आइ चेंज्ड द ट्रेन ऐट सहारनपुर.

29. टिकट-घर दिन-रात खुला रहता है। The booking office remains open twenty-four hours. द बुकिंग ऑफ़िस रिमेन्ज़ ओपन ट्वेन्टी-फ़ोर आवर्ज़.

30. क्या यह गाड़ी सीधी कोलकाता जाती है? Is this a direct train to Kolkata? इज़ दिस अ डायरेक्ट ट्रेन टु कोलकाता?

31. मैं आपके साथ स्टेशन चलूंगा। I'll accompany you to the station. आइल अकम्पना यू टु द स्टशन.

32. अगले हफ़्ते मैं काश्मीर में होऊंगा। I'll be in Kashmir next week. आइल बी इन काश्मीर नेक्स्ट वीक.

33. रेल की पटरी पर से जाना मना है। Crossing the railway tracks is prohibited. क्रॉसिंग द रेलवे ट्रैक्स इज़ प्रोहिबिटेड.

34. अब आगे दिल्ली का स्टेशन है। The next station is Delhi. द नेक्स्ट स्टेशन इज़ डेलही.

35. अभी गाड़ी चलने में आधा घंटा है। There is still half an hour for the train to start. देअर इज़ स्टिल हाफ़ ऐन आवर फ़ॉर द ट्रेन टु स्टार्ट.

36. **जल्दी करो, गाड़ी यहां थोड़ी देर ठहरती है।** **Hurry up, the train stops here for a short while.** हरी अप, द ट्रेन स्टॉप्स हिअर फ़ॉर अ शार्ट वाइल.

37. **गाड़ी का ठीक समय साढ़े ग्यारह बजे है।** **The train is due at half-past eleven.** द ट्रेन इज़ ड्यू ऐट हाफ़-पास्ट इलेवन.

38. **मार्ग में हमारी मोटर खराब हो गयी।** **Our car broke down on the way.** आवर कार ब्रोक डाउन ऑन द वे.

39. वह सोमवार को मुंबई उतरेगा। Hc will land in Mumbai on Monday. ही विल लैंड इन मुंबई ऑन मंडे.

40. कुली जहाज़ से सामान उतार रहे हैं। The porters are unloading the cargo. द पोर्टर्ज आर अनलोडिंग द कार्गो.

41. मैंने एक घोड़ा किराये पर लिया। I hired a horse. आइ हायर्ड अ हॉर्स.

42. क्या यहां कोई किराये की मोटर मिल जाएगी? Is a taxi/cab available here? इज़ अ टैक्सी/कैब अवेलेबल हिअर?

43. गाड़ी तो प्लेटफ़ार्म पर पहुंच चुकी है। The train has already reached the platform. द ट्रेन हैज़ ऑलरेडी रीच्ड द प्लेटफ़ार्म.

44. यह डिब्बा तो सैनिकों के लिए रिज़र्व है, हम तो स्लीपर में जा रहे हैं। This bogey is reserved for soldiers, we are travelling by the sleeper coach. दिस बोगी इज़ रिज़र्व्ड फ़ॉर द सोल्ज़र्ज़, वी आर ट्रैवलिंग बाइ द स्लीपर कोच.

45. इस वर्ष आप गर्मी की छुट्टियां कहां बिता रहे हैं? Where will you spend your summer vacation this year? वेअर विल यू स्पेंड योर समर वेकेशन दिस ईयर?

46. मैं किसी पहाड़ी स्थान पर जाऊंगा,/शायद श्रीनगर को। I'll go to some hill station, probably to Srinagar. आइल गो टु सम हिल स्टेशन, प्रॉबेब्ली टु श्रीनगर.

याद रखें (Remember)

*Our school will reopen tomorrow (हमारा स्कूल कल खूलेगा), Curzon Road in New Delhi has been renamed Kasturba Gandhi Marg (नई दिल्ली में कर्ज़न रोड का नाम बदलकर कस्तूरबा गांधी मार्ग रखा गया है) में reopen = re + open, renamed = re + named. यहां re उपसर्ग का अर्थ है, पुन:। इस अर्थ वाले कुछ शब्द ये हैं:

rebound (उछल कर वापस आना)	re-enter (फिर से प्रवेश करना)	replant (फिर से लगाना — पौधा आदि)
reclaim (फिर से प्राप्त करना)	refill (फिर से भरना)	reprint (फिर से छापना)
recoil (पीछे धकेला जाना)	refund (लौटाना)	retake (फिर से लेना)
recount (फिर से गिनना, वर्णन करना)	reload (फिर से भरना)	retrace (उसी मार्ग पर लौटना)
re-cross (फिर से पार करना)	remake (फिर से बनाना)	rejoin (फिर से मिलना)

55 पचपनवां दिन
55th Day

43. मनोरंजन (Recreation)

1. **हम गाना सुन रहे थे।** **We were listening to music.** वी वर लिस्निंग टु म्यूज़िक.
2. वह सिनेमा पर तुम्हारा इंतज़ार करेगी। She will wait for you at the cinema. शी विल वेट फ़ॉर यू ऐट द सिनेमा.
3. वह पियानो बजा सकती है पर वायलिन नहीं। She can play the piano but not the violin. शी कैन प्ले द पिआनो बट नॉट द वायलिन.
4. मैं हरेक रविवार सिनेमा जाया करता था। I used to go to see a film every Sunday. आइ यूज़्ड टु गो टु सी अ फ़िल्म एवरी सण्डे.
5. **टिकटें इकट्ठी करना मेरा शौक है।** **Stamp collecting/philately is my hobby.** स्टैम्प् कलेक्टिंग/फ़िलेटली इज़ माइ हॉबी.
6. मैंने अपनी कुछ टिकटें अमिताभ को दिखाईं। I showed some of my stamps to Amitabh. आइ शोड सम ऑफ़ माइ स्टैम्प्स टु अमिताभ.
7. बहुत मधुर गीत था। It was a sweet/melodious song. इट वॉज़ अ स्वीट/मेलोडियस सौंग।
8. यह बड़ी मज़ेदार कहानी थी। It was a very interesting story. इट वॉज़ अ वेरी इंट्रेस्टिंग स्टोरी.
9. **क्या आज का ड्रामा देखने लायक है?** **Is today's play worth seeing?** इज़ टुडे'ज़ प्ले वर्थ सीइंग?
10. 'कर्म' फ़िल्म जल्दी ही दिखायी जाएगी। The film 'Karm' will be released shortly द फ़िल्म कर्म विल बी रिलीज़्ड शॉर्टली.

44. ऐसा मत कीजिए (Don'ts)

1. काम से जी मत चुराओ। Don't shirk work. डोन्ट शर्क वर्क.
2. जल्दी न करो। Don't be in a hurry. डोन्ट बी इन अ हरी.
3. दूसरों की बुराई मत करो। Don't speak ill of others. डोन्ट स्पीक इल ऑफ़ अदर्ज़.
4. दूसरों की हंसी मत उड़ाओ। Don't laugh at others. डोन्ट लाफ़ ऐट अदर्ज़.
5. दूसरों से झगड़ा मत करो। Don't quarrel with others. डोन्ट क्वॉरल विद अदर्ज़.
6. दूसरों पर निर्भर मत रहो। Don't depend upon others. डोन्ट डिपेन्ड अपॉन अदर्ज़.
7. **नंगे पैरों से बाहर मत जाओ।** **Don't go out barefooted.** डोन्ट गो आउट बेअरफ़ुटिड.
8. अपना समय नष्ट मत करो। Don't waste your time. डोन्ट वेस्ट योर टाइम.
9. दूसरों की कोई चीज़ मत चुराओ। Don't steal others' things. डोन्ट स्टील अदर्ज़ थिंग्स.
10. अपना संतुलन मत खोओ। Don't lose your balance. डोन्ट लूज़ योर बैलंस.
11. **बेकार मत बैठो।** **Don't sit idle.** डोन्ट सिट आइडल.
12. काम करते हुए मत ऊंघो। Don't doze while working. डोन्ट डोज़ वाइल वर्किंग.
13. फूल मत तोड़ो। Don't pluck flowers. डोन्ट प्लक फ़्लावर्ज़.
14. फ़र्श पर मत थूको। Don't spit on the floor. डोन्ट स्पिट ऑन द फ़्लोर.
15. **दूसरों के काम में दखल मत डालो।** **Don't disturb others.** डोन्ट डिस्टर्ब अदर्ज़.
16. पन्नों के कोने न मोड़ो। Don't turn the corners of the pages. डोन्ट टर्न द कॉरनर्ज़ ऑफ़ द पेजिज़.
17. अपनी किताब पर कुछ न लिखो। Don't write anything on your books. डोन्ट राइट एनीथिंग ऑन योर बुक्स.

45. ऐसा कीजिए (Do's)

1. **जितना हो सके, साफ़ लिखो।**	**Write as neatly as you can.** राइट ऐज़ नीटली ऐज़ यू कैन.
2. पुस्तक पढ़ते समय हाथ हमेशा साफ़ रखो।	Handle a book with clean hands. हैंडल अ बुक विद क्लीन हैंड्ज़.
3. सड़क के बायीं ओर चलो।	Keep to the left. कीप टु द लेफ़्ट.
4. हमेशा अपने दायें हाथ से दूसरों से हाथ मिलाओ।	Always shake hands with your right hand. ऑल्वेज़ शेक हैंड्ज़ विद योर राइट हैंड.
5. मेहनत करने की आदत डालो।	Be hard working/Cultivate the habit of working hard. बी हार्ड वर्किंग./कल्टीवेट द हैबिट ऑफ़ वर्किंग हार्ड.
6. हमेशा मूर्खों को अपने से दूर रखो।	Always keep the idiots off. ऑल्वेज़ कीप द ईडियट्स ऑफ़.
7. **बड़ों के साथ सम्मानपूर्वक बात करो।**	**Talk respectfully with elders.** टॉक रिसपैक्ट्फुली विद एल्डर्ज़.
8. **अपने मतभेदों को भुला दो।**	**Sink your differences.** सिंक योर डिफ़रेंसिज़.
9. सुबह जल्दी उठा करो।	Wake up early in the morning. वेक अप अर्ली इन द मॉर्निंग.
10. सुबह और शाम सैर के लिए जाया करो।	Go out for a walk in the mornings and evenings. गो आउट फ़ॉर अ वॉक इन द मार्निंग्ज़ ऐंड इवनिंग्ज़.
11. दोनों वक्त खाने के बाद दांत साफ़ किया करो।	Brush your teeth after both the meals. ब्रश योर टीथ आफ़्टर बोथ द मील्ज़.
12. **सीधे खड़े रहो, झुको नहीं।**	**Stand upright, don't bend.** स्टैंड अपराइट, डोन्ट बेंड.
13. **अपने झगड़े निबटाओ।**	**Patch up your disputes.** पैच अप योर डिस्प्यूट्स.
14. अपनी आदतें सुधारो।	Mend your ways. मेन्ड योर वेज़.
15. अपने से बड़ों का कहना मानो।	Obey your elders. ओबे योर एल्डर्ज़.
16. अपने से छोटों को प्यार करो।	Love your youngers. लव योर यंगर्ज़.
17. अपने बराबर वालों का आदर करो।	Give due regard to your equals. गिव ड्यू रिगार्ड टु योर ईक्वल्ज़.
18. समय पर काम करो और ध्यान दो।	Be punctual and attentive. बी पंक्चुअल ऐंड अटैंटिव.
19. खाना पूरी तरह चबा कर खाओ।	Chew your food properly. च्यू योर फ़ूड प्रॉपर्ली.
20. **मज़बूती से पकड़ो।**	**Hold firmly.** होल्ड फ़र्मली.

याद रखें (Remember)

I dislike mangoes (मैं आम पसंद नहीं करता), Do you give discount on your sales? (क्या आप बेचे जाने वाले माल पर डिस्काउन्ट देते हैं?), He is a dishonest person (वह बेईमान आदमी है), इन वाक्यों में dislike = dis + like, discount = dis + count, dishonest = dis + honest आदि शब्दों में dis का मतलब है opposite (उल्टा)। इसी प्रकार like (पसंद करना) का उल्टा यानी dis + like (नापसंद करना) इत्यादि।

dis उपसर्ग (prefix) से बने कुछ और शब्द ये हैं:

disable अयोग्य बनाना	disprove गलत साबित करना
disagree असहमत होना	displace स्थान से हटाना
displease अप्रसन्न करना	disarm हथियार छीनना
disobey आज्ञा न मानना	disgrace अपमान करना

ध्यान रहे 'dis' से शुरु होने वाले सभी शब्द विपरीतार्थक नहीं होते! उदाहरण के लिए 'distance', disturb आदि अपने आप में स्वतंत्र शब्द हैं 'tance' या 'turb' के विपरीतार्थक नहीं!

56 छप्पनवां दिन
56th Day

46. लेन-देन (Dealings)

1. हिसाब साफ़ रखो। — Keep the accounts clear. कीप द अकाउंट्स क्लीअर.
2. अनाज का क्या भाव है? — How is the grain market? हाउ इज़ द ग्रेन मार्केट?
3. **पैसे गिन लीजिए।** — **Please count the money.** प्लीज़ काउंट द मनी.
4. मैं उसके धोखे में आ गया। — I got duped by him. आइ गॉट ड्यूप्ट बाइ हिम.
5. **यह खोटा सिक्का है।** — **This is a base coin.** दिस इज़ अ बेस कॉइन.
6. उसने अपना धन व्यापार में लगा दिया। — He invested all the money in trade/business. ही इनवेस्टिड ऑल द मनी इन ट्रेड/बिज़नेस.
7. मज़दूरी ठीक कर लो। — Settle the wages. सेटल द वेजिज़.
8. आपका बिज़नेस कैसा चल रहा है? — How is your business going? हाउ इज़ योर बिज़नेस गोइंग?
9. इन लड़कों को दो-दो रुपये दीजिए। — Give the boys two rupees each. गिव द बॉयिज़ टू रुपीज़ ईच.
10. तुम्हारी मज़दूरी मिल गयी। — Did you get your wages? डिड यू गेट योर वेजिज़?
11. अब मेरा आपका हिसाब साफ़ है। — Now I'm square with you. नाउ आइम स्क्वेअर विद यू.
12. एडवांस रुपया देना होगा। — Advance money will have to be paid. एडवांस मनी विल हैव टु बी पेड.
13. **आप मेरे लिए कितना रुपया दे सकते हैं?** — **How much money can you spare for me?** हाउ मच मनी कैन यू स्पेअर फ़ॉर मी?
14. आमदनी से ज़्यादा खर्च न करो। — Don't spend more than you earn. डोन्ट स्पेंड मोर दैन यू अर्न.
15. **क्या उसने तुम्हारा वेतन दे दिया?** — **Has he paid your salary?** हैज़ ही पेड योर सैलरी?
16. **बस, बिल बना दीजिए।** — **That's all, please make the bill.** दैट्स ऑल, प्लीज़ मेक द बिल.
17. **इन दिनों मुझे पैसे की तंगी है।** — **I'm hard up/tight these days.** आइम हार्ड अप/टाइट दीज़ डेज़.
18. उधार मत दो, क्योंकि इससे न केवल रुपया जाता है बल्कि दोस्त भी। — Don't lend, for a loan often loses both itself and a friend. डोन्ट लेंड, फ़ॉर अ लोन ऑफ़न लूज़िज़ बोथ इटसेल्फ़ ऐंड अ फ्रेंड.
19. **मेरे पास नकद रुपया नहीं है।** — **I don't have any cash.** आइ डोन्ट हैव एनी कैश.
20. हम अपना सारा रुपया बैंक में जमा करा देंगे। — We'll deposit all our money in the bank. वी'ल डिपॉजिट ऑल आवर मनी इन द बैंक.
21. रुपये की कमी है। — There is a shortage of funds/cash. देअर इज़ अ शॉर्टेज ऑफ़ फ़ंड्ज़/कैश.
22. आपके पास कितनी नकदी है? — How much is the cash in hand? हाउ मच इज़ द कैश इन हैंड?
23. मैं पैसों का भूखा नहीं हूं। — I am not after money. आइ ऐम नॉट आफ़्टर मनी.
24. मैं बिज़नेस में अपनी सारी पूंजी लगा दूंगा। — I'll invest everything in the business. आइल इनवेस्ट एवरीथिंग इन द बिज़नेस.
25. सब रुपये खर्च हो गये। — All the money has been spent. ऑल द मनी हैज़ बीन स्पेंट.
26. **क्या आप मुझे सौ रुपये उधार देंगे?** — **Can you lend me hundred rupees?** कैन यू लेंड मी हंड्रेड रुपीज़?
27. मुझे कई बिलों का पैसा चुकाना है। — I have to pay several bills. आइ हैव टु पे सेवरल बिल्ज़.

47. व्यापार (Business)

1.	क्या उनसे आपका कोई लेन-देन है?	Do you have any dealings with him? डू यू हैव एनी डीलिंग्ज़ विद हिम?
2.	**आप नौकरी करते हैं या बिज़नेस?**	**Are you in service or business?** आर यू इन सर्विस ऑर बिज़नेस?
3.	आजकल बिज़नेस की अच्छी हालत है।	Business is flourishing these days. बिज़नेस इज़ फ़्लरिशिंग दीज़ डेज़.
4.	स्टेशन से पार्सल छुड़ा लाओ।	Get the parcel delivered from the station. गेट द पार्सल डिलीवर्ड फ़्रॉम द स्टेशन.
5.	**आओ, हम सौदा करें।**	**Let us have a deal.** लेट अस हैव अ डील.
6.	मेरा पेमेंट दिलवाइये।	Please arrange for the payment of my wages. प्लीज़ अरेंज फ़ॉर द पेमेंट ऑफ़ माइ वेजिज़.
7.	पैसों से पैसा कमाया जाता है।	Money begets money. मनी बिगेट्स मनी.
8.	ज़रा सौ रुपया एडवांस दीजिए।	Kindly give me hundred rupees in advance. काइंडली गिव मी हंड्रेड रुपीज़ इन एडवांस.
9.	क्या तुम कोई बिज़नेस करते हो?	Are you in business? आर यू इन बिज़नेस?
10.	मेरे ऊपर कर्ज़ है।	I am under debt. आइ ऐम अंडर डेट.
11.	**कितने पैसे हुए?**	**How much is the bill?** हाउ मच इज़ द बिल?
12.	**इस चीज़ का दाम क्या है?**	**How much does it cost?** हाउ मच डज़ इट कॉस्ट?
13.	यह चेक कैश कराना है।	This cheque is to be encashed. दिस चेक इज़ टु बी इनकैश्ड.
14.	**ये चिट्ठियां लेटर बॉक्स में डालो।**	**Post these letters.** पोस्ट दीज़ लेट्र्ज़.
15.	आजकल बिज़नेस को बहुत कठिनाई का सामना करना पड़ रहा है।	Business is bad these days. बिज़नेस इज़ बैड दीज़ डेज़.
16.	आपका काम क्या है?	What is your profession? वॉट इज़ योर प्रोफ़ेशन?
17.	इस कंपनी में कितने हिस्सेदार हैं?	How many shareholders are there in this company? हाउ मेनी शेअर-होलडर्ज़ आर देअर इन दिस कम्पनी?
18.	वह इम्पोर्ट-एक्सपोर्ट का बिज़नेस करता है।	He is in the import-export trade. ही इज़ इन द इम्पोर्ट-एक्सपोर्ट ट्रेड.
19.	हम ब्रोकर हैं।	We are brokers. वी आर ब्रोकर्ज़.
20.	क्या आपने माल का इनवॉइस भेज दिया है?	Have you sent an invoice for the goods? हैव यू सेंट ऐन इन्वॉयस फ़ॉर द गुड्ज़?
21.	उसका काम कैसे चल रहा है?	How is he doing. हाउ इज़ ही डूइंग?

याद रखें (Remember)

Lectureship is a respectable profession — (लेक्चरशिप सम्मानजनक पेशा है), यहां lecturer (जातिवाचक) संज्ञा ship प्रत्यय लगाने से नई संज्ञा (भाववाचक संज्ञा) lectureship बनायी गयी है। ship प्रत्यय (suffix) में समाप्त होने वाले शब्द बहुधा भाववाचक संज्ञा होते हैं, जैसे — scholarship (विद्वत्ता, छात्रवृत्ति), membership (सदस्यता), kinship (संबंध), hardship (कठिनाई), friendship (मित्रता) आदि।

जिन शब्दों के अंत में 'hood' प्रत्यय (suffix) हो, वे भी भाववाचक संज्ञा होते हैं, जैसे — I know him from childhood. इस रूप वाले कुछ अन्य शब्द ये हैं:

father से fatherhood (पितृत्व)	boy से boyhood (लड़कपन)
mother से motherhood (मातृत्व)	girl से girlhood (बालापन)
man से manhood (पुरुषत्व)	Parent से parenthood (मातृत्व/पितृत्व दोनों के लिए आता है।)

57 सत्तावनवां दिन th Day

48. नीतिवाक्य (Sayings)

1. सच्ची बात सबको कड़वी लगती है। — Truth is bitter. ट्रुथ इज़ बिटर.
2. परिश्रम ही सबसे बड़ा धन है। — Hard work always pays. हार्ड वर्क ऑल्वेज़ पेज़.
3. सुस्ती सभी रोगों की जड़ है। — Idleness is the root cause of all ills. आइडलनेस इज़ द रूट कॉज़ आफ़ ऑल इल्ज़.
4. जिस घर में फूट हो, वह खड़ा नहीं हो सकता। — A divided house can not stand. अ डिवाइडिड हाउस कैन नॉट स्टैन्ड.
5. हमेशा सच की विजय होती है। — Truth always wins. ट्रुथ ऑलवेज़ विन्ज़.
6. अधिक आना-जाना इज़्ज़त खो देता है। — Familiarity breeds contempt. फ़ैमिलिएरिटी ब्रीड्ज़ कन्टेम्प्ट.
7. खुशहाली मित्र बनाती है, परंतु विपदा उनको परखती है। — Prosperity gains friends, but adversity tries them. प्रॉस्पेरिटी गेन्ज़ फ्रेंड्स, बट एडवर्सिटी ट्राइज़ दैम.
8. ईमानदारी सबसे अच्छी नीति है। — Honesty is the best policy. ऑनेस्टी इज़ द बेस्ट पॉलिसी.
9. मुंह पर की गई प्रशंसा खुशामद होती है। — Extolling/praising you at your face is flattery. इक्सटॉलिंग/प्रेज़िंग यू ऐट योर फ़ेस इज़ फ़्लैटरी.
10. विद्या में विवाद होना स्वाभाविक है। — Learning breeds controversy. लर्निंग ब्रीड्ज़ कॉन्ट्रोवर्सी.
11. **पांचों उंगलियां बराबर नहीं होतीं।** — **All are not alike.** ऑल आर नॉट अलाइक.
12. संसार में कुछ भी स्थायी नहीं है। — Nothing is permanent in this world. नथिंग इज़ पर्मानेंट इन दिस वर्ल्ड.
13. काम को काम सिखाता है। — Experience teaches the unskilled. एक्सपीरियेन्स टीचिज़ द अनस्किल्ड.
14. आदमी पेट का दास है। — Man is slave to his stomach. मैन इज़ स्लेव टु हिज़ स्टॅमक.
15. खोटा सिक्का सदा लौट आता है। — A base coin never runs. अ बेस कॉइन नेवर रन्ज़.
16. **प्रेम और युद्ध में सभी कुछ सही है।** — **All is fair in love and war.** ऑल इज़ फ़ेअर इन लव ऐंड वॉर.
17. धीरज में प्राप्ति है। — Perseverance prevails. परसीवियरेन्स प्रिवेल्ज़.
18. **शराफ़त में कुछ खर्च नहीं होता।** — **Courtesy costs nothing.** कर्टसी कॉस्ट्स नथिंग.
19. मर गये, मुकर गये। — Death pays all debts. डेथ पेज़, ऑल डेट्स.
20. हर गधे को अपनी आवाज़ सुरीली लगती है। — Every ass loves his bray. एवरी ऐस लव्ज़ हिज़ ब्रे.
21. किसी को मारना हो, तो इल्ज़ाम लगा कर मारो। — Give a dog a bad name and hang him. गिव अ डॉग अ बैड नेम ऐंड हैंग हिम.
22. सुंदर वह, जो सुंदर काम करे। — Handsome is, that handsome does. हैंडसम इज़, दैट हैंडसम डज़.

Miscellaneous Sentences

1. **गैस खत्म हो गयी है।** — **The gas has finished.** द गैस हैज़ फ़िनिश्ड.
2. शहर में स्थिति तनावपूर्ण है। — The situation in the city is tense. द सिचुएशन इन द सिटी इज़ टेन्स.
3. कमरे में सन्नाटा छांया हुआ है। — There is pin drop silence in the room. देअर इज़ पिनड्रॉप सायलेंस इन द रूम.

4.	आजकल अच्छी नौकरी पाने के लिए कंप्यूटर आना जरूरी है।	Computer knowledge is essential these days to get a good job. कंप्यूटर नॉलिज़ इज़ इसेंशल दीज़ डेज़ टु गेट अ गुड जॉब.
5.	नलिन एक सादा और साफ़ बात करने वाला आदमी है।	Nalin is a simple and straightforward man. नलिन इज़ अ सिम्पल ऐंड स्ट्रेट फ़ॉरवर्ड मैन.
6.	वह एकमत से चुना गया।	He was elected unanimously. ही वॉज़ इलेक्टिड यूनेनिमसली.
7.	आपको तैयार होने में कितनी देर लगेगी।	How long will you take to get ready. हाउ लौंग विल यू टेक टु गेट रेडी.
8.	कानून और व्यवस्था दिन-पर-दिन बिगड़ रही है।	The law and order situation is deteriorating day by day. द लॉ ऐंड ऑर्डर सिचुएशन इज़ डिटीरियोरेटिंग डे बाइ डे.
9.	दुश्मन को कभी कम न समझो।	Never underestimate the enemy. नेवर अंडरेस्टिमेट दि एनिमी.
10.	आजकल शेयरों के बाज़ार में मंदा चल रहा है।	There is a slump in the share market these days. देअर इज़ अ स्लम्प इन द शेयर मार्किट दीज़ डेज़.
11.	शेयरों के दाम बढ़ रहे हैं।	There is a boom in the share market. देअर इज़ अ बूम इन द शेयर मार्किट.
12.	**वह हर समय भुनभुनाती रहती है।**	**She is grumbling all the time.** शी इज़ ग्रम्बलिंग ऑल द टाइम.
13.	पेट्रोल बहुत जल्दी आग पकड़ता है।	Petrol is highly inflammable. पेट्रोल इज़ हाइली इनफ़्लेमेबल.
14.	**उसकी पसंद अच्छी है।**	**He is a man of good taste.** ही इज़ अ मैन ऑफ़ गुड टेस्ट.
15.	**मुझे इस तरह से मत देखो।**	**Don't look at me like this.** डोन्ट लुक ऐट मी लाइक दिस.
16.	इंदिरा गांधी का व्यक्तित्व प्रभावशाली था।	Indira Gandhi had an impressive personality. इंदिरा गांधी हैड ऐन इंप्रेसिव पर्सनेलिटी.
17.	**मौके का पूरा फ़ायदा उठाइए।**	**Make the most of the opportunity.** मेक दी मोस्ट ऑफ़ दि अपोर्च्युनिटी.
18.	उससे बात करना मेरी शान के खिलाफ़ है।	Talking to him is below my dignity. टॉकिंग टु हिम इज़ बिलो माइ डिग्निटी.
19.	दोनों देशों ने शांति समझौते पर दस्तखत किये।	The two countries signed a peace treaty. द टू कंट्रीज साइंड अ पीस ट्रीटी.

याद रखें (Remember)

यहां कुछ ऐसे वाक्य दिये जा रहे हैं, जिनमें क्रियाओं के अंत में ive और ous लगाकर विशेषण बनाये गये हैं। अगर आप ज़रा भी ध्यान देंगे, तो निस्संदेह आप भी क्रिया और संज्ञा से विशेषण बनाने में माहिर हो जाएंगे।

This soap comes in several attractive shades. Attract + ive = Attractive

This is a preventive medicine. Prevent + ive = Preventive

Even at seventy he leads an active life. Act + ive = Active.

ऊपर के वाक्यों में attract से attractive, prevent से preventive , act से active, विशेषण बने हैं। इन सबके अंत में ive लगा है। कुछ और उदाहरण — defend से defensive (रक्षात्मक), destroy से destructive (संहारात्मक), elect से elective (चयनात्मक), impress से impressive (प्रभावशाली) आदि हैं।

It is dangerous to drive fast (गाड़ी तेज़ चलाना खतरनाक है), The Nilgiris is a mountainous district (नीलगिरि एक पहाड़ी ज़िला है), The cobra is a poisonous snake (फ़न वाला सांप ज़हरीला होता है), Ramayan is a famous epic (रामायण एक प्रसिद्ध ग्रंथ है।) Danger + ous = dangerous, mountain + ous = mountainous, Poison + ous = poisonous, fame + ous = famous आदि (fame में ous जोड़ने से पहले 'e' हट गया है)। 'ous' में खत्म होने वाले नीचे दिए गए विशेषण enormity (विशालता), nerve (नाड़ी), prosperity (वैभव), humour (हास्य) आदि संज्ञाओं से बने हैं:

enormous (विशालकाय), nervous (घबराया हुआ), prosperous (समृद्ध), humorous (मज़ाकिया)

58 अट्ठावनवां दिन
58th Day

49. विवाह-समारोह में (Attending a Wedding)

1. **बारात कहां से आयी है?** — **Where has the barat come from?** वेअर हैज़ द बारात कम फ्रॉम?
2. **बारात कहां जाएगी?** — **Where will the barat be going?** वेअर विल द बारात बी गोइंग?
3. क्या आप लोगों में दहेज की प्रथा है? — Do you have the dowry system? डू यू हैव द डावरी सिस्टम?
4. **विवाह का मुहूर्त कब का है?** — **When is the muhurat for wedding?** वेन इज़ द मुहूर्त फॉर वेडिंग?
5. मैं दुल्हा-दुल्हन को देखना चाहता (चाहती) हूं। — I want to/would like to see the bride and groom. आइ वॉन्ट टु/वुड लाइक टु सी द ब्राइड ऐंड ग्रूम.
6. **शादी/पार्टी बहुत अच्छी रही।** — **The wedding/party was very good.** द वेडिंग/पार्टी वॉज़ वेरी गुड.
7. यह छोटा तोहफ़ा स्वीकार करें। — Please accept this small/little gift. प्लीज़ एक्सेप्ट दिस स्मॉल/लिटिल गिफ़्ट.

50. सिनेमा में (In the Cinema)

1. यहां कौन-सी फ़िल्म लगी है? — Which film/movie is running in this cinema hall? विच फ़िल्म/मूवी इज़ रनिंग इन दिस सिनेमा हॉल?
2. क्या यह फ़िल्म अच्छी है? — Is this a good movie? इज़ दिस अ गुड मूवी?
3. इस फ़िल्म में कौन-कौन से कलाकार हैं? — Who all are acting in this movie?/What is the cast in this movie? हू ऑल आर ऐक्टिंग इन दिस मूवी? वॉट इज़ द कास्ट इन दिस मूवी.
4. बालकनी का एक टिकट दे दीजिए। — Please give me a ticket for the balcony. प्लीज़ गिव मी अ टिकट फ़ॉर द बैलकनी.
5. फ़िल्म किस समय शुरू होगी? — At what time/when will the film/movie start? ऐट वॉट टाइम/वेन विल द फ़िल्म/मूवी स्टार्ट?

51. खेल के मैदान में (On the Playground)

1. मैं आज फुटबॉल/हॉकी/क्रिकेट मैच देखना चाहता (चाहती) हूं। — I want to see a football/hockey/cricket match today. आइ वॉन्ट टु सी अ फ़ुटबाल/हॉकी/क्रिकेट मैच टुडे.
2. मैच किन टीमों के बीच हो रहा है? — Which teams are playing the match? विच टीम्ज़ आर प्लेइंग द मैच?
3. मैच किस समय शुरू होगा? — When will the match start? वेन विल द मैच स्टार्ट?
4. उस खिलाड़ी का नाम क्या है? — Who is that player? हू इज़ दैट प्लेअर?
5. कल खेल में कौन जीता? — Who won the match yesterday? हू वन द मैच येस्टरडे?
6. आपको कौन से खेल पसंद हैं? — What games do you like? वॉट गेम्ज़ डू यू लाइक?

52. पर्यटन कार्यालय में (In the Tourist Office)

1. इस शहर में कौन-कौन सी जगह देखने लायक हैं? — Which are the worth seeing places in this city? विच आर द वर्थ सीइंग प्लेसिज़ इन दिस सिटी?

2. मैं अजंता और एलोरा की गुफ़ाएं देखना चाहता/चाहती हूं। — I would like to see/visit the Ajanta and Ellora Caves. आइ वुड लाइक टु सी/विज़िट द अजन्ता ऐंड एलोरा केव्ज़.
3. मथुरा जाने के लिए ट्रेन ठीक रहेगी या बस? — What's the best transport to Mathura—train or bus? वॉट्स द बेस्ट ट्रांसपोर्ट टु मथुरा—ट्रेन ऑर बस?
4. आगरा में कहां ठहरना चाहिए। — Where should I stay in Agra? वेअर शुड आइ स्टे इन आगरा?
5. मुझे दिल्ली बहुत अच्छा शहर लगा। — I liked Delhi a lot. आइ लाइक्ड डेलही अ लॉट.
6. मुझे एक टूरिस्ट गाइड चाहिए, कहां मिलेगा? — I want a tourist guide. Where will I get one? आइ वॉन्ट अ टूरिस्ट गाइड. वेअर विल आइ गेट वन?

53. होटल में (In the Hotel)

1. क्या कोई कमरा खाली है? — Is there any room available in this hotel? इज़ देअर एनी रूम अवेलेबल इन दिस होटल?
2. सिंगल/डबल बेड के कमरे का क्या किराया होगा? — What do you charge for a single/double bedroom? वॉट डू यू चार्ज फ़ॉर अ सिंगल/डबल बेड रूम?
3. मेरा सामान कमरा नंबर छह में ले जाओ। — Take my baggage/luggage to room no. 6, please. टेक माइ बैगिज/ लगिज टु रूम नं० 6, प्लीज़.
4. मेरा नाश्ता/खाना कमरे में भेज दीजिए। — Please send my breakfast/lunch/dinner in my room. प्लीज़ सेंड माइ ब्रेकफ़ास्ट/लंच/डिनर इन माइ रूम.
5. मैं एक घंटे के लिए बाहर जा रहा/रही हूं। — I'm going out for an hour (or so). आइ ऐम गोइंग आउट फ़ॉर ऐन आवर (ऑर सो).
6. मेरा कोई पत्र/फ़ोन तो नहीं आया। — Was there a call for me?/Is there any letter for me? वॉज़ देअर अ कॉल फ़ॉर मी?/इज़ देअर एनी लेटर फ़ॉर मी?
7. कोई मिलने आये तो कमरे में भेज दें। — Please send my visitors to my room. प्लीज़ सेंड माइ विज़िटर्ज़ टु माइ रूम.
8. मुझे गर्म/ठंडा पानी चाहिए। — Get me some hot/cold water. गेट मी सम हॉट/कोल्ड वाटर.
9. प्रेसवाला अभी तक नहीं आया। — The laundry-man hasn't come yet. द लॉन्ड्री-मैन हैज़ंट कम येट.

54. नौकर से (With the Servant)

1. बाज़ार से सब्जी ले आओ। — Get some vegetables from the market. गेट सम वेजीटेबल्ज़ फ़्रॉम द मार्किट.
2. सामान कोऑपरेटिव से लाना। — Get the stuff/things from the Co-operative store. गेट द स्टफ़/थिंग्ज़ फ़्रॉम द कोऑपरेटिव स्टोर.
3. मुझे पांच बजे जगा देना। — Wake me up at five o'clock. वेक मी अप ऐट फ़ाइव ओ क्लॉक.
4. यह चिट्ठी लेटर बॉक्स में डाल आओ। — Go and post this letter. गो ऐंड पोस्ट दिस लेटर.
5. कपड़े धुल कर आ गए क्या? — Are the clothes back from the laundry? आर द क्लोद्ज़ बैक फ़्रॉम द लॉन्ड्री?
6. **एक कप चाय बना दो।** — **Make me a cup of tea.** मेक मी अ कप ऑफ़ टी.
7. **क्या खाना तैयार है?** — **Is the food/lunch/dinner ready?** इज़ द फ़ूड/लंच/डिनर रेडी?

55. डॉक्टर से (With the Doctor)

1. मुझे बुखार है। खांसी भी आती है। — I have some temperature/fever and also cough. आइ हैव सम टेम्प्रेचर/फ़ीवर ऐंड ऑल्सो कॉफ़.
2. यह दवा दिन में कितनी बार लेनी है? — How many times a day should I take this medicine? हाउ मेनी टाइम्ज़ अ डे शुड आइ टेक दिस मेडिसिन?

3. खाने में क्या-क्या ले सकता/सकती हूं? — What all can I eat? वॉट ऑल कैन आइ ईट?

4. आपको हर महीने अपने वज़न का रिकार्ड रखना चाहिए। — You should keep a monthly record of your weight. यू शुड कीप अ मन्थली रिकार्ड ऑफ़ योर वेट.

5. आपका ब्लड प्रेशर नॉर्मल है। — Your blood-pressure is normal. योर ब्लड-प्रेशर इज़ नॉर्मल.

6. नमक और चीनी कम खाएं। — Cut down on sugar and salt. कट डाउन ऑन शुगर ऐंड सॉल्ट.

7. हरी सब्ज़ी आपको अधिक लेनी चाहिए। — You should eat lots of green vegetables. यू शुड ईट लॉट्स ऑफ़ ग्रीन वेजीटेबल्ज़.

8. एक्सरे के लिए किधर जाना होगा? — Where should/does one go for X-ray?/Where is the X-ray department? वेअर शुड/डज़ वन गो फ़ॉर एक्स-रे?/वेअर इज़ द एक्स-रे डिपार्टमेंट?

9. यहां पेशेंट से पैसा नहीं लिया जाता। — This is a free dispensary./Medical care is free here/in this hospital./There is no consultation fee./We don't charge the patients anything. दिस इज़ अ फ्री डिस्पेंसरी./मेडिकल केअर इज़ फ्री हिअर/इन दिस हॉस्पिटल./देअर इज़ नो कन्सलटेशन फ़ी./वी डोन्ट चार्ज द पेशेन्ट्स एनीथिंग.

57. सामान्य प्रसंग (General Topics)

1. **उसके काम से मैं खुश नहीं था।** — **His work was quite disappointing.** हिज़ वर्क वॉज़ क्वाइट डिसेपॉइंटिंग.

2. **उससे पीछा छुड़ाकर मैं प्रसन्न होऊंगा।** — **I'll be glad to get rid of him.** आइल बी ग्लैड टु गेट रिड ऑफ़ हिम.

3. तुम्हारा कोट मेरे कोट जैसा नहीं है। — Your coat is not like mine. योर कोट इज़ नॉट लाइक माइन.

4. तुम गलतियां ठीक नहीं कर सकते। — You cannot correct the mistakes. यू कैन्नॉट करेक्ट द मिस्टेक्स.

5. इसी ने मैच जीता। — He's the one who won the match. ही'ज़ द वन हू वन द मैच.

6. दो लड़कियों में से कौन सी लंबी है? — Who is taller of the two girls? हू इज़ टॉलर ऑफ़ द टू गर्ल्ज़?

7. ज़्यादातर लोग इस बात को मानते हैं। — Most of the people would agree with it. मोस्ट ऑफ़ द पीपल वुड अग्री विद इट.

8. मैंने उससे पूछा कि वह मार्केट जा रही थी या नहीं। — I asked her whether she was going to the market or not. आइ आस्क्ड हर वेदर शी वॉज़ गोइंग टु द मार्केट ऑर नॉट.

9. यदि वह आएगी तो क्या तुम उससे बोलोगे? — Will you speak to her if she comes? विल यू स्पीक टु हर इफ़ शी कम्ज़?

10. बेचारा गोली से मारा गया। — The unfortunate/poor man was shot dead. द अनफ़ार्च्यूनेट/पूअर मैन वॉज़ शॉट डेड.

11. उसकी शक्ल उसकी मां से मिलती है? — He resembles his mother? ही रिज़ेम्बल्ज़ हिज़ मदर?

12. **चांदी एक मूल्यवान धातु है।** — **Silver is a precious metal.** सिल्वर इज़ अ प्रेशियस मेटल.

13. मुझे आठ सौ बयालीस रुपये मिले। — I got/received eight hundred and forty two rupees. आइ गॉट/रिसीव्ड एट हंड्रेड ऐंड फ़ोर्टी टू रुपीज़.

14. वह रविवार को चर्च जाती है। — She goes to church on Sunday. शी गोज़ टु चर्च ऑन संडे.

15. मैं सुबह टहलता हूं। — I go for a walk in the morning. आइ गो फ़ॉर अ वॉक इन द मॉर्निंग.

16. मैंने यह किताब तीन रुपये में खरीदी। — I bought this book for three rupees. आइ बॉट दिस बुक फ़ॉर थ्री रुपीज़.

17. वे अंग्रेजी के अलावा जर्मन पढ़ेंगे। — They will study German besides English. दे विल स्टडी जर्मन बिसाइड्ज़ इंगलिश.

18. **मैंने पक्का इरादा किया है कि मैं जाऊंगा।** — **I'm determined to go.** आइम डिटरमिन्ड टु गो.

19. **मैंने पक्का इरादा किया है कि वह जाएगा।** — **I've made up my mind to send him.** आ'इव मेड अप माइ माइंड टु सेन्ड हिम.

20. हमने तस्वीर दीवार पर टांग दी। We hung the picture on the wall. वी हंग द पिक्चर ऑन द वॉल.

21. खूनी पकड़ा गया और फांसी पर चढ़ा दिया गया। The murderer was caught and hanged. द मर्डरर वॉज़ कॉट ऐंड हैंग्ड.

22. क्या आप मुझे अपना पेन थोड़ी देर के लिए देंगे? Will you please lend me your pen for a while? विल यू प्लीज़ लेंड मी योर पेन फ़ोर अ व्हाइल?

23. क्या मैं आपसे पेन उधार ले सकता हूं। Can I borrow a pen from you. कैन आइ बॉरो अ पेन फ्रॉम यू.

24. मीटिंग जल्दी शुरू होगी। The meeting will start early. द मीटिंग विल स्टार्ट अर्ली.

25. मैं मीटिंग में भाग लूंगा। I'll attend the meeting. आइल अटेण्ड द मीटिंग.

26. मैं रात जल्दी लेट गया था पर मुझे नींद नहीं आयी। I went to bed early last night but couldn't sleep. आइ वेन्ट टु बेड अर्ली लास्ट नाइट बट कुडन्ट स्लीप.

27. तुम कब सोते हो? When do you go to bed? वेन डु यू गो टु बेड?

28. क्या वह अपना पैसा बैंक में रखती है? Does she keep her money in the bank? डज़ शी कीप हर मनी इन द बैंक?

29. यहां गर्मियों में बहुत गर्मी पड़ती है। It is very hot here in the summer. इट इज़ वेरी हॉट हिअर इन द समर.

30. यहां इस समय इतनी गर्मी है कि हॉकी का खेल नहीं खेला जा सकता। It is too hot here to play hockey. इट इज़ टू हॉट हिअर टु प्ले हॉकी.

31. मद्रास कलकत्ता से ज़्यादा दूर है। Madras is farther than Calcutta. मैड्रॉस इज़ फ़ारदर दैन कैल्कटा.

32. हम और ज़्यादा सूचना प्राप्त करेंगे। We'll collect/get/gather more information. वी'ल कलेक्ट/गेट गैदर मोर इन्फ़ॉरमेशन.

33. तुम घर मुझसे देरी से आये। You came home later than I. यू केम होम लेटर दैन आइ.

34. दिल्ली और मुंबई दोनों बड़े शहर हैं दूसरा समुद्र के किनारे बसा है। Delhi and Mumbai both are big cities, the latter is situated by the sea. देहली ऐंड मुंबई बोथ आर बिग सिटीज़, द लैटर इज़ सिचुएटिड बाइ द सी.

35. इस पंसारी के बहुत से कस्टमर हैं। This grocer has good business. दिस ग्रोसर हैज़ गुड बिज़नेस.

36. इस वकील के बहुत से क्लायंट्स हैं। This lawyer has many clients. दिस लॉयर हैज़ मेनी क्लायंट्स.

37. मेरी मां ने मुझे अच्छी सलाह दी। The mother gave me a good piece of advice. माइ मदर गेव मी अ गुड पीस ऑफ़ एडवाइस.

38. यह की-बोर्ड ठीक से काम नहीं कर रहा है। This keyboard is not functioning well दिस की-बोर्ड इज़ नॉट फ़ंक्शनिंग वेल.

39. रुक्साना के बाल लंबे हैं। Ruksana has long hair. रुक्साना हैज़ लौंग हेअर.

40. मेरे पास फल काफ़ी नहीं हैं। I don't have enough fruit. आइ डोन्ट हैव एनफ़ फ्रूट.

41. क्या तुम दो दर्जन केले खरीदना चाहते हो? Do you want to buy two dozen bananas? डु यू वॉन्ट टु बाइ टू डज़न बनानाज़?

42. इस फ़्लॉपी में वाइरस है। This floppy is virus infected. दिस फ़्लॉपी इज़ वाइरस इन्फ़ेक्टिड.

43. यहां एक भेड़ है और वहां एक हिरन। Here is a sheep and there is a deer. हिअर इज़ अ शीप ऐंड देअर इज़ अ डिअर.

44. गड़रिये के पास बीस भेड़ें और दो हिरन हैं। The shepherd has twenty sheep and two deer. द शेफ़र्ड हैज़ ट्वेंटी शीप ऐंड टू डिअर.

45. उसका वेतन कम है। Her wages are low. हर वेजिज़ आर लो.

46. सुमन और रीता यहां आ रही हैं। Suman and Rita are coming here. सुमन ऐंड रीटा आर कमिंग हिअर.

47. विद्यार्थी कम हो रहे हैं। The number of students is decreasing. द नंबर ऑफ़ स्टूडेंट्स इज़ डिक्रीज़िंग.

48. बहुत से स्टूडेंट्स आज आये नहीं हैं। Many students are absent today. मेनी स्टूडेंट्स आर ऐबसेंट टुडे.

49. कल हम रात को खाने में मछली/चिकन खायेंगे। — We will eat fish/chicken at dinner tomorrow. वी विल ईट फ़िश/चिकन ऐट डिनर टुमॉरो.

50. मैंने इस किताब को डेढ़ घंटे में पढ़ा। — This book took me one hour and a half./I read this book in one and a half hour. दिस बुक टुक मी वन आवर ऐंड अ हाफ़/आइ रेड दिस बुक इन वन ऐंड अ हाफ़ ऑवर.

51. ज़रा हाथ लगाना। — Lend me a hand.. लेन्ड मी अ हैंड.

52. वह हमेशा अपनी बात पर कायम रहेगा। — He will always honour his word. ही विल ऑलवेज़ ऑनर हिज़ वर्ड.

53. तुम मेरी जासूसी कर रहे हो? — Are you spying on me? आर यू स्पाइंग ऑन मी?

54. तुमने तो कमाल कर दिया। — You have done wonders/marvels. यू हैव डन वंडर्ज़/मार्वल्ज़.

55. वह तो बिलकुल छुई-मुई है। — She is a touch/me/not.. शी इज़ अ टच मी नॉट.

56. तुम मेरी बात क्यों नहीं सुनते? — Why don't you listen to me? वाइ डोंट यू लिसन टु मी?

याद रखें (Remember)

*संबंध कारक The genetive or possessive case दर्शाने के लिए अंग्रेज़ी में एक सरल विधि है जिसे apostrophe अपॉस्ट्रफ़ी (') और s कहते हैं, उदाहरण के लिए, The boy destroyed the bird's nest (द ब्वाय डिस्ट्रॉयड द बर्ड्ज़ नेस्ट) लड़के ने पक्षी का घोंसला उजाड़ दिया। विशेष ध्यान देने की बात यह है कि यदि उस शब्द के बहुवचन के अंत में s हो जिसका कारक बनता है तो केवल apostrophe लगाते हैं जैसे — The boy destroyed the bird's nest. लड़के ने पक्षियों का घोंसला उजाड़ दिया। जो निर्जीव पदार्थों के नाम होते हैं उनके नाम के साथ apostrophe और s नहीं बरते जाते। वहां संबंध कारक दर्शाने के लिए preposition प्रपोज़िशन (अव्यय) का प्रयोग करते हैं जैसे — The doors of the gateway are made of iron. फ़ाटक के किवाड़ लोहे के बने हुए हैं। फिर भी इस नियम के कुछ अपवाद हैं, जैसे — a week's leave, a month's pay, a day's journey, to their heart's content, in my mind's eye, a hair's breadth, a stone's throw, sun's rays आदि। वाक्यों में प्रयोग करके इन वाक्यांशों को मन में बैठा लेना चाहिए।

59 उनसठवां दिन 59th Day

58. मुहावरे (Idioms)

1. दुनिया में हर एक अपना उल्लू सीधा करना चाहता है।	In this world everybody wants to grind his own axe. इन दिस वर्ल्ड ऐव्रीबडी वॉन्ट्स टू ग्राइंड हिज़ ओन ऐक्स.
2. काम को काम सिखाता है।	Practice makes a man perfect. प्रेक्टिस मेक्स अ मैन परफैक्ट.
3. जो हुआ सो हुआ, आगे ध्यान रखिये।	**Let bygones be bygones, take care in future.** लेट बाइगॉन्ज़ बी बाइगॉन्ज़, टेक केअर इन फ़्यूचर.
4. इनमें तू-तू, मैं-मैं हो गयी।	They exchanged hot words. दे एक्सचेन्जड हॉट वर्ड्ज़.
5. लगता है कि उसके होश ठिकाने नहीं।	It appears, he is off his wits. इट अपिअर्ज़, ही इज ऑफ़ हिज़ विट्स.
6. नारों से आसमान गूंज उठा।	The shouts rent the sky. द शाउट्स रेंट द स्काइ.
7. मैंने उसकी प्रशंसा के पुल बांध दिये।	I praised him to the skies. आइ प्रेज़्ड हिम टु द स्काइज़.
8. आजकल आपकी पांचों उंगलियां घी में हैं।	Nowadays your bread is buttered. नाउ अ डेज योर ब्रेड इज़ बटर्ड.
9. वह खुश-मिज़ाज़ है।	He is a jolly fellow. ही इज़ अ जॉली फ़ेलो.
10. अपना बोरिया-बिस्तर बांध लो।	Pack up your bag and baggage. पेक अप योर बैग ऐंड बैगेज.
11. मुझमें और आपमें आसमान-ज़मीन का फ़र्क है।	We are poles apart. वी आर पोल्ज़ अपार्ट.
12. तुमने इस लड़के को बड़ा सिर चढ़ा कर रखा है।	**You have given a long rope to this boy.** यू हैव गिवन अ लौंग रोप टु दिस बॉय.
13. आजकल टी.वी. खूब बिक रहे हैं।	Nowadays T.V. sets are selling like hot cakes. नाउ अ डेज़ टी.वी. सेट्स आर सेलिंग लाइक हॉट केक्स.
14. डाकू रत्नाकर ने जीने का ढंग बदल दिया और साधु बन गया।	Ratnakar dacoit turned over a new leaf and became a saint. रत्नाकर डेकोएट टर्न्ड ओवर अ न्यू लीफ़ ऐंड बिकेम अ सेंट.
15. अवसर को हाथ से न जाने दो, फिर क्या, सफ़लता तुम्हारी है।	Take the time by the forelock and success is yours. टेक द टाइम बाइ द फ़ोरलॉक ऐंड सक्सैस इज़ योर्ज़.
16. अवसरवादी उगते हुए सूरज की खुशामद करने में नहीं चूकते।	Opportunists never hesitate to worship the rising sun. अपॉर्चुनिस्ट्स नेवर हैज़िटेट टु वर्शिप द राइज़िंग सन.
17. वह आजकल बड़ी मौज में है।	He is making merry/thriving these days. ही इज़ मेकिंग मेरी/थ्राइविंग दीज़ डेज.
18. मोहन चालीस वर्ष से कम का है।	Mohan is on the right side of forty. मोहन इज़ ऑन द राइट साइड ऑफ़ फ़ोर्टी.
19. चोर चोरी करते समय पकड़ा गया है।	The thief was caught red-handed. द थीफ़ वॉज़ कॉट रेड हैंडिड.
20. बच्चा अपने चाचा की देख-रेख में है।	The child is under his uncle's care. द चाइल्ड इज़ अंडर हिज़ अंकल'ज़ केअर.
21. स्टेशन मेरे गांव से बहुत नज़दीक है।	The station is within a stone's throw from my village. द स्टेशन इज़ विदिन अ स्टोन्ज़ थ्रो फ़्रॉम माइ विलिज़.

22. लड़का प्रधानाचार्य की आंखों में चढ़ गया है। | The boy is in the good books of the principal. द बॉय इज़ इन द गुड बुक्स ऑफ़ द प्रिंसिपल.

23. वह मेरी आंख का तारा है। | He is an apple of my eye. ही इज़ ऐन एपल ऑफ़ माइ आइ.

24. भले आदमी जल्दी ही भगवान को प्यारे हो जाते हैं। | Whom God loves die young. हूम गॉड लव्ज़ डाइ यंग.

25. कमाये धोती वाला, खाये टोपी वाला या अंडे सेवे कोई, बच्चे लेवे कोई। | One beats the bush, another takes the bird. वन बीट्स द बुश, अनदर टेक्स द बर्ड.

26. बूढ़े आदमी पैसे को हवा नहीं लगने देते, या बुढ़ापे में पैसे का मोह बढ़ जाता है। | The older the goose, the harder to pluck. दी ओल्डर द गूस, द हार्डर टु प्लक.

59. लोकोक्तियां (Proverbs)

1. जहां का पीवे पानी, वहां की बोले बानी। | While in Rome do as Romans do. वाइल इन रोम डू ऐज़ रोमन्ज़ डू.
2. जैसी करनी, वैसी भरनी। | As you sow, so shall you reap. ऐज़ यू सो, सो शैल यू रीप.
3. जंगल में मोती की कदर नहीं होती। | A thing is valued where it belongs. अ थिंग इज़ वैल्यूड वेअर इट बिलोंग्ज़.
4. आप भला तो जग भला। | To the good the world appears good. टु द गुड द वर्ल्ड अपीअर्ज़ गुड.
5. थोथा चना बाजे घना। | An empty vessel makes much noise. ऐन एम्पटी वेसल मेक्स मच नॉयज़.
6. तंदुरुस्ती हज़ार नियामत है। | Health is wealth. हेल्थ इज़ वेल्थ.
7. काया को दुःख दिये बिना कोई काम नहीं सुधरता। | No pain, no gain. नो पेन, नो गेन.
8. गया वक्त फिर हाथ नहीं आता। | Time once lost cannot be regained. टाइम वन्स लॉस्ट कैन्नॉट बी रिगेन्ड.
9. खरबूजे को देखकर खरबूज़ा रंग बदलता है। | Society moulds man. सोसाइटी मोल्ड्ज़ मैन.
10. एक और एक ग्यारह होते हैं। | Union is strength. यूनियन इज़ स्ट्रेंथ.
11. गधे को गधा खुजलाता है। | Fools praise fools.फ़ूल्ज़ प्रेज़ फ़ूल्ज़.
12. अपनी-अपनी डफ़ली, अपना-अपना राग। | Many heads many minds. मेनी हेड्स, मेनी माइंड्ज़.
13. जो गरजते हैं सो बरसते नहीं। | Barking dogs seldom bite. बार्किंग डॉग्ज़ सेल्डम बाइट.
14. मन के लड्डुओं से भूख नहीं मिटती। | It is no use building castles in the air. इट इज़ नो यूस बिल्डिंग कासल्ज़ इन दि एअर.
15. गंवार गन्ना न दे, भेली दे। | Penny wise pound foolish. पेनी वाइज़ पाउण्ड फ़ुलिश.
16. उधार दीजे, दुश्मन कीजे। | Give loan, enemy own. गिव लोन, एनिमी ओन.
17. एक थैली के चट्टे-बट्टे। | Birds of a feather flock together. बर्ड्ज़ ऑफ़ अ फ़ैदर फ़्लॉक टुगेदर
18. जहां चाह-वहां राह। | Where there is a will, there is a way. वेअर देअर इज़ अ विल, देअर इज़ अ वे.
19. नाच न जाने आंगन टेढ़ा। | A bad carpenter quarrels with his tools. अ बैड कारपेंटर क्वॉरल्ज़ विद हिज़ टूल्ज़.
20. चुप माने, आधी मरजी। | Silence is half consent. साइलेंस इज़ हाफ़ कन्सेन्ट.
21. अधजल गगरी छलकत जाए। | An empty vessel makes much noise. ऐन एम्पटी वेसल मेक्स मच नॉयज़.
22. आंदमी पेट का दास। | A man is a slave to his stomach. अ मैन इज़ अ स्लेव टु हिज़ स्टमक.
23. आगे दौड़, पीछे छोड़। | The more haste, the worse speed. द मोर हेस्ट, द वर्स स्पीड.

24. दूध का जला छाछ (मट्ठा) फूंक-फूंक कर पीता है। — A burnt child dreads the fire./Once bitten twice shy. अ बर्न्ट चाइल्ड ड्रेड्ज़ द फ़ायर./वन्स बिटन ट्वाइस शाइ.

25. मुख में राम, बगल में छुरी। — A honey tongue, a heart of gall. अ हनी टंग, अ हार्ट ऑफ़ गॉल.

26. नीम हकीम खतरा-ए-जान। — A little knowledge is a dangerous thing. अ लिटिल नॉलेज इज़ अ डेंजरस थिंग.

27. अंत भला तो सब भला। — All's well that ends well. आल'ज़ वेल दैट एंड्ज़ वैल.

28. कपड़े देखकर इज़्ज़त मिलती है। — Style makes the man. स्टाइल मेक्स द मेन.

29. कांटे से कांटा निकलता है। — One nail drives another. वन नेल ड्राइव्ज़ अनदर.

30. मोती गहरे पानी में होता है। — Truth lies at the bottom of a well. ट्रुथ लाइज़ ऐट द बॉटम ऑफ़ अ वेल.

31. हर चीज़ का वक्त होता है। — There is a time for everything. देअर इज़ अ टाइम फ़ॉर एवरीथिंग.

32. झूठ का अंत नहीं। — One lie leads to another. बन लाइ लीड्ज़ टु अनदर.

33. इस संसार में हर तरह के लोग होते हैं। — It takes all sorts to make the world. इट टेक्स ऑल सार्ट्स टु मेक द वर्ल्ड.

35. ताली दोनों हाथों से बजती है। — It takes two to make a quarrel. इट टेक्स टू टु मेक अ क्वॉरल.

36. मित्र वही जो मुसीबत में काम आए। — A friend in need is a friend indeed. अ फ्रेंड इन नीड इज अ फ्रेंड इन्डीड.

याद रखें (Remember)

यदि ऐसे शब्द का संबंध कारक बनाना है जिसका अन्तिम पदांश 's' से शुरु हो और 's' में ही समाप्त हो तो केवल apostrophe लगाते हैं, जैसे — Moses' laws are found in the Bible (मोज़िज लॉज आर फाउण्ड इन द बाइबल) (हज़रत मूसा के नियम बाइबिल में लिखे हुए हैं)। पर जिस शब्द का अन्तिम पदांश 's' में समाप्त हो परन्तु 's' से प्रारम्भ न हो तो apostophe और s का प्रयोग करते हैं — Porus's army was large पोरस'ज़ आर्मी वाज़ लॉर्ज (पोरस की सेना विशाल थी)। कई बार उस संज्ञा से आगे वाली संज्ञा को छोड़ देते हैं जिसका सम्बन्ध कारक बना है। उदाहरण के लिए, I stopped at my uncle's last night आइ स्टॉप्ड ऐट माइ अंकल्'ज़ लास्ट नाइट) (मैं कल रात अपने चाचा जी के ('घर') ठहर गया था)। इस वाक्य में uncle's का अर्थ है — uncle's house. इसमें house को छोड़ दिया गया है।

60 साठवां दिन
th Day

Test No. 1

51 से 55 दिन

16 से ऊपर very good; 12 से ऊपर fair

नीचे के वाक्यों में टेढ़े टाइप वाले (Italics) शब्दों की अशुद्धियां हैं। इस तरह के वाक्य आप पीछे भी सीख आये हैं। इन्हें ठीक करके अपनी योग्यता की परीक्षा लें। शुद्ध शब्द नीचे दिये गये हैं।

1. Please do not trouble *myself*. 2. Please stay *for* little more. 3. Put up the notice *at* the notice board. 4. He is very proud *for* his promotion. 5. He was accused *for* murder 6. He has been released *at* bail. 7. He was sentenced *for* death. 8. My radio *is* stopped. 9. Now switch on *for* Vividh Bharati. 10. Have you *weighted* the parcel? 11. You *can new* your driving licence from the transport office. 12. We have *loosed* our way. 13. Why did you *came* back? 14. The road is *close* for repair. 15. The train is due *on* half past eleven. 16. We were listening *at* music. 17. It was a very *interested* story. 18. Do not depend *on* others. 19. Do not spit *at* the floor 20. Go for *an* walk in the morning and evening.

Test No. 1 — शुद्ध शब्द: 1. me 2. a 3. on 4. of 5. of 6. on 7. to 8. has 9. to 10. weighed 11. renew 12. lost 13. come 14. closed 15 at 16. to 17. interesting 18. upon 19. on 20.a.

Test No. 2

56 से 59 दिन

16 से ऊपर very good; 12 से ऊपर fair

ये वाक्य आप पीछे भी पढ़ आये हैं, पर यहां पर वे थोड़े से बदले हुए और गलत हैं। टेढ़े टाइप वाले शब्द अशुद्ध हैं। उन्हें सुधारिए और अभी तक की जानकारी को कसौटी पर कसिए। शुद्ध शब्द नीचे दिये गये हैं।

1. Have the account *clear*? 2. Did you *got* your wages? 3. There is shortage *on* money. 4. How is he getting *at* with his work? 5. Honesty is *a* best policy. 6. The man is *the* slave to his stomach. 7. Your coat is cleaner *to* mine. 8. Will you speak to her if she *come*. 9. Will you please *borrow* me a pen? 10. Come home *behind* me. 11. The number of the students *are* decreasing. 12. I read this book in *a* hour and a half. 13. Sita and Rita *is* coming here. 14. My mother gave me some good *advices*. 15. The unfortunate was *shoot* dead. 16. They will study German *beside* English. 17. The murderer was caught and *hung*. 18. A dog is a *wolf* in his lane. 19. All's well that *end's* well. 20. A *crow* in hand is worth two in the bush.

Test No. 2 — शुद्ध शब्द: 1. cleared 2. get 3. of 4. on. 5. the 6. a 7. than 8. comes 9. lend 10. after 11. is 12. an 13. are 14. advice 15. shot 16. besides 17. hanged 18. lion 19. ends 20. bird.

Test No. 3

12 से ऊपर very good; 8 से ऊपर fair

कुछ लोग अंग्रेज़ी बोलते समय व्याकरण की अशुद्धियां (Grammatical mistakes) कर जाते हैं। उन्हें बड़ी सावधानी से सुधार कर याद करना चाहिए। कुछ अशुद्ध वाक्य दिये गये हैं। इनमें व्याकरण की अशुद्धियों को ठीक कीजिए:

1. He *speak* English very well. 2. This film will be *played* shortly. 3. your elder brother is five and a half feet *high.* 4. The player plays very *good.* 5. Many *homes* have been built up. 6. She is *coward girl.* 7. We had

a nice *play* of football. 8. I *have no any* mistakes in my dictation. 9. Strong *air* blew my clothes away. 10. I hurt a *finger* of my right foot. 11. She doesn't look *as* her brother. 12. I have a *plenty* work to do. 13. She spent *the rest day* at home. 14. His father was *miser.* 15. *After* they went home for dinner.

Test No. 3 — शुद्ध शब्द: 1. speaks 2. released 3. tall 4. well 5. houses 6. a coward 7. game 8. haven't any 9. wind 10. toe 11. like 12. lot of 13. the rest of the day 14. a miser 15. afterwards.

Test No. 4

12 से ऊपर very good; 8 से ऊपर fair

(i) निम्नलिखित अधूरे वाक्यों में जहां ज़रूरी हो वहां a, an या the लगाइए:

1. ... wheat grown in this area is of a good quality. 2. Is lead ... heavier than iron? 3. I like to have/eat... apple daily. 4. This is ... cheque drawn on the Overseas Bank. 5. This is ... very fine picture. 6. ... murderer has been hanged. 7. She is ... honest lady. 8. All ... letters have been stamped. 9. She'll wait for you at... cinema hall. 10. Make ... habit of working hard.

Test No. 4: (i) (1) The (2) nil (3) an (4) a (5) a (6) the (7) an (8) the (9) the (10) a

(ii) कोष्ठक में दिये गये शब्दों का सही रूप में प्रयोग कीजिये:

1. What is the cause of your ... (sad). 2. His ... has turned grey though he is still young (hair). 3. This ... not enough (be) 4. Ram ... not get leave (do) 5. Your watch ... stopped (have) 6. There are more than a dozen... in the zoo. (deer). 7. Has he ... your salary (pay) 8. Let... strike a bargain. (we) 9. You can avoid... mistakes. (make) 10. yesterday I... the letter in an hour and a half. (write).

Test No. 4 (ii) (1) Sadness (2) hair (3) is (4) did (5) has (6) deer (7) paid (8) us (9) making (10) Wrote.

Test No. 5

(i) *for, into, of, in, by, with, to, from, besides, after* में से उपयुक्त शब्द लेकर निम्नलिखित वाक्य पूरे कीजिए:

1. What was the Judgement ... the case? 2. Billoo is fond ... cycling. 3. The road is closed ... repairs. 4. Do not quarrel... others. 5. I fell ... his trap. 6. I am not ... money. 7. Right ... his childhood he has been very kind to others. 8. They'll study German ... English. 9. Your coat is not similar ... mine. 10. The letter is sent ... post.

Test No. 5: (1) in (2) of (3) for (4) with (5) into (6) after (7) from (8) besides (9) to (10) by

निम्नलिखित प्रश्नों के उत्तर verb के उसी रूप में दें, जिसमें प्रश्न पूछा गया है।

उदाहरण: प्र० *When are you going home?*

उ० I am going around 6 O'clock

(ii) 1. When will you go to office? 2. What will you be doing during the holidays? 3. How much money do you have? 4. Who will pay for the tickets tonight? 5. Are they leaving tomorrow? 6. When will you pay back the loan? 7. Have you written to her? 8. Do you like Delhi? 9. Will you please lend me some money? 10. Did he finish his work yesterday?

Test No. 6

निम्नलिखित वाक्यों को पूरा कीजिए:

उदाहरण: *Barking dogs ...* (दिया हुआ अपूर्ण वाक्य)

Barking dogs seldom bite. (पूर्ण किया हुआ वाक्य)

1. Practice makes a man ... 2. ... is a friend indeed. 3. While in Rome ... 4. ... is strength. 5. As you sow ... 6. ... no gains. 7. Penny wise ... 8. ... dreads the fire. 9. All's well ... 10. ... is wealth. 11. A little knowledge is a ... 12. Where there is a will ... 13. Barking dogs seldom... 14. Time and tide wait ... 15. ... vessel makes much noise.

Test No. 7

नीचे दो-दो वाक्य दिये गये हैं। उनमें से ठीक वाक्य का चुनाव कीजिए:

1. (a) They were not three. (b) They were but three. 2. (a) His opinion was contrary to ours. (b) His opinion was contrary of ours. 3. (a) He acted in a couple school plays. (b) He has acted in a couple of school plays 4. (a) He refused to except my excuse. (b) He refused to accept my excuse. 5. (a) I failed in English. (b) I was failed in English. 6. (a) Get into the room. (b) Get in the room. 7. (a) He is always into some mischief. (b) He is always up to some mischief. 8. (a) I made it a habit of reading. (b) I made a habit of reading. 9. (a) It will likely rain before night. (b) It is likely to rain before night. 10. (a) She needn't earn her living. (b) She needs not earn her living.

Correct sentences: 1. (b) 2. (a) 3. (b) 4. (b) 5. (a) 6. (a) 7. (b) 8. (b) 9. (b) 10 (a)

Test No. 8

(a) **इन शब्दों के अर्थ लिखिए और आपस में अन्तर स्पष्ट कीजिए:**

always, usually; never, rarely; addition, edition; ready, already; anxious, eager; both, each breath, breathe; cease, seize; couple, pair, fair, fare; habit, custom; its, it's; legible, readable; whose, who's. (अर्थ न समझ आने पर डिक्शनरी की सहायता लीजिए।)

(b) **नीचे दो-दो वाक्य दिये गये हैं, दोनों में थोड़ा क्रम का ही अन्तर है, समझिए कि अर्थ में क्या अन्तर पड़ता है?**

1. (i) I don't try to speak loudly.
   (ii) I try not to speak loudly.
2. (i) The young men carry a white and a blue flag.
   (ii) The young men carry a white and blue flag.
3. (i) I alone can do it.
   (ii) I can do it alone.
4. (i) The mother loves Amitabh better than me.
   (ii) The mother loves Amitabh better than I.
5. (i) He forgot to do the exercise.
   (ii) He forgot how to do the exercise.
6. (i) She was tired with riding.
   (ii) She was tired of riding.

PRONUNCIATION IN RAPIDEX

(a)	a	–	अ
	an, am	–	ऐन, ऐम
	allow	–	अलाउ
	auntie	–	आन्टी
	at, as	–	ऐट, ऐज़
	any	–	ऐनी
	and	–	ऐंड
	another	–	अनदर
	agree	–	अग्री
	appear	–	अपीअर
(b)	being	–	बींग
	by, buy, bye	–	बाइ
	boy	–	बॉय
	bed	–	बेड
	bread	–	ब्रेड
(c)	care	–	केअर
	chair	–	चेअर
	congratulations	–	कौंग्रैच्युलेशन्ज़
(d)	don't	–	डोन्ट
(e)	eye	–	आइ
	ear	–	इअर
	egg	–	एग
	examination	–	इग्ज़ैमिनेशन
	expect	–	एक्सपेक्ट
	explain	–	एक्सप्लेन
(f)	four	–	फ़ोर
	forty	–	फ़ोर्टी
	for	–	फ़ॉर
	far	–	फ़ार
(h)	happy	–	हैपी
	hi	–	हाइ
	high	–	हाइ
	hot	–	हॉट
	here	–	हिअर
	hear	–	हिअर
	hand	–	हैंड
	hello	–	हलो
	how	–	हाउ
(i)	i	–	आइ
	I'm	–	आइम
	I'll	–	आइल
(l)	long	–	लौंग
(m)	Mrs	–	मिसिज़
	many	–	मेनी
(n)	now	–	नाउ
	not	–	नॉट
	near	–	निअर
(o)	oh	–	ओ
	or	–	ऑर
	on	–	ऑन
	of	–	ऑफ
	oil	–	ऑयल
(p)	pair	–	पेअर
	prepare	–	प्रिपेअर
	phases	–	फेज़िज़
(s)	studying	–	स्टडींग
(t)	to	–	टु
	two, too	–	टू
	there	–	देअर
	then	–	देन
	than	–	दैन
(w)	where	–	वेअर
	wear	–	वेअर
	ware	–	वेअर
	why	–	वाइ
	while	–	वाइल
	which	–	विच
	when	–	वेन
	wrong	–	रौंग
(y)	yes	–	येस
	yet	–	येट
	yesterday	–	येस्टर्डे
	year	–	ईयर
	your	–	योर

GENERAL: the' is pronounced (दि) before a vowel and (द) before a consonent.
Example: The egg (दि एग) The cat (द कैट) F' in English is (फ़) not (फ).
S' after 'p', 'k', 't', 'f' is pronounced 'स'. After other sounds 'ज़'.
Pronunciation of 'ed' in like 'interested' is इंट्रेस्टिड (इड) not (ऐड) and words ending in 'es' like promises will <u>end</u> in 'इज़' not 'एज़'.

वार्तालाप से पहले

अंग्रेज़ी भाषा से अब आपका परिचय साठ दिन पुराना है। इन साठ दिनों में आपने अंग्रेज़ी भाषा के नियमों, शिष्टाचार व भिन्न-भिन्न अवसरों पर प्रयोग करने योग्य उचित और उपयोगी वाक्यों, मुहावरों तथा कहावतों आदि का ज्ञान प्राप्त किया है। दस-दस दिनों में बंटे हुए इस कोर्स के हर अंतिम अध्याय में आपने अपने ज्ञान का अभ्यास तथा परीक्षा भी की है।

हमें विश्वास है कि अब तक अंग्रेज़ी आपको एक परिचित मित्र-सी लगने लगी होगी। मन से डर और झिझक निकल कर नयी रुचि और आत्मविश्वास जगा होगा। अब आपको अपनी रुचि को बनाये रखते हुए अपने आत्मविश्वास को और बढ़ाना है। इसके लिए नीचे दिए गए सुझावों को ध्यान से पढ़िए:

- पक्के निश्चय के साथ, उठते-बैठते, घर-बाहर, दफ्तर में और मित्रों के बीच अंग्रेज़ी बोलने का अभ्यास कीजिए।
- बोलते समय झिझकिए मत। याद रखिए, बहुत सी गलतियां ज्ञान की नहीं, विश्वास की कमी से होती हैं।
- गलतियों से मत घबराइये। बोलते रहिए। धीरे-धीरे भाषा सुधरेगी और विश्वास भी बढ़ेगा।
- शुरुआत छोटे-छोटे उपयोगी वाक्यों से कीजिए, जैसे — अभिवादन, शिष्टाचार, प्रार्थना तथा आज्ञासूचक वाक्यांश आदि।
- एक साथी बनाइये। फोन पर या आमने-सामने बैठकर नियम से अंग्रेज़ी में कुछ बातचीत कीजिए। हर रोज कम-से-कम 5-10 नये वाक्यों का अभ्यास कीजिए तथा पुराने वाक्यों को भी दोहराइये।
- साथी न हो तो भी, शीशे के सामने बैठ कर स्वयं अपने आपसे, उचित टोन व हाव-भाव के साथ बात करने का अभ्यास कीजिए। हर रोज वार्तालाप के लिए एक नया विषय चुनिये।

वार्तालाप की इसी क्रिया को मनोरंजक व सरल बनाने के लिए दिन-प्रतिदिन के जीवन में उपयोगी विषयों पर वार्तालाप के कुछ नमूने अगले पृष्ठों में दिये जा रहे हैं। इन संवादों को ध्यान से पढ़कर बोलने का अभ्यास कीजिए। आप पायेंगे कि बहुत से वाक्यों को हूबहू, आप अपनी दिनचर्या में उपयोग कर सकते हैं। इन्हीं संवादों को अपने साथी के साथ बांट कर, एक छोटी-सी नाटिका के रूप में बोल सकते हैं। इससे मनोरंजन भी होगा और अंग्रेज़ी-ज्ञान भी बढ़ेगा।

संवादों को आपस में बदल कर बोलने से दोहरा अभ्यास होगा। उदाहरण के लिए, यदि आप ग्राहक व दुकानदार के बीच संवादों का अभ्यास कर रहे हैं — आपका मित्र ग्राहक है और आप दुकानदार, तो दूसरी बार रोल बदल लीजिए और आप ग्राहक बन जाइए।

एक बात सदा याद रखिए। अंग्रेज़ी एक विदेशी भाषा है। इसमें कभी-कभी अटक जाना कोई शर्म की बात नहीं है। अच्छे-अच्छे धाराप्रवाह अंग्रेज़ी बोलने वाले भी कई बार सही शब्द याद न कर पाने के कारण अटक जाते हैं। ऐसे में आप भी वही करिए जो सभी होशियार लोग करते हैं। बड़ी सहजता से अंग्रेज़ी वाक्य के बीच में हिंदी या किसी भी भाषा का शब्द जोड़ दीजिए। जब हम हिंदी के बीच में अंग्रेज़ी शब्दों का प्रयोग बड़ी सहजता व विश्वास से कर लेते हैं तो अंग्रेज़ी शब्दों के बीच हिंदी शब्दों के प्रयोग में हिचक क्यों? यह सुनने में कतई बुरा नहीं लगता। आजकल कॉलेज के लड़के-लड़कियां भाषा का प्रवाह बनाए रखने के लिए इस तकनीक का बखूबी इस्तेमाल करते हैं। टी. वी. प्रोग्रामों में भी अंग्रेज़ी व हिंदी संवादों का मिश्रण आजकल काफी प्रचलित हो रहा है।

परंतु याद रखिए कि दो भाषाओं के शब्दों को मिलाते हुए घबराहट या झिझक नहीं सहजता से काम लेना चाहिए। उदाहरण के लिए देखिए बातचीत के ये कुछ नमूने।

[1]

Seema : Hi Rita, what a lovely dress!

Rita : Thank you! It's a birthday present.

Seema : Really! किसने दी है?

Rita : My uncle, he sent it from Mumbai.

[2]

Sohan : ज़रा सुनिए, Where is Kamal Colony please.

Rohit : Go बिलकुल straight. You will see a बड़ा-सा gate to your left. अंदर चले जाइए। That is Kamal Colony.

Sohan : Thank you.

Rohit : You are welcome.

[3]

Mrs. Gupta : Hello Mrs. Sharma, कैसी हैं?

Mrs. Sharma : Fine, thank you. आप कैसी हैं?

Mrs. Gupta : ठीक हूं। Coming from the market?

Mrs. Sharma : जी हां। Went to buy some सब्ज़ी-भाज़ी।

Mrs. Gupta : आइये न come for a while.

Mrs. Sharma : Thank you फिर कभी. I am expecting some guests actually.

Mrs. Gupta : Oh I see! अच्छा, बाइ Mrs. Sharma.

कुछ इस तरह के वाक्यांश भी युवा वर्ग के बीच अक्सर सुनाई देते हैं:

He is a महा बोर.

Let's do some मौज-मस्ती / हंगामा.

Everything is उल्टा-पुल्टा here.

Do it फ़टाफ़ट.

Let me have a देखो at इट, वगैरह-वगैरह.

ऊपर के उदाहरणों में आपने देखा कि सहज ढंग से अंग्रेज़ी के बीच में जोड़े गए हिंदी शब्द या वाक्यांश आम बोलचाल में बिलकुल भी अटपटे नहीं लगते, बल्कि भाषा के प्रवाह को बनाए रखने में सहायक होते हैं।

समय-समय पर भाषा व वार्तालाप विशेषज्ञों ने बातचीत को प्रभावशाली बनाने के कुछ गुर बताए हैं। जिन्हें ध्यान में रख कर आप लोगों के बीच में अपना स्थान बना सकते हैं। ऐसी ही कुछ महत्वपूर्ण बातों को एक तालिका के रूप में नीचे दिया जा रहा है।

	Dos (ऐसा करें)	**Don'ts (ऐसा न करें)**
1.	सदा नम्रता से बात करें। (Always talk politely)	अपनी मत हांकें। (Don't blow your own trumpet)
2.	सोच-समझ कर बात करें। (Think before you speak)	बिना बात तर्क में मत पड़ें। (Don't argue unnecessarily)
3.	दूसरों की बात ध्यान से सुनें। (Listen to others carefully)	लोगों के बीच व्यक्तिगत कमेंट्स न दें। (Avoid giving personal comments in public)
4.	अपनी आवाज और चेहरे के भावों को बात करते समय काबू में रखें। (Keep your voice and facial expressions under control while talking)	अश्लील भाषा का प्रयोग न करें। Avoid using obscene language. बढ़ा चढ़ा कर बात न करें। (Avoid exaggeration)
5.	दूसरों में दिलचस्पी लें। (Show interest in others)	दूसरों की प्रशंसा करने में कभी न हिचकिचाएं। (Never hesitate to praise and compliment others!)
6.	दूसरों की बात सहानुभूतिपूर्वक सुनें। (Listen to others sympathetically)	व्यंग्यात्मक भाषा का प्रयोग न करें। (Avoid making sarcastic remarks)
7.	बातचीत में मित्र बनाएं, शत्रु नहीं। (Make friends not enemies while you talk)	स्लैंग का अत्यधिक प्रयोग न करें। (Avoid excessive use of slang)
8.	बातचीत में शिष्टाचार का हमेशा ध्यान रखें। (Be mannered while talking)	बुदबुदाएं मत, साफ बात करें। (Avoid mumbling, always speak clearly)
9.	हंसमुख बनें पर दूसरों की भावनाओं को ध्यान में रखें। (Be humorous, without hurting others emotions)	अनावश्यक रूप से आत्मीयता दिखाने का प्रयत्न न करें। (Never try to be overintimate)
10.	उम्र और पद में बड़े लोगों से सदा आदर से बात करें। Always be respectful while talking to elders / seniors.	अर्थ समझे बिना किसी शब्द का प्रयोग कभी न करें। (Never use a word without understanding meaning)

सफल और लोकप्रिय वक्ता बनने के लिए ऊपर दी गई बातों को ध्यान में रखना बहुत आवश्यक है।

आगे दिए गए वार्तालाप के नमूने भी दैनिक उपयोगिता को ध्यान में रखते हुए लिखे गए हैं। सभी संवादों का इंगलिश उच्चारण हिंदी में दिया गया है। स्वर के उतार-चढ़ाव व सही उच्चारण के अभ्यास में रैपिडैक्स कैसेट आपकी बहुत सहायता करेगी। हमें विश्वास है कि पक्के निश्चय व सतत अभ्यास से आप शीघ्र ही धाराप्रवाह अंग्रेजी बोलने लगेंगे।

हमारी शुभकामनाएं आपके साथ हैं।

परिचय : अपना व दूसरों का — Introducing Self and Others (इन्ट्रोड्यूसिंग सेल्फ ऐंड अदर्ज़)

(राघव और सुधीर पहली बार एक बस में मिलते हैं। देखिए, वे किस तरह एक-दूसरे से जान-पहचान करते हैं।)

राघव : माफ़ कीजिए, क्या मैं यहां बैठ सकता हूं?	**Raghav :** Excuse me, can I sit here please? एक्सक्यूज मी कैन आइ सिट हिअर प्लीज़.
सुधीर : जी हां।	**Sudhir :** Yes please. येस प्लीज़.
राघव : धन्यवाद। हलो, मैं राघव राय हूं।	**Raghav :** Thank you. Hello, I am Raghav Rai. थैंक्यू. हलो, आइ ऐम राघव राय.
सुधीर : मैं सुधीर सेन हूं।	**Sudhir :** I am Sudhir Sen. आइ ऐम सुधीर सेन.
राघव : मिस्टर सेन आप क्या करते हैं?	**Raghav :** What do you do Mr. Sen? वॉट डू यू डू मिस्टर सेन?
सुधीर : मैं मेगा इलेक्ट्रिकल्ज़ में सेल्ज़मैन हूं। और आप?	**Sudhir :** I am a sales man in Mega Electricals. What about you? आइ ऐम अ सेल्ज़ मैन इन मेगा इलेक्ट्रिकल्ज़ वॉट अबाउट यू?
राघव : मैं बैंक ऑफ़ इंडिया में एकाउंटेंट हूं।	**Raghav :** I am an accountant in the Bank of India. आइ एम ऐन अकाउंटेंट इन द बैंक ऑफ़ इंडिया.
सुधीर : आप कहां से हैं?	**Sudhir :** Where are you from? वेअर आर यू फ्रॉम?
राघव : मैं मुंबई का रहने वाला हूं, पर अब मैं दिल्ली में ही बस गया हूं। और आप?	**Raghav :** I am from Mumbai. But now I am settled in Delhi. And you? आइ ऐम फ्रॉम मुंबई. बट नाउ आइ एम सैटल्ड इन डेलही. ऐंड यू?
सुधीर : मैं दिल्ली का ही रहने वाला हूं।	**Sudhir :** I am from Delhi itself. आइ ऐम फ्रॉम डेलही इटसेल्फ़.
राघव : मेरा स्टॉप आ गया। अच्छा, बाइ सुधीर।	**Raghav :** My stop. O.K. Bye Sudhir. माइ स्टॉप. ओ.के. बाइ सुधीर.
सुधीर : बाइ।	**Sudhir :** Bye. बाइ.

(राघव और सुधीर एक पार्टी में दोबारा मिलते हैं व अपने परिवारों का आपस में परिचय कराते हैं)

सुधीर : हलो राघव, कैसे हो?	**Sudhir :** Hello Raghav. How are you? हलो राघव. हाउ आर यू?
राघव : मैं अच्छा हूं, धन्यवाद। तुम कैसे हो?	**Raghav :** Fine, thank you. And you? फ़ाइन थैंक्यू, ऐंड यू?
सुधीर : अच्छा हूं, राघव मेरी पत्नी मीता से मिलो। ये मेरा बेटा रोहित है और मेरी बेटी नेहा।	**Sudhir :** Fine. Here, meet my wife Meeta, my son Mohit and my daughter Neha. फ़ाइन. हिअर, मीट माइ वाइफ़ मीता, माइ सन मोहित ऐंड माइ डॉटर नेहा.
राघव : हलो मिसिज़ सेन, हलो बच्चो। मेरी पत्नी शेफाली से मिलिये। यह है मेरी बेटी सोमा।	**Raghav :** Hello Mrs. Sen, hello children. My wife Shefali and my daughter Soma. हलो मिसिज़ सेन. हलो चिल्ड्रन. माइ वाइफ़ शेफाली ऐंड माइ डॉटर सोमा.
सुधीर : हलो।	**Sudhir :** Hello. हलो.
मीता : *(शेफाली से)* आपसे मिलकर अच्छा लगा।	**Meeta :** *(to Shefali)* Hello, nice meeting you. हलो, नाइस मीटिंग यू.
शेफाली : मुझे भी।	**Shefali :** Nice meeting you too. नाइस मीटिंग यू टू.
मीता : शेफाली, आप कहीं काम करती हैं क्या?	**Meeta :** Do you work Shefali? डू यू वर्क शेफाली?
शेफाली : नहीं, मैं तो बस एक गृहणी हूं। अपने बारे में बताइये।	**Shefali :** No, I am a housewife. What about you? नो आइ ऐम अ हाउस वाइफ़. वॉट अबाउट यू?
मीता : मैं एक स्कूल में पढ़ाती हूं।	**Meeta :** I teach in a school. आइ टीच इन अ स्कूल.

शेफाली : किस स्कूल में?
Shefali : Which School? विच स्कूल.

मीता : नेहरू पब्लिक स्कूल।
Meeta : Nehru Public School. नेहरू पब्लिक स्कूल.

शेफाली : वह कहां है?
Shefali : Where is that? वेअर इज़ दैट?

मीता : पंजाबी बाग में।
Meeta : In Panjabi Bagh. इन पंजाबी बाग।

शेफाली : आप कहां रहती हैं?
Shefali : Where do you live? वेअर डू यू लिव?

मीता : शालीमार बाग में। और आप?
Meeta : We are in Shalimar Bagh. And you? वी आर इन शालीमार बाग. ऐंड यू?

शेफाली : मॉडल टाउन में। कभी आइयेगा।
Shefali : In Model Town. Please drop in sometime. इन मॉडल टाउन. प्लीज़ ड्रॉप इन सम्टाइम.

मीता : ज़रूर आप भी।
Meeta : Sure, you too. श्योर, यू टू.

मां और बेटा — Mother and Son (मदर ऐंड सन)

मां : उठो नलिन पांच बज गए।
Mother : Get up Nalin. It's five O'clock. गेट अप नलिन. इट्स, फ़ाइव ओ क्लॉक.

नलिन : अभी बहुत जल्दी है, मम्मी।
Nalin : It's too early mummy. इट्स टू अर्ली मम्मी.

मां : आज तुम्हारा साइंस का इम्तिहान है। उठो और अपना कोर्स दोहरा लो।
Mother : You have your science exam today. Get up and revise your course. यू हैव योर साइंस इग्ज़ैम, टुडे. गेट अप ऐंड रिवाइज़ योर कोर्स.

नलिन : अच्छा मम्मी, दो मिनट में उठता हूं।
Nalin : O.K. mummy, I will get up in two minutes. ओ.के. मम्मी, आइ विल गेट अप इन टू मिनट्स।

मां : जल्दी उठ कर मुंह धो लो। तब तक मैं तुम्हारे लिए दूध लाती हूं।
Mother : Hurry up and wash your face. Meanwhile I'll get milk for you. हरी अप ऐंड वॉश योर फ़ेस. मीनवाइल आइ विल गेट मिल्क फ़ॉर यू.

नलिन : अच्छा।
Nalin : O. K. ओ.के.

मां : नलिन तुमने रात को अपने कपड़े निकाल कर रखे थे?
Mother : Did you take out your clothes last night Nalin? डिड यू टेक आउट योर क्लोद्ज़ लास्ट नाइट नलिन?

नलिन : हां, रखे थे।
Nalin : Yes, I did. येस, आइ डिड.

मां : और तुम्हारे जूते? उन्हें पॉलिश किया था?
Mother : And your shoes? Did you polish them? ऐंड योर शूज़? डिड यू पॉलिश देम?

नलिन : नहीं, मैं जूते पॉलिश करना भूल गया था। अभी किये लेता हूं।
Nalin : No, I forgot to polish the shoes. I'll do it now. नो आइ फ़ॉरगॉट टु पॉलिश द शूज़. आइल डू इट नाउ.

मां : नहीं, बाद में करना। पहले पढ़ाई खत्म कर लो।
Mother : Do that later. First finish your revision. डू दैट लेटर. फ़र्स्ट फ़िनिश योर रिवीज़न.

मां : अभी तक पूरा नहीं हुआ नलिन?
Mother : Haven't you finished yet Nalin? हैवन्ट यू फ़िनिश्ड येट नलिन?

नलिन : हो गया।
Nalin : Yes, I have. येस, आइ हैव.

मां : सब कुछ अच्छी तरह दोहरा लिया है
Mother : Have you revised everything well? हैव यू रिवाइज्ड एवरीथिंग वेल?

नलिन : हां मम्मी, मुझे सब कुछ याद है।
Nalin : Yes mummy, I remember everything. येस मम्मी आइ रिमैम्बर एवरीथिंग.

मां : अच्छा है। अब तैयार हो जाओ। मैं तुम्हारे लिए नाश्ता बनाती हूं।

Mother : Good! Now get ready. I'll prepare breakfast for you. गुड ! नाउ गेट रेडी. आइल प्रिपेअर ब्रेकफ़ास्ट फ़ॉर यू.

नलिन : नाश्ते में क्या है?

Nalin : What is there for breakfast. वॉट इज़ देअर फ़ॉर ब्रेकफ़ास्ट?

मां : परांठा और दही।

Mother : Parantha and curd. परांठा ऐंड कर्ड.

नलिन : मुझे परांठा नहीं चाहिए।

Nalin : I don't want parantha. आइ डोंट वॉन्ट परांठा.

मां : क्या चाहिए? ब्रेड और बटर?

Mother : What do you want? Bread and butter? वॉट डू यू वॉन्ट. ब्रेड ऐंड बटर?

नलिन : और ऑमलेट.

Nalin : And omelette. ऐंड ऑमलेट.

मां : ठीक है। चलो जल्दी से तैयार हो जाओ। साढ़े सात तो बज गये हैं।

Mother : Fine, go get ready fast. It is 7.30 already. फ़ाइन, गो गेट रेडी फ़ास्ट. इट इज़ सेवन थर्टी ऑलरेडी.

नलिन : अभी गुझे अपने जूते पॉलिश करने हैं। उसके बाद मैं नहाने जाऊंगा।

Nalin : I have to polish my shoes yet. Then I'll go and have a bath. आइ हैव टु पॉलिश माइ शूज़ येट. देन आइल गो ऐंड हैव अ बाथ.

मां : मैंने तुम्हारे जूते पॉलिश कर दिये हैं।

Mother : I have polished your shoes. आइ हैव पॉलिशड योर शूज़.

नलिन : ओह थैंक्यू मम्मी!

Nalin : Oh thank you mummy! ओ थैंक्यू मम्मी!

मां : अब मैं जाकर नाश्ता बनाती हूं। नलिन तुम झटपट तैयार हो जाओ।

Mother : I'll go and prepare the breakfast now. Get ready fast Nalin. आइल गो ऐंड प्रिपेअर द ब्रेकफ़ास्ट नाउ. गेट रेडी फ़ास्ट नलिन.

नलिन : अच्छा मम्मी।

Nalin : Yes mummy. येस मम्मी.

मां : आओ नलिन, नाश्ता कर लो। देर हो रही है।

Mother : Nalin come, have your breakfast. It is getting late. नलिन कम, हैव योर ब्रेकफ़ास्ट. इट इज़ गेटिंग लेट.

नलिन : मैं तैयार हूं मां।

Nalin : I am ready mummy. आइ ऐम रेडी मम्मी.

मां : भगवान से प्रार्थना की?

Mother : Did you pray to God. डिड यू प्रे टु गॉड?

नलिन : हां मम्मी।

Nalin : Yes Mummy. येस मम्मी.

मां : बहुत अच्छे! बेटे पेपर ध्यान से पढ़ना और समय से खत्म करना। टीचर को देने से पहले, पेपर ठीक से दोहराना मत भूलना। ठीक है?

Mother : Very Good! Read the paper carefully son and finish it in time. Don't forget to revise it before handing it to the teacher. O.K? वेरी गुड! रीड द पेपर केअरफ़ुली सन ऐंड फ़िनिश इट इन टाइम। डोंट फ़ॉरगेट टु रिवाइज़ इट बिफ़ोर हैंडिंग इट टु द टीचर, ओ.के?

नलिन : अच्छा!

Nalin : O.K. ओ.के.

मां : तुम्हारी घड़ी कहां है?

Mother : Where is your watch? वेअर इज़ योर वॉच?

नलिन : ये रही। और मम्मी आज मैं टिफ़िन नहीं ले जाऊंगा। मैं जल्दी वापिस आऊंगा।

Nalin : Here it is. And mummy, no tiffin today. I will come back early. हिअर इट इज़. ऐंड मम्मी नो टिफ़िन टुडे. आइ विल कम बैक अर्ली.

मां : मुझे मालूम है। अब जल्दी से खालो।

Mother : Yes I know. Now finish eating quickly. येस आइ नो. नाउ फ़िनिश ईटिंग क्विकली.

नलिन : मैं जा रहा हूं।

Nalin : I am going mummy. आइम गोइंग मम्मी.

मां : अच्छा बेटे-मेरी शुभकामनाएं।

Mother : O.K. son. Best of luck. ओ.के. सन. बेस्ट ऑफ़ लक.

नलिन : थैंक्यू मम्मी, बाइ।

Nalin : Thank you mummy, bye. थैंक्यू मम्मी, बाइ.

विद्यार्थी से बातचीत — Talking to a Student (टॉकिंग टु अ स्टूडेंट)

आदमी : तुम्हारा नाम क्या है?	**Man :** What is your name? वॉट इज़ योर नेम?
लड़का : मैं रवि हूं।	**Boy :** I am Ravi. आइ ऐम रवि.
आदमी : पढ़ते हो?	**Man :** Do you study. डू यू स्टडी?
लड़का : जी अंकल।	**Boy :** Yes uncle. येस अंकल.
आदमी : कौन सी क्लास में?	**Man :** In which class? इन विच क्लास?
लड़का : बारहवीं।	**Boy :** Twelfth. ट्वेल्फ़्थ.
आदमी : तुम साइंस के स्टूडेंट हो या आर्ट्स के।	**Man :** Are you a student of science or Arts? आर यू अ स्टूडेंट ऑफ़ साइंस ऑर आर्ट्स?
लड़का : साइंस का।	**Boy :** Science. साइंस.
आदमी : रवि तुम्हारा सबसे प्रिय विषय क्या है?	**Man :** Which is your favourite subject Ravi? विच इज़ योर फ़ेवरिट सबजेक्ट रवि?
लड़का : फ़िज़िक्स।	**Boy :** Physics. फ़िज़िक्स.
आदमी : जीवन में तुम क्या बनना चाहते हो।	**Man :** What do you want to be in life? वॉट डू यू वॉन्ट टु बी इन लाइफ़?
लड़का : मैं इलेक्ट्रोनिक्स इंजीनियर बनना चाहता हूं।	**Boy :** I want to be an electronics engineer. आइ वॉन्ट टु बी एन इलेक्ट्रोनिक्स इंजीनियर.
आदमी : तुम्हारे पिता क्या करते हैं।	**Man :** What does your father do? वॉट डज़ योर फ़ादर डू?
लड़का : वे केमिस्ट हैं।	**Boy :** He is a chemist. ही इज़ अ केमिस्ट.
आदमी : और तुम्हारी मां।	**Man :** And your mother? ऐंड योर मदर?
लड़का : वे अध्यापक हैं।	**Boy :** She is a teacher. शी इज़ अ टीचर.
आदमी : क्या तुम कोई खेल खेलते हो?	**Man :** Do you play any games? डू यू प्ले ऐनी गेम्ज़?
लड़का : जी हां, मैं हॉकी और क्रिकेट खेलता हूं।	**Boy :** Yes, I play hockey and cricket. येस, आइ प्ले हॉकी ऐंड क्रिकेट.
आदमी : तुम्हारा प्रिय खेल कौन सा है?	**Man :** Which is your favourite game? विच इज़ योर फ़ेवरिट गेम?
लड़का : क्रिकेट।	**Boy :** Cricket. क्रिकेट.
आदमी : तुम्हारा प्रिय खिलाड़ी कौन सा है?	**Man :** And who is your favourite player? ऐंड हू इज़ योर फ़ेवरिट प्लेयर?
लड़का : सचिन तेंदुलकर।	**Boy :** Sachin Tendulkar. सचिन तेंदुलकर.
आदमी : क्या तुम्हें पढ़ने का शौक है?	**Man :** Do you like reading? डू यू लाइक रीडिंग?
लड़का : जी हां मैं रहस्य और रोमांच भरी किताबें पढ़ना पसंद करता हूं। मैं अखबार भी रोज़ नियम से पढ़ता हूं।	**Boy :** Yes, I like reading mysteries and adventure books. I also read the newspaper regularly. येस, आइ लाइक रीडिंग मिस्ट्रीज़ ऐंड ऐडवेंचर बुक्स. आइ ऑलसो रीड द न्यूज़पेपर रेग्युलरली.
आदमी : बहुत अच्छी बात है। क्या तुम्हें टी.वी. देखना अच्छा लगता है?	**Man :** That's very good. Do you like watching T.V.? दैट्स वेरी गुड. डू यू लाइक वॉचिंग टी.वी.?
लड़का : जी हां, बहुत अच्छा लगता है।	**Boy :** Oh yes! I love it. ओ येस! आइ लव इट.
आदमी : तुम्हारे मनपसंद चैनल्ज़ कौन-कौन से हैं?	**Man :** Which are your favourite channels? विच आर योर फ़ेवरिट चैनल्ज़?

लड़का : ज़ी, मेट्रो और सिटी क़ेबल। मुझे प्राइम स्पोर्ट्स भी पसंद है।

Boy : Zee, Metro and Siticable. I also like Prime Sports. ज़ी, मेट्रो ऐंड सिटी केबल. आइ ऑलसो लाइक प्राइम स्पोर्ट्स.

आदमी : खाली समय में और क्या करते हो?

Man : What else do you do in your spare time? वॉट एल्स डू यू डू इन योर स्पेअर टाइम?

लड़का : मैं कम्प्यूटर गेम्ज़ि खेलता हूं।

Boy : I play computer games. आइ प्ले कम्प्यूटर गेम्ज़.

आदमी : क्या तुम स्कूल में कम्पयूटर सीखते हो?

Man : Do you learn computers at school? डू यू लर्न कम्पयूटर्ज़ एट स्कूल?

लड़का : जी हां यह हमारे सिलेबस का एक हिस्सा है।

Boy : Yes it's a part of our syllabus. येस इट्स अ पार्ट ऑफ़ आवर सिलेबस.

आदमी : अच्छा रवि। तुमसे बात करके बहुत अच्छा लगा। मेरी शुभकामनाएं तुम्हारे साथ हैं।

Man : O. K. Ravi. It was great talking to you. I wish you all the best in life. ओ.के. रवि. इट वॉज़ ग्रेट टॉकिंग टु यू. आइ विश यू ऑल द बेस्ट इन लाइफ़.

लड़का : धन्यवाद अंकल, बाइ।

Boy : Thank you uncle, bye. थैंक्यू अंकल बाइ.

जाने की तैयारी — Getting Ready to Go (गेटिंग रेडी टु गो)

पत्नी : आज ऑफ़िस नहीं जाना क्या?

Wife : Aren't you going to office today? आरन्ट यू गोइंग टु ऑफ़िस टुडे?

पति : बिल्कुल जाना है। वक्त क्या हुआ है?

Husband : Of course I am. What's the time? ऑफ़ कोर्स आइ ऐम. वॉट्स द टाइम?

पत्नी : उठिये फिर। साढ़े सात बज गये हं।

Wife : Get up then. It's seven thirty. गेट अप देन। इट्स सेवन थर्टी.

पति : अरे नहीं!

Husband : Oh no! ओ नो!

पत्नी : जल्दी करिए, नहीं तो बस निकल जायेगी।

Wife : Hurry up, otherwise you will miss the bus. हरी अप, अदरवाइज़ यू विल मिस द बस.

पति : *(उठते हुए)* ठीक। बाथरूम में कौन है?

Husband : *(Getting up)* Right. Who is in the bathroom? राइट. हू इज़ इन द बाथरूम?

पत्नी : सौरभ।

Wife : Saurabh. सौरभ.

पति : सौरभ जल्दी करो। मुझे देर हो रही है।

Husband : Saurabh hurry up. I am getting late. सौरभ हरी अप। आइ एम गेटिंग लेट.

सौरभ : आता हूं, पापा।

Saurabh : Coming, Papa. कमिंग, पापा.

पति : *(पत्नी से)* रीना, मुझे गर्म पानी दे दो। मैं तब तक शेव कर लेता हूं। मेरा तौलिया कहां है?

Husband : *(to wife)* Reena give me hot water. I'll shave in the meanwhile. Where is my towel? रीना गिव मी हॉट वॉटर. आइल शेव इन द मीनवाइल. वेअर इज़ माइ टॉवल?

पत्नी : यह वाला ले लो। वह गन्दा है।

Wife : That is dirty. Take this one. दैट इज़ डर्टी. टेक दिस वन.

पति : मेरे कपड़े प्रेस हो गये क्या?

Husband : Have my clothes been ironed? हैव माइ क्लोद्ज़ बीन आयरन्ड?

पत्नी : हां, मैंने तुम्हारी अलमारी में रख दिये हैं।

Wife : Yes, I have put them in your cupboard. येस, आइ हैव पुट देम इन योर कबर्ड।

पति : मेरी नीली जुर्राबें नहीं मिल रहीं। रीना, क्या तुमने उन्हें कल धोया था?

Husband : I can't find my blue socks. Reena, did you wash them yesterday? आइ कान्ट फ़ाइन्ड माइ ब्लू सॉक्स. रीना, डिड यू वॉश देम येस्टर्डे?

पत्नी : परसों धोया था। तुम्हारी सारी जुर्राबें तुम्हारी अल्मारी के दूसरे ड्रॉअर में हैं। अब मुझे खाना बना लेने दो।

Wife : I washed them the day before. All your socks are in the second drawer of your cupboard. Now let me finish cooking. आइ वॉश्ड देम द डे बिफ़ोर. ऑल योर सॉक्स आर इन द सेकण्ड ड्रॉवर ऑफ़ योर कबर्ड. नाउ लेट मी फ़िनिश कुकिंग.

सौरभ : पापा आप बाथरूम में जा सकते हैं। मम्मी मेरी यूनिफ़ॉर्म कहां है?

Saurabh : You can go into the bathroom papa. Mummy, where is my uniform? यू कैन गो इंटु द बाथरूम पापा. मम्मी, वेअर इज़ माइ यूनिफ़ॉर्म?

मां : तुम्हारे बिस्तर पर। और तुम्हारे जूते मेज़ के नीचे हैं।

Mother : On your bed. And your shoes are under the table. ऑन योर बेड. ऐंड योर शूज़ आर अंडर द टेबल.

सौरभ : अच्छा मम्मी।

Saurabh : O.K. Mummy. ओ.के. मम्मी.

पति : *(बाथरूम में जाते हुए)* रीना प्लीज़ मेरा नाश्ता और खाने का डिब्बा तैयार रखना। मैं पंद्रह मिनट में आ जाऊंगा।

Husband : *(going into the bathroom)* Reena please keep my breakfast and the tiffin ready. I'll be back in fifteen minutes. रीना प्लीज़ कीप माइ ब्रेकफ़ास्ट ऐंड द टिफ़िन रेडी. आइल बी बैक इन फ़िफ़्टीन मिनट्स.

पत्नी : फ़िक्र मत करो। सब तैयार है। सौरभ जल्दी करो। किसी मिनट भी तुम्हारी बस आ जायेगी।

Wife : Don't worry. Everything is ready. Saurabh, hurry up. Your bus must be coming any moment. डोन्ट वरी. एवरीथिंग इज़ रेडी. सौरभ, हरी अप. योर बस मस्ट बी कमिंग एनी मोमेंट.

सौरभ : मम्मी मैं तैयार हूं।

Saurabh : I'm ready mummy. आइ ऐम रेडी मम्मी.

मां : ये लो, दूध पी लो।

Mother : Here, drink the milk. हिअर ड्रिंक द मिल्क.

सौरभ : मम्मी मेरा लंच बॉक्स कहां है?

Saurabh : Where is my lunch box? वेअर इज़ माइ लंच बॉक्स?

मां : तुम्हारे बस्ते में। और, अपनी पानी की बोतल मत भूल जाना।

Mother : In your bag. And, don't forget the water bottle. इन योर बैग। ऐंड डोन्ट फ़ॉर्गेट द वॉटर बोटल.

सौरभ : मम्मी आज पैरेन्ट टीचर्स मीटिंग है। भूल मत जाना।

Saurabh : Mummy don't forget the Parent Teachers Meeting today. मम्मी डोन्ट फ़ॉर्गेट द पेरेंट टीचर्स मीटिंग टुडे.

मां : अच्छा किया जो याद दिला दिया। मेरे दिमाग से निकल गया था।

Mother : Good, you reminded me. It had slipped out of my mind. गुड यू रिमाइंडिड मी. इट हैड स्लिप्ड आउट ऑफ़ माइ माइंड.

सौरभ : मेरी बस। बाइ मम्मी।

Saurabh : My bus. Bye Mummy. माइ बस. बाइ मम्मी.

मां : बाइ बेटे।

Mother : Bye son. बाइ सन.

पति : रीना, मेरा नाश्ता?

Husband : My breakfast Reena? माइ ब्रेकफ़ास्ट रीना?

पत्नी : खाने की मेज़ पर रखा है। और यह रहा तुम्हारा लंच। सुनो, बिजली का बिल देना मत भूल जाना। और गैस के लिए भी फ़ोन कर देना। किसी वक्त भी खत्म हो सकती है।

Wife : It's on the dining table. And this is your lunch. Listen, don't forget to pay the electricity bill. And also phone for the gas please. It can finish anytime. इट्स ऑन द डाइनिंग टेबल. ऐंड दिस इज़ योर लंच. लिसन, डोंट फ़ॉर्गेट टु पे दि इलेक्ट्रिसिटी बिल. ऐंड ऑलसो फ़ोन फ़ॉर द गैस प्लीज़. इट कैन फ़िनिश ऐनी टाइम.

पति : हां, हां कर दूंगा। रीना ज़रा एक साफ़ रुमाल ला देना।

Husband : Yes, Yes I will do that. Reena, Please get me a clean hanky. येस, येस आइ विल डू दैट. रीना, प्लीज़ गेट मी अ क्लीन हैंकी।

पत्नी : ये रहा और तुम्हारी घड़ी भी। रोज़ बाथरूम में भूल जाते हो।

Wife : Here it is. And also your watch. You always forget it in the bathroom. हिअर इट इज़. ऐंड ऑलसो योर वॉच. यू ऑलवेज़ फ़ॉर्गेट इट इन द बाथरूम.

पति : थैंक्यू रीना। मैं ज़ल्दी में हूं। बाइ।

Husband : Thank you Reena. I have to rush now. Bye. थैंक्यू रीना. आइ हैव टु रश नाउ. बाइ.

रास्ते की पूछताछ — Asking the Way (आस्किंग द वे)

(रोहित दिल्ली में नया है। वह एक्सप्रेस बिल्डिंग पहुंचना चाहता है।)

रोहित : *(एक आदमी से)* माफ़ कीजिए। क्या आप मुझे एक्सप्रेस बिल्डिंग का रास्ता बता सकते हैं?

Rohit : *(to a man)* Excuse me. Could you tell me the way to the Express Building please? एक्सक्यूज़ मी. कुड यू टेल मी द वे टु द एक्सप्रेस बिल्डिंग प्लीज़?

आदमी : जी हां, सीधे जाइये, पहला बायां मोड़ मुड़िए और चलते जाइये। आप बहादुरशाह ज़फ़र मार्ग पहुंच जायेंगे। एक्सप्रेस बिल्डिंग उसी सड़क पर पड़ेगी।

The man : Yes, go straight, take the first left turn and keep walking. You will reach Bahadurshah Zafar Road. The Express Building is on that Road. येस, गो स्ट्रेट, टेक द फ़र्स्ट लेफ़्ट टर्न ऐंड कीप वॉकिंग. यू विल रीच बहादुरशाह ज़फ़र रोड. द एक्सप्रेस बिल्डिंग इज़ ऑन दैट रोड.

रोहित : धन्यवाद।

Rohit : Thank you. थैंक्यू.

रोहित : *(एक स्त्री से)* माफ कीजिए मैडम मुझे कनॉट प्लेस की बस कहां से मिलेगी?

Rohit : *(to a lady)* Excuse me Madam. From where can I get a bus to Connaught Place? एक्सक्यूज़ मी मैडम. फ्रॉम वेअर कैन आइ गेट अ बस टु कनॉट प्लेस?

स्त्री : पुल के पास उस बस स्टॉप से।

Lady : From that bus stop near the bridge. फ्रॉम दैट बस स्टॉप निअर द ब्रिज.

रोहित : धन्यवाद।

Rohit : Thank you. थैंक्यू.

रोहित : *(कंडक्टर से)* क्या यह बस जंतर मंतर जा जा रही है?

Rohit : *(to the conductor)* Is this bus going to Jantar Mantar? इज़ दिस बस गोइंग टु जंतर मंतर?

कंडक्टर : हां।

Conductor : Yes. येस.

रोहित : *(दूसरे आदमी से)* क्या आप मुझे जंतर मंतर पहुंचने पर बता देंगे?

Rohit : *(to a man)* Would you please tell me when we reach Jantar Mantar? वुड यू प्लीज़ टेल मी वेन वी रीच जंतर मंतर?

आदमी : हां, बता दूंगा।

The Man : Yes, I will. येस, आइ विल.

रोहित : क्या मुझे वहां से शालीमार बाग के लिए बस मिल सकती है।

Rohit : Can I get a bus to Shalimar Bagh from there? कैन आइ गेट अ बस टु शालीमार बाग फ्रॉम देअर?

आदमी : आसानी से! *(थोड़ी देर बाद)* यह है जंतर मंतर।

The Man : Yes, easily. येस ईज़िली. *(after sometime)* This is Jantar Mantar. दिस इज़ जंतर मंतर.

रोहित : धन्यवाद।

Rohit : Thank you. थैंक्यू.

(रोहित नीचे उतर कर बस स्टाप पर इंतज़ार करता है। एक बस आती है।)

रोहित : क्या ये शालीमार बाग जा रही है?

Rohit : Is it going to Shalimar Bagh? इज़ इट गोंइग टु शालीमार बाग?

कंडक्टर : नहीं।

Conductor : No. नो.

(एक और बस आती है)

रोहित : शालीमार बाग?

Rohit : Shalimar Bagh? शालीमार बाग?

कंडक्टर : हां।

Conductor : Yes. येस.

(रोहित शालीमार बाग उतरता है)

रोहित : *(एक आदमी से)* माफ़ कीजिए, डेसू कॉलोनी किधर पड़ेगी?

Rohit : *(to a man)* Excuse me, which side is DESU colony? एक्सक्यूज़ मी, विच साइड इज़ डेसू कॉलोनी?

आदमी : सॉरी, मुझे नहीं मालूम।

Man : Sorry, I don't know. सॉरी, आइ डोन्ट नो.

रोहित : *(एक दुकानदार से)* ज़रा डेसू कॉलोनी का रास्ता बतायेंगे?

Rohit : *(to a shopkeeper)* How to reach DESU colony please? हाउ टु रीच डेसू कॉलोनी प्लीज़?

दुकानदार : सीधे चलते जाइये। थोड़ी देर में बाईं ओर बड़ा सा लोहे का फाटक आयेगा। अंदर चले जाइये। वही देसू कॉलोनी है।

Shopkeeper : Go straight. After sometime you'll see a big iron gate on the left side. Go inside. That is DESU colony. गो स्ट्रेट. आफ़्टर समटाइम यू विल सी अ बिग आयरन गेट ऑन द लेफ़्ट साइड. गो इनसाइड. दैट इज़ डेसू कॉलोनी.

रोहित : *(गेट पर चौकीदार से)* डेसू कॉलोनी यही है?

Rohit : *(to the gatekeeper)* Is this DESU colony? इज़ दिस देसू कॉलोनी?

चौकीदार : जी हां।

Gatekeeper : Yes Sir. येस सर.

रोहित : सी ब्लॉक किधर पड़ेगा?

Rohit : Where is C-Block? वेअर इज़ सी ब्लॉक?

चौकीदार : वो पार्क देखते हैं न। उसके चारों ओर सी ब्लॉक है।

Gatekeeper : Do you see that park? The area around is C-Block. डू यू सी दैट पार्क? द एरिया अराउंड इज़ सी ब्लॉक.

रोहित : 695 नम्बर किधर पड़ेगा?

Rohit : Which side will be number 695? विच साइड विल बी नम्बर सिक्स नाइन्टी फ़ाइव?

चौकीदार : सीधे जाइये और बाईं तरफ मुड़ जाइये। उसके बाद सीधे हाथ को पहला मोड़ लीजिए। 695 उसी गली में होना चाहिए। मेरे ख्याल से 695 हैपी पब्लिक स्कूल से अगला नम्बर है।

Gatekeeper : Go straight and turn left. Then take the second right turn. 695 should be in that lane. I think it is next to Happy Public School. गो स्ट्रेट ऐंड टर्न लेफ़्ट. देन टेक द सेकंड राइट टर्न. सिक्स नाइंटी फ़ाइव शुड बी इन दैट लेन. आइ थिंक इट इज़ नेक्स्ट टु हैपी पब्लिक स्कूल.

रोहित : बहुत-बहुत शुक्रिया।

Rohit : Thank you very much. थैंक्यू वेरी मच.

मरीज़ के बारे में पूछताछ — Inquiry About a Patient (इन्क्वॉयरी अबाउट अ पेशेंट)

प्रशान्त : हलो दीपक, कैसे हो?

Prashant : Hello Deepak, how are you? हलो दीपक, हाउ आर यू?

दीपक : मैं तो ठीक हूं, पर मेरे पिता बीमार हैं।

Deepak : I am fine, but my father is not well. आइ एम फ़ाइन. बट माइ फ़ादर इज़ नॉट वेल.

प्रशान्त : अच्छा! क्या तकलीफ़ है?

Prashant : Oh, I am sorry to hear that! What's wrong? ओ, आइ एम सॉरी टु हिअर दैट! वॉट्स रौंग?

दीपक : डॉक्टर का कहना है कि उनका लिवर ठीक से काम नहीं कर रहा है।

Deepak : The doctor says his liver is not functioning properly. द डॉक्टर सेज़ हिज़ लिवर इज़ नॉट फ़ंक्शनिंग प्रॉपर्ली.

प्रशान्त : किस डॉक्टर को दिखाया है?

Prashant : Which doctor have you consulted? विच डॉक्टर हैव यू कनसल्टिड?

दीपक : डा. खन्ना को। उन्होंने कुछ टेस्ट्स बताये थे।

Deepak : Doctor Khanna. He had recommended some tests. डॉक्टर खन्ना. ही हैड रिकमेन्डिड सम टेस्ट्स.

प्रशान्त : रिपोर्ट्स मिल गईं?

Prashant : Have you got the reports? हैव यू गॉट द रिपोर्ट्स?

दीपक : हां, और डाक्टर ने इलाज़ भी शुरू कर दिया है।

Deepak : Yes, and the doctor has already started the treatment. येस, ऐंड द डॉक्टर हैज़ ऑलरेडी स्टार्टिड द ट्रीटमेंट.

प्रशान्त : अच्छा। तो कुछ फ़ायदा हुआ क्या?

Prashant : Oh I see. Has there been any improvement? ओ आइ सी. हैज़ देअर बीन एनी इंम्प्रूवमेंट?

दीपक : हां, पर बहुत धीरे-धीरे फ़र्क पड़ रहा है।

Deepak : Yes, but the progress is very slow. येस, बट द प्रोग्रेस इज़ वेरी स्लो.

प्रशान्त : तुमने इस बारे में डॉक्टर से बात की क्या?

Prashant : Did you speak to the doctor about it?
डिड यू स्पीक टु द डॉक्टर अबाउट इट?

दीपक : हां की तो। वह कहता है, हमें थोड़ा धीरज रखना चाहिए।

Deepak : Yes I did. But he says we have to be a little patient.
येस आइ डिड. बट ही सेज़ वी हैव टु बी अ लिटल पेंशेंट.

प्रशान्त : खाने में कोई परहेज़ आदि?

Prashant : Any restrictions about diet, food etc.?
ऐनी रिस्ट्रिक्शन्ज़ अबाउट डायट, फ़ूड एटसेट्रा?

दीपक : हां, डॉक्टर ने केवल उबला खाना और अधिक से अधिक पीने की चीजें लेने के लिए कहा है। चाय और कॉफ़ी के लिए मनाही की है।

Deepak : Yes, the doctor has recommended only boiled food, lots of liquids and no tea or coffee. येस, द डॉक्टर हैज रिकमेन्डिड ओनली बॉइल्ड फ़ूड, लॉट्स ऑफ़ लिक्विड ऐंड नो टी ऑर कॉफ़ी.

प्रशान्त : ज़रा खाने-पीने में पूरी सावधानी रखना।

Prashant : Please be careful about the diet.
प्लीज़ बी केअरफ़ुल अबाउट द डायट.

दीपक : कोशिश तो पूरी है।

Deepak : Yes we are doing our best.
येस वी आर डूइंग आवर बेस्ट.

प्रशान्त : दीपक, मैं कुछ कर सकता हूं तो बताओ।

Prashant : Anything I can do Deepak?
ऐनिथिंग आइ कैन डू दीपक?

दीपक : धन्यवाद, कुछ नहीं प्रशान्त। बस कभी आओ।

Deepak : No thanks, Prashant. Just drop in sometime.
नो थैंक्स, प्रशान्त. जस्ट ड्रॉप इन समटाइम.

प्रशान्त : ज़रूर, अच्छा। बाइ दीपक।

Prashant : Yes, sure. Bye Deepak. येस, श्योर. बाइ दीपक.

डॉक्टर से बातचीत — Talking to a Doctor (टॉकिंग टु अ डॉक्टर)

मरीज़ : नमस्ते डॉक्टर साहब।

Patient : Good Morning doctor. गुड मॉर्निंग डॉक्टर.

डॉक्टर : नमस्ते, बैठिए। क्या तकलीफ़ है?

Doctor : Good Morning, please sit down. Yes, what's the problem? गुड मॉर्निंग, प्लीज़ सिट डाउन. येस वॉट्स द प्रॉब्लम?

मरीज़ : मुझे बुखार है और गला खराब है।

Patient : I have fever and sore throat.
आइ हैव फ़ीवर ऐंड सोर थ्रोट.

डॉक्टर : लाइये देखें। ज़रा मुंह खोलिए। हां इनफ़ेक्शन तो है। बुखार कितना है?

Doctor : Let me see. Open your mouth please. Yes there is infection. How much is the fever? लेट मी सी. ओपन योर माउथ प्लीज़. येस देअर इज़ इनफ़ेक्शन। हाउ मच इज़ द फ़ीवर?

मरीज़ : घर से चला था तो 101° था।

Patient : It was 101° when I started from home.
इट वॉज़ 101° वेन आइ स्टार्टिड फ़्रॉम होम.

डॉक्टर : *(बुखार लेता है)* अभी भी उतना ही है। सर्दी लग रही है क्या?

Doctor : It's the same even now. Are you feeling cold?
इट्स द सेम ईवन नाउ. आर यू फ़ीलिंग कोल्ड?

मरीज़ : ज़्यादा तो नहीं।

Patient : Not much. नॉट मच.

डॉक्टर : खांसी है?

Doctor : Do you have cough? डू यू हैव कॉफ़.

मरीज़ : हां जी। खासतौर पर रात को तो मैं खांसी के मारे सो ही नहीं सकता।

Patient : Yes, specially at night I can't sleep because of it.
येस स्पेश्यली ऐट नाइट, आइ कान्ट स्लीप बिकॉज़ ऑफ़ इट.

डॉक्टर : और कोई तकलीफ़?

Doctor : Any other problem? एनी अदर प्रॉब्लम?

मरीज़ : सिर में दर्द है।

Patient : I have a headache. आइ हैव अ हेडेक.

डॉक्टर : वह बुखार के कारण है। ठीक है, पांच दिन तक ये कैप्सूल दिन में तीन बार खाइए। और ये गोलियां हर 6 घंटे के बाद तीन दिन तक।

Doctor : That's because of fever. O.K. Take these capsules thrice daily for five days and these tablets six hourly for three days. दैट्स बिकॉज ऑफ़ फ़ीवर. ओ.के. टेक दीज़ केप्स्यूल्स

थ्राइस डेली फ़ॉर फ़ाइव डेज़ ऐंड दीज़ टैब्लेट्स सिक्स आवरली फ़ॉर थ्री डेज़.

मरीज़ : दवाई किसके साथ खाऊं?

Patient : How to take the medicine? हाउ टु टेक द मेडिसन?

डॉक्टर : गर्म पानी के साथ। यह खांसी की दवा भी हर 6 घंटे बाद लेनी है।

Doctor : With warm water. Also take this cough mixture six hourly. विद वॉर्म वॉटर. ऑलसो टेक दिस कॉफ़ मिक्सचर सिक्स आवरली.

मरीज़ : कितनी?

Patient : How much? हाउ मच?

डॉक्टर : दो चाय के चम्मच। दिन में चार-पांच बार गरम पानी के गरारे से बहुत फ़ायदा होगा।

Doctor : Two teaspoons. Hot water gargles 4 to 5 times a day will help you a lot. टू टीस्पून्ज़. हॉट वॉटर गार्गल्स फ़ोर टु फ़ाइव टाइम्स अ डे विल हेल्प यू अ लॉट.

मरीज : खाने में कोई परहेज़ डॉ. साहब?

Patient : Any restrictions about food? एनी रिस्ट्रिक्शन्ज़ अबाउट फ़ूड?

डॉक्टर : ज़्यादा तेल और मसालेदार खाना मत खाइएगा। ठंडा पानी और दूसरा ठंडा भी मत पीयें उससे गले में तकलीफ़ होगी। आराम करिए, 2-3 दिन में तबीयत ठीक हो जायेगी।

Doctor : Don't eat oily or spicy food. Avoid cold water and cold drinks that will irritate the throat. Take rest and you will be alright in two-three days. डोन्ट ईट ऑइली ऑर स्पाइसी फ़ूड. अवॉइड कोल्ड वॉटर ऐंड कोल्ड ड्रिंक्स दैट विल इरिटेट द थ्रोट. टेक रेस्ट ऐंड यू विल बी ऑलराइट इन टू-थ्री डेज़।

मरीज : ठीक है डॉ. साहब धन्यवाद।

Patient : O.K. Doctor, thank you very much. ओ.के. डॉक्टर, थैंक्यू वेरी मच.

जनरल स्टोर में — At the General Store (ऐट द जनरल स्टोर)

ग्राहक : मुझे दो लक्स की टिक्कियां चाहिए। कितने पैसे?

Customer : I want two cakes of lux soap. How much? आइ वॉन्ट टू केक्स ऑफ़ लक्स सोप. हाउ मच?

दुकानदार : दस रुपये। और क्या दूं?

Shopkeeper : Ten rupees. What else? टेन रुपीज़. वॉट एल्स?

ग्राहक : दस रुपये क्यों? लक्स की टिक्की चार रुपये की है। यह देखिए यहां छपा है।

Customer : Why ten rupees? Lux is four rupees a cake! Look it is printed here! वाइ टेन रुपीज़? लक्स इज़ फ़ोर रुपीज़ अ केक! लुक इट इज़ प्रिंटिड हिअर!

दुकानदार : ठीक है आठ रुपये ही दे दीजिए। और क्या चाहिए आपको?

Shopkeeper : Alright pay eight rupees. What else do you want? ऑल राइट पे एट रुपीज़. वॉट एल्स डू यू वॉन्ट?

ग्राहक : रिफ़ाइंड ऑयल है आपके पास?

Customer : Do you have refined oil? डू यू हैव रिफ़ाइंड ऑयल?

दुकानदार : जी हां, आपको कौन सा चाहिए?

Shopkeeper : Yes, which one do you want? येस, विच वन डू यू वॉन्ट?

ग्राहक : एक किलो धारा दे दो और एक किलो चीनी।

Customer : Dhara one kg. pack and sugar one kg. धारा वन केजी. पैक ऐंड शुगर वन केजी.

दुकानदार : ये रहा धारा। मगर चीनी खत्म हो गई है। आपको कल मिल जायेगी।

Shopkeeper : This is Dhara one kg. but sugar is out of stock. You will get it tomorrow. दिस इज़ धारा वन केजी. बट शुगर इज़ आउट ऑफ़ स्टॉक. यू विल गेट इट टुमॉरो.

ग्राहक : मुझे एक अच्छा सा शैम्पू भी देना।

Customer : Give me a good shampoo also. गिव मी अ गुड शैम्पू ऑलसो.

दुकानदार : कौन सा चाहिए? ये हर्बल शैम्पू दे दूं?

Shopkeeper : Which one do you want? Should I give this herbal Shampoo? विच वन डू यू वॉन्ट? शुड आइ गिव दिस हर्बल शैम्पू?

ग्राहक : कितने का है?

Customer : What is the price? वॉट इज़ द प्राइस?

दुकानदार : 65 रु. का। इस पर 5 रु. की छूट है। आपको 60 का पड़ेगा।

Shopkeeper : Sixty five rupees. There is five rupees discount on it. It will cost you sixty rupees. सिक्सटी फ़ाइव रुपीज़. देअर इज़ फ़ाइव रुपीज़ डिस्काउंट ऑन इट. इट विल कॉस्ट य सिक्सटी रुपीज़.

ग्राहक : ठीक है एक दे दो। तुम्हारे पास आटा कौन सा है?

Customer : Alright give me one. Which flour do you have? ऑलराइट गिव मी वन. विच फ़्लावर डू यू हैव?

दुकानदार : सूरज ब्रैंड, राज भोग, कुकवेल सब हैं। आपको कौन सा चाहिए?

Shopkeeper : We have all, Suraj brand, Rajbhog and Cookwell. Which one do you want? वी हैव ऑल, सूरज ब्रैंड, राजभोग ऐंड कुकवैल. विच वन डू यू वॉन्ट?

ग्राहक : पिछली बार मैंने सूरज ब्रांड लिया था। मुझे पसंद नहीं आया।

Customer : Last time I used Suraj brand. I didn't like it. लास्ट टाइम आइ यूज़्ड सूरज ब्रैंड. आइ डिडन्ट लाइक इट.

दुकानदार : इस दफ़ा राजभोग इस्तेमाल करके देखिए। बिल्कुल घर के आटे जैसा है।

Shopkeeper : Try Rajbhog this time. It is like the real home made flour. ट्राइ राजभोग दिस टाइम. इट इज़ लाइक द रिअल होम मेड फ़्लावर.

ग्राहक : ठीक है 10 किलो दे दो। पर क्या तुम इसे घर पहुंचवा दोगे?

Customer : Alright give 10 kilos. Do you have home delivery. ऑल राइट गिव टेन किलोज़। डू यू हैव होम डिलिवरी?

दुकानदार : पांच किलोमीटर तक घर पहुंचाने का ज़िम्मा हमारा है।

Shopkeeper : Yes, up to 5 kilometres. येस अपटु फ़ाइव किलोमीटर्स.

ग्राहक : मैं पास ही रहती हूं।

Customer : I live close by. आइ लिव क्लोज़ बाइ.

दुकानदार : आपका पता?

Shopkeeper : What is your address? वॉट इज़ योर ऐड्रेस?

ग्राहक : C-95 कमल कॉलोनी।

Customer : C-95, Kamal colony. C-95, कमल कॉलोनी.

दुकानदार : कोई दिक्कत नहीं। आप पैसे दीजिए। मैं अभी आपके घर लड़के से सामान भिजवा देता हूं।

Shopkeeper : No problem. You make the payment. I'll just send the delivery boy to your house. नो प्रॉब्लम. यू मेक द पेमेंट. आइ विल जस्ट सेंड द डिलिवरी बॉय टु योर हाउस.

ग्राहक : धन्यवाद।

Customer : Thank you. थैंक्यू।

दुकानदार : जी, और कोई सेवा बताइए।

Shopkeeper : At your service madam. ऐट योर सर्विस मैडम.

उपहार की खरीदारी — Buying a Present (बाइंग अ प्रेज़ेंट)

दुकानदार : मैं आपकी क्या सेवा कर सकता हूं मैडम?

Shopkeeper : Yes, can I help you madam? येस, कैन आइ हेल्प यू मैडम?

स्त्री : मैं एक अच्छी घड़ी खरीदना चाहती हूं।

Lady : I want a nice watch. आइ वॉन्ट अ नाइस वॉच.

दुकानदार : लेडीज़ या जेन्ट्स?

Shopkeeper : Lady's or gent's? लेडीज़ और जेन्ट्स?

स्त्री : लेडीज़।

Lady : Lady's. लेडीज़.

दुकानदार : हमारे पास बहुत वैराइटी है। ज़रा यहां देखिए। इस शोकेस में टाइटन, ऑलविन और एच.एम.टी. की घड़ियां हैं। उससे अगले वाले में सभी इम्पोर्टिड स्विस घड़ियां हैं।

Shopkeeper : We have a large variety. Please look here. In this showcase we have Titan, Allwyn and H.M.T. In the next one we have imported Swiss watches. वी हैव अ लार्ज वैराइटी प्लीज़ लुक हिअर. इन दिस शोकेस वी हैव टाइटन, ऑलविन ऐंड एच.एम.टी. इन द नेक्स्ट वन वी हैव इम्पोर्टिड स्विस वॉचिज़.

स्त्री : ज़रा यह दिखाइये। पांचवीं लाइन में तीसरी।

Lady : Please show me this one. The third in the fifth row. प्लीज़ शो मी दिस वन. द थर्ड इन द फ़िफ़्थ रो।

दुकानदार : ज़रूर, ये टाइटन की है, बहुत बढ़िया घड़ी है।

Shopkeeper : Yes ofcourse. This is a Titan, a very nice watch. watch. येस ऑफ़कोर्स. दिस इज़ अ टाइटन, अ वेरी नाइस वॉच.

स्त्री : कीमत क्या है?

Lady : What is the price? वॉट इज़ द प्राइस?

दुकानदार : यह पर्ची पर लिखी है। केवल बारह सौ पचास रुपये।

Shopkeeper : It's here on the tag. Twelve hundred and fifty rupees only. इट्स हिअर ऑन द टैग. ट्वैल्व हंड्रेड ऐंड फ़िफ़्टी रुपीज़ ओनली.

स्त्री : नहीं, मुझे इतनी महंगी घड़ी नहीं चाहिए।

Lady : No, I don't want such an expensive watch. नो, आइ डोन्ट वॉन्ट सच एन एक्सपेन्सिव वॉच.

दुकानदार : फिर यह देखिए, कुल पांच सौ पचास की।

Shopkeeper : Then look at this one, five hundred and fifty only. दैन लुक एट दिस वन, फ़ाइव हंड्रेड ऐंड फ़िफ़्टी ओनली.

स्त्री : कौन सा ब्रांड है?

Lady : Which brand is it? विच ब्रैंड इज़ इट?

दुकानदार : एच.एम.टी. बहुत चलेगी।

Shopkeeper : H.M.T. very durable. एच.एम.टी. वेरी ड्यूरेबल.

स्त्री : नहीं, मुझे इसका डिज़ाइन पसंद नहीं है। वह दिखाइये तीसरी लाइन में, चौथी घड़ी।

Lady : No, I don't like the design. What about that one, the fourth in the third row. नो आइ डोन्ट लाइक द डिज़ाइन. वॉट अबाउट दैट वन, द फ़ोर्थ इन द थर्ड रो.

दुकानदार : ये वाली?

Shopkeeper : This one? दिस वन?

स्त्री : हां, कौन सा ब्रांड है?

Lady : Yes, what brand is that. येस, वॉट ब्रैंड इज़ दैट.

दुकानदार : टेंपल. यह एक नई कम्पनी है, जापान की सीको के साथ मिलकर घड़ियां बनाती है।

Shopkeeper : Temple. It is a new company in collaboration with Seiko Japan. टेंपल. इट इज़ अ न्यू कम्पनी इन कोलेबरेशन विद सीको जापान.

स्त्री : यह कैसी है।

Lady : How is it? हाउ इज़ इट?

दुकानदार : अच्छी है। इस पर दस पर्सेंट छूट भी है।

Shopkeeper : It's good. They are also offering 10% discount. इट्स गुड. दे आर ऑलसो ऑफ़रिंग टेन पर्सेंट डिस्काउंट.

स्त्री : इसकी क्या कीमत है।

Lady : What is the price? वॉट इज़ द प्राइस?

दुकानदार : सात सौ रुपये। पर 10% कंसेशन के बाद आपको छः सौ तीस की पड़ेगी।

Shopkeeper : Seven hundred rupees. But after 10% discount it will cost you six hundred and thirty only. सेवन हंड्रेड रुपीज़. बट आफ़्टर टेन पर्सेंट डिस्काउंट, इट विल कॉस्ट यू सिक्स हंड्रेड ऐंड थर्टी ओनली.

स्त्री : इसकी कोई गारंटी है?

Lady : Is there any guarantee? इज़ देअर एनी गारंटी?

दुकानदार : जी हां, दो साल की।

Shopkeeper : Yes, two years. येस टू ईयर्ज़.

स्त्री : गारंटी में क्या है?

Lady : What does the guarantee include? वॉट डज़ द गारंटी इन्क्लूड?

दुकानदार : दो साल के लिए छोटी-मोटी शिकायत की मुफ़्त मरम्मत। कोई बड़ा मशीनी नुक्स होने, पर घड़ी बदलकर दूसरी मिलेगी।

Shopkeeper : Free repair of minor faults for two years and full replacement if there is a major manufacturing defect. फ्री रिपेअर ऑफ़ माइनर फ़ॉल्ट्स फ़ॉर टू ईयर्ज़ ऐंड फुल रिप्लेसमेंट इफ़ देअर इज़ अ मेजर मेन्युफ़ेक्चरिंग डिफ़ेक्ट.

स्त्री : ठीक है, मैं यह खरीदूंगी। इसके साथ केस मिलेगा न?

Lady : O.K. I will buy this one. Shall I get a case with the watch. ओ.के. आइ विल बाइ दिस वन. शैल आइ गेट अ केस विद द वॉच?

दुकानदार : जी हां, एक सुन्दर केस मिलेगा।

Shopkeeper : Yes, a beautiful case. येस, अ ब्यूटिफ़ुल केस.

स्त्री : इसको उपहार की तरह पैक करवा दें।

Lady : Please get it gift wrapped. प्लीज़ गेट इट गिफ़्ट रैप्ड.

दुकानदार : जी मैडम। आप उस काउंटर पर पैसे दें। और यह रहा आपका गारंटी कार्ड। इसे खोइयेगा मत।

Shopkeeper : Yes madam, please pay at that counter. And this is your guarantee card. Please don't lose it. येस मैडम, प्लीज़ पे ऐट दैट काउंटर, ऐंड दिस इज़ योर गारंटी कार्ड. प्लीज़ डोंट लूज़ इट.

स्त्री : जी धन्यवाद।

Lady : Yes, thank you. येस, थैंक्यू.

मनोरंजन: फिल्मों और टी.वी. प्रोग्रामो के बारे में बातचीत
Entertainment: Discussing Movies and T.V. Programmes
ऐन्ट्रटेनमेंट: डिस्कसिंग मूवीज़ ऐंड टी.वी. प्रोग्राम्ज़

(दो सहेलियां निमा और मेघा आपस में फ़िल्मों और टी. वी. प्रोग्रामों के बारे में बातचीत करती हैं।)

निमा : हाइ मेघा।

Nima : Hi Megha. हाइ मेघा.

मेघा : हाइ निमा, कैसी हो?

Megha : Hi Nima. How are you? हाइ निमा, हाउ आर यू?

निमा : ठीक हूं। क्या चल रहा है?

Nima : Fine. What's going on? फ़ाइन. वॉट्स गोइंग ऑन.

मेघा : कुछ नहीं, बस टी.वी. देख रही हूं।

Megha : Nothing, just watching T.V. नथिंग, जस्ट वॉचिंग टी.वी.

निमा : कौन सा प्रोग्राम?

Nima : Which Programme. विच प्रोग्राम?

मेघा : फ़िलिप्स टॉप टेन। मुझे बहुत पसंद है।

Megha : Philips Top Ten. I just love the programme. फ़िलिप्स टॉप टेन. आइ जस्ट लव द प्रोग्राम.

निमा : मुझे भी। मुझे सा रे गा मा और क्लोज़ अप अंताक्षरी भी बहुत अच्छे लगते हैं।

Nima : Me too. I also like Sa Re Ga Ma and Close up Antakshari. मी टू. आइ ऑलसो लाइक सा रे गा मा ऐंड क्लोज अप अंताक्षरी.

मेघा : मुझे भी, तुम्हें कौन सा टी. वी. सीरियल सबसे ज़्यादा पसंद है?

Megha : Same here. Which T.V. serial do you like most? सेम हिअर. विच टी.वी. सीरियल डू यू लाइक मोस्ट?

निमा : मुझे तो दास्तान अच्छा लगता है। इसके अलावा श्रीमान श्रीमती भी मुझे पसंद है। बढ़िया कॉमेडी है। है न?

Nima : Well, I like Daastan. Also I like Shriman Shrimati, a lovely comedy, isn't it? वेल, आइ लाइक दास्तान. ऑलसो आइ लाइक श्रीमान श्रीमती, अ लवली कॉमेडी, इज़न्ट इट?

मेघा : मेरे मनपसंद हैं जुनून और स्वाभिमान। वैसे मुझे डिस्कवरी और टर्निंग पॉइंट भी पसंद हैं।

Megha : My favourite are Junoon and Swabhiman. I also like Discovery and Turning Point. माइ फ़ेवरिट आर जुनून ऐंड स्वाभिमान. आइ ऑलसो लाइक डिस्कवरी ऐंड टर्निंग पॉइंट.

निमा : वे मुझे भी अच्छे लगते हैं। मेघा, तुमने दिलवाले दुल्हनियां ले जाएंगे देखी है?

Nima : I like them too. Megha, have you seen Dilwale Dulhaniya le Jayenge? आइ लाइक देम टू. मेघा, हैव यू सीन दिलवाले दुल्हनियां ले जाएंगे?

मेघा : अरे हां तीन बार। बहुत प्यारी फ़िल्म है, है न? शाहरुख कितना क्यूट लगता है और काजोल कितनी सुन्दर।

Megha : Oh yes, thrice. It's a beautiful movie, isn't it? Shahrukh is so cute and Kajol looks so pretty. ओ येस थ्राइस. इट्स अ ब्यूटिफुल मूवी, इजन्ट इट? शाहरुख इज़ सो क्यूट ऐंड काजल लुक्स सो प्रिटी.

निमा : वाकई! और अनुपम खेर का तो जवाब ही नहीं! हमारे यहां उससे बढ़िया हास्य अभिनेता नहीं है।

Nima : Really! And Anupam Kher is simply fantastic! He is the best comedian we have. रिअली! ऐंड अनुपम खेर इज़ सिम्पली फ़ैंटास्टिक! ही इज़ द बेस्ट कॉमेडियन वी हैव.

मेघा : बेशक! मालूम है, इस बार सारे पुरस्कार इसी फ़िल्म को मिले हैं? सबसे बढ़िया फ़िल्म, सबसे बढ़िया एक्टर, एक्ट्रैस, संगीत करीब-करीब सभी कुछ।

Megha : Yes ofcourse! You know the movie bagged all the awards this year? The best movie, best actor, best actress, best music, almost everything. येस ऑफ़कोर्स! यू नो द मूवी बैग्ड ऑल द अवार्ड्स दिस ईयर? द बेस्ट मूवी, बेस्ट ऐक्टर, बेस्ट ऐक्ट्रेस, बेस्ट म्यूज़िक, ऑलमोस्ट एवरीथिंग.

निमा : वे वाकई इस सबके हकदार थे, थे न? भगवान का शुक्र है हवा बदल रही है। मैं तो सेक्स और हिंसा से भरपूर फ़िल्मों से तंग आ गई हूं।

Nima : And they deserved every bit of it, didn't they? Thank God the trend is changing. I am fed up with movies full of sex and violence. ऐंड दे डिज़र्व्ड एवरी बिट ऑफ़ इट, डिड्न्ट दे? थैंक गॉड द ट्रेंड इज़ चेन्जिंग. आइ एम फ़ेड अप विद मूवीज़ फुल ऑफ़ सेक्स ऐंड वॉयलेंस?

मेघा : वाकई। मुझे खुद ऐसी फ़िल्में बेहद उबाने वाली लगती हैं। पूरे परिवार के साथ बैठ कर तो फ़िल्म देखी ही नहीं जा सकती।

Megha : Really, I too find such movies very boring. You can't sit and watch them with family. रिअली, आइ टू फ़ाइंड सच मूवीज वेरी बोरिंग. यू कान्ट सिट ऐंड वॉच देम विद फ़ैमिली.

निमा : डी. डी. वन पर चित्रहार आ रहा है। देखोगी।

Nima : There is Chitrahaar on D.D. 1. Do you want to see? देअर इज़ चित्रहार ऑन डी. डी. वन. डू यू वॉन्ट टू सी?

मेघा : ठीक है, देख लेते हैं। कभी-कभी अच्छे गाने दिखाते हैं।

Megha : O.K. Let's see. Sometimes they show good songs? ओ.के. लेट्स सी. समटाइम्स दे शो गुड साँ++ग्ज़.

अतिथि सत्कार — Entertaining a Guest (एन्ट्रटेनिंग अ गेस्ट)

मेज़बान : ओह आइये-आइये, स्वागत है। लाइये सामान इधर दीजिए।

Host : Oh hello! Welcome, please come in. Let me help you with the luggage. ओ हलो! वेलकम, प्लीज़ कम इन. लेट मी हेल्प यू विद द लगेज.

मेहमान : नहीं-नहीं रहने दीजिए। बहुत-बहुत धन्यवाद।

Guest : No-No. It's alright. Thank you very much. नो-नो इट्स ऑल राइट. थैंक्यू वेरी मच.

मेज़बान : यहां आराम से बैठिए। कैसे हैं?

Host : Please make yourself comfortable. How are you? प्लीज़ मेक योरसेल्फ़ कम्फ़र्टेबल. हाउ आर यू?

मेहमान : मैं ठीक हूं। आप कैसे हैं।

Guest : I am fine and you? आइ ऐम फ़ाइन ऐंड यू?

मेज़बान : मैं भी ठीक हूं। आपके परिवार में सब कैसे हैं?

Host : I am fine too. How is the family? आइ ऐम फ़ाइन टू. हाउ इज़ द फ़ैमिली.

मेहमान : सभी ठीक हैं। धन्यवाद।

Guest : Everybody is fine. Thank you. एवरीबडी इज़ फ़ाइन. थैंक्यू.

मेज़बान : आपका सफ़र कैसा रहा?

Host : How was the journey? हाउ वॉज़ द जर्नी?

मेहमान : मैं आराम से आया। कोई दिक्कत नहीं हुई।

Guest : It was comfortable. No problems. इट वॉज़ कम्फ़र्टेबल. नो प्रॉब्लम्ज़.

मेज़बान : क्या लेना पसंद करेंगे? चाय या कॉफ़ी?

Host : What would you like to have? Tea or coffee. वॉट वुड यू लाइक टू हैव? टी और कॉफ़ी?

मेहमान : मैं पहले नहाना चाहूंगा।

Guest : I would like to have bath first. आइ वुड लाइक टू हैव बाथ फ़र्स्ट.

मेज़बान : ज़रूर, ज़रूर। आइये आपको बाथरूम दिखा दूं।

Host : Yes, ofcourse. Let me show you the bathroom. येस ऑफ़कोर्स. लेट मी शो यू द बाथरूम.

मेहमान : जी, शुक्रिया।

Guest : Yes, thanks. येस, थैंक्स.

मेज़बान : कुछ चाहिए आपको?

Host : Do you need anything? डू यू नीड एनीथिंग?

मेहमान : जी नहीं।

Guest : No thanks. नो थैंक्स.

(नहाने के बाद)

मेज़बान : नाश्ते में आप क्या पसंद करेंगें?

Host : What would you like to have for breakfast? वॉट वुड यू लाइक टु हैव फ़ॉर ब्रेकफ़ास्ट?

मेहमान : कुछ भी चलेगा।

Guest : Anything will do. एनीथिंग विल डू.

मेज़बान : आपको आलू के भरवां परांठे पसंद हैं?

Host : Do you like stuffed potato paranthas? डू यू लाइक स्टफ़्ड पोटेटो परांठाज़?

मेहमान : जी हां, बहुत पसंद हैं।

Guest : Oh yes! I like them very much. ओ येस! आइ लाइक देम वेरी मच.

मेज़बान : लीजिए।

Host : Here, please help yourself. हिअर, प्लीज़ हेल्प योरसेल्फ़.

मेहमान : धन्यवाद।

Guest : Thank you. थैंक्यू.

मेज़बान : दही लीजिएगा?

Host : Do you like curd? डू यू लाइक कर्ड?

मेहमान : जी हां, थोड़ा सा लूंगा।

Guest : Yes, I'll take a little. येस, आइल टेक अ लिटल.

मेज़बान : थोड़ा सा मक्खन भी लीजिए।

Host : Please take some butter. प्लीज़ टेक सम बटर.

मेहमान : जी मैं मक्खन नहीं लेता।

Guest : No thanks, I avoid that. नो थैंक्स, आइ अवॉइड दैट.

मेज़बान : पीने के लिए क्या लेंगे?

Host : What would you like to drink? वॉट वुड यू लाइक टु ड्रिंक?

मेहमान : जी चाय।

Guest : Tea please. टी प्लीज़.

मेज़बान : चीनी?

Host : Sugar? शुगर?

मेहमान : जी चीनी नहीं।

Guest : No sugar please. नो शुगर प्लीज़.

मेज़बान : क्यों कोई खास बात?

Host : Why, any problems? वाइ, ऐनी प्रॉब्लम्ज़?

मेहमान : जी नहीं, बस थोड़ी सावधानी बरत रहा हूं।

Guest : No, just taking precautions. नो, जस्ट टेकिंग प्रिकॉशन्ज़.

मेज़बान : अच्छी बात है।

Host : That's good. दैट्स गुड.

मेहमान : परांठे बहुत अच्छे बने हैं।

Guest : The paranthas are very good. द परांठाज़ आर वेरी गुड.

मेज़बान : शुक्रिया, एक और लीजिए न।

Host : Thank you, please have one more. थैंक्यू, प्लीज़ हैव वन मोर.

मेहमान : जी बस। धन्यवाद।

Guest : No thanks. I have had enough. नो थैंक्स. आइ हैव हैड इनफ़.

मेज़बान : तो थोड़ा फल लीजिए।

Host : Take some fruit then. टेक सम फ्रूट देन.

मेहमान : *(सेब लेता है)* जी, शुक्रिया।

Guest : *(takes an apple)* Yes, thanks. येस, थैंक्स.

मेज़बान : दिन में आपका क्या प्रोग्राम है?

Host : What's your programme for the day? वॉट्स योर प्रोग्राम फ़ॉर द डे?

मेहमान : बस अभी तैयार होकर कुछ काम से निकलूंगा।

Guest : I will get ready now and go out for some work. आइ विल गेट रेडी नाउ ऐंड गो आउट फ़ॉर सम वर्क.

मेज़बान : किस समय तक वापस आने की उम्मीद है?

Host : What time should we expect you back. वॉट टाइम शुड वी एक्सपेक्ट यू बैक.

मेहमान : लंच पर तो वापस नहीं आ सकूंगा। पर शाम को सात बजे से पहले आ जाऊंगा।

Guest : I won't be back for lunch. But in the evening, I'll come back before seven. आइ वॉन्ट बी बैक फ़ॉर लंच. बट इन द ईवनिंग, आइल कम बैक बिफ़ोर सेवन.

मेज़बान : डिनर में क्या खाना पसंद करेंगे? मेरा मतलब कोई खास, दाल या सब्जी जो अच्छी लगती हो।

Host : What would you like for dinner? I mean any vegetable or dal you prefer. वॉट वुड यू लाइक फ़ॉर डिनर? आइ मीन ऐनी वेजीटेबल ऑर दाल यू प्रिफ़र.

मेहमान : मुझे सब कुछ पसंद है। कृपया सादा खाना ही बनाइएगा।

Guest : I like everything. Please cook a simple meal. आइ लाइक एवरीथिंग. प्लीज़ कुक अ सिम्पल मील.

मेज़बान : जी। आपको बस के रास्ते आदि की जानकारी है?

Host : O.K. Are you familiar with the bus routes? ओ.के. आर यू फ़ैमिलिअर विद द बस रूट्स?

मेहमान : कुछ तो है। पर यदि कोई दिक्कत हुई तो ऑटो ले लूंगा। मेरे ख्याल से अब मुझे तैयार हो जाना चाहिए।

Guest : Yes I know some. But in case of any problem, I will take an auto. I think, I should get ready now. येस आइ नो सम. बट इन केस ऑफ़ ऐनी प्रॉब्लम, आइ विल टेक ऐन ऑटो. आइ थिंक आइ शुड गेट रेडी नाउ.

(शाम को)

मेज़बान : कैसा रहा आपका दिन?

Host : How was your day? हाउ वॉज़ योर डे?

मेहमान : अच्छा था। पर काफ़ी भागदौड़ रही।

Guest : It was good but hectic. इट वॉज़ गुड बट हेक्टिक.

मेज़बान : थक गए हैं न?

Host : Tired? टायर्ड?

मेहमान : जी। मैं जल्दी सोऊंगा।

Guest : Yes, I'll go to bed early. येस, आइल गो टु बेड अर्ली.

मेज़बान : जी ज़रूर। चलिए पहले खाना खा लें।

Host : Yes sure. Let's have dinner first. येस श्योर. लेट्स हैव डिनर फ़र्स्ट.

(खाने की मेज़ पर)

मेहमान : आपने तो पूरी दावत कर डाली। आपको इतनी सारी चीजें नहीं बनानी चाहिए थीं।

Guest : It's a real feast. You shouldn't have prepared so many dishes. इट्स अ रिअल फ़ीस्ट. यू शुडन्ट हैव प्रिपेअर्ड सो मैनी डिशिज़.

मेज़बान : इतना कुछ नहीं है। लीजिए।

Host : It's nothing much. Please help yourself. इट्स नथिंग मच. प्लीज़ हेल्प योरसेल्फ़.

मेहमान : चिकन देख कर तो भूख लग गई है।

Guest : The chicken looks very appetizing. द चिकन लुक्स वेरी ऐपिटाइज़िंग.

मेज़बान : दाल और सब्ज़ियां भी लीजिए। आपको क्या पसंद है, पूरी या चपाती?

Host : Take the dal and vegetables also. Do you like, puri or chapati? टेक द दाल ऐंड वेजीटेबल्ज़ ऑलसो. डू यू लाइक, पूरी ऑर चपाती?

मेहमान : जी चपाती।

Guest : Chapati please. चपाती प्लीज़.

मेज़बान : चावल?

Host : Rice? राइस?

मेहमान : धन्यवाद, बाद में ले लूंगा। ज़रा नमक पकड़ा देंगे?

Guest : I'll take rice later. Would you pass some salt please? आइल टेक राइस लेटर. वुड यू पास सम साल्ट प्लीज़?

मेज़बान : ये लीजिए। थोड़ा चिकन और लीजिए न।

Host : Here you are. Please have some more chicken. हिअर यू आर. प्लीज़ हैव सम मोर चिकन.

मेहमान : बस थोड़ा ही।

Guest : Just a little please. जस्ट अ लिटल प्लीज़.

मेज़बान : डाइटिंग कर रहे हैं क्या?

Host : Are you dieting. आर यू डाइटिंग?

मेहमान : अरे नहीं, मैंने बहुत खा लिया। खाना वाकई बहुत स्वादिष्ट है।

Guest : Oh no ! Actually, I have eaten very well. The food is really delicious. ओ नो ! ऐक्चुअली, आइ हैव ईटन वेरी वेल. द फ़ूड इज़ रिअली डिलिश्यस.

मेज़बान : धन्यवाद, मीठा लीजिए।

Host : Thank you, Take the dessert. थैंक्यू, टेक द डिज़र्ट.

मेहमान : यह क्या है।

Guest : What is it? वॉट इज़ इट?

मेज़बान : खीर।

Host : Kheer. खीर.

मेहमान : खीर तो मेरी कमज़ोरी है।

Guest : Kheer is my weakness. खीर इज़ माइ वीकनेस.

मेज़बान : इतनी थोड़ी क्यों? और लीजिए न।

Host : Why so little? Take some more.
वाइ सो लिटल? टेक सम मोर.

मेहमान : जी बस, मेरा पेट वाकई भर गया है।

Guest : No thanks, I am really full.
नो थैंक्स, आइ ऐम रिअली फुल.

मेज़बान : थोड़ी चाय या कॉफ़ी लेंगे?

Host : Would you like some tea or coffee?
वुड यू लाइक सम टी ऑर कॉफ़ी?

मेहमान : जी नहीं। रात को नहीं लेता। नहीं तो सो नहीं सकूंगा।

Guest : No, I avoid that at night. I won't be able to sleep then. नो आइ अवॉयड दैट ऐट नाइट. आई वॉन्ट बी एबल टु स्लीप देन.

मेज़बान : ठीक। अगर आराम करना चाहें, तो आपका बिस्तर तैयार है।

Host : O.K. Your bed is ready in case you want to rest now.
ओ.के. योर बेड इज़ रेडी इन केस यू वॉन्ट टु रेस्ट नाउ.

मेहमान : जी थोड़ी देर में।

Guest : Yes, after a short while. येस, आफ़्टर अ शॉर्ट वाइल.

(सोने से पहले)

मेज़बान : किसी चीज की ज़रूरत तो नहीं?

Host : Do you need anything? डू यू नीड ऐनीथिंग?

मेहमान : जी नहीं, धन्यवाद।

Guest : Nothing, thanks. नथिंग, थैंक्स.

मेज़बान : ठीक है, आराम कीजिए। गुड नाइट.

Host : Alright, please take rest then. Goodnight.
ऑलराइट, प्लीज़ टेक रेस्ट देन. गुड नाइट.

जन्मदिन की पार्टी — A Birthday Party (अ बर्थडे पार्टी)

(सुधीर और माधुरी अपनी बेटी ऋतु का जन्मदिन मना रहे हैं। मि. और मिसिज़ राव अपनी बेटी मिनि के साथ आते हैं।)

मिनि : *(उपहार देते हुए)* जन्मदिन मुबारक हो ऋतु!

Mini : *(Giving the Gift)* Happy Birthday Ritu! हैपी बर्थडे ऋतु!

ऋतु : थैंक्यू मिनी।

Ritu : Thank you Mini. थैंक्यू मिनि.

मिसिज़ राव : भगवान करे, यह दिन बार-बार खुशियां लाए.

Mrs. Rao : Many happy returns of the day Ritu.
मेनी हैपी रिटर्न्ज़ ऑफ़ द डे ऋतु.

ऋतु : थैंक्यू आंटी।

Ritu : Thank you auntie. थैंक्यू आंटी.

मि. राव : *(सुधीर से)* बधाई हो।

Mr. Rao : *(To Sudhir)* Congratulations. कौंग्रैच्युलेशंज़.

सुधीर : बहुत-बहुत धन्यवाद, आइये बैठिए।

Sudhir : Thank you very much, please be seated. थैंक्यू वेरी मच, प्लीज़ बी सीटिड.

(दूसरे मेहमान और बच्चे आते हैं तथा ऋतु और उसके माता-पिता को बधाई देते हैं।)

माधुरी : *(मेहमानों से)* प्लीज़ कुछ ठंडा लीजिए।

Madhuri : *(to the guests)* Please have cold drinks.
प्लीज़ हैव कोल्ड ड्रिंक्स.

ऋतु : पापा मेरे सारे दोस्त आ गये। क्या मैं अब केक काट लूं?

Ritu : Papa, all my friends have come. Can I cut the cake now? पापा, ऑल माइ फ्रेंड्ज़ हैव कम. कैन आइ कट द केक नाउ?

सुधीर : ठीक है। अपनी मम्मी और सभी मेहमानों को मेज़ के पास बुलाओ।

Sudhir : All right. Call your Mummy and all the guests to the table. ऑल राइट. कॉल योर मम्मी ऐंड ऑल द गेस्ट्स टु द टेबल.

ऋतु : सभी लोग प्लीज़ टेबल के पास आइये।

Ritu : Everybody, please come to the table.
एवरीबडी, प्लीज़ कम टु द टेबल.

माधुरी : ऋतु आओ, ये चाकू लो और केक काटो।

Madhuri : Ritu come here, take this knife and cut the cake.
ऋतु कम हिअर, टेक दिस नाइफ़ ऐंड कट द केक.

(ऋतु केक काटती है, सभी ताली बजाते हैं, और 'हैपी बर्थडे टु यू' गाते हैं।)

सुधीर : बहुत अच्छे, अब ये खाओ। **Sudhir :** Very good, now eat this. वेरी गुड, नाउ ईट दिस.

माधुरी : ऋतु, लो ये केक के टुकड़े सभी में बांट दो। **Madhuri :** Ritu give these cake pieces to everybody. ऋतु गिव दीज़ केक पीसिज़ टु एवरीबडी.

ऋतु : पापा अब हम खेल खेलेंगे। **Ritu :** Papa I want to play games now. पापा आइ वॉन्ट टु प्ले गेम्ज़ नाउ.

सुधीर : कौन से खेल खेलना चाहती हो? **Sudhir :** What games do you want to play? वॉट गेम्ज़ डू यू वॉन्ट टु प्ले?

ऋतु : पास द पासर्ल और म्यूज़िकल चेयर्ज़। **Ritu :** Pass the parcel and musical chairs. पास द पार्सल ऐंड म्यूज़िकल चेअर्ज़.

सुधीर : ठीक है चलो। **Sudhir :** All right. Let's go. ऑल राइट. लेट्स गो.

माधुरी : मैं तब तक खाना लगाती हूं। **Madhuri :** I will lay the table in the meanwhile. आइ विल ले द टेबल इन द मीनवाइल.

माधुरी : ऋतु आओ। अपने दोस्तों को खाने के लिए बुलाओ। *(मेहमानों से)* प्लीज़ खाने के लिए आइये। **Madhuri :** Ritu come. Call your friends for food now. ऋतु कम. कॉल योर फ्रेंड्ज़ फ़ॉर फ़ूड नाउ. *(To other guests)* Please come for food. प्लीज़ कम फ़ॉर फ़ूड.

(ऋतु और दूसरे बच्चे भागते हुए आते हैं।)

ऋतु : मम्मी बड़ा मज़ा आया। **Ritu :** Mummy, we had a lot of fun. मम्मी, वी हैड अ लॉट ऑफ़ फ़न.

मिनी : *(मां से)* मम्मी मुझे पास द पार्सल में फ़र्स्ट प्राइज़ मिला। **Mini :** *(to her mother)* Mummy I won the first prize in Pass the Parcel. मम्मी, आइ वन द फ़र्स्ट प्राइज़ इन पास द पार्सल.

दूसरा बच्चा : मुझे म्यूज़िकल चेअर्ज़ में फ़र्स्ट प्राइज़ मिला। **Another child :** I won the first prize in the Musical Chairs. आइ वन द फ़र्स्ट प्राइज़ इन द म्यूज़िकल चेअर्ज़.

माधुरी : भई वाह! आओ अब कुछ खा लो। **Madhuri :** Wonderful! Come and eat something now. वंडरफ़ुल! कम ऐंड ईट समथिंग नाउ.

मिसिज़ कंवर : माधुरी ये रसगुल्ले बहुत बढ़िया हैं। कहां से मंगवाये? **Mrs. Kanwar :** Madhuri, these Rasgullas are very nice. Where did you buy them from? माधुरी, दीज़ रसगुल्लाज़ आर वेरी नाइस. वेअर डिड यू बाइ देम फ़्रॉम?

माधुरी : सुंदर स्वीट्स से। **Madhuri :** From Sunder sweets. फ़्रॉम सुंदर स्वीट्स.

मिसिज़ शर्मा : तुम्हारे सैंडविचिज़ भी बहुत टेस्टी बने हैं। **Mrs. Sharma :** Your sandwitches are also very tasty. योर सैंडविचिज़ आर ऑल्सो वेरी टेस्टी.

माधुरी : थैंक्यू और लीजिए न। **Madhuri :** Thank you, please have some more. थैंक्यू, प्लीज़ हैव सम मोर.

(पार्टी के बाद)

मि. शर्मा : थैंक्यू सुधीर, बहुत मज़ा आया। अच्छा बाइ। **Mrs. Sharma :** Thank you Sudhir. We really enjoyed ourselves. O.K. bye. थैंक्यू सुधीर. वी रिअली एन्जॉयड आवरसेल्व्ज़. ओ.के. बाइ.

सुधीर : आने के लिए धन्यवाद मि. शर्मा। बाइ। **Sudhir :** Thank you for coming Mr. Sharma. Bye. थैंक्यू फ़ॉर कमिंग मि. शर्मा. बाइ.

मिनी : ऋतु तुम्हारी पार्टी बहुत अच्छी थी। बाइ। **Mini :** Ritu, your party was very nice. Bye. ऋतु, योर पार्टी वॉज़ वेरी नाइस. बाइ.

ऋतु : थैंक्यू मिनी, बाइ।	**Ritu :** Thank you Mini. Bye. थैंक्यू मिनि, बाइ.
ऋतु : मम्मी, क्या अब मैं अपने उपहार खोल कर देख सकती हूं?	**Ritu :** Mummy, can I open my gifts now? मम्मी, कैन आइ ओपन माइ गिफ़्ट्स नाउ?
माधुरी : हां, खोल लो।	**Madhuri :** Yes, you can. येस, यू कैन.
ऋतु : चलिए पापा, हम उपहार खोलें।	**Ritu :** Come papa, let's open the gifts. कम पापा, लेट्स ओपन द गिफ़्ट्स.

बस स्टॉप पर — At the Bus Stop (ऐट द बस स्टॉप)

एक आदमी : *(दूसरे से)* ज़रा सुनिए, दिल्ली गेट के लिए बस कहां से मिलेगी?	**A man :** *(to another)* Excuse me. Where can I get a bus to Delhi Gate? एक्सक्यूज़ मी. वेअर कैन आइ गेट अ बस टु डेल्ही गेट?
दूसरा आदमी : यहीं इंतज़ार कीजिए। आपको इसी बस स्टॉप से बस मिलेगी।	**Second Man :** Wait here. Many buses from here go to Delhi Gate. वेट हिअर. मेनी बसिज़ फ्रॉम हिअर गो टु डेल्ही गेट.
पहला आदमी : धन्यवाद. दिल्ली गेट पहुंचने में कितना समय लगता है?	**First Man :** Thank you. How long does it take to reach Delhi Gate? थैंक्यू, हाउ लौंग डज़ इट टेक टु रीच डेल्ही गेट?
दूसरा आदमी : करीब 15 मिनट।	**Second Man :** About 15 minutes. अबाउट फ़िफ़्टीन मिनट्स.
पहला आदमी : अगली बस कितनी देर में आयेगी?	**First Man :** When will the next bus come? वेन विल द नेक्स्ट बस कम?
दूसरा आदमी : कहना मुश्किल है। 5 मिनट में भी आ सकती और हो सकता है 25 मिनट में भी न आये।	**Second Man :** Difficult to say. It may come in five minutes or it may not come for another twenty five minutes. डिफ़िकल्ट टु से. इट मे कम इन फ़ाइव मिनट्स ऑर इट मे नॉट कम फ़ॉर अनदर ट्वेन्टी फ़ाइव मिनट्स.
पहला आदमी : दिल्ली में बसों से सफ़र करनेवालों की हालत बहुत खराब है।	**First Man :** The condition of bus passengers in Delhi is very bad. द कंडीशन ऑफ़ बस पैसेन्जर्स इन डेल्ही इज़ वेरी बैड.
दूसरा आदमी : आप ठीक कहते हैं। यहां तो कोई भी ट्रैफ़िक के नियमों का पालन नहीं करता। बसों से सफ़र करना दिन पर दिन मुश्किल होता जा रहा है।	**Second Man :** You are right. Here nobody cares for the traffic rules. Travelling by buses is getting harder day by day. यू आर राइट. हिअर नोबडी केअर्ज़ फ़ॉर द ट्रैफ़िक रूल्ज़. ट्रैवलिंग बाइ बसिज़ इज़ गेटिंग हार्डर डे बाइ डे.
पहला आदमी : पर आम लोगों के पास और कोई रास्ता भी तो नहीं है।	**First Man :** Yes, but common people have no other alternative. येस, बट कॉमन पीपल हैव नो अदर ऑल्टरनेटिव.
दूसरा आदमी : जी हां, मजबूरी है। हालांकि पिछले सालों में बसों की संख्या बढ़ी है। यात्रियों की संख्या उससे कहीं ज़्यादा बढ़ गई है।	**Second Man :** Yes, we are helpless. Although the number of buses has increased in the past years. The number of passengers has increased far more. येस, वी आर हेल्पलेस. ऑलदो द नम्बर ऑफ़ बसिज़ हैज़ इनक्रीज़्ड इन द पास्ट ईयर्ज़. द नम्बर ऑफ़ पैसेंजर्स हैज़ इन्क्रीज़्ड फ़ार मोर.
पहला आदमी : सड़क दुर्घटनाएं भी बढ़ती जा रही हैं।	**First Man :** Road accidents are on the increase too. रोड एक्सीडेंट्स आर ऑन द इनक्रीज़ टू.
दूसरा आदमी : सभी अंधाधुंध गाड़ी चलाते हैं। बड़े शहरों में सड़कों पर जीवन बहुत असुरक्षित हो गया है।	**Second Man :** Everybody drives carelessly. Life is really insecure on the roads in big cities. एवरीबडी ड्राइव्ज़ केअर-लेसली. लाइफ़ इज़ रिअली इनसिक्योर ऑन द रोड्स इन बिग सिटीज़.

पहला आदमी : वाकई। एक बस आ रही है। क्या ये दिल्ली गेट जाएगी?

First Man : Yes, that's true. A bus is coming. Will it go to Delhi Gate? येस, दैट्स ट्रू. अ बस इज़ कमिंग. विल इट गो टूडेल्ही गेट?

दूसरा आदमी : हां जाएगी। ज़ल्दी से चढ़ जाइए।

Second Man : Yes it will. Get in quickly. येस इट विल. गेट इन क्विकली.

रेलवे स्टेशन पर — At the Railway Station (ऐट द रेलवे स्टेशन)

यात्री : दिल्ली मेल कब आती है जी?

Passenger : When does the Delhi mail come? वेन डज़ द डेल्ही मेल कम?

क्लर्क : सात बजे।

Clerk : At seven O'clock. ऐट सेवन ओ क्लॉक.

यात्री : दिल्ली के लिए कब चलती है?

Passenger : When does it leave for Delhi? वेन डज़ इट लीव फ़ॉर डेल्ही?

क्लर्क : साढ़े सात बजे.

Clerk : At seven thirty. ऐट सेवन थर्टी.

यात्री : किस प्लैटफ़ॉर्म से?

Passenger : From which platform please? फ़्रॉम विच प्लैटफ़ॉर्म प्लीज़?

क्लर्क : प्लैटफ़ॉर्म नम्बर चार।

Clerk : Platform number 4. प्लैटफ़ॉर्म नम्बर 4.

यात्री : जी टिकिट कहां से मिलेगी?

Passenger : From where can I buy the ticket please? फ़्रॉम वेअर कैन आइ बाइ द टिकिट प्लीज़?

क्लर्क : खिड़की नम्बर तीन से।

Clerk : From window number 3. फ़्रॉम विंडो नम्बर 3.

यात्री : धन्यवाद।

Passenger : Thank you. थैंक्यू.

टिकिट खिड़की पर — At the ticket window (ऐट द टिकिट विंडो)

यात्री : दिल्ली का एक टिकिट दे दीजिए।

Passenger : A ticket to Delhi please. अ टिकिट टु डेल्ही प्लीज़.

क्लर्क : किस क्लास का? कौन सी गाड़ी?

Clerk : Which class? What train? विच क्लास? वॉट ट्रेन?

यात्री : सेकंड क्लास, दिल्ली मेल। कितना?

Passenger : Second class, Delhi mail. How much? सेकंड क्लास, डेल्ही मेल. हाउ मच?

क्लर्क : नब्बे रुपये।

Clerk : Ninety rupees. नाइंटी रुपीज़.

यात्री : थैंक्यू।

Passenger : Thank you. थैंक्यू.

प्लेटफ़ॉर्म पर — At the Platform (ऐट द प्लैटफ़ार्म)

पहला यात्री : *(दूसरे से)* क्या समय हुआ है?

Passenger : *(to another)* What is the time please? वॉट इज़ द टाइम प्लीज़?

दूसरा यात्री : छः पैंतालिस.

Second Passenger : 6:45. सिक्स फ़ोर्टी फ़ाइव.

पहला यात्री : पंद्रह मिनट रहते हैं। गाड़ी समय पर आ रही है न?

First Passenger : Fifteen minutes left. Is the train on-time? फ़िफ़्टीन मिनट्स लेफ़्ट. इज़ द ट्रेन ऑन-टाइम?

दूसरा यात्री : मेरे ख्याल से तो आनी चाहिए. देरी की घोषणा तो नहीं हुई है।

Second Passenger : I think so. They haven't announced any delay. आइ थिंक सो. दे हैवन्ट अनाउन्स्ड ऐनी डिले.

पहला यात्री : ये दिल्ली कब पहुंचती है?

First Passenger : What time does it reach Delhi? वॉट टाइम डज़ इट रीच डेल्ही?

दूसरा यात्री : सुबह साढ़े पांच बजे, यदि समय से पहुंचे तो। पिछली बार छः घंटे लेट हो गई थी।

Second Passenger : 5.30 in the morning, if it is on-time. Last time it was six hours late. फ़ाइव थर्टी इन द मॉर्निंग इफ़ इट इज़ ऑन-टाइम. लास्ट टाइम इट वॉज़ सिक्स आवर्ज़ लेट.

पहला यात्री : हां पक्का तो कुछ भी नहीं है।

First Passenger : Yes you can never be sure.
येस यू कैन नेवर बी श्योर.

दूसरा यात्री : क्या आप ज़रा मेरे सामान पर नज़र रखेंगे? मैं जल्दी से सफ़र में टाइम पास करने के लिए एक मैगज़ीन ले कर आता हूं।

Second Passenger : Could you please keep an eye on my luggage? I 'll soon be back with a magazine to pass time in the journey. कुड यू प्लीज़ कीप ऐन आइ ऑन माइ लगेज? आइल सून बी बैक विद अ मैगज़ीन टु पास टाइम इन द जर्नी.

पहला यात्री : जी हां, कोई बात नहीं।

First Passenger : Yes, no problem. येस, नो प्रॉब्लम.

पार्टी में — In a Party (इन अ पार्टी)

(मिस्टर और मिसिज़ मेहता के बेटे रोहित के विवाह की रिसेप्शन पार्टी है। मिस्टर और मिसिज़ मेहता मेहमानों का स्वागत करते हैं।)

एक मेहमान : बधाई हो।

A guest : Congratulations. कौंग्रैच्युलेशन्ज़.

मि. मेहता : धन्यवाद, आइये स्वागत है।

Mr. Mehta : Thank you and welcome. थैंक्यू ऐंड वेल्कम.

दूसरा मेहमान : नये दूल्हा-दुल्हन कहां हैं?

Another guest : Where are the newly weds?
वेअर आर द न्यूली वेड्ज़?

मिसिज़ मेहता : अंदर हॉल में।

Mrs. Mehta : There in the hall. देअर इन द हॉल.

एक महिला : बधाई हो रोहित, तुम्हारी दुल्हन तो वाकई बहुत प्यारी है।

A lady : Congratulations Rohit. Your bride is really lovely.
कौंग्रैच्युलेशन्ज़ रोहित. योर ब्राइड इज़ रिअली लवली.

रोहित : थैंक्यू आंटी।

Rohit : Thank you auntie. थैंक्यू आंटी.

(मेहमान आपस में बात करते हैं।)

मि. मेहरा : हलो मि. शर्मा कैसे हैं?

Mr. Mehra : Hello, Mr. Sharma. How are you?
हलो मिस्टर शर्मा. हाउ आर यू?

मि. शर्मा : मैं ठीक हूं। थैंक्यू मि. मेहरा। आप कैसे हैं?

Mr. Sharma : Fine thank you Mr. Mehra, and you?
फ़ाइन थैंक्यू मिस्टर मेहरा, ऐंड यू?

मि. मेहरा : ठीक हूं। मिसिज़ शर्मा कहां हैं?

Mr. Mehra : Fine. Where is Mrs. Sharma?
फ़ाइन. वेअर इज़ मिसिज़ शर्मा?

मि. शर्मा : वे यहां नहीं हैं। चंडीगढ़ अपनी बहन की शादी में गई हैं। मैं भी आज रात को जा रहा हूं।

Mr. Sharma : She isn't in town. She has gone to Chandigarh to attend her sister's wedding. Even I am leaving tonight.
शी इज़न्ट इन टाउन. शी हैज़ गॉन टु चंडीगढ़ टु अटेंड हर सिस्टर्ज़ वेडिंग. ईवन आइ ऐम लीविंग टुनाइट.

मि. मेहरा : अच्छा अच्छा। हां, इन दिनों काफ़ी शादियां हो रही हैं।

Mr. Mehra : Oh I see. Yes, this is the marriage season.
ओह आइ सी. येस, दिस इज़ द मैरिज सीज़न.

मीना : हलो दीपा बहुत दिनों से नहीं दिखाई दीं?

Meena : Hello Deepa. Long time no see.
हलो दीपा. लौंग टाइम नो सी.

दीपा : वाकई बहुत दिन हो गए। कैसी हो?

Deepa : Long time really. How are you?
लौंग टाइम रिअली. हाउ आर यू?

मीना : ठीक हूं। समीर और बच्चे कहां है?

Meena : Fine. Where are Sameer and children?
फ़ाइन. वेअर आर समीर ऐंड चिल्ड्रन?

दीपा : समीर यहीं हैं पर बच्चों की परीक्षाएं हैं। इसलिए वे घर पर हैं।

Deepa : Sameer is around but the children are having their exams. So they are at home. समीर इज़ अराउंड बट द चिल्ड्रन आर हैविंग देअर एग्ज़ैम्ज़. सो दे आर ऐट होम.

मीना : ओह अच्छा! परीक्षाएं कब खत्म होंगी?	**Meena :** Oh I see! When will the exams be over? ओह आइ सी! वेन विल द इग्ज़ैम्ज़ बी ओवर?
दीपा : इक्कीस तारीख को। तुम्हारा बेटा सुमित कैसा है? हॉस्टल में मन लग गया उसका?	**Deepa :** On the twenty first. How is your son Sumit? Has he adjusted in the hostel? ऑन द ट्वेन्टी फ़र्स्ट. हाउ इज़ योर सन सुमित? हैज़ ही ऐडजस्टिड इन द हॉस्टल?
मीना : हां बहुत अच्छी तरह से। पर कभी-कभी घर को याद करता है। मुझे भी उसकी बहुत याद आती है।	**Meena :** Yes he has adjusted very well. But he feels a little homesick at times. I too miss him very much. येस ही हैज़ एडजस्टिड वेरी वेल. बट ही फ़ील्ज़ अ लिटल होमसिक ऐट टाइम्ज़. आइ टू मिस हिम वेरी मच.
दीपा : वह तो स्वाभाविक है।	**Deepa :** That's but natural. दैट्स बट नैचुरल.
एक महिला : हलो दीपा।	**A Lady :** Hello Deepa. हलो दीपा.
दीपा : हाइ सीमा। कैसी हो? आओ मीना प्रसाद से मिलो। और मीना, ये सीमा अग्रवाल है।	**Deepa :** Hi Seema. How are you? Here, meet Meena Prasad. And Meena, this is Seema Aggrawal. हाइ सीमा. हाउ आर यू? हिअर, मीट मीना प्रसाद. ऐंड मीना, दिस इज़ सीमा अग्रवाल.
मीना : हलो।	**Meena :** Hello. हलो.
सीमा : हलो।	**Seema :** Hello. हलो.
दीपा : *(सीमा से)* बहुत सुंदर नेकलेस है। नया है?	**Deepa :** *(to Seema)* Beautiful necklace! Is it new? ब्यूटिफ़ुल नेकलेस! इज़ इट न्यू?
सीमा : हां, मेरी मां ने दिया था।	**Seema :** Yes, my mother gave it to me. येस, माइ मदर गेव इट टु मी.
मीना : आओ बैठते हैं।	**Meena :** Come, let us sit down. कम, लेट अस सिट डाउन.
दीपा : हां चलो।	**Seema :** Yes, let's go. येस, लेट्स गो.
मिसिज़ सक्सेना : *(बेयरे से)* मुझे ज़ुकाम है। कोई गर्म चीज़ है क्या? जैसे कोई सूप?	**Mrs. Saxena :** *(to the waiter)* I have a cold. Is there some thing hot? Some soup? आइ हैव अ कोल्ड. इज़ देअर समथिंग हॉट? सम सूप?
वेटर : जी मैडम, मैं आपके लिए सूप लाता हूं।	**The waiter :** Yes madam, I'll get soup for you. येस मैडम, आइल गेट सूप फ़ॉर यू.
मि. राय : और साहनी बिज़नेस कैसा चल रहा है?	**Mr. Rai :** So Sahni, how is business? सो साहनी, हाउ इज़ बिज़नेस?
मि. साहनी : बस ठीक-ठीक।	**Mr. Sahni :** Well, so-so. वेल सो-सो.
मि. राय : बाज़ार में बड़ा सख्त कॉम्पटीशन है।	**Mr. Rai :** There is a cut throat competition in the market. देअर इज़ अ कट थ्रोट कॉम्पटीशन इन द मार्किट.
मि. साहनी : हां, कई नई-नई चीज़ें आ गई हैं। पर अच्छी क्वॉलिटी की चीज़ अभी भी बिकती है।	**Mr. Rai :** Yes, many new products have been launched. But quality still sells. येस, मेनी न्यू प्रोडक्ट्स हैव बीन लौंच्ड. बट क्वॉलिटी स्टिल सेल्ज़.
मि. राय : जी हां, बेशक।	**Mr. Rai :** Yes, ofcourse. येस, ऑफ़कोर्स.
मि. शर्मा : मि. मेहता का बेटा क्या करता है।	**Mr. Sharma :** What does Mr. Mehta's son do? वॉट डज़ मि. मेहताज़ सन डू?
मि. राय : चार्टर्ड अकाउंटेंट है।	**Mr. Rai :** He is a Chartered Accountant. ही इज़ अ चार्टर्ड अकाउंटेंट.
मि. शर्मा : काम कहां करता है?	**Mr. Sharma :** Where does he work? वेअर डज़ ही वर्क?

मि. राय : मेरे ख्याल से नवल इंडस्ट्रीज़ में।

Mr. Rai : In Naval Industries, I think.
इन नवल इंडस्ट्रीज़, आइ थिंक.

मि. शर्मा : अच्छा! लड़का वाकई होशियार है।

Mr. Sharma : I see. The boy is really bright.
आइ सी. द बॉय इज़ रिअली ब्राइट.

मि. मेहता : *(मेहमानों से)* आप लोग एन्जॉय तो कर रहे हैं न? कुछ ड्रिंक्स, स्नैक्स वगैरह और लीजिए न।

Mr Mehta : *(to the guests)* Hope you are enjoying yourselves. Please have some more drinks and snacks. होप यू आर एन्जॉइंग योरसेल्व्ज़. प्लीज़ हैव सम मोर ड्रिंक्स ऐंड स्नैक्स?

मि. साहनी : शुक्रिया, हम लोगों ने काफी खाया है। आपका इंतज़ाम बहुत बढ़िया है।

Mr. Sahni : Thank you, we have had enough. The arrangement is very good. थैंक्यू, वी हैव हैड इनफ़. द अरेंजमेंट इज़ वेरी गुड.

मिसिज़ मेहता : शुक्रिया, देखिए खाना खाये बिना कोई मत जाइयेगा।

Mrs. Mehta : Thank you very much. Nobody should go without having food please. थैंक्यू वेरी मच. नोबडी शुड गो विदाउट हैविंग फ़ूड प्लीज़.

(खाना खाते समय)

मि. खन्ना : खाना बहुत अच्छा है। खास तौर पर नॉनवेज तो कमाल का है। जाने केटरर्ज़ कौन से हैं?

Mr. Khanna : The food is very nice. Specially the nonveg. is superb. I wonder who are the caterers? द फ़ूड इज़ वेरी नाइस. स्पेश्यली द नॉनवेज इज़ सुपर्ब. आइ वंडर हू आर द केटरर्ज़?

मि. राय : मैं मि. मेहता से पूछूंगा। मैं अपनी बेटी की शादी में इन्हीं केटरर्ज़ को बुलाऊंगा।

Mr. Rai : I will ask Mr. Mehta. I would like to engage the same caterers for my daughter's wedding. आइ विल आस्क मि. मेहता. आइ वुड लाइक टु इंगेज द सेम केटरर्ज़ फ़ॉर माइ डॉटर्ज़ वेडिंग.

मिसिज़ मेहरा : शादी कब है?

Mrs. Mehra : When is the marriage? वेन इज़ द मैरिज?

मि. राय : पच्चीस मार्च की।

Mr. Rai : On the 25th of March. ऑन द ट्वेन्टी फ़िफ़्थ ऑफ़ मार्च.

मि. मेहरा : अभी तो काफी समय है।

Mr. Mehra : There is still enough time.
देअर इज़ स्टिल इनफ़ टाइम.

मि. राय : हां है तो। पर ये लोग काफ़ी पहले से बुक हो जाते हैं।

Mr. Rai : Yes, but these people are booked heavily in advance. येस, बट दीज़ पीपल आर बुक्ड हेविली इन एडवान्स.

मि. खन्ना : अच्छा मि. मेहता। एक बार फिर से मुबारक हो। बहुत मज़ा आया।

Mr. Khanna : O.K. Mr. Mehta congratulations once again. We had a wonderful time. ओ.के. मि. मेहता कौंग्रैच्युलेशन्ज़ वन्स अगेन. वी हैड अ वन्डरफ़ुल टाइम.

मि. मेहता : शुक्रिया।

Mr. Mehta : Thank you. थैंक्यू.

मिसिज़ मेहता : *(मिसिज़ खन्ना से)* खाना खाया आपने?

Mrs. Mehta : *(to Mrs. Khanna)* Did you have food?
डिड यू हैव फ़ूड?

मिसिज़ खन्ना : जी हां, बहुत बढ़िया खाना था।

Mrs. Khanna : Oh yes, it was delicious!
ओह येस, इट वाज़ डिलीश्यस!

मि. राय : अच्छा मि. मेहता। बाइ, गुडनाइट।

Mr. Rai : O.K. Mr. Mehta. Bye,Goodnight.
ओ.के. मि. मेहता. बाइ गुडनाइट.

मि. मेहता : बाइ, गुडनाइट।

Mr. Mehta : Bye, Goodnight. बाइ, गुडनाइट.

टेलीफ़ोन पर बातचीत — Talking on the Phone (टॉकिंग ऑन द फ़ोन)

(घर पर)

मोना : हलो, 7109212 से बोल रही हैं?	**Mona :** Hello, is that 7109212? हलो, इज़ दैट सेवन वन ज़ीरो नाइन टू वन टू?
रोमा : जी हां।	**Roma :** Yes. येस.
मोना : ज़रा नेहा से बात करा दीजिए।	**Mona :** May I speak to Neha please? मे आइ स्पीक टु नेहा प्लीज़?
रोमा : नेहा तो घर पर नहीं है। आप कौन बोल रही हैं?	**Roma :** Neha isn't around. Who is speaking please? नेहा इज़न्ट अराउंड. हू इज़ स्पीकिंग प्लीज़?
मोना : मोना सेठ।	**Mona :** Mona Seth. मोना सेठ.
रोमा : मोना, मैं नेहा की बहन रोमा बोल रही हूं। नेहा मम्मी के साथ शॉपिंग के लिए गई है। कोई मैसिज़ है क्या?	**Roma :** Mona, I am Roma, Neha's sister. Neha is out shopping with mummy. Can I take a message for her? मोना, आइ एम रोमा, नेहाज़ सिस्टर. नेहा इज़ आउट शॉपिंग विद ममी. कैन आइ टेक अ मैसिज फ़ॉर हर?
मोना : जैसे ही वह आये उससे कहना कि मुझसे बात कर ले।	**Mona :** Could you please ask her to call me as soon as she is back? कुड यू प्लीज़ आस्क हर टु कॉल मी एज़ सून एज़ शी इज़ बैक?
रोमा : ठीक है। उसके पास तुम्हारा नम्बर है?	**Roma :** O.K. does she have your number? ओ.के. डज़ शी हैव योर नम्बर?
मोना : ज़रा लिख लेना। मैं अपने अंकल के यहां से बोल रही हूं।	**Mona :** Please note it down. I am calling from my uncle's house. प्लीज़ नोट इट डाउन. आइ एम कॉलिंग फ़्रॉम माइ अंकल्ज़ हाउस.
रोमा : एक मिनट, हां बोलो।	**Roma :** Just a moment, yes please. जस्ट अ मोमन्ट, येस प्लीज़.
मोना : 6821515.	**Mona :** It is 6821515. इट इज़ सिक्स एट टू वन फ़ाइव वन फ़ाइव.
रोमा : 6821515 ठीक है न?	**Roma :** 6821515 is that right? 6821515 इज़ दैट राइट?
मोना : हां थैंक्यू रोमा, बाइ।	**Mona :** Yes thank you Roma, bye. येस थैंक्यू रोमा, बाइ.

(2)

रोमेश : हलो, 2241291 से?	**Romesh :** Hello, is that 2241291? हलो, इज़ दैट डबल टू फ़ोर वन टू नाइन वन?
सचिन : जी हां, आप कौन बोल रहे हैं?	**Sachin :** Yes, Who is speaking please? येस, हू इज़ स्पीकिंग प्लीज़?
रोमेश : रोमेश। ज़रा सचिन से बात करा दीजिए।	**Romesh :** Romesh. Can I speak to Sachin please? रोमेश. कैन आइ स्पीक टु सचिन प्लीज़?
सचिन : हाइ रोमेश, सचिन बोल रहा हूं।	**Sachin :** Hi Romesh, Sachin here. हाइ रोमेश, सचिन हिअर.
रोमेश : हाइ सचिन, क्या हो रहा है?	**Romesh :** Hi Sachin, what's up? हाइ सचिन, वॉट्स अप?
सचिन : कुछ खास नहीं, बस बोर हो रहा हूं।	**Sachin :** Nothing much, just getting bored. नथिंग मच, जस्ट गेटिंग बोर्ड.
रोमेश : मूवी देखने के बारे में क्या ख्याल है?	**Romesh :** What about going to a movie? वॉट अबाउट गोइंग टु अ मूवी?

सचिन : ख्याल तो बुरा नहीं। कौन सी?

Sachin : Not a bad idea. Which one? नॉट अ बैड आइडिआ. विच वन?

रोमेश : प्रिया पर एक नई इंग्लिश मूवी लगी है। उसे देख सकते हैं।

Romesh : There is a new English movie at Priya. We can see that. देअर इज़ अ न्यू इंग्लिश मूवी ऐट प्रिया. वी कैन सी दैट.

सचिन : पर टिकटें?

Sachin : But what about the tickets? बट वॉट अबाउट द टिकिट्स?

रोमेश : उसकी फ़िक्र मत करो। आज दोपहर के शो की टिकटें मैं मंगवा लूंगा।

Romesh : Don't worry about that. I'll get the tickets for the afternoon show. डोंट वरी अबाउट दैट. आइल गेट द टिकिट्स फ़ॉर द आफ़्टरनून शो.

सचिन : भई वाह! तो फिर मैं तुम्हें कहां मिलूं?

Sachin : Great! Where should I meet you then? ग्रेट! वेअर शुड आइ मीट यू देन?

रोमेश : लॉबी में, पूरे 3 बजे।

Romesh : In the lobby, at 3 O'clock sharp. इन द लॉबी, ऐट थ्री ओ क्लॉक शार्प.

सचिन : पक्का, मैं समय से पहुंच जाऊंगा।

Sachin : Sure, I'll be there on time. श्योर, आइल बी देअर ऑन टाइम.

रोमेश : फिर मिलते हैं, बाइ।

Romesh : See you then, bye. सी यू देन, बाइ.

(3)

(विम्को टेक्सटाइल्ज़ ऑफ़िस फ़ोन की घंटी बजती है। ऑपरेटर उठाती है।)

एक आदमी : हलो, प्राइम इंटर्नेशनल से बोल रहे हैं?

Caller : Hello, is that Prime International? हलो, इज़ दैट प्राइम इंटर्नेशनल?

ऑपरेटर : सॉरी, गलत नम्बर है।

Operator : Sorry, wrong number. सॉरी, रौंग नम्बर.

(इंटरकॉम पर मटीरियल्ज़ मैनेजर मि. साहनी)

मि. साहनी : हलो नीना।

Mr. Sahni : Hello Nina. हलो नीना.

ऑपरेटर : जी सर?

Operator : Yes sir? येस सर?

मि. साहनी : ज़रा जयभारत केमिकल्ज़ मिलाना। मुझे मार्केटिंग मैनेजर, संज़ीव गुप्ता से बात करनी है।

Mr. Sahni : Please get me Jai Bharat Chemicals. I want to speak to the Marketing Manager Sanjeev Gupta. प्लीज़ गेट मी जय भारत केमिकल्ज़. आइ वॉन्ट टु स्पीक टु द मार्केटिंग मैनेजर संजीव गुप्ता।

ऑपरेटर : हलो, जयभारत केमिकल्ज़ से बोल रहे हैं?

Operator : Hello, is that Jai Bharat Chemicals? हलो, इज़ दैट जय भारत केमिकल्ज़?

रिसेप्शनिस्ट : जी हां।

Receptionist : Yes please. येस प्लीज़.

ऑपरेटर : जरा मार्केटिंग मैनेजर मिस्टर संजीव गुप्ता से बात करा दीजिए।

Operator : Can I speak to Mr. Sanjeev Gupta the Marketing Manager please? कैन आइ स्पीक टु मिस्टर संजीव गुप्ता द मार्केटिंग मैनेजर प्लीज़?

रिसेप्शनिस्ट : जी किसको बात करनी है?

Receptionist : May I know who is calling please? मे आइ नो हू इज़ कॉलिंग प्लीज़?

ऑपरेटर : विम्को टेक्सटाइल्ज़ से मिस्टर साहनी को।

Operator : Mr. Sahni from Wimco Textiles. मिस्टर साहनी फ्रॉम विम्को टेक्सटाइल्ज़।

रिसेप्शनिस्ट : जरा होल्ड कीजिए। *(संजीव गुप्ता से)* सर विम्को टेक्सटाइल्ज से मिस्टर साहनी का फ़ोन है।

Receptionist : Please hold on. प्लीज़ होल्ड ऑन. *(to Sanjeev Gupta)* Sir, Mr. Sahni from Wimco Textiles wants to speak to you. सर, मिस्टर साहनी फ्राम विम्को टेक्सटाइल्ज़ वॉन्ट्स टु स्पीक टु यू.

मि. गुप्ता : हां, बात करवा दो।	**Mr. Gupta :** O.K. Put him through. ओ.के. पुट हिम थ्रू.
मि. साहनी : हलो संजीव, साहनी बोलता हूं। भई हमारे केमिकल्ज़ और डाईज़ के ऑर्डर का क्या हुआ?	**Mr. Sahni :** Hello Sanjeev, Sahni here. What about our order of chemicals and dyes? हलो संजीव, साहनी हिअर. वॉट अबाउट आवर ऑर्डर ऑफ़ केमिकल्ज़ ऐंड डाईज़?
मि. गुप्ता : कल, पक्का पहुंच जायेंगे।	**Mr. Gupta :** You will get them tomorrow without fail. यू विल गेट देम टुमॉरो विदाउट फ़ेल.

(विम्को टेक्सटाइल्ज़। फ़ोन की घंटी फिर बजती है)

एक आदमी : हलो, विम्को टेक्सटाइल्ज़?	**Caller :** Hello, is that Wimco Textiles? हलो, इज़ दैट विम्को टेक्सटाइल्ज़?
ऑपरेटर : जी हां।	**Operator :** Yes. येस.
आदमी : जी ज़रा जी.ऐम. साहब के पी.ए. से बात करवा दीजिए।	**Caller :** Can I speak to the P.A. to G.M. please? कैन आइ स्पीक टु द पी.ए. टु जी.ऐम. प्लीज़?
ऑपरेटर : आप कौन बोल रहे हैं?	**Operator :** Who is speaking please? हू इज़ स्पीकिंग प्लीज़?
आदमी : मैं, स्पेस सॉफ़्टवेअर इंडस्ट्रीज़ से, अमित सहगल बोल रहा हूं।	**Caller :** Amit Sehgal from Space Software Industries. अमित सहगल फ़्रॉम स्पेस सॉफ़्टवेअर इंडस्ट्रीज़.
ऑपरेटर : ज़रा होल्ड कीजिए। *(पी.ए. से)* हलो, मि. चंद्रा आपके लिए फ़ोन है।	**Operator :** Please hold on. *(to the P.A.)* Hello, Mr. Chandra call for you. प्लीज़ होल्ड ऑन. हलो, मि. चंद्रा कॉल फ़ॉर यू.
मि. चंद्रा : हलो, चंद्रा बोल रहा हूं।	**Mr. Chandra :** Hello, Chandra here. हलो, चंद्रा हिअर.
आदमी : मि. चंद्रा नमस्कार। मैं स्पेस सॉफ़्टवेअर इंडस्ट्रीज़ से अमित सहगल बोल रहा हूं। मुझे जी.एम. साहब के साथ अपॉइंटमेंट चाहिए।	**Caller :** Mr. Chandra good morning. I am Amit Sehgal from Space Software Industries. I want an appointment with the G.M. please. मि. चंद्रा गुड मॉर्निंग. आइ एम अमित सहगल फ़्रॉम स्पेस सॉफ़्टवेअर इंडस्ट्रीज़. आइ वॉन्ट ऐन अपॉइंटमेंट विद द जी.ऐम. प्लीज़.
मि. चंद्रा : आप उनसे कब मिलना चाहते हैं?	**Mr. Chandra :** When do you want to see him? वेन डू यू वॉन्ट टु सी हिम?
आदमी : हो सके तो कल सुबह साढ़े ग्यारह बजे।	**Caller :** If possible, tomorrow at 11.30 in the morning. इफ़ पॉसिबल, टुमॉरो ऐट इलेवन थर्टी इन द मॉर्निंग.
मि. चंद्रा : सॉरी, कल तो जी.ऐम. साहब शहर से बाहर जा रहे हैं। 25 तारीख को चार बजे ठीक रहेगा?	**Mr. Chandra :** Sorry. Tomorrow the G.M. is out of town. Is 25th at 4 pm O.K. सॉरी, टुमॉरो द जी.ऐम. इज़ आउट ऑफ़ टाउन. इज़ ट्वेन्टी फ़िफ़्थ एट फ़ोर पी.ऐम. ओ.के.?
आदमी : जी ठीक है। थैंक्यू मि. चंद्रा।	**Caller :** All right. Thank you Mr. Chandra. ऑल राइट. थैंक्यू मि. चंद्रा।

(फिर से घंटी बजती है।)

ऑपरेटर : हलो विम्को टेक्सटाइल्ज़, गुड आफ़्टरनून।	**Operator :** Hello Wimco Textiles, good afternoon. हलो विम्को टेक्सटाइल्ज़, गुड आफ़्टरनून.
आदमी : गुड आफ़्टरनून। ज़रा जी.ऐम. साहब से बात करवा दीजिए।	**Caller :** Good afternoon. Can I speak to the G.M. please? गुड ऑफ़्टरनून. कैन आइ स्पीक टु द जी.ऐम. प्लीज़?
ऑपरेटर : ज़रा बताएंगें कि आप कौन बोल रहे हैं?	**Operator :** May I know who is speaking please? मे आइ नो हू इज़ स्पीकिंग प्लीज़?

आदमी : सागर इंटर्नेशनल से के.ऐल. राना।

Caller : K.L. Rana from Sagar International.
के.ऐल. राना फ्रॉम सागर इंटर्नेशनल.

ऑपरेटर : सॉरी सर, जी.ऐम. साहब एक मीटिंग में बिज़ी हैं। आप 3 बजे के बाद फ़ोन कर लीजिए।

Operator : Sorry sir, the G.M. is busy in a meeting right now. Could you please call after 3 p.m.? सॉरी सर, द जी.ऐम. इज़ बिज़ी इन अ मीटिंग राइट नाउ. कुड यू प्लीज़ कॉल ऑफ़्टर थ्री पी.ऐम.?

(3 बजे के बाद)

राना : हलो विम्को टेक्सटाइल्ज़?

Rana : Hello, is that Wimco Textiles?
हलो, इज़ दैट विम्को टेक्सटाइल्ज़?

ऑपरेटर : जी हां, बताइए?

Operator : Yes please, can I help you?
येस प्लीज़, कैन आइ हेल्प यूं?

राना : क्या मैं जी.ऐम. साहब से बात कर सकता हूं?

Rana : Can I speak to the G.M. please?
कैन आइ स्पीक टु द जी.ऐम. प्लीज़?

ऑपरेटर : आप कौन बोल रहे हैं।

Operator : Who is speaking please? हू इज़ स्पीकिंग प्लीज़?

राना : सागर इंटर्नेशनल से के.ऐल. राना।

Rana : K.L. Rana from Sagar International.
के.ऐल. राना फ्रॉम सागर इंटर्नेशनल.

ऑपरेटर : ज़रा रुकिए। *(जी.ऐम. से)* सर, सागर इंटर्नेशनल से मिस्टर के.ऐल. राना आपसे बात करना चाहते हैं।

Operator : Please hold on. *(to the G.M.)* Sir, Mr. K.L. Rana from Sagar International wants to speak to you. प्लीज़ होल्ड ऑन. सर, मिस्टर के.ऐल. राना. फ्रॉम सागर इंटर्नेशनल वॉन्ट्स टु स्पीक टु यू.

जी.ऐम. : हां, बात करवा दो।

G.M. : Yes, put him through. येस, पुट हिम थ्रू.

ऑपरेटर : जी सर। मि. राना प्लीज़ जी.ऐम. साहब से बात कीजिए।

Operator : Yes sir. Mr. Rana, the G.M. is on the line please.
येस सर. मिस्टर राना, द जी.ऐम. इज़ ऑन द लाइन प्लीज़.

राना : हलो, गुड ऑफ़्टरनून सर। राना बोल रहा हूं।

Rana : Hello, Good afternoon sir. Rana here.
हलो, गुड ऑफ़्टरनून सर. राना हिअर.

जी.ऐम. : हलो राना, कैसे हो?

G.M. : Hello Rana, how are you? हलो राना, हाउ आर यू?

राना : जी ठीक हूं। थैंक्यू। आपको बताना चाहता हूं कि जर्मनी से हमारी कंसाइनमेंट भेज दी गई है। 10-15 दिनों में यहां पहुंच जानी चाहिए।

Rana : Fine! Thank you sir. I want to inform you that the consignment from Germany has been sent. It should be here in about 15 days time. फ़ाइन थैंक्यू सर. आइ वॉन्ट ट इनफ़ॉर्म यू दैट द कंसाइनमेंट फ्रॉम जर्मनी हैज़ बीन सेन्ट. इट शुड बी हिअर इन अबाउट फ़िफ़्टीन डेज़ टाइम.

जी.ऐम. : थैंक्यू राना, ये तो अच्छी खबर है। फिर कब मिलते हो?

G.M. : Thank you Rana, that's a good news. So, when do I see you? थैंक्यू राना. दैट्स अ गुड न्यूज़. सो, वेन डू आइ सी यू?

राना : क्या मैं कल सुबह आ जाऊं?

Rana : Can I come tomorrow morning?
कैन आइ कम टुमॉरो मॉर्निंग?

जी.ऐम. : कल दोपहर चार बजे आओ तो बेहतर है।

G.M. : 4 O'clock in the afternoon will be better.
फ़ोर ओ क्लॉक इन द आफ़्टरनून विल बी बेटर.

राना : जी मैं आ जाऊंगा। बाइ सर।

Rana : O.K. I will be there. Bye sir.
ओ.के. आइ विल बी देअर. बाइ सर.

जी.ऐम. : अच्छा तो मिलते हैं।

G.M. : Bye, see you. बाइ, सी यू.

कैम्पस में पहला दिन First Day at the Campus (फ़र्स्ट डे ऐट द कैम्पस)

(रीना ने बी.ए. फ़र्स्ट ईयर में ऐडमिशन लिया है। यह उसका कैम्पस में पहला दिन है।)

रीना : *(एक लड़की से)* सुनिए, मुझे टाइम टेबल कहां मिलेगा?

Reena : *(to a girl)* Excuse me, where should I look for the time table please? एक्सक्यूज़ मी, वेअर शुड आइ लुक फ़ॉर द टाइम टेबल प्लीज़?

लड़की : उस कॉरीडोर में नोटिस बोर्ड पर।

Girl : On the notice board in that corridor. ऑन द नोटिस बोर्ड इन दैट कॉरीडोर.

रीना : थैंक्यू।

Reena : Thank you. थैंक्यू.

रीना : *(सहेली से)* हलो नेहा।

Reena : *(to her friend)* Hello Neha. हलो नेहा.

नेहा : हाइ रीना। कैसी हो?

Neha : Hi Reena. How are you? हाइ रीना. हाउ आर यू?

रीना : ठीक हूं और तुम?

Reena : Fine and you? फ़ाइन ऐंड यू?

नेहा : अच्छी हूं, लो सोनिया से मिलो। और सोनिया, ये रीना है।

Neha : Fine, here meet Sonia. And Sonia this is Reena. फ़ाइन, हिअर मीट सोनिया. ऐंड सोनिया दिस इज़ रीना.

सोनिया : हाइ।

Sonia : Hi. हाइ.

रीना : हाइ सोनिया।

Reena : Hi Sonia. हाइ सोनिया.

सोनिया : क्या तुम भी फ़र्स्ट ईयर में हो रीना?

Sonia : Are you also in the first year Reena? आर यू ऑलसो इन द फ़र्स्ट ईयर रीना?

रीना : हां. तुम कौन सा कोर्स कर रही हो?

Reena : Yes. What course are you doing? येस. वॉट कोर्स आर यू डूइंग?

सोनिया : मैं इंग्लिश ऑनर्ज़ कर रही हूं।

Sonia : I am doing English honours. आइ एम डूइंग इंग्लिश ऑनर्ज़.

रीना : और नेहा तुम?

Reena : And you Neha? ऐंड यू नेहा?

नेहा : कॉमर्स। और तुम?

Neha : Commerce. What about you? कॉमर्स. वॉट अंबाउट यू?

रीना : मैं पासकोर्स कर रही हूं। इंग्लिश, ज्योग्रफ़ी और हिस्ट्री के साथ।

Reena : I am doing pass-course with English, Geography and History. आइ ऐम डूइंग पासकोर्स विद इंग्लिश, ज्योग्रफ़ी ऐंड हिस्ट्री.

सोनिया : क्या तुमने टाइम टेबल नोट कर लिया?

Sonia : Have you noted down the time table? हैव यू नोटिड डाउन द टाइम टेबल?

रीना : नहीं, करने जा रही थी।

Reena : No, I was going to. नो, आइ वॉज़ गोंइग टु.

नेहा : चलो, हम सब साथ चलें?

Neha : Come, let's go together. कम, लेट्स गो टुगेदर.

(नोटिस बोर्ड से वे टाइम टेबल और अपने-अपने रूम नंबर्ज़ नोट करती हैं।)

रीना : मैं सेक्शन ए में हूं। और मेरा पहला पीरिएड रूम न. तीन में है।

Reena : I am in section A. And my first period is in room number three. आइ ऐम इन सेक्शन ए. ऐंड माइ फ़र्स्ट पीरिएड इज़ इन रूम नंबर थ्री.

नेहा : मेरा रूम नं. दस में है।

Neha : Mine is in room number ten. माइन इज़ इन रूम नंबर टेन.

सोनिया : मेरा पहला पीरिएड फ़्री है।

Sonia : I'm free in the first period. आइ ऐम फ़्री इन द फ़र्स्ट पीरिएड.

रीना : अच्छा सोनिया, बाद में मिलते हैं, बाइ, चल नेहा अपनी क्लास में चलें।

Reena : O.K. Sonia, see you later, bye. Come Neha let's go to our classes. ओ.के. सोनिया, सी यू लेटर, बाइ. कम नेहा लेट्स गो टु आवर क्लासिज़.

नेहा : *(एक लड़की से)* ज़रा सुनिए, रूम नं. 10 कहां होगा?	**Neha :** *(to a girl)* Excuse me. Where is the room number ten please? एक्सक्यूज़ मी. वेअर इज़ द रूम नंबर टेन प्लीज़?
लड़की : पहली मंजिल पर।	**The girl :** It is on the first floor. इट इज़ ऑन द फ़र्स्ट फ़्लोर.
नेहा : थैंक्यू।	**Neha :** Thank you. थैंक्यू.
रीना : और रूम नं. तीन कहां पड़ेगा प्लीज़?	**Reena :** And room number three please? ऐंड रूम नंबर थ्री प्लीज़?
लड़की : वहां, उस वरांडे में।	**The girl :** There, in that verandah. देअर, इन दैट वरांडा.
रीना : थैंक्यू। अच्छा नेहा।	**Reena :** Thank you. O.K. Neha. थैंक्यू. ओ.के. नेहा.
नेहा : बाइ रीना, सी यू।	**Neha :** Bye Reena, see you. बाइ रीना, सी यू.
रीना : *(दरवाजे पर)* मैम, क्या मैं अंदर आ सकती हूं।	**Reena :** *(at the door)* May I come in Ma'am. मे आइ कम इन मैम.
लेक्चरर : हां आओ। क्या रोल नं. है?	**Lecturer :** Yes come in. What's your Roll number please? येस कम इन. वॉट्स योर रोल नंबर प्लीज़?
रीना : जी एक सौ पैंतालीस।	**Reena :** One forty five ma'am. वन फ़ोर्टी फ़ाइव मैम.
लेक्चरर : *(हैरानी से)* एक सौ पैंतालिस। कौन सी क्लास?	**Lecturer :** *(Surprised)* One forty five. Which class? वन फ़ोर्टी फ़ाइव. विच क्लास?
रीना : जी बी.ए. फ़र्स्ट ईयर।	**Reena :** B.A. Ist year. बी.ए. फ़र्स्ट ईयर.
लेक्चरर : अच्छा तभी। पर ये तो बी.ए. फ़ाइनल है।	**Lecturer :** Oh, I see! But this is B.A. final. ओ, आइ सी! बट दिस इज़ बी.ए. फ़ाइनल.
रीना : ओ सॉरी मैम। मैं ग़लती से ग़लत कमरे में आ गई।	**Reena :** Oh I'm sorry ma'am. I came to the wrong room by mistake. ओ आइ एम सॉरी मैम! आइ केम टु द रौंग रूम बाइ मिस्टेक.
लेक्चरर : कोई बात नहीं। तुम्हें कौन से कमरे में जाना है?	**Lecturer :** Never mind. Which room number are you looking for? नेवर माइन्ड. विच रूम नम्बर आर यू लुकिंग फ़ॉर?
रीना : जी रूम नं. तीन में।	**Reena :** Room number three please. रूम नंबर थ्री प्लीज़.
लेक्चरर : इसी वरांडे में, दूसरे कोने से तीसरे कमरे में जाओ।	**Lecturer :** Go to the third room from the other end of this verandah. गो टु द थर्ड रूम फ्रॉम द अदर एंड ऑफ़ दिस वरांडा.
रीना : ओह थैंक्यू वेरी मच मैम।	**Reena :** Oh thank you very much ma'am. ओ थैंक्यू वेरी मच मैम.

एक लड़के और लड़की की बातचीत — A Boy Talks to a Girl (अ बॉय टॉक्स टु अ गर्ल)

(यूनिवर्सिटी कैम्पस में लड़के और लड़कियां आपस में बात करते हैं।)

मोना : हाइ रीना।	**Mona :** Hi Reena. हाइ रीना.
रीना : हाइ मोना। कैसी हो?	**Reena :** Hi Mona. How are you? हाइ मोना. हाउ आर यू?
मोना : ठीक हूं।	**Mona :** Fine. फ़ाइन।
सुमित : हलो मोना।	**Sumit :** Hello Mona. हलो मोना.
मोना : हाइ सुमित, बहुत दिनों में दिखाई दिए।	**Mona :** Hi Sumit, long time no see. हाइ सुमित, लौंग टाइम नो सी.
सुमित : हां, बाहर गया हुआ था। और सब कैसा चल रहा है?	**Sumit :** Yes, I was out of station. How is everything? येस आइ वॉज़ आउट ऑफ़ स्टेशन. हाउ इज़ एवरीथिंग?
मोना : ठीक है। आओ मेरी सहेली रीना से मिलो।	**Mona :** Fine. Here meet my friend Reena. फ़ाइन. हिअर मीट माइ फ्रेंड रीना.
सुमित : हलो।	**Sumit :** Hello. हलो.

रीना : हाइ।	**Reena :** Hi. हाइ.
सुमित : तुम यहां नई आई हो क्या?	**Sumit :** Are you new here? आर यू न्यू हिअर?
रीना : हां, मैंने पिछले हफ्ते ही दाखिला लिया है। इससे पहले मैं चंडीगढ़ थी।	**Reena :** Yes, I joined last week only. Earlier I was at Chandigarh. येस, आइ जॉइन्ड लास्ट वीक ओनली. अर्लिअर आइ वॉज़ ऐट चंडीगढ़.

(कोई मोना को आवाज देता है। मोना जाती है।)

मोना : एक्सक्यूज मी।	**Mona :** Excuse me. एक्सक्यूज़ मी.
सुमित : रीना, तुम कौन सा कोर्स कर रही हो?	**Sumit :** What course are you doing Reena? वॉट कोर्स आर यू डूइंग रीना?
रीना : पास कोर्स, मैं सेकंड ईयर में हूं।	**Reena :** Pass Course, I am in Second Year. पास कोर्स, आइ एम इन सेकंड ईयर.
सुमित : तुम्हारे सब्जेक्ट्स कौन से हैं?	**Sumit :** What are your subjects? वॉट आर योर सब्जेक्ट्स?
रीना : इंग्लिश, हिस्ट्री और इक्नॉमिक्स। सुमित तुम क्या कर रहे हो?	**Reena :** English, History and Economics. What are you doing Sumit? इंग्लिश, हिस्ट्री ऐंड इक्नॉमिक्स. वॉट आर यू डूइंग सुमित?
सुमित : मैं बी.कॉम फ़ाइनल में हूं। रीना, तुम्हें दिल्ली कैसी लगी?	**Sumit :** I am in B.Com final. How do you like Delhi, Reena? आइ ऐम इन बी.कॉम फ़ाइनल. हाउ डू यू लाइक डेल्ही, रीना?
रीना : ठीक है। पर थोड़ी ज़्यादा ही हड़बड़ी है यहां।	**Reena :** O.K. but a bit too hectic. ओ.के. बट अ बिट टू हेक्टिक.
सुमित : मैं चंडीगढ़ गया हूं। अच्छा शहर है पर मुझे तो थोड़ा सुस्त-सा लगा।	**Sumit :** I have been to Chandigarh. Nice city, but a little dull I think. आइ हैव बीन टु चंडीगढ़. नाइस सिटी, बट अ लिटल डल आइ थिंक.
रीना : मुझे तो दिल्ली में बहुत शोर-शराबा लगता है। ज़िंदगी की रफ्तार यहां वाकई बहुत तेज है।	**Reena :** Well, I find Delhi too noisy. Life here is real fast. वेल, आइ फ़ाइंड डेल्ही टू नॉइज़ी. लाइफ़ हिअर इज़ रीअल फ़ास्ट.
सुमित : तुम्हें जल्दी ही इसकी आदत पड़ जाएगी।	**Sumit :** Soon, you will get used to it. सून, यू विल गेट यूज़्ड टु इट.
रीना : देखते हैं। *(घंटी बजती है)* मेरी क्लास है। अच्छा बाइ सुमित।	**Reena :** I hope so. आइ होप सो. *(the bell rings)* I have a class. O.K. Bye Sumit. आइ हैव अ क्लास. ओ.के. बाइ सुमित.
सुमित : अच्छा, फिर मिलते हैं।	**Sumit :** Bye, see you. बाइ, सी यू.

(रीना और सुमित फिर मिलते हैं।)

सुमित : हाइ रीना!	**Sumit :** Hi Reena! हाइ रीना!
रीना : हाइ! कैसे हो?	**Reena :** Hi! How are you? हाइ! हाउ आर यू?
सुमित : अच्छा हूं और तुम?	**Sumit :** Fine and you? फ़ाइन ऐंड यू?
रीना : अच्छी हूं, थैंक्स।	**Reena :** Fine, thanks. फ़ाइन, थैंक्स.
सुमित : कहां जा रही हो?	**Sumit :** Where are you going? वेअर आर यू गोइंग?
रीना : दरअसल मैं इस पीरिएड में खाली हूं। सोच रही थी क्या करूं?	**Reena :** Actually I'm free in this period. I was just wondering what to do. एक्चुअली, आइम फ्री इन दिस पीरिअड. आइ वॉज़ जस्ट वंडरिंग वॉट टु डू.
सुमित : मैं कैंटीन जा रहा था। चलोगी?	**Sumit :** I was going to the canteen. Care to join me? आइ वॉज़ गोइंग टु द कैंटीन. केअर टु जॉइन मी?
रीना : ठीक है।	**Reena :** O.K. ओ.के.

(केन्टीन में)

सुमित : तुम क्या लोगी, कोक या कुछ और?

Sumit : What do you like, coke or something else? वॉट डू यू लाइक, कोक और समथिंग एल्स?

रीना : कोक ठीक है।

Reena : Coke is fine. कोक इज़ फ़ाइन.

सुमित : ये लो।

Sumit : Here you are. हिअर यू आर.

रीना : थैंक्स।

Reena : Thanks. थैंक्स.

सुमित : रीना तुम कहां रहती हो?

Sumit : Where do you live Reena? वेअर डू यू लिव रीना?

रीना : मॉडल टाउन में और तुम?

Reena : In Model Town and you? इन मॉडल टाउन ऐंड यू?

सुमित : जनकपुरी में। क्या तुम पांचवें पीरिएड में ज़्यादातर खाली होती हो?

Sumit : In Janakpuri. Are you mostly free in the fifth period? इन जनकपुरी. आर यू मोस्टली फ्री इन द फ़िफ़्थ पीरिअड?

रीना : हां ज़्यादातर, शुक्रवार को छोड़कर। शुक्रवार को ट्यूटोरियल्ज़ होते हैं। अब मुझे जाना है। कोक के लिए थैंक्स सुमित। बाइ।

Reena : Yes mostly, except on Fridays when we have tutorials. I have to go now. Thanks for the coke Sumit. Bye. येस मोस्टली, एक्सेप्ट ऑन फ्राइडेज़ वेन वी हैव ट्यूटोरियल्ज़. आइ हैव टु गो नाउ. थैंक्स फ़ॉर द कोक सुमित. बाइ.

सुमित : बाइ, फिर मिलते हैं।

Sumit : Bye, see you. बाइ, सी यू.

(सुमित और रीना लायब्रेरी के सामने)

सुमित : हाइ रीना, लायब्रेरी से आ रही हो?

Sumit : Hi Reena. Coming from the library? हाइ रीमा. कमिंग फ्रॉम द लायब्रेरी.

रीना : हां, कैसे हो?

Reena : Yes. How are you? येस. हाउ आर यू?

सुमित : ठीक हूं। रीना, इस इतवार को क्या कर रही हो?

Sumit : Fine. Reena, what are you doing this Sunday? फ़ाइन. रीना, वॉट आर यू डूइंग दिस संडे?

रीना : कुछ खास नहीं, क्यों?

Reena : Nothing special, Why? नथिंग स्पेशल, वाइ?

सुमित : हम कुछ दोस्त मिल कर इस इतवार को पिक्चर देखने का प्रोग्राम बना रहे हैं। तुम साथ में आना चाहोगी?

Sumit : We friends are planning to see a movie this Sunday. Want to join us. वी फ्रेंड्ज़ आर प्लैनिंग टु सी अ मूवी दिस संडे. वॉन्ट टु जॉइन अस?

रीना : कौन सी मूवी?

Reena : Which movie? विच मूवी?

सुमित : अभी सोचा नहीं है। चाणक्य पर एक नई इंग्लिश मूवी लगी है। शायद वही देखें।

Sumit : We haven't decided yet. May be the new English movie on Chanakya. वी हैवन्ट डिसाइडिड येट. मे बी द न्यू इंग्लिश मूवी ऑन चाणक्या.

रीना : कितने लोग जा रहे है?

Reena : How many persons are there? हाउ मेनी पर्सन्ज़ आर देअर?

सुमित : पांच, दो लड़के और तीन लड़कियां। मोना भी आ रही है।

Sumit : Five, two boys and three girls. Mona is also coming. फ़ाइव, टू बॉयज़ ऐंड थ्री गर्ल्ज़. मोना इज़ ऑलसो कमिंग.

रीना : ठीक है। क्या मैं अपनी एक सहेली साथ में ला सकती हूं?

Reena : O. K. Can I bring a friend along? ओ.के. कैन आइ ब्रिंग अ फ्रेंड अलौंग?

सुमित : ज़रूर।

Sumit : Yes of course. येस ऑफ़कोर्स.

रीना : टिकिट के कितने पैसे दूं?

Reena : How much for the ticket? हाउ मच फ़ॉर द टिकिट?

सुमित : पैसे मैं टिकिट खरीदने के बाद ले लूंगा।

Sumit : I'll take the money after we buy the tickets. आइल टेक द मनी आफ़्टर वी बाइ द टिकिट्स.

रीना : ठीक है। फिर जल्दी मिलते हैं।

Reena : Fine. See you soon. Bye Sumit. फ़ाइन. सी यू सून. बाइ सुमित.

सुमित : बाइ रीना।

Sumit : Bye, Reena. बाइ, रीना.

होटल में कमरे की बुकिंग — Booking a Room in a Hotel (बुकिंग अ रूम इन अ होटल)

सुधीर : गुड मॉर्निंग।

Sudhir : Good morning. गुड मॉर्निंग.

रिसेप्शनिस्ट : गुड मॉर्निंग सर. कहिए क्या सेवा करूं?

Receptionist : Good morning Sir. What can I do for you? गुड मॉर्निंग सर. वॉट कैन आइ डू फ़ॉर यू?

सुधीर : मुझे कमरा चाहिए।

Sudhir : I want a room. आइ वॉन्ट अ रूम.

रिसेप्शनिस्ट : सिंगल या डबल?

Receptionist : Single or Double? सिंगल ऑर डबल?

सुधीर : सिंगल। क्या किराया है?

Sudhir : Single. What are your charges? सिंगल. वॉट आर योर चार्जिज़?

रिसेप्शनिस्ट : दो सौ पचास रुपए प्रतिदिन।

Receptionist : Two hundred and fifty rupees per day. टू हंड्रेड ऐंड फ़िफ़्टी रुपीज़ पर डे।

सुधीर : आपके रेट बहुत ज़्यादा हैं। पिछले महीने ही मैंने 175 रु. प्रतिदिन के हिसाब से कमरा लिया था।

Sudhir : Your rates are very high. Only last month, I paid one seventy five for a single room. योर रेट्स आर वेरी हाइ. ओनली लास्ट मंथ, आइ पेड वन सेवंटी फ़ाइव फ़ॉर अ सिंगल रूम.

रिसेप्शनिस्ट : आप कितने दिन रुकेंगे।

Receptionist : How many days, do you want to stay sir? हाउ मेनी डेज़ डू यू वॉन्ट टु स्टे सर?

सुधीर : दो दिन।

Sudhir : Two days? टू डेज़.

रिसेप्शनिस्ट : हमारे कमरे बहुत अच्छे हैं। खैर आपके लिए मैं 200 रु. प्रति दिन लगा दूंगा।

Receptionist : Our rooms are very nice sir. Anyhow for you, I'll make it two hundred per day. आवर रूम्ज़ आर वेरी नाइस सर. एनीहाउ फ़ॉर यू, आइल मेक इट टू हंड्रेड पर डे.

सुधीर : ठीक है। आपका चेक आउट टाइम क्या है?

Sudhir : Alright. What is the check out time? ऑलराइट. वॉट इज़ द चेक आउट टाइम?

रिसेप्शनिस्ट : दोपहर 12 बजे। कृपया इस पेज पर अपना नाम पता आदि भर दें। और यहां साइन कर दें।

Receptionist : 12 O'clock. Please fill in your particulars on this page and sign here. ट्वेल्व ओ'क्लॉक. प्लीज़ फ़िल इन योर पर्टीकुलर्ज़ ऑन दिस पेज ऐंड साइन हिअर.

सुधीर : आपके यहां रूम सर्विस है?

Sudhir : Do you have room service. डू यू हैव रूम सर्विस?

रिसेप्शनिस्ट : जी हां।

Receptionist : Yes sir. येस सर.

सुधीर : और क्या आप शहर घूमने के लिए सवारी का इंतज़ाम करवा सकते हैं?

Sudhir : And can you arrange transport for a local tour? ऐंड कैन यू अरेंज ट्रांसपोर्ट फ़ार अ लोकल टूर?

रिसेप्शनिस्ट : जी हां, कई टूर एजेन्सीज़ से हमारा सम्पर्क है। वे हमारे यहां ठहरने वालों को डिस्काउंट भी देते हैं।

Receptionist : Yes sir, we are in touch with many tour agencies. They also give our clients discount. येस सर, वी आर इन टच विद मैनी टूर एजेंसीज़. दे ऑलसो गिव आवर कलायंट्स डिस्काउंट.

सुधीर : ठीक है। क्या आप मुझे सुबह 6 बजे उठा देंगे?

Sudhir : O.K. Could you please wake me up at six in the morning. ओ.के. कुड यू प्लीज़ वेक मी अप एट सिक्स इन द मॉर्निंग?

रिसेप्शनिस्ट : जी ज़रूर! आपकी चाबियां सर! दूसरी मंज़िल पर कमरा नम्बर 85।

Receptionist : Yes sure. Your keys sir. Room number eighty-five on the second floor. येस श्योर. योर कीज़ सर. रूम नम्बर एटी फ़ाइव ऑन द सेकंड फ़्लोर.

सुधीर : थैंक्यू।

Sudhir : Thank you. थैंक्यू.

रिसेप्शनिस्ट : आपका ठहरना सुखद हो।

Receptionist : Have a nice stay sir! हैव अ नाइस स्टे सर!

बच्चे के ऐडमिशन के लिए इंटरव्यू — An Interview for the Child's Admission (ऐन इंटरव्यू फ़ॉर द चाइल्ड्ज़ ऐडमिशन)

(माता पिता बच्चे के साथ प्रिंसिपल के ऑफिस में आते हैं।)

पिता : गुड मॉर्निंग सर।

Father : Good morning Sir. गुड मॉर्निंग सर.

प्रिंसिपल : गुड मॉर्निंग। बैठिए।

Principal : Good morning, please sit down. गुड मॉर्निंग, प्लीज़ सिट डाउन.

पिता : मैं परेश खन्ना हूं और ये मेरी पत्नी सुनीता।

Father : I am Paresh Khanna. My wife Sunita. आइ ऐम परेश खन्ना. माइ वाइफ़ सुनीता.

प्रिंसिपल : आप क्या करते हैं मि. खन्ना?

Principal : What do you do Mr. Khanna? वॉट डू यू डू मिस्टर खन्ना?

पिता : मैं तिरुपति फ़र्टिलाइज़र्ज़ में असिस्टेंट मैनेजर हूं।

Father : I am assistant manager in Tirupati Fertilizers. आइ ऐम असिस्टेंट मैनेजर इन तिरुपति फ़र्टिलाइज़र्ज़.

प्रिंसिपल : आपकी क्वॉलिफ़िकेशन्ज़ क्या हैं?

Principal : What are your qualifications. वॉट आर योर क्वॉलिफ़िकेशन्ज़?

पिता : जी मैं कैमिस्ट्री में ऐम.ऐससी. हूं।

Father : M.Sc. Chemistry. ऐम.ऐससी. केमिस्ट्री.

प्रिंसिपल : और मिसिज़ खन्ना, आप क्या करती हैं?

Principal : And you Mrs. Khanna, What do you do? ऐंड यू मिसिज़ खन्ना, वॉट डू यू डू?

मां : जी मैं एक हाउसवाइफ़ हूं।

Mother : I am a housewife. आइ ऐम अ हाउसवाइफ़.

प्रिंसिपल : आप कहां तक पढ़ी हैं?

Principal : What are your qualifications? वॉट आर योर क्वॉलिफ़िकेशन्ज़?

मां : मैं बी.ऐससी. हूं।

Mother : I am a B.Sc. आइ ऐम अ बी.ऐससी.

प्रिंसिपल : बच्चे को घर में कौन पढ़ाता है?

Principal : Who teaches the child at home? हू टीचिज़ द चाइल्ड ऐट होम?

पिता : हम दोनों।

Father : Both of us. बोथ ऑफ़ अस.

प्रिंसिपल : मि. खन्ना आप बच्चे के साथ कितना समय बिताते हैं?

Principal : How much time do you spend with the child Mr. Khanna. हाउ मच टाइम डू यू स्पेंड विद द चाइल्ड मिस्टर खन्ना?

पिता : कम-से-कम दो घंटे रोज़। मैं ऑफ़िस से करीब 6 बजे घर लौटता हूं। साढ़े छः बजे से साढ़े आठ बजे तक मैं स्मिता से खेलता व उसे पढ़ाता हूं।

Father : At least two hours daily. I come back from office around 6 O'clock in the evening. From 6.30 to 8.30 I play with Smita and teach her. ऐट लीस्ट टू आवर्ज़ डेली. आइ कम बैक फ्रॉम ऑफ़िस अराउन्ड सिक्स ओ क्लॉक इन द ईवनिंग. फ्रॉम सिक्स थर्टी टु ऐट थर्टी आइ प्ले विद स्मिता ऐंड टीच हर.

प्रिंसिपल : अच्छा। और आप मिसिज़ खन्ना? आप उसे कब पढ़ाती हैं?

Principal : I see. And you Mrs. Khanna, when do you teach her? आइ सी. ऐंड यू मिसिज़ खन्ना, वेन डू यू टीच हर?

मां : ज़्यादातर दोपहर में, जब मैं घर के काम से खाली होती हूं।

Mother : Mostly in the afternoon. After I'm free from the household chores. मोस्टली इन द आफ़्टर नून. आफ़्टर आइ ऐम फ्री फ्रॉम द हाउसहोल्ड चोर्ज़.

प्रिंसिपल : आप बच्चे को इसी स्कूल में क्यों भर्ती कराना चाहते हैं?

Principal : Why do you want to admit your child here? वाइ डू यू वॉन्ट टु ऐडमिट योर चाइल्ड हिअर?

मां : इस स्कूल का काफी नाम है। इसके अलावा यह हमारे घर के पास है।

Mother : This school has a very good reputation. Besides it is close to our house. दिस स्कूल हैज़ अ वेरी गुड रेप्यूटेशन. बिसाइड्ज़ इट इज़ क्लोज़ टु आवर हाउस.

(प्रिंसिपल बच्ची स्मिता से बात करता है।)

प्रिंसिपल : बच्चे तुम्हारा नाम क्या है?

Principal : What's your name child. वॉट्स योर नेम चाइल्ड?

स्मिता : स्मिता खन्ना।

Smita : Smita Khanna. स्मिता खन्ना.

प्रिंसिपल : और तुम्हारे पापा का नाम?

Principal : And your Father's name? ऐंड योर फ़ादर्ज़ नेम?

स्मिता : मिस्टर परेश खन्ना।

Smita : Mr. Paresh Khanna. मिस्टर परेश खन्ना.

प्रिंसिपल : तुम कहां रहती हो?

Principal : Where do you live? वेअर डू यू लिव?

स्मिता : ए-796, लक्ष्मी नगर।

Smita : A-796, Laxmi Nagar. ए-796, लक्ष्मी नगर.

प्रिंसिपल : तुम्हें पहाड़े आते हैं?

Principal : Do you know tables? डू यू नो टेबल्ज़?

स्मिता : जी 2 से 10 तक।

Smita : Yes two to ten. येस टू टु टेन.

प्रिंसिपल : कोई नर्सरी राइम याद है।

Principal : Do you know any nursery rhyme? डू यू नो ऐनी नर्सरी राइम?

स्मिता : जी कई।

Smita : Yes many. येस मेनी.

प्रिंसिपल : एक सुनाओ।

Principal : Recite one. रिसाइट वन.

(बच्ची ट्विंकल-ट्विंकल लिटल स्टार सुनाती है।)

प्रिंसिपल : *(एक फोटो दिखाकर)* यह क्या है?

Principal : *(Showing a picture)* What is this? वॉट इज़ दिस?

स्मिता : ऐरोप्लेन (हवाईजहाज)।

Smita : An aeroplane. ऐन ऐरोप्लेन.

प्रिंसिपल : स्पेलिंग बता सकती हो।

Principal : Can you spell the word? कैन यू स्पेल द वर्ड?

स्मिता : जी।

Smita : Yes. येस. *(स्पेलिंग बताती है)*

प्रिंसिपल : अच्छा बताओ गर्म कपड़े कब पहनते हैं?

Principal : O.K. tell me when do you wear woollen clothes? ओ.के. टेल मी वेन डू यू वेअर वुलन क्लोद्ज़?

स्मिता : सर्दी में।

Smita : In winter. इन विन्टर.

प्रिंसिपल : हम बारिश में बाहर जाते हुए क्या लेकर जाते हैं?

Principal : What do you carry when you go out in rain? वॉट डू यू कैरी वेन यू गो आउट इन रेन?

स्मिता : अम्ब्रेला (छाता)।

Smita : Umbrella. अम्ब्रेला.

प्रिंसिपल : ट्रैफ़िक लाइट में कितने रंग होते हैं?

Principal : How many colours are there in a traffic light? हाउ मैनी कलर्ज़ आर देअर इन अ ट्रैफ़िक लाइट?

स्मिता : तीन।

Smita : Three. थ्री.

प्रिंसिपल : नाम बताओ।

Principal : Name them. नेम देम.

स्मिता : हरा, पीला और लाल।

Smita : Green, yellow and red. ग्रीन, यलो ऐंड रेड.

प्रिंसिपल : ट्रैफ़िक के लिए हरे का क्या मतलब है?

Principal : What does green mean for traffic? वॉट डज़ ग्रीन मीन फ़ॉर ट्रैफ़िक.

स्मिता : चलो।

Smita : Go. गो.

प्रिंसिपल : और लाल का?

Principal : And the red. ऐंड द रेड.

स्मिता : रुको।

Smita : Stop. स्टॉप.

प्रिंसिपल : तुम सड़क कब पार करते हो?

Principal : When do you cross the road? वेन डू यू क्रॉस द रोड?

स्मिता : जब बत्ती लाल होती है।

Smita : When the light is red. वेन द लाइट इज़ रेड.

प्रिंसिपल : सड़क पार करते हुए कहां पर चलना चाहिए?

Principal : Where do you walk while crossing the road? वेअर डू यू वॉक वाइल क्रॉसिंग द रोड?

स्मिता : ज़ेब्रा क्रॉसिंग पर।

Smita : On the zebra crossing. ऑन द ज़ेब्रा क्रॉसिंग.

प्रिंसिपल : शाबाश! ठीक है मि. खन्ना, हम आपकी बच्ची को दाखिला देंगे।

Principal : Good! O.K. Mr. Khanna, we will admit your child? गुड! ओ.के. मिस्टर खन्ना, वी विल ऐडमिट योर चाइल्ड.

पिता : धन्यवाद सर।

Father : Thank you sir. थैंक्यू सर.

क्लास टीचर से बातचीत — With the Class Teacher (विद द क्लास टीचर)

बच्चे की मां : नमस्कार, मिसिज़ सेन. मैं क्षिप्रा शर्मा की मां पूनम शर्मा हूं। शिप्रा ने बताया कि आप मुझसे मिलना चाहती थीं।

Mother : Good afternoon Mrs. Sen. I'm Poonam Sharma, Kshipra Sharma's mother. Kshipra told me, you wanted to see me. गुड आफ़्टर नून मिसिज़ सेन. आइ ऐम पूनम शर्मा, क्षिप्रा शर्माज़ मदर. शिप्रा टोल्ड मी, यू वॉन्टिड टु सी मी.

क्लास टीचर : जी बैठिए। ये रही क्षिप्रा की मासिक रिपोर्ट। वह दो सब्जेक्ट्स में फ़ेल है।

Class Teacher : Yes, please sit down. Here is Shipra's monthly progress report. She has failed in two subjects. येस, प्लीज़ सिट डाउन. हिअर इज़ क्षिप्राज़ मन्थली प्रोग्रेस रिपोर्ट. शी हैज़ फ़ेल्ड इन टू सब्जेक्ट्स.

मां : जी, वह मैथ्स के टेस्ट में बीमार थी।

Mother : Yes, she was unwell during the Math's test. येस, शी वॉज़ अनवेल ड्यूरिंग द मैथ्स टेस्ट.

क्लास टीचर : ठीक है। पर इंग्लिश में क्या हुआ? उसे 10 में से कुल 3 नम्बर मिले हैं। सोशल स्टडीज़ में भी वह मुश्किल से पास हुई है।

Class Teacher : Fine, but what about English? She got only 3 marks out of 10. In Social Studies also, she has barely got pass marks. फ़ाइन, बट वॉट अबाउट इंग्लिश? शी गॉट ओनली थ्री मार्क्स आउट ऑफ़ टेन. इन सोशल स्टडीज़ ऑलसो शी हैज़ बेअरली गॉट पास मार्क्स.

मां : हां। दरअसल, मैं भी उसके बारे में काफी परेशान हूं। क्षिप्रा पढ़ाई में दिलचस्पी नहीं लेती।

Mother : Yes. Actually, even I'm quite worried about her. Shipra doesn't take interest in studies. येस. ऐक्चुअली, ईवन आइम क्वाइट वरीड अबाउट हर. क्षिप्रा डज़न्ट टेक इंट्रेस्ट इन स्टडीज़.

क्लास टीचर : मेरे ख्याल से उसकी सेहत कमज़ोर है।

Class Teacher : I think, she is quite weak physically. आइ थिंक शी इज़ क्वाइट वीक फ़िज़िकली.

मां : जी आप ठीक कहती हैं। अक्सर वह सिर दर्द की भी शिकायत करती है।

Mother : Yes, you are right. She also complains of a headache very often. येस, यू आर राइट. शी ऑलसो कम्प्लेंज़ ऑफ़ अ हेडेक वेरी ऑफ़न.

क्लास टीचर : आप उसकी आंखें टेस्ट करवाइये। मैंने नोट किया है कि वह ब्लैक बोर्ड ठीक से नहीं पढ़ पाती।

Class Teacher : Please get her eyes tested. I have noticed that she is unable to read the blackboard properly. प्लीज़ गेट हर आइज़ टेस्टिड. आइ हैव नोटिस्ड दैट शी इज़ अनेबल टु रीड द ब्लैक बोर्ड प्रोपर्ली.

मां : मैं आज ही उसे आंखों के डॉक्टर के पास ले जाऊंगी, मैं डाक्टर से उसके सामान्य स्वास्थ्य के बारे में भी सलाह करूंगी।

Mother : I will take her to an eye specialist today itself. I'll also consult the doctor regarding her general health. आइ विल टेक हर टु एन आइ स्पेशलिस्ट टुडे इटसेल्फ़. आइ विल ऑल्सो कंसल्ट द डॉक्टर रिगार्डिंग हर जनरल हेल्थ।

क्लास टीचर : इसके अलावा, क्षिप्रा को मैथ्स और इंग्लिश में अलग से सहायता की भी ज़रुरत है। घर में उसे कौन पढ़ाता है?

Class Teacher : Besides, Kshipra needs extra coaching in Maths and English. Who teaches her at home? बिसाइड्ज़ क्षिप्रा नीड्ज़ एक्स्ट्रा कोचिंग इन मैथ्स ऐंड इंग्लिश. हू टीचिज़ हर ऐट होम?

मां : मैं ही पढ़ाती हूं। पर मैं मानती हूं कि मैं उसे नियम से नहीं पढ़ाती।

Mother : I do. But I must admit that I am not very regular. आइ डू. बट आइ मस्ट ऐडमिट दैट आइ ऐम नॉट वेरी रेग्युलर.

क्लास टीचर : कृपया आंगे से नियम से पढ़ाइये। क्षिप्रा की लिखाई भी काफी खराब है। उसके लिए घर पर लिखाई की प्रैक्टिस ज़रूरी है।

Class Teacher : Please be regular in future. Kshipra's handwriting is very bad. She must practise handwriting, at home. प्लीज़ बी रेग्युलर इन फ़्यूचर. शिप्राज़ हैन्डराइटिंग इज़ वेरी बैड. शी मस्ट प्रैक्टिस हैन्डराइटिंग ऐट होम.

मां : मैं अब निश्चय ही उसकी तरफ पहले से अधिक ध्यान दूंगी।

Mother : Yes, I'll definitely pay more attention to her now. येस, आइल डेफ़िनिटली पे मोर अटेंशन टु हर नाउ.

क्लास टीचर : कृपया ऐसा ही कीजिए। क्षिप्रा एक होशियार और अच्छे व्यवहार वाली बच्ची है। थोड़ी कोशिश से ही उसमें अवश्य सुधार आयेगा।

Class Teacher : Please do that. Kshipra is an intelligent and well-behaved girl. With a little effort, she will definitely improve. प्लीज़ डू दैट. शिप्रा इज़ ऐन इंटेलिजेंट ऐंड वेल-बिहेव्ड गर्ल. विद अ लिटल एफ़र्ट, शी विल डेफ़िनिटली इम्प्रूव.

मां : मैं पूरी कोशिश करूंगी। मिसिज़ सेन आपका बहुत-बहुत धन्यवाद। कृपया उसकी प्रगति के बारे में मुझे सूचित करती रहा करें।

Mother : I will try my best. Thank you very much Mrs. Sen. Please keep me informed about her progress. आइ विल ट्राइ माइ बेस्ट. थैंक्यू वेरी मच मिसिज़ सेन. प्लीज़ कीप मी इन्फ़ॉम्ड अबाउट हर प्रोग्रेस.

क्लास टीचर : जी ज़रूर।

Class Teacher : Yes, ofcourse. येस, ऑफ़कोर्स.

मां : अच्छा, नमस्कार मिसिज़ सेन।

Mother : O.K. Bye Mrs. Sen. ओ.के. बाइ मिसिज़ सेन.

शिकायतें — Complaints (कम्प्लेन्ट्स)

बिजली फ़ेल होने पर — Electricity failure (इलेक्ट्रिसिटी फ़ेल्यर)

मि. लाल : *(फोन पर)* इलेक्ट्रिसिटी कम्पलेंट्स शाहदरा से। बोल रहे हैं?

Mr. Lal : *(On the phone)* Is that Electricity Complaints Shahdara? इज़ दैट इलेक्ट्रिसिटी कम्प्लेंट्स शाहदरा?

क्लर्क : जी हां।

Clerk : Yes. येस.

मि. लाल : नमस्ते, मैं न्यू कॉलोनी से बोल रहा हूं। हमारे मुहल्ले में पिछले 10 घंटे से बिजली गई हुई है।

Mr. Lal : Good morning, I am speaking from New Colony. There is no electricity in our locality for the last ten hours. गुड मॉर्निंग, आइ ऐम स्पीकिंग फ़्रॉम न्यू कॉलोनी. देअर इज़ नो इलेक्ट्रिसिटी इन आवर लोकैलिटी फ़ॉर द लास्ट टेन आवर्ज़.

क्लर्क : जी हां, ब्रेक डाउन हो गया है। हमारे आदमी काम पर लगे हैं।

Clerk : Yes, there has been a break down. Our men are at work. येस, देअर हैज़ बीन अ ब्रेक डाउन. आवर मेन आर ऐट वर्क.

मि. लाल : कब तक बिजली आने की उम्मीद करें?

Mr. Lal : In how much time should we expect the electricity? इन हाउ मच टाइम शुड वी एक्सपेक्ट द इलेक्ट्रिसिटी?

क्लर्क : करीब एक घंटे में।

Clerk : In about an hour. इन अबाउट एन आवर.

मि. लाल : अच्छा, धन्यवाद।

Mr. Lal : Thank you. थैंक्यू.

टेलीफ़ोन की गड़बड़ी — Telephone Disorder (टेलीफ़ोन डिसऑर्डर)

मि. खुराना : *(पब्लिक टेलीफोन पर)* टेलीफ़ोन कम्प्लेंट्स दरियागंज से बोल रहे हैं?

Mr. Khurana : *(calling from P.C.O.)* Is that Telephone Complaints Daryaganj? इज़ दैट टेलीफ़ोन कम्प्लेंट्स दरियागंज?

क्लर्क : जी हां।

Clerk : Yes. येस.

मि. खुराना : मैं एफ़/385 दरियागंज से बोल रहा हूं। हमारा टेलीफ़ोन खराब है।

Mr. Khurana : I am speaking from F/385 Daryaganj. Our telephone is out of order. आइ ऐम स्पीकिंग फ़्रॉम एफ़/385 दरियागंज. आवर टेलीफ़ोन इज़ आउट ऑफ़ ऑर्डर.

क्लर्क : अपना टेलीफ़ोन नम्बर बताइये?

Clerk : What is your telephone number? वॉट इज़ योर टेलीफ़ोन नम्बर?

मि. खुराना : 3345703. मुझे कम्प्लेंट नम्बर देंगे प्लीज़?

Mr. Khurana : 3345703. Could you give me a complaint number please? 3345703. कुड यू गिव मी अ कम्प्लेंट नम्बर प्लीज़?

क्लर्क : डी-76.

Clerk : D-76. डी-सेवन्टी सिक्स.

मि. खुराना : धन्यवाद, ज़रा जल्दी ठीक करा दीजिए।

Mr. Khurana : Thank you. Please get it repaired fast. थैंक्यू. प्लीज़ गेट इट रिपेअर्ड फ़ास्ट.

क्लर्क : जी हां, ज़ल्दी करा देंगे।

Clerk : Yes, it will be done soon. येस, इट विल बी डन सून.

मशीन में नुक्स की शिकायत

Complaining about a Faulty Gadget (कम्पलेनिंग अबाउट अ फ़ॉल्टी गैजट)

सेल्ज़मेन : *(ग्राहक से)* गुड मॉर्निंग मैडम, क्या सेवा करूं?

Salesman : *(to the customer)* Good morning madam. Can I help you? गुड मॉर्निंग मैडम. कैन आइ हेल्प यू?

ग्राहक : मैं एक शिकायत लेकर आई हूं।

Customer : Yes, I have a complaint. येस, आइ हैव अ क़म्प्लेंट.

सेल्ज़मेन : जी कहिए?

Salesman : Yes please. येस प्लीज़?

ग्राहक : मैंने पिछले हफ्ते, आपकी दुकान से यह मिक्सर ग्राइंडर खरीदा था। यह ठीक से काम नहीं करता।

Customer : I bought this mixer-grinder last week from your shop. It doesn't work properly. आइ बाट दिस मिक्सर ग्राइंडर लास्ट वीक फ्रॉम योर शॉप. इट डज़न्ट वर्क प्रोपर्ली.

सेल्ज़मेन : दिखाइये, क्या शिकायत है?

Salesman : Let me see. What is the problem madam? लेट मी सी. वॉट इज़ द प्रॉब्लम मैडम?

ग्राहक : ग्राइंडर शोर बहुत मचाता है और कुछ भी महीन नहीं पीसता। ब्लेंडर भी ठीक से काम नहीं करता है।

Customer : The grinder makes too much noise and doesn't grind anything fine. And the blender doesn't mix anything properly. द ग्राइंडर मेक्स टू मच नॉइज़ ऐंड डज़न्ट ग्राइन्ड ऐनीथिंग फ़ाइन. ऐंड द ब्लेंडर डज़न्ट मिक्स ऐनीथिंग प्रॉपर्ली.

सेल्ज़मेन : अच्छा। इसकी गांरटी है?

Salesman : I see. Does it have a guarantee? आइ सी. डज़ इट हैव अ गारंटी?

ग्राहक : जी हां, एक साल।

Customer : Yes, one year. येस, वन ईयर.

सेल्ज़मेन : क्या आपके पास रसीद है?

Salesman : Do you have the receipt please? डू यू हैव द रिसीट प्लीज़?

ग्राहक : जी हां, यह देखिए।

Customer : Yes, here it is. येस, हिअर इट इज़.

सेल्ज़मेन : ठीक है मैडम। आप मशीन हमारे पास छोड़ दीजिए। मैं इसे कम्पनी की वर्कशॉप में मरम्मत के लिए भेज दूंगा।

Salesman : Alright madam. Leave the machine with us. I will send it to the company's workshop for repair. ऑलराइट मैडम. लीव द मशीन विद अस. आइ विल सेंड इट टु द कम्पनीज़ वर्कशॉप फ़ॉर रिपेअर.

ग्राहक : आप पीस ही क्यों नहीं बदल देते या फिर पैसे वापस कर दें।

Customer : Can't you change the piece or refund the money? कान्ट यू चेन्ज द पीस ऑर रिफ़ंड द मनी?

सेल्ज़मेन : अगर नुक्स ठीक न हुआ तो पीस बदल देंगे। पर पैसे वापस नहीं हो सकते.

Salesman : We will change the piece if the fault can't be repaired. But we can't refund the money. वी विल चेन्ज़ द पीस इफ़ द फ़ॉल्ट कान्ट बी रिपेअर्ड. बट वी कान्ट रिफ़न्ड द मनी.

ग्राहक : तो फिर मैं कब आऊं।

Customer : When should I come back? वेन शुड आइ कम बैक?

सेल्ज़मेन : अगले हफ्ते बुधवार।

Salesman : Next week Wednesday. नेक्स्ट वीक वेंज़डे.

ग्राहक : ठीक है। धन्यवाद।

Customer : Alright. Thank you. ऑलराइट. थैंक्यू.

दिन-प्रतिदिन की शिकायतें	Complaining about Things in General (कम्प्लेनिंग अबाउट थिंग्ज़ इन जनरल)
मिसिज़ शर्मा : हलो मिसिज़ कार्तिक।	**Mrs. Sharma :** Hello Mrs. Kartik. हलो मिसिज़ कार्तिक.
मिसिज़ कार्तिक : हलो मिसिज़ शर्मा, कैसी हैं?	**Mrs. Kartik :** Hello Mrs. Sharma. How are you? हलो मिसिज़ शर्मा. हाउ आर यू?
मिसिज़ शर्मा : ठीक हूं। कहां से आ रही हैं?	**Mrs. Sharma :** Fine. Where are you coming from? फ़ाइन. वेअर आर यू कमिंग फ्रॉम?
मिसिज़ कार्तिक : बाज़ार से, और आप?	**Mrs. Kartik :** Market. And you? मार्किट, ऐंड यू?
मिसिज़ शर्मा : मैं भी बाज़ार गई थी। उफ़! चीजें कितनी महंगी हो गई हैं।	**Mrs. Sharma :** I too went to market. God! How expensive the things have become! आइ टू वेंट टु मार्किट. गॉड! हाउ एक्स्पेंसिव द थिंग्ज़ हैव बिकम!
मिसिज़ कार्तिक : वाकई बड़ी बुरी हालत है। हर रोज़ महंगाई बढ़ रही है।	**Mrs. Kartik :** It's terrible really. The prices are shooting up everyday. इट्स टेरिबल रिअली. द प्राइसिज़ आर शूटिंग अप ऐवरीडे.
मिसिज़ शर्मा : आजकल तो ज़िंदा रहना मुश्किल है। आपकी नौकरानी वापस आ गई?	**Mrs. Sharma :** It's hard to survive these days. Has your servant returned? इट्स हार्ड टु सरवाइव दीज़ डेज़. हैज़ योर सर्वेंट रिटर्न्ड?
मिसिज़ कार्तिक : जी नहीं। वह फिर से पैसे बढ़ाने को कह रही है। अभी पिछले महीने ही मैंने उसकी तन्ख्वाह बढ़ाई थी।	**Mrs. Kartik :** No. She is asking for a raise again. Last month only I increased her salary. नो. शी इज़ आस्किंग फ़ॉर अ रेज़ अगेन. लास्ट मंथ ओनली आइ इनक्रीज़्ड हर सैलरी.
मिसिज़ शर्मा : आज कल कोई काम तो करना ही नहीं चाहता। बस ज़्यादा से ज़्यादा पैसे चाहिए।	**Mrs. Sharma :** Nobody wants to work these days. All they want is to get paid more and more. नोबडी वॉन्ट्स टु वर्क दीज़ डेज़. ऑल दे वॉन्ट इज़ टु गेट पेड मोर ऐंड मोर.
मिसिज़ कार्तिक : ठीक कहती हैं आप। हे भगवान। उफ़ कितनी गर्मी है!	**Mrs. Kartik :** You are right. Oh God! How hot it is! यू आर राइट. ओह गॉड! हाउ हॉट इट इज़!
मिसिज़ शर्मा : जी हां, और ऊपर से हमारी कॉलोनी बिजली नहीं है।	**Mrs. Sharma :** Yes, and on top of it, no electricity in our colony. येस, ऐंड ऑन टॉप ऑफ़ इट, नो इलेक्ट्रिसिटी इन आवर कॉलोनी.
मिसिज़ कार्तिक : ये पावर कट्स (बिजली की कटौतियां) तो बर्दाश्त से बाहर हैं। मैंने कम्प्लेंट्स को फ़ोन किया था, पर कोई फ़ोन ही नहीं उठा रहा।	**Mrs. Kartik :** These power cuts are unbearable. I called the complaints but nobody is lifting the phone. दीज़ पावर कट्स आर अनबेअरेबल. आइ कॉल्ड द कंम्प्लेंट्स बट नोबडी इज़ लिफ़्टिंग द फ़ोन.
मिसिज़ शर्मा : मेरा फ़ोन पिछले 15 दिनों से खराब पड़ा है। मेरे हस्बैंड ने 3-4 बार शिकायत की है पर कोई नतीजा नहीं निकला।	**Mrs. Sharma :** My phone has been out of order for the last fifteen days. My husband lodged the complaint 3-4 times but there is no response. माइ फ़ोन हैज़ बीन आउट ऑफ़ ऑर्डर फ़ॉर द लास्ट फ़िफ़्टीन डेज़. माइ हस्बैंड लॉज्ड द कम्पलेंट थ्री-फ़ोर टाइम्ज़ बट देअर इज़ नो रिस्पोंस.
मिसिज़ कार्तिक : सभी महकमों में धांधली है। हर किसी को रिश्वत चाहिए।	**Mrs. Kartik :** There is corruption in all the departments. Everybody wants his palm to be greased. देअर इज़ करप्शन इन ऑल द डिपार्टमेंट्स. एवरीबडी वॉन्ट्स हिज़ पाम टु बी ग्रीज़्ड.
मिसिज़ शर्मा : आप ठीक कहती हैं। *(एक कार तेज़ी से गुज़रती है)* देखिए तो ज़रा, कैसे गाड़ी चला रहा है। पैदल चलने वालों की तो किसी को फिक्र ही नहीं है।	**Mrs. Sharma :** You are right. *(A car speeds by)* Look at the way he's driving. There's no consideration for the pedestrians. यू आर राइट. लुक ऐट द वे ही इज़ ड्राइविंग. देअर्ज़ नो कंसीडरेशन फ़ॉर द पेडस्ट्रियन्ज़.

मिसिज़ कार्तिक : और देखा आपने गाडी से कितना धुआं निकल रहा था? ट्रैफ़िक और पॉल्यूशन कन्ट्रोल के इतने सारे शोर का कोई मतलब नहीं है।

Mrs. Kartik : Did you see the amount of exhaust coming out of the vehicle? All this talk about traffic and pollution control has no meaning. डिड यू सी दि अमाउंट ऑफ़ एग्ज़ास्ट कमिंग आउट ऑफ़ द वीकल? ऑल दिस टॉक अबाउट ट्रैफ़िक ऐंड पॉल्यूशन कन्ट्रोल हैज़ नो मीनिंग.

मिसिज़ शर्मा : बड़े शहरों की ज़िंदगी तो खतरों से भरी पड़ी है।

Mrs. Sharma : Life in big cities is full of hazards. लाइफ़ इन बिग सिटीज़ इज़ फ़ुल ऑफ़ हैज़र्ड्ज़.

मिसिज़ कार्तिक : हां, पर और रास्ता भी क्या है। अच्छा मिसिज़ शर्मा कभी आइये न।

Mrs Kartik : Yes, but we have no choice. O.K. Mrs. Sharma please drop in sometime. येस, बट वी हैव नो चॉइस. ओ.के. मिसिज़ शर्मा प्लीज़ ड्रॉप इन समटाइम.

मिसिज़ शर्मा : जी हां, आप भी मिसिज़ कार्तिक। अच्छा तो फिर मिलते हैं, बाइ।

Mrs. Sharma : Yes, you too, Mrs. Kartik. Bye, see you. येस, यू टू, मिसिज़ कार्तिक, बाइ, सी यू.

भावी वर के बारे में पूछताछ — Inquiring About the Prospective Bridegroom (इन्क्वॉयरिंग अबाउट द प्रॉस्पेक्टिव ब्राइडग्रूम)

मि. दत्त : अरे वाह मिस्टर पुरी! आइये, अन्दर आइये, बैठिए!

Mr. Dutt : Hello Mr. Puri what a surprise! Please come in and have a seat. हलो मिस्टर पुरी वॉट अ सरप्राइज़! प्लीज़ कम इन ऐंड हैव अ सीट.

मि. पुरी : धन्यवाद, मिस्टर दत्त।

Mr. Puri : Thank you Mr. Dutt. थैंक्यू मिस्टर दत्त.

मि. दत्त : और क्या हालचाल है?

Mr. Dutt : So, how is everything? सो, हाउ इज़ एवरीथिंग.

मि. पुरी : ठीक है, अब आपका स्वास्थ्य कैसा है?

Mr. Puri : Fine, how is your health now? फ़ाइन, हाउ इज़ योर हेल्थ नाउ?

मि. दत्त : पहले से काफी अच्छा है, धन्यवाद। क्या पसंद करेंगे, चाय या कॉफ़ी?

Mr. Dutt : Much better, thank you. What would you like to have, tea or coffee? मच बेटर, थैंक्यू. वॉट वुड यू लाइक टु हैव, टी और कॉफ़ी.

मि. पुरी : कुछ भी नहीं। मिस्टर दत्त, दरअसल मुझे आपकी कुछ मदद चाहिए।

Mr. Puri : Nothing, thanks. Actually Mr. Dutt I need your help in something. नथिंग, थैंक्स. ऐक्चुअली मिस्टर दत्त आइ नीड योर हेल्प इन समथिंग.

मि. दत्त : जी हां बताइये, क्या कर सकता हूं?

Mr. Dutt : Yes what can I do for you? येस वॉट कैन आइ डू फ़ॉर यू?

मि. पुरी : आपके ऑफ़िस में एक मि. कपूर हैं, असिस्टेंट मैनेजर। क्या आप उन्हें जानते हैं?

Mr. Puri : Do you know Mr. Kapoor, the Assistant Manager in your office? डू यू नो मिस्टर कपूर, द असिस्टेंट मैनेजर इन योर ऑफ़िस?

मि. दत्त : जी हां।

Mr. Dutt : Yes. येस.

मि. पुरी : और उनके परिवार को भी?

Mr. Puri : And also the family? ऐंड ऑलसो द फ़ैमिली?

मि. दत्त : जी हां, जानता हूं।

Mr. Dutt : Yes, I know them. येस, आइ नो देम.

मि. पुरी : दरअसल, मि. कपूर के बेटे और मेरी बेटी रेनू के बीच रिश्ते की बात चल रही है।

Mr. Puri : Actually, we are considering a match between Mr. Kapoor's son and my daughter Renu. एक्चुअली, वी आर कंसीडरिंग अ मैच बिटवीन मिस्टर कपूर्ज़ सन ऐंड माइ डॉटर रेनू.

मि. दत्त : ओह अच्छा।

Mr. Dutt : Oh I see. ओह आइ सी.

मि. पुरी : क्या आप लड़के और उसके परिवार के बारे में कुछ बताएंगे?

Mr. Puri : Could you give me some information regarding the boy and the family? कुड यू गिव मी सम इनफ़ॉर्मेशन रिगार्डिंग द बॉय ऐंड द फ़ैमिली?

मि. दत्त : जी, अच्छे-खासे इज़्ज़तदार लोग हैं। कपूर साहब भी अच्छे और मदद करने वाले आदमी हैं।

Mr. Dutt : Well, the Kapoors are very respectable people. Mr. Kapoor also is a nice and helpful person. वेल, द कपूर्ज़ आर वेरी रिस्पेक्टेबल पीपल. मिस्टर कपूर ऑलसो इज़ अ नाइस ऐंड हेल्पफ़ुल पर्सन.

मि. पुरी : परिवार में कितने लोग हैं?

Mr. Puri : How many members are there in the family? हाउ मेनी मेम्बर्ज़ आर देअर इन द फ़ैमिली?

मि. दत्त : पांच. मि. और मिसिज़ कपूर, उनके दो बच्चे राहुल और प्रिया और मि. कपूर की मां जो उनके साथ ही रहतीं हैं।

Mr. Dutt : Five. Mr. and Mrs. Kapoor, their two children Rahul and Priya and Mr. Kapoor's mother who also stays with him. फ़ाइव. मिस्टर ऐंड मिसिज़ कपूर, देअर टू चिल्ड्रन राहुल ऐंड प्रिया ऐंड मिस्टर कपूर्ज़ मदर हू ऑलसो स्टेज़ विद हिम.

मि. पुरी : राहुल क्या करता है?

Mr. Puri : What does Rahul do? वॉट डज़ राहुल डू?

मि. दत्त : नवयुग इंडस्ट्रीज़ में मार्केटिंग एग्ज़ीक्यूटिव है।

Mr. Dutt : He is a marketing executive in Navyug Industries. ही इज़ अ मार्केटिंग एग्ज़ीक्यूटिव इन नवयुग इंडस्ट्रीज़.

मि. पुरी : उसका ऑफ़िस कहां है?

Mr. Puri : Where is his office? वेअर इज़ हिज़ ऑफ़िस?

मि. दत्त : नौएडा में।

Mr. Dutt : In Noida. इन नौएडा.

मि. पुरी : क्या उम्र होगी उसकी?

Mr. Puri : What must be his age? वॉट मस्ट बी हिज़ एज?

मि. दत्त : मेरे ख्याल से छब्बीस या सत्ताइस के करीब।

Mr. Dutt : About 26 or 27. अबाउट ट्वेन्टी सिक्स ऑर ट्वेन्टी सेवन.

मि. पुरी : अंदाजन उसकी तन्ख्वाह क्या होगी?

Mr. Puri : What must be his approximate salary? वॉट मस्ट बी हिज़ एप्रॉक्सीमेट सैलरी?

मि. दत्त : मेरे ख्याल से पांच हज़ार के आस-पास।

Mr. Dutt : Around 5000/- I think. अराउंड फ़ाइव थाउज़न्ड आइ थिंक.

मि. पुरी : उसके स्वभाव के बारे में कुछ बता सकते हैं?

Mr. Puri : Could you tell me something about his nature? कुड यू टेल मी समथिंग एबाउट हिज़ नेचर?

मि. दत्त : अच्छा लड़का है। बड़ी इज़्ज़त से व्यवहार करता है।

Mr. Dutt : He is a nice boy. Very respectful. ही इज़ अ नाइस बॉय. वेरी रिस्पेक्टफ़ुल.

मि. पुरी : मि. कपूर की माली हालत के बारे में कुछ बताइये।

Mr. Puri : Please tell me something about Mr. Kapoor's financial status. प्लीज़ टेल मी समथिंग अबाउट मिस्टर कपूर्ज़ फ़ाइनेंश्यल स्टेटस.

मि. दत्त : मेरे ख्याल से अच्छे खाते-पीते लोग हैं। अकेले मि. कपूर की तन्ख्वाह ही 8000/- के करीब होगी। पंजाबी बाग में अपने मकान में रहते हैं।

Mr. Dutt : I think they are quite well to do. Mr. Kapoor's salary alone must be around 8000/-. They live in their own house in Punjabi Bagh. आइ थिंक दे आर क्वाइट वेल टु डू. मिस्टर कपूर्ज़ सैलरी अलोन मस्ट बी अराउंड ऐट थाउज़ेंड. दे लिव इन देअर ओन हाउस इन पंजाबी बाग.

मि. पुरी : उनकी बेटी शादीशुदा है?

Mr. Puri : Is their daughter married? इज़ देअर डॉटर मैरिड?

मि. दत्त : नहीं कॉलेज में पढ़ रही है। राहुल से छोटी है।

Mr. Dutt : No, She is in college. She is younger to Rahul. नो, शी इज़ इन कॉलेज. शी इज़ यंगर टु राहुल.

मि. पुरी : परिवार में सिगरेट-शराब आदि के चलन के बारे में?

Mr. Puri : What about drinking and smoking in the family? वॉट अबाउट ड्रिंकिंग ऐंड स्मोकिंग इन द फ़ैमिली?

मि. दत्त : देखिए, मेरे ख्याल में तो मि. कपूर और राहुल में से कोई सिगरेट नहीं पीता। पीने के बारे में कुछ कहना मुश्किल है।

Mr. Dutt : Well, as far as I know neither Mr. Kapoor nor Rahul smokes. About drinking, I don't know. वेल, एज़ फार एज़ आइ नो नाइदर मि. कपूर नॉर राहुल स्मोक्स. अबाउट ड्रिंकिंग, आई डोंट नो.

मि. पुरी : जी हां, मैं समझता हूं। बस एक आखिरी बात और। आपका क्या ख्याल है लड़के की शादी में, उन्होंने बड़ी उम्मीदें लगा रखी होंगी?

Mr. Puri : Yes, I understand. Just one last question. Do you think they will have high expectations in their son's marriage? येस, आइ अंडरस्टैंड. जस्ट वन लास्ट क्वेश्चन. डू यू थिंक दे विल हैव हाइ एक्सपेक्टेशन्ज इन देअर सन्ज़ मैरिज?

मि. दत्त : इस मामले में मैं क्या कह सकता हूं। आपका उनसे बात करना ही ठीक रहेगा।

Mr. Dutt : What can I say about that? It would be better if you ask them yourself. वॉट कैन आइ से अबाउट दैट? इट वुड बी बेटर इफ़ यू आस्क देम योरसेल्फ़.

मि. पुरी : आप ठीक कहते हैं। मि. दत्त आपकी मदद के लिए बहुत-बहुत धन्यवाद।

Mr. Puri : You are right. Thank you very much Mr. Dutt for your kind help. यू आर राइट. थैंक्यू वेरी मच मि. दत्त फ़ॉर योर काइन्ड हेल्प.

मि. दत्त : नहीं, कोई बात नहीं।

Mr. Dutt : You are welcome. यू आर वेल्कम.

मि. पुरी : अच्छा अब मैं चलूंगा। कभी आइएगा।

Mr. Puri : O.K. I'll take your leave now. Please drop in sometime. ओ.के. आइल टेक योर लीव नाउ. प्लीज़ ड्रॉप इन समटाइम.

मि. दत्त : जी ज़रूर. बाइ मि. पुरी।

Mr. Dutt : Yes sure. Bye Mr. Puri. येस श्योर. बाइ मिस्टर पुरी.

विवाह संबंधी बातचीत — Marriage Negotiation (मैरिज नेगोशिएशन)

लड़के व लड़की के माता-पिता के बीच पहली मुलाकात — First Meeting between the Boy's and the Girl's Parents (फ़र्स्ट मीटिंग बिटवीन द बॉयज़ ऐंड द गर्ल्ज़ पेरेन्ट्स)

(मि. और मिसिज पुरी, कपूर साहब के बेटे राहुल से अपनी बेटी रेनू के रिश्ते की बात चलाने, पहली बार उन के घर आते हैं। मि. कपूर दरवाज़ा खोलते हैं।)

मि. पुरी : नमस्कार। जी मैं रमेश पुरी हूं।

Mr. Puri : Namaskar. I am Ramesh Puri. नमस्कार. आइ ऐम रमेश पुरी.

मि. कपूर : ओह मि. पुरी! मैं सोमेश कपूर हूं। आइये, आइये, अंदर आइये।

Mr. Kapoor : Oh, Mr. Puri! I am Somesh Kapoor. Please come in. ओ, मि. पुरी! आइ ऐम सोमेश कपूर. प्लीज़ कम इन.

मि. पुरी : ये मेरी पत्नी गीता हैं।

Mr. Puri : Please meet my wife Geeta. प्लीज़ मीट माइ वाइफ़ गीता.

मि. कपूर : नमस्कार मेरी पत्नी मीरा।

Mr. Kapoor : Namaskar. My wife Meera. नमस्कार. माइ वाइफ़ मीरा.

मि. और मिसिज़ पुरी : नमस्कार।

Mr. & Mrs. Puri : Namaskar. नमस्कार.

मिसिज़ कपूर : नमस्कार।

Mrs. Kapoor : Namaskar. Please sit down. नमस्कार. प्लीज़ सिट डाउन.

(सभी बैठते हैं)

मि. पुरी : मि. कपूर आप क्या खास दिल्ली के ही रहने वाले हैं?

Mr. Puri : Do you originally belong to Delhi Mr. Kapoor? डू यू ओरिजिनली बिलोंग टु डेल्ही मि. कपूर?

मि. कपूर : जी शुरू से नहीं। मेरे माता-पिता अमृतसर से थे। पर हम पिछले बीस साल से दिल्ली में ही बसे हैं। और आप?

Mr. Kapoor : Not originally. My parents belonged to Amritsar. But we have lived here for the last twenty years. What about you? नॉट ऑरिजिनली. माइ पेरेन्ट्स बिलौंग्ड

टु अमृतसर. बट वी हैव लिव्ड हिअर फ़ॉर द लास्ट ट्वेन्टी ईयर्ज़. वॉट अबाउट यू?

मि. पुरी : जी हम तो दिल्ली से ही हैं। मेरे मातापिता पार्टीशन के बाद यहीं आ कर बस गए थे।

Mr. Puri : We belong to Delhi. My parents migrated here after partition. वी बिलोंग टु डेल्ही. माइ पेरेन्ट्स माइग्रेटिड हिअर आफ़्टर पार्टीशन.

मि. कपूर : अच्छा अच्छा। आप निगम साहब को कैसे जानते हैं?

Mr. Kapoor : I see. How do you know. Mr. Nigam? आइ सी. हाउ डू यू नो मि. निगम?

मि. पुरी : जी हम पड़ोसी हैं। दरअसल मैंने एक बार उनसे अपनी बेटी रेनू के लिए कोई अच्छा लड़का बताने के लिए कहा था। उन्होंने आपके बेटे व परिवार की बड़ी प्रशंसा की और आपका फ़ोन नं. भी दिया।

Mr. Puri : We are neighbours. Actually I once asked him to suggest a match for my daughter Renu. He spoke very highly of your son and your family and also gave me your phone number. वी आर नेबर्ज़. एक्चुअली आइ वन्स आस्क्ड हिम टु सजेस्ट अ मैच फ़ॉर माइ डॉटर रेनू. ही स्पोक वेरी हाइली ऑफ़ योर सन ऐंड योर फ़ैमिली ऐंड ऑलसो गेव मी योर फ़ोन नंबर.

मि. कपूर : जी हां, निगम और मैने दस साल साथ काम किया था। हम अच्छे दोस्त हैं। कैसे हैं वे?

Mr. Kapoor : Yes, Nigam and I worked together for ten years. We are good friends. How is he? येस, निगम ऐंड आइ वर्क्ड टुगेदर फ़ॉर टेन ईयर्ज़. वी आर गुड फ्रेंड्स. हाउ इज़ ही?

मि. पुरी : बिलकुल ठीक हैं। उन्होंने आपको नमस्कार कहा है।

Mr. Puri : Very well. He has sent you his regards. वेरी वेल. ही हैज़ सेन्ट यू हिज़ रिगार्ड्ज़.

मि. कपूर : कृपया मेरी ओर से भी उन्हें नमस्कार कहिएगा।

Mr. Kapoor : Please convey the same on my behalf. प्लीज़ कन्वे द सेम ऑन माइ बिहाफ़.

(मिसिज़ कपूर चाय व कुछ नाश्ता लेकर आती हैं)

मिसिज़ कपूर : जी, चाय लीजिए।

Mrs. Kapoor : Please have tea. प्लीज़ हैव टी.

मिसिज़ पुरी : इस तकलीफ की क्या ज़रूरत थी।

Mrs. Puri : There was no need for taking the trouble. देअर वॉज़ नो नीड फ़ॉर टेकिंग द ट्रबल.

मिसिज़ कपूर : नहीं जी, तकलीफ की क्या बात है। लीजिए, थोड़ा नमकीन लीजिए।

Mrs. Kapoor : No trouble at all. Please have some Namkeen. नो ट्रबल एट ऑल. प्लीज़ हैव सम नमकीन.

मि. पुरी : *(लेते हुए)* धन्यवाद। कपूर साहब, आप क्या अभी भी एन.के. इंडस्ट्रीज़ में ही हैं।

Mr. Puri : *(taking it)* Thank you. Are you still with N.K. Industries Mr. Kapoor? थैंक्यू. आर यू स्टिल विद ऐन.के. इन्डस्ट्रीज़ मि. कपूर?

मि. कपूर : जी नहीं, अब मैं श्रीकांत इंडस्ट्रीज़ में हूं। मैं वहां असिस्टेंट मैनेजर हूं।

Mr. Kapoor : No, I am with Shrikant Industries now. I am Assistant Manager there. नो, आइ ऐम विद श्रीकांत इंडस्ट्रीज़ नाउ. आइ ऐम असिस्टेंट मैनेजर देअर.

मि. पुरी : ओह अच्छा! मेरे मित्र जगदीश भास्कर भी वहीं हैं। वे अकाउंट्स में हैं।

Mr. Puri : Oh, I see! My friend Mr. Jagdish Bhasker is also there. He is in accounts. ओ, आइ सी! माइ फ्रेंड मि. जगदीश भास्कर इज़ ऑलसो देअर. ही इज़ इन अकाउंट्स.

मि. कपूर : जी हां, मैं भास्कर को अच्छी तरह जानता हूं। आप क्या करते हैं मि. पुरी?

Mr. Kapoor : Yes, I know Bhasker very well. What do you do Mr. Puri? येस, आइ नो भास्कर वेरी वेल. वॉट डू यू डू मिस्टर पुरी?

मि. पुरी : जी मैं स्टेट बैंक ऑफ़ इंडिया में अकाउंट्स मैनेजर हूं। मेरे परिवार में, हमारी दो बेटियां और एक बेटा है। बड़ी बेटी की शादी हो चुकी है।

Mr. Puri : I am Accounts Manager in the State Bank of India. As for my family, we have two daughters and one son. Our elder daughter is already married. Sumit, my

हमारा बेटा सुमित सबसे छोटा है।

son is the youngest. आइ ऐम अकाउंटस् मैनेजर इन द स्टेट बैंक ऑफ़ इंडिया. एज़ फ़ॉर माइ फ़ैमिली, वी हैव टू डॉटर्स ऐंड वन सन. आवर एल्डर डॉटर इज़ ऑलरेडी मैरिड. सुमित, माइ सन इज़ द यंगेस्ट.

मि. कपूर : और आपकी छोटी बेटी क्या कर रही है?

Mr. Kapoor : And what is your younger daughter doing?
ऐंड वॉट इज़ योर यंगर डॉटर डूइंग?

मि. पुरी : वह बी.ए. फ़ाइनल में पढ़ रही है।

Mr. Puri : She is studying in B.A. final.
शी इज़ स्टडींग इन बी.ए. फ़ाइनल.

मिसिज़ पुरी : साथ ही वह इंटीरियर डेकोरेशन का एक कोर्स भी कर रही है। वह गोरी, सुंदर और बहुत समझदार लड़की है।

Mr. Puri : She is also doing a course in interior decoration, these days. She is fair, beautiful and a very sensible girl.
शी इज़ ऑलसो डूइंग अ कोर्स इन इंटीरियर डेकोरेशन, दीज़ डेज़. शी इज़ फ़ेयर, ब्यूटिफ़ुल ऐंड अ वेरी सेंसिबल गर्ल.

मिसिज़ कपूर : हमारा बेटा राहुल भी बड़ा होशियार और समझदार लड़का है।

Mr. Kapoor : Our son Rahul also is a very intelligent and sensible boy. आवर सन राहुल ऑलसो इज़ अ वेरी इंटेलिजेंट ऐंड सेंसिबल बॉय.

मि. पुरी : कपूर साहब, राहुल कहां काम करता है?

Mr. Puri : Where is Rahul working, Mr. Kapoor?
वेअर इज़ राहुल वर्किंग, मि. कपूर?

मि. कपूर : नवयुग इंडस्ट्रीज़ में मार्केटिंग एग्ज़ीक्यूटिव है।

Mr. Kapoor : He is Marketing Executive in Navyug Industries. ही इज़ मार्केटिंग एग्ज़ीक्यूटिव इन नवयुग इंडस्ट्रीज़.

मि. पुरी : वहां कबसे काम कर रहा है?

Mr. Puri : How long has he been working there?
हाउ लौंग हैज़ ही बीन वर्किंग देअर?

मि. कपूर : करीब तीन साल से।

Mr. Kapoor : About three years. अबाउट थ्री ईयर्ज़.

मि. पुरी : राहुल ने कौन सा कोर्स किया है?

Mr. Puri : What course has Rahul done?
वॉट कोर्स हैज़ राहुल डन?

मि. कपूर : जी वह फ़र्स्ट क्लास बी.कॉम है। उसके बाद उसने सेल्ज़ ऐंड मार्केटिंग में डिप्लोमा किया है।

Mr. Kapoor : He is a first class commerce graduate. After that, he has done a diploma in sales and marketing. ही इज़ अ फ़र्स्ट क्लास कॉमर्स ग्रैजुएट. आफ़्टर दैट, ही हैज़ डन अ डिप्लोमा इन सेल्ज़ ऐंड मार्केटिंग.

मि. पुरी : अच्छा अच्छा। राहुल घर पर है, क्या?

Mr. Puri : Oh, I see. Is Rahul around Mr. Kapoor?
ओ, आइ सी. इज़ राहुल अराउंड मि. कपूर?

मिसिज़ कपूर : जी हां, बस अभी आ रहा है।

Mrs. Kapoor : Yes, he is just coming. येस, ही इज़ जस्ट कमिंग.

(राहुल आता है)

मि. कपूर : *(मि. और मिसिज़ पुरी से)* मेरा बेटा राहुल।

Mr. Kapoor : *(To Mr. & Mrs. Puri)* My son Rahul.
माइ सन राहुल.

राहुल : *(बैठता है)* नमस्कार।

Rahul : *(sits down)* Namaskar. नमस्कार.

मि. पुरी : तो राहुल, कैसा चल रहा है?

Mr. Puri : So Rahul, how is everything?
सो राहुल, हाउ इज़ एवरीथिंग?

राहुल : जी सब ठीक है, धन्यवाद।

Rahul : Very well, thank you. वेरी वेल, थैंक्यू.

मि. पुरी : राहुल, तुम्हारी नौकरी किस तरह की है?

Mr. Puri : What is your job profile Rahul?
वॉट इज़ योर जॉब प्रोफ़ाइल राहुल?

राहुल : जी मैं अपनी कंपनी की कंज़्यूमर गुड्स (उपभोक्ता वस्तुओं) की सेल्ज़, प्राइसिंग, डिस्ट्रीब्यूशन और एडवर्टाइज़िंग आदि का काम संभालता हूं।

Rahul : I look after sales, pricing, distribution and advertising of our consumer goods. आइ लुक आफ़्टर सेल्ज़, प्राइसिंग, डिस्ट्रीब्यूशन ऐंड एडवर्टाइज़िंग ऑफ़ आवर कंज़्यूमर गुड्स.

मि. पुरी : कौन–कौन से इलाकों में?

Mr. Puri : Which areas do you cover? विच एरिआज़ डू यू कवर?

राहुल : दिल्ली, यू.पी., पंजाब और हरियाणा।

Rahul : Delhi, U.P., Punjab and Haryana. डेल्ही, यू.पी., पंजाब ऐंड हरियाणा.

मि. कपूर : राहुल का काम बहुत अच्छा चल रहा है जी। इसकी सालाना आमदनी सत्तर हजार के करीब है। और जल्दी ही तरक्की भी होने वाली है।

Mr. Kapoor : Rahul is doing very well. His annual package is about 70,000. And his next promotion is also expected very soon. राहुल इज़ डूइंग वेरी वेल. हिज़ ऐनुअल पैकेज इज़ अबाउट 70,000. ऐंड हिज़ नेक्स्ट प्रमोशन इज़ ऑलसो एक्सपेक्टिड वेरी सून.

मि. पुरी : ये तो बहुत अच्छी बात है। राहुल क्या तुम काफी बाहर रहते हो?

Mr. Puri : That's very good. Do you travel a lot Rahul? दैट्स वेरी गुड. डू यू ट्रैवल अ लॉट राहुल?

राहुल : जी, महीने में करीब दस दिन।

Rahul : Yes, about ten days a month. येस, अबाउट टेन डेज़ अ मन्थ.

मि. पुरी : अच्छा अच्छा. तुम्हारा ऑफ़िस यहां से कितनी दूर है?

Mr. Puri : Oh I see. How far is your office from here? ओ आइ सी. हाउ फ़ार इज़ योर ऑफ़िस फ्रॉम हिअर?

राहुल : जी करीब दस किलोमीटर।

Rahul : About ten kilometres. अबाउट टेन किलोमीटर्स.

मि. पुरी : भविष्य के लिए तुम्हारा क्या इरादा है?

Mr. Puri : What are your future plans Rahul? वॉट आर योर फ़्यूचर प्लैन्ज़ राहुल?

राहुल : अभी तो मैं नवयुग में खुश हूं। पर बेहतर भविष्य के लिए तो हमेशा चेन्ज के बारे में सोचा जा सकता है।

Rahul : For the time being, I am happy in Navyug. But for better prospects I can always consider a change. फ़ॉर द टाइम बींग, आइ एम हैपी इन नवयुग. बट फ़ॉर बेटर प्रॉस्पेक्ट्स. आइ कैन ऑलवेज़ कंसीडर अ चेन्ज.

मि. पुरी : *(मि. कपूर से)* सो तो है। आप सबसे मिल कर वास्तव में बड़ी खुशी हुई। अब हमें चलना चाहिए ये मेरा पता और टेलीफोन नं. है। जल्दी ही मैं आपसे फिर सम्पर्क करूंगा।

Mr. Puri : *(to Mr. Kapoor)* Yes quite true. It's a real pleasure meeting you all. We will make a move now. Here this is my address and telephone number. Soon I'll get in touch with you again. येस क्वाइट ट्रू. इट्स अ रिअल प्लेज़र मीटिंग यू ऑल. वी विल मेक अ मूव नाउ. हिअर दिस इज़ माइ एड्रेस ऐंड टेलीफ़ोन नम्बर. सून आइ विल गेट इन टच विद यू अगेन.

मि. कपूर : जी अच्छा। थैंक्यू।

Mr. Kapoor : O.K. Thank you. ओ.के. थैंक्यू.

मि. और मिसिज़ पुरी : *(मिसिज़ कपूर से)* अच्छा जी।

Mr. & Mrs. Puri : *(to Mrs. Kapoor)* O.K. Namaskar. ओ.के. नमस्कार.

राहुल और मिसिज़ कपूर : नमस्कार।

Rahul & Mrs. Kapoor : Namaskar. नमस्कार.

(मि. और मिसिज़ पुरी बाहर आकर बात करते हैं)

मि. पुरी : गीता क्या ख्याल है तुम्हारा?

Mr. Puri : What do you think Geeta? वॉट डू यू थिंक गीता?

मिसिज़ पुरी : लगते तो ठीक हैं। पर तुम बात पक्की करने से पहले जगदीश भास्कर से बात ज़रूर करना।

Mrs. Puri : They seem to be O.K. but you must speak to Jagdish Bhaskar before finalizing anything. दे सीम टु बी ओ.के. बट यू मस्ट स्पीक टु जगदीश भास्कर बिफ़ोर फ़ाइनैलाइ–ज़िंग एनीथिंग.

मि. पुरी : बिलकुल, वह तो है ही!

Mr. Puri : Oh yes, ofcourse! ओ येस, ऑफ़कोर्स!

विवाह संबंधी बातचीत — Marriage Negotiation (मैरिज नेगोशिएशन)

लड़के और लड़की की मुलाकात — The Boy Meets the Girl (द बॉय मीट्स द गर्ल)

(मि. और मिसिज़ कपूर अपने बेटे राहुल और बेटी प्रिया के साथ पुरीज़ की बेटी रेनू को देखने के लिए आते हैं।)

मि. कपूर : नमस्कार मि. पुरी।

Mr. Kapoor : Good evening (Namaskar) Mr. Puri.
गुड ईवनिंग (नमस्कार) मिस्टर पुरी.

मि. पुरी : नमस्कार। स्वागत है, आइये।

Mr. Puri : Good evening. Welcome, please come in.
गुड ईवनिंग. वेल्कम, प्लीज़ कम इन.

मिसिज़ पुरी : नमस्कार। आइये बैठिए।

Mrs. Puri : Namaskar. Please be seated.
नमस्कार. प्लीज़ बी सीटिड.

(सब बैठते हैं)

मि. कपूर : ये मेरी बेटी प्रिया है।

Mr. Kapoor : This is my daughter Priya.
दिस इज़ माइ डॉटर प्रिया.

प्रिया : नमस्कार।

Priya : Namaskar. नमस्कार.

मि. पुरी : मेरा बेटा सुमित।

Mr. Puri : This is my son Sumit. दिस इज़ माइ सन सुमित.

सुमित : नमस्कार।

Sumit : Namaskar. नमस्कार.

(नौकर ठंडा लेकर आता है)

मिसिज़ पुरी : लीजिए ठंडा लीजिए।

Mrs. Puri : Please have something cold.
प्लीज़ हैव समथिंग कोल्ड.

मि. कपूर : और मि. पुरी, सब कैसा चल रहा है।

Mr. Kapoor : So, how is everything Mr. Puri?
सो, हाउ इज़ एवरीथिंग मिस्टर पुरी?

मि. पुरी : ईश्वर की कृपा से सब ठीक-ठाक है। धन्यवाद।

Mr. Puri : Fine, by God's grace. Thank you.
फ़ाइन, बाइ गॉड्स ग्रेस. थैंक्यू.

मिसिज़ कपूर : रेनू की परीक्षाएं तो हो गई हैं न?

Mrs. Kapoor : I think Renu's exams are over.
आइ थिंक रेनूज़ इग्ज़ैम्ज़ आर ओवर.

मिसिज़ पुरी : जी। इस महीने की 20 तारीख को खत्म हो गईं थीं।

Mrs. Puri : Yes. They were over on the twentieth of this month. येस. दे वर ओवर ऑन द ट्वेन्टीअथ ऑफ़ दिस मन्थ.

(नौकर चाय, मिठाई, नमकीन आदि लेकर आता है)

मिसिज़ पुरी : सुमित, सभी को नमकीन, मिठाई आदि दो।

Mrs. Puri : Sumit, offer snacks and sweets to everyone.
सुमित, ऑफ़र स्नैक्स ऐंड स्वीट्स टु एवरीवन.

प्रिया : *(चाय नहीं लेती)* जी नहीं आंटी, मैं चाय नहीं पीती।

Priya : *(refuses tea)* No thanks Auntie, I don't take tea.
नो थैंक्स आंटी, आइ डोन्ट टेक टी.

मिसिज़ पुरी : तो और कुछ लो न। थोड़ा कोक और ले लो।

Mrs. Puri : Have something else then. Have some more coke. हैव समथिंग एल्स देन. हैव सम मोर कोक.

प्रिया : जी नहीं, धन्यवाद।

Priya : No, thanks. नो, थैंक्स.

मिसिज़ पुरी : अच्छा ये बर्फी और थोड़ा नमकीन तो लो।

Mrs. Puri : O.K. Have some burfi, and namkeen.
हैव सम बरफी ऐंड नमकीन.

प्रिया : *(एक टुकड़ा लेती है)* धन्यवाद।

Priya : *(picks up one piece)* Thank you. थैंक्यू.

मिसिज़ कपूर : रेनू कहां है?

Mrs. Kapoor : Where is Renu? वेअर इज़ रेनू?

मिसिज़ पुरी : मैं उसे बुलाती हूं।

Mrs. Puri : I'll call her. आइल कॉल हर.

(अन्दर से रेनू को बुलाकर लाती है)

रेनू : नमस्कार।

Renu : Namaskar. नमस्कार.

मिसिज़ कपूर : आओ रेनू मेरे पास बैठो। तुम्हारी परीक्षाएं तो हो गईं न?

Mrs. Kapoor : Renu come sit near me. रेनू कम सिट निअर मी. So, your exams are over? सो, योर इग्ज़ैम्ज़ आर ओवर?

रेनू : जी हां।

Renu : Yes. येस.

मिसिज़ कपूर : आजकल क्या कर रही हो?

Mrs. Kapoor : What are you doing these days? वॉट आर यू डूइंग दीज़ डेज़.

रेनू : जी मैं इंटीरियर डेकोरेशन (घर के अंदर की सजावट) का एक छोटा-सा कोर्स कर रही हूं। इसके अलावा मुझे खाना बनाने और तरह-तरह के कपड़े डिज़ाइन करने व सिलने का भी शौक है।

Renu : I am doing a short course in interior decoration. Besides I like cooking and designing clothes also. आइ एम डूइंग अ शॉर्ट कोर्स इन इंटीरिअर डेकोरेशन. बिसाइड्ज़ आइ लाइक कुकिंग ऐंड डिज़ाइनिंग क्लोद्ज़ ऑलसो.

मिसिज़ पुरी : जी, रेनू बहुत ही बढ़िया खाना बनाती है। अधिकतर खाना बनाने और घर की सार-सम्भाल की ज़िम्मेवारी इसी पर है।

Mrs. Puri : Renu is a very good cook. Most of the cooking and household work is managed by her only. रेनू इज़ अ वेरी गुड कुक. मोस्ट ऑफ़ द कुकिंग ऐंड हाउसहोल्ड वर्क इज़ मैनेज्ड बाइ हर ओनली.

मिसिज़ कपूर : यह तो बहुत अच्छी बात है। लड़की को यह सब आना बहुत ज़रूरी है।

Mrs. Kapoor : That's very good. For a girl it is very important to know all this. दैट्स वेरी गुड. फ़ॉर अ गर्ल इट इज़ वेरी इम्पॉर्टेंट टु नो ऑल दिस.

प्रिया : मम्मी, क्यों न हम भैया और रेनू को आपस में अकेले थोड़ी बातचीत करने दें।

Priya : Mummy why don't we let Renu and Bhaiya talk to each other alone for a while. मम्मी वाइ डोन्ट वी लेट रेनू ऐंड भैया टॉक टु ईच अदर अलोन फ़ॉर अ वाइल.

मिसिज़ कपूर : *(मिसिज़ पुरी से)* मेरी राय में ठीक बात है क्या हम थोड़ी देर के लिए कहीं और बैठ सकते हैं?

Mrs. Kapoor : *(to Mrs. Puri)* I think it is a good idea. Can we sit somewhere else for sometime. आइ थिंक इट इज़ अ गुड आइडिया. कैन वी सिट समवेअर एल्स फ़ॉर समटाइम?

मिसिज़ पुरी : हां, हां, क्यों नहीं। आइये मैं आपको घर दिखाती हूं, फिर हम दूसरे कमरे में बैठते हैं।

Mrs. Puri : Yes, why not. Let me show you around. Then we can sit in the other room. येस, वाइ नॉट. लेट मी शो यू देन वी कैन सिट इन द अदर रूम.

मिसिज़ कपूर : *(मि. कपूर से)* आइये हम दूसरे कमरे में चलें। थोड़ी देर राहुल और रेनू को आपस में बात करने देते हैं।

Mrs. Kapoor : *(to Mr. Kapoor)* Come, let us sit in the other room. Let Rahul and Renu talk to each other. कम, लेट अस सिट इन द अदर रूम. लेट राहुल ऐंड रेनू टॉक टु ईच अदर.

मि. कपूर : ठीक है।

Mr. Kapoor : Alright. ऑलराइट.

(सभी जाते हैं। राहुल और रेनु आपस में बात करते हैं।)

राहुल : आप कौन से कॉलेज में पढ़ी हैं?

Rahul : Which college did you attend? विच कॉलेज डिड यू अटेंड?

रेनू : गार्गी कॉलेज में।

Renu : Gargi college. गार्गी कॉलेज.

राहुल : आपके पास कौन से सब्जेक्ट्स थे?

Rahul : What were your subjects? वॉट वर योर सब्जेक्ट्स?

रेनू : हिस्ट्री, इक्नॉमिक्स और इंग्लिश।

Renu : History, Economics and English. हिस्ट्री, इक्नॉमिक्स ऐंड इंग्लिश.

राहुल : आपकी हॉबीज़ क्या हैं?

Rahul : What are your hobbies? वॉट आर योर हॉबीज़?

रेनू : खाना बनाना और तरह-तरह की डिज़ाइन के कपड़े बनाना। खाली समय में मुझे नॉवल पढ़ना और म्यूज़िक सुनना भी अच्छा लगता है।	**Renu :** Cooking and designing clothes. In my spare time I also read novels and listen to music. कुकिंग ऐंड डिज़ाइनिंग क्लोद्ज़. इन माइ स्पेअर टाइम आइ ऑलसो रीड नॉवल्ज़ ऐंड लिसन टु म्यूज़िक.
राहुल : कैसा म्यूज़िक पसंद है?	**Rahul :** What type of music? वॉट टाइप ऑफ़ म्यूज़िक?
रेनू : हल्का-फुल्का फ़िल्मी गीत, गज़ल आदि।	**Renu :** Light film songs and gazals. लाइट फ़िल्म सौंग्ज़ ऐंड गज़ल्ज़.
राहुल : *(थोड़ा शर्माते हुए)* अपने पति से आपकी क्या आशाएं हैं।	**Rahul :** *(shyly)* What are your expectations from a husband? वॉट आर योर एक्सपेक्टेशन्ज़ फ्रॉम अ हस्बैंड?
रेनू : *(शर्माते हुए)* वह प्यार करने वाला, मेरा ख्याल रखने वाला व मुझे समझने वाला होना चाहिए।	**Renu :** *(shyly)* He should be loving, caring and understanding. ही शुड बी लविंग, केअरिंग ऐंड अंडरस्टेंडिंग.
राहुल : क्या आप शादी के बाद काम करना चाहती हैं?	**Rahul :** Do you want to work after marriage? डू यू वॉन्ट टु वर्क आफ़्टर मैरिज?
रेनू : यह तो मेरी ससुराल वालों और शादी के बाद की परिस्थितियों पर निर्भर करता है।	**Renu :** That depends on my in-laws and the circumstances after marriage. दैट डिपेंड्ज़ ऑन माइ इनलॉज़ ऐंड द सर्कम्स्टैंसिज़ आफ़्टर मैरिज.
राहुल : एक आखिरी पर बड़ा ज़रूरी सवाल। मैं अपने मां-बाप का इकलौता बेटा हूं इसलिए हमेशा उनके साथ रहूंगा। क्या आप परिवार के साथ मिलजुल कर रह सकेंगी।	**Rahul :** One last but very important question. Being the only son I'll always stay with my parents. Can you adjust in the family? वन लास्ट बट वेरी इंम्पॉर्टेंट क्वेश्चन. बींग द ओनली सन आइ विल ऑलवेज़ स्टे विद माइ पेरेन्ट्स. कैन यू एडजस्ट इन द फ़ैमिली.
रेनू : जी, ज़रूर।	**Renu :** Yes sure. येस श्योर.
राहुल : अब आप भी मुझसे जो चाहें पूछ सकती हो।	**Rahul :** Now you too can ask me whatever you want. नाउ यू टू कैन आस्क मी वॉटएवर यू वॉन्ट.
रेनू : मैं भी जानना चाहूंगी कि आप अपनी पत्नी से क्या-क्या आशाएं रखते हैं।	**Renu :** I would also like to know about your expectations from your wife. आइ वुड ऑलसो लाइक टु नो अबाउट योर एक्स्पेक्टेशन्ज़ फ्रॉम योर वाइफ़.
राहुल : मैं चाहता हूं कि वह मेरी सच्ची दोस्त व जीवन साथी हो।	**Rahul :** I want her to be my true friend and life partner. आइ वॉन्ट हर टु बी माइ ट्रू फ्रेन्ड ऐंड लाइफ़ पार्टनर.

(दोनों के मां-बाप वापस आते हैं।)

मिसिज़ कपूर : आपका घर काफी अच्छा व बड़ा है।	**Mrs. Kapoor :** You have a nice and spacious house. यू हैव अ नाइस ऐंड स्पेश्यस हाउस.
मिसिज़ पुरी : जी शुक्रिया।	**Mrs. Puri :** Thank you. थैंक्यू.
मिसिज़ कपूर : *(राहुल और रेनू से)* हां, तुम दोनों ने आपस में कुछ बातचीत की क्या?	**Mrs. Kapoor :** *(To Rahul and Renu)* Yes, did you talk to each other? येस, डिड यू टॉक टु ईच अदर?
मिसिज़ पुरी : और एक कप चाय या कुछ ठंडा लीजिए न।	**Mrs. Puri :** Please have another cup of tea or something cold. प्लीज़ हैव अनदर कप ऑफ़ टी ऑर समथिंग कोल्ड.
मि. कपूर : जी नहीं, बस, धन्यवाद। मेरे ख्याल से अब चलेंगे। आशा है जल्दी ही फिर मुलाकात होगी।	**Mr. Kapoor :** No thanks, I think we will make a move now. We hope to meet again soon. नो थैंक्स, आइ थिंक वी विल मेक अ मूव नाउ. वी होप टु मीट अगेन सून.

मि. पुरी : आपके पास मेरा फ़ोन नम्बर तो है न?

Mr. Puri : You have my phone number I hope? यू हैव माइ फ़ोन नम्बर आइ होप?

मि. कपूर : जी हां, है।

Mr. Kapoor : Yes, I have. येस, आइ हैव.

राहुल : *(रेनू से)* बाइ। फिर मिलते हैं।

Rahul : *(to Renu)* Bye. See you. बाइ. सी यू.

रेनू : बाइ।

Renu : Bye. बाइ.

करिअर संबंधी बातचीत — Talking About Careers (टॉकिंग अबाउट करिअर्ज़)

सेल्ज़ और मार्केटिंग — Sales And Marketing (सेल्ज़ ऐंड मार्केटिंग)

(नीरज अपने अंकल प्रोफेसर कौशिक के पास सलाह के लिए जाता है कि वह बारहवीं के बाद किस करिअर का चुनाव करे।)

नीरज : गुड ईवनिंग अंकल।

Neeraj : Good evening uncle. गुड ईवनिंग अंकल.

प्रो. कौशिक : गुड ईवनिंग नीरज। कैसे हो?

Prof. Kaushik : Good evening Neeraj. How are you? गुड ईवनिंग नीरज. हाउ आर यू?

नीरज : जी अच्छा हूं, धन्यवाद। अंकल, मुझे आपकी एक ज़रूरी सलाहं चाहिए।

Neeraj : Fine, thank you. Uncle, I need your advice on something very important. फ़ाइन, थैंक्यू. अंकल, आइ नीड योर एडवाइस ऑन समथिंग वेरी इंपोर्टेंट.

प्रो. कौशिक : हां नीरज, कहो क्या बात है?

Prof. Kaushik : Yes Neeraj, what is it? येस नीरज, वॉट इज़ इट?

नीरज : अंकल आपको तो पता ही है, इस वर्ष मैंने बारहवीं की परीक्षा दी है। मेरा रज़ल्ट अगले महीने में आने की आशा है। क्या आप मुझे सलाह देंगे कि बारहवीं के बाद मैं किस करिअर का चुनाव करूं?

Neeraj : You know uncle, I have appeared in the twelfth class examination this year. My result is expected next month. Could you please advise me on what career to choose after twelfth? यू नो अंकल, आइ हैव अपीअर्ड इन द टवेल्फ़्थ क्लास इग्ज़ैमिनेशन दिस ईयर. माइ रज़ल्ट इज़ एक्सपेक्टिड नेक्स्ट मंथ. कुड यू प्लीज़ एडवाइज़ मी ऑन वॉट करिअर टु चूज़ आफ़्टर टवेल्फ़्थ?

प्रो. कौशिक : तुम्हारे सब्जेक्ट्स क्या हैं?

Prof. Kaushik : What are your subjects? वॉट आर योर सबजेक्ट्स?

नीरज : कॉमर्स.

Neeraj : Commerce. कॉमर्स.

प्रो. कौशिक : तुम्हारे पेपर कैसे हुए हैं?

Prof. Kaushik : How have you done your papers? हाउ हैव यू डन योर पेपर्ज़?

नीरज : अंकल, बहुत अच्छे नहीं हुए हैं। मुझे साठ प्रतिशत से ऊपर मार्क्स की उम्मीद नहीं है।

Neeraj : Not very well uncle. I don't expect to get more than sixty per cent marks. नॉट वेरी वेल अंकल. आइ डोन्ट एक्सपेक्ट टु गेट मोर दैन सिक्सटी पर्सेन्ट मार्क्स.

प्रो. कौशिक : अच्छा, कोई बिज़नेस शुरू करने के बारे में तुम्हारा क्या ख्याल है? कभी इस बारे में सोचा है?

Prof. Kaushik : I see. What about starting some business? Have you given it a thought? आइ सी. वॉट अबाउट स्टार्टिंग सम बिज़नेस? हैव यू गिवन इट अ थॉट.

नीरज : जी मेरा ऐसा रुझान नहीं है। मैं कोई ऐसा कोर्स करना चाहूंगा जिससे मुझे अच्छी नौकरी मिले।

Neeraj : I don't think I have an aptitude for that. I'll prefer doing some good job oriented course. आइ डोन्ट थिंक आइ हैव ऐन ऐप्टिट्यूड फ़ॉर दैट. आइल प्रिफ़र डूइंग सम जॉब ओरिएंटिड कोर्स.

प्रो. कौशिक : अच्छा! तुम मैथ्स में कैसे हो नीरज?

Prof. Kaushik : I see. How are you in maths Neeraj? आइ सी. हाउ आर यू इन मैथ्स नीरज?

नीरज : मेरे ख्याल से तो मैं मैथ्स में ठीक हूं।

Neeraj : I think, I am reasonably good in maths. आइ थिंक आइ ऐम रीज़नेबली गुड इन मैथ्स.

प्रो. कौशिक : तब तो तुम, फ़ाइनैंस मैनेजमेंट का कोर्स कर सकते हो या फिर सेल्ज़ और मार्केटिंग का।

Prof. Kaushik : In that case, you can do a course in finance management or alternatively a course in sales and marketing. इन दैट केस, यू कैन डू अ कोर्स इन फ़ाइनैंस मैनेजमेंट ऑर ऑल्टरनेटिवली अ कोर्स इन सेल्ज़ ऐंड मार्केटिंग.

नीरज : अंकल, इन कोर्सिज में कितना समय लगता है?

Neeraj : What is the duration of these courses, uncle? वॉट इज़ द ड्यूरेशन ऑफ़ दीज़ कोर्सिज़, अंकल?

प्रो. कौशिक : फ़ाइनैंस मैनेजमेंट का कोर्स तो एक साल का है। पर मेरी सलाह है कि तुम्हें 2 या 3 साल का सेल्ज ऐंड मार्केटिंग का कोर्स करना चाहिए। उसके बाद तुम कंम्प्यूटर अकाउन्टेंसी का कोर्स कर सकते हो।

Prof. Kaushik : Finance management is a one year course. But I will suggest, you should go in for a 2 or 3 year course in sales and marketing. Later you can do a course in computer accountancy. फ़ाइनैंस मैनेजमेंट इज़ अ वन ईयर कोर्स. बट आइ विल सजेस्ट, यू शुड गो इन फ़ॉर अ टू ऑर थ्री ईयर कोर्स इन सेल्ज़ ऐंड मार्केटिंग. लेटर यू कैन डू अ कोर्स इन कंप्यूटर अकाउंटैंसी।

नीरज : क्या इन कोर्सिज़ के बाद मुझे अच्छी नौकरी मिल जायेगी?

Neeraj : Do these courses have good job prospects? डू दीज़ कोर्सिज़ हैव गुड जॉब प्रोस्पेक्ट्स?

प्रो. कौशिक : हां काफी अच्छी।

Prof. Kaushik : Yes quite good. येस क्वाइट गुड.

नीरज : क्या आप मुझे कुछ अच्छे इंस्टीट्यूट्स के बारे में बता सकते हैं?

Neeraj : Could you suggest the names of some institutes? कुड यू सजेस्ट द नेम्ज़ ऑफ़ सम इंस्टीट्यूट्स?

प्रो. कौशिक : नैशनल इंस्टीट्यूट ऑफ़ सेल्ज़ का सेल्ज़ ऐंड मार्केटिंग का कोर्स काफी अच्छा है। जहां तक कंप्यूटर अकाउंटेसी का सवाल है, किसी भी कंप्यूटर इंस्टीट्यूट में ऐसे कोर्स किये जा सकते हैं।

Prof. Kaushik : National Institute of Sales offers a very good course in sales and marketing. As for computer accountancy all the computer institutes offer courses in that. नैशनल इंस्टीट्यूट ऑफ़ सेल्ज़ ऑफ़र्ज़ अ वेरी गुड कोर्स इन सेल्ज़ ऐंड मार्केटिंग. ऐज़ फ़ॉर कम्प्यूटर अकाउंटेंसी, ऑल द कम्प्यूटर इंस्टीट्यूट्स ऑफ़र कोर्सिज़ इन दैट.

नीरज : थैंक्यू अंकल, आपने वाकई मुझे बहुत अच्छी सलाह दी है।

Neeraj : Thank you very much uncle. You have really given me valuable advice. थैंक्यू वेरी मच अंकल. यू हैव रिअली गिवन मी वैल्यूएबल एडवाइस.

जर्नलिज़्म — Journalism (जर्नलिज़्म)

(संदीप ने इंग्लिश ऑनर्ज़ फ़ाइनल ईयर की परीक्षा दी है। वह अपने करिअर के बारे में सलाह लेने के लिए प्रोफ़ेसर कौशिक के पास आता है।)

संदीप : गुड मार्निंग सर।

Sandeep : Good morning sir. गुड मॉर्निंग सर.

प्रो. कौशिक : गुड मार्निंग संदीप। आजकल क्या कर रहे हो?

Prof. Kaushik : Good morning Sandeep. What are you doing these days? गुड मॉर्निंग संदीप. वॉट आर यू डूइंग दीज़ डेज़?

संदीप : जी, रज़ल्ट का इंतज़ार। सर, दरअसल मैं आपसे ग्रैजुएशन के बाद अपने करिअर के बारे में कुछ सलाह करना चाहता हूं।

Sandeep : Waiting for the result sir. Actually, I came to seek your advice on what career to take up after graduation. वेटिंग फ़ॉर द रज़ल्ट सर. ऐक्चुअली, आइ केम टु सीक योर एडवाइस ऑन वॉट करिअर टु टेक अप आफ़्टर ग्रैजुएशन.

प्रो. कौशिक : तुम इंग्लिश ऑनर्स कर रहे हो न?

Prof. Kaushik : You are doing English honours, isn't it? यू आर डूइंग इंग्लिश ऑनर्ज़, इज़न्ट इट?

संदीप : जी, पर मैं इंग्लिश में ऐम.ए. नहीं करना चाहता। क्या आप मुझे ग्रैजुएशन के बाद किसी अच्छे प्रोफ़ेशनल कोर्स के बारे में सलाह दे सकते हैं?

Sandeep : Yes sir, but I am not interested in M.A. English. Could you suggest me some professional course, I can do after my graduation? येस सर, बट आइ ऐम नॉट इंट्रेस्टिड

इन ऐम.ए. इंग्लिश. कुड यू सजेस्ट मी सम प्रोफ़ेशनल कोर्स, आइ कैन डू आफ़्टर माइ ग्रैजुएशन?

प्रो. कौशिक : जर्नलिज़्म के बारे में तुम्हारी क्या राय है? मेरे ख्याल से तुम अच्छा लिखते भी हो।

Prof. Kaushik : What about journalism? I think you have a flair for writing. वॉट अबाउट जर्नलिज़्म? आइ थिंक यू हैव अ फ़्लेअर फ़ॉर राइटिंग.

संदीप : जी सर, मैं कॉलिज मैगज़ीन के इंग्लिश सेक्शन का एडीटर भी रहा हूं। मेरे कुछ लेख लोकल अखबार और पत्रिकाओं में भी छपे हैं।

Sandeep : Yes sir, I have also been the editor of the English section of our college magazine. Some of my articles have also been published in local newspapers and magazines. येस सर, आइ हैव ऑलसो बीन दि एडीटर ऑफ़ दि इंग्लिश सेक्शन ऑफ़ आवर कॉलिज मैग्ज़ीन. सम ऑफ़ माइ आर्टिकल्ज़ हैव ऑलसो बीन पब्लिश्ड इन लोकल न्यूज़ पेपर्ज़ ऐंड मैग्ज़ीन्ज़.

प्रो. कौशिक : मेरे विचार से तो तुम्हारे लिए जर्नलिज़्म अच्छा कोर्स है।

Prof. Kaushik : Well, in my opinion journalism is a good course for you. वेल, इन माइ ओपीनिअन, जर्नलिज़्म इज अ गुड कोर्स फ़ॉर यू.

संदीप : इस कोर्स में समय कितना लगता है सर?

Sandeep : What is the duration of this course sir? वॉट इज़ द ड्यूरेशन ऑफ़ दिस कोर्स सर?

प्रो. कौशिक : दो साल। पर सादा जर्नलिज़्म करना काफी नहीं है। मेरे विचार में तो तुम्हें प्रिंट मीडिया, इलेक्ट्रोनिक मीडिया और एडवर्टाइजिंग के क्षेत्र में विशेषता प्राप्त करनी चाहिए। जर्नलिज़्म की इन सभी ब्रांचिज़ का भविष्य बहुत उज्ज्वल है।

Prof. Kaushik : Two years. But simple journalism is not enough. I suggest, you should go in for specialized courses in print media, electronic media or advertising. All these branches of journalism have very good job prospects. टू ईयर्ज़. बट सिम्पल जर्नलिज़्म इज़ नॉट इनफ़. आइ सजेस्ट, यू शुड गो इन फ़ॉर स्पेशयलाइज़्ड कोर्सिज़ इन प्रिंट मीडिया, इलेक्ट्रॉनिक मीडिया ऑर एडवर्टाइजिंग. ऑल दीज़ ब्रांचिज़ ऑफ़ जर्नलिज़्म हैव वेरी गुड जॉब प्रॉस्पेक्ट्स.

संदीप : उसके बाद मुझे किस तरह की नौकरी मिलेगी?

Sandeep : What kind of job will I get after that? वॉट काइंड ऑफ़ जॉब विल आइ गेट आफ़्टर दैट?

प्रो. कौशिक : उसकै बाद तुम अखबारों, पत्रिकाओं या टी. वी. के लिए काम कर सकते हो। पांच-छः साल के अनुभव के बाद तुम स्वतंत्र रूप से कंसलटेंट (सलाहकार) की हैसियत से भी काम कर सकते हो।

Prof. Kaushik : You can work for magazines and newspapers or T.V. After you have gained 5-6 years of experience you can also work independently as a consultant. यू कैन वर्क फ़ॉर मैगजीन्ज़ ऐंड न्यूज़पेपर्ज़ ऑर टी.वी. आफ़्टर यू हैव गेन्ड फ़ाइव-सिक्स ईयर्ज ऑफ़ एक्सपीरिअन्स यू कैन ऑलसो वर्क इंडिपेंडेंटली ऐज़ अ कंसल्टेंट.

संदीप : इस कोर्स के लिए आप कौन से इंस्टीट्यूट्स की सलाह देते हैं?

Sandeep : Which Institutes do you recommend for the course? विच इंस्टीट्यूट्स डू यू रिकमेंड फ़ॉर द कोर्स?

प्रो. कौशिक : दिल्ली यूनिवर्सिटी और जवाहरलाल नेहरू यूनिवर्सिटी दोनों में ही जर्नलिज़्म के कई प्रकार के कोर्सिज़ उपलब्ध हैं। इसके अलावा भारतीय विद्या भवन का भी जर्नलिज़्म के क्षेत्र में बड़ा नाम है।

Prof. Kaushik : Both Delhi University and Jawaharlal Nehru University offer a variety of courses in journalism. Bhartiya Vidya Bhawan also has a good reputation. बोथ डेल्ही यूनिवर्सिटी ऐंड जवाहरलाल नेहरू यूनिवर्सिटी ऑफ़र अ वेराइटी ऑफ़ कोर्सिज़ इन जर्नलिज़्म. भारतीय विद्या भवन ऑलसो हैज़ अ गुड रेप्युटेशन.

संदीप : बहुत बहुत धन्यवाद सर। मेरे ख्याल में जर्नलिज़्म ही मेरे लिए सही करिअर है।

Sandeep : Thank you very much sir. I think journalism is the right career for me. थैंक्यू वेरी मच सर. आइ थिंक जर्नलिज़्म इज़ द राइट करिअर फ़ॉर मी.

कम्प्यूटर्ज़ — Computers (कम्प्यूटर्ज़)

(बारहवीं कक्षा (साइंस) का एक छात्र रोहित भी प्रो. कौशिक के पास करिअर संबंधी सुझाव के लिए आता है।)

रोहित : गुड ईवनिंग सर।	**Rohit :** Good evening sir. गुड ईवनिंग सर.
प्रो. कौशिक : गुड ईवनिंग रोहित, कैसे हो?	**Prof. Kaushik :** Good evening Rohit, how are you? गुड ईवनिंग रोहित, हाउ आर यू?
रोहित : जी ठीक हूं। सर, बारहवीं के बाद मैं क्या करिअर अपनाऊं, इसके लिए आपकी सलाह चाहता हूं।	**Rahul :** Fine, thank you. Sir, I need your advice on what career to take up after twelfth. फ़ाइन, थैंक्यू. सर, आइ नीड योर एडवाइस ऑन वॉट करिअर टु टेक अप आफ़्टर ट्वेल्फ़्थ.
प्रो. कौशिक : तुम्हारे पास कौन से सब्जेक्ट्स हैं?	**Prof. Kaushik :** What are your subjects? वॉट आर योर सब्जेक्ट्स.
रोहित : जी साइंस, नॉनमेडिकल।	**Rahul :** Science, Non-medical. साइंस, नॉनमेडिकल.
प्रो. कौशिक : क्या तुम इंजीनियर नहीं बनना चाहते?	**Prof. Kaushik :** Don't you want to be an engineer? डोन्ट यू वॉन्ट टु बी एन इंजीनियर?
रोहित : जी दरअसल, मुझे बहुत अच्छे नंबरों की आशा नहीं है। मेरे लिए इंजीनियरिंग कॉलेज में ऐडमिशन (दाखिला) पाना बहुत कठिन होगा।	**Rohit :** Actually sir, I am not expecting very good marks. It will be difficult for me to get admission in an Engineering College. एक्चुअली सर, आइ एम नॉट एक्सपेक्टिंग वेरी गुड मार्क्स. इट विल बी डिफ़िकल्ट फ़ॉर मी टु गेट ऐडमिशन इन ऐन इंजीनियरिंग कॉलेज.
प्रो. कौशिक : तुमने बिज़नेस के बारे में सोचा है?	**Prof. Kaushik :** What about business? Have you given it a thought? वॉट अबाउट बिज़नेस? हैव यू गिवन इट अ थॉट?
रोहित : जी नहीं सर। मेरा बिज़नेस की तरफ ज़रा भी रुझान नहीं है।	**Rohit :** No sir, I don't think I have an aptitude for business. नो सर, आइ डोन्ट थिंक आइ हैव ऐन ऐप्टिट्यूड फ़ॉर बिज़नेस.
प्रो. कौशिक : अच्छा। तो रोहित तुमने स्कूल में कम्प्यूटर सीखा है?	**Prof. Kaushik :** I see. Have you done computers at school Rahul? आइ सी. हैव यू डन कम्प्यूटर्ज़ ऐट स्कूल राहुल?
रोहित : जी सर। वह तो हमारे सिलेबस का हिस्सा था।	**Rohit :** Yes sir. It was a part of our syllabus. येस सर. इट वॉज़ अ पार्ट ऑफ़ आवर सिलेबस.
प्रो. कौशिक : क्या तुम्हें कम्प्यूटर्ज़ में रुचि है?	**Prof. Kaushik :** Are you interested in computers? आर यू इंट्रेस्टिड इन कम्प्यूटर्ज़?
रोहित : जी सर, मुझे कम्प्यूटर्ज़ में मज़ा आता है।	**Rohit :** Yes sir, I find computers quite interesting. येस सर, आइ फ़ाइन्ड कम्प्यूटर्ज़ क्वाइट इंट्रेस्टिंग.
प्रो. कौशिक : फिर तो तुम कम्प्यूटर्ज़ को ही अपने करिअर के रूप में अपना सकते हो।	**Prof. Kaushik :** In that case, you can go in for a career in computers. इन दैट केस, यू कैन गो इन फ़ॉर अ करिअर इन कम्प्यूटर्ज़.
रोहित : क्या आप मेरे लिए किसी कोर्स का सुझाव दे सकते हैं?	**Rohit :** Could you suggest me some course sir? कुड यू सजेस्ट मी सम कोर्स सर?
प्रो. कौशिक : दिल्ली यूनिवर्सिटी और दूसरे इंस्टीट्यूट्स में तरह-तरह के कम्प्यूटर कोर्सिज़ उपलब्ध हैं। तुम कंम्प्यूटर प्रोग्रामिंग में डिप्लोमा कर सकते हो या फिर दूसरे व्यावसायिक कोर्सिज़ — जैसे सेक्रेटेरियल या हार्डवेयर कोर्सिज़ आदि।	**Prof. Kaushik :** There are a variety of computer courses offered by Delhi University and various other computer institutes. You could go in for a diploma course in computer programming or opt for specialized courses like secretarial or hardware courses. देअर आर अ वेराइटी ऑफ़ कम्प्यूटर कोर्सिज़ ऑफ़र्ड बाइ डेल्ही यूनिवर्सिटी ऐंड वेरियस अदर कम्प्यूटर इन्स्टीट्यूट्स. यू कुड गो इन फ़ॉर अ डिप्लोमा कोर्स इन कम्प्यूटर प्रोग्रामिंग ऑर ऑप्ट फ़ॉर स्पेश्यलाइज़्ड कोर्सिंज़ लाइक सेक्रेटेरिअल ऑर हार्डवेअर कोर्सिज़.

रोहित : इन कोर्सिज़ में कितना समय लगता है?

Rohit : What is the duration of these courses sir? वॉट इज़ द ड्यूरेशन ऑफ़ दीज़ कोर्सिज़ सर?

प्रो. कौशिक : डिप्लोमा कोर्सिज़ में 2 से 3 साल तक का समय लगता है पर छोटे व्यावसायिक कोर्सिज़ की अवधि अलग-अलग इंस्टीट्यूट्स (संस्थाओं) पर निर्भर करती है।

Prof. Kaushik : Diploma courses are mostly of 2 to 3 years duration. But in case of short term job oriented courses, the duration may vary institute wise. डिप्लोमा कोर्सिज़ आर मोस्टली ऑफ़ टू टु थ्री ईयर्ज़ ड्यूरेशन. बट इन केस ऑफ़ शॉर्ट टर्म जॉब ओरिएन्टिड कोर्सिज़, द ड्यूरेशन मे वेरी इन्स्टीट्यूट वाइज़.

रोहित : सर क्या आप मुझे कुछ इंस्टीट्यूट्स के नाम बता सकते हैं?

Rohit : Could you suggest the names of some Institutes sir? कुड यू सजेस्ट द नेम्ज़ ऑफ़ सम इंस्टीट्यूट्स सर?

प्रो. कौशिक : सभी बड़ी यूनिवर्सिटीज़ में कम्प्यूटर के अलग-अलग तरह के कोर्सिज़ उपलब्ध हैं। प्राइवेट संस्थाओं में ऐन.आइ.आइ.टी. एक नामी संस्था है। इसके अलावा ऐपटेक, अपट्रॉन, ब्रिलिएंट आदि सभी के डिप्लोमा कोर्सिज़ हैं, जिन्हें कर लेने पर अच्छी नौकरियों की संभावनाएं बनती हैं।

Prof. Kaushik : All major universities offer courses in various branches of computers. Among the private institutes N.I.I.T. has a very good name. Besides, Aptech, Uptron and Brilliant also offer diploma courses with good job prospects. ऑल मेजर यूनिवर्सिटीज़ ऑफ़र कोर्सिज़ वेरियस ब्रान्चिज़ ऑफ़ कम्प्यूटर्ज़. अमंग द प्राइवेट इंस्टीट्यूट्स ऐन.आइ.आइ.टी हैज़ अ वेरी गुड नेम. बिसाइड्ज़, ऐपटेक, अप्ट्रॉन ऐंड ब्रिलिएंट ऑलसो ऑफ़र डिप्लोमा कोर्सिज़ विद गुड जॉब प्रॉस्पेक्ट्स.

रोहित : सर, मेरी ड्रॉइंग काफी अच्छी है। क्या कोई ऐसा कम्प्यूटर कोर्स है जिसमें मेरे इस टैलंट का इस्तेमाल हो सकता है।

Rohit : Sir, I can draw very well. Is there a computer course, where this ability of mine can be utilized? सर, आइ कैन ड्रॉ वेरी वेल. इज़ देअर अ कम्प्यूटर कोर्स, वेअर दिस एबिलिटी ऑफ़ माइन कैन बी यूटिलाइज़्ड?

प्रो. कौशिक : क्यों नहीं। तुम ग्राफ़िक्स ऐंड ऐनिमेशन में डिप्लोमा कर सकते हो।

Prof. Kaushik : Yes of course. You can do a diploma in Graphics and Animation. येस ऑफ़ कोर्स. यू कैन डू अ डिप्लोमा इन ग्राफ़िक्स ऐंड ऐनिमेशन.

रोहित : जी आपकी गाइडेंस (पथप्रदर्शन) के लिए बहुत-बहुत धन्यवाद। मेरे विचार में मुझे कम्प्यूटर कोर्स में ही दाखिला लेना चाहिए।

Rohit : Thank you very much for your guidance sir. I think, I should join a computer course. थैंक्यू वेरी मच फ़ॉर योर गाइडेंस सर. आइ थिंक, आइ शुड जॉइन अ कम्प्यूटर कोर्स.

किराये के मकान के लिए प्रॉपर्टी डीलर से बातचीत

Talking to a Property Dealer for Renting a Flat (टॉकिंग टु अ प्रॉपर्टी डीलर फ़ॉर रेंटिंग अ फ़्लैट)

ग्राहक : गुड मॉर्निंग (नमस्ते)।

Customer : Good morning. गुड मॉर्निंग.

प्रॉपर्टी डीलर : गुडमॉर्निंग सर। आइये बैठिए। जी, कहिए।

Property dealer : Good morning sir. Please have a seat. Yes, what can I do for you? गुड मॉर्निंग सर. प्लीज़ हैव अ सीट. येस, वॉट कैन आइ डू फ़ॉर यू?

ग्राहक : मुझे किराए पर मकान चाहिए।

Customer : I want to rent a flat. आइ वॉन्ट टु रेंट अ फ़्लैट.

प्रॉपर्टी डीलर : जी किस जगह?

Property dealer : In which area sir? इन विच एरिया सर?

ग्राहक : पश्चिम विहार में.

Customer : In Pashchim Vihar. इन पश्चिम विहार.

प्रॉपर्टी डीलर : ज़रा अपना नाम बताएंगे?

Property dealer : May I know your name sir? मे आइ नो योर नेम सर?

ग्राहक : प्रशान्त श्रीवास्तव.

Customer : Prashant Shrivastav. प्रशान्त श्रीवास्तव.

प्रॉपर्टी डीलर : जी आप क्या काम करते हैं?

Property dealer : What do you do sir? वॉट डू यू डू सर?

ग्राहक : मैं ऐन.पी. इंडस्ट्रीज़ में असिस्टेंट मैनेजर हूं।

Customer : I am assistant manager in N.P. Industries.
आइ ऐम असिस्टेंट मैनेजर इन ऐन.पी. इंडस्ट्रीज़.

प्रॉपर्टी डीलर : आप कैसा फ़्लैट चाहते हैं?

Property dealer : What type of flat do you want?
वॉट टाइप ऑफ़ फ़्लैट डू यू वॉन्ट?

ग्राहक : मुझे दो बेडरूम्ज़ का ड्रॉइंग, डाइनिंग और किचन वाला फ़्लैट चाहिए। टॉयलेट्स मुझे दो चाहिए और एक अच्छी बालकनी भी।

Customer : A two bedroom flat with drawing, dining and kitchen. I want two toilets and also a good balcony. अ टू बेडरूम फ़्लैट विद ड्रॉइंग, डाइनिंग ऐंड किचन. आइ वॉन्ट टू टॉयलेट्स ऐंड ऑलसो अ गुड बालकनी.

प्रॉपर्टी डीलर : आपका बजट क्या होगा?

Property dealer : What is your budget? वॉट इज़ योर बजट?

ग्राहक : करीब पच्चीस सौ रुपए महीना।

Customer : About 2500/- per month.
अबाउट टू थाउज़ंड फ़ाइव हंड्रेड पर मंथ.

प्रॉपर्टी डीलर : कौन सा फ़्लोर चाहिए?

Property dealer : Which floor do you want?
विच फ़्लोर डू यू वॉन्ट?

ग्राहक : हो सके तो पहला। मकान हवादार, खुली धूप वाला और अच्छे पड़ोस में होना चाहिए।

Customer : Preferably, first floor. I want an airy and sun facing house in a good neighbourhood. प्रिफ़रेबली फ़र्स्ट फ़्लोर. आइ वॉन्ट एन ऐअरी ऐंड सन फ़ेसिंग हाउस इन अ गुड नेबरहुड.

प्रॉपर्टी डीलर : मकान कब देखना चाहते हैं?

Property dealer : When do you want to see the flat?
वेन डू यू वॉन्ट टु सी द फ़्लैट?

ग्राहक : जितनी जल्दी आप दिखा सकें। देखिए मुझे महीने के अंत तक मकान ज़रूर बदलना है।

Customer : As soon as you can show me. You see, I have to shift positively by the end of this month. एज़ सून एज़ यू कैन शो मी. यू सी, आइ हैव टु शिफ़्ट पॉज़िटिवली बाइ द ऐंड ऑफ़ दिस मंथ.

प्रॉपर्टी डीलर : अच्छा, अच्छा। आप मुझे अपना पता और टेलीफ़ोन नं. नोट करवा दीजिए।

Property dealer : Oh, I see. Let me note down your address and telephone number? ओ, आइ सी। लेट मी नोट डाउन योर एड्रेस ऐंड टेलीफ़ोन नंबर.

ग्राहक : सी-894, आज़ादपुर। और मेरा टेलीफ़ोन नंबर है 7513450।

Customer : C-894, Azadpur. And my telephone number is 7513450. सी-894, आज़ादपुर. ऐंड माइ टेलीफ़ोन नंबर इज़ 7513450.

प्रॉपर्टी डीलर : ठीक है श्रीवास्तव साहब। मुझे थोड़ा सा वक्त दीजिए। मैं आपके लिए अच्छा सा फ़्लैट ढूंढ दूंगा।

Property dealer : O.K. Mr. Srivastav. Give me some time. I will find a nice flat for you. ओ.के. मिस्टर श्रीवास्तव. गिव मी सम टाइम. आइ विल फ़ाइंड अ नाइस फ़्लैट फ़ॉर यू.

ग्राहक : कितना समय लगेगा?

Customer : How much time will you take?
हाउ मच टाइम विल यू टेक?

प्रॉपर्टी डीलर : मैं एक दो दिन में ही आपसे संपर्क करूंगा।

Property dealer : I'll get back to you in a day or two.
आइ विल गेट बैक टु यू इन अ डे ऑर टू.

ग्राहक : ठीक है। आपका कमीशन क्या है?

Customer : O.K. What is your commission?
ओ.के. वॉट इज़ योर कमीशन?

प्रॉपर्टी डीलर : जी दो महीने का किराया।

Property dealer : Two months rent sir. टू मंथ्स रेंट सर.

ग्राहक : अच्छा चलता हूं। ज़रा ज़ल्दी कुछ कीजिएगा।

Customer : Alright. Please do something quickly.
ऑलराइट. प्लीज़ डू समथिंग क्विक्ली.

प्रॉपटी डीलर : जी, आप बिल्कुल फिक्र मत करें।

Property dealer : Yes, Yes. Don't worry at all. Bye sir.
येस, येस. डोन्ट वरी ऐट ऑल. बाइ सर.

नौकरी के लिए इंटरव्यू — An Interview for a Job (ऐन इंटरव्यू फ़ॉर अ जॉब)

सीमा : सर क्या मैं अंदर आ सकती हूं?	**Seema :** May I come in sir? मे आइ कम इन सर?
मैनेजर : जी हां।	**Manager :** Yes please. येस प्लीज़.
सीमा : गुड मॉर्निंग सर।	**Seema :** Good morning sir. गुड मॉर्निंग सर.
मैनेजर : गुड मॉर्निंग, प्लीज़ बैठिए।	**Manager :** Good morning, please sit down. गुड मॉर्निंग, प्लीज़ सिटडाउन.
सीमा : थैंक्यू (धन्यवाद)।	**Seema :** Thank you. थैंक्यू.
मैनेजर : आपका नाम?	**Manager :** What is your name? वॉट इज़ योर नेम?
सीमा : सीमा विस्वास।	**Seema :** Seema Viswas. सीमा विस्वास.
मैनेजर : आप विवाहित हैं या अविवाहित?	**Manager :** Married or unmarried? मैरिड ऑर अनमैरिड?
सीमा : विवाहित।	**Seema :** Married. मैरिड.
मैनेजर : आपने पर्सनल असिस्टेंट की नौकरी के लिए एप्लाइ किया है। ठीक है न?	**Manager :** You have applied for the post of a personal assistant. Right? यू हैव ऐप्लाइड फ़ॉर द पोस्ट ऑफ़ अ पर्सनल असिस्टेंट. राइट?
सीमा : जी सर।	**Seema :** Yes sir. येस सर.
मैनेजर : आपकी क्वॉलिफ़िकेशन्ज़ (शैक्षणिक योग्यताएं) क्या हैं?	**Manager :** What are your qualifications? वॉट आर योर क्वॉलिफ़िकेशन्ज़?
सीमा : जी मैं बी.ऐससी. हूं। इसके अलावा मैंने गवर्नमैंट पॉलीटेक्नीक गाज़ियाबाद से टाइपिंग और शॉर्टहैंड में डिप्लोमा तथा सेक्रेटेरियल कोर्स भी किया है।	**Seema :** I am B.Sc. I have also done a diploma in typing and shorthand and a secretarial course from the Govt. Polytechnic Gaziabad. आइ ऐम बी.ऐस.सी. आइ हैव ऑलसो डन अ डिप्लोमा इन टाइपिंग ऐंड शॉर्टहैंड, ऐंड अ सेक्रेटेरिअल कोर्स फ्रॉम द गवर्नमेंट पॉलीटेक्नीक गाज़ियाबाद.
मैनेजर : टाइपिंग और शॉर्टहैंड में आपकी क्या स्पीड है?	**Manager :** What is your speed in typing and shorthand? वॉट इज़ योर स्पीड इन टाइपिंग ऐंड शॉर्टहैंड?
सीमा : जी सत्तर शब्द प्रति मिनट।	**Seema :** Seventy words per minute. सेवन्टी वर्ड्ज़ पर मिनट.
मैनेजर : क्या आप कम्प्यूटर पर काम कर सकती हैं?	**Manager :** Can you work on a computer? कैन यू वर्क ऑन अ कम्प्यूटर?
सीमा : जी, मैं कम्प्यूटर पर वर्ड प्रोसेसिंग का काम कर सकती हूं।	**Seema :** Yes, I can do the word processing on it. येस, आइ कैन डू द वर्ड प्रोसेसिंग ऑन इट.
मैनेजर : क्या आपने इससे पहले किसी ऑफ़िस में काम किया है?	**Manager :** Have you worked in an office before? हैव यू वर्क्ड इन ऐन ऑफ़िस बिफ़ोर?
सीमा : जी हां, मैंने जे.के. इंडस्ट्रीज़ में मैनेजर के पी.ए. के पद पर काम किया है।	**Seema :** Yes, I have worked as P.A. to the manager in J.K. Industries. येस, आइ हैव वर्क्ड ऐज़ पी.ए. टु द मैनेजर इन जे.के. इंडस्ट्रीज़.
मैनेजर : क्या अब आपने वहां नौकरी छोड़ दी है?	**Manager :** Have you left them? हैव यू लेफ़्ट देम?
सीमा : जी नहीं। पर अब मैं नौकरी बदलना चाहती हूं।	**Seema :** No. But I am looking for a change now? नो. बट आइ ऐम लुकिंग फ़ॉर अ चेन्ज नाउ.
मैनेजर : क्यों?	**Manager :** Why? वाइ?
सीमा : वह जगह बहुत दूर है। इसके अलावा वेतन भी काफी नहीं है?	**Seema :** The place is very far. Besides the salary is not enough. द प्लेस इज़ वेरी फ़ार. बिसाइड्ज़ द सैलरी इज़ नॉट इनफ़.

मैनेजर : अब आपका वेतन कितना है?

सीमा : इक्कीस सौ रुपये महीना।

मैनेजर : आप कितने वेतन की आशा रखती हैं।

सीमा : करीब तीन हज़ार।

मैनेजर : क्या आप अच्छी तरह से अंग्रेज़ी में बातचीत कर सकती हैं?

सीमा : जी हां बिल्कुल।

मैनेजर : एक आखिरी पर बहुत अहम सवाल। पर्सनल असिस्टेंट को कभी-कभी ऑफ़िस गें देर तक रुकना पड़ सकता है। क्या आप रुक सकती हैं?

सीमा : जी केवल कभी-कभी रुक सकती हूं। हमेशा नहीं। मेरा छोटा सा बच्चा है।

मैनेजर : ठीक है मिसिज़ विस्वास। इतना काफी है। हम जल्दी ही आपको बता देंगें।

सीमा : थैंक्यू सर।

Manager : What is your present salary per month? वॉट इज़ योर प्रेज़ेंट सैलरी पर मंथ?

Seema : Twenty one hundred rupees per month. ट्वेन्टी वन हंड्रेड रुपीज़ पर मंथ.

Manager : What salary do you expect? वॉट सैलरी डू यू एक्सपेक्ट?

Seema : Around 3000/-. अराउंड थ्री थाउज़ेंड.

Manager : Can you communicate in English fluently? कैन यू कम्यूनिकेट इन इंग्लिश फ़्लुएंटली?

Seema : Ofcourse I can. ऑफ़कोर्स आइ कैन.

Manager : One last but very important question. A personal assistant may have to stay back late in office sometimes. Can you do that? वन लास्ट बट वेरी इम्पॉर्टेन्ट क्वेश्चन. अ पर्सनल असिस्टेंट मे हैव टु स्टे बैक लेट इन ऑफ़िस समटाइम्ज़. कैन यू डू दैट?

Seema : Only once in a while sir, not always. I have a small baby. ओनली वन्स इन अ वाइल सर, नॉट ऑलवेज़. आइ हैव अ स्मॉल बेबी.

Manager : All right Mrs. Viswas. That will do. We will let you know soon. ऑल राइट मिसिज़ विस्वास. दैट विल डू. वी विल लेट यू नो सून.

Seema : Thank you sir. थैंक्यू सर.

घर-घर बिक्री — Door to Door Selling (डोर टु डोर सेलिंग)

(एक सेल्ज़गर्ल एक घर की घंटी बजाती है। गृहिणी दरवाज़े से झांकती है।)

गृहिणी : हां क्या बात है?

सेल्ज़गर्ल : *(मुस्कुराते हुए)* गुडमॉर्निंग मैडम. मैं हेल्दी हार्ट्स से अनूपा मिश्रा हूं। हमारी कम्पनी ने एक ब्रेकफ़ास्ट सीरियल (नाश्ता जैसे कॉर्नफ़्लेक्स) निकाला है। बहुत ही पौष्टिक, स्वादिष्ट और दिल के लिए अच्छा है।

गृहिणी : देखो, इस समय मुझे बहुत काम है।

सेल्ज़गर्ल : जी मैं समझती हूं। मैं बस ज़रा सा समय लूंगी। ये देखिए, अपने प्रोडक्ट की बिक्री बढ़ाने के लिए हम आपसे बहुत कम कीमत ले रहे हैं। 750 ग्राम का डब्बा 500 ग्राम की कीमत में मिलेगा। और ऊपर से ही ये एअरटाइट डब्बा 750 ग्राम के पैक के साथ बिल्कुल मुफ़्त।

Housewife : Yes, what's it? येस, वॉट्स इट?

Salesgirl : *(Smiling pleasantly)* Good morning madam. I am Anupa Mishra from Healthy Hearts. Our company has brought out a breakfast cereal. Its very nourishing, delicious and good for heart. गुड मॉर्निंग मैडम. आइ ऐम अनूपा मिश्रा फ़्रॉम हेल्दी हार्टस. आवर कम्पनी हैज़ ब्रॉट आउट अ ब्रेकफ़ास्ट सीरिअल. इट्स वेरी नरिशिंग, डिलीश्यस ऐंड गुड फ़ॉर हार्ट.

Housewife : Look, I am very busy right now. लुक, आइ ऐम वेरी बिज़ी राइट नाउ.

Salesgirl : I appreciate madam. But just spare a moment and please look here. For the product's promotion we are offering a bargain price. You will get 750 grams for the price of 500 grams. Besides, this airtight container comes free with the 750 grams pack. आइ अप्रीशिएट मैडम. बट जस्ट स्पेअर अ मोमंट ऐंड प्लीज़ लुक हिअर. फ़ॉर द प्रोडक्ट्स प्रमोशन वी आर ऑफ़रिंग अ बारगेन प्राइस. यू विल गेट सेवन फ़िफ़्टी ग्राम्ज़ फ़ार द प्राइस ऑफ़ फ़ाइव हंड्रेड ग्राम्ज़. बिसाइड्ज़, दिस ऐअरटाइट कंटेनर कम्ज़ फ्री विद द सेवन फ़िफ़्टी ग्राम्ज़ पैक.

गृहिणी : क्या कीमत है?

Housewife : What is the price? वॉट इज़ द प्राइस?

सेल्ज़गर्ल : जी कुल चालीस रुपये। दुकान पर ये पैक पचास रुपये का है।

Salesgirl : Only forty rupees. At the counter, the same pack is selling for fifty rupees. ओनली फ़ोर्टी रुपीज़. ऐट द काउंटर द सेम पैक इज़ सेलिंग फ़ॉर फ़िफ़्टी रुपीज़.

गृहिणी : चालीस रुपये तो बहुत हैं।

Housewife : Forty rupees is too much. फ़ोर्टी रुपीज़ इज़ टू मच.

सेल्ज़गर्ल : यकीन मानिए मैडम, ये हमारा बचत पैक है। और अगर आप अभी खरीदेंगी तो ये रंग-बिरंगे बॉलपेन आपको ऐक्स्ट्रा गिफ़्ट (अतिरिक्त उपहार) में मिलेंगे।

Salesgirl : Believe me madam it is our economy pack. And if you buy now, I will give these colourful ballpens as extra gifts to you. बिलीव मी मैडम इट इज़ आवर इकॉनॉमी पैक. ऐंड इफ़ यू बाइ नाउ, आइ विल गिव दीज़ कलरफ़ुल बॉलपेन्ज़ ऐज़ एक्स्ट्रा गिफ़्ट्स टु यू.

गृहिणी : पर मैंने इसे पहले कभी इस्तेमाल नहीं किया।

Housewife : Well, I have never tried it before. वेल, आइ हैव नेवर ट्राइड इट बिफ़ोर.

सेल्ज़गर्ल : लीजिए ज़रा-सा चख कर देखिए. आपकी फ़ैमिली को इसका स्वाद बहुत पसंद आयेगा. यह वाकई बहुत अच्छी चीज़ है। मैं अभी इसी कॉलोनी में 20 पैकिट बेच चुकी हूं।

Salesgirl : Here please, taste it. Your family will love the taste. It is really very good. I have already sold 20 packs in the colony. हिअर प्लीज़ टेस्ट इट. योर फ़ैमिली विल लव द टेस्ट. इट इज़ रिअली वेरी गुड. आइ हैव ऑलरेडी सोल्ड ट्वेन्टी पैक्स इन द कॉलोनी.

गृहिणी : ठीक है मैं खरीदूंगी।

Housewife : Alright I'll take it. ऑलराइट आइल टेक इट.

सेल्ज़गर्ल : कितने पैकिट मैडम?

Salesgirl : How many packs madam. हाउ मेनी पैक्स मैडम.

गृहिणी : केवल एक।

Housewife : Just one. जस्ट वन.

सेल्ज़गर्ल : जी ज़रूर. ज़रा अपना नाम बताएंगी?

Salesgirl : Sure, madam. Your name please? श्योर मैडम. योर नेम प्लीज़?

गृहिणी : मोहिनी सेठ। मैं पैसे लाती हूं।

Housewife : Mohini Seth. Let me get the money. मोहिनी सेठ. लेट मी गेट द मनी.

सेल्ज़गर्ल : थैंक्यू। आपका दिन शुभ हो मैडम, बाइ।

Salesgirl : Thank you. Have a good day madam, bye. थैंक्यू. हैव अ गुड डे मैडम, बाइ.

ऑफ़िस में बिक्री — Selling in Offices (सेलिंग इन ऑफ़िसिज़)

सेल्ज़मैन : *(रिसेप्शनिस्ट से)* गुड आफ़्टरनून मैडम। मैं धीरज शर्मा हूं न्यूलुक स्टेशनर्ज़ ऐंड प्रिंटर्ज़ से। मुझे परचेज़ मैनेजर से मिलना है।

Salesman : *(to receptionist)* Good afternoon madam. I am Dheeraj Sharma from Newlook Stationers and Printers. I want to see the Purchase Manager please. गुड आफ़्टरनून मैडम. आइ ऐम धीरज शर्मा फ़्रॉम न्यूलुक स्टेशनर्ज़ ऐंड प्रिंटर्ज़. आइ वॉन्ट टु सी द परचेज़ मैनेजर प्लीज़.

रिसेप्शनिस्ट : आपकी अपॉइंटमेंट है क्या?

Receptionist : Do you have an appointment? डू यू हैव ऐन अपॉइंटमेंट?

सेल्ज़मैन : जी मैडम।

Salesman : Yes madam. येस मैडम.

रिसेप्शनिस्ट : *(इंटरकॉम पर)* सर, न्यूलुक स्टेशनर्ज़ ऐंड प्रिंटर्ज़ से मि. धीरज शर्मा आपसे मिलना चाहते हैं।

Receptionist : *(on the intercom)* Sir, Mr. Dheeraj Sharma from Newlook Stationers and Printers wants to see you. सर, मिस्टर धीरज शर्मा फ़्रॉम न्यूलुक स्टेशनर्ज़ ऐंड प्रिंटर्ज़ वॉन्ट्स टु सी यू.

मैनेजर : ठीक है, भेज दो।

Manager : Alright, send him in. ऑलराइट, सेंड हिम इन.

रिसेप्शनिस्ट : *(सेल्ज़मैन से)* आप अंदर जा सकते हैं।

Receptionist : *(to the salesman)* You can go in please.
यू कैन गो इन प्लीज़.

सेल्ज़मैन : ऑफ़िस किस तरफ है?

Salesman : Which way is the office madam?
विच वे इज़ द ऑफ़िस मैडम?

रिसेप्शनिस्ट : सीधे चले जाइये। बाएं हाथ को तीसरा कमरा।

Receptionist : Go straight. Third room on the left.
गो स्ट्रेट. थर्ड रूम ऑन द लेफ़्ट.

सेल्ज़मैन : थैंक्यू।

Salesman : Thank you. थैंक्यू.

सेल्ज़मैन : *(परचेज़ मैनेज़र से)* गुड आफ़्टरनून सर।

Salesman : *(to the Purchase Manager)* Good afternoon sir.
गुड आफ़्टरनून सर.

मैनेजर : गुड ऑफ़्टरनून, बैठिए।

Manager : Good afternoon, please sit down.
गुड आफ़्टरनून, प्लीज़ सिट डाउन.

सेल्ज़मैन : सर, मैं धीरज शर्मा हूं न्यूलुक स्टेशनर्ज़ ऐंड प्रिंटर्ज से। हमारे यहां हर तरह की स्टेशनरी और प्रिंटिंग सर्विसिज़ मिलती हैं।

Salesman : Sir, I am Dheeraj Sharma from Newlook Stationers and Printers. We provide all kinds of stationery and printing services. सर, आइ ऐम धीरज शर्मा फ्रॉम न्यूलुक स्टेशनर्ज़ ऐंड प्रिंटर्ज. वी प्रोवाइड ऑल काइंड्ज़ ऑफ़ स्टेशनरी ऐंड प्रिंटिंग सर्विसिज़.

मैनेजर : आप सैम्पल्ज़ (नमूने) लाये हैं?

Manager : Have you brought any samples?
हैव यू ब्रॉट ऐनी सैम्पल्ज़?

सेल्ज़मैन : जी हां। ये रहे स्टेशनरी आइटम्ज़ और ये हैं कुछ कार्ड और ब्रोशर्ज़ जो हमने छापे हैं सर, ज़रा हमारे कागज़ की क्वालिटी और प्रिंट देखिए।

Salesman : Yes sir. These are some stationery items and these are some cards and brochures printed by us. Kindly look at the quality of print and the paper used by us. येस सर. दीज़ आर सम स्टेशनरी आइटम्ज़ ऐंड दीज़ आर सम काईज़ ऐंड ब्रोशर्ज़ प्रिंटिड बाइ अस. काइंडली लुक ऐट द क्वॉलिटी ऑफ़ प्रिंट एंड द पेपर यूज़्ड बाइ अस.

मैनेजर : रेट्स क्या हैं?

Manager : What are the rates? वॉट आर द रेट्स?

सेल्ज़मैन : जी सर, ये रही रेट लिस्ट.

Salesman : This is the rate list, sir. दिस इज़ द रेट लिस्ट, सर.

मैनेजर : आप क्या डिस्काउंट देंगे?

Manager : What is the discount? वॉट इज़ द डिस्काउंट?

सेल्ज़मैन : हम प्रति हज़ार की खरीद पर 10% डिस्काउंट देते हैं। मैं आपको प्रिंटिड रेट्स पर भी दस पर्सेंट डिस्काउंट दे सकता हूं।

Salesman : We offer 10% discount sir, on a purchase of Rs. 1000. I can also offer you 10% discount on the printed rates sir. वी ऑफ़र टेन पर्सेंट डिस्काउंट सर, ऑन अ परचेज़ ऑफ़ वन थॉउज़ंड. आइ कैन ऑलसो ऑफ़र यू टेन पर्सेंट डिस्काउंट ऑन द प्रिंटेड रेट्स सर.

मैनेजर : आपकी कीमतें बहुत ज़्यादा हैं।

Manager : Your rates are quite high. योर रेट्स आर क्वाइट हाइ.

सेल्ज़मैन : हमारी चीज़ों की क्वालिटी बहुत बढ़िया है सर? और हम स्टील टैब्ज़ इस्तेमाल करते हैं जबकि दूसरी कंपनियां लोहे के टैब्ज़ इस्तेमाल करती हैं। हम अपनी फ़ाइलों में ए ग्रेड प्लास्टिक इस्तेमाल करते हैं। कलर्ज़ में भी हमारे पास काफी वैराइटी है। इसके अलावा हम अस्सी जी.ऐस.ऐम. पेपर इस्तेमाल करते हैं। जबकि आमतौर पर दूसरे सत्तर जी.ऐस.ऐम. पेपर इस्तेमाल करते हैं।

Salesman : We offer quality items and service sir. We use steel tabs in place of iron ones used by other companies. We use A grade plastic in our files, offering a large variety in colours. Besides the paper we use is 80 G.S.M. instead of 70 G.S.M. commoly used by others. वी ऑफ़र क्वॉलिटी आइटम्ज़ ऐंड सर्विस सर. वी यूज़ स्टील टैब्ज़ इन प्लेस ऑफ़ आयरन वन्ज़ यूज़्ड बाइ अदर कंपनीज़. वी यूज़ 'ए' ग्रेड प्लास्टिक इन आवर फ़ाइल्ज़, ऑफ़रिंग अ लार्ज वेराइटी इन कलर्ज़. बिसाइड्ज़ द पेपर वी यूज़ इज़ एट्टी जी.ऐस.ऐम. इनस्टेड ऑफ़ सेवन्टी जी.ऐस.ऐम. कॉमनली यूज़्ड बाइ अदर्ज़.

मैनेजर : फिर भी मुझे कीमतें बहुत ज़्यादा लग रही हैं। **Manager :** Still, I find the rates very high. स्टिल, आइ फ़ाइंड द रेट्स वेरी हाइ.

सेल्ज़मैन : सर, दरअसल हम आपकी कंपनी से बिज़नेस ज़रूर करना चाहते हैं। इसलिए मैं खास आपके लिए पांच पर्सेंट का और डिस्काउंट दे सकता हूं। **Salesman :** Sir, actually we are very keen on doing business with your company. I can therefore, offer an additional 5% discount specially for you. सर, एक्चुअली वी आर वेरी कीन ऑन डूइंग बिज़नेस विद योर कंपनी. आइ कैन देअरफ़ोर, आफ़र एन ऐडीशनल फ़ाइव पर्सेंट डिस्काउंट स्पेश्यली फ़ॉर यू.

मैनेजर : ठीक है आप अपने सैम्पल्ज़ और ब्रोशर्ज़ यहां छोड़ जाइये और अगले हफ्ते मुझसे फ़ोन पर बात कर लीजिए। **Manager :** Alright. You can leave your brochures and samples here and call me next week. ऑलराइट. यू कैन लीव योर ब्रोशर्ज़ ऐंड सैम्पल्ज़ हिअर ऐंड कॉल मी नेक्स्ट वीक.

सेल्ज़मैन : जी अच्छा, बहुत-बहुत शुक्रिया। गुड डे सर। (आपका दिन शुभ हो) **Salesman :** Fine sir, thank you very much and good day sir. फ़ाइन सर, थैंक्यू वेरी मच ऐंड गुड डे सर.

किटी पार्टी — Kitty Party (किटी पार्टी)

(मीरा भार्गव के यहां पार्टी है। मिसिज़ मेहता, मिसिज़ शर्मा, सुनीता, मिसिज़ देशमुख और कविता आती हैं।)

मीरा : *(मेहमानों से)* हलो, आइये स्वागत है। प्लीज़ बैठिये। **Meera :** *(to the guests)* Hello, welcome! Please be seated. हलो, वेल्कम! प्लीज़ बी सीटिड.

(मीरा की सहेली दीप्ति दो और महिलाओं के साथ आती है।)

दीप्ति : हाइ मीरा। कैसी हो? **Dipti :** Hi Meera! How are you? हाइ मीरा! हाउ आर यू?

मीरा : हाइ! मैं ठीक हूं, तुम सुनाओ कैसी हो? **Meera :** Hi! I am fine and you? हाइ! आइ ऐम फ़ाइन ऐंड यू?

दीप्ति : ठीक हूं। इनसे मिलो सुचेता मेहरा और नम्रता सेन। ये हमारी नई मेम्बर हैं। **Dipti :** Fine. Here meet Sucheta Mehra and Namrata Sen, our new members. फ़ाइन. हिअर मीट सुचेता मेहरा ऐंड नम्रता सेन, आवर न्यू मेम्बर्ज़.

मीरा : हलो, आइये स्वागत है। **Meera :** Hello and Welcome! हलो ऐंड वेल्कम!

(कुछ और महिलाएं आकर बैठती हैं।)

मिसिज़ सक्सेना : *(मिसिज़ शर्मा से)* मिसिज़ शर्मा आपकी साड़ी बहुत सुंदर है। **Mrs. Saxena :** *(to Mrs. Sharma)* Your sari is very beautiful Mrs. Sharma. योर सारी इज़ वेरी ब्यूटिफुल मिसिज़ शर्मा.

मिसिज़ शर्मा : थैंक्यू। **Mrs. Sharma :** Thank you. थैंक्यू.

मिसिज़ सक्सेना : कहां से ली? **Mrs. Saxena :** Where did you buy it? वेअर डिड यू बाइ इट?

मिसिज़ शर्मा : मोहिनी साड़ी पैलेस, लाजपत नगर से। **Mrs. Sharma :** Mohini Sari Palace, Lajpat Nagar. मोहिनी सारी पैलेस, लाजपत नगर.

मिसिज़ सक्सेना : कितने की है। **Mrs. Saxena :** What is the price? वॉट इज़ द प्राइस?

मिसिज़ शर्मा : 950 रु. की। **Mrs. Sharma :** Nine hundred and fifty. नाइन हंड्रेड ऐंड फ़िफ़्टी.

सुधा : *(दीप्ति से)* हलो दीप्ति बड़ी स्मार्ट लग रही हो। **Sudha :** *(to Dipti)* Hello Dipti, looking very smart! हलो दीप्ति, लुकिंग वेरी स्मार्ट!

दीप्ति : थैंक्यू। **Dipti :** Thank you. थैंक्यू.

सुधा : ये नया हेअर स्टाइल तुम पर खूब फ़ब रहा है। कहां से बाल कटवाती हो? **Sudha :** This new hair style is suiting you very much. Where do you go for cutting? दिस न्यू हेअर स्टाइल इज़ सूटिंग यू वेरी मच. वेअर डू यू गो फ़ॉर कटिंग?

दीप्ति : शाहिदा के यहां से। **Dipti :** At Shahida's. एट शाहिदाज़.

सुधा : काफी महंगी है न? **Sudha :** Isn't she expensive? इज़न्ट शी एक्सपेंसिव?

दीप्ति : हां, पर काम अच्छा करती है। **Dipti :** Yes, but she is good. येस, बट शी इज़ गुड.

सुधा : हां वह तो है।

Sudha : Yes, that's true. येस्, दैट्स ट्रू.

मिसिज़ मेहता : मेरे ख्याल से सभी आ गये हैं। चलो शुरू करें।

Mrs. Mehta : I think we all are here. Let us start. आइ थिंक वी ऑल आर हिअर. लेट अस स्टार्ट.

दीप्ति : मिसिज़ नायर नहीं आई है। पर उन्होंने अपने हिस्से के पैसे भेज दिए हैं।

Dipti : Mrs. Nayar hasn't come, but she has sent her contribution. मिसिज़ नायर हैज़न्ट कम, बट शी हैज़ सेन्ट हर कॉन्ट्रीब्यूशन.

मिसिज़ मेहता : ठीक है। सुधा तुम पैसे इकट्ठे कर रही हो न?

Mrs. Mehta : Alright. Sudha are you making the collection? ऑलराइट. सुधा आर यू मेकिंग द कलेक्शन?

सुधा : जी हां। हम 20 मेम्बर हैं। हरेक के पांच सौ मिलाकर हुए 10 हज़ार। ये लो मीरा तुम्हारे पैसे।

Sudha : Yes I am. We are twenty members. Five Hundred each makes ten thousand. Here Meera, take the money. येस आइ ऐम. वी आर ट्वेन्टी मेम्बर्ज़. फ़ाइव हंड्रेड ईच मेक्स टेन थाउज़न्ड. हिअर मीरा, टेक द मनी.

मीरा : थैंक्यू. मैं अभी आई।

Meera : Thank you. Please excuse me. थैंक्यू. प्लीज़ एक्सक्यूज़ मी.

(अंदर जाती है)

मिसिज़ मेहता : सुधा अगली किटी किसकी निकली है?

Mrs. Mehta : Sudha who has got the next kitty? सुधा हू हैज़ गॉट द नेक्स्ट किटी?

सुधा : मिसिज़ पुरी की. लेडीज़ ज़रा सुनें, अगली पार्टी मिसिज़ पुरी के यहां है।

Sudha : Mrs. Puri. Ladies attention please. The next party is at Mrs. Puri's house. मिसिज़ पुरी. लेडीज़ अटेंशन प्लीज़. द नेक्स्ट पार्टी इज़ एट मिसिज़ पुरीज़ हाउस.

दीप्ति : चलो अब तम्बोला खेलें।

Dipti : Let us play Tombola now. लेट अस प्ले तम्बोला नाउ.

सुधा : ठीक है। लेडीज़ प्लीज़ तम्बोला के लिए 20-20 रुपये जमा करें।

Sudha : All right. Ladies please contribute twenty rupees each for Tombola. ऑल राइट. लेडीज़ प्लीज़ कॉन्ट्रीब्यूट ट्वेन्टी रुपीज़ ईच फ़ॉर तम्बोला.

(खेल पूरा होने के बाद)

मीरा : लेडीज़ प्लीज़ लंच के लिए आइये।

Meera : Ladies please come for lunch. लेडीज़ प्लीज़ कम फ़ॉर लंच.

सुधा : मीरा तुम्हारी बेक्ड वेजीटेबल तो बहुत टेस्टी (स्वादिष्ट) बनी है।

Sudha : Your baked vegetable is very tasty Meera. योर बेक्ड वेजीटेबल इज़ वेरी टेस्टी मीरा.

मीरा : थैंक्यू, मुझे तुम्हारे यहां भरवां टमाटर बहुत पसंद आये थे।

Meera : Thank you, I liked the stuffed tomatoes very much at your place. थैंक्यू, आइ लाइक्ड द स्टफ़्ड टमैटोज़ वेरी मच ऐट योर प्लेस.

सुधा : हम एक-दूसरे से बनाने का तरीका सीखेंगे।

Sudha : We will exchange the recipes. वी विल एक्सचेंज द रेसिपीज़.

मीरा : हां पक्का। *(मेहमानों से)* और लीजिए न।

Meera : Yes sure. *(to guests)* Please have some more. येस श्योर. प्लीज़ हैव सम मोर.

मिसिज़ देशमुख : *(प्रीति से)* बड़ी स्लिम (दुबली पतली) लग रही हो प्रीति।

Mrs. Deshmukh : *(to Preeti)* Looking very slim Preeti. लुकिंग वेरी स्लिम प्रीति.

प्रीति : थैंक्यू।

Preeti : Thank you. थैंक्यू.

मिसिज़ देशमुख : डाइटिंग कर रही हो क्या?

Mrs. Deshmukh : Have you been dieting? हैव यू बीन डाइटिंग?

प्रीति : नहीं तो। पर मैंने योगा और कुछ व्यायाम करना शुरू किया है।

Preeti : Not really. But I have started some Yoga and exercise. नॉट रिअली. बट आइ हैव स्टार्टिड सम योगा ऐंड एक्सर्साइज़.

मिसिज़ देशमुख : हां उससे बहुत फर्क पड़ता है।	**Mrs. Deshmukh :** Yes that is very effective. येस दैट इज़ वेरी इफ़ेक्टिव.
मिसिज़ मेहता : *(मिसिज़ सक्सेना से)* तुम हमारे पड़ोसी सिंह परिवार को तो जानती हो न?	**Mrs. Mehta :** *(to Mrs. Saxena)* Do you know Singhs our neighbours. डू यू नो सिंग्ज़ आवर नेबर्ज़?
मिसिज़ सक्सेना : हां क्यों?	**Mrs. Saxena :** Yes why? येस वाइ?
मिसिज़ मेहता : कल रात तो उनके यहां काफी तमाशा हुआ।	**Mrs. Mehta :** There was a big scene at their place last night. देअर वॉज़ अ बिग सीन ऐट देअर प्लेस लास्ट नाइट.
मिसिज़ सक्सेना : क्यों क्या हुआ?	**Mrs. Saxena :** Why what happened? वाइ वॉट हैपन्ड?
मिसिज़ मेहता : हम अभी मुश्किल से सोये ही थे कि ज़ोर-ज़ोर से आवाज़ें सुनाई दीं। मि. और मिसिज़ सिंह आपस में लड़ रहे थे और ज़ोर-ज़ोर से एक-दूसरे पर चिल्ला रहे थे।	**Mrs. Mehta :** We had hardly gone to sleep, when we heard loud voices. Mr. and Mrs. Singh were fighting and shouting at each other. वी हैड हार्डली गॉन टु स्लीप, वेन वी हर्ड लाउड वॉइसिज़. मि. ऐंड मिसिज़ सिंह वर फ़ाइटिंग ऐंड शाउटिंग ऐट ईच अदर.
मिसिज़ सक्सेना : अच्छा क्या बात थी?	**Mrs. Saxena :** What was the matter. वॉट वॉज़ द मैटर?
मिसिज़ मेहता : भगवान जाने पर है तो बुरी बात, है न?	**Mrs. Mehta :** God knows but that's very bad, isn't it? गॉड नोज़ बट दैट्स वेरी बैड, इज़न्ट.इट?
मिसिज़ सक्सेना : हां बिल्कुल।	**Mrs. Saxena :** Yes ofcourse. येस ऑफ़कोर्स.
दीप्ति : *(मीरा से)* किटी के रुपयों से क्या खरीदोगी?	**Dipti :** *(to Meera)* What are you going to buy with the kitty money. वॉट आर यू गोइंग टु बाइ विद द किटी मनी?
मीरा : अभी सोचा नहीं है। तुमने क्या खरीदा?	**Meera :** I haven't thought yet. What did you buy? आइ हैवन्ट थॉट येट. वॉट डिड यू बाइ?
दीप्ति : कपड़े धोने की मशीन।	**Dipti :** Washing machine. वॉशिंग मशीन.
मीरा : कौन सी?	**Meera :** Which one? विच वन?
दीप्ति : वीडिओकॉन।	**Dipti :** Videocon. वीडिओकॉन.
मीरा : अच्छी चल रही है?	**Meera :** Is it working well? इज़ इट वर्किंग वेल.
दीप्ति : हां बहुत अच्छी।	**Dipti :** Yes very well. येस वेरी वेल.
मीरा : मैं देखने के लिए आऊंगी।	**Meera :** I will come to see it. आइ विल कम टु सी इट.
दीप्ति : हां ज़रूर, कल आओ न।	**Dipti :** Yes sure. Come tomorrow. येस श्योर. कम टुमॉरो.
मीरा : ठीक है।	**Meera :** O.K. ओ.के.
मिसिज़ देशमुख : अच्छा मीरा चलते हैं। भई बड़ा मज़ा आया।	**Mrs. Deshmukh :** O.K. Meera. We had a very nice time, bye. ओ.के. मीरा. वी हैड अ वेरी नाइस टाइम, बाइ.
मीरा : थैंक्यू, फिर आइएगा।	**Meera :** Thank you, please come again. थैंक्यू, प्लीज़ कम अगेन.
सुधा : मीरा बड़ा अच्छा लंच खिलाया तुमने। अच्छा, बाइ।	**Sudha :** O.K. Meera, thank you for the nice lunch, bye. ओ.के. मीरा, थैंक्यू फ़ॉर द नाइस लंच, बाइ.
मीरा : आने का शुक्रिया, बाइ।	**Sudha :** Thanks for coming, bye. थैंक्स फ़ॉर कमिंग, बाइ.
दीप्ति : अच्छा मीरा मैं भी चलती हूं।	**Dipti :** O.K. Meera I too will leave now. ओ.के. मीरा आइ टू विल लीव नाउ.
मीरा : क्यों? थोड़ी देर ठहरो न।	**Meera :** Why? Stay for sometime. वाइ? स्टे फ़ॉर समटाइम.
दीप्ति : नहीं, बच्चे ट्यूशन से वापिस आ गये होंगे। कल मिलते हैं।	**Dipti :** No, children must be back from tuition. See you tomorrow. नो, चिल्ड्रन मस्ट बी बैक फ्रॉम ट्यूशन. सी यू टुमॉरो.
मीरा : अच्छा बाइ, फिर मिलते हैं।	**Meera :** O.K. Bye, see you. ओ.के. बाइ, सी यू.

बैंक में — At the Bank (एट द बैंक)

कस्टमर : ज़रा सुनिए। मैं इस बैंक में अकाउंट खोलना चाहता हूं।

Customer : Excuse me. I want to open an account here. एक्सक्यूज़ मी. आइ वॉन्ट टु ओपन ऐन अकाउन्ट हिअर.

बैंक कर्मचारी : कृपया, उस कैबिन में जाइए।

Bank Employee : Please go to that cabin. प्लीज़ गो टु दैट कैबिन.

कस्टमर : क्या मैं अन्दर आ सकता हूं?

Customer : May I come in. मे आइ कम इन?

बैंक ऑफ़िसर : जी हां। बताइए, मैं आपके लिए क्या कर सकता हूं?

Bank Officer : Yes please. What can I do for you? येस प्लीज़. वॉट कैन आइ डू फ़ॉर यू?

कस्टमर : मैं यहां खाता खोलना चाहता हूं। बचत खाते के लिए कम-से-कम कितना जमा करना पड़ता है?

Customer : I want to open an account here. What is the minimum deposit for a savings account? आइ वॉन्ट टु ओपन ऐन अकाउन्ट हिअर. वॉट इज़ द मिनिमम डिपॉज़िट फ़ॉर अ सेविंग्ज़ अकाउन्ट?

बैंक ऑफ़िसर : आप कम-से-कम 250 रुपए जमा करके एक साधारण बचत खाता खोल सकते हैं। लेकिन चेकबुक वाले खाते में कम-से-कम 500 रुपए जमा करने होंगे।

Bank Officer : You can open an ordinary savings account with a minimum deposit of two hundred and fifty rupees. But for a cheque book account one needs to deposit five hundred rupees. यू कैन ओपन ऐन ऑर्डिनरी सेविंग्ज़ अकाउन्ट विद अ मिनिमम डिपॉज़िट ऑफ़ टू हंड्रेड ऐंड फ़िफ़्टी रुपीज़. बट फ़ॉर अ चेकबुक अकाउन्ट वन नीड्ज़ टु डिपॉज़िट फ़ाइव हंड्रेड रुपीज़.

कस्टमर : हफ्ते में कितनी बार हम बैंक से पैसा निकाल सकते हैं?

Customer : How many times a week can we withdraw money? हाउ मेनी टाइम्ज़ अ वीक कैन वी विद्ड्रॉ मनी?

बैंक ऑफ़िसर : हमारे बैंक में हफ्ते में दो बार से अधिक नहीं।

Bank Officer : In our bank not more than twice a week. इन आवर बैंक नॉट मोर दैन ट्वाइस अ वीक.

कस्टमर : बचत खाते में ब्याज कितना मिलेगा?

Customer : What is the rate of interest on a savings account? वॉट इज़ द रेट ऑफ़ इंट्रेस्ट ऑन अ सेविंग्ज़ अकाउन्ट?

बैंक ऑफ़िसर : पांच परसेंट।

Bank Officer : Five percent. फ़ाइव परसेंट.

कस्टमर : ठीक है। मैं यहां खाता खोलना चाहता हूं।

Customer : Alright. I want an account here. ऑलराइट. आइ वॉन्ट ऐन अकाउन्ट हिअर.

बैंक ऑफ़िसर : ठीक है। इस फ़ॉर्म को भरिए। आप अकाउन्ट सिंगल (अकेले) चाहते हैं या जॉइन्ट (किसी के साथ)?

Bank Officer : O.K. Fill up this form please. Do you want it single or joint? ओ.के. फ़िल अप दिस फ़ॉर्म प्लीज़. डू यू वॉन्ट इट सिंगल ऑर जॉइन्ट?

कस्टमर : मैं अपनी पत्नी के साथ जॉइन्ट चाहता हूं।

Customer : I want it in a joint name with my wife. आइ वॉन्ट इट इन अ जॉइन्ट नेम विद माइ वाइफ़.

बैंक ऑफ़िसर : तब आप दोनों को यहां साइन करना होगा। क्या आप किसी को जानते हैं जो गवाह के रूप में साइन कर सकता है?

Bank Officer : In that case you both have to sign here. Do you know somebody to sign as witness? इन दैट केस, यू बोथ हैव टु साइन हिअर. डू यू नो समबॉडी टु साइन ऐज़ विटनेस?

कस्टमर : जी हां। मेरे पड़ोसी मिस्टर शर्मा का आपके बैंक में खाता है।

Customer : Yes my neighbour Mr. Sharma has an account in this bank. येस माइ नेबर मिस्टर शर्मा हैज़ ऐन अकाउन्ट इन दिस बैंक.

बैंक ऑफ़िसर : ठीक है। उन्हें यहां साइन करने को कहें।

Bank Officer : Fine, please ask him to sign here. फ़ाइन, प्लीज़ आस्क हिम टु साइन हिअर.

कस्टमर : और इसके बाद?

Customer : And after that? ऐंड आफ़्टर दैट?

बैंक ऑफ़िसर : कैशियर के पास रकम जमा कीजिए। उसके बाद आपको अकाउन्ट नंबर और पासबुक दोनों मिल जायेंगे।

Bank Officer : Deposit the amount with the cashier. After that you will get your account number and the pass-book. डिपॉज़िट द अमाउन्ट विद द कैशियर. आफ़्टर दैट यू विल गेट योर अकाउन्ट नम्बर ऐंड द पासबुक.

कस्टमर : बहुत-बहुत धन्यवाद।

Customer : Thank you very much. थैंक्यू वेरी मच.

दूसरा कस्टमर : मुझे एक ड्राफ़्ट बनवाना है।

Another Customer : I want a draft, please. आइ वॉन्ट अ ड्राफ़्ट, प्लीज़.

बैंक ऑफ़िसर : काउन्टर नम्बर तीन पर जाइए।

Bank Officer : Please go to the counter number three. प्लीज़ गो टु द काउन्टर नम्बर थ्री.

कस्टमर : *(काउन्टर पर)* मुझे एक ड्राफ़्ट बनवाना है।

Customer : *(at the counter)* I want a draft, please. आइ वॉन्ट अ ड्राफ़्ट, प्लीज़.

बैंक ऑफ़िसर : आपका यहां खाता है?

Bank Officer : Do you have an account here. डू यू हैव एन अकाउन्ट हिअर?

कस्टमर : नहीं।

Customer : No. नो.

बैंक ऑफ़िसर : इस फ़ॉर्म को भरिए और काउन्टर नंबर छह पर पैसे जमा कीजिए।

Bank Officer : Fill up this form and deposit the money at counter number six. फ़िल अप दिस फ़ॉर्म ऐंड डिपॉज़िट द मनी ऐट काउन्टर नंबर सिक्स.

कस्टमर : कितना समय लगेगा?

Customer : How much time will it take? हाउ मच टाइम विल इट टेक?

बैंक ऑफ़िसर : करीब दो घंटे।

Bank Officer : About two hours. अबाउट टू आवर्ज़.

कस्टमर : ज़रा जल्दी कर दीजिए।

Customer : Please try to make it early. प्लीज़ ट्राइ टु मेक इट अर्ली.

बैंक ऑफ़िसर : कोशिश करूंगा।

Bank Officer : I will try. आइ विल ट्राइ.

कस्टमर : थैंक्यू।

Customer : Thank you. थैंक्यू.

एक और कस्टमर : इस चेक को कैश करना है।

Another Customer : I want to encash this cheque please. आइ वॉन्ट टु एन्कैश दिस चेक प्लीज़.

बैंक ऑफ़िसर : काउन्टर नंबर छः पर जाएं।

Bank Officer : Counter number six please. काउन्टर नंबर सिक्स प्लीज़.

दूसरा कस्टमर : थैंक्यू।

Another Customer : Thank you. थैंक्यू।

कस्टमर : मुझे फ़िक्स्ड डिपॉज़िट अकाउन्ट खोलना है।

Customer : I want a fixed deposit account. आइ वॉन्ट अ फ़िक्स्ड डिपॉज़िट अकाउंट.

ऑफ़िसर : कितनी रकम का?

Officer : For what amount? फ़ॉर वॉट अमाउंट?

कस्टमर : दस हज़ार रुपए का।

Customer : For ten thousand rupees. फ़ॉर टेन थाउजंड रुपीज़.

ऑफ़िसर : कितने वर्ष के लिए?

Officer : And for how many years? ऐंड फ़ॉर हाउ मैनी ईयर्ज़?

कस्टमर : तीन वर्ष के लिए।

Customer : For three years. What is the interest? फ़ॉर थ्री ईयर्ज़. वॉट इज़ द इंट्रेस्ट?

ऑफ़िसर : इस चार्ट को पढ़िए।

Officer : Please study this chart. प्लीज़ स्टडी दिस चार्ट.

कस्टमर : रिकरिंग डिपॉज़िट के लिए कम्पाउंड इन्ट्रेस्ट है क्या?

Customer : Is there compound interest for the recurring deposit? इज़ देअर कम्पाउंड इंट्रेस्ट फ़ॉर द रिकरिंग डिपॉज़िट.

ऑफ़िसर : चार्ट में लिखा है।

Officer : It is there in the chart please. इट इज़ देअर इन द चार्ट प्लीज़.

बॉस और सेक्रेटरी | Boss And Secretary (बॉस ऐंड सेक्रेटरी)

सेक्रेटरी : गुड मार्निंग सर।
Secretary : Good morning sir. गुड मॉर्निंग सर.

बॉस : गुड मार्निंग टीना। ये लेटर लिखो और फौरन फ़ैक्स कर दो।
Boss : Good morning Teena. Please take down this letter and fax it immediately. गुड मॉर्निंग टीना. प्लीज़ टेक डाउन दिस लेटर ऐंड फ़ैक्स इट इमीजिएटली.

सेक्रेटरी : जी ठीक है। सर, एन.के. इंडस्ट्रीज़ के मि. मेहता के साथ आज आपकी साढ़े ग्यारह बजे अपॉइंटमेंट है।
Secretary : O.K. Sir, you have an appointment with Mr. Mehta of N.K. Industries at 11.30 today. ओ.के. सर, यू हैव ऐन अपॉइंटमेंट विद मिस्टर मेहता ऑफ़ ऐन.के. इंडस्ट्रीज ऐट इलेवन थर्टी टुडे.

बॉस : ठीक है मुझे ग्यारह बजे याद करवा देना।
Boss : Alright, remind me about it at eleven O'clock. ऑलराइट, रिमाइंड मी अबाउट इट ऐट इलेवन ओ क्लॉक.

सेक्रेटरी : जी अच्छा। ये उनकी कम्पनी का लेटर है और यह हमारे जवाब की कॉपी।
Secretary : Yes sir. This is the letter from their company and a copy of the reply sent by us. येस सर. दिस इज़ द लेटर फ्रॉम देअर कंपनी ऐंड अ कॉपी ऑफ़ द रिप्लाइ सेंट बाइ अस.

बॉस : ठीक है, मुझे इसकी फ़ाइल भी भेज दो।
Boss : Alright, send me the concerned file. ऑलराइट, सेंड मी द कन्सर्न्ड फ़ाइल.

सेक्रेटरी : ये दो अर्ज़ियां हैं। मिस्टर साहिल बीमार हैं और मिसिज़ चौधरी छुट्टी बढ़ाना चाहती हैं।
Secretary : These are two applications. Mr. Sahil has reported sick and Mrs. Choudhary has applied for an extension of her leave. दीज़ आर टू ऐप्लीकेशन्ज़. मिस्टर साहिल हैज़ रिपोर्टिड सिक ऐंड मिसिज़ चौधरी हैज़ एप्लाइड फ़ॉर ऐन एक्स्टेंशन ऑफ़ हर लीव.

बॉस : कितने दिन की?
Boss : How many days? हाउ मेनी डेज़?

सेक्रेटरी : तीन दिन, 25 से 28 अप्रैल तक। ये इलेक्ट्रीशियन का बिल है। और सर मैंने प्लंबर को बुलवाया है। टॉयलेट फ़्लश फिर से खराब हो गया है।
Secretary : Three days, 25th to 28th. This is the electrician's bill. And also, I've sent for the plumber. The toilet flush is not working again. थ्री डेज़, ट्वेन्टी फ़िफ़्थ टु ट्वेन्टी एट्थ. दिस इज़ द इलेक्ट्रीशियन्ज़ बिल. ऐंड ऑलसो, आइ हैव सेन्ट फ़ॉर द प्लंबर. द टॉयलट फ़्लश इज़ नॉट वर्किंग अगेन.

बॉस : ठीक है। तुमने मेघराज ऐंड सन्ज़ को रिमाइंडर भेज दिया?
Boss : O.K. Have you sent the reminder to Meghraj and Sons? ओ.के. हैव यू सेंट द रिमाइंडर टु मेघराज ऐंड सन्ज़?

सेक्रेटरी : जी।
Secretary : Yes sir. येस सर.

(फोन बजता है।)

सेक्रेटरी : हलो, विशाल इंडस्ट्रीज़। जी ज़रा होल्ड कीजिए। सर, स्टैंडर्ड पब्लिशर्ज़ से मिसिज़ डिसूज़ा बोल रही हैं। आज दोपहर में किसी समय आप से मिलना चाहती हैं।
Secretary : Hello, Vishal Industries. Please hold on. Sir, this is Mrs. D'souza from Standard Publishers. She wants an appointment, this afternoon. हलो, विशाल इंडस्ट्रीज़. प्लीज़ होल्ड ऑन. सर, दिस इज़ मिसिज़ डिसूज़ा फ्रॉम स्टेन्डर्ड पब्लिशर्ज़. शी वॉन्ट्स ऐन अपॉइंटमेंट, दिस आफ़्टरनून.

बॉस : और कोई अपॉइंटमेंट है?
Boss : Is there any other appointment? इज़ देअर ऐनी अदर अपाइंटमेंट?

सेक्रेटरी : जी नहीं सर।
Secretary : No sir. नो सर.

बॉस : ठीक है। चार बजे बुला लो।

Boss : Alright. Call her at 4 O'clock. ऑलराइट. कॉल हर ऐट फ़ोर ओ क्लॉक.

सेक्रेटरी : ठीक है मिसिज़ डिसूज़ा आप आज दोपहर चार बजे आ सकती हैं।

Secretary : O.K. Mrs. D'souza you can come at four O'clock this afternoon. ओ.के. मिसिज़ डिसूज़ा यू कैन कम ऐट फ़ोर ओ. क्लॉक दिस आफ़्टरनून.

बॉस : हमारे नए ब्रोशर्ज़ आ गये?

Boss : Have our new brochures arrived? हैव आवर न्यू ब्रोशर्ज़ अराइव्ड?

सेक्रेटरी : जी सर। ये उन कम्पनीज़ की लिस्ट है, जिन्हें हम ब्रोशर्ज़ भेज रहे हैं।

Secretary : Yes sir. This is the list of the companies we are sending them to. येस सर. दिस इज़ द लिस्ट ऑफ़ द कम्पनीज़ वी आर सेंडिंग देम टु.

बॉस : आज पक्का भेज दो। और ये पैकेट कूरिअर से भेज दो।

Boss : O.K. send all the brochures today without fail. Also send this packet by courier. ओ.के. सेन्ड ऑल द ब्रोशर्ज़ टुडे विदाउट फ़ेल. ऑलसो सेंड दिस पैकिट बाइ कूरिअर.

सेक्रेटरी : जी अच्छा।

Secretary : Yes sir. येस सर.

सेल्ज़मैन की बॉस को रिपोर्ट

The Salesman Reporting to his Boss (द सेल्ज़मैन रिपोर्टिंग टु हिज़ बॉस)

सेल्ज़मैन : गुड इ्वनिंग सर।

Salesman : Good evening sir. गुड ईवनिंग सर.

बॉस : गुड ईवनिंग अमित। दिन कैसा रहा?

Boss : Good evening Amit. How was the day today? गुड ईवनिंग अमित. हाउ वॉज़ द डे टुडे?

सेल्ज़मैन : काफ़ी अच्छा रहा सर। मैं उन सभी कम्पनियों और ऑफ़िसों में गया जो आज के लिए निश्चित किए गए थे।

Salesman : Quite good sir. I visited all the companies and offices scheduled for today. क्वाइट गुड सर. आइ विज़िटिड ऑल द कम्पनीज़ ऐंड ऑफ़िसिज़ शिड्यूल्ड फ़ॉर टुडे.

बॉस : क्या तुम सावन ऐन्टरप्राइज़िज़ में रहमान साहब से मिले?

Boss : Did you meet Mr. Rahman in Sawan Enterprises? डिड यू मीट मिस्टर रहमान इन सावन एन्टरप्राइज़िज़.

सेल्ज़मैन : जी हां। मैंने उन्हें आपका रेफ़रेंस भी दिया।

Salesman : Yes sir. I gave him your reference. येस सर. आइ गेव हिम योर रेफ़रेंस.

बॉस : उनका रिसपॉन्स कैसा था?

Boss : How was his response? हाउ वॉज़ हिज़ रिसपॉन्स?

सेल्ज़मैन : जी काफी पॉज़िटिव (ठीक) था। उन्होंने मुझे सैम्पल्ज़ और ब्रोशर्ज़ छोड़ने और अगले सप्ताह सम्पर्क करने को कहा है। उन्होंने इस महीने के अंत तक हमें ऑर्डर देने का विश्वास भी दिलाया है।

Salesman : Very positive. He asked me to leave the samples and brochures and to contact him next week. He has assured me that he'll place an order by the end of this month. वेरी पॉज़िटिव. ही आस्क्ड मी टु लीव द सैम्पल्ज़ ऐंड ब्रोशर्ज़ ऐंड टु कॉन्टेक्ट हिम नेक्स्ट वीक. ही हैज़ अश्योर्ड मी दैट ही विल प्लेस ऐन ऑर्डर बाइ द ऐंड ऑफ़ दिस मन्थ.

बॉस : अगले हफ्ते मिस्टर रहमान से ज़रूर मिलना।

Boss : Make it a point to see Mr. Rahman next week. मेक इट अ पॉइन्ट टु सी मिस्टर रहमान नेक्सट वीक.

सेल्ज़मैन : जी बिल्कुल। सर, हमें राजीव इंडस्ट्रीज़ से 5 लाख रुपये का ऑर्डर मिला है। पर उन्हें सात दिनों के अंदर डिलीवरी चाहिए।

Salesman : Definitely sir. Sir, we got an order of five lakhs from Rajeev Industries. But they want delivery within seven days. डेफ़िनिटली सर. सर, वी गॉट ऐन ऑर्डर ऑफ़ फ़ाइव लैक्स फ़्रॉम राजीव इंडस्ट्रीज़. बट दे वॉन्ट डिलीवरी विदिन सेवन डेज़.

बॉस : इसका इंतजाम हो जाएगा। एन.के. एन्टरप्राइज़िज़ का क्या हुआ?

Boss : That can be arranged. What about N.K. Enterprises? दैट कैन बी अरेंज्ड. वॉट अबाउट ऐन.के. एंटरप्राइज़िज़?

सेल्ज़मैन : जी उनका रिस्पॉन्स बहुत अच्छा नहीं था।

Salesman : Their response was a little lukewarm sir. देअर रिस्पॉन्स वॉज़ अ लिटल लूकवॉर्म सर.

बॉस : क्यों?

Boss : Why? वाइ?

सेल्ज़मैन : उनकी शिकायत थी कि पिछली बार डिलीवरी समय पर नहीं हुई थी। वे हमारे पेपर की क्वालिटी से भी बहुत खुश नहीं थे।

Salesman : They complained that last time the delivery wasn't on time. They also seemed to be dissatisfied with the quality of our paper. दे कम्प्लेन्ड दैट लास्ट टाइम द डिलीवरी वॉज़न्ट ऑन टाइम. दे ऑलसो सीम्ड टु बी डिस्सेटिस्फ़ाइड विद द क्वॉलिटी ऑफ़ आवर पेपर.

बॉस : तुमने उन्हें मनाने की कोशिश नहीं की?

Boss : Didn't you try to convince them? डिडन्ट यू ट्राइ टु कन्विन्स देम?

सेल्ज़मैन : जी की थी। मैंने उनसे वायदा किया कि डिलीवरी आगे से समय पर होगी। मैंने उन्हें यह भी बताया कि अब हमारी कागज की क्वॉलिटी पहले से बेहतर है। मैंने खुद परचेज़ मैनेजर से बात की।

Salesman : Yes sir I did. I promised them on-time delivery in futurc. I also told them that we are offering better quality paper now. I spoke to the purchase manager myself. येस सर आइ डिड. आइ प्रॉमिस्ड देम ऑन-टाइम डिलीवरी इन फ़्यूचर. आइ ऑलसो टोल्ड देम दैट वी आर ऑफ़रिंग बेटर क्वॉलिटी पेपर नाउ. आइ स्पोक टु द परचेज़ मैनेजर माइसेल्फ़.

बॉस : फिर?

Boss : Then. देन.

सेल्ज़मैन : उन्होंने कहा कि वे सोचेंगे।

Salesman : He said he would think about it. ही सेड ही वुड थिंक अबाउट इट.

बॉस : ठीक है। कल तुम बेहतर क्वालिटी के कागज़ और स्टेशनरी सैम्पल्ज़ के साथ उनसे दोबारा मिलो। उन्हें लिखित रूप में माफीनामा भिजवाओ और वायदा करो कि आगे से उन्हें कोई शिकायत नहीं होगी।

Boss : Alright, tomorrow you go to them with the new samples of the improved quality of paper and stationery. Also send them a written apology, that they won't have any complaint in future. ऑलराइट, टुमॉरो यू गो टु देम विद द न्यू सैम्पल्ज़ ऑफ़ द इम्प्रूव्ड क्वालिटी आफ़ पेपर ऐंड स्टेशनरी. ऑलसो सेंड देम अ रिटन अपॉलोजी, दैट दे वोन्ट हैव ऐनी कम्पलेन्ट इन फ़्यूचर.

सेल्ज़मैन : जी, मैं ऐसा ही करूंगा।

Salesman : Alright, I will do that. ऑलराइट, आइ विल डू दैट.

बॉस : और तुम कौन-कौन सी कम्पनियों में गए।

Boss : Which other companies did you visit today? विच अदर कम्पनीज़ डिड यू विज़िट टुडे?

सेल्ज़मैन : जी मैं रोहन एन्टरप्राइज़िज़ और नवयुग इंडस्ट्रीज़ में गया। मैंने नवल इंडस्ट्रीज़ नौएडा के परचेज़ मैनेजर से भी कल मुलाकात का वक्त लिया है। ये उन सभी जगहों की डीटेल्ज़ हैं जहां मैं गया और जहां से मुझे ऑर्डर्ज़ मिले हैं।

Salesman : I went to Rohan Enterprises and Navyug Industries. I have also got an appointment with the purchase manager of Naval Industries Noida tomorrow. These are the details of all the places I visited today and the orders I have secured. आइ वेन्ट टु रोहन एन्टरप्राइज़िज़ ऐंड नवयुग इंडस्ट्रीज़. आइ हैव ऑलसो गॉट ऐन अपॉइंटमेंट विद द परचेज़ मैनेजर ऑफ़ नवल इंडस्ट्रीज़ नौएडा टुमॉरो. दीज़ आर द डीटेल्ज़ ऑफ़ ऑल द प्लेसिज़ आइ विज़िटिड टुडे ऐंड द ऑर्डर्ज़ आइ हैव सिक्योर्ड.

बॉस : *(कागज़ पढ़ते हुए)* बहुत अच्छे। कल कहां-कहां जाओगे?

Boss : *(Looking at the paper)* Well done. Which areas will you cover tomorrow. वेल डन. विच एरियाज़ विल यू कवर टुमॉरो?

सेल्ज़मैन : जी नौएडा और ईस्ट देहली सर।

Salesman : Noida and East Delhi sir. नौएडा ऐंड ईस्ट डेल्ही सर.

बॉस : मोहन एंटरप्राइज़िज़ ज़रूर जाना। मुझसे मि. राजेश मोहन के लिए रेफ़रेंस लेटर भी ज़रूर ले कर जाना।

Boss : Make it a point to visit Mohan Enterprises tomorrow. Also take from me the reference letter for Mr. Rajesh Mohan. मेक इट अ पॉइंट टु विज़िट मोहन एंटरप्राइज़िज़ टुमॉरो. ऑलसो टेक फ्रॉम मी द रेफ़रेंस लेटर फ़ॉर मिस्टर राजेश मोहन.

सेल्ज़मैन : आप उन्हें कैसे जानते हैं सर?

Salesman : In what capacity do you know him sir. इन वॉट कपेसिटी डू यू नो हिम सर.

बॉस : हमारे पुराने बिज़नेस रिलेशंज़ हैं। इसके अलावा वे मेरे दोस्त भी हैं। वे हमें बिज़नेस ज़रूर देंगे।

Boss : We have old business relations. Besides he is a personal friend. He will definitely give us business. वी हैव ओल्ड बिज़नेस रिलेशंज़. बिसाइड्स ही इज़ अ पर्सनल फ्रेंड. ही विल डेफ़िनिटली गिव अस बिज़नेस.

सेल्ज़मैन : जी अच्छा सर। गुड नाइट।

Salesman : Alright sir. Good night. ऑलराइट सर. गुड नाइट.

APPENDIX परिशिष्ट

अंग्रेज़ी में शब्द-निर्माण

WORD-BUILDING IN ENGLISH

1. क्रियाओं के आगे ance या ence प्रत्यय लगाने पर भाववाचक संज्ञाएं बनती हैं।

Admit (v) (एडमिट) प्रवेश करना	[-ance] Admittance (n) (एडमिटेन्स) प्रवेश।
Utter (v) (अटर) बोलना	[-ance] Utterance (n) (अटरेन्स) उच्चारण।
Grieve (v) (ग्रीव) शोक करना	[-ance] Grievance (n) (ग्रीवेन्स) कष्ट।
Guide (v) (गाइड) मार्ग दिखाना	[-ance] Guidance (n) (गाइडेन्स) मार्ग-दर्शन।
Interfere (v) (इंटरफ़ियर) दखल देना	[-ence] Interference (n) (इंटरफ़ियरेन्स) हस्तक्षेप।
Differ (v) (डिफ़र) मतभेद करना	[-ence] Difference (n) (डिफ़रेन्स) मतभेद।
Prefer (v) (प्रेफ़र) प्राथमिकता देना	[-ence] Preference (n) (प्रिफ़रेन्स) प्राथमिकता।
Occur (v) (अकर) घटित होना	[-ence] Occurrence (n) (अकरेन्स) घटना।

इसी प्रकार इन शब्दों के आगे -ance या-ence लगाएं—depend, refer, indulge, reside में [-ence] और contrive, endure, insure, observe में [-ance] प्रत्यय लगता है।

2. अनेक बार भाववाचक संज्ञा बनाने के लिए -ment प्रत्यय (suffix) लगाया जाता है। जैसे improve से improvement आदि।

अब नीचे दिए गए क्रिया शब्दों के साथ -ment लगा कर नये शब्द बनाएं और उनके अर्थ शब्दकोश में ढूंढें।

Achieve (एचीव) प्राप्त करना,	Announce (एनाउन्स) घोषित करना
Amuse (एम्यूज़) आनन्द करना,	State (स्टेट) कहना
Postpone (पोस्टपोन) स्थगित करना,	Settle (सैटल) फैसला करना
Move (मूव) हिलना	Measure (मेज़र) मापना
Advertise (एडवरटाइज़) विज्ञापन देना	Excite (एक्साइट) उत्तेजित होना

N. B.: ऊपर दिए गए शब्दों में ment लगाया जाता है। achieve + ment = achievement.

अपवाद (exception)—1. नीचे दिये गए शब्द में -ment मिलाने पर क्रिया शब्द के अन्तिम e का लोप हो जाता है।
Argue (आरग्यू) तर्क करना   Argue + ment = Argument

3. Y के अंत वाली क्रियाओं के आगे प्रत्यय (suffix) लगाने पर y का i हो जाता है। नीचे दी हुई तालिका से उसका सम्यक अभ्यास कीजिए।

Ally (v) (एलाइ) साथ देना	[-ance] Alliance (n) (एलायन्स) साथ, सहयोग
Carry (v) (कैरी) उठा ले जाना	[-age] Carriage (n) (कैरिज) भार उठाने वाली गाड़ी
Marry (v) (मैरी) विवाह करना	[-age] Marriage (n) (मैरिज) विवाह
Envy (v) (एन्वी) ईर्ष्या करना	[-ous] Envious (n) (एन्वियस) ईर्ष्यालु
Apply (v) (एप्लाई) प्रार्थना पत्र देना	[-cation] Application (n) (एप्लिकेशन) प्रार्थनापत्र
Qualify (v) (क्वालीफ़ाइ) योग्य होना	[-cation] Qualification (n) (क्वॉलिफ़िकेशन) योग्यता
Try (v) (ट्राई) यत्न करना	[-al] Trial (n) (ट्रायल) यत्न
Deny (v) (डिनाई) इन्कार करना	[-al] Denial (n) (डिनायल) अस्वीकृति

but किन्तु

betray (v) (बिट्रे) धोखा देना

betrayal (n) (बिट्रेयल) धोखा

4. अनेक बार भाव वाचक संज्ञा -al प्रत्यय (suffix) लगाकर बनाई जाती है—जैसे refuse + al = refusal अस्वीकृति। शब्द के अन्त में e हो तो उसका लोप हो जाता है (जैसे refusal में refuse के e का हुआ है।)

अब आगे दिये गए शब्दों में -al प्रत्यय लगाएं और नये शब्दों को शब्दकोश में ढूंढें—

Approve (स्वीकार करना), arrive (आना, पहुंचना), dispose (बेचना), propose (प्रस्तावित करना), betray (धोखा देना।)

5. कई बार विशेषण भी -al प्रत्यय (suffix) लगा कर बनाए जाते हैं।

जैसे—centre + al = central (centre की अन्तिम e का लोप हो गया है।)

अब नीचे दिये शब्दों के विशेषण -al प्रत्यय जोड़ कर बनाएं और शब्द कोश में उनके अर्थ भी ढूंढें।

Continue (जारी रखना), fate (भाग्य), nature (प्रकृति), universe (संसार), practice (अभ्यास करना)

6. Y के अन्त वाले विशेषण-शब्दों के आगे प्रत्यय (suffix) लगने पर y का i हो जाता है।

Adj. विशेषण	Adv. क्रिया विशेषण	Noun संज्ञा
Busy (बिज़ी) व्यस्त	busily व्यस्तता पूर्वक	business व्यस्तता
Easy (ईज़ी) आसान	easily आसानी के साथ	easiness सरलता
Heavy (हैवी) भारी	heavily भारीपन से	heaviness भारीपन
Happy (हैप्पी) प्रसन्न	happily प्रसन्नता के साथ	happiness प्रसन्नता
Lucky (लकी) भाग्यवान	luckily भाग्य से	luckiness भाग्यशालिता
Ready (रैडी) प्रस्तुत, तैयार	readily एकदम	readiness तैयारी
Steady (स्टैडी) स्थिर	steadily स्थिरता के साथ	steadiness स्थिरता

देखते ही देखते अब आपको विशेषण से क्रिया विशेषण तथा संज्ञाएं बनाना आ गया है। इसी प्रकार अब स्वयं ही विशेषण से संज्ञाएं बनाने का अभ्यास कर सकते हैं।

7. नीचे दिए उपसर्गों से नये शब्द बनाने का अभ्यास कीजिये। अर्थ भी मन में बैठाइए। फिर लिखिए।

in (= नहीं)	dependent	independent
	dependence	independence
	definite	indefinite
	justice	injustice
-im (= नहीं)	practicable	impracticable
	possible	impossible
	proper	improper
	patience	impatience
	moral	immoral
	mortal	immortal
-irr(= नहीं)	reversible	irreversible
	responsible	irresponsible
	removable	irremovable
-il (+ नहीं)	legible	illegible
-mis (= बुरा)	deed	misdeed
	conduct	misconduct
	management	mismanagement

विराम चिन्ह
PUNCTUATION AND CAPITAL LETTERS

किसी नगर के मेयर एक बार किसी स्कूल का मुआइना करते हुए उस कक्षा में पहुंचे जहां punctuation और capital letters का विषय पढ़ाया जा रहा था। वे बहुत नाराज़ हुए और बोले कि एक मूर्ख के सिवा और कोई भी व्यक्ति ऐसा निरर्थक विषय नहीं पढ़ा सकता। अध्यापक महोदय ने शांत रहते हुए blackboard पर यह लिखा—The Mayor says, "The teacher is a fool." अर्थात् मेयर कहते हैं कि अध्यापक मूर्ख है। इससे मेयर बहुत प्रसन्न हुए। अब अध्यापक महोदय ने मेयर से कहा कि अब मैं इस वाक्य में केवल punctuation और capital letters बदलूंगा और तब पूर्वोक्त वाक्य को ऐसे लिखा—"The Mayor", says the teacher, "is a fool". अर्थात् अध्यापक कहते हैं कि मेयर मूर्ख है। वाक्य का एकदम विपरीत अर्थ होता देख कर मेयर महोदय बहुत शर्मिंदा हुए और उन्होंने punctuation और capital letters के महत्त्व को स्वीकार किया। हमें भी ऐसे ही करना चाहिए। प्रमुख विराम चिन्ह नीचे दिये गए हैं।

Full Stop— हर assertive और imperative वाक्य के अन्त में तथा abbreviations और initials के बाद लगता है, जैसे—

(i) Alexander invaded India.

(ii) Sit down.

(iii) Shri S. N. Mishra is a prominent M.P. from Bihar.

Question Mark— हर interrogative वाक्य के अन्त में, जैसे—Have you seen the Taj?

Exclamation Mark— हर exclamatory वाक्य के अंत में, जैसे—

What a marvel the newspaper is!

Semicolon— यह full stop से आधे समय को प्रकट करता है, जैसे—

Her mind was still untouched by any doubt as to what she ought to do; and she felt at rest in the assurance that Nala still loved her better than his own soul.

Colon— यह semicolon से लम्बा ठहराव प्रकट करता है, और यह गणना को प्रारम्भ करने के काम आता है, जैसे—

These are the important rivers of India: the Indus, the Ganges, the Brahmaputra, the Godavari, the Krishna and the Cauvery.

Quotations or Inverted Commas— वक्ता के शब्दों के लिए, जैसे—Ram says, "Dev bowls well".

Apostrophe— Possession या missing letter/letters के लिए, जैसे—

Mohan doesn't sit on his father's chair.

Comma— इसके विविध उपयोग हैं, जैसे—

(i) Yes, I know him.

(ii) Monday, 15th January. January 20, 1939.

(iii) Ravana, the king of Sri Lanka, kidnapped Sita, the wife of Rama.

(iv) Mohan, get me a glass of water. (सम्बोधित व्यक्ति का नाम अलग करने के लिए).

(v) In the south the Godavari, the Krishna and the Cauvery are the longest rivers. (and द्वारा न जुड़े हुए समान शब्दों को अलग करने हेतु).

(vi) Light and fresh air are in abundance in villages, but they are shut out from the house. (Conjunction द्वारा जुड़ी हुई coordinate clauses अलग करने हेतु).

(vii) The teacher said, "Ice floats on water".

"Help me to get the Golden fleece," said Jason to Medra. (Direct speech को main verb से अलग करने के लिए).

(viii) When he doesn't have any work in the off season, he idles away his time. (वाक्य के प्रारम्भ में आने वाली adverb clause को अलग करने हेतु).

(ix) Damayanti, that was the name of the Princess, entered the pavilion with a garland in her hands. (वाक्य के बीच में आए parenthetical यानी कोष्ठकों में रखे जाने वाले शब्दों को अलग करने हेतु).

(x) The time being favourable, Buddha quietly slipped away from the palace. (nominative absolute अलग करने के लिए).

(xi) The evil spirit, who had only been seen by Nala, disappeared from sight. (adjective clause को main clause से अलग करने हेतु).

(xii) Believing the words of the fox, the goat jumped into the well. (participle वाली या adjective का काम करने वाली phrases अलग करने हेतु).

Capitals—अंग्रेज़ी में capital यानी बड़े अक्षरों के निम्नलिखित प्रयोग हैं:–

(i) वाक्य प्रारम्भ करने हेतु, जैसे—India has produced many great men and women.

(ii) Proper noun दर्शाने हेतु—It takes two hours to reach Meerut by train.

(iii) Title (खिताब) दर्शाने के लिए—Alexander, The Great, invaded India.

(iv) Initials यानी नाम के प्रारम्भिक अक्षरों के लिए, जैसे—This article is from the pen of M. K. Gandhi.

(v) परमात्मा या भगवान् के नाम और संबन्धित सर्वनामों के लिए—My God and king, to thee I bow my head.

(vi) I यानी मैं के लिए, जैसे—It was over nine years ago when I visited Hardwar.

(vii) Poetry की हर line के प्रारंभ में, जैसे—Now is the time to study hard; Work will bring its own reward; Then work, work, work!

(viii) Quotation marks के अन्दर वाक्य शुरू करते समय, जैसे—I said to you, "I want your help."

शब्दों के संक्षिप्त रूप
ABBREVIATIONS

abbr.	abbreviated abbreviation
adj.	adjective, adjourned, adjustment
Advt.	Advertisement
A.M.	*ante meridiem* (before noon)
amt.	amount
ans.	answer
Apr.	April
Aug.	August
B.A.	Bachelor of Arts
B.B.C.	British Broadcasting Corporation
B.C.	Before Christ
B.Com.	Bachelor of Commerce
B.Sc.	Bachelor of Science
B.P.	Blood Pressure
B.O.A.C.	British Overseas Airways Corporation
Capt.	Captain
Cf.	confer, compare
Chap.	chapter
Chq.	cheque
C.I.D.	Criminal Investigation Department
cm.	centimetre(s)
Co.	company
c/o.	care of
cp.	compare
D.	dollar
Dec.	December
deg.	degree(s)
dft.	draft
dict.	dictionary
dis.	discount, discoverer
D.Litt.	Doctor of Literature
D.L.O.	Dead Letter Office
do	ditto (the same as aforesaid)
D. Phil.	Doctor of Philosophy
dpt.	department
Dr.	debtor, doctor
D.C.	direct current, deputy commissioner

E.	East
E. and O.E.	errors and omissions excepted
Ed.	editor, education
Eng.	England, English
Engr.	engineer
esp.	especially
Esq./Esqr.	esquire,
Est.	established
E.T.	English Translation
etc.	*et cetera,* and the other,
ex.	example
F. (Fahr)	Fahrenheit
f.	following
fam.	family
Feb.	February
fem.	feminine
ff.	folios (pl), following (pl)
Fig.	figure
f. o. r.	free on rail
ft.	foot, feet, fort
g.	gram
gaz.	gazette, gazetteer
Gen.	General
gen.	gender
G.P.O.	General Post Office
Gr.	Greek
H.	Hydrogen
h., hr.	hour
Hon.	Honourable
H.Q.	headquarters
I.A.	Indian Army
ib.	*ibid., ibidem,* in the same place
id.	idem, the same
i.e.	*id. est* (that is)
I.G.	Inspector General
inst.	instant, the present month
int.	interest, interior, interpreter
intro., introd.	introduction
inv.	invoice
ital.	italic
J.	Judge, Justice
Jan.	January
Junc.	junction
kc.	kilocycle
kg.	kilogram
km.	kilometre
kw.	kilo watts

Lat.	Latin
lat.	latitude
lab.	laboratory
lang.	language
lb.	libra, pound
Lt.	Lieutenant
Lt.-Gen.	Lieutenant-General
Ltd.	Limited
Lt.-Gov.	Lieutenant Governor
mag.	magazine
Maj.	Major
Mar.	March
marg.	margin, marginal
mas., masc.	masculine
M.B.	Medicinae Baccalaureus, Bachelor of Medicine
M.D.	Medicinae Doctor, Doctor of Medicine
med.	medical, medicine, mediaeval
Messrs.	*Messieurs* (Fr.) Sirs, used as plural of Mr.
min.	minimum, minute
misc.	miscellaneous
ml.	millilitre
M.L.A.	Member of Legislative Assembly
M.L.C.	Member of Legislative Council
mm.	millimetre(s)
M.O.	Medical Officer, Money Order
morn.	morning
M.P.	Member of Parliament
m.p.h.	miles per hour
Mr.	Master, Mister
Mrs.	Mistress
M.S.	Manuscript(s), Master of Surgery
mth.	month
N.	North, Northern
n.	name
N. B., n.b.	*nota bene,* note well, or take notice
n.d.	no date, not dated
neg.	negative
No., no.	numero, in number
Nos. nos.	numbers (pl)
Nov.	November
O	Oxygen
ob.	obituary, died
obj.	object, objective
Oct.	October
off.	official
O.K.	Orl Korrect, All correct
o.p.	out of print

opp.	opposite
ord.	order, ordinary, ordinance
Oz.	ounce(s)
p.	page, pp. pages (pl)
P.C.	post card
per cent.	per centum, by the hundred
Ph. D.	Doctor of Philosophy
plu., plur.	plural
P.M.	post meridiem (after noon)
P.O.	Post Office
P.T.	physical training
P.T.O.	please turn over
P.W.D.	Public Works Department
Q.	query, question,
Q	queue
qr.	quarter
qt.	quantity
Rd.	road
Re.	Rupee
recd.	received
recpt.	receipt
ref.	reference
Rep.	representative, report, reporter
retd.	retired, returned
Regt.	Regiment
Rs.	Rupees
R.S.V.P.	*repondez s'll vous plait* (Fr.), reply if you please
S.	South, seconds
Sa., Sat.	Saturday
s.c.	small capital
s.d.	*sine die,* without a day (fixed)
SEATO	South-East Asia Treaty Organisation
Sec., Secy.	Secretary
sec.	second
Sep., Sept.,	September
sig.	signature
sing.	singular
Sq., sq.	square

St.	Street
st.	stone
sub., subj.	subject
T.B.	tuberculosis
tech.	technical, technology
tel.	telegraph
T.O.	turn over
tr.	translator, transpose
TV	television
U.S.A.	United States of America
U.S.S.R.	Union of Soviet Socialist Republics
U.	uranium, universal
U.D.C.	upper division clerk
U.K.	United Kingdom
U.P.	United Provinces, Uttar Pradesh
Vs.	versus, against
vb.	verb
vid.	vide, see
viz.	videlicet, namely
V.I.P.	Very Important Person
V.P.	Vice President
vt.	verb transitive
W.	West
Wed.	Wednesday
w.e.f.	with effect from
w.f.	wrong fount
WHO	World Health Organisation
wt.	weight
X.	Roman numeral for ten
X., Xt.	Christ
Xm., Xmas.	Christmas
y. yr.	year
Y.M.C.A.	Young Men's Christian Association
Zn.	Zinc
&	et, and

संख्याएं

NUMERALS

हिन्दी अंक	उच्चारण	अंग्रेज़ी अंक	लिपि	उच्चारण	रोमन	हिन्दी अंक	उच्चारण	अंग्रेजी अंक	लिपि	उच्चारण	रोमन अंक
१	एक	1	One	वन	I	५१	इक्यावन	51	Fifty one	फ़िफ़टी वन	LI
२	दो	2	Two	टू	II	५२	बावन	52	Fifty two	फ़िफ़टी टू	LII
३	तीन	3	Three	थ्री	III	५३	तिरपन	53	Fifty three	फ़िफ़टी थ्री	LIII
४	चार	4	Four	फ़ोर	IV	५४	चौवन	54	Fifty four	फ़िफ़टी फ़ोर	LIV
५	पांच	5	Five	फ़ाइव	V	५५	पचपन	55	Fifty five	फ़िफ़टी फ़ाइव	LV
६	छः	6	Six	सिक्स	VI	५६	छप्पन	56	Fifty six	फ़िफ़टी सिक्स	LVI
७	सात	7	Seven	सेवन	VII	५७	सत्तावन	57	Fifty seven	फ़िफ़टी सेवन	LVII
८	आठ	8	Eight	एट	VIII	५८	अट्ठावन	58	Fifty eight	फ़िफ़टी एट	LVIII
९	नौ	9	Nine	नाइन	IX	५९	उनसठ	59	Fifty nine	फ़िफ़टी नाईन	LIX
१०	दस	10	Ten	टॅन	X	६०	साठ	60	Sixty	सिक्सटी	LX
११	ग्यारह	11	Eleven	इलेवन	XI	६१	इकसठ	61	Sixty one	सिक्सटी वन	LXI
१२	बारह	12	Twelve	ट्वेल्व	XII	६२	बासठ	62	Sixty two	सिक्सटी टू	LXII
१३	तेरह	13	Thirteen	थर्टीन	XIII	६३	तिरेसठ	63	Sixty three	सिक्सटी थ्री	LXIII
१४	चौदह	14	Fourteen	फ़ोर्टीन	XIV	६४	चौंसठ	64	Sixty four	सिक्सटी फ़ोर	LXIV
१५	पन्द्रह	15	Fifteen	फ़िफ़्टीन	XV	६५	पैंसठ	65	Sixty five	सिक्सटी फ़ाइव	LXV
१६	सोलह	16	Sixteen	सिक्सटीन	XVI	६६	छियासठ	66	Sixty six	सिक्सटी सिक्स	LXVI
१७	सत्रह	17	Seventeen	सेवनटीन	XVII	६७	सड़सठ	67	Sixty seven	सिक्सटी सेवन	LXVII
१८	अठारह	18	Eighteen	एटीन	XVIII	६८	अड़सठ	68	Sixty eight	सिक्सटी ऐट	LXVIII
१९	उन्नीस	19	Nineteen	नाइनटीन	XIX	६९	उनहत्तर	69	Sixty nine	सिक्सटी नाइन	LXIX
२०	बीस	20	Twenty	ट्वेंटी	XX	७०	सत्तर	70	Seventy	सेवंटी	LXX
२१	इक्कीस	21	Twenty one	ट्वेंटी वन	XXI	७१	इकहत्तर	71	Seventy one	सेवंटी वन	LXXI
२२	बाईस	22	Twenty two	ट्वेंटी टू	XXII	७२	बहत्तर	72	Seventy two	सेवंटी टू	LXXII
२३	तेईस	23	Twenty three	ट्वेंटी थ्री	XXIII	७३	तिहत्तर	73	Seventy three	सेवंटी थ्री	LXXIII
२४	चौबीस	24	Twenty four	ट्वेंटी फ़ोर	XXIV	७४	चौहत्तर	74	Seventy four	सेवंटी फ़ोर	LXXIV
२५	पच्चीस	25	Twenty five	ट्वेंटी फ़ाइव	XXV	७५	पचहत्तर	75	Seventy five	सेवंटी फ़ाइव	LXXV
२६	छब्बीस	26	Twenty six	ट्वेंटी सिक्स	XXVI	७६	छिहत्तर	76	Seventy six	सेवंटी सिक्स	LXXVI
२७	सत्ताईस	27	Twenty seven	ट्वेंटी सेवन	XXVII	७७	सतहत्तर	77	Seventy seven	सेवंटी सेवन	LXXVII
२८	अठाईस	28	Twenty eight	ट्वेंटी एट	XXVIII	७८	अठत्तर	78	Seventy eight	सेवंटी एट	LXXVIII
२९	उनतीस	29	Twenty nine	ट्वेंटी नाइन	XXIX	७९	उन्यासी	79	Seventy nine	सेवंटी नाइन	LXXIX
३०	तीस	30	Thirty	थर्टी	XXX	८०	अस्सी	80	Eighty	एटी	LXXX
३१	इक्तीस	31	Thirty one	थर्टी वन	XXXI	८१	इक्यासी	81	Eighty one	एटी वन	LXXXI
३२	बत्तीस	32	Thirty two	थर्टी टू	XXXII	८२	बयासी	82	Eighty two	एटी टू	LXXXII
३३	तेंतीस	33	Thirty three	थर्टी थ्री	XXXIII	८३	तिरासी	83	Eighty three	एटी थ्री	LXXXIII
३४	चौंतीस	34	Thirty four	थर्टी फ़ोर	XXXIV	८४	चौरासी	84	Eighty four	एटी फ़ोर	LXXXIV
३५	पैंतीस	35	Thirty five	थर्टी फ़ाइव	XXXV	८५	पच्चासी	85	Eighty five	एटी फ़ाइव	LXXXV
३६	छत्तीस	36	Thirty six	थर्टी सिक्स	XXXVI	८६	छियासी	86	Eighty six	एटी सिक्स	LXXXVI
३७	सैंतीस	37	Thirty seven	थर्टी सेवन	XXXVII	८७	सत्तासी	87	Eighty seven	एटी सेवन	LXXXVII
३८	अड़तीस	38	Thirty eight	थर्टी एट	XXXVIII	८८	अट्ठासी	88	Eighty eight	एटी एट	LXXXVIII
३९	उनतालीस	39	Thirty nine	थर्टी नाइन	XXXIX	८९	नवासी	89	Eighty nine	एटी नाइन	LXXXIX
४०	चालीस	40	Forty	फ़ोर्टी	XL	९०	नब्बे	90	Ninety	नाइन्टी	XC
४१	इकतालीस	41	Forty one	फ़ोर्टी वन	XLI	९१	इक्यानवे	91	Ninety one	नाइन्टी वन	XCI
४२	बयालीस	42	Forty two	फ़ोर्टी टू	XLII	९२	बानवे	92	Ninety two	नाइन्टी टू	XCII
४३	तेंतालीस	43	Forty three	फ़ोर्टी थ्री	XLIII	९३	तिरानवे	93	Ninety three	नाइन्टी थ्री	XCIII
४४	चौवालीस	44	Forty four	फ़ोर्टी फ़ोर	XLIV	९४	चौरानवे	94	Ninety four	नाइन्टी फ़ोर	XCIV
४५	पैंतालीस	45	Forty five	फ़ोर्टी फ़ाइव	XLV	९५	पचानवे	95	Ninety five	नाइन्टी फ़ाइव	XCV
४६	छियालीस	46	Forty six	फ़ोर्टी सिक्स	XLVI	९६	छियानवे	96	Ninety six	नाइन्टी सिक्स	XCVI
४७	सैंतालीस	47	Forty seven	फ़ोर्टी सेवन	XLVII	९७	सतानवे	97	Ninety seven	नाइन्टी सेवन	XCVII
४८	अड़तालीस	48	Forty eight	फ़ोर्टी एट	XLVIII	९८	अट्ठानवे	98	Ninety eight	नाइन्टी ऐट	XCVIII
४९	उनचास	49	Forty nine	फ़ोर्टी नाइन	XLIX	९९	निन्यानवे	99	Ninety nine	नाइन्टी नाइन	XCIX
५०	पचास	50	Fifty	फ़िफ़टी	L	१००	सौ	100	Hundred	हण्ड्रेड	C

हिन्दी उच्चारण अंक		अंग्रेज़ी अंक	लिपि		रोमन अंक
२००	दो सौ	200	Two Hundred	टू हंड्रेड	CC
३००	तीन सौ	300	Three Hundred	थ्री हंड्रेड	CCC
४००	चार सौ	400	Four Hundred	फ़ोर हंड्रेड	CD
५००	पांच सौ	500	Five Hundred	फाइव हंड्रेड	D
६००	छह सौ	600	Six Hundred	सिक्स हंड्रेड	DC
७००	सात सौ	700	Seven Hundred	सेवन हंड्रेड	DCC
८००	आठ सौ	800	Eight Hundred	एट हंड्रेड	DCCC
९००	नौ सौ	900	Nine Hundred	नाइन हंड्रेड	CM
१०००	एक हज़ार	1000	Thousand	थाउज़ैन्ड	M
१०,०००	दस हज़ार	10,000	Ten Thousand	टेन थाउज़ैन्ड	I
१,००,०००	एक लाख	1,00,000	Hundred Thousand	हंड्रेड थाउज़ैन्ड	X
१०,००,०००	दस लाख	10,00,000	Million	मिलियन	M
१,००,००,०००	करोड़	1,00,00,000	Ten Million	टेन मिलियन	—
१०,००,००,०००	दस करोड़	10,00,00,000	Hundred Million	हंड्रेड मिलियन	—
१,००,००,००,०००	अरब	1,00,00,00,000	Thousand Million	थाउज़ैन्ड मिलियन	—
१०,००,००,००,०००	दस अरब	10,00,00,00,000	Billion	बिलियन	—

ऋमवाचक गिनती

पहला—First (फ़र्स्ट)
दूसरा—Second (सेकंड)
तीसरा—Third (थर्ड)
चौथा—Fourth (फ़ोर्थ)
पांचवां—Fifth (फ़िफ़्थ)

छठा—Sixth (सिक्स्थ)
सातवां—Seventh (सेवन्थ)
आठवां—Eighth (एट्थ)
नौवां—Ninth (नाइन्थ)
दसवां—Tenth (टेंथ)

गुणवाचक गिनती

एक गुना—Single (सिंगल)
दुगुना—Double (डबल)
तिगुना—Three fold (थ्री फ़ोल्ड)
चौगुना—Four fold (फ़ोर फ़ोल्ड)
पांच गुना—Five fold (फ़ाइव फ़ोल्ड)

छह गुना—Six fold (सिक्स फ़ोल्ड)
सात गुना—Seven fold (सेवन फ़ोल्ड)
आठ गुना—Eight fold (एट फ़ोल्ड)
नौ गुना—Nine fold (नाइन फ़ोल्ड)
दस गुना—Ten fold (टेन फोल्ड)

अंशवाचक गिनती

1/2 आधा—Half (हॉफ़)
3/4 तीन चौथाई—Three fourth (थ्री फ़ोर्थ)
2/3 दो तिहाई—Two third (टू थर्ड)
1/4 चौथाई—One fourth (वन फ़ोर्थ)
1/5 पांचवां भाग—One fifth (वन फ़िफ़्थ)

1/6 छठा भाग—One sixth (वन सिक्स्थ)
1/7 सातवां भाग—One seventh (वन सेवंथ)
1/8 आठवां भाग—One eighth (वन एट्थ)
1/9 नौवां भाग—One ninth (वन नाइन्थ)
1/10 दसवां भाग—One tenth (वन टेन्थ)

DIRECT & INDIRECT SPEECH

"I don't know how to swim", said the monkey. यह वाक्य बंदर और मगरमच्छ की प्रसिद्ध कहानी से सम्बंधित है। इसमें बंदर ने जैसे कहा उसे वैसे ही लिखकर 'उद्धरण चिह्नों' के बीच में रख दिया गया है, कि यह बात बंदर ने कही है। इस प्रकार का कथन, direct speech कहलाता है। इस की सरल पहचान है 'उद्धरण चिह्न' जिन्हें inverted commas या quotation marks कहते हैं।

ऊपर कही गई बात ऐसे भी कही जा सकती है — The monkey said that he didn't know how to swim. ऐसे कथन को indirect speech कहा जाता है।

1. Harbhajan said to me, "I'm going to help you." 2. Harbhajan said to you, "I'm going to help you."

3. Harbhajan said to Sajan, "I'm going to help you."

Direct speech के इन तीन वाक्यों को indirect speech में ऐसे लिखा जाएगा—

1. Harbhajan told me that he was going to help me. 2. Harbhajan told you that he was going to help you.

3. Harbhajan told Sajan that he (Harbhajan) was going to help him (Sajan).

स्पष्ट है कि indirect speech बनाते समय — **(1)** quotation marks के बाहर subject का जो person हो वही person quotation marks के भीतर वाले subject का भी कर दिया जाता है। ऊपर Harbhajan third person है इसलिए indirect speech में 'I' को 'he' बनाया गया है। **(2)** quotation marks के बाहर object का जो person हो वही person quotation marks के भीतर वाले object का भी कर दिया जाता है। ऊपर वाक्य 1 में बाहर object, me का first person है इसलिए quotation marks के भीतर second person के object, you को first person के me में बदल दिया गया है। इस प्रकार 2 में you को you और 3 में you को he में बदल दिया गया है। **(3)** यदि quotation marks के बाहर past tense क्रिया में हो तो अंदर की present or future tense की क्रिया को past tense में बदल देते हैं और बाहर के said to को told में। ऊपर present continuous के am going to help को was going to help में बदला गया है।

ऊपर लिखे वाक्यों से स्पष्ट हो जाता है कि जब बात past tense में कही गई हो तब indirect speech बनाते समय निम्नलिखित बातों को ध्यान में रखते हैं—

(1) Quotation marks के बाहर वाले subject का जो person (पुरुष) होता है वही person, quotation marks के अंदर वाले subject का भी कर देते हैं, जैसे ऊपर I का he। अपवाद के लिए देखिए (i) आगे। **(2)** बाहर वाले object का जो person होता है वही person अंदर वाले object का कर देते हैं, जैसे (1) में you का me, (2) में you का you और (3) में you का him. अपवाद के लिए देखिए (ii) आगे। **(3)** अंदर वाली क्रिया या क्रियाओं के present tense या future tense को corresponding past tense में बदल देते हैं, जैसे ऊपर am going to help to को was going to help में बदल दिया गया है। **(4)** बाहर वाले said को told में बदलते हैं। **(5)** बाहर वाले said को said ही रहने देते हैं।

1. Mahesh says, "I met the teacher on the way."
2. Ram says, "Bhatt writes well."
3. Ali says, "The train will arrive soon."
4. The teacher will say, "There is no school tomorrow."
5. My father will say to me, "You upset my plan."
6. The Government will say, "Exploitation in any form whatsoever shall be punishable."

इन वाक्यों से स्पष्ट है कि यदि बाहर वाली क्रिया (reporting verb) का present tense या future tense हो तो indirect speech बनाते समय इन बातों का ध्यान रखते हैं—

i) जो person बाहर वाले subject का हो वही अंदर वाले subject का करते हैं जैसे 1. में I का he।

ii) यदि अंदर subject हो you तो अंदर वाले subject को बाहर वाले subject के अनुरूप बदलते हैं। जो person बाहर वाले object का हो वही person अंदर वाले object का करते हैं। अपवाद यह है कि यदि अंदर subject हो you तो उसे बाहर के object के अनुसार बदलते हैं, जैसे 5 में you को I में।

iii) अंदर की क्रिया का tense नहीं बदलते।

My teacher said, "The earth is round." की indirect speech है My teacher said that the earth is round. शाश्वत सच्चाइयों आदि से संबंधित क्रिया tense का नहीं बदला जाता। हां person का नियम लगता है।

कुछ चुनी हुई क्रियाओं के 3 प्रकार
(3 FORMS OF SOME SELECTED VERBS)

अंग्रेज़ी में क्रियाओं की तीन forms होती हैं। उनका कालसूचक रूपों (Tenses) के साथ गहरा सम्बन्ध है। विभिन्न Tenses में विभिन्न forms लगती हैं। यहाँ कुछ क्रियाओं को वर्गीकृत करके, उनके तीनों forms के रूप आपकी सुविधा और अभ्यास के लिए दिए जा रहे हैं।

1. अंग्रेज़ी में अनेक क्रियाएं ऐसी हैं जिनकी II और III forms एक जैसी होती हैं; जैसे allow की II और III दोनों forms allowed हैं। ये क्रियाएं I ग्रुप में रखी गई हैं—

I फॉर्म Present tense, Pronunciation & Meaning	II फॉर्म Past tense	III फॉर्म Past Participle
1. allow (अलाउ) आज्ञा देना	allowed	allowed
2. appear (एपिअर) प्रकट होना	appeared	appeared
3. build (बिल्ड) बनाना	built	built
4. borrow (बॉरो) उधार लेना	borrowed	borrowed
5. boil (बॉयल) उबालना	boiled	boiled
6. burn (बर्न) जलाना	burnt	burnt
7. catch (कैच) पकड़ना	caught	caught
8. copy (कॉपी) नकल करना	copied	copied
9. carry (कैरी) ले जाना	carried	carried
10. clean (क्लीन) साफ करना	cleaned	cleaned
11. climb (क्लाइम) चढ़ना	climbed	climbed
12. close (क्लोज़) बन्द करना	closed	closed
13. cook (कुक) पकाना	cooked	cooked
14. care (केयर) परवाह करना	cared	cared
15. cross (क्रॉस) पार करना	crossed	crossed
16. complete (कम्पलीट) पूरा करना	completed	completed
17. dig (डिग) खोदना	dug	dug
18. deceive (डिसीव) धोखा देना	deceived	deceived
19. decorate (डैकोरेट) सजाना	decorated	decorated
20. die (डाइ) मरना	died	died
21. divide (डिवाइड) बांटना	divided	divided
22. earn (अर्न) कमाना	earned	earned
23. enter (एंटर) अन्दर आना	entered	entered
24. fight (फ़ाइट) लड़ना	fought	fought
25. find (फ़ाइंड) पाना	found	found
26. feed (फ़ीड) खिलाना	fed	fed
27. finish (फ़िनिश) समाप्त करना	finished	finished
28. fear (फ़िअर) डरना	feared	feared
29. hang (हैंग) लटकना	hung	hung
30. hang (हैंग) फांसी देना	hanged	hanged

31. hold (होल्ड) पकड़ना	held	held
32. hire (हायर) किराये पर लेना	hired	hired
33. hunt (हंट) शिकार करना	hunted	hunted
34. iron (आयरन) इस्त्री करना	ironed	ironed
35. invite (इनवायट) निमन्त्रण देना	invited	invited
36. jump (जम्प) उछलना	jumped	jumped
37. knock (नॉक) खटखटाना	knocked	knocked
38. kick (किक्) ठोकर लगाना	kicked	kicked
39. lend (लैंड) उधार देना	lent	lent
40. lose (लूज़) खो देना	lost	lost
41. light (लाइट) जलाना, रौशनी करना	lighted/lit	lighted/lit
42. learn (लर्न) सीखना	learnt/learned	learnt/learned
43. marry (मैरी) विवाह करना	married	married
44. move (मूव) हिलना	moved	moved
45. open (ओपन) खोलना	opened	opened
46. obey (ओबे) आज्ञा पालन करना	obeyed	obeyed
47. order (ऑर्डर) आज्ञा देना	ordered	ordered
48. pick (पिक) चुनना	picked	picked
49. pray (प्रे) प्रार्थना करना	prayed	prayed
50. pull (पुल) खींचना	pulled	pulled
51. punish (पनिश्) दण्ड देना	punished	punished
52. prepare (प्रिपेअर) तैयार करना	prepared	prepared
53. plough (प्लो) हल चलाना	ploughed	ploughed
54. please (प्लीज़) खुश करना	pleased	pleased
55. push (पुश) धक्का देना	pushed	pushed
56. quarrel (क्वॉरल) लड़ना	quarrelled	quarrelled
57. rain (रेन) वर्षा	rained	rained
58. reach (रीच) पहुंचना	reached	reached
59. refuse (रिफ्यूज़) इन्कार करना	refused	refused
60. ruin (रुइन) नष्ट करना	ruined	ruined
61. shine (शाइन) चमकना	shone	shone
62. sell (सैल) बेचना	sold	sold
63. shoot (शूट) गोली मारना	shot	shot
64. sleep (स्लीप) सोना	slept	slept
65. sweep (स्वीप) झाड़ू देना	swept	swept
66. smell (स्मैल) सूंघना	smelt/smelled	smelt/smelled
67. spend (स्पैंड) खर्च करना	spent	spent
68. thank (थैंक) धन्यवाद करना	thanked	thanked
69. tie (टाइ) बांधना	tied	tied
70. test (टैस्ट) परीक्षा लेना	tested	tested
71. wait (वेट) प्रतीक्षा करना	waited	waited
72. work (वर्क) काम करना	worked	worked

73. wish (विश) चाहना	wished	wished
74. win (विन्) जीतना	won	won
75. wind (वाइंड) चाबी देना	wound	wound
76. weep (वीप) रोना	wept	wept
77. weigh (वे) वजन करना	weighed	weighed
78. wring (रिंग) निचोड़ना	wrung	wrung
79. yield (यील्ड) हार मानना	yielded	yielded
80. yoke (योक) जोड़ना	yoked	yoked

2. कई क्रियाएं ऐसी हैं जिनकी II और III forms एक समान नहीं होतीं; साथ ही III form में धातु के साथ प्रायः 'en' या 'n' जुड़ता है; जैसे—'arise' से 'arose' और arisen. इन सभी में beaten, broken, bitten आदि रूप III form में बनते हैं।

81. arise (एराइज़) उठना	arose	arisen
82. beat (बीट) मारना	beat	beaten
83. break (ब्रेक) तोड़ना	broke	broken
84. bite (बाइट) काटना	bit	bitten
85. bear (बेअर) जन्म देना	bore	born
86. bear (बेअर) सहना	bore	borne
87. be (is, am, are) (बी) होना	was, were	been
88. choose (चूज़) चुनना	chose	chosen
89. drive (ड्राइव) हांकना, गाड़ी चलाना	drove	driven
90. draw (ड्रॉ) खींचना	drew	drawn
91. forget (फ़ॉर्गेट) भूलना	forgot	forgotten
92. fall (फ़ॉल) गिरना	fell	fallen
93. freeze (फ्रीज़) जम जाना	froze	frozen
94. fly (फ़्लाइ) उड़ना	flew	flown
95. give (गिव) देना	gave	given
96. grow (ग्रो) उगना	grew	grown
97. hide (हाइड) छिपना	hid	hidden
98. know (नो) जानना	knew	known
99. lie (लाइ) लेटना	lay	lain
100. ride (राइड) सवारी करना	rode	ridden
101. rise (राइज़) उठना	rose	risen
102. see (सी) देखना	saw	seen
103. shake (शेक) हिलाना	shook	shaken
104. steal (स्टील) चोरी करना	stole	stolen
105. speak (स्पीक) बोलना	spoke	spoken
106. swear (स्विएर) शपथ लेना	swore	sworn
107. tear (टिअर) फाड़ना	tore	torn
108. take (टेक) लेना	took	taken
109. throw (थ्रो) फैंकना	threw	thrown
110. wake (वेक) जागना	woke	woken
111. wear (वियर) पहनना	wore	worn

112. weave (वीव) बुनना	wove	woven
113. write (राइट) लिखना	wrote	written

3. कई क्रियाएं ऐसी हैं जिनकी II और III forms एक समान नहीं होतीं; पर II form के रूप का a III form में प्रायः u बन जाता है; जैसे—drank और rang के III form हैं drunk और rung आदि।

114. begin (बिगिन) शुरू करना	began	begun
115. drink (ड्रिंक) पीना	drank	drunk
116. ring (रिंग) घंटी बजाना	rang	rung
117. run (रन) दौड़ना	ran	run
118. sink (सिंक) डूबना	sank	sunk
119. sing (सिंग) गाना	sang	sung
120. spring (स्प्रिंग) उछलना	sprang	sprung
121. swim (स्विम) तैरना	swam	swum
122. shrink (श्रिंक) सिकुड़ना	shrank	shrunk

4. अंग्रेज़ी में कुछ क्रियाएं ऐसी हैं जिनके तीनों फॉर्म के रूप एक समान होते हैं। तीन वाक्यों का अर्थ देखिए—

(i) You bet now. तुम अब शर्त लगाते हो।
(ii) You bet yesterday. तुमने कल शर्त लगाई।
(iii) You have bet. तुमने शर्त लगाई है।

ऐसी क्रियाओं को विशेष रूप से स्मरण कीजिए ताकि बातचीत में गलत प्रयोग करके आप लोगों के बीच हंसी के पात्र न बनें।

123. bet (बैट) शर्त लगाना	bet	bet
124. bid (बिड) बोली लगाना	bid	bid
125. burst (बर्स्ट) फटना, टूटना	burst	burst
126. cut (कट) काटना	cut	cut
127. cast (कास्ट) फेंकना	cast	cast
128. cost (कॉस्ट) मूल्य होना	cost	cost
129. hit (हिट) चोट लगाना	hit	hit
130. hurt (हर्ट) चोट लगाना	hurt	hurt
131. knit (निट) बुनना	knit	knit
132. put (पुट) रखना	put	put
133. rid (रिड) छुटकारा पाना	rid	rid
134. read* (रीड) पढ़ना	read*	read*
135. spit (स्पिट) थूकना	spit	spit

* लिखने में read की वर्तनी अर्थात् स्पैलिंग तीनों फॉर्म में एक सी होती है; अतः इस क्रिया को इस वर्ग में रखा गया है। पर इस क्रिया के तीनों forms का उच्चारण इस प्रकार होता है—रीड; रैड, रैड।

25 आवश्यक समूहार्थक शब्द
(25 IMPORTANT COLLECTIVE PHRASES)

हरेक भाषा की अपनी परम्परागत शब्दावली बन जाती है और उसी रूप में शब्दों का प्रयोग करना अभीष्ट होता है। यहां कुछ समूहात्मक हिन्दी शब्दों के अंग्रेज़ी पर्याय दिये गए हैं। अंग्रेज़ी भाषा के व्यवहार में इन शब्दों का अभ्यास कीजिए। 'a bouquet of grapes' नहीं, बल्कि a bunch of grapes कहेंगे। इसी प्रकार अन्य सभी शब्दों का उचित प्रयोग करना होगा।

1. चाभियों का गुच्छा	A *bunch* (बंच) of keys.
2. अंगूरों का गुच्छा	A *bunch* (बंच) of grapes.
3. फूलों का गुलदस्ता	A *bouquet* (बुके) of flowers.
4. लकड़ियों का गट्ठर	A *bundle* (बंडल) of sticks.
5. लोगों की भीड़	A *crowd* (क्राउड) of people.
6. पहाड़ों की श्रृंखला	A *chain* (चेन) of mountains.
7. भेड़ों का रेवड़	A *flock* (फ्लॉक) of sheep.
8. पक्षियों का दल	A *flight* (फ्लाइट) of birds.
9. द्वीपों का समूह	A *group* (ग्रुप) of islands.
10. तारों का समूह	A *galaxy* (गैलैक्सी) of stars.
11. पेड़ों का झुण्ड	A *grove* (ग्रोव) of trees.
12. मज़दूरों की टोली	A *gang* (गैंग) of labourers.
13. हिरनों का झुण्ड	A *herd* (हर्ड) of deer
14. सुअरों का झुण्ड	A *herd* (हर्ड) of swine.
15. मक्खियों (मधुमक्खियों) का समूह	A *hive* (हाइव) of bees.
16. जानवरों का झुण्ड	A *herd* (हर्ड) of cattle.
17. कूढ़े का ढेर	A *heap* (हीप) of rubbish.
18. बजरी या रेता का ढेर	A *heap* (हीप) of stones or sand.
19. शिकारी कुत्तों का झुण्ड	A *pack* (पैक) of hounds.
20. जूतों का जोड़ा	A *pair* (पेअर) of shoes.
21. सैनिकों की टुकड़ी	A *regiment* (रेजीमेंट) of soldiers.
22. चोटियों की श्रृंखला	A *range* (रेंज) of cliffs.
23. मक्खियों का झुण्ड	A *swarm* (स्वॉर्म) of flies.
24. घटनाओं की श्रृंखला	A *series* (सीरीज़) of events.
25. घोड़ों की टुकड़ी	A *troop* (ट्रूप) of horses.

कुछ जानवरों के बच्चों के नाम (YOUNG ONES OF SOME ANIMALS)

जन्तु	जन्तु का बच्चा
ass (ऐस) गधा	foal (फ़ोल)
cow (काउ) गाय	calf (काफ़)
dog (डॉग) कुत्ता	puppy (पपी)
hen (हेन) मुर्गी	chicken (चिकेन)
bear (बेयर) रीछ	cub (कब)
cat (कैट) बिल्ली	kitten (किट्टन)
frog (फ्रॉग) मेंढक	tadpole (टैडपोल)
horse (हॉर्स) घोड़ा	colt (कोल्ट)
goat (गोट) बकरी	kid (किड)
sheep (शीप) भेड़	lamb (लैम)
wolf (वुल्फ़) भेड़िया	cub (कब)
lion (लायन) शेर	cub (कब)
tiger (टाइगर) चीता	cub (कब)

40 जन्तुओं की आवाजें

(40 IMPORTANT WORDS DENOTING THE CRIES OF ANIMALS)

हिन्दी भाषा में पशुओं की आवाज़ के लिए कुछ विशिष्ट शब्द हैं; जैसे रेंकना, भिनभिनाना, चहचहाना। 'रेंकना' कहते ही गधे की आवाज़ का, 'भिनभिनाना' में मक्खियों की आवाज का तथा 'चहचहाना' से पक्षियों के कलरव का बोध होता है। इसी तरह अंग्रेज़ी में भी पशुओं की आवाज़ों के लिए अलग-अलग शब्द हैं।

1. Asses bray. (ऐसेस ब्रे) गधे रेंकते हैं (ढींचू-ढींचू करते हैं)।
2. Bears growl. (बियर्स ग्राउल) भालू घरघराते हैं।
3. Bees hum. (बीज़ हम्) मक्खियां भिनभिनाती हैं।
4. Birds chirp. (बर्ड्स चर्प) पक्षी चहचहाते हैं।
5. Camels grunt. (कैमल्स ग्रंट) ऊंट गुड़गुड़ाते हैं।
6. Cats mew. (कैट्स म्यू) बिल्लियां म्याऊं-म्याऊं करती हैं।
7. Cattle low. (कैटल लो) जांनवर रंभाते हैं।
8. Cocks crow. (कॉक्स क्रो) मुर्गे कुक्कड़ूँ करते हैं।
9. Crows caw. (क्रोज़ कॉ) कौए कांय-कांय करते हैं।
10. Dogs bark (डॉग्स बार्क) कुत्ते भौंकते हैं।
11. Doves coo. (डव्ज़ कू) फाख्ता कूं-कूं करती हैं।
12. Ducks quack. (डक्स क्वैक) बत्तख कैं-कैं करती हैं।
13. Elephants trumpet. (एलिफैंट्स ट्रम्पेट) हाथी चिंघाड़ते हैं।
14. Flies buzz. (फ़्लाइज़ बज़) मक्खियां भिनभिनाती हैं।
15. Frogs croak. (फ़ॉग्स क्रोक) मेंढक टर्राते हैं।
16. Geese cackle. (गीज़ कैकल्) हंस कुड़कुडाते हैं।
17. Hawks scream. (हॉक्स स्क्रीम) बाज चीखते हैं।
18. Hens cackle. (हैन्स कैकल्) मुर्गियां कुड़कुड़ाती हैं।
19. Horses neigh (हॉर्सेस नी) घोड़े हिनहिनाते हैं।
20. Jackals howl. (जैकॉल्स हाउल) गीदड़ रोते हैं।
21. Kittens mew. (किटैन्स म्यू) बिल्ली के बच्चे म्याऊं-म्याऊं करते हैं।
22. Lambs bleat. (लैम्स ब्लीट) मेमने बां-बां करते हैं।
23. Lions roar. (लायन्स रोर) शेर दहाड़ते हैं।
24. Mice squeak. (माइस स्क्वीक) चूहे चूं-चूं करते हैं।
25. Monkeys chatter. (मंकीज़ चैटर) बन्दर गुर्राते हैं।
26. Nightingales sing. (नाइटिंगेल्स सिंग) बुलबुलें गाती हैं।
27. Owls hoot. (आउल्स हूट) उल्लू हू-हू करते हैं।
28. Oxen low. (ऑक्सन लो) बैल डकारते हैं।
29. Parrots talk. (पैरट्स टॉक) तोते टांय-टांय करते हैं।
30. Pigeons coo. (पिजन्स कू) कबूतर गुटरगूं करते हैं।
31. Pigs grunt. (पिग्स ग्रंट) सूअर घुरघुराते हैं।
32. Puppies yelp. (पप्पीज़ यैल्प) पिल्ले भूंकते हैं।
33. Sheep bleat. (शीप ब्लीट) भेड़ें मिमियाती हैं।
34. Snakes hiss. (स्नेक्स हिस) सांप फुंकारते हैं।
35. Sparrows chirp. (स्पैरोज़ चर्प) चिड़ियां चहचहाती हैं।

36. Swallows twitter. (स्वैलोज़ ट्विटर) अबाबील चहचहाती है।
37. Swans cry. (स्वैन्स क्राइ) बत्तखें कूजती हैं।
38. Tigers roar. (टाइगर्स रोर) बाघ दहाड़ते हैं।
39. Vultures scream. (वल्चर्स स्क्रीम) गिद्ध चीखते हैं।
40. Wolves yell. (वुल्व्ज़ यैल) भेड़िये चीखते हैं।

जो शब्द सुने तो बहुत जाते हैं, पर अधिकतर समझे नहीं जाते (WORDS MOSTLY HEARD BUT NOT MOSTLY KNOWN)

आप गाव या शहर, जहां भी रहते हों—यदि आप आधुनिक जगत के मॉडर्न व्यक्ति बनना चाहते हैं तो आपको भाषा के मामले में भी आधुनिकतम (अप-टू-डेट) व्यक्ति बनना होगा। हम में से बहुत से व्यक्ति ऐसे कई शब्द सुनते हैं और स्वयं भी इनका इस्तेमाल करते हैं; पर विचित्र बात यह है कि हम इनका ठीक-ठीक अर्थ नहीं जानते। आप इन शब्दों को सीखिए। आप देखेंगे कि दूसरे आपकी धाक मानने लगे हैं।

ज्ञान के क्षेत्र के 10 शब्द (Ten words about spheres of knowledge)

1. Anthropology (ऐंथ्रोपॉलॉजी) मनुष्य के स्वभाव, इतिहास और सभ्यता का अध्ययन
2. Archaeology (आर्किओलॉजी) प्राचीन वस्तुओं का अध्ययन—पुरातत्व
3. Astrology (एस्ट्रॉलॉजी) तारों और नक्षत्रों का अध्ययन—व्यावहारिक गणित ज्योतिष
4. Entomology (एंटोमॉलॉजी) कीट-पतंगों का अध्ययन—कीट शास्त्र
5. Etymology (एटिमॉलॉजी) शब्द-व्युत्पति के अभ्यास का अध्ययन—भाषा विज्ञान
6. Geology (जिओलॉजी) पृथ्वी की आन्तरिक बनावट का अध्ययन—भूगर्भशास्त्र
7. Philology (फिलॉलॉजी) भाषा के विकास का अध्ययन—भाषा-विज्ञान
8. Psychology (साइकॉलॉजी) मनुष्य के मन और उसके व्यवहार का अध्ययन—मनोविज्ञान
9. Radiology (रेडियोलॉजी) क्ष-किरण विद्या अर्थात् एक्स-रे विज्ञान
10. Sociology (सोशिओलॉजी) मनुष्य-समाज के विकास और उसके उद्‌भव का अध्ययन—समाजशास्त्र

ऊपर दिए गये शब्द आपको सुनने में कुछ कठिन लग सकते हैं। पर एक बार आपकी समझ में आ जाएंगे तो दूसरों पर आपका बड़ा प्रभाव पड़ेगा।

व्यक्तित्व प्रकट करने वाले 10 शब्द (Ten words showing personality)

नीचे कुछ शब्द दिए गए हैं जो व्यक्ति के स्वभाव को दर्शाते हैं। आप इस तरह के लोगों से भली-भांति परिचित हैं। ये शब्द आपने बिल्कुल न सुने हों—ऐसी बात नहीं है। फिर क्यों न आप थोड़ा उन्हें स्मरण रखने की कोशिश करें।

1. Blase (ब्लाज़) लोगों और सांसारिक पदार्थों से उकताया हुआ
2. Dogmatic (डॉग्मैटिक) वाणी और कर्म में अपनी बात सबसे ऊपर रखने वाला व्यक्ति
3. Diffident (डिफ़िडेंट) शर्मीला और झेंपू व्यक्ति
4. Extrovert (एक्सट्रोवर्ट) अपने से ब्राहर की वस्तुओं और व्यक्तियों में रुचि लेने वाला व्यक्ति
5. Gregarious (ग्रेगेरियस) हर समय दूसरे लोगों की संगति में रहने की इच्छा करने वाला व्यक्ति
6. Inhibited (इन्हिबिटेड) अपनी बात को दो-एक व्यक्तियों या भीड़ के सामने न कह सकने वाला व्यक्ति
7. Introvert (इंट्रोवर्ट) अपने आप में ही सीमित रहने वाला व्यक्ति—जो दूसरों से मिलने-जुलने में कठिनाई अनुभव करता हो
8. Quixotic (क्विक्ज़ोटिक) कल्पना के मंसूबे बांधने वाला व्यक्ति
9. Sadistic (सेडिस्टिक) दूसरों को सताने अथवा उन पर शासन करने में प्रसन्न होने वाला व्यक्ति
10. Truculent (ट्रकुलेंट) चरित्र में जंगली और रूखा व्यक्ति

जीवन, कला और दर्शन से सम्बन्धित मतवाद (Theories about life, art & philosophy)

नीचे कुछ मतों (ISM) के नाम दिए गए हैं। कुछ आपने सुन रखे हैं, कुछ नहीं। इन्हें जानिए और अपना ज्ञान बढ़ाइए।

1. Altruism (एल्ट्रूइज़्म) परोपकारवाद—इसमें हर काम दूसरे के हित के लिए किया जाता है।
2. Atheism(एथिइज़्म) नास्तिकतावाद—इसमें 'ईश्वर नहीं है' ऐसा विश्वास होता है।
3. Chauvinism (शॉविनिज्म) अतिराष्ट्रीयतावाद—इसमें मनुष्य की अपने देश के प्रति अत्यधिक गर्व की भावना रहती है।
4. Conservatism (कन्ज़र्वेटिज़्म) पुरातनवाद (अनुदारतावाद)—इसमें ऐसी धारणा रहती है कि जो कुछ है वही सर्वश्रेष्ठ है और किसी परिवर्तन की आवश्यकता नहीं है।
5. Liberalism (लिबरॅलिज्म) उदारतावाद—राज्य तथा धर्म के क्षेत्र में स्वतंत्र विचार रखने की धारणा।
6. Radicalism (रैडिकलइज़्म) परिवर्तनवाद—इसके अन्तर्गत यह धारणा होती है कि हिंसात्मक परिवर्तनों से सर्वश्रेष्ठ शासन स्थापित किया जा राकता है।
7. Realism (रिअलइज़्म) यथार्थवाद—इसके अन्तर्गत यह विचार रहता है कि हर वस्तु को यथार्थ जीवन के अनुरूप होना चाहिए।
8. Romanticism (रोमैंटिसिज़्म) रोमांसवाद—अर्थात् कला और साहित्य को प्रकृति और यथार्थता की आदर्शपूर्ण और भावात्मक तस्वीर खींचनी चाहिए।
9. Skepticism (स्कैप्टिसिज़्म) संशयवाद—अर्थात् समस्त ज्ञान अनिश्चित है इसलिए संसार की किसी वस्तु के बारे में कुछ भी निश्चित रूप से नहीं कहा जा सकता।
10. Totalitarianism (टोटैलिटेरियनिज़्म) सर्वसत्तावाद—अर्थात् राज्य ही सब कुछ है नागरिक कुछ भी नहीं। मनुष्य का अस्तित्व केवल राज्य के लिए है।

मन की 10 असाधारण स्थितियां (Ten abnormal conditions of mind)

आप पढ़े-लिखे और बौद्धिक लोगों के बीच बैठेंगे तो ये शब्द आपके वार्तालाप की शोभा बढ़ाएंगे।

1. Alexia (ऐलेक्सिया) पढ़ने में असमर्थता
2. Amnesia (ऐम्नेज़िया) स्मृति का नाश
3. Aphasia (ऐफेशिया) बोलने की शक्ति का नाश
4. Dementia (डेमेंशिया) मनोविज्ञान में मनोदशा का बिगड़ जाना
5. Dipsomania (डिप्सोमैनिया) मद्यपान करने की प्रबल एवं अदम्य इच्छा का उत्पन्न होना
6. Hypochondria (हाइपोकोंड्रिया) किसी के स्वास्थ्य के बारे में भय, चिन्ता या घबराहट होना
7. Insomnia (इन्सोम्निया) लगातार नींद का न आना
8. Kleptomania (क्लेप्टोमैनिया) कोई वस्तु चुराने की प्रबल इच्छा होना
9. Megalomania (मेगलोमैनिया) अपनी महानता के बारे में भ्रान्त विश्वास
10. Melancholia (मेलनकोलिया) दु:ख और निराशा की निरन्तर मनोदशा

डॉक्टरी पेशे के 10 शब्द (Ten words about doctors' profession)

जब आप किसी से विशेषज्ञ डाक्टरों से परामर्श करने की बात करते हैं तो आपको हरेक प्रमुख बीमारी के लिए प्रयुक्त होने वाले अलग-अलग शब्दों का ज्ञान होना चाहिए। ये शब्द सुनने में बड़े अपरिचित, किन्तु बड़े प्रभावशाली लगते हैं। इन्हें मन में बैठाइये और दूसरे पर अपनी भाषा-ज्ञान की धाक बैठाइए।

1. Dermatologist (डर्मेटोलॉजिस्ट) चर्म रोगों का विशेषज्ञ
2. Gynaecologist (गाइनिकॉलॉजिस्ट) स्त्री रोगों का विशेषज्ञ
3. Internist (इंटरनिस्ट) शरीर के आन्तरिक अंगों की बीमारियों का विशेषज्ञ
4. Obstetrician (ऑब्स्टेट्रिशियन) जच्चा विशेषज्ञ
5. Ophthalmologist (ऑफ्थैलमोलॉजिस्ट) आंखों के रोगों का डाक्टर
6. Orthodontist (ऑरथोडैन्टिस्ट) दांतों का विशेषज्ञ डाक्टर जो टेढ़े दांतों को सीधा करता है।

7. Pathologist (पैथॉलॉजिस्ट) प्राकृतिक रोगों के कारणों को जानने वाला डाक्टर
8. Paediatrician (पीडीएटरिशिअन) केवल शिशुओं और छोटे बच्चों का डाक्टर
9. Podiatrist (पोडिएट्रिस्ट) पांव की छोटी-मोटी बीमारियों का डाक्टर
10. Psychiatrist (साइकिएट्रिस्ट) मानसिक रोगों का विशेषज्ञ—मनोचिकित्सक

75 स्थानापन्न एक-शब्द
(75 ONE-WORD SUBSTITUTES)

शेक्सपियर ने कहा है: 'संक्षिप्तता बुद्धि की आत्मा है', और यह बात भाषा के विषय में एक बहुत बड़ा सत्य है। जहां थोड़े शब्दों से काम चल सकता हो, वहां वाक्यांश या वाक्य-प्रयोग करना न केवल शक्ति का अपव्यय है, बल्कि इसमें समय भी नष्ट होता है। अंग्रेज़ी में ऐसे अनेक शब्द हैं जो अकेले पूरे-पूरे वाक्यांश के लिए प्रयुक्त होते हैं। इन शब्दों का अभ्यास संक्षेप-लेखन, तार और तकनीकी विषयों के लेखन में तो काम आएगा ही, साथ ही बोलचाल में इन शब्दों से शब्द-गरिमा भी बढ़ जाती है।

1. **Abdicate** (एब्डीकेट) **पदत्याग, सिंहासन त्याग**—To give up a throne voluntarily—शासन-भार को स्वेच्छा से त्याग देना
2. **Autobiography** (ऑटोबायग्राफ़ी) **आत्मकथा**—Life story of a man written by himself—अपने आप लिखी हुई आत्म/अपनी कहानी
3. **Aggressor** (ऐग्रेस्सर) **आक्रान्ता, आक्रमणकर्त्ता**—A person who attacks first—जो व्यक्ति पहले हमला करे
4. **Amateur** (ऐमेचर) **शौकियाना**—One who pursues some art or sport as hobby—जो किसी कला या खेल में शौकिया काम करता हो
5. **Arbitrator** (आर्बिट्रेटर) **मध्यस्थ**—One appointed by two parties to settle disputes between them—जिसे दो पक्षों द्वारा उनके बीच के विवाद को निपटाने के लिए नियुक्त किया जाए
6. **Adolescence** (ऐडोलेसेंस) **किशोरावस्था**—Stage between boyhood and youth—बचपन और जवानी के बीच की अवस्था
7. **Bibliophile** (बिब्लिओफाइल) **पुस्तक-प्रेमी**—A great lover of books—पुस्तकों का बड़ा अनुरागी
8. **Botany** (बॉट्नी) **वनस्पति विज्ञान**—The science of plant life—पेड़-पौधों का विज्ञान
9. **Bilingual** (बाइलिंगुअल) **दुभाषिया**—People who speak two languages—वे लोग जो दो भाषाएं बोलते हैं
10. **Catalogue** (कैटालॉग) **सूचीपत्र**—A list of books—पुस्तकों की सूची
11. **Centenary** (सैंटेनरी) **शताब्दी**—Celebration of a hundredth year—सौ वर्ष बाद किया गया समारोह
12. **Colleague** (कोंलीग) **सहकारी, सहयोगी**—A co-worker or a fellow-worker in the same institution—एक संस्था में साथ-साथ या सहयोगी के रूप में काम-करने वाला
13. **Contemporaries** (कंटैम्परेरीज़) **समकालीन**—Persons living in the same age—एक ही काल में रहने वाले व्यक्ति
14. **Credulous** (क्रेडुलस) **आशुविश्वासी**—A person who readily believes in whatever is told to him—जो कुछ कहा जाए उस पर बहुत जल्दी विश्वास कर लेने वाला व्यक्ति
15. **Callous** (कैलस) **कठोर**—A man devoid of kind feeling and sympathy—कोमल भावना एवं सहानुभूति से रहित व्यक्ति
16. **Cosmopolitan** (कॉस्मोपोलिटन) **सर्वदेशीय**—A man who is broad and international in outlook—जो व्यक्ति विचारधारा में उदार और अन्तर्राष्ट्रीय हो
17. **Celibacy** (सेलिबेसी) **ब्रह्मचर्य**—To abstain from sex—यौन सम्बन्ध से दूर रहना
18. **Deteriorate** (डिटेरिओरेट) **बदतर होना**—To go from bad to worse—बद से बदतर होना
19. **Democracy** (डेमॉक्रेसी) **प्रजातन्त्र**—Government of the people, for the people, by the people—जनता का शासन

20. **Monarchy** (मोनार्की) **राजतंत्र**—Government by one—एक राजा का शासन
21 **Drawn** (ड्रान) **बराबर**—A game or battle in which neither party wins—एक ऐसा खेल अथवा युद्ध जिसमें कोई भी पक्ष नहीं जीतता
22. **Egotist** (ईगोटिस्ट) **अहंवादी**—A person who always thinks of himself—जो सदा अपने बारे में सोचता हो
23. **Epidemic** (ऐपीडैमिक) **महामारी**—A disease mainly contagious which spreads over huge area—ऐसा महारोग जो एक बड़े क्षेत्र में एक साथ फैल जाए
24. **Extempore** (एक्सटेम्पोर) **तत्काल-भाषित**—A speech made without previous preparation—बिना पहले से तैयार किया हुआ (अचानक दिया हुआ) भाषण
25. **Etiquette** (एटिकेट) **शिष्टाचार**—Established manner or rules of conduct—शिष्टाचार के स्थापित नियम और तौर-तरीके
26. **Epicure** (एपिक्योर) **अभिजात रुचि**—A person fond of refined enjoyment—जो श्रेष्ठ रुचि का व्यक्ति हो
27. **Exonerate** (एक्ज़ॉनरेट) **दोषमुक्त**—To free a person of all blames in a case—किसी अभियोग से किसी व्यक्ति को बिल्कुल मुक्त करना
28. **Eradicate** (एरैडिकेट) **उन्मूलन**—To root out an evil or a bad practice etc.—बुराई अथवा बुरी आदत को जड़ से उखाड़ना
29. **Fastidious** (फ़ास्टीडियस) **दुराध्य**—A person difficult to please—जिसे प्रसन्न करना कठिन हो
30. **Fatalist** (फेटेलिस्ट) **भाग्यवादी**—A person who believes that all events are predetermined or subject to fate—जो भाग्य को सब कुछ मानता है।
31. **Honorary** (ऑनरेरी) **अवैतनिक**—A post which doesn't carry any salary—ऐसा काम, जिसे बिना कोई वेतन लिए किया जाए
32. **Illegal** (इलुलीगल) **अवैध**—That which is against law—जो कानून के विरुद्ध हो
33. **Illiterate** (इल्लिटरेट) **निरक्षर**—A person who cannot read or write—जो व्यक्ति न पढ़ सकता हो, न लिख सकता हो
34. **Hostility** (होस्टिलिटी) **शत्रुता**—State of antagonism—दुश्मनी की दशा
35. **Incorrigible** (इनकोरिजिबल्) **अशोध्य**—That which is past correction—जिसे शुद्ध नहीं किया जा सकता
36. **Irritable** (इरिटेबल) **आशुक्रोधी**—A man who is easily irritated—जो व्यक्ति जल्दी गुस्से में आ जाता है
37. **Irrelevant** (इर्रैलेवैंट) **अनर्गल**—Not to the point—विषय से हटकर (कहना)
38. **Invisible** (इन्विज़िबल्) **अदृश्य**—That which cannot be seen—जिसे देखा न जा सके
39. **Inaudible** (इन्ऑडिबल्) **अश्रव्य**—That which cannot be heard—जिसे सुना न जा सके
40. **Incredible** (इनक्रैडिबल्) **अविश्वसनीय**—That which cannot be believed—जिस पर विश्वास न किया जा सके
41. **Irreadable** (इर्रिडेबल) **अपठनीय**—That which cannot be read—जिसे पढ़ा न जा सके
42. **Impracticable** (इम्प्रेक्टिकेबल्) **अव्यवहार्य**—That which cannot be practised—जिसे व्यवहार में न लाया जा सके
43. **Invincible** (इन्विंसिबल्) **अजेय**—That which cannot be conquered—जिस पर विजय न पाई जा सके
44. **Indispensable** (इन्डिस्पैंसेबल) **अनिवार्य**—That which cannot be ignored—जिसके बिना काम न चल सके
45. **Inevitable** (इन्एविटेबल) **अपरिहार्य**—That which cannot be avoided—जिससे बचा न जा सके
46. **Irrevocable** (इर्रीवोकेबल) **अपरिवर्तनीय**—That which cannot be changed—जिसे बदला या परिवर्तित न किया जा सके
47. **Illicit** (इल्लीसिट) **अवैध**—A trade which is prohibited by law—वह व्यापार जो गैरकानूनी हो
48. **Insoluble** (इन्सॉल्यूबल्) **असमाधेय**—A problem which cannot be solved—वह समस्या जो हल न की जा सके
49. **Inflammable** (इन्फ्लैमेबल्) **प्रज्वलनशील**—Liable to catch fire easily—वह वस्तु जो आसानी से आग पकड़ सके
50. **Infanticide** (इफेंटिसाइड) **शिशुहंता या शिशुहत्या**—Murderer of infants or killing of infants—शिशुओं की हत्या करने वाला या शिशुओं की हत्या

51. **Matricide** (मैट्रीसाइड) **मातृहंता या मातृहत्या**—The murderer or murder of one's own mother—अपनी माता की हत्या करने वाला या अपनी माता की हत्या

52. **Patricide** (पैट्रिसाइड) **पितृहंता या पितृहत्या**—The murderer or murder of one's own father—अपने पिता की हत्या करने वाला या अपने पिता की हत्या

53. **Kidnap** (किडनैप) **अपहरण**—To carry away a person forcibly—किसी व्यक्ति को जबर्दस्ती उठा ले जाना

54. **Medieval** (मैडिएवल) **मध्ययुगीन**—Belonging to the middle ages—मध्ययुग से सम्बन्धित

55. **Matinee** (मैटिनी) **दोपहर बाद का शो**—A cinema show which is held in the afternoon—सिनेमा शो, जो दोपहर बाद शुरू हो

56. **Notorious** (नटोरियस) **कुख्यात**—A man with evil reputation—वह व्यक्ति जो बदनाम हो

57. **Manuscript** (मैनुस्क्रिप्ट) **पाण्डुलिपि**—Hand written pages of a literary work—साहित्यिक कृति के हाथ से लिखे पृष्ठ

58. **Namesake** (नेमसेक) **नाम राशि, समनाम**—Person having the same name—जिसका नाम दूसरे से मिलता-जुलता हो या एक समान हो

59. **Novice** (नोविस) **नौसिखिया**—One who is new to some trade or profession—जो किसी व्यापार या धन्धे में नया हो

60. **Omnipotent** (ओम्निपोटेंट) **सर्वशक्तिमान**—One who is all powerful—जो सब प्रकार की शक्ति से पूर्ण हो

61. **Omnipresent** (ओम्निप्रेज़ेंट) **सर्वव्यापक**—One who is present everywhere—जो सब जगह विद्यमान हो

62. **Optimist** (ऑप्टिमिस्ट) **आशावादी**—One who looks at the bright side of a thing—जो किसी वस्तु के उजले पक्ष को ही देखता हो

63. **Panacea** (पैनेसिया) **रामबाण औषध**—A remedy for all diseases—सभी रोगों का इलाज

64. **Polyandry** (पोलियैंड्री) **बहुपतित्व**—Practice of having more than one husband at a time—एक समय में एक से अधिक पतियों से विवाह करने की क्रिया

65. **Polygamy** (पोलिगैमी) **बहुपत्नीत्व**—Practice of having more than one wife at a time—एक समय में एक से अधिक पत्नियों का होना

66. **Postmortem** (पोस्टमार्टम) **मरणोपरान्त चीर-फाड़**—Medical examination of a body held after death—मृत्यु के बाद शव की डाक्टरी जाच

67. **Pessimist** (पैसिमिस्ट) **निराशावादी**—One who looks at the dark side of things—जो किसी वस्तु के खराब पक्ष को ही देखता है

68. **Postscript** (पोस्टस्क्रिप्ट) **पश्चलेख**—Any thing written in the letter after it has been signed—किसी पत्र के लिखे जाने और हस्ताक्षर होने के बाद जोड़े गये शब्द

69. **Red-tapism** (रैडटेपिज़्म) **लालफीताशाही**—Too much official formality—बहुत अधिक दफ्तरी औपचारिकता

70. **Synonyms** (सिनॉनिम्स) **पर्यायवाची**—Words which have the same meaning—जिन शब्दों के अर्थ एक समान हो

71. **Smuggler** (स्मगलर) **तस्कर**—The importer or exporter of goods without paying customs duty—निषिद्ध माल या चुंगी का महसूल दिये बिना माल को विदेशों से लाने वाला और यहां से बाहर ले जाने वाला

72. **Vegetarian** (वैजिटेरियन) **शाकाहारी**—One who eats vegetables only—जो केवल शाक-सब्ज़ियां खाते हैं, पर जो अण्डा, मच्छली, मांस नहीं खाते

73. **Venial** (वीनियल) **क्षम्य**—A pardonable fault—वह अपराध जो क्षमा करने योग्य हो

74. **Veteran** (वैटरन) **अनुभवी**—A person possessing long experience of military service or of any occupation—वह व्यक्ति जिसे सैनिक सेवा का या किसी पेशे का अच्छा-खासा अनुभव हो

75. **Zoology** (जुओलॉजी) **जन्तु विज्ञान**—The science dealing with the life of animals—पशुओं के जीवन से सम्बन्धित विज्ञान

जन्तुओं के नाम का मुहावरेदार प्रयोग
(IDIOMATIC USE OF ANIMAL NAME)

अंग्रेज़ी भाषा में जन्तुओं को लेकर बहुत से मुहावरेदार प्रयोग प्रचलित हैं। नीचे कुछ ऐसे प्रमुख प्रयोग दिए गए हैं। इनके द्वारा कोई भी अंग्रेज़ी सीखने का इच्छुक व्यक्ति अपनी भाषा को समृद्ध बना सकता है।

मुहावरेदार उक्ति उच्चारण सहित **Phrases with Pronunciation**	लाक्षणिक अर्थ **Idiomatic Meaning**	शाब्दिक अर्थ **Literal Meaning**
1. A bear (ए बेयर)	एक अशिष्ट व्यक्ति	एक रीछ
2. A cat (ए कैट)	एक खराब औरत	एक बिल्ली
3. A drone (ए ड्रोन)	एक निठल्ला व्यक्ति	एक नर मक्खी
4. A dotterel (ए डॉटेरेल)	एक मूढ़ व्यक्ति	एक टिटहरी
5. A dog (एक डॉग)	एक घृणास्पद व्यक्ति	एक कुत्ता
6. A fox (ए फॉक्स)	एक धूर्त व्यक्ति	एक नर लोमड़ी
7. A goose (ए गूज़)	एक मूर्ख व्यक्ति	एक हंस
8. A gull (ए गल)	एक भोंदू इन्सान	एक मुर्गाबी
9. A lamb (ए लैम)	अबोध और हानिरहित व्यक्ति	एक मेमना
10. A monkey (ए मंकी)	नकलची व्यक्ति	एक बंदर
11. A parrot (ए पैरॅट)	रट्टामार इन्सान	एक तोता
12. A pig (ए पिग)	पेटू	एक सुअर
13. A scorpion (ए स्कॉर्पियन)	खतरनाक व्यक्ति	एक बिच्छू
14. A viper (ए वाइपर)	धूर्त व्यक्ति	एक ज़हरीला सांप
15. A vixen (ए विक्सन)	धूर्त महिला	एक लोमड़ी

जानवरों को लेकर कुछ आलंकारिक उक्तियां भी अंग्रेज़ी में प्रचलित हैं। इन्हें समझिए और मन में बैठाइए—

1. crocodile tears (क्रॉकोडाइल टिअर्स)	झूठे आंसू
2. dirt-cheap (डर्ट-चीप)	बहुत सस्ता
3. dog-cheap (डौग-चीप)	कौड़ियों के मोल
4. horse-laugh (हॉर्स-लाफ़)	ऊंची भद्दी हंसी की आवाज़
5. hen-pecked (हैन-पेक्ड)	जोरू का गुलाम
6. pig-headed (पिग-हेडेड)	मूर्ख और जड़
7. chicken-hearted (चिकन-हार्टेड)	डरपोक

विपरीतार्थक या विलोम शब्द
(ANTONYMS OR WORDS OF OPPOSITE MEANING)

शब्दों के विपरीतार्थक शब्द जानना भाषा की समृद्धि के लिए बड़ा उपयोगी है। आप इस तरह बड़ी आसानी से अपना शब्द-ज्ञान बढ़ा सकते हैं। कुछ शब्दों में Prefix (उपसर्ग) बदलने से विलोम शब्द बन जाते हैं। नीचे कुछ शब्द दिए गए हैं—

शब्द, उच्चारण एवं अर्थ **Words, Pronunciation & Meaning**	विपरीतार्थक शब्द, उच्चारण एवं अर्थ **Opposite Words, Pronunciation & Meaning**
ability (एबिलिटी) योग्यता	inability (इन्-एबिलिटी) अयोग्यता
happy (हैप्पी) प्रसन्न	unhappy (अनहैप्पी) अप्रसन्न

import (इंम्पोर्ट) आयात | export (एक्सपोर्ट) निर्यात
interior (इंटीरियर) भीतरी | exterior (एक्सटीरियर) बाहरी
maximum (मैक्सिमम) अधिकतम | minimum (मिनिमम) न्यूनतम
include (इन्क्लूड) शामिल करना | exclude (एक्सक्लूड) निकालना
junior (जूनियर) अवर, छोटा | senior (सीनियर) प्रवर, बड़ा
majority (मेजौरिटी) बहुमत | minority (माइनौरिटी) अल्पमत
optimist (ऑप्टिमिस्ट) आशावादी | pessimist (पैसीमिस्ट) निराशावादी
superior (सुपीरियर) बढ़िया | inferior (इन्फ़ीरियर) घटिया

बहुत-से शब्दों के विलोम शब्द बनाने के लिए दूसरे शब्द ढूंढने पड़ते हैं। अर्थात् वे भिन्न-भिन्न शब्द होते हैं, पर उनके अर्थ ठीक उल्टे होते हैं। ऐसे शब्द नीचे दिए जाते हैं।

above (एबव्) ऊपर | below (बिलो) नीचे
accept (ऐक्सैप्ट) स्वीकार करना | refuse (रिफ़्यूज़) अस्वीकार करना
acquire (ऐक्वायर) पाना | lose (लूज़) खोना
ancient (एनशियंट) प्राचीन | modern (मॉडर्न) नवीन
agree (ऐग्री) सहमत होना | differ (डिफ़र) असहमत होना
alive (एलाइव) जीवित | dead (डैड) मृत
admire (ऐडमायर) प्रशंसा करना | despise (डिस्पाइज़) निन्दा करना
barren (बैरन) बंजर | fertile (फ़र्टाइल) उपजाऊ
big (बिग) बड़ा | small (स्मॉल) छोटा
blunt (ब्लंट) कुंद | sharp (शार्प) तेज़
bold (बोल्ड) साहसी | timid (टिमिड) कायर
bright (ब्राइट) चमकदार | dim (डिम) धुंधला
broad (ब्रॉड) चौड़ा | narrow (नैरो) तंग
civilised (सिविलाइज्ड) सभ्य | savage/barbaric (सैवेज/बारबैरिक) असभ्य
care (केयर) देखभाल | neglect (निग्लैक्ट) लापरवाही
clean (क्लीन) साफ | dirty (डर्टी) गंदा
confess (कन्फ़ैस) स्वीकार करना | deny (डिनाइ) इन्कार करना
cool (कूल) ठंडा | warm (वॉर्म) गर्म
cruel (क्रुएल) क्रूर | merciful/kind (मर्सीफुल/काइंड) दयालु
domestic (डोमैस्टिक) पालतू | wild (वाइल्ड) जंगली
difficult (डिफ़िकल्ट) कठिन | easy (ईज़ी) आसान
danger (डेंजर) खतरा | safety (सेफ्टी) सुरक्षा
dark (डार्क) अंधियारा | bright (ब्राइट) उजाला
death (डैथ) मृत्यु | birth (बर्थ) जन्म
debit (डैबिट) उधार खाता | credit (क्रैडिट) जमा खाता
early (अर्ली) जल्दी | late (लेट) देर
earn (अर्न) कमाना | spend (स्पैंड) खर्च करना
empty (एम्पटी) खाली | full (फुल) भरा हुआ
enjoy (एन्जॉय) मौज मनाना | suffer (सफ़र) तकलीफ़ सहना
freedom (फ्रीडम) स्वतन्त्रता | slavery (स्लेव्री) दासता

fierce (फीअर्स) निर्दय
false (फ़ॉल्स) झूठा
fat (फ़ैट) मोटा
fine (फ़ाइन) उम्दा
foolish (फुलिश) मूर्ख
fresh (फ़्रैश) ताज़ा
fear (फ़िअर) भय
guilty (गिल्टी) दोषी
gain (गेन) लाभ
good (गुड) अच्छा
guide (गाइड) पथ प्रदर्शन करना
handsome (हैंडसम) सुन्दर
high (हाई) ऊंचा
humble (हंबल) विनम्र
honour (ऑनर) सम्मान करना
joy (जॉय) हर्ष
knowledge (नॉलेज) ज्ञान
kind (काइंड) दयालु
lie (लाइ) झूठ
little (लिटिल) थोड़ा
masculine (मैस्कुलिन) पुल्लिग (नर)
make (मेक) निर्माण करना
natural (नैचरल) कुदरती
noise (नॉयज़) शोर
oral (ओरल) मौखिक
pride/arrogance (प्राइड/ऐरोगैन्स) घमण्ड
permanent (परमानेंट) स्थायी
presence (प्रेज़ेन्स) उपस्थिति
profit (प्रॉफ़िट) लाभ
prose (प्रोज़) गद्य
quick (क्विक) तेज़
receive (रिसीव) प्राप्त करना
reject (रिजेक्ट) अस्वीकार करना
ripe (राइप) पक्का
rough (रफ़) खुरदरा
remember (रिमैम्बर) याद करना
rich (रिच) धनी
superior (सुपीरियर) बढ़िया
sharp (शार्प) तेज़
thick (थिक) मोटा
tragedy (ट्रैजेडी) दुःखान्त
universal (युनिवर्सल) सर्वजनीन

gentle (जैंटल) सदग
true (ट्रू) सच्चा
thin (थिन) पतला
coarse (कोर्स) घटिया
wise (वाइज़) बुद्धिमान
stale (स्टेल) बासी
courage (करेज) साहस
innocent (इन्नोसैंट) निर्दोष
loss (लॉस) हानि
bad (बैड) बुरा
misguide (मिसगाइड) भटकाना
ugly (अग्ली) भद्दा
low (लो) नीचा
proud/arrogant (प्राउड/ऐरोगैन्ट) घमण्डी
dishonour (डिसऑनर) अनादर करना
sorrow (सॉरो) विषाद
ignorance (इग्नोरेन्स) अज्ञान
cruel (क्रुएल) क्रूर
truth (ट्रुथ) सच
much (मच) ज़्यादा
feminine (फ़ेमिनिन) स्त्रीलिंग (मादा)
mar (मार) विनाश करना/break (ब्रेक) तोड़ना
artificial (आर्टिफ़िशल) बनावटी
silence (साइलैन्स) शान्ति
written (रिटेन) लिखित
humility (ह्युमिलिटी) विनम्रता
temporary (टैंपरेरी) अस्थायी
absence (ऐबसैन्स) अनुपस्थिति
loss (लॉस) हानि
poetry (पोइट्री) पद्य
slow (स्लो) धीरे
give (गिव) देना
accept (एक्सैप्ट) स्वीकार करना
raw (रॉ) कच्चा
smooth (स्मूथ) चिकना
forget (फ़ॉर्गेट) भूलना
poor (पुअर) गरीब
inferior (इन्फ़ीरियर) घटिया
dull (डल) कुन्द
thin (थिन) पतला
comedy (कॉमेडी) सुखान्त
particular (पर्टिकुलर) व्यक्तिगत

victory (विक्ट्री) विजय — defeat (डिफ़ीट) पराजय
wild (वाइल्ड) जंगली — tame/domestic (टेम/डोमैस्टिक) पालतू
weak (वीक) कमज़ोर — strong (स्ट्रौंग) मज़बूत
wisdom (विज़्डम) बुद्धिमत्ता — folly (फ़ॉली) मूर्खता
youth (यूथ) युवक — aged (एजेड) अधेड़

राष्ट्रीयता बताने वाले शब्द
(WORDS DENOTING NATIONALITY)

हिन्दी में जैसे चीन, बर्मा, अमैरिका और रूस आदि देश के वासी को क्रमशः चीनी, बर्मी, अमरिकी और रूसी आदि कहते हैं, इसी प्रकार अंग्रेज़ी में क्रमशः चाइनीज़, बर्मन, अमैरिकन, रशियन आदि कहते हैं। अंग्रेज़ी सीखने वाले व्यक्तियों को अंग्रेज़ी में इन देशों और इनके देशवासियों के लिए प्रयुक्त शब्द, जिससे अंग्रेज़ी का रंग उनकी ज़ुबान पर पड़ सके, नीचे दिए जा रहे हैं—

देश Countries	निवासी Inhabitants	देश Countries	निवासी Inhabitants
America अमैरिका	American अमैरिकन	Iraq इराक	Iraqi ईराकी
Argentina (अर्जेन्टिना)	Argentine अर्जेटाइन	Ireland आयरलैंड	Irish आयरिश
Belgium बेल्जियम	Belgian बेल्जियन	Israel इस्रायल	Israeli इस्रायली
Bhutan भूटान	Bhutanese भूटानीज़	Italy इटली	Italian इटैलियन
Burma बर्मा	Burmese बर्मीज़	Kuwait कुवैत	Kuwaiti कुवैती
Canada कैनेडा	Canadian कैनेडियन	Malaya मलाया	Malayan मलेयन
Ceylon सीलोन	Ceylonese सीलोनीज़	Morocco मोरौक्को	Moroccan मोरौक्कन
China चाइना	Chinese चाइनीज़	Nepal नेपाल	Nepalese नेपालीज़
Egypt ईजिप्ट	Egyptian ईजिप्शियन	Pakistan पाकिस्तान	Pakistani पाकिस्तानी
England इंग्लैंड	English इंग्लिश	Poland पोलैंड	Pole पोल
France फ्रांस	French फ्रैंच	Russia रशिया	Russian रशियन
Greece ग्रीस	Greek ग्रीक	Sweden स्वीडन	Swede स्वीड
India इंडिया	Indian इंडियन	Turkey टर्की	Turk टर्क
		Yugoslavia यूगोस्लाविया	Yugoslav यूगोस्लाव

कुछ महत्त्वपूर्ण वाक्यांश
(SOME IMPORTANT PHRASES)

कुछ मुहावरेदार उक्तियों में एक प्रकार के (जोड़े) शब्द प्रयोग में आते हैं। ये एक तरह से मुहावरे का रूप धारण कर लेते हैं अतः इनके शब्दों में तनिक भी हेर-फेर नहीं होना चाहिए। ये मुहावरेदार उक्तियां अभिव्यक्ति के स्वर को और तीक्ष्ण बना देती हैं।

1. **Again and again** (एगेन एण्ड एगेन)—**बार-बार**
   We shouldn't commit mistakes again and again—हमें बार-बार गलतियां नहीं करनी चाहिएं।
2. **Now and again** (नाउ एण्ड अगेन)—**कभी-कभी, कभी-कभार**
   Now and again, a genius is born—महान प्रतिभा कभी-कभार उत्पन्न होती है।
3. **All in all (ऑल इन ऑल)—सर्वेसर्वा, अर्थात् सभी कुछ**
   In his sister's marriage, Mohan was all in all—अपनी बहन की शादी पर मोहन सर्वेसर्वा था।

4. **All and sundry** (ऑल एण्ड संड्री)—**व्यक्तिगत रूप में और सामूहिक रूप में आये लोग**
   All and sundry came to the meeting—बहुत से लोग व्यक्तिगत रूप में अथवा सामूहिक रूप में सभा में उपस्थित हुए।
5. **Back and belly** (बैक एण्ड बैली)—**कपड़ा और रोटी**
   The days have gone when the problems of a labourer concerned only back and belly—वे दिन चले गये जब मज़दूरों की समस्या केवल कपड़ा और रोटी की थी।
6. **Bag and Baggage**(बैग एण्ड बैगेज)—**बोरिया-बिस्तर के साथ**
   The British left India in 1947 bag and baggage—ब्रिटेनवासी 1947 में बोरिया-बिस्तर के साथ भारत छोड़ गये।
7. **Before and behind** (बिफ़ोर एण्ड बिहाइंड)—**आगे बढ़कर**
   In World War II our soldiers fought before and behind—द्वितीय महायुद्ध में हमारे सैनिक बॉर्डर पर आगे बढ़कर लड़े।
8. **Betwixt and between** (बिटविक्स्ट एण्ड बिट्वीन)—**आपस में आधा-आधा**
   Whatever they earn, they will share betwixt and between—जो कुछ वे कमाएंगे, वे आपस में आधा-आधा बांटेंगे।
9 **Bread and butter** (ब्रैड एण्ड बटर)—**जीविका अर्थात् रोज़ी रोटी**
   One should be satisfied if one gets bread and butter these days—इन दिनों यदि कोई रोज़ी-रोटी कमा लेता है, तो उसे सन्तुष्ट रहना चाहिए।
10. **Fetch and carry** (फ़ैच एण्ड कैरी)—**अधीनस्थ अथवा छोटे रुतबे वाला होना**
   I'm content to fetch and carry, for uneasy lies the head that wears a crown—मैं छोटी हस्ती का कर्मचारी होने पर संतुष्ट हूं, क्योंकि जो सत्ता का भार संभालता है वह चैन की नींद नहीं सो सकता।
11. **Goods and chattel** (गुड्स एण्ड चैटल)—**चल सम्पत्ति**
   We bought goods and chattel when we migrated to India—जब हम भारत में आये तो हमने चल सम्पत्ति खरीदी।
12. **Chock-a-block** (चॉक-ए-ब्लॉक)—**एक दूसरे से सटे हुए, टेढ़े-मेढ़े**
   Chock-a-block houses have made Indian cities ugly. टेढ़े-मेढ़े मकानों ने भारतीय शहरों को बदसूरत बना दिया है।
13. **Pick and choose** (पिक एण्ड चूज़)—**ध्यान से चुनना**
   We must pick and choose our career before it is too late—हमें अपना भविष्य समय रहते सावधानी से चुन लेना चाहिए।
14. **Every now and again** (एवरी नाउ एण्ड एगेन)—**बीच-बीच में आना**
   She comes to see me every now and again—वह मुझे देखने के लिए बीच-बीच में आती है।
15. **See eye to eye** (सी-आइ टु आइ)—**पूर्ण रूप से सहमत होना**
   He didn't see eye to eye with me on many issues. वह कई बातों पर मुझसे असहमत रहा।
16. **Face to face** (फ़ेस टु फ़ेस)—**आमने-सामने**
   We have had a face to face talk, so now we can understand each other's point of view—हमने आमने-सामने बातचीत की है अत: हम एक-दूसरे का दृष्टिकोण समझ सकते हैं।
17. **Fair and square** (फ़ेअर एण्ड स्क्वेयर)—**शुद्ध और उचित**
   Let all our actions be fair and square—हमारे सभी आचरण शुद्ध और उचित हों।
18. **Fee-faw-fum** (फ़ी-फ़ॉ-फ़ॅम)—**बच्चों को डराने के लिए हुड़दंग मचाना**
   India is not to be cowed down by Pakistan's fee-faw-fum—पाकिस्तान के बचकाने हुड़दंग से भारत को डराया-धमकाया नहीं जा सकता।
19. **Flux and reflux** (फ्लक्स एण्ड रिफ्लक्स)—**बड़ा बहस-मुबाहिसा अथवा वाद-विवाद**
   There was a great flux and reflux in the drawing room—बैठक में बड़ा-वाद-विवाद होता रहा।
20. **Give and take** (गिव एण्ड टेक)—**आदान-प्रदान**
   It's always give and take in life. जीवन में सदैव आदान-प्रदान चलता रहता है।

21. **Goody-goody** (गुडी-गुडी)—**ऊपर से अच्छे दिखाई देने वाले लोग**
The world is full of goody-goody people, but hardly a good man—दुनिया ऊपर ही से अच्छे दिखाई देने वाले लोगों से भरी पड़ी है, पर कोई अच्छा व्यक्ति बड़ी मुश्किल से मिलता है।

22. **Hand in hand** (हैंड इन हैंड)—**सद्‌भावपूर्वक, हाथ से हाथ मिलाकर**
They walked hand in hand—वे हाथ से हाथ मिलाकर अर्थात् सद्‌भाव से मिलकर चले।

23. **Haves and have-nots** (हैव्स एण्ड हैव-नॉट्स)—**धनी और निर्धन**
There has always been a conflict between the haves and have-nots—सदा धनियों और निर्धनों के बीच द्वन्द्व रहा है।

24. **Hodge-podge** (हॉज-पॉज)—**अस्त-व्यस्त अथवा गड़बड़ करना**
While trying his hand at cooking for the first time, he made a hodge-podge of everything—पहली बार खाना बनाने की कोशिश में उसने सब कुछ गड़बड़ कर दिया।

25. **Humpty-dumpty** (हम्पटी-डम्पटी)—**लड़खड़ाता हुआ**
Capitalism is humpty-dumpty these days—साम्राजयवाद लड़खड़ा रहा है (अब गिरा तब गिरा)

26. **Ins and outs** (इन्स ऐंड आउट्स)—**छोटी से छोटी बातें जानना**
He knows all the ins and outs of this profession—वह इस व्यवसाय की छोटी से छोटी बातें जानता है।

27. **Law and order** (लॉ एण्ड ऑर्डर)—**अनुशासन एवं व्यवस्था**
There can not be any democracy without law and order—अनुशासन एवं व्यवस्था के बिना प्रजातंत्र का अस्तित्व नहीं।

28. **Off and on** (ऑफ़ एण्ड ऑन)—**जब-तब**
He comes to your shop off and on—वह तुम्हारी दुकान पर जब-तब आता है।

29. **Rain or shine** (रेन और शाइन)—**चाहे कैसा भी मौसम क्यों न हो**
Rain or shine, we must attend to our duties—वर्षा हो या कड़कती धूप हमें अपने काम पर जाना चाहिए।

30. **Really and truly** (रियली एण्ड ट्रूली)—**निश्चित रूप से**
Really and truly, I'll do your work. निश्चित रूप से मैं आपका काम कर दूंगा।

31. **Tit for tat** (टिट् फ़ॉर टैट)—**जैसे को तैसा (करना)**
Tit for tat cannot end a dispute—जैसे को तैसा करने से झगड़ा समाप्त नहीं हो सकता।

32. **Tittle-tattle** (टिटल-टैटल)—**फुसफुस करना**
We just waste time in tittle-tattle. फुसफुस करने से हम केवल समय नष्ट करते हैं।

33. **Ups and downs** (अप्स एण्ड डाउन्स)—**जीवन की विषमताएं**
The great men rise through the ups and downs of life—महान् व्यक्ति जीवन की विषमताओं के बीच में से ऊंचा उठते हैं।

ऐसे शब्द जिनसे लोग भ्रमित हो जाते हैं

(WORDS WHICH COMMONLY CONFUSE)

किसी भाषा में शब्दों का उचित प्रयोग एक मुख्य बात है। इसके लिए निरन्तर अभ्यास और प्रयत्न की आवश्यकता है। हमें शब्द का प्रयोग करने से पूर्व उसका अर्थ आना चाहिए। कुछ शब्द ऐसे होते हैं जो होते अलग-अलग हैं, पर दोनों के अर्थ पास-पास होते हैं। ऐसे शब्दों को भली-भांति मन में बैठाइए और फिर दोनों के अर्थ में जो अन्तर है, उसे वाक्यों के द्वारा स्पष्ट रूप से समझ लीजिए।

1. **admit** (ऐडमिट)—सत्य के रूप में स्वीकार करना
confess (कन्फ़ैस)—गलती स्वीकार करना
(a) I *admit* that you are abler than I am—मैं यह स्वीकार करता हूं कि तुम मुझसे अधिक योग्य हो।
(b) He *confessed* his guilt before the judge—उसने जज के सामने अपना दोष स्वीकार किया।

2. **among** (एमंग)—दो से अधिक व्यक्तियों या वस्तुओं के बीच
between (बिट्वीन)—दो व्यक्तियों या वस्तुओं के बीच
(a) The property was divided *among* four children—सम्पत्ति को चार बच्चों में बांटा गया।
(b) The property was divided *between* two children—सम्पत्ति को दो बच्चों में बांटा गया।

3. **amount** (एमाउंट)—अर्थात् ऐसी मात्रा जिसे एक-एक करके गिना नहीं जा सकता।
number (नंबर)—अर्थात् ऐसी मात्रा जिसे एक-एक करके गिना जा सकता है।
(a) A large *amount* of rice was delivered to the store-house—स्टोर को चावल की काफी मात्रा दी गयी।
(b) A large *number* of bags of rice was delivered—चावल की बहुत सी बोरियां दी गयीं।

4. **anxious**—(ऐंक्शस) अर्थात् चिन्तित या चिन्तातुर
eager (ईगर)—अर्थात् उत्सुक या बहुत अधिक उत्कंठित
(a) We were *anxious* about his health—हम उसकी सेहत के बारे में चिन्तित थे।
(b) We are *eager* to see him healthy again—हम उसे दुबारा सेहतमंद देखने के लिए उत्सुक हैं।

5. **apt** (एप्ट)—प्रवृति *(adjective)*
liable (लाइबूल)—जिम्मेदार *(adjective)*
(a) He is *apt* to get into mischief—शरारत करना उसकी प्रवृति है।
(b) If you drive rashly, you are *liable* to a heavy fine—यदि तुम गाड़ी तेज चलाओगे तो तुम भारी जुर्माने के जिम्मेदार हो।

6. **artisan** (आर्टिज़न)—जो किसी दस्तकारी का काम करता हो, अर्थात् दस्तकार
artist (आर्टिस्ट)—जो किसी कला में प्रवीण हो, अर्थात् कलाकार
(a) That carpenter is a good *artisan*—वह बढ़ई एक अच्छा दस्तकार है।
(b) Kalidas was a good *artist*—कालिदास एक अच्छा कलाकार था।

7. **as** (ऐज़)—जैसा (योजक-शब्द, जिसके बाद क्रिया लगती है।)
like (लाइक)—जैसा (पूर्व विभक्ति या कारक चिन्ह के रूप में प्रयोग होता है।
(a) Do *as* I do, not *as* as I say—जैसा मैं करता हूं वैसा करो, जैसा मैं कहता हूं वैसा नहीं।
(b) Try not to behave *like* a child—बच्चों की तरह व्यवहार करने का यत्न न करो।

8. **audience** (ऑडिअन्स)—अर्थात् श्रोताओं का समूह
spectators (स्पैक्टेटर्स)—अर्थात् दर्शकों का समूह
(a) The speaker bored the *audience* with his long speech—भाषणकर्ता ने लम्बे भाषण से श्रोतागणों को उकता दिया।
(b) The slow hockey game bored the *spectators*—हॉकी के धीमे खेल से दर्शक उकता गये।

9. **better** (बैटर)—अर्थात् पहले से कुछ स्वस्थ (पूरी तरह स्वस्थ नहीं)
well (वैल)—अर्थात् पूरी तरह स्वस्थ
(a) She is *better* today than she was a week ago—वह एक हफ्ता पहले की अपेक्षा आज अधिक स्वस्थ है।

(b) In a month or two she will be quite *well*—एक-दो महीनों में वह पूर्णतः स्वस्थ हो जाएगी।

10. **both** (बोथ)—अर्थात् दोनों (ये दोनों आपस में सम्बन्धित होते हैं)
each (ईच)—प्रत्येक अर्थात् दो या दो से अधिक लोगों में से हर एक
(a) *Both* the sisters are beautiful—दोनों बहनें सुन्दर हैं।
(b) *Each* girl has a new book—हरेक लड़की के पास एक नई पुस्तक है।

11. **Bring** (ब्रिंग)—अर्थात् लाना
take (टेक)—अर्थात् ले जाना
(a) *Bring* a bread from the bazaar—बाजार से एक डबल रोटी ले आओ।
(b) *Take* your breakfast with you when you go to the school—जब तुम स्कूल जाओ तो अपना नाश्ता साथ लेते जाओ।

12. **Can** (कैन)—अर्थात् शारीरिक रूप में समर्थ
may (मे)—आज्ञा या अनुमति के अर्थ में
(a) She is so weak that she *cannot* walk—वह इतनी कमज़ोर है कि चल फिर नहीं सकती।
(b) *May* I come in—क्या मैं अन्दर आ सकती हूं?

13. **climate** (क्लाइमेट)—एक औसत मौसम जो कि सालों से एक निश्चित समय में रहता हो अर्थात् आबो-हवा।
weather (वैदर)—वातावरण की दिन-प्रतिदिन की स्थिति अर्थात् मौसम
(a) I like the *climate* of Simla more than that of Dehradun—मैं देहरादून की आबो-हवा की अपेक्षा शिमला की आबो-हवा अधिक पसन्द करता हूं।
(b) The *weather* was stormy—आंधी का मौसम था।

14. **couple** (कपल)—जोड़ा
pair (पेअर)—जोड़ा अर्थात् दो ऐसी (एक-सी) वस्तुएं
(a) Two *couples remained on dance floor*—दो जोड़े नाच के फर्श पर रह गये।
(b) I have a new *pair* of shoes—मेरे पास एक नया जूते का जोड़ा है।

15. **despise** (डिसपाइज़)— घृणा करना।[1]
detest (डिटैस्ट)—पसंद न करना।
(a) Some people *despise* the poor[2]—कुछ लोग गरीबों से घृणा करते हैं।
(b) I *detest* hot weather–मैं गर्मी का मौसम पसन्द नहीं करता।

16. **each other** (ईच अॅदर)—आपस में (दो व्यक्तियों में)
one another (वन अनेदर)—एक-दूसरे से (दो व्यक्तियों से अधिक व्यक्तियों में)
(a) Kavita and Savita have known *each other* for ten years—कविता और सविता आपस में दस बरसों से परिचित हैं।
(b) These four girls have known *one another* for ten years—ये चार लड़कियां एक दूसरी से दस बरसों से परिचित हैं।

17. **former** (फ़ॉर्मर)—अर्थात् दो में से पहला
latter (लैटर)—अर्थात् दो में से दूसरा
(a) The *former* half of the film was dull—फ़िल्म का पहला आधा भाग नीरस था।
(b) The *latter* half of the film was interesting—फिल्म का दूसरा आधा भाग रोचक था।

18. **habit** (हैबिट)—अर्थात् व्यक्तिगत स्वभाव अथवा आदत
custom (कस्टम)—अर्थात् समाजगत चलन अथवा प्रथा
(a) Gambling is a habit with him—उसे जुआ खेलने की आदत है।
(b) It is a *custom* among Hindus to cremate the dead—हिन्दुओं में मृत व्यक्ति को जलाने की प्रथा है।

19. **if** (इफ़)—शर्त-सूचक अव्यय, यदि
whether (वैदर)—विकल्प-सूचक अव्यय, गोया
(a) She'll get through the examination *if* she works hard—यदि वह मेहनत करेगी तो उतीर्ण हो जायेगी।
(b) She asked me *whether* I intended to go to cinema—उस (महिला) ने मुझसे पूछा कि क्या मैं सिनेमा जाना चाहता था।

20. **if it was** (इफ़ इट वॉज़)—अर्थात् यदि ऐसा था
if it were (इफ़ इट वर)—अर्थात् यदि ऐसा होता (वस्तुतः है नहीं)

---

[1] 'घृणा करना' और 'पसंद न करना' दो अलग-अलग वस्तुएं हैं।

[2] Poor शब्द एक वचन और बहुवचन में एक समान रहता है।

(a) *If* it was there in the morning, it should be there now—यदि वह वस्तु प्रातः वहां थी तो अब भी वहीं होनी चाहिए।

(b) If I *were* the Prime Minister of India, I would remove poverty—अगर मैं भारत का प्रधान मंत्री होता, तो गरीबी हटा देता।

21. **in** (इन्)—में, के अन्दर (इसमें गति नहीं होती)
into (इन्टू)—में, के अन्दर (इसमें एक जगह से दूसरी जगह गति या हरकत होती है)

(a) The papers are *in* my drawer—कागज़ात मेरी दराज़ में हैं।

(b) You put the papers *into* my drawer—तुमने मेरी दराज़ में कागज़ात रखे।

22. **learn** (लर्न)—अर्थात् ज्ञान प्राप्त करना
teach (टीच)—अर्थात् ज्ञान देना

(a) They *learn* to read English.—वे अंग्रेज़ी पढ़ना सीखते हैं।

(b) They *teach* English—वे अंग्रेज़ी सिखाते हैं।

23. **leave** (लीव)—अर्थात् छोड़ना (यह मुख्य क्रिया है)
let (लैट)—अर्थात् अनुमति देना (यह सहायक क्रिया है। इसके साथ कोई न कोई क्रिया लगती है)

(a) *Leave* this room at once—इस कमरे को तुरन्त छोड़ दो।

(b) *Let* me go now—अब मुझे जाने दो। (इस वाक्य में let सहायक क्रिया के साथ go मुख्य क्रिया आई है)

24. **legible** (लैजिबल)—अर्थात् पढ़ा जा सकने वाला (लेख)
readable (रिडेबल)—अर्थात् पठनीय या रोचक

(a) Your hand-writing is not *legible*—तुम्हारा हस्तलेख पढ़ा नहीं जाता।

(b) This book being on technical subject is not readable—यह पुस्तक तकनीकी विषय की होने के कारण रोचक नहीं है।

25. **many** (मैनी)—अर्थात् (संख्या वाची) बहुत; जैसे—बहुत-से लोग
much (मच)—अर्थात् (परिमाणवाची) बहुत; जैसे—बहुत-सा दूध

(a) There were *many* students in the class—कक्षा में बहुत से छात्र थे। (गणना)

(b) We haven't *much* milk—हमारे पास अधिक दूध नहीं है (मात्रा—ढेर-सा दूध)

26. **may** (से)—सकना; संभावना के अर्थ में। वर्तमान काल (Past tense) में प्रयुक्त।
might (माइट)—सकना; संभावना के अर्थ में। भूतकाल (Past tense) में प्रयुक्त

(a) He *may* come today—वह आज आ सकता है।

(b) He *might* have come if you had written a letter—यदि तुमने पत्र लिखा होता तो वह अवश्य आ जाता।

27. **patron** (पेट्रन)—अर्थात् उपकारक, संरक्षक
customer (कस्टमर)—अर्थात् खरीददार।

(a) The artist thanked his *patrons* who eagerly awaited his paintings. कलाकार नें अपने उन प्रशंसकों को धन्यवाद दिया जो उसके चित्रों की प्रतीक्षा करते थे।

(b) The shopkeeper attended his *customers*—दुकानदार ने अपने ग्राहकों को सौदा दिया।

28. **people** (पीपुल)—अर्थात् लोग (व्यक्तियों का संघात्मक रूप, जिसे अलग नहीं किया जा सकता)
persons (पर्सन्स)—अर्थात् बहुत से व्यक्ति (जो आपस में अलग-अलग हैं, सम्बद्ध नहीं)

(a) The *people* of India were poor—भारत के लोग गरीब थे।

(b) Only thirteen *persons* remained in the cinema-hall after the interval—मध्यान्तर के बाद केवल तेरह व्यक्ति सिनेमा हाल में रह गए।

29. **recruitment** (रिक्रूटमैंट)—भर्ती (*noun*)
employment (इम्प्लॉयमैण्ट)-नौकरी (*noun*)

(a) The *recruitment* of soldiers is going on—सैनिकों की भर्ती की जा रही है।

(b) Suman is in search of *employment*—सुमन नौकरीं की तलाश में है।

30. **rob** (रौब)—अर्थात् किसी व्यक्ति से बलपूर्वक कोई वस्तु छीनना
steal (स्टीन)—अर्थात् कोई वस्तु चुराना

(a) The robbers *rob* wayfarers usually at night—लुटेरे प्रायः रात में यात्रियों को लूटते हैं।

(b) Bad boys *steal* books of their class-fellows—बुरे लड़के दूसरे सहपाठियों की पुस्तकें चुराते हैं।

31. **shall** (शैल)—भविष्यकाल की I, we के साथ लगने वाली सहायक क्रिया, जैसे, I shall, we shall

will (विल)—भविष्यकाल की he, she, it, they, you के साथ लगने वाली सहायक क्रिया, जैसे he will, they will; किन्तु दृढ़ निश्चय प्रकट करना हो तो shall और will आपस में बदल जाते हैं, जैसे—

(a) I *will* reach in time—मैं समय पर ही (अवश्य-मेव) पहुंचूंगा।

(b) You *shall* not reach in time—तुम समय पर (निश्चित रूप से) नहीं पहुंचोगे।

32. **state** (स्टेट)—अर्थात् औपचारिक रूप से घोषित करना या रखना

say (से)—अर्थात् सामान्य रूप से कहना

(a) Indian ambassador *stated* the terms for a cease-fire agreement—भारतीय राजदूत ने युद्धविराम/सन्धि के लिए शर्तें रखी।

(b) You *say* that you won't complete the job—तुम कहते हो कि तुम काम पूरा नहीं करोगे।

33. **stay** (स्टे)—अर्थात् ठहरना (पर यात्रा समाप्त करना नहीं)

stop (स्टॉप)—अर्थात् समाप्त करना

(a) we *stayed* at the hotel for two days only—हम केवल दो दिन के लिए होटल में ठहरे।

(b) We *stopped* the work and returned home—हमने अपना काम रोका और घर लौटे।

34. **tender** (टैंडर)—अर्थात् औपचारिक रूप से प्रस्तुत करना

give (गिव)—स्वेच्छापूर्वक देना अथवा दान करना

(a) On the orders of his boss, he tendered an apology for his misbehaviour. अपने अफ़सर के आदेश पर उसने अपने दुर्व्यवहार के लिए क्षमा मांगी।

(b) He *gave* testimony readily before the Jury—उसने न्याय-सभा के सामने स्वेच्छापूर्वक प्रमाण दिए।

35. **testimony** (टैस्टिमनी)—अर्थात् केवल मौखिक रूप से दी गई सूचना अथवा प्रमाण

evidence (एविडैंस)—अर्थात् मौखिक रूप से या लिखित रूप से दिया गया प्रमाण

(a) He readily gave *testimony* to the jury—उसने न्याय सभा के सामने स्वेच्छापूर्वक प्रमाण प्रस्तुत किए।

(b) The defendant presented written *evidence* to prove that he was not present at the scene—प्रतिवादी ने यह सिद्ध करने के लिए कि वह घटना के समय वहां उपस्थित नहीं था, लिखित प्रमाण प्रस्तुत किया।

36. **win** (विन)—अर्थात् खेल में जीतना

beat (बीट)—अर्थात् दूसरे खिलाड़ी को हराना।

(a) Hurrah! We *won* the match—अहा! हमने मैच जीत लिया।

(b) I *beat* you while playing cards—मैं ताश में तुम्हें हरा देता हूं।

अंग्रेज़ी में बहुत से शब्द ऐसे प्रचलित हैं, जिनकी ध्वनि तो एक-दूसरे से मिलती है, पर उनके अर्थ अलग-अलग होते हैं। ऐसे शब्दों में अच्छे पढ़े-लिखे व्यक्ति भी भूल कर बैठते हैं। आपका या हमारा अंग्रेज़ी भाषा का ज्ञान कितना भी अच्छा क्यों न हो, यदि आप या हम में से कोई व्यक्ति ऐसी दो-चार गलतियां भी करता है तो उसके भाषा ज्ञान का प्रभाव दूसरों पर अच्छा नहीं पड़ सकता। इन शब्दों के अर्थ-भेद को समझिए और मन में बैठाइए।

37. **accept** (एक्सैप्ट)—स्वीकार करना *(verb)*

except (इक्सैप्ट)—छोड़कर *(prep.)*

(a) He *accepted* my advice in this matter—उसने इस विषय में मेरी राय स्वीकार कर ली।

(b) The entire staff *except* juniors has been called—छोटे कर्मचारियों को छोड़कर सारे कर्मचारी बुलाए गए हैं।

38. **access** (ऐक्सेस)—अर्थात् पहुंच *(noun)*

excess (ऐक्सेस)—अर्थात् अधिकता *(noun)*

(a) He was a poor man and had no *access* to the higher authorities—वह एक गरीब आदमी था और बड़े अधिकारियों तक उसकी पहुंच न थी।

(b) *Excess* of every thing is bad—किसी भी चीज़ की अधिकता बुरी है।

39. **adapt** (एडैप्ट)—अनुकूल बनाना या नया रूप देना *(verb)*

adopt (ऐडॉप्ट)—अपनाना *(verb)*

adept (ऐडैप्ट)—कुशल *(adjective)*

(a) One must learn to *adapt* oneself to circumstances—व्यक्ति को अपने-आपको परिस्थितियों के अनुकूल बनाना सीखना होगा।

(b) He *adopted* a child from orphanage—उसने अनाथालय से एक बच्चा गोद लिया।

(c) He is an *adept* carpenter—वह एक कुशल बढ़ई है।

40. **addition** (ऐडिशन)—अर्थात् बढ़ोत्तरी *(noun)*

edition (ऐडिशन)—अर्थात् पुस्तक का संस्करण*(noun)*

(a) Some alterations and *additions* have been made in this book—इस पुस्तक में कुछ परिवर्तन और परिवर्धन किये गए हैं।

(b) Third and latest *edition* of the Bhagavad Gita has been published— भगवद्गीता का तीसरा और आधुनिकतम संस्करण प्रकाशित हो गया है।

41. **adverse** (ऐडवर्स)—अर्थात् दुर्भाग्यपूर्ण या अवांछनीय *(adjective)*

averse (ऐवर्स)—अर्थात् किसी कार्य को करने में अनिच्छुक *(adjective)*

(a) True friends never leave in *adverse* conditions. दुर्भाग्य में सच्चे मित्र कभी साथ नहीं छोड़ते।

(b) In modern time, most of the students are *averse* to hard work—आधुनिक समय में अधिकतर छात्र कठिन श्रम करने से बचते हैं।

42. **affect** (ऐफ़ेक्ट)—प्रभावित करना *(verb)*

effect (इफ़ेक्ट)—प्रभाव *(noun)*

effect (इफ़ेक्ट)—लागू करना *(verb)*

(a) Your behaviour should *affect* others—तुम्हारे व्यवहार से दूसरों को प्रभावित होना चाहिए।

(b) His speech didn't produce any *effect* on the audience—उसके भाषण का श्रोताओं पर कोई प्रभाव नहीं पड़ा।

(c) The old rule is still in *effect*—पुराना नियम अब भी लागू है।

43. **all ready** (आल रैडी)—अर्थात् सभी लोग और सभी चीज़ें तैयार

already (आल्रैडी)—अर्थात् पहले से ही

(a) We were *all ready* to go when the class-teacher arrived—जब अध्यापक पहुंचे तो हम सब जाने को तैयार थे।

(b) We had *already* begun writing when the class-teacher arrived—अध्यापक के पहुंचने से पहले ही हमने लिखना शुरू कर दिया था।

44. **all together** (ऑल टुगैदर)—सभी लोग मिलकर

altogether (आल्टुगेदर)—पूरी तरह से

(a) The boys and girls sang *all together*—सभी लड़के और लड़कियों ने मिलकर गाया।

(b) This was *altogether* strange for a person of my type—मेरे जैसे आदमी के लिए यह बात पूरी तरह से अजीब थी।

45. **all ways** (ऑल वेज़)—अर्थात् सभी तरह से

always (ऑल्वेज़)—अर्थात् सदा

(a) The scheme was in *all ways* acceptable to the masses—योजना सभी तरह से आम जनता को स्वीकार्य थी।

(b) *Always* help the poor. गरीबों की हमेशा मदद करो।

46. **altar** (ऑल्टर)—अर्थात् पूजा की वेदी *(noun)*

alter (ऑल्टर)—अर्थात् बदलना *(verb)*

(a) He knelt before the *altar* and took a vow not to touch wine all his life—वह पूजा की वेदी के सामने झुका और प्रतिज्ञा की कि वह जीवन-भर शराब नहीं छुएगा।

(b) I can't *alter* my plans now—अब मैं अपनी योजनाएं बदल नहीं सकता।

47. **amend** (अमैंड)—सुधार करना *(verb)*

emend (अमैंड)—किसी साहित्यिक कृति का संशोधन अथवा सम्पादन करना *(verb)*

(a) You must *amend* your ways—तुम्हें अपने व्यवहार में सुधार करना चाहिए।

(b) Before publication, first part of the book had to be *emended*—प्रकाशन से पहले, पुस्तक का पहला भाग सम्पादित किया जाना था।

48. **alternate** (ऑल्टर्नेट)—एक दिन छोड़कर *(adjec.)*
alternative (ऑल्टर्नेटिव)—विकल्प *(noun)*

(a) The doctor comes to see him on every *alternate* day—डाक्टर एक दिन छोड़कर उसे देखने आता है।

(b) There was no other *alternative,* so I agreed to the terms—दूसरा कोई विकल्प न था, अतः मैंने शर्तें स्वीकार कर लीं।

49. **bazaar** (बाज़ार)—बाज़ार अर्थात् मार्केट जहां वस्तुओं का क्रय-विक्रय होता है *(noun)*
bizarre (बिज़ार)—भद्दा या विचित्र *(adjective)*

(a) She went to *bazaar* for shopping—वह वस्तुएं खरीदने के लिए बाज़ार गई।

(b) She dresses in a *bizarre* manner—वह विचित्र ढंग से कपड़े पहनती है।

50. **berth** (बर्थ)—सोने की जगह *(noun)*
birth (बर्थ)—जन्म *(noun)*

(a) She got a *berth* reserved for herself in the Kalka Mail—उसने कालका मेल में अपने लिए जगह सुरक्षित कराई।

(b) What's your date of *birth?*—तुम्हारी जन्मतिथि क्या है?

51. **beside** (बिसाइड)—समीप *(Preposition)*
besides (बिसाइड्स)—के अतिरिक्त *(Adverb)*

(a) He was sitting *beside* me. वह मेरे पास बैठा है।

(b) The agents get commission *besides* their salary—प्रतिनिधि अपने वेतन के अतिरिक्त कमीशन प्राप्त करते हैं।

52. **boar** (बोर)—जंगली सुअर *(noun)*
bore (बोर)—छेद करना *(verb)*

(a) The hunter shot a wild boar—शिकारी ने एक जंगली सुअर का शिकार किया।

(b) They *bore* a hole in the soil to take out oil—उन्होंने तेल निकालने के लिये ज़मीन में छेद किया।

53. **born** (बॉर्न)—उत्पन्न होना *(verb)*
borne (बोर्न)—उठाना *(verb)*

(a) I don't know when I was *born*—मैं कब पैदा हुआ, मैं नहीं जानता।

(b) We have *borne* our burdens with patience—हमने अपने बोझ (अर्थात् उत्तरदायित्व) धीरजपूर्वक उठाए।

54. **breath** (ब्रेथ)—सांस *(noun)*
breathe (ब्रीद्)—सांस लेना *(verb)*
breadth (ब्रेड्थ)—चौड़ाई *(noun)*

(a) Before you dive in, take a deep *breath*—गोता लगाने से पहले एक लम्बी साँस लो।

(b) *Breathe* deeply in open air. खुली हवा में गहरी साँस लो।

(c) In a square, the *breadth* is equal to the length—चौकोर में चौड़ाई लम्बाई के समान होती है।

55. **canvas** (कैन्वस)—कैन्वस (मोटा कपड़ा) *(noun)*
canvass (कैन्वस)—वोट मांगना *(verb)*

(a) *Canvas* bags are very strong—कैन्वस के थैले बहुत मज़बूत होते हैं।

(b) Students were *canvassing* for the Congress candidate—छात्र काँग्रेस के उम्मीदवार के लिए वोट मांग रहे थे।

56. **cease** (सीज़)—बंद करना, रोकना *(verb)*
seize (सीज़)—बरामद होना, पकड़ना *(verb)*

(a) At last the war has *ceased.* आखिरकार युद्ध बंद हो गया।

(b) The policeman *seized* the stolen articles—सिपाही ने चोरी का सामान बरामद कर लिया।

57. **cent** (सैंट)—एक सिक्का *(noun)*
scent (सैंट)—सुगन्धि *(noun)*

(a) *Cent* is a small coin of America—सैंट अमेरिका का एक छोटा सिक्का है।

(b) The *scent* of flowers is very pleasant—फूलों की सुगन्ध बड़ी सुखद है।

58. **childish** (चाइल्डिश)—बच्चों जैसा अर्थात् बचकाना (स्वभावः बुरा अर्थ में)
childlike (चाइल्डलाइक)—भोला-भाला (स्वभाव : अच्छे अर्थ में)

(a) You have *childish* habits and are not yet mature—तुम्हें बचकानी आदतें हैं।

(b) We like his *childlike* habits—हम उसकी बच्चों जैसी आदतें पसन्द करते हैं।

59. **choose** (चूज़)—चुनना या चुनाव करना *(verb)*
chose (चोज़)—चुनना choose (क्रिया का भूत कालिक रूप, अर्थात् चुना) *(Verb)*
(a) *Choose* what you want—जो चाहते हो, चुन लो।
(b) I finally *chose* singing for a career—मैंने अन्त में संगीत को पेशे के रूप में चुन लिया।

60. **cite** (साइट)—दृष्टान्त देना या उद्धत करना *(verb)*
sight (साइट)—दृश्य *(noun)*
site (साइट)—स्थान *(noun)*
(a) He was fond of *citing* from the Ramayana—वह रामायण से उद्धत करने का शौकीन था।
(b) The Taj presents a pleasant *sight* in full moon—ताज पूर्णमासी के दिन एक सुखद दृश्य उपस्थित करता है।
(c) His father is looking for a *site* for his new shop—उसके पिता अपनी नई दुकान के लिए स्थान ढूंढ रहे हैं।

61. **comic** (कॉमिक)—मज़ाकिया, अर्थात् जानबूझकर बनाया गया रूप जिससे हंसी आए *(adjective)*
comical (कॉमिकल)—भद्दा-फूहड़ रूप, अर्थात् बिना यत्न के बना ऐसा रूप जिसे देखकर हंसी आए *(adjective)*
(a) *Comic* scenes are put in a drama—नाटक में मज़ाकिया दृश्य रखे जाते हैं।
(b) The peculiar dress she wore gave her a *comical* appearance—विचित्र वेशभूषा पहनकर उसका रूप भद्दा हो गया।

62. **complement** (कॉम्पलीमैंट)—पूरक भाग, जिससे पूरा हो *(noun)*
compliment (कॉम्पलीमैंट)—प्रशंसा करना *(noun)*
compliment (कॉम्पलीमैंट)—प्रणाम करना *(noun)*
(a) This book is *complement* to that one—यह पुस्तक उस पुस्तक की पूरक है।
(b) Her husband paid her a *compliment*—उसके पति ने उसकी प्रशंसा की।
(c) Pay my *compliments* to your parents—अपने माता-पिता को मेरा प्रणाम कह दीजिये।

63. **conscience** (कॉन्शंस)—विवेक, अन्तःकरण *(noun)*
cautious (कॉशस)—सावधान *(adjective)*
conscious (कॉन्शस)—सचेत *(adjective)*
(a) One should have a clear *conscience*—आदमी का विवेक स्पष्ट होना चाहिए।
(b) One should be extremely *cautious* while driving—गाड़ी चलाते समय आदमी को बहुत सावधान रहना चाहिए।
(c) He was *conscious* that he was being followed—उसे मालूम था कि उसका पीछा किया जा रहा है।

64. **consistently** (कन्सिस्टैंट्ली)—दृढ़तापूर्वक *(adverb)*
constantly (कौंस्टैंटैली)—निरन्तर *(adverb)*
(a) If you want to give advice to others, first act *consistently* with that yourself—यदि आप दूसरों को उपदेश देना चाहते हैं तो उस उपदेश के अनुसार पहले स्वयं आचरण करो।
(b) He *constantly* argued with me—वह निरन्तर मेरे साथ बहस करता रहा।

65. **continual** (कंटिन्युअल)—थोड़ा रुककर अर्थात् बार-बार *(adjective)*
continuous (कंटिन्युअस)—लगातार *(adjective)*
(a) The teacher gave the class *continual* warning—अध्यापक ने कक्षा को बार-बार चेतावनी दी।
(b) We had *continuous* rain yesterday for many hours—कल हमारे यहां कई घण्टों लगातार वर्षा होती रही।

66. **contract** (कौंट्रैक्ट)—सन्धि या इकरारनामा
contract (कौंट्रैक्ट)—सिकुड़ना
(a) He has signed a *contract* for going abroad—उसने विदेश जाने के लिए एक इकरारनामे पर हस्ताक्षर किये।
(b) Some metals *contract* on cooling—कुछ धातु ठंडा होने पर सिकुड़ जाते हैं।

67. **course** (कोर्स)—पाठ्यक्रम, पथ *(noun)*
coarse (कोर्स)—तुच्छ, घटिया *(adjective)*
(a) What is the *course* of your studies—तुम्हारी शिक्षा का पाठ्यक्रम क्या है?
(b) This cloth is very *coarse*—यह कपड़ा बहुत घटिया है।

68. **credible** (क्रैडिबल)—विश्वास के योग्य *(adjective)*
creditable (क्रैडिटेबल)—प्रशंसा के योग्य *(adjective)*
credulous (क्रैडुलस)—शीघ्र विश्वासी अर्थात् जो कहा जाए उस पर जल्दी ही विश्वास कर लेने वाला *(adjective)*

(a) The story does not appear *credible*—कहानी विश्वास के योग्य नहीं लगती।

(b) His success in the examination is *creditable*—परीक्षा में उसकी सफलता प्रशंसा के योग्य है।

(c) Shiela is very *credulous.* She believes in what she is told—शीला बड़ी शीघ्र-विश्वासी है। उसे जो कहा जाए, वह उसी पर विश्वास कर लेती है।

69. **decease** (डिसीज़)—मृत्यु *(noun)*
disease (डिसीज़)—बीमारी *(noun)*

(a) The *deceased* person has been taken from the hospital—मृत व्यक्ति को अस्पताल से ले जाया गया है।

(b) That man died of an incurable *disease*—उस व्यक्ति की मृत्यु एक असाध्य रोग के कारण हुई।

70. **deference** (डैफ़रेंस)—सम्मान *(noun)*
difference (डिफ़रेंस)—अन्तर *(noun)*

(a) In *deference* to his father's memory, we did not play yesterday—उसके पिता की स्मृति के सम्मान में हम कल नहीं खेले।

(b) There is *difference* of opinion on this subject—इस विषय पर विचारों में अन्तर है।

71. **desert** (डैज़र्ट)—मरूस्थल *(noun)*
desert (डिज़र्ट)—छोड़ना *(noun)*
dessert (डिज़र्ट)—भोजन के बाद परोसे गए फल या मिष्ठान *(noun)*

(a) Rajasthan is mostly a *desert*—राजस्थान अधिकांशतः मरुस्थल प्रदेश है।

(b) An ideal husband must not *desert* his wife—आदर्श पति को अपनी पत्नी को नहीं छोड़ना चाहिए।

(c) The party was served with apples and fruit-cream as *dessert*—पार्टी को भोजन के उपरांत खाद्य के रूप में सेब और फ्रूट-क्रीम दी गई।

72. **disinterested** (डिस्इंटेरेस्टिड)—स्वार्थरहित अर्थात् तटस्थ या निष्पक्ष *(adjective)*
uninterested (अन्इंटेरेस्टिड)—रुचिहीन अथवा जिसे रुचि न हो *(adjective)*

(a) The judge must always be a *disinterested* party in a trial—किसी विवाद में न्यायधीश को सदा निष्पक्ष रहना चाहिए।

(b) I was *uninterested* in games, so I returned home early—मेरी खेलों में रुचि नहीं थी, अतः मैं घर जल्दी लौट आया।

73. **dual** (डुअल)– दोगला अर्थात् दो तरह का *(adjective)*
duel (डुएल) दो व्यक्तियों का द्वन्द्व युद्ध *(noun)*

(a) Some persons have *dual* personality. They say something and do otherwise—कुछ लोगों का व्यक्तित्व दोगला होता है। वे कहते कुछ हैं और करते कुछ हैं।

(b) They fought a *duel* and one person was severely injured—उन्होंने द्वन्द्व युद्ध किया और एक व्यक्ति बुरी तरह घायल हो गया।

74. **eligible** (एलिजिबल)—चुना जाने योग्य *(adjective)*
illegible (इल्लेजिबल)—अस्पष्ट अर्थात् जिसे पढ़ा न जा सके *(adjective)*

(a) Only a graduate is *eligible* for this post—केवल बी० ए० पास व्यक्ति ही इस पद के लिए चुने जाने योग्य है।

(b) Your hand-writing is *illegible*— तुम्हारा हस्तलेख अस्पष्ट है। (जो पढ़ा नहीं जा सकता)

75. **expand** (एक्सपैंड)—फैलाना *(verb)*
expend (एक्सपेंड)—खर्च करना *(verb)*

(a) As the work increases, we shall have to *expand* our office space—जैसे काम बढ़ेगा, हमें अपने दफ्तर की जगह बढ़ानी होगी।

(b) We shouldn't *expend* beyond our limit—हमें अपनी सामर्थ के बाहर खर्च नहीं करना चाहिए।

76. **fair** (फ़ेयर)—मेला *(noun)*
fair (फ़ेयर)—उचित *(adjective)*
fair (फेयर)—साफ़ *(adjective)*

(a) Many people attend the National Book *Fair*—बहुत से लोग राष्ट्रीय पुस्तक मेले में जाते हैं।

(b) We must always play a *fair* game—हमें सदा उचित तरीके से खेल खेलना चाहिए।

(c) She is *fair*-complexioned and *fair*-haired—वह गोरे रंग तथा हल्के भूरे बालों की है।

77. **fare** (फ़ैयर)—किराया *(noun)*
fare (फ़ैयर)—प्रगति *(verb)*

(a) What is the rail *fare* from Delhi to Agra—दिल्ली से आगरा का रेल का किराया कितना है?

(b) How did you *fare* in your examinations—परीक्षा में तुम्हारी प्रगति कैसी रही?

78. **farther** (फ़ार्दर)—दूर *(adverb)*
further (फ़र्दर)—आगे *(adverb)*

(a) Bombay is *farther* from Delhi than Banaras—बम्बई बनारस की अपेक्षा दिल्ली से अधिक दूर है।

(b) Proceed *further*, please—कृपया आगे बढ़िए।

79. **feel good** (फ़ील गुड)—प्रसन्न होना *(verb)*
feel well (फ़ील वे'ल)—स्वस्थ होना *(verb)*

(a) She *feels* very *good* amidst her friends—वह अपनी सहेलियों के मध्य प्रसन्न रहती है।

(b) She is feeling *well* now—वह अब स्वस्थ महसूस कर रही है।

80. **fewer** (फ़्यूअर)—कम व्यक्ति या वस्तुएं जो कि गिनी जा सकें। *(adjective)*
less (लैस)—कम वस्तु जो कि ढेर में कम दिखाई दे। *(adjective)*

(a) The doctor attended *fewer* patients than last week—डाक्टर ने पिछले सप्ताह की अपेक्षा कम मरीज़ देखे।

(b) I have *less* money in my pocket than you have—तुम्हारी अपेक्षा मेरी जेब में कम राशि है।

81. **floor** (फ़्लोर)—फ़र्श *(noun)*
flour (फ़्लॉअर)—आटा *(noun)*

(a) She is sitting on the *floor*—वह फ़र्श पर बैठी है।

(b) We make chapaties (bread) of *flour*—हम आटे की चपातियां बनाते हैं।

82. **formally** (फ़ॉर्मली)—औपचारिक रूप से *(adverb)*
formerly (फ़ॉर्मली)—भूतपूर्व, अर्थात् पहले समय का *(adverb)*

(a) The letter was written *formally* by me—पत्र मेरे हाथों औपचारिक रूप से लिखा गया था।

(b) He was *formerly* a minister—पहले वह एक मंत्री था।

83. **forth** (फ़ॉर्थ)—आगे *(adverb)*
fourth (फ़ोर्थ)—चौथा *(adjective)*

(a) They went *forth* like ancient warriors—वे पुराने योद्धाओं की तरह आगे बढ़े।

(b) The *fourth* of every month is our pay day—हर महीने की चार तारीख हमारे वेतन का दिन होता है।

84. **hair** (हेयर)-बाल *(noun)*
heir (ऐअर)—उत्तराधिकारी *(noun)*
hare (हैअर)—खरगोश *(noun)*

(a) The colour of Shiela's *hair* is golden—शीला के बाल सुनहरी हैं।

(b) The eldest prince is the *heir* to the throne—बड़ा राजकुमार राजगद्दी का उत्तराधिकारी है।

(c) The *hare* runs very fast—खरगोश बहुत तेज भागता है।

85. **hanged** (हैंग्ड)—(आदमी को) लटकाना; फांसी देना *(verb)*
hung (हंग)—(किसी वस्तु को) लटकाना *(verb)*

(a) The prisoner was *hanged* at dawn—कैदी सूर्य उदय होते ही फांसी पर चढ़ा दिया गया।

(b) The picture was *hung* on the wall—चित्र दीवार पर टंगा था।

86. **holy** (होली)—पवित्र *(adjective)*
wholly (होली)—सम्पूर्ण रूप से *(adverb)*

(a) Diwali is our *holy* festival—दीवाली हमारा पवित्र त्यौहार है।

(b) I *wholly* agree with your decision—मुझे आपका फैसला पूर्णतः मंजूर है।

87. **however** (हाउएवर)—इस पर भी; तो भी
how ever (हाउ एवर)—कैसी भी

(a) I don't recommend this book however, you can read it—मैं इस पुस्तक की सिफारिश तो नहीं करता, फिर भी आप इसे पढ़ सकते हैं।

(b) I am certain that, *how ever* you decide

to work, you will succeed—मुझे विश्वास है कि तुम कैसे भी काम करने का निश्चय करो तुम सफल रहोगे।

88. **its** (इट्स)—इसका *(Pronoun)*
it's (इट्स)—अर्थात् It is यह है
(a) The shed lost *its* roof—शेड की छत गिर गई।
(b) *It's* an old house—यह एक पुराना घर है।

89. **last** (लास्ट)—अन्तिम *(adjective)*
latest (लेटेस्ट)—आधुनिकतम *(adjective)*
(a) *Last* date of admission is near. So we should hurry up—प्रवेश की अन्तिम तारीख पास है। अतः हमें शीघ्रता करनी चाहिए।
(b) The *latest* edition of the book is under-print—पुस्तक का आधुनिकतम संस्करण छप रहा है।

90. **least** (लीस्ट)—सबसे छोटा/कम *(adjective)*
less (लैस)—दो में से छोटा/कम *(adjective)*
(a) He walked the *least* distance of all—वह सब से कम दूरी चला।
(b) Tea is *less* desirable for me than milk—चाय मेरे लिए दूध की अपेक्षा कम वांछनीय है।

91. **lightening** (लाइटनिंग)—हल्का करना
lightning (लाइटनिंग)—बिजली चमकना *(noun)*
lighting (लाइटिंग)—प्रकाश व्यवस्था *(noun)*
(a) He is *lightening* my burden—वह मेरा भार हल्का कर रहा है।
(b) Last night there was flash of *lightning* in the sky—पिछली रात आसमान में बिजली कड़की।
(c) There was good lighting arrangement at the marriage—विवाह के अवसर पर प्रकाश व्यवस्था अच्छी थी।

92. **loan** (लोन)—उधार *(noun)*
lend (लैंड)—उधार देना *(verb)*
(a) The bank granted him a *loan* of five thousand rupees—बैंक ने उसे पाँच हज़ार रुपये का ऋण दिया।
(b) *Lend* me some money—मुझे कुछ रुपये उधार दो।

93. **moral** (मॉरल)—आचार-व्यवहार *(noun)*
morale (मॉराल्)—मनोबल *(noun)*
(a) He is man of good *moral*—वह एक अच्छे आचार-व्यवहार वाला व्यक्ति है।
(b) The *morale* of the troops on the front is very high—अग्र भाग की टुकड़ियों का मनोबल बहुत ऊंचा है।

94. **most** (मोस्ट)—अत्यधिक (सबसे अधिक)—विशेषण *(adjective)* की तीसरी अवस्था
almost (आलमोस्ट)—लगभग *(adjective)*
(a) Mohan Das Gandhi was the *most* honest boy in the class—मोहनदास गांधी अपनी कक्षा का सर्वाधिक ईमानदार बालक था।
(b) It's *almost* time to go for a walk—यह लगभग घूमने जाने का समय है।

95. **notable** (नोटेबल)—उल्लेखनीय विख्यात (अच्छे अर्थ में) *(adjective)*
notorious (नॉटोरियस)—कुख्यात (बुरे अर्थ में प्रसिद्ध) *(adjective)*
(a) August 15, 1947 is a *notable* day in the history of India—भारत के इतिहास में 15 अगस्त 1947 का दिन उल्लेखनीय है।
(b) He is a *notorious* gambler—वह एक कुख्यात जुआरी है।

96. **once** (वन्स)—एक बार *(adverb)*
one's (वन्'स)— एक व्यक्ति का, किसी व्यक्ति का *(pronoun)*
(a) I have been there *once*—मैं वहां एक बार हो आया हूं।
(b) One should obey *one's* conscience—आदमी को अपने विवेक पर चलना चाहिए।

97. **ordinance** (ऑर्डिनैंस)—विशेष आदेश *(noun)*
ordnance (ऑर्डनैंस)—युद्ध-सामग्री *(noun)*
(a) The President has issued an *ordinance* today—राष्ट्रपति ने आज एक अध्यादेश जारी किया।
(b) He is employed in the *ordnance* department—वह युद्ध-सामग्री विभाग में नौकर है।

98. **passed** (पास्ड)—व्यतीत हुआ, *(verb)* Pass का IInd और IIIrd form
past (पास्ट)—पिछला, इससे पहला *(adjective)*
(a) The month *passed* away very soon—महीना बहुत जल्दी से गुज़र गया।

(b) The *past* month was very enjoyable—पिछला महीना बहुत आनन्ददायक था।

99. **peace** (पीस)—शान्ति *(noun)*
piece (पीस)—टुकड़ा *(noun)*
(a) A treaty of *peace* was signed between two countries—दोनों देशों के बीच शान्ति की सन्धि हुई।
(b) The teacher asked for a *piece* of chalk—अध्यापक ने एक चॉक का टुकड़ा मांगा।

100. **persecute** (पर्सेक्यूट)—अनुचित रूप से तंग करना *(verb)*
prosecute (प्रॉसेक्यूट)—अभियोग चलाना *(verb)*
(a) The jews were *persecuted* in Nazi Germany—यहूदी लोगों को नाज़ी जर्मनी में तंग किया गया।
(b) Tresp assers will be *prosecuted*—ग़ैर कानूनी प्रवेश करने वालों को दण्ड दिया जाएगा।

101. **personal** (पर्सनल)—व्यक्तिगत *(adjective)*
personnel (पर्सोंनल)—कर्मचारी वर्ग *(noun)*
(a) It is my *personal* matter. Please don't interefere—यह मेरा व्यक्तिगत मामला है। कृपया दखल न दें।
(b) The officer maintained the morale of the *personnel* in his division—अफ़सर ने अपने विभाग के कर्मचारी वर्ग के मनोबल को बनाए रखा।

102. **physic** (फ़िज़िक)—दवा (old use) *(noun)*
physique (फ़ज़ीक)—शरीर की बनावट *(noun)*
(a) No *physic* can cure the patient, if he is careless—अगर रोगी लापरवाह हो तो कोई दवा काम नहीं कर सकती।
(b) He has a fine *physique*—उसके शरीर की बनवाट अच्छी है।

103. **pore** (पोर)—छिद्र *(noun)*
pour (पोर)—डालना *(verb)*
(a) Sweat comes out from the *pores* of the skin—पसीना त्वचा के छिद्रों में से निकलता है।
(b) *Pour* some water in my glass—मेरे गिलास में थोड़ा पानी डालो।

104. **portable** (पोर्टेबल)—हाथ से उठा कर ले जाने योग्य *(adjective)*
potable (पोटेबल)—पीने योग्य *(adjective)*
(a) she has brought a *portable* television from Germany—वह जर्मनी से हाथ से उठाकर ले जाने वाला टैलिविज़न लाई है।
(b) Pond water is not *potable*—तालाब का पानी पीने योग्य नहीं होता।

105. **prescribe** (प्रिसक्राइब)—(दवा का) निर्देश देना
proscribe (प्रोसक्राइब)—कानूनी सरंक्षण से अलग करना
(a) The doctor *prescribed* a very costly medicine—डॉक्टर ने एक बहुत महंगी दवा लिखी है।
(b) That man has been *proscribed* by law—उस व्यक्ति को कानून से निष्कारित कर दिया गया है।

106. **president** (प्रैसिडैन्ट)—राष्ट्रपति *(noun)*
precedent (प्रिसिडैन्ट)—पूर्व घटना या उदाहरण *(noun)*
(a) The *President* of India has gone to England for two weeks—भारत के राष्ट्रपति दो हफ़्तों के लिए इंगलैंड गये हुए हैं।
(b) She has set a good *precedent* for others to follow—उसने दूसरे लोगों के लिए एक अच्छा उदाहरण रखा है।

107. **price** (प्राइस)—दाम *(noun)*
prize (प्राइज़)—ईनाम *(noun)*
(a) The *price* of paper has gone up—कागज़ का दाम बढ़ गया है।
(b) Anil got the first *prize* in the race—अनिल को दौड़ में पहला पुरस्कार मिला।

108. **principal** (प्रिंसिपल)—प्रधानाचार्य *(noun)*
principle (प्रिंसिपल्)—सिद्धांत *(noun)*
(a) Who is the *principal* of your college—आपके कालेज (अथवा महाविद्यालय) के प्रधानाचार्य कौन हैं?
(b) My uncle was a man of *principles*—मेरे चाचाजी सिद्धांतप्रिय व्यक्ति थे।

109. **propose** (प्रोपोज़)—प्रस्तावित करना *(verb)*
purpose (पर्पज़)—इरादा *(noun)*
(a) Let them *propose* the subject for their debate—उन्हें अपने वाद-विवाद का विषय स्वयं प्रस्तावित करने दो।

(b) I had come with a *purpose* to see you—मैं तुम्हें देखने के इरादे से आया था।

110. **rain** (रेन)—वर्षा होना *(verb)*
reign (रेन)—शासन करना *(verb)*
rein (रेन)—लगाम *(noun)*
(a) It's *raining*—वर्षा हो रही है।
(b) The queen *reigned* over England—रानी ने इंगलैंड पर शासन किया।
(c) When the *reins* were pulled tightly, the horse stopped—जब लगाम ज़ोर से खींची गई तो घोड़ा रुक गया।

111. **recollect** (रिक्लैक्ट)—किसी भूली वस्तु को याद करना *(verb)*
remember (रिमैंबर)—याद करना *(verb)*
(a) I often *recollect* my childhood and feel amused—मैं प्रायः अपने बचपन की याद करता हूं और आनंदित होता हूं।
(b) I *remember* my lesson every day—मैं प्रतिदिन अपना पाठ स्मरण करता हूं।

112. **respectable** (रिस्पैक्टेबल)—प्रतिष्ठित *(adjective)*
respectful (रिस्पैक्टफुल)—सम्मानपूर्ण *(adjective)*
respective (रिस्पैक्टिव)—अपनी-अपनी *(adjective)*
(a) Our boss is a *respectable* gentleman—हमारे अफ़सर एक प्रतिष्ठित सज्जन हैं।
(b) You should be *respectful* to your parents—तुम्हें अपने माता-पिता के प्रति सम्मान-पूर्ण होना चाहिए।
(c) After the lecture was over, the students returned to their *respective* classes—व्याख्यान के समाप्त होने के बाद छात्र अपनी-अपनी कक्षाओं को लौट गए।

113. **root** (रूट)—जड़ *(noun)*
route (रूट)—यात्रा का रास्ता *(noun)*
(a) Love of money is the *root* of all evils—धन से प्रेम सभी बुराइयों की जड़ है।
(b) What is the railway *route* between Delhi and Bombay—दिल्ली और बम्बई का रेलवे का रास्ता क्या है?

114. **rout** (राउट)—हार, पराजय *(noun)*
riot (राइट)—झगड़ा, *(noun)*
(a) The morale of the enemy was very low, because of its *rout*—पराजय के कारण शत्रु का मनोबल कम हो गया था।
(b) There is a great disturbance in the town because of the Hindu-Muslim *riot*—हिन्दू-मुस्लिम झगड़े के कारण शहर में बड़ी अशांति फैली हुई है।

115. **shoot** (शूट)—कोपल *(noun)*
shoot (शूट)—शिकार करना *(verb)*
(a) A *shoot* has sprung up from the plant—पौधे में से एक कोपल निकल आई है।
(b) That man has gone to *shoot* duck—वह आदमी बत्तख का शिकार करने को गया है।

116. **sole** (सोल)—जूते का तला, पैर का तलवा *(noun)*
soul (सोल)—आत्मा *(noun)*
(a) Get the *sole* of the shoe changed—जूते का तला बदलवा लो।
(b) A good *soul* goes to heaven—अच्छी आत्मा स्वर्ग को जाती है।

117. **stationary** (स्टेशनरी)—स्थिर, ठहरा हुआ *(adjective)*
stationery (स्टेशनरी)—पढ़ने-लिखने की वस्तुएं *(noun)*
(a) The sun is *stationary*—सूर्य स्थिर अथवा जड़ है।
(b) He deals in *stationery*—वह स्टेशनरी (कागज़, कापी आदि) बेचता है।

118. **table** (टेबल)—मेज़ *(noun)*
table (टेबल)—तालिका *(noun)*
(a) There is a book on the *table*—मेज़ पर एक पुस्तक है।
(b) There is a *table* in chapter six of this book—पुस्तक के छठे अध्याय में एक तालिका है।

119. **tasteful** (टेस्टफुल)—मधुर, सुरुचिपूर्ण *(adjective)*
tasty (टेस्टी)—स्वादिष्ट *(adjective)*
(a) The house of our madam was decorated in a *tasteful* manner—हमारी अध्यापक का घर बड़ी सुरुचिपूर्ण रीति से सजा हुआ था।
(b) Our madam served us very *tasty* meals—हमारी अध्यापक ने हमें बड़ा स्वादिष्ट भोजन कराया।

120. **two** (टू)—दो *(adjective)*
to (टु)—को; की ओर *(preposition)*
too (टू)—भी; इतना अधिक *(adverb)*

(a) There are *two* sides of everything—हरेक वस्तु के दो पक्ष होते हैं।

(b) Come *to* me, I'll advise you—मेरे पास आना, मैं तुम्हें सलाह दूंगा।

(c) She is *too* weak to walk—वह इतनी अधिक कमज़ोर है कि चल-फिर नहीं सकती।

121. **uninterested** (अनइंटरेस्टिड)—रुचि न रखना (रुचिहीन होना) *(adjective)*
disinterested (डिसइंटरेस्टिड)—निष्पक्ष *(adjective)*

(a) I am *uninterested* in inactive games—मैं निष्क्रिय खेलों में रुचि नहीं रखता।

(b) Let us ask any *disinterested* man to settle our dispute—हम अपना विवाद सुलझाने के लिए किसी निष्पक्ष व्यक्ति को कहें।

122. **valuable** (वैल्युएबल)—बहुमूल्य *(adjective)*
invaluable (इन्वैल्यूएबल)—अमूल्य *(adjective)*

(a) This is a *valuable* manuscript—यह एक बहुमूल्य पाण्डुलिपि है।

(b) Kohinoor is an *invaluable* diamond—कोहीनूर एक अमूल्य हीरा है।

123. **whose** (हूज़)—किसका
who's (हू'ज़)—कौन है (who is)

(a) *Whose* pen is this?—यह किसका पैन है।

(b) *Who's* at the door?—द्वार पर कौन है?

शब्दों के प्रयोग में सामान्य अशुद्धियां

(COMMON ERRORS IN THE USE OF WORDS)

अंग्रेज़ी बोलचाल में कुछ गलतियां ऐसी हैं जिन्हें हम-आप सभी अधिकतर करते हैं। आप छोटी-मोटी हैसियत के कर्मचारी हों या ऊंचे पदाधिकारी, औरत हों या मर्द, छात्र हों या व्यवसायी, दुकानदार हों या कोई कारीगर—आपस की बातचीत में आपको इन गलतियों से वास्ता पड़ता है। आपकी सुविधा के लिए नीचे दो कालमों में शुद्ध और अशुद्ध वाक्य दिए गए हैं। इन्हें मन में बैठाइए।

अशुद्ध (Incorrect)	शुद्ध (Correct)
1. My *hairs are* black.	My *hair is* black.
2. I need a *blotting.*	I need a *blotting paper.*
3. He works better than *me.*	He works better than *I.*
4. I *availed* of the opportunity.	I *availed myself* of the opportunity.
5. The two brothers are quarrelling with *one another.*	The two brothers are quarrelling with *each other.*
6. He is guilty. Isn't *it?*	He is guilty. Isn't *he?*
7. I beg *you leave.*	I beg *leave of you.*
8. He is *more cleverer* than his brother.	He is *cleverer* than his brother.
9. *The* Gold is a precious metal.	Gold is a precious metal.
10. She has *got* headache.	She has *got a* headache.
11. *Stop* to write.	*Stop* writing.
12. It *is raining* for four hours.	It *has been raining* for four hours.
13. I live *in* Lajpat Nagar *at* New Delhi.	I live *at* Lajpat Nagar *in* New Delhi.
14. Work hard *lest* you *may not* fail.	Work hard *lest* you *should* fail.
15. The boy is *neither* fool *or* lazy.	The boy is *neither* fool *nor* lazy.

ऊपर के इन पन्द्रह वाक्यों में पहले कॉलम में अशुद्ध वाक्य दिए गए हैं और दूसरे कॉलम में शुद्ध। इन वाक्यों में भिन्न-भिन्न प्रकार की अशुद्धियां हैं जिन्हें हरेक भाषा सीखने वाले व्यक्ति को समझना और मन में बैठाना है। अंग्रेज़ी एक बड़ी भाषा है। इसमें शब्द-प्रयोगों का क्षेत्र भी बहुत व्यापक होना स्वाभाविक है।

हिन्दी भी एक समृद्ध भाषा है। उसमें भी ऐसे प्रयोग होते हैं जो भाषा सीखने वाले विद्यार्थी के लिए समझने इतने आसान नहीं होते। किन्तु हिन्दी हमारी मातृभाषा है, इसलिए उसकी पेचीदगियां उतनी महसूस नहीं होतीं जितनी कि अंग्रेज़ी भाषा की होती हैं।

अब तनिक ऊपर के पन्द्रह वाक्यों को ध्यान से पढ़िए। आप सभी को एक कठिनाई समान रूप से होती है। इस कठिनाई से हम भली-भांति परिचित हैं।

और वह कठिनाई क्या है, हम आपको बताएं?—जब आप पहले कॉलम का वाक्य पढ़ते हैं तब आपको वह ठीक-सा मालूम होता है। पर जब आप दूसरे कॉलम का वाक्य पढ़ते हैं तो फिर आप थोड़ा चौंकते हैं। कभी, थोड़ी देर में आपको भूल महसूस होने लगती है और कभी आप समझ ही नहीं पाते कि दूसरा वाक्य शुद्ध कैसे है।

ठीक है न यही बात! आप बिल्कुल मत घबराइए और इस उक्ति का भावार्थ अपने मन में बैठा लीजिए—''सर्वशुद्ध भाषा सीखना संसार का कठिनतम कार्य है। यह हिमालय चढ़ने जैसा है। किन्तु यदि आप इस पर धीरे-धीरे चढ़ना शुरू करेंगे तो आप इसकी ऊंचाईयों को एक-एक करके नाप सकते हैं।''

क्या आप इसके लिए तैयार हैं? यदि हां, तो आइए, एक-एक कदम आगे बढ़ें।

संज्ञा-शब्दों के प्रयोग में अशुद्धियां
(ERRORS IN THE USE OF NOUNS)

(1) (a) Scenery, issue, hair, furniture, machinery, fruit, (b) poor, rich, bread, work शब्द एक वचन (singular form) में रहते हैं।

अशुद्ध (Incorrect)	शुद्ध (Correct)
1. The *sceneries* of Simla *are* very charming.	The *scenery* of Simla *is* very charming.
2. Sarla has no *issues.*	Sarla has no *issue.*
3. She had gone to buy *fruits.*	She had gone to buy *fruit.*
4. Her *hairs are* jet black.	Her *hair is* jet black.
5. The mother feeds the *poors.*	The mother feeds the *poor.*
6. I told *these news* to my father.	I told *this news* to my father.
7. The fleet *were* destroyed by the enemy.	The fleet *was* destroyed by the enemy.
8. These buildings are made of *bricks* and *stones.*	These buildings are made of *brick* and *stone.*
9. I have no more *breads* to give to the beggars.	I have no more *bread* to give to the beggars.
10. I'll go to the town *on feet.*	I'll go to the town *on foot.*
11. All her *furnitures have* been sold.	All her *furniture has* been sold.
12. The *machineries* are not functioning properly.	The *machinery* is not functioning properly.
13. I have *many works* to do.	I have *much work* to do.

(2) Advice, mischief, abuse, alphabet—ये शब्द singular में ही रहते हैं, advices आदि बहुवचन प्रयुक्त नहीं होते बल्कि इस प्रकार कहा जाता है—pieces of advice आदि।

14. The teacher gave us many *advices.*	The teacher gave us many *pieces of advice.*
15. My younger brother did many *mischiefs.*	My younger brother did many *acts of mischief.*

16. The boys were shouting *abuses*. — The boys were shouting *words of abuse*.
17. I have learnt the *alphabets*. — I have learnt the *letters of the alphabet*.

(3) Rupee, dozen, mile, year, foot—ये शब्द जब संख्यावाची शब्द (numeral) के बाद आते हैं तो सदा एकवचन (singular) में ही प्रयोग होते हैं जैसे—five rupee note होगा, five rupees note नहीं।

18. I have a five *rupees* note. — I have a five *rupee* note.
19. We bought two *dozens* pencils. — We bought two *dozen* pencils.
20. He ran in a two *miles* race. — He ran in a two *mile* race.
21. Abida is a ten *years* old girl. — Abida is a ten *year* old girl.
22. It's a three *feet-rule*. — It's a three *foot-rule*.

(4) Vegetables (सब्जी या सब्जियां), spectacles (ऐनक), trousers (पतलून या पाजामा), Himalayas (हिमालय), people (लोग), orders (आदेश), repairs (मरम्मत)—ये शब्द सदा बहुवचन (plural) में ही प्रयोग होते हैं, एकवचन (singular) में नहीं।

23. I had gone to buy *vegetable*. — I had gone to buy *vegetables*.
24. The road is closed for *repair*. — The road is closed for *repairs*.
25. The judge passed *order* for his release. — The judge passed *orders* for his release.
26. Very few *peoples* are hard-working. — Very few *people* are hard-working.
27. His *spectacle is* very expensive. — His *spectacles are very expensive*.
28. The *scissor is blunt*. — The *scissors are blunt*.
29. Your *trouser is not loose*. — Your *trousers are* not loose.
30. The *Himalaya is* the highest *mountain*. — The *Himalayas are* the highest *mountains*.

(5) Fish (मछली या मछलियां), deer (हिरन), sheep (भेड़ या भेड़ें), cattle (पशु)—ये शब्द बहुवचन के अर्थ में भी एकवचन (singular) में ही प्रयोग होते हैं।

31. The fisherman catches many *fishes* in the pond. — The fisherman catches many *fish* in the pond.
32. I saw many *sheeps* and *deers* in the jungle. — I saw many *sheep* and *deer* in the jungle.
33. The *cattles are* returning to the village. — The *cattle is* returning to the village.

(6) Gentry (सभ्य लोग) शब्द का प्रयोग बहुवचन में होता है, एकवचन में नहीं।

34. The *gentry* of the town *has* been invited. — The *gentry* of the town *have* been invited.

कई बार लोग बातचीत में अधूरी शब्दावली प्रयोग करते हैं। ऐसी शब्दावली सभ्य समाज में वक्ता को हंसी का पात्र बना देती है। ऐसी अशुद्धियां करने से बचना चाहिए–

35. This is not my *copy*. — This is not my copy-book.
36. Bring some *blotting* from the office. — Bring some *blotting paper* from the office.
37. She lives in the *boarding*. — She lives in the *boarding house*.
38. Please, put your *sign* here. — Please, put your *signature* here.

अधूरी शब्दावली की तरह हमें बोलचाल एवं लेखन में फालतू शब्दावली से भी बचना चाहिए—

39. Your servant is a *coward boy.*	Your servant is a *coward.*
40. She is my *cousin sister.*	She is my *cousin.*

सर्वनाम-शब्दों के प्रयोग में अशुद्धियां
(ERRORS IN THE USE OF PRONOUNS)

अशुद्ध (Incorrect)	शुद्ध (Correct)
41. It is *me.*	It is *I.*
42. *I, you* and *he* will go to Calcutta tomorrow.	*You, he* and *I* will go to Calcutta tomorrow.
43. You are wiser than *me.*	You are wiser than *I.*
44. Let her and *I* do this work.	Let her and *me* do this work.
45. *One* should do *his* duty.	*One* should do *one's* duty.
46. *Everyone* must do *their* best.	*Every one* must do *his* best.
47. *Every man* and boy is busy with *their* work.	*Every man* and boy is busy with *his* work.
49. These *two* sisters love *one another.*	These *two* sisters love *each other.*
48. These *three* sisters love *each other.*	These *three* sisters love *one another.*
50. *Neither* Kanta *nor* Abida *are* in the class.	*Neither* Kanta *nor* Abida *is* in the class.
51. *Neither you nor I are* lucky.	*Neither of us is* lucky.
52. She has studied *neither* of these ten books.	She has studied *none* of these ten books.
53. *Who* is this *for?*	*For whom* is this?
54. *Who* are you expecting now?	*Whom* are you expecting now?
55. Say *whom* you think will get the prize.	Say *who* you think will get the prize.
56. *Who* do you think we met?	*Whom* do you think we met?
57. I am *enjoying* now.	I am *enjoying myself* now.
58. Jasbir *hid* behind the wall.	Jasbir *hid herself* behind the wall.
59. Thy *resigned* to the will of God.	They *resigned themselves* to the will of God.
60. We *applied* heart and soul to the task before us.	We *applied our* heart and soul to the task before us.
61. *Which* is cleverer, Rajiv or Rakesh?	*Who* is cleverer, Rajiv or Rakesh?
62. Please, bring *mine* pen.	Please, bring *my* pen.
63. This pen is *my.*	This pen is *mine.*
64. I do not like *any* of these two books.	I do not like *either* of these two books.
65. I like *not any* of these two books.	I like *neither* of these two books.

(1) जब मैं, तू और वह शब्द अंग्रेज़ी में एक साथ प्रयोग किए जाते हैं तो वे इस क्रम में आते हैं—you (तुम), he (वह) and I मैं।

(2) Let के साथ him, her और me *(Pronoun)* आते हैं, he, she, I नहीं।

(3) Everyone, every man शब्दों के बाद सम्बन्ध कारक his या her लगता है, their नहीं। किन्तु one *(Pronoun)* के बाद one's लगता है; his, her या their नहीं।

(4) दो व्यक्तियों के लिए each other आता है और तीन या तीन से अधिक व्यक्तियों के लिए one another.

(5) Neither-nor के साथ *singular* क्रिया (is आदि) लगती है और ये शब्द दो व्यक्तियों के अर्थ में प्रयोग होते हैं।

(6) बहुत वस्तुओं के बीच में 'कोई भी नहीं' अर्थ के लिए none आता है, neither नहीं।

(7) Enjoy, hid, resign, apply, avail, absent—इन क्रियाओं के बाद himself, herself, themselves, yourself, myself, ourselves आदि लगते हैं।

(8) My और mine का अर्थ है मेरा, your और yours का अर्थ है तुम्हारा, और our व ours का अर्थ है हमारा। किन्तु प्रयोग में (a) my, your, our तब आते हैं जब इनके बाद कोई संज्ञा *(Noun)* शब्द रहता है; जैसे—my pen, your father, our mother; (b) जब इन सर्वनामों के बाद में कोई संज्ञा शब्द नहीं होता तो प्रायः mine, yours, ours आदि जुड़ते हैं।

विशेषण-शब्दों के प्रयोग में अशुद्धियां
(ERRORS IN THE USE OF ADJECTIVES)

अशुद्ध (Incorrect)	शुद्ध (Correct)
66. You are *more stronger* than I.	You are *stronger* than I.
67. She is growing *weak* and *weak* everyday.	She is growing *weaker* and *weaker* everyday.
68. Mohan is *elder* than Salim	Mohan is *older* than Salim.
69. Delhi is *older* than other cities in India.	Delhi is the *oldest* city in India.
70. Bombay is *further* from Delhi than Amritsar.	Bombay is *farther* from Delhi than Amritsar.
71. Have you *any* ink?	Do you have *some* ink?
72. Have she *much* books?	Does she have *many* books?
73. Lila was her *oldest* daughter.	Lila was her *eldest* daughter.
74. Lila was the *eldest* of the two sisters.	Lila was the *elder* of the two sisters.
75. He is the *youngest* and *most* intelligent of my two sons.	He is *younger* and *more* intelligent of my two sons.
76. I visited many *worthseeing places.*	I visited many *places worthseeing.*
77. I told you the *last* news.	I told you the *latest* news.
78. You are junior than I.	You are junior *to me.*
79. I have *less* worries than Mohan.	I have *fewer* worries than Mohan.
80. No *less* than fifty persons died of cholera.	No *fewer* than fifty persons died of cholera.
81. This is the *worst* of the two.	This is *worse* of the two.
82. After lunch we had no *farther* talk.	After lunch we had no *further* talk.
83. He wasted *his all* wealth.	He wasted *all his* wealth.
84. I prefer cycling *more than* walking.	I prefer cycling *to* walking.
85. I am *more stronger* than he.	I am *stronger* than he.
86. He is *the weakest* boy of the two.	He is *the weaker* boy of the two.
87. I have got *few* books.	I have got *a few* books.

(1) Elder और older दोनों का अर्थ होता है दो में से बड़ा। किन्तु elder सगे रिश्ते में ही आता है; जैसे elder brother, elder sister. जब दो व्यक्ति या वस्तुएं भिन्न-भिन्न हों तो older प्रयोग होता है जैसे—Mohan is older than Salim.

(2) Eldest और oldest दोनों का अर्थ होता है सबसे बड़ा। पर elder की तरह eldest सगे रिश्ते में आता है।

(3) Further (अगला) और farther (दो में से दूर वाला) इन शब्दों का समझकर प्रयोग करना चाहिए।

(4) Many संख्यावाची विशेषण है, जैसे many books (बहुत-सी पुस्तकें) और much परिमाणवाचक विशेषण है जैसे much water (बहुत-सा पानी)।

(5) विशेषण की तीन अवस्थाओं (three degrees) का प्रयोग समयानुसार सावधानी से करना चाहिए।

(6) Many की तरह few संख्यावाची है और much की तरह less परिमाणवाची है। इनका प्रयोग सावधानी से करना चाहिए।

क्रिया-शब्दों के प्रयोग में अशुद्धियां
(ERRORS IN THE USE OF VERBS)

	अशुद्ध (Incorrect)	शुद्ध (Correct)
88.	Her father told me that honesty *was* the best policy.	Her father told me that honesty *is* the best policy.
89.	The cashier-cum-accountant *have* come.	The cashier-cum-accountant *has* come.
90.	The cashier and the accountant *has* come.	The cashier and the accountant *have* come.
91.	*Can* I come in, sir?	*May* I come in, sir?
92.	I'm so weak that I *may not* walk.	I'm so weak that I *cannot* walk.
93.	Tell me why *are you* abusing him.	Tell me why *you are* abusing him.
94.	Pushpa *as well as* her other sisters *are* beautiful.	Pushpa *as well as her other sisters* is beautiful.
95.	I *am* ill for two weeks.	I *have been* ill for two weeks.
96.	The ship *was drowned.*	The ship *sank.*
97.	He *has stole* a pen.	He *has stolen* a pen.
98.	Dhulip *sung* well.	Dhulip *sang* well.
99.	Mohamed has often *beat* me at tennis.	Mohamed has often *beaten* me at tennis.
100.	I *laid* in bed till eight in the morning.	I *lay* in bed till eight in the morning.
101.	I *will* be drowned and nobody *shall* save me.	I *shall* be drowned and nobody *will* save me.
102.	You *will* leave this place at once.	You *shall* leave this place at once.
103.	We *shall* not accept defeat.	We *will not* accept defeat.
104.	I should learn to ride if I *buy* a cycle.	I should learn to ride if I *bought* a cycle.
105.	I never *have,* and I never *will* do it.	I *have* never *done,* and I *will* never do it.
106.	Neither he *came* nor he *wrote.*	Neither *did* he *come* nor *did* he *write.*
107.	Seldom I go to the hills.	Seldom *do* I go to the hills.
108.	This food is hard to *be digested.*	This food is hard to *digest.*
109.	He ordered *to withdraw the army.*	He ordered *his army to withdraw.*
110.	Each and every father *love their* children.	Each and every father *loves his* children.

(1) Can और may का अर्थ है सकना। किन्तु can का प्रयोग शक्ति के अर्थ में होता है और may का आज्ञा के अर्थ में। देखिए वाक्य—91, 92.

(2) As well as से पहले का कर्ता यदि एकवचन में हो तो क्रिया भी एकवचन की होती है। देखिए वाक्य—94.

(3) जब वाक्य why आदि शब्दों के साथ Indirect form में रहता है तो 'why are you' की जगह 'why you are' होता है। ऐसे वाक्य में प्रश्नचिन्ह भी नहीं लगता। देखिए वाक्य—93.

(4) Drown और sink दोनों का अर्थ है डूबना, किन्तु प्राणवान वस्तु के डूबने के अर्थ में drown आता है और बेजान वस्तु के डूबने के अर्थ में sink आता है। देखिए वाक्य—96 और 101.

(5) सामान्य भविष्यत् को बताने के लिए I, we के साथ shall और he, she, they तथा you के साथ will लगता है, देखिए वाक्य—101. किन्तु यदि 'दृढ़ निश्चय' या 'धमकी' प्रकट करनी हो तो उल्टा प्रयोग होता है—I, we के साथ will तथा he, she, they, you के साथ shall. देखिए वाक्य—102-103.

(6) Shall का past tense का रूप should होता है। जिस वाक्य में should का इस अर्थ में प्रयोग हो, उस वाक्य में दूसरी क्रिया भी past tense की आएगी। देखिए वाक्य—104.

(7) Neither, seldom नकारात्मक (negative) शब्द हैं। वाक्य में इनके प्रयोग में (अन्य negative वाक्यों की तरह), do, did का प्रयोग होता है। देखिए वाक्य—106-107.

(8) ज़रा सोचिए कि वाक्य 110 में his children क्यों आया, their children क्यों नहीं? [ठीक है his का सम्बन्ध father से है, children से नहीं, इसलिए यहां his ठीक है।]

क्रिया विशेषण-शब्दों के प्रयोग में अशुद्धियां

(ERRORS IN THE USE OF ADVERBS)

अशुद्ध (Incorrect)	शुद्ध (Correct)
111. I play basket-ball *good.*	I play basket-ball *well.*
112. I am *very much* sorry.	I am *very* sorry.
113. It is *much* cold today.	It is *very* cold today.
114. The horse is *too* tired.	The horse is *very* tired.
115. This girl is *very* poor *to* pay her dues.	This girl is *too* poor *to* pay her dues.
116. She is *too* weak *for* walk.	She is *too* weak *to* walk.
117. I am *too* pleased.	I am *much* pleased.
118. We *slowly walked.*	We *walked slowly.*
119. We should *only* fear *God.*	We should fear *God only.*
120. This house is *enough large* for them.	This house is *large enough* for them.
121. He doesn't know *to* swim.	He doesn't know *how to* swim.
122. I don't know *to* do it.	I don't know *how to* do it.
123. Don't run *fastly.*	Don't run *fast.*
124. She is not *clever* to do it.	She is not *clever enough* to do it.
125. He explained *clearly his case.*	He explained *his case clearly.*
126. You have done it very *quick.*	You have done it very *quickly.*
127. It's *too* hot.	It's *very* hot.
128. It's *very* hot to play tennis.	It's *too* hot to play tennis.
129. Poona is *known* for its figs.	Poona is *well known* for its figs.
130. I went *directly* to school.	I went *direct* to school.
131. I feel *comparatively better* today.	I feel *better* today.
132. He runs *fastly.*	He runs *fast.*
133. The child walks *slow.*	The child walks *slowly.*
134. I am *very* delighted to see you.	I am *much* delighted to see you.
135. He is now *too strong to* walk.	He is now *strong enough* to walk.

(1) Well (adverb) की जगह good (adjective) का प्रयोग अच्छा नहीं है। वाक्य—111.

(2) Too और very दोनों का अर्थ है—बहुत। पर (a) too के बाद सम्बन्धित (relative) शब्द to जुड़ता है; जैसे—She *is too* weak *to* walk (वह इतनी अधिक कमज़ोर है कि चल-फिर नहीं सकती।) देखिए वाक्य—116.

(b) बहुत के अर्थ में सामान्यतया very या much जुड़ता है देखिए वाक्य—117, 127.

(3) Slowly, clearly आदि सभी adverbs प्राय: क्रिया के बाद जुड़ते हैं। देखिए वाक्य—118, 125.

(4) कई लोग 'comparatively better' कहते हैं। ज़रा सोचिए, जब better में ही दो में से अच्छा होने का भाव है तो comparatively क्यों? देखिए वाक्य—131.

(5) ज़रा बताइए तो वाक्य 135 क्यों गलत है—He is now *too* strong *to* walk. [हां, यह वाक्य इसलिए गलत हैं क्योंकि इसका अर्थ होगा—वह इतना शक्तिशाली है कि चल-फिर नहीं सकता। अर्थ इससे उल्टा है, इसलिए *'too strong'* की जगह strong enough लगेगा।

योजक-शब्दों के प्रयोग में अशुद्धियां
(ERRORS IN THE USE OF CONJUNCTIONS)

	अशुद्ध (Incorrect)	शुद्ध (Correct)
136.	*Though* he works hard *but* he is weak.	*Though* he works hard *yet* he is weak.
137.	The teacher asked *that why* I was late.	The teacher asked *why* I was late.
138.	Wait here *till* I *do not* come.	Wait here *till* I come.
139.	*No sooner* we reached the station, the train started.	*No sooner did* we reach the station, *than* the train started.
140.	*Not only* he *abused* me *but also* beat me.	*Not only did* he *abuse* me *but* beat me also.
141.	We had *hardly gone out before* it began to rain.	We had *hardly* gone out *when* it began to rain.
142.	Run fast *lest* you *should not* be late.	Run fast *lest* you *should* be late.
143.	*As* Satish is fat *so* he walks slowly.	*As* Satish is fat, he walks slowly.
144.	I doubt *that* she will pass this year.	I doubt *whether* she will pass this year.
145.	*When* I reached there *then* it was raining.	*When* I reached there, it was raining.
146.	*Although* he is poor, *but* he is honest.	*Although* he is poor, *yet* he is honest.
147.	Wait here *until* I do not come.	Wait here *till* I come.
148.	*Unless* you *do not* try, you will never succeed.	*Unless* you try, you will never succeed.
149.	There is no *such* country *which* you mention.	There is no *such* country *as you mention.*
150.	He had *scarcely* reached the station *than* the train started.	He had *scarcely* reached the station *when* the train started.

(a) कुछ योजक शब्द परस्पर एक साथ प्रयोग होते हैं, जैसे though—yet; no sooner—than; not only—but also; hardly—when; lest—should; although—yet; such—as तथा scarcely—when आदि। [though आदि के साथ yet आदि ही आएगा, but आदि नहीं।]

(2) No sooner, not only नकारात्मक *(negative)* शब्द हैं। अत: do, did का प्रयोग इनके बाद होता है। वाक्य—139, 140.

(3) Lest का अर्थ है—'ऐसा न हो कि'। अत: lest के बाद should आएगा, should not नहीं। देखिए वाक्य—142.

(4) As के साथ सम्बन्धित (relative) शब्द के रूप में so नहीं जुड़ता। देखिए वाक्य—143.

(5) अंग्रेज़ी में when के आगे then नहीं जुड़ता जैसे हिन्दी में जुड़ता है। देखिए वाक्य—145.

सम्बन्ध-सूचक शब्दों के प्रयोग में अशुद्धियां
(ERRORS IN THE USE OF PREPOSITIONS)

अशुद्ध (Incorrect)	शुद्ध (Correct)
(i) कोई सम्बन्ध-सूचक नहीं लगता	
151. My mother loves *with* me.	My mother loves me.
152. He reached *at* the station.	He reached the station.
153. He ordered *for* my dismissal.	He ordered my dismissal.
154. Rajiv married *with* your cousin.	Rajiv married your cousin.
155. Amitabh entered *into* the room.	Amitabh entered the room.
(ii) by का प्रयोग	
156. What is the time *in* your watch?	What's the time *by* your watch?
157. They went to Banaras *in* train.	They went to Banaras *by* train.
158. She was killed *with* a robber.	She was killed *by* a robber.
(iii) with का प्रयोग	
159. He is angry *upon* me.	He is angry *with* me.
160. Are you angry *on* her?	Are you angry *with* her.
161. My principal is pleased *from* me.	My principal is pleased *with* me.
162. Wash your face *in* water.	Wash your face *with* water.
163. The dacoit was killed *by* a sword.	The dacoit was killed *with* a sword.
164. Compare Akbar *to* Rana Pratap.	Compare Akbar *with* Rana Pratap.
165. She covered her face *by* her shawl.	She covered her face *with* her shawl.
(iv) at का प्रयोग	
166. Open your book *on* page ten.	Open your book *at* page ten.
167. Ram lives *in* Sonepat.	Ram lives *at* Sonepat.
168. Why did you laugh *on* the beggar.	Why did you laugh *at* the beggar.
169. Who is knocking *on* the door.	Who is knocking *at* the door.
170. The train arrived *on* the platform.	The train arrived *at* the platform.
(v) on का प्रयोग	
171. We go to school *by* foot.	We go to school *on* foot.
172. We congratulate you *for* your success.	We congratulate you *on* your success.
173. The rioters set the house *to* fire.	The rioters set the house *on* fire.
174. The house was built *over* the ground.	The house was built *on* the ground.
175. Father spent a lot of money *at* her wedding.	Father spent a lot of money *on* her wedding.

(vi) to का प्रयोग

	Incorrect	Correct
176.	Vimal was married *with* Shyam.	Vimal was married *to* Shyam.
177.	You are very kind *on* me.	You are very kind *to* me.
178.	We should pray God every day.	We should pray *to* God every day.
179.	I won't listen what you say.	I won't listen *to* what you say.
180.	I object *at* your statement.	I object *to* your statement.

(vii) in का प्रयोग

	Incorrect	Correct
181.	Swatantra Kumari lives *at* Bombay.	Swatantra Kumari lives *in* Bombay.
182.	He was walking *into* the garden.	He was walking *in* the garden.
183.	Please, write *with* ink.	Please, write *in* ink.
184.	I have no faith *upon* your story.	I have no faith *in* your story.
185.	The rain will cease *after* a little while.	The rain will cease *in* a little while.

(viii) into का प्रयोग

	Incorrect	Correct
186.	Divide the cake *in* five parts.	Divide the cake *into* five parts.
187.	Please look *in* the matter.	Please look *into* the matter.
188.	She jumped *in* the river.	She jumped *into* the river.
189.	I fear that she will fall *in* the hands of robbers.	I fear that she might fall *into* the hands of robbers.
190.	Translate this passage *in* Hindi.	Translate this passage *into* Hindi.

(ix) of का प्रयोग

	Incorrect	Correct
191.	She died *from* plague.	She died *of* plague.
192.	We are proud *on* our country.	We are proud *of* our country.
193.	The child is afraid *from* you.	The child is afraid *of* you.
194.	Hamida is not jealous *to* Abdul.	Hamida is not jealous *of* Abdul.
195.	We should take care *for* our books.	We should take care *of* our books.
196.	He died *from* hunger.	He died *of* hunger.

(x) from का प्रयोग

	Incorrect	Correct
197.	My shirt is different *to* your.	My shirt is different *from* yours.
198.	His mother prevented him *of* going to cinema.	His mother prevented him *from* going to cinema.
199.	I commenced work *since* 14th July.	I commenced work *from* 14th July.
200.	He hindered me *to* do this.	He hindered me *from* doing this.

(xi) for का प्रयोग

	Incorrect	Correct
201.	He won't be there *before four months.*	He won't be there *for* four months.
202.	The employer blames her *of* carelessness.	The employer blames her *for* carelessness.

203. Three scholarships are competed.	Three scholarships are competed *for*.
204. Free meals should be provided *with* the poor children.	Free meals should be provided *for* the poor children.
205. Who cares *of* you?	Who cares *for* you?

(xii) between, among, since, up, against आदि का प्रयोग

206. Distribute the fruit *among* Kamla and Vimla.	Distribute the fruit *between* Kamla and Vimla.
207. Divide this money *between* these girls.	Divide this money *among* these girls.
208. Rakesh has been absent from college *from* last Monday.	Rakesh has been absent from college *since* last Monday.
209. He tore *away* the bills.	He tore *up* the bills.
210. The English fought *with* the Russians.	The English fought *against* Russians.

जहां तक सम्बन्ध-सूचक (prepositions) शब्दों की क्रियाओं के साथ प्रयोग का प्रश्न है, ये इसलिए प्रयोग होती हैं क्योंकि अंग्रेज़ी भाषा में इनका इसी तरह प्रयोग होता है। इसमें तर्क-वितर्क की अधिक गुंजाइश नहीं है। अतः अंग्रेज़ी सीखने के इच्छुक व्यक्तियों को इनका शुद्ध प्रयोग मन में बैठाना चाहिए।

हिन्दी में भी कारक चिन्हों का प्रयोग जैसा कहीं रूढ़ हो गया है, उसी को आज शुद्ध माना जाता है। यह बात हर भाषा में थोड़ी कम-ज़्यादा होती है, अतः इसे अनिवार्य मानकर समझने का प्रयत्न करना चाहिए।

A, an, the शब्दों के प्रयोग में अशुद्धियां
(THE ERRORS IN THE USE OF ARTICLES)

अशुद्ध (Incorrect)	**शुद्ध (Correct)**
(i) the का प्रयोग	
211. *The* Delhi is the capital of India.	Delhi is the capital of India.
212. She met me in *the* Faiz Bazaar.	She met me in Faiz Bazaar.
213. He has failed in *the* English.	He has failed in English.
214. She was suffering from *the* typhoid.	She was suffering from typhoid.
215. *The* union is strength.	Union is strength.
(ii) ऐसे शब्दों से पूर्व the जुड़ता है—	
216. This is *a* best player I have ever met.	This is *the* best player I have ever met.
217. Ganga flows into Bay of Bengal.	*The* Ganga flows into *the* Bay of Bengal.
218. Rose is sweetest of all flowers.	*The* rose is *the* sweetest of all *the* flowers.
219. Rich are happy but poor are unhappy.	*The* rich are happy but *the* poor are unhappy.
220. Ramayana and Mahabharata are epics of India.	*The* Ramayana and the Mahabharata are *the* epics of India.

1. **व्यक्तिवाचक संज्ञा शब्द (जैसे Delhi, Faiz Bazaar, English language), द्रव्यवाचक संज्ञा शब्द (जैसे gold, silver आदि), भाववाचक संज्ञा शब्द (union, honesty आदि) एवं रोगों के नाम आदि मे साथ the का प्रयोग नहीं होता।**
2. **विशेषण की तीसरी अवस्था में पर्वतों, प्रदेशों, नदियों, समुद्रों आदि के नामों (the Ganga, the Himalayas आदि) से**

पूर्व; पुस्तकों के नामों (the Ramayana, the Mahabharata आदि) से पूर्व; संज्ञा के रूप में प्रयुक्त विशेषण शब्दों (the rich, the poor आदि) से पूर्व the जुड़ता है। साथ ही किसी वस्तु या व्यक्ति पर दबाव देना हो तो वहां (the rose, the flower, the epic) भी the लगाते हैं।

(iii) ऐसी अवस्थाओं में a नहीं जुड़ता—

221. *A* man is mortal.	Man is mortal.
222. Your sister is in *a* trouble.	Your sister is in trouble.
223. He made a rapid progress.	He made rapid progress.
224. There is *a* vast scope for improvement.	There is vast scope for improvement.
225. He writes *a* good poetry.	He writes good poetry.

3. वाक्य 221 में किसी व्यक्ति (a man) की बात नहीं है—बल्कि मनुष्य मात्र की है। अतः a नहीं जुड़ेगा। वाक्य 222 में trouble (संकट) संख्यात्मक शब्द नहीं है अतः a नहीं जुड़ेगा। इसी प्रकार भाववाचक एवं द्रव्यवाचक संज्ञाओं से पूर्व सामान्यतया a या an नहीं जुड़ेगा।

(iv) सामान्यतया जातिवाचक संज्ञाओं से पूर्व a जुड़ता है—

अशुद्ध (Incorrect)	शुद्ध (Correct)
226. Don't make noise.	Don't make *a* noise.
227. The English *is* brave nation.	The English is *a* brave nation.
228. I got headache.	I got *a* headache.
229. Your words are not worth penny.	Your words are not worth *a* penny.
230. He is an European.	He is *a* European.

(v) जिन शब्दों का आरंभ स्वर (vowel) से होता है या उच्चारण स्वर का होता है वहां an लगता है।

231. She was not *a* Indian.	She was not *an* Indian.
232. Please buy a umbrella from the bazaar.	Please buy *an* umbrella from the bazaar.
233. I'll finish with my work in *a* hour.	I'll finish with my work in *an* hour.
234. He was *a* M. L. A.	He was *an* M. L. A.
235. She is *a* M. A.	She is *an* M. A.

4. a और an समान बल के articles हैं। केवल अन्तर यह है कि (a) जिन शब्दों का पहला वर्ण व्यंजन (consonant) होता है वहां *a* जुड़ता है और (b) जिन शब्दों का पहला वर्ण स्वर (vowel) होता है वहां *an* जुड़ता है। जैसे—
a : a book, a nation, a noise आदि।
an : an Indian, an umbrella, an apple आदि।

5. an के प्रयोग में कुछ अपवाद भी हैं। अंग्रेजी में कुछ शब्द ऐसे हैं जिनका पहला वर्ण अनुच्चरित (silent) होता है; जैसे : hour (आवर), honour (ऑनर), honest (ऑनेस्ट)।
ऐसे शब्दों के साथ an लगेगा, a नहीं; जैसे—an hour, an honour, an honest आदि।

6. an के प्रयोग की बात यहीं समाप्त नहीं होती; आगे चलिए। कुछ लघु रूप (शार्ट फॉर्म) शब्द देखिए—M.A., M.L.A., अब सोचिए, इनके साथ a जुड़ेगा या an? आप सोच रहे होंगे कि दोनों में पहला व्यंजन M है अतः a जुड़ेगा। पर बात ऐसी

नहीं है, क्योंकि M.A. और M.L.A. दोनों में m का उच्चारण ए स्वर (vowel) जैसा है, अतः यहां an M.A. और an M.L.A. होगा। देखिए वाक्य 234 और 235.

7. अब 230वां वाक्य पढ़िए। वहां 'a European' क्यों ठीक माना जाता है। उत्तर वही है जो 'an hour' के बारे में था। 'ए यूरोपियन' में E silent है और u का उच्चारण भी 'यू' (Solid) है,हिंदी के यू जैसा। इसे भी अपवाद समझना चाहिए।

अन्त में हम आपसे एक बात कहना चाहेंगे। वह यह है कि आप अपने और अपने आपसी व्यवहार में आने वाली अंग्रेज़ी में ऐसी सामान्य अशुद्धियों पर ध्यान दीजिए। जब आप भाषा के सम्बन्ध में ऐसा दृष्टिकोण बनाएंगे तो अशुद्धियां अपने आप ही, आपके सामने खुलती चली जाएंगी—और आप अनुभव करेंगे कि अच्छी अंग्रेज़ी में बातचीत करना न केवल आपके व्यवसाय के लिए ही लाभदायक है, बल्कि यह तो आपके लिए बहुत आनंददायक भी है।

हमारी शुभ कामनाएं आपके साथ हैं।

अंग्रेज़ी में शब्द-निर्माण
(WORD BUILDING IN ENGLISH)

अंग्रेज़ी भाषा में शब्द दो प्रकार के होते हैं—साधारण (Simple) और व्युत्पन्न (Derived)।

(a) साधारण शब्दों को आदिम (Primitive) भी कहते हैं। ऐसे शब्दों को सार्थक खण्डों में अलग-अलग नहीं किया जा सकता; जैसे—man, good, fear आदि।

(b) व्युत्पत्ति से बने हुए शब्दों को व्युत्पन्न (Derived या Derivative) शब्द कहते हैं। ऐसे शब्द चार प्रकार से बनते हैं:

(i) साधारण शब्द में थोड़ा-सा परिवर्तन करके; ऐसे शब्दों को प्रारंभिक व्युत्पन्न (Primary Derivative) शब्द कहते हैं। उदाहरणस्वरूप—hot से heat, tale से tell, full से fill आदि।

(ii) साधारण शब्द से पूर्व उपसर्ग जोड़कर; जैसे—wise से पहले un उपसर्ग जोड़कर unwise, side से पहले out या in जोड़कर outside या inside आदि शब्द।

(iii) साधारण शब्द के आगे प्रत्यय जोड़कर; जैसे—man के आगे hood प्रत्यय लगाने से manhood, good के आगे ness प्रत्यय लगाने से goodness, fear के आगे less प्रत्यय लगाने से fearless आदि शब्द।
दूसरे और तीसरे प्रकार के शब्दों को Secondary Derivative Words कहते हैं।

(iv) एक शब्द के साथ दूसरा शब्द जोड़ने से; ऐसे शब्दों को संयुक्त शब्द (compound words) कहते हैं; जैसे—footpath, midday, sometimes आदि।

नीचे इन चारों प्रकार के शब्दों का विस्तृत विवरण दिया जाता है। इनके अभ्यास से आप अपना शब्द-ज्ञान (Vocabulary) जितनी चाहें उतनी बढ़ा सकते हैं।

1. प्रारंभिक व्युत्पन्न (Primary Derivative) शब्द, कई तरह से बनते हैं।

(i) क्रिया-शब्दों में संज्ञा शब्द बनाना—

क्रिया	उच्चारण	अर्थ	संज्ञा	उच्चारण	अर्थ
feed	फीड	भोजन करना	food	फूड	भोजन
die	डाइ	मरना	death	डैथ	मृत्यु
strike	स्ट्राइक	प्रहार करना	stroke	स्ट्रोक	प्रहार

write	राइट	लिखना	writ	रिट	लेख
speak	स्पीक	बोलना	speech	स्पीच	भाषण
believe	बिलीव	विश्वास करना	belief	बिलीफ़	विश्वास
break	ब्रेक	उल्लंघन करना	breach	ब्रीच	उल्लंघन

(ii) विशेषण-शब्दों से संज्ञा-शब्द बनाना—

विशेषण	उच्चारण	अर्थ	संज्ञा	उच्चारण	अर्थ
grave	ग्रेव	गंभीर	grief	ग्रीफ़	दुःख
proud	प्रॉउड	घमण्डी	pride	प्राइड	घमण्ड
hot	हॉट	गर्म	heat	हीट	गर्मी

(iii) संज्ञा-शब्दों से विशेषण-शब्द बनाना—

संज्ञा	उच्चारण	अर्थ	विशेषण	उच्चारण	अर्थ
wisdom	विज़डम	बुद्धिमता	wise	वाइज़	बुद्धिमान
milk	मिल्क	दूध	milch	मिल्च	दुधारू

(iv) संज्ञा-शब्दों से क्रिया-शब्द बनाना—

संज्ञा	उच्चारण	अर्थ	क्रिया	उच्चारण	अर्थ
blood	ब्लड	रक्त	bleed	ब्लीड	रक्त बहना
gold	गोल्ड	सोना	gild	गिल्ड	सोना चढ़ाना
tale	टेल	कथा, कहानी	tell	टैल	कहना
food	फूड	भोजन	feed	फीड	भोजन खिलाना
wreath	रीथ	माला	wreathe	रीद	माला पहनाना
cloth	क्लॉथ	कपड़ा	clothe	क्लोद्	कपड़ा पहनना
bath	बाथ	स्नान	bathe	बेद्	स्नान करना
breath	ब्रेथ	सांस	breathe	ब्रीद्	सांस लेना

(v) विशेषण-शब्दों से क्रिया-शब्द बनाना—

विशेषण	उच्चारण	अर्थ	क्रिया	उच्चारण	अर्थ
full	फुल	पूर्ण	fill	फिल	पूर्ण करना, भरना
grave	ग्रेव	गंभीर	grieve	ग्रीव	दुःखी होना
frosty	फ्रॉस्टी	पाले से ढका	frost	फ्रॉस्ट	पाला पड़ना
hale	हेल	स्वस्थ	heal	हील	स्वस्थ होना
half	हाफ़	आधा	halve	हाव	दो हिस्से करना
beautiful	बियूटिफुल	सुन्दर	beautify	बियूटीफ़ाइ	सुन्दर बनाना
striking	स्ट्राइकिंग	मोहक	strike	सट्राइक	ध्यान आकर्षित करना
flattering	फ्लैटरिंग	खुशामदी	flatter	फ्लैटर	चापलूसी करना
killing	किलिंग	घातक	kill	किल	हत्या करना
permissible	परमिसिबल	अनुमति योग्य	permit	परमिट	आज्ञा देना
penal	पीनल	दण्डनीय	penalise	पिनलाइस	दण्डित करना

2. अंग्रेज़ी में ऐंग्लो-सैक्सन, लैटिन और फ्रैंच तथा ग्रीक भाषा के शब्द बहुत अधिक प्रचलित हैं। इसलिए इन शब्दों से इनके अलग-अलग उपसर्ग (prefix) प्रयोग में आते हैं। इनका परिचय प्राप्त कीजिए।

प्रमुख इंगलिश, फ्रैंच, लैटिन तथा ग्रीक उपसर्ग (prefixes)

उपसर्ग	अर्थ	उदाहरण
A-	पर, रहित, परे, हीनता	*a*shore, *a*way, *a*pathy
Ab-	परे, दूर, अलग, अ-	*ab*normal
Ad-	सं-, अधि-,	*ad*here, *ad*vocate
After-	बाद में, पश्चात्	*after*wards, *after*growth
Al-	सर्व-, पूर्ण-	*Al*mighty, *al*most, *al*together
Amphi-	दोनों, द्वय, उभय	*amphi*bious, *amphi*theatre
An-	गैर, बिना	*an*archy
Ana-	पर, ऊपर, पुनः	*ana*lyse, *ana*tomy
Ant-, Anti-,	विरुद्ध, विरोधी, प्रति-	*ant*agonist, *anti*pathy
Ante-	पहले, पूर्व	*ante*cedent, *ante*date, *ante* meridian
Arch-, Archi-	प्रथम, प्रधान, प्रमुख	*arch*bishop, *archi*tect
Auto-	स्व-, आत्म	*auto*vehicle, *auto*biography, *auto*graph
Bi-	दो, दोनों	*bi*nocular, *bi*lingual, *bi*centenary
By-	उप-	*by*election, *by*name, *by*law, *by*path, *by*product
Circum-	गोलाकार वस्तु के संदर्भ में	*circum*ference, *circum*navigation, *circum*scribe
Circu-	चारों ओर	*circu*s, *circu*lar, *circu*it
Contra-	विरुद्ध, विरोधी, प्रति-	*contra*dict, *contra*band
Counter-	विरुद्ध, विरोधी, प्रति-	*counter*act, *counter*balance, *counter*feit, *counter*foil
Contro-	विरुद्ध, विरोधी, प्रति-	*contro*versy, *contro*vert
De-	नीचे, अप, अव-	*de*scend, *de*fame, *de*crease
Demi-	आधे, अर्ध-	*demi*god, *demi*structure
Dia-	द्वारा	*dia*logue, *dia*meter
Dis-	विपरीत या नकारात्मक अर्थ में	*dis*order, *dis*obey, *dis*grace
E-	फ्रेंच मूल का एक उपसर्ग जो विशेष ध्वन्यात्मक प्रभाव पैदा करता है	*e*state, *e*squire, *e*special
Em-, En-	में, के अंदर	*em*bark, *en*list
Epi-,	ऊपर, पर	*epi*taph, *epi*logue, *epi*dermis
Ex-,	पूर्व-, पृथक, बाहर	*ex*-student, *ex*-minister, *ex*clude
Extra-	अतिरिक्त	*extra*ordinary, *extra*judicial
Fore-	पूर्व-, अग्र, भविष्य	*fore*see, *fore*warn, *fore*word, *fore*thought
Gain-	विरुद्ध	*gain*say

Hetero-	वि-, कु-, खराब अर्थ में	*hetero*dox, *hetero*geneous,
Homo-	नर-, मनुष्य-, सम-	*homo*geneous, *homo*sexual
Homoeo-	समान, जैसा	*homoeo*pathy
Hyper-	अतिरिक्त, अधिक	*hyper*sensitivity, *hyper*tension
In-	नहीं, में	*in*convenience, *in*clude, *in*ward
Inter-, Intro-	अंतर-, मध्य में	*inter*national, *inter*continent, *intro*duce
Mal-, Male-	बुरा, खराब, कु-	*mal*treatment, *mal*content, *male*factor, *male*diction
Mid-	बीच, मध्य	*mid*night, *mid*wife
Mis-	दुर्-, दुस्, बुरा, खराब	*mis*fortune, *mis*use, *mis*behaviour
Non-	नहीं, नकारात्मक, निर्-	*non*sense, *non*payment
Off-	से परे, अलग	*off*shoot, *off*shore
On-	ऊपर, पर	*on*looker
Out	बाहर	*out*side, *out*come, *out*cast
Over-	ऊपर	*over*coat, *over*done, *over*look
Para-	परा-, बाहर,	*para*phrase, *para*-psychology
Post-	बाद, पीछे	*post*dated, *post*script
Pre-	पहले, पूर्व	*pre*arrange, *pre*caution, *pre*dict
Re-	पुनः, दोबारा,	*re*set, *re*sound, *re*tract, *re*arrange
Sub-	उप-	*sub*-heading, *sub*-editor, *sub*branch
Super-,	अति-, अधि-	*super*natural, *super*power, *super*man
'Sur	अति. अधि	**surpass, surcharge, surplus**
Tele-	दूर-	*tele*phone, *tele*vision, *tele*graph
Trans-	परे, पार	*trans*form, *trans*port
Un-	विपरीत या विरोधी अर्थ में	*un*wise, *un*ripe, *un*able
Vice-	उप-	*Vice*-chancellor, *vice*-principal
We.	अच्छा, सु-	*wel*come, *wel*done, *wel*fare
With	पीछे	*with*stand, *with*draw.

3. उपसर्गों की तरह अंग्रेज़ी में ऐंग्लो-सैक्सन, लैटिन, फ्रैंच और ग्रीक के प्रत्यय (suffixes) भी प्रयोग में आते हैं। इनका परिचय भी प्राप्त कीजिए।

प्रमुख इंगलिश, फ्रैंच, लैटिन तथा ग्रीक प्रत्यय (suffixes)

प्रत्यय	अर्थ तथा व्याख्या	उदाहरण
-able, -ible	के योग्य (संस्कृत के 'अनीयर' प्रत्यय के समकक्ष, आदर + अनीयर् = आदरणीय)	respect*able*, port*able*, service*able*, resist*ible*, revers*ible*
-acy	की अवस्था यह दोनों प्रत्यय भाववाचक संज्ञा बनाने में	suprem*acy*
-age	की अवस्था प्रयोग किए जाते हैं	bond*age*
-archy	-तंत्र, -शासन	hier*archy*, mon*archy*
-ary	इस प्रत्यय से विशेषण और संज्ञावाचक शब्द बनते हैं	arbitr*ary*, diction*ary*, exempl*ary*

-cide	-हत्या, हत्यारा	geno*cide*, homi*cide*
-cracy	-तंत्र (यह प्रत्यय ग्रीक भाषा की धातुओं में जोड़ा जाता है)	demo*cracy*, pluto*cracy*
-craft	-कला, -कौशल	wood*craft*, book*craft*
-crat	किसी तंत्र का समर्थक या सदस्य	demo*crat*, pluto*crat*, bureau*crat*
-cule	छोटा या छोटेपन का सूचक	mole*cule*, animal*cule*
-dom	श्रेणी, अवस्था, क्षेत्र का द्योतक	free*dom*, king*dom*, bore*dom*
-ed	-संज्ञा को विशेषण बनाने वाला प्रत्यय	tail*ed*, feather*ed*
-ee	कर्मवाची (passive voice) संज्ञा बनाने में प्रयुक्त होता है	trust*ee*, employ*ee*, pay*ee*
-en	(i) छोटेपन का अर्थ देने वाला	chick*en*
	(ii) स्त्रीलिंग का अर्थ देने वाला	vix*en*
	(iii) बहुवचन का अर्थ देने वाला	ox*en*
	(iv) संज्ञा शब्दों को विशेषण बनाने वाला	gold*en*, wood*en*
	(v) विशेषण शब्दों को क्रिया बनाने वाला	deep*en*, moist*en*
, -er, -or	(i) क्रियाओं से संज्ञा बनाने वाला	preach*er*, teach*er*, sail*or*
	(ii) तुलनात्मक विशेषण बनाने वाला	great*er*, bigg*er*
-ess	स्त्रीबोधक संज्ञाओं में	princ*ess*, govern*ess*
-et	कर्ता कारक बनाने में प्रयुक्त होता है	proph*et*, po*et*
-ette	लघुतासूचक, प्राचीन अंग्रेज़ी शब्दों में	cigar*ette*
-fold	-गुना, संख्यावाची शब्दों में जोड़ा जाता है	mani*fold*, four*fold*, ten*fold*
-ful	-वाला, -युक्त, -पूर्ण	delight*ful*, cheer*ful*, grace*ful*
-hood	अवस्था का द्योतक	child*hood*, boy*hood*
-ian	व्यक्तिवाचक संज्ञाओं से विशेषण बनाने में प्रयुक्त होता है	Christ*ian* ,Arab*ian*, Ind*ian*
-il	विशेषण बनाने वाला	civ*il*, utens*il*
-ing	(i) रहे, रहा, रही = continuous tense की क्रिया में	kill*ing*, read*ing*
	(ii) क्रियात्मक संज्ञाएं बनाने में प्रयुक्त होता है,	(mass) killing
-ion	यह प्रत्यय भाववाचक संज्ञा बनाने में प्रयुक्त होता है,	relig*ion* , tens*ion*, opin*ion*
-ise	संज्ञा बनाने में प्रयुक्त होता है	franch*ise*, exerc*ise*
-ish	संज्ञा शब्दों से विशेषण बनाने में प्रयुक्त होता है,	blu*ish*, child*ish*, boy*ish*
-ism	(i) विशेष आचरण व दशा का सूचक	ego*ism*, hero*ism*
	(ii) -वाद	Commun*ism*, Capital*ism*, Naz*ism*
-ist	(i) कर्ता व करने वाले के अर्थ में	novel*ist*, art*ist*
	(ii) -वादी, -विचारधारा का अनुयायी	Commun*ist*, impression*ist*
-ite	'संबंधित' के अर्थ में, हीनताबोधक	Israel*ite*
-ive	प्रवृति का बोध करने वाला	act*ive*, pass*ive*
-kin	लघुता के अर्थ में	lamb*kin*
-ling	लघुता के अर्थ में	duck*ling*
-less	-रहित या बिना	guilt*less*, home*less*
-let	लघुता के अर्थ में	leaf*let*
-ly	-के जैसा, -की तरह, विशेषताबोधक	home*ly*, man*ly* wicked*ly*
-ment	क्रिया शब्दों से संज्ञा बनाने में	establish*ment*, nourish*ment*
-most	चरम स्थिति का सूचक	top*most*, super*most*, inner*most*

-ness	विशेषणों से भाववाचक संज्ञा बनाने में	good*ness*, kind*ness*, sweet*ness*
-ock	लघुता के अर्थ में	bull*ock*, hill*ock*
-ouo	-बहुल, -आत्मक, -युक्त, -सहित	relig*ious*, glor*ious*
-red	(की) अवस्था	hat*red*
-right	बिलकुल, पूरी तरह के अर्थ में	out*right*
-ry	किसी कार्य या क्रिया के परिणाम का बोध	poet*ry*, slave*ry*
-se	विशेषण से सकर्मक क्रिया बनाने हेतु	(clean से) clean*se*
-ship	भाववाचक संज्ञा बनाने में	friend*ship*, hard*ship*
-some	संज्ञा व क्रिया शब्दों से विशेषण बनाने में	whole*some*, hand*some*, trouble*some*
-th	(i) संज्ञा शब्दों में भौतिक अवस्था का ज्ञान	streng*th*, bread*th*
	(ii) संख्याओं के साथ 'वां' के अर्थ में	ten*th*, four*th*
-tor	क्रियाओं से कर्तावाचक संज्ञा बनाने वाला	conduc*tor*, crea*tor*, trai*tor*
-ty	भाववाचक संज्ञा बनाने वाला	digni*ty*, priori*ty*, seniori*ty*
-ule	लघुता के अर्थ में	glob*ule*, gran*ule*, pust*ule*
-ward	ओर, की ओर	way*ward*, home*ward*
-way	अवस्था, स्थिति या दिशा सूचक	straight*way*
-y	(i) भाववाचक संज्ञा बनाने में	famil*y*, memor*y*
	(ii) -युक्त, -सहित, विशेषण बनाने में	might*y*, dirt*y*
	(iii) संज्ञा के अर्थ में	arm*y*, deput*y*, treat*y*

4. संयुक्त शब्द (Compound Words)—संयुक्त शब्द कई प्रकार के होते हैं—**(a) संयुक्त संज्ञा शब्द, (b) संयुक्त विशेषण शब्द और (c) संयुक्त क्रिया शब्द।**

(a) संयुक्त संज्ञा शब्द (Compound nouns)

(i) संज्ञा से पूर्व संज्ञा मिलाने से संयुक्त संज्ञा शब्द बनते हैं, उदाहरणस्वरूप—

दो शब्द	संयुक्त शब्द	अर्थ
foot + path	foot-path	पगडंडी
mother + land	mother-land	मातृभूमि
fountain + pen	fountain-pen	बिना डुबाए चलने वाला पेन
sun + beam	sun-beam	सूर्य की किरण
sun + shade	sun-shade	धूप से बचने के लिए छप्पर

(ii) संज्ञा से पूर्व संज्ञा को छोड़कर अन्य शब्द मिलाने से नए संयुक्त शब्द बनते हैं, जैसे—

दो शब्द	संयुक्त शब्द	अर्थ
he + goat	he-goat	बकरा
she + wolf	she-wolf	मादा भेड़िया
blotting + paper	blotting-paper	स्याही चूस
looking + glass	looking-glass	दर्पण,
spend + thrift	spend-thrift	मितव्ययी
mid + day	mid-day	दोपहर, मध्यान्ह
gentle + man	gentle-man	सज्जन

(b) संयुक्त विशेषण शब्द (Adjectives)

दो शब्द	संयुक्त शब्द	अर्थ
child + like	child-like	बच्चे की तरह
life + long	life-long	जीवन पर्यन्त
home + made	home-made	घर की बनी
out + spread	out-spread	बाहर फैली हुई
out + come	out-come	नतीजा
bare + foot	bare-foot	नंगे पांव

(c) संयुक्त क्रिया शब्द (Compound Verbs)

दो शब्द	संयुक्त शब्द	अर्थ
back + bite	back-bite	चुगलखोरी करना
full + fill	ful-fil	पूरा करना
put + on	put-on*	पहनना
switch + off	switch-off*	बिजली बुझाना
switch + on	switch-on*	बिजली जलाना,

* संयुक्त शब्द बनने के बाद भी ये दोनों शब्द पृथक् रहते हैं।

TWO-WORDS VERBS

(A)

Act for—किसी के बदले उसके स्थान पर कार्य करना

The senior clerk was asked to *act for* head clerk when he went on leave.

Act upon—1. प्रभावित करना

Heat *acts upon* bodies and causes them to expand.

2. भरोसा रखना, भरोसा रखकर कार्यवाही करना

Acting upon a witness' evidence the police caught the thief.

Agree with—उपयुक्त, योग्य होना

Oil does not *agree with* my stomach.

Answer for—जिम्मेदार होना

Every man must *answer for* his actions to God.

Ask after—किसी व्यक्ति के बारे में पूछताछ करना

He was *asking after* you when I met him this morning.

Ask for—मांग लेना

You can *ask for* anything you need.

Attend on—सेवा, सत्कार करना

Acting as a good hostess she *attended on* her guests well.

(B)

Back out—दिए हुए वचन से मुकर जाना

He had promised me two hundred rupees but later he *backed out* from his words.

Back up—सहमत होना, सहमति देना

Let us all *back up* his demands.

Be off—चले जाना

I'll *be off* to the railway station now.

Be on—चालू, घटित होना

The concert will *be on* till nine p.m.

Be over—समाप्त होना

After the picture *is over* we will go home.

Be up—1. समाप्त होना (समय)

Time is going to *be up*, hand over your answer copies.

2. बिस्तर से उठना

He will *be up* at five in the morning.

Bear down—जबर्दस्ती उखाड़ फेंकना या दबा देना

The dictator *bore down* all opposition./The president *bore down* all dissent.

Bear on—साथ संबंधित होना

Does this book *bear on* the same subject as that?

Bear out—साबित करना, आधार देना

If the evidence *bears out* the charge, Mahesh will be convicted for armed robbery.

Bear with—बर्दाश्त करना

It is very difficult to *bear with* Rani's bad temper.

Beat back—पीछे हटना

The flames *beat back* the firemen.

Beat off—हमले का डटकर मुकाबला करना और हमलावर को पीछे हटाना

In the battle of Waterloo the British *beat off* Napoleon.

Believe in—विश्वास करना

I do not *believe in* astrology.

Bid fair—अच्छी संभावना होना

His coaching has been so good that he *bids fair* to win the race.

Bind over—कानूनी बंधन रखना

The man was *bound over* by the court not to indulge in any criminal activity for at least six months.

Blow down—तूफान से गिरना

The storm last night *blew down* many big trees.

Blow out—बुझाना

On her birthday she *blew out* fifteen candles on her cake.

Blow over—नुकसान न करते हुए चले जाना अथवा खत्म होना

We hope that this crisis will *blow over* and be forgotten.

Blow up—1. विस्फोट करना/होना

The retreating army *blew up* all the bridges.

2. अचानक गुस्सा होना

I did not understand why he *blew up* at my answer.

Border upon—निकट होना

His ranting *bordered upon* madness.

Break away—अपने को बंधन से छुड़ाकर भागना

The horseman tried to hold the horse by the bridle, but the horse *broke away*.

Break down—1. (यंत्र का) खराबी के कारण बन्द पड़ना, रुकना

Our car *broke down* on the way to Agra.

2. भावना के उद्वेग से रो पड़ना

She *broke down* at his departure.

3. विश्लेषण करना, अलग-अलग सूची बनाना

If you *break down* the figures you will find out your mistake.

Break in—1. (घोड़े को) सिखाना

How much time will you need to *break in* this horse?

2. (दरवाज़ा आदि) जबर्दस्ती खोलना

We had to *break in* the room when there was no response from her.

Break into—चोरी से अथवा जबर्दस्ती अन्दर घुसना

The thieves *broke into* the bank and stole the money from its lockers.

Break loose—1. खुल जाना, बंधन टूटना

During the storm the boat *broke loose* from its anchor and was washed away by strong current.

2. भागना

The buffalo *broke loose* the rope and ran away.

Break off—अचानक रुकना, खत्म करना

She was saying something, but *broke off* as she saw him.

Break out—अचानक आरम्भ होना

No one could tell the police how the fire *broke out*.

Break up—1. लड़ाई-झगड़ा रोकना

He intervened to *break up* the quarrel.

2. तितर-बितर होना, करना

The police resorted to a lathi-charge to *break up* the crowd.

Break off—मैत्री टूटना/तोड़ना

Vijay and Arun were close friends, but they seem to have *broken off* now.

Bring about—बनाना, घटित करना

The new government *brought about* many reforms.

Bring forward—प्रस्ताव रखना

The proposal he *brought forward* did not seem practical.

Bring in—इकट्ठा करना, बिक्री से कमाना

How much does your monthly sale *bring in?*

Bring off—कठिन एवं अनपेक्षित कार्य सम्पन्न कर दिखाना

The touring Indian cricket team in England *brought off* a spectacular victory.

Bring on—पैदा करना

Dirt often *brings on* diseases.

Bring out—बाहर निकालना

War *brings out* the worst in people.

Bring to—सचेतन करना, होश में लाना

The unconscious man was *brought to* consciousness by a passer-by through artificial respiration.

Bring under—दबाना, ऊपर अधिकार जमाना

The king *brought under* the rebels and established peace in his kingdom.

Bring up—(बच्चे का) लालन-पालन करना

Anil was *brought up* by his uncle.

Brush off—अशिष्टता से किसी को चलता करना

As he became irritating she had to *brush him off*.

Buckle to—काम में जुट जाना

With his examinations round the corner Ramesh has to *buckle to* at once.

Build up—बढ़ाना, मजबूत करना

You need a good tonic to *build up* your strength after your recent illness.

Burn down—जलकर नष्ट होना या करना

The house was completely burnt down in the great fire in the city.

(C)

Call at—1. घर पर मिलने जाना

I *called at* my friend's place to inquire about his health.

2. रुकना

This ship does not *call at* Cochin.

Call for—1. लेने के लिए आना

The washerman *called for* the wash.

2. आवश्यकता होना
Good painting *calls for* a great skill.

Call off—रद्द करना
I had to *call off* the party because of my wife's illness.

Call on—मिलने जाना
The visiting Australian prime minister *called on* the president.

Care for—1. अच्छा लगना, पसन्द करना
Would you *care for* a cup of tea?
2. रक्षा,निगरानी करना, भरण-पोषण करना
Mother Theresa *cares for* many an orphan.

Carry on—चालू रखना, कार्य करते रहना
Despite the accident they *carried on* with the show.

Carry out—संपन्न, पूर्ण करना, आदेश का पालन करना
My secretary *carries out* her duties very efficiently.

Carry through—कार्य संपन्न करना
It required lot of effort for the engineers to *carry through* the building construction.

Catch on—समझ में आना
When he explained his plan I *caught on* to his motive.

Catch up—किसी के बराबर पहुंच जाना
He ran so fast that it was difficult to *catch up* with him.

Cave in—गिरना, ढह जाना
On account of a major earthquake recently the outer wall of our house *caved in.*

Change hands—(जायदाद, मकान की) मिलकियत बदलना
This house has *changed hands* twice during the last ten years.

Check out—(होटल) छोड़ना
He was caught before he could *check out* without paying the bill.

Check up—पता लगाना, जांच करना
Please *check up* if he is at home or not.

Clear off—भाग जाना
I went to see who had thrown the stone, but the boys had *cleared off.*

Clear out—चले जाना
His impudence infuriated me so much that I asked him to *clear out* of my house.

Close down—हमेशा के लिए बन्द करना
On account of a slump in the market he had to *close down* his shop.

Close up—कुछ समय के लिए बंद करना
He *closed up* the shop for the day and went home.

Come about—घटित होना
You have grown so thin! How did this *come about?*

Come along—प्रगति करना
How is your book *coming along?*

Come by—प्राप्त करना
Initially he was not doing very well, but now he has *come by* a fantastic contract.

Come into—विरासत में मिलना
He will *come into* the estate on his father's death.

Come of—नतीजा निकालना
Nothing *came of* his proposal.

Come off—घटित होना
When does the concert *come off?*

Come out—जाहिर होना, पता चलना
It *comes out* that she was aware of the startling facts all the time.

Come round—1. धीरे-धीरे स्वास्थ्य सुधरना
My friend was seriously ill for some days, but is now *coming round.*
2. मान लेना
He was strongly opposed to the idea of going to Badkal lake for picnic, but after lot of persuasion he *came round* to others' wishes.

Come through—सफल होना
As I've studied hard for the examination I am quite confident that I'll *come through.*

Come to—1. होश में आना
He *came to* after a long period of unconsciousness.
2. (बिल) बनाना
How much does the bill *come to?*

Come upon—संयोग से पाना, दिखाना
While wandering through the jungle I *came upon* a strange bird.

Cook up—मनगढ़ंत बनाना
As he feared beating he *cooked up* a story to explain his absence.

Correspond to—समान दिखना

The bird's wing *corresponds to* the man's arm.

Cry out—चिल्लाना

She *cried out* for help when she saw a ear speeding towards her child.

Count in—समाविष्ट करना

If you are planning to make a trip to Simla you can *count me in.*

Count on—भरोसा रखना

You can always *count on* my help.

Count out—समाविष्ट न करना

If you are planning any mischief, please *count me out.*

Cover for—दूसरे के काम की ज़िम्मेदारी लेना

Go and take your coffee break, I'll *cover for* you until you return.

Cross out—काट देना, निकाल देना

She *crossed out* his name from invitees' list.

Cut down—मात्रा कम करना

If you want to reduce your weight you must *cut down* on starchy and oily food.

Cut in—बीच में बोल पड़ना

Don't *cut in* while I am speaking to someone.

Cut off—बीच में रोकना, रोक लगाना

Our army *cut off* the enemy's escape route.

Cut out—निकाल देना

You can safely *cut out* the last paragraph of this article.

Cut short—समय से पहले समाप्त करना

The meeting was *cut short* as the chief speaker suddenly fell ill.

Cut up—1. दुःखी होना

He was greatly *cut up* by his failure in the examination.

2. सख्त आलोचना करना, छोटा करना

The reviewers mercilessly *cut up* his autobiographical novel.

(D)

Dash off—1. कहीं जल्दी से जाना

The horse *dashed off* down the street.

2. जल्दी में लिखना

He *dashed off* three letters in half an hour.

Dawn on—समझ में आना

It only later *dawned on* me that he was all this while pulling my leg.

Deal in—व्यापार करना

My friend *deals in* ready-made garments.

Deal out—बांटना

Justice Ram Nath Bajaj of Delhi High Court is famous for *dealing out* equal justice to all.

Deal with—1. किसी के साथ व्यापार करना

I've had bad experience with him. I won't *deal with* him any further.

2. संबंधित होना

This book *deals with* foreign policy matters.

Deliver from—बचाना

Oh God, *deliver* us *from* evil!

Die away—कम होना, खत्म होना

After a while the sounds *died away.*

Die down—कम होना, खत्म होना

After a while the noise *died down.*

Die off—नष्ट होना

As the civilisation advanced, many backward tribes *died off.*

Die out—नष्ट होना

As the night advanced the fire *died out.*

Dip into—किसी पुस्तक के इधर-उधर के पृष्ठ पढ़ना, निकालना

I have not read this book; I have only *dipped into* it./I had to *dip into* my savings to buy a motor cycle.

Dish out—आसानी से प्रशंसा, निंदा या आलोचना करना, निकालना

The flattery he *dishes out* would turn anyone's head./Everybody, please *dish out* Rs. 10 each for this trip.

Dispense with—किसी व्यक्ति के बिना काम चलाना

You can easily *dispense with* his services.

Dispose of—बेच देना

The rich man *disposed of* all his property and became a sadhu.

Do for—किसी वस्तु के स्थान पर काम आना

This plot of land is fairly large and will *do for* a playground.

Do over—फिर से करना

You will have to *do over* this sum, as you have made a mistake.

Do up—कमरा ठीक-ठाक करना
If you *do up* this place it will look beautiful.

Do without—किसी चीज़ के बिना काम चलाना
We will have to *do without* many facilities at this village.

Draw back—पीछे हटना, मुकर जाना
I cannot *draw back* from my promise.

Draw in—अंदर की तरफ ले लेना
The cat *drew in* its paws and curled up on the floor.

Draw near—पास आना
As winter *draws near,* people start wearing woollen clothes.

Draw on—नज़दीक आना
As the time of the concert *drew on* the audience got anxious.

Draw out—किसी को अपना विचार देने के लिए तैयार करना
He was reluctant to comment on Anil's behaviour, but in the end I managed to *draw* him *out.*

Draw toward—किसी के प्रति आकर्षित होना
Kumar finds Asha very charming and feels *drawn towards* her.

Draw up—तैयार करना, बनाना
Let us *draw up* a list of all the people we want to invite.

Drive at—लक्ष्य करना
I listened to his rambling talk and could not make out what he was *driving at.*

Drop in—यूं ही मिलना
I *dropped in* on Prakash on my way to market.

Drop out—छोड़ देना
Arun *dropped out* of the medical course as he found it very laborious.

Dwell on—किसी बात पर अधिक देर तक बोलना
In his speech he *dwelt on* the importance of prompt action.

(E)

Eat into—ज़ंग खाना, ज़ंग से कट जाना
Rust *eats into* iron.

Egg on—प्रोत्साहित करना (साधारणतया बुरे काम के लिए)
He is a well-behaved boy, but he was *egged on* by Kumar to fight with Ashok.

Enlarge upon—किसी विषय पर लंबा व्याख्यान देना
The lawyer *enlarged upon* this part of the evidence and treated it as of great importance.

Explain away—बहाना बनाना, झूठमूठ विवरण देना
Although he was at fault yet he tried to *explain away* his mistake.

(F)

Fall back—पीछे हटना
When our army charged, the enemy *fell back.*

Fall behind—पिछड़ना, प्रगति न करना
On account of a prolonged illness, she *fell behind* in her studies.

Fall flat—यशस्वी या आकर्षक न होना
Although she is an accomplished dancer her performance last week *fell flat.*

Fall for—आकर्षित होना
Usha *fell for* the pretty sari displayed in a window shop.

Fall in—कतार में खड़े
The captain ordered the soldiers to *fall in.*

Fall off—कम होना
On account of the heavy snowfall, attendance at the evening class has *fallen off* considerably.

Fall on—हमला करना
The angry mob *fell on* the running thief.

Fall out—झगड़ा करना
Anil and Sunil were good friends, but now they seem to have *fallen out.*

Fall through—किसी काम का अधूरा या असफल रहना
We had been planning to go to Nainital this summer but for want of money the programme *fell through.*

Fall under—समाविष्ट होना
This entire district *falls under* my jurisdiction.

Feel for—सहानुभूति रखना
I deeply *feel for* you in your suffering.

Feel like—इच्छो होना
I *feel like* taking a long walk.

Figure on—अंदाजा लगाना, अपेक्षा करना
I had *figured on* your attending the meeting.

Figure out—समझना, अर्थ लगाना, सुलझाना
His lecture was long and boring and I couldn't *figure out* what he was driving at.

Figure up—हिसाब या अंदाज़ लगाना
Have you *figured up* the cost of this entire project?

Fill in—किसी दूसरे ही जगह लेना
As the principal was on leave, the vice-principal *filled in* for him.

Fill out—फार्म भरना
For the marketing management examination the candidates had to *fill out* several forms.

Fit out—सामान को सजाना
Today, she is very busy *fitting out* her house for the big party.

Fix up—मरम्मत करना
We decided to *fix up* the old house ourselves.

Flare up—अचानक क्रोध करना
It is immature to *flare up* on trifles.

Fly at—अचानक क्रोध प्रकट करना
I asked him to lend me five rupees and at once he *flew at* me.

Fly off—जल्दी करना
He was slightly late so he *flew off* to the railway station in the hope of catching the train.

Fly open—जोर से खुलना
Suddenly the door *flew open* and he ran out.

Fly out—जल्दी में बाहर भागना
As the fire spread all the people *flew out* of the burning house.

Follow suit—अनुकरण करना
She asked the speaker a probing question and gradually everyone *followed the suit*.

Fool around—हंसी मज़ाक करना
Stop *fooling around* and get to work.

Fool away—व्यर्थ गंवा देना
Don't *fool away* your time like this.

Front for—अप्रत्यक्ष रूप से किसी का प्रतिनिधित्व करना
The chairman is the real boss in this company but the general manager *fronts for* him.

(G)

Get about—घूमना, इधर-उधर जाना
For last two months he was bedridden on account of typhoid. Now, he is *getting about* again.

Get across—समझाना
At last I was able to *get across* my point.

Get ahead—प्रति करना, आगे बढ़ना, आगे निकल जाना
Unless you work hard how will you *get ahead* of others in studies?

Get along—घुल मिलकर रहना, दोस्ती रखना
She is highly sociable and can *get along* with everybody.
2. प्रगति करना
How is Mr. Rao *getting along* in his new job?

Get around—टालना
He tried to *get around* the policeman's inquiries.

Get at—प्रयास से प्राप्त करना
Our enquiry's object is to *get at* the truth.

Get away—निकल कर भागना
Despite vigilance of the policeman the thief *got away*.

Get back—वापस आना
He has just *got back* from his tour after two months.

Get by—प्रयासपूर्वक करना
You will have to somehow *get by* with this work.

Get down—किसी सवारी से उतरना, शुरू करना
Let us *get down* at the next stop.
The exams are approaching fast. Let's *get down* to studies.

Get off—बस या मोटर गाड़ी से उतरना
We have to *get off* the bus at the next stop.

Get on—1. बस या गाड़ी पर सवार होना
I saw him *get on* to the bus at the last stop.
2. प्रगति करना
Ashok is quite industrious and sure to *get on* in the world.

Get over—किसी बीमारी से मुक्त होना
Have you *got over* your cold?

Get round—किसी व्यक्ति को खुशामद से राज़ी करना
I'm sure he'll somehow *get round* the money lender for a loan.

Get through—पूरा करना
When will you *get through* with your work?

Get to—पहुंचना
Balrampur is a remote village in Madhya Pradesh and very difficult to *get to*.

Get up—बिस्तर अथवा कुर्सी से उठ बैठना
He *got up* from his seat to receive me.

Give away—1. बांटना

The chief guest *gave away* the prizes.

2. रहस्य खोलना

He *gave away* Ram's name as he had drawn teacher's cartoon.

Give in—हार मानना

He knew he was losing the match, but he refused to *give in.*

Give off—बाहर फेंकना

Some gases *give off* a pungent smell.

Give out—ज़ाहिर करना

He *gave out* that he had got nominated on the Welfare Board.

Give up—हार मानना

When he realised that he would not be able to win the race, he *gave up.*

Give way—टूट पड़ना

Ashok kept on kicking the door vigorously and finally it *gave way.*

Gloss over—दोष छिपाना

In Ram Chandra's biography the writer has *glossed over* many of his shortcomings.

Go around—पर्याप्त होना

I am afraid we do not have enough chairs to *go around.*

Go back—मुकर जाना

He promised to lend me his history notes but now he has *gone back* on his word.

Go down—विश्वास करना

Yours story is highly unconvincing and will not *go down* with the authorities.

Go for—हमला करना

The boys *went for* the poor dog with stone.

Go off—धमाके से फूटना या उड़ना

The Gun *went off* with a loud bang.

Go on—1. बनना, घटित होना

What's *going on* here?

2. जारी रखना

Jaya *went on* reading and did not pay attention to her friends.

Go out—बुझना

The lights *went out* as Sanjeev entered the room.

Go over—स्मरण करना

I *went over* the events of the day as I lay in bed at night. *Go over* this chapter again and again until you have learnt it thoroughly.

Go through—तकलीफ उठाना, सहन करना

You will never know what she *went through* to give her children good education.

Go upon—किसी आधार पर चलना

Is this the principle you always *go upon?*

Go with—मेल खाना

A blue cardigan will not *go with* a green sari.

Go without—किसी चीज़ के बिना काम चलाना

How long can you *go without* food?

Go wrong—खराब होना

What has *gone wrong* with your car?

Grow upon—आदत लगाना

The habit of taking drugs is *growing upon* college boys.

(H)

Hand down—न्यायालय में सज़ा सुनाना

The judge *handed down* his verdict in the case.

Hand in—दे देना

Time is up, please *hand in* the answer books.

Hand out—बांटना

The examiner *handed out* the question papers to the candidates.

Hand over—सौंपना

The retiring sales engineer *handed over* the charge to the new engineer.

Hang about—किसी स्थान के इर्द-गिर्द घूमना

A suspicious-looking man was seen *hanging about* the house last night.

Hang around—बिना काम के किसी व्यक्ति या स्थान के इर्द-गिर्द घूमना

I have often seen him *hanging around* her house.

Hang back—पीछे रहना

I asked him to receive the chief guest, but he *hung back.*.

Hang on—लटकना, लटके रहना

Hang on to the rope lest you should fall down.

Hang up—टेलीफोन नीचे रख देना

I rang him up but as soon as he heard my voice he *hung up.*

Hang upon—ध्यान से सुनना

The audience *hung upon* every word of the distinguished speaker.

Happen on—अचानक दिखना

During my Himalayan trek I *happened on* a tiger in a forest.

Have on—पहने हुए होना

What sari did she *have on* when you saw her?

Hear of—पता चलना

Have you *heard of* the bus accident at Okhla in which ten persons got killed.

Hit upon—संयोग से पता चला

To begin with I tried quite a bit and finally by sheer luck I *hit upon* the right solution.

Hold forth—लंबा-चौड़ा भाषण देना

He *held forth* on his favourite topic for one full hour.

Hold good—चालू रहना

The promise I made you last week still *holds good.*

Hold off— कोई निर्णय करने में देर लगाना

Everybody in the office is wondering why Mr. Rao is *holding off* his decision?

Hold on—कस कर पकड़ रखना

Hold on to the rope, lest you should fall down.

Hold out—प्रतिकार जारी रखना

Despite massive strength of the enemies our soldiers *held out* to the last.

Hold over—देर लगाना

In view of the fresh evidence available the judge has decided to *hold over* the case till the next month.

Hold still—स्थिर रहना

How can I take your photograph if you do not *hold still?*

Hold together—एकत्र रहना

This chair is so rickety that it will not *hold together* if you sit in it.

Hold true—सत्य होना

Newton's Law of Gravitation will always *hold true* on earth.

Hold up—1. देर लगाना, रोक देना

Your late arrival has *held up* the work.

2. डाका डालना

Two armed robbers *held up* the bank staff.

Hunt for—ढूंढना

What were you *hunting for* in the newspaper?

Hunt up—प्रयासपर्वक ढूंढना

I am *hunting up* material for my new book on politicking in India.

(I)

Inquire after—कुशल पूछना

Since last week Ashok had not been feeling well so I went to his place to *inquire after* him.

Introduce into—नई चीज़ बीच में लाना

He *introduced into* the debate a fresh approach.

Issue from—किसी स्थान या वस्तु से बाहर निकलना

Water *issued from* a small crack in the stream.

(J)

Join in—सम्मिलित होना, हिस्सा लेना

At first he kept aloof from our games, but later *joined in.*

Join with—बांट लेना

I'll *join with* you in the expenses of the trip.

Join up—सेना में भर्ती होना

When the war was declared the government appealed to all young men to *join up.*

Jump at—उत्सुकता से स्वीकारना

When I suggested that we could go for picnic tomorrow he *jumped at* the proposal.

Jump to—जल्दबाजी में निष्कर्ष निकालना

Don't be hasty in judging him and *jumping to* the conclusion that he is hostile to you.

(K)

Keep at—करते रहना

If he only *keeps at* his work, he will soon finish with it.

Keep back—छुपाना

I won't *keep back* anything from you.

Keep away—दूर रहना

We should advise our children to *keep away* **from bad company.**

Keep house—घर संभालना

He wants his wife only to *keep house* and not work in an office.

Keep off—दूर रखना

The curtains will *keep off* the mosquitoes.

Keep on—जारी रखना, चलते रखना

It was a long journey and he was tired, but he *kept on going.*

Keep out—बाहर रखना

The woollen cloths are warm enough to *keep out* the cold.

Keep to—1. जारी रखना, करते रहना

Unless you *keep to* the job you are doing, you will never be able to finish with it.

2. वचन का निर्वाह करना

You must learn to *keep to* your word.

Keep together—साथ-साथ रहना

I asked my children to *keep together* in the crowd.

Keep up—गति बनाये रखना

India must *keep up* with the development and progress in the world of science.

Knock down—नीचे गिराना

The boxer struck his opponent a heavy blow and *knocked* him *down.*

Knock off—काम बंद करना

He did not take long to *knock off* the work.

Knock out—पूरी तरह से हारना, बेसुध करना

A heavy blow on the nose by his opponent *knocked out* the boxer.

Knuckle under—हार मानना

We thought it would be a tough bout, but it was not long before one of the boxers was *knuckling under.*

(L)

Lay about—चारों ओर से पिटाई करना

As the watchman spotted a man stealing watches from a shop he *laid about* him with his cane.

Lay down—त्याग पत्र देना

After ten long years he *laid down* the chairmanship of the company.

Lay off—कुछ समय के लिए काम से निकाल देना

If the sales continue to fall like this we may have to *lay off* one or two people.

Lay on—ज़ोर से पिटाई करना

Taking up a stick he caught the mischievous boy and *laid on* vigorously.

Lay open—राज खोलना

I shall not rest till I've *laid open* the whole conspiracy.

Lay out—रचना करना

The garden was *laid out* by an expert.

Lay up—भविष्य में प्रयोग में लाने के लिए इकट्ठा करना

The squirrel was busy *laying up* nuts.

Leave alone—साथ छोड़ना

How can you *leave* me *alone* in my hard times?

Leave out—छोड़ देना .

It will be unfair to *leave* him *out* of the picnic programme.

Let down—निराश करना, धोखा देना

I was counting on your help, but you *let* me *down.*

Let off—छोड़ देना

You must prepare hard. Interviewers won't *let* you *off* so easily

Let on—बता देना

Don't *let on* to Dev that we are going to a movie tonight.

Let out—किराये पर देना

As I am hard up nowadays I had to *let out* a portion of my house.

Let up—कम होना

If the rain *lets up* we will go to the market.

Light on—संयोग से पता चलना

While wandering in the jungle the boys suddenly *lighted on* a secret cave.

Live on—किसी चीज़ पर निर्वाह करना

Squirrels *live on* nuts.

Look after—संभालना, ध्यान देना

Will you please *look after* the house in my absence?

Look for—ढूंढना

I *looked for* my lost watch everywhere in the house, but couldn't find it.

Look in—यूं ही थोड़े समय के लिए मिलने जाना

Do *look in* after dinner if you are free.

Look into—जांच करना

Have the police *looked into* the matter relating to theft at your house.

Look out—सावधान रहना

Look out there is a car coming.

Look over—जांच अथवा मूल्यांकन करना

The examiner was *looking over* the students' answer papers.

Look up—1. अर्थ या संदर्भ ढूढना

Suresh *looked up* the word in the dictionary as he did not know its meaning.

2. बढ़ना

Prices of cooking oil are *looking up*.

(M)

Make after—पीछे दौड़ना

The policemen *made after* the thief very fast.

Make believe—विश्वास करने के लिए भूमिका बनाना

Arun *made believe* that he was sick to take a leave from school.

Make clear—समझाना, विवरण देना

The teacher *made clear* to me my mistake.

Make faces—मुंह टेढ़ा करके दिखाना

Stop *making faces* at me.

Make for—किसी तरफ जाना

The thief entered the house and *made for* the safe.

Make good—पदोन्नति होना

Being a hard worker he is sure to *make good* in that new job.

Make of—समझ पाना

I cannot *make anything of* this statement.

Make merry—मौज मनाना

As we have now an unexpected holiday, so let us *make merry*.

Make out—कठिनाई से समझ पाना

Can you *make out* his handwriting?

Make over—1. सुपुर्द करना

He has *made over* all his property to his son.

2. मरम्मत करना

She is an efficient housewife and *makes over* all her old clothes.

Make room—जगह बनाना

I cannot *make room* for anything more in this trunk.

Make sense—सार्थक होना

How can you be so foolish in dealing with your clients? It doesn't *make sense* to me.

Make towards—किसी तरफ जाना

The swimmer *made towards* the right bank of the river.

Make up—बनाना, रचना, गढ़ना

Don't *make up* such silly excuses for your absence yesterday.

Make way—रास्ता देना

The crowd hurriedly *made way* for the leader as he arrived.

Mix up—गडबड़ घोटाला करना

As they were introduced to me in a hurry I *mixed up* their names and called him by the wrong name.

(O)

Occur to—विचार में आना

As I always considered him an honest person it never *occurred to* me that he was lying.

Offend against—अशोभनीय लगना

There was nothing in his speech to *offend against* good taste.

(P)

Pack off—जल्दी में चलता कर देना

As he was getting on my nevers I *packed* him *off*.

Palm off—ठगना

He tried to *palm off* a forged hundred-rupee note on me.

Part with—दे देना

Nobody likes to *part with* one's property.

Pass away—मरना

Kumar's father *passed away* yesterday.

Pass for—समझ लिया जाना

Our villagers being largely illiterate he *passes for* a learned man in our village.

Pass out—सुध-बुध खोना

She could not bear the sight of accident and *passed out*.

Pass over—ख्याल न करना

I *passed over* many candidates before I could choose this one.

Pay attention—ध्यान देना
The teacher asked the student to *pay attention* to him.

Pay off—हिसाब चुका कर छुट्टी दे देना
He was not happy with his servant so he *paid him off.*

Pick on—चिढ़ाना, झगड़ा मोल लेना
The quarrelsome boy always *picked on* fights with small children.

Pick out—चुनना, पसंद करना
Anil spent a long time *picking* out a nice gift for Anita.

Pick up—थोड़ा-सा ज्ञान प्राप्त करना
The children don't take long to *pick up* what they see around.

Play down—महत्त्व को कम करना
Some newspapers *played down* the significance of disturbances in Poland.

Play off—एक को दूसरे से भिड़ाना
The crooked man *played off* the two friends against each other for his own benefit.

Play on—1. बजाना
Can you *play on* a violin?
2. शब्दों का होशियारी से प्रयोग करना
His skill to *play on* words makes him a very forceful speaker.

Play with—छेड़खानी करना
It is dangerous to *play with* fire.

Prevail over—प्रभावित करना
None of these considerations *prevailed over* his prejudices.

Prevail with—मनाना
He is a difficult person. So, I found difficult to *prevail with* him.

Proceed against—किसी के खिलाफ कार्यवाही करना
I have decided to *proceed against* him in a court of law.

Provide against—किसी बुरे दिन के लिए प्रबंध कर रखना
A wise man takes care to *provide against* emergencies.

Pull in—आना
The coolies started running towards the train as it *pulled in.*

Pull out—चले जाना, निकलना
At the guard's signal the train *pulled out* of the station.

Pull through—बच जाना
Although he was seriously ill and doctors had given up hope he *pulled through.*

Pull together—सहमत होना, मिलकर कार्य करना
The partners of Adarsh Enterprise have been fighting together. If they manage to *pull together* they'll succeed.

Pull up—रुकना
The taxi *pulled up* at the entrance of the hotel.

Push off—चल पड़ना
I'm getting quite late so I must *push off* now.

Push on—कठिनाई से आगे बढ़ना
He was exhausted and ill, but he *pushed on.*

Put across—समझाना, स्वीकृत कराना
He *put across* his arguments very eloquently and convincingly.

Put away—किसी सही स्थान पर रख देना
The workmen *put away* their tools and left the factory.

Put down—दबाना
The army easily *put down* the revolt.

Put forward—विचारार्थ प्रस्ताव रखना
He *put forward* his suggestions for our consideration.

Put off—स्थगित करना
The match had to be *put off* because of bad weather.

Put on—1. कपड़े पहनना
She *put on* her best dress for the party.
2. दिखाना
Don't *put on* as if you don't know anything.

Put out—1. बुझाना
He *put out* the light and went to sleep.
2. कष्ट पहुंचाना
You should take care not to *put out* people by your irresponsible behaviour.
3. प्रकाशित करना
The party *put out* a pamphlet to explain its economic policy.

Put right—मरम्मत करना
Ask the carpenter to *put right* this broken table.

Put together—जोड़ना, इकट्ठा करना
The child took the watch apart, but couldn't *put it* together again.

Put up—रहना, निवास करना

Where should I *put up* in Bombay?

(R)

Rail against—शिकायत, भर्त्सना करना

It is useless *railing against* your master's orders.

Rail at—शिकायत करना

He has always *railed at* his parents for not understanding him.

Rake up—पुराना झगड़ा फिर से शुरू करना

Please do not *rake up* old quarrels at this critical juncture.

Rank with—समान होना

There is scarcely any poet who can *rank with* Kalidas.

Reason with—तर्क करना, समझाने की कोशिश करना

I had to *reason* hard *with* him for my proposal's acceptance.

Reckon on—भरोसा रखना

I was *reckoning on* her presence at the function.

Reflect on—बुरा प्रभाव पड़ना

Your misconduct will *reflect on* your character.

Relate to—संबंधित होना

Please get me the file that *relates to* this matter.

Resort to—सहायता लेना

As the crowd became unruly the police had to *resort to* lathi-charge.

Rest on—आधार रखना

His whole theory *rests on* a wrong assumption.

Ride out—तूफान से बचकर निकलना

Fortunately our ship *rode out* the storm.

Root out—उखाड़ फेंकना, समूल नष्ट करना

The government is determined to *root out* corruption.

Rout out—जबर्दस्ती बाहर निकालना

I *routed him* out of bed early in the morning.

Rule out—निकाल देना, न मानना

The police has *ruled out* the possibility of sabotage in this train accident?

Run across—संयोग से मिलना अथवा पाना

I was quite surprised to *run across* him in the market.

Run after—पीछे दौड़ना

Running after money does not speak well of you.

Run against—चुनाव में खिलाफ खड़ा होना

She *ran against* her husband in the municipal elections.

Run down—नीचा दिखाना

Certain malicious reviewers will *run down* even the best book ever written.

Run errands—संदेशा पहुंचाना

Ramesh is of obliging nature and *runs errands* for all the neighbours.

Run for—चुनाव लड़ना

He *ran for* presidentship in the college elections.

Run into—1. संयोग से मुलाकात होना

I *ran into* an old friend yesterday at the cinema hall.

2. अविवेक के कारण मोल लेना

If you spend your money so recklessly you will soon *run into* debt.

Run out—खत्म होना

We were afraid that we might *run out* of our food supply at the excursion.

Run over—गाड़ी के नीचे आना

The unlucky dog was *run over* by a car.

Run short of—समाप्त होना

If we *run short of* food we will get more from some restaurant.

Run through—जल्दी से देख लेना

I had to *run through* the book in an hour.

(S)

Search out—ढूंढ निकालना

Our aim in this inquiry is to *search out* the truth.

See about—प्रबंध करना

I am badly tied up with other things so you will have to *see about* the catering arrangements at the party.

See off—विदा करना

I went to the airport to *see off* my friend who left for U.S.A. last night.

See through—1. कठिनाइयों के बावजूद संपन्न करना

He *saw through* the entire job by himself.

2. भेद जान जाना

He was trying to be clever, but I *saw through* his trick.

See to—जिम्मेदारी लेना

Will you please *see to* the catering arrangements for the function?

Seek out—प्रयासपूर्वक ढूंढ निकालना

Ramesh and Vikas have gone to the nearby wood to *seek out* the place of rabbits.

Sell out—मलकियत बेच देना

He *sold out* his business as he could not make a profit.

Send away—किसी को चलता करना

He was becoming a nuisance, so I had to *send* him *away.*

Send for—बुला भेजना

She has fallen unconscious. Please *send for* a doctor immediately.

Send word—संदेश भेजना

He *sent word* to me that he would come in a week's time.

Serve out—पूरे समय तक काम करना

The apprentice has *served out* his period of apprenticeship so he is due for an increment.

Serve up—परोसना

She *served up* a tasty meal.

Set about—कार्य आरम्भ करना

As your examination is near you should *set about* your work without delay.

Set apart—सुरक्षित रखना

One day in the week is *set apart* as the rest day.

Set aside—रद्दो-बदल करना,

The Supreme Court *set aside* the verdict of the High Court in Bihari Lal case.

Set down—नोट करना

The Magistrate *set down* in writing the witness' statement.

Set forth—प्रस्तुत करना

He *set forth* his views with clarity and force.

Set in—आरंभ होना

Just as I was about to go out, the rain *set in.*

Set off—निकल पड़ना

As we have to go a long distance we will *set off* early in the morning.

Set up—प्रबंध करना

The state government has *set up* a new auditorium at Mehta Chowk to encourage performing arts.

Set upon—हमला करना

As the poor old beggar approached the corner house two dogs *set upon* him.

Set out—निकल पड़ना

He *set out* on his travels.

Set to—कार्य आरंभ करना

You have a lot to do so you should *set to* work at once.

Settle down—स्थायी रूप से निवास करना

After retirement now I have *settled down in* Delhi.

Settle on—अनिश्चय के बाद किसी निष्कर्ष पर पहुंचना

Finally, she *settled on* a blue sari.

Show off—नुमाइश करना

She went to the party as she was quite keen to *show off* her new dress.

Show up—1. आ पहुंचना

I have been waiting for him for more than an hour, but he has not yet *shown up.*

2. पोल खोलना

If he provokes me further, I will have to *show* him *up.*

Shut in—अंदर बंद रखना

As night came the shepherd *shut* his flock of sheep *in.*

Shut off—कोई यंत्र बंद कर देना

There appeared to be some trouble with his car so he *shut off* its engine.

Shut up—जबर्दस्ती चुप कराना

As the boy was chattering a lot the teacher asked him to *shut up.*

Side with—पक्ष लेना

No matter what happens I will always *side with* you.

Sit out—समाप्त होने तक बैठे रहना

I *sat out* his long lecture.

Sit up—उठ बैठना

The poor old man was too weak to *sit up.*

Sleep off—सोकर ताज़गी प्राप्त करना

I was exhausted after the day's work so I decided to *sleep off* my fatigue.

Slow down—धीरे-धीरे गति कम करना

The train *slowed down* as it approached the station.

Smart under—अपमान अथवा दुर्वचन सहना

The clerk was *smarting under* the officer's rebuke.

Snap at—उत्सुकता से स्वीकारना

He *snapped at* the offer I made to him.

Speak up—ज़ोर से बोलना

As the audience could not hear the speaker,it requested him to *speak up*.

Spell out—विस्तार से बताना

He *spelt out* his treking plan in detail and asked me to accompany him.

Stamp out—दबा देना

The government tried its best to *stamp out* the rebellion.

Stand against—प्रतिकार करना

Parashuram was so powerful that no king could *stand against* him.

Stand by—इंतजार करना

Please *stand by* for an important announcement.

Stand for—1. प्रतिनिधित्व करना

The stars in the American flag *stand for* fifty states.

2. चुनाव लड़ना

My uncle *stood for* chairmanship of the Municipality.

3. बर्दाश्त करना

I will not *stand for* such a rude behaviour.

Stand out—ध्यान आकर्षित करना

She *stood out* in the crowd because of her beauty.

Stand up—सहन करना

How can you *stand up* to such tremendous pressure of work?

Start for—चल पड़ना

When did he *start for* Bombay?

Stay up—रुके रहना

I had to finish with some work last night so I *stayed up* till one o'clock.

Stay with—किसी के साथ रहना

When you come to Bombay, please *stay with* me.

Step down—पद छोड़ना

Next month our company's president will *step down* in favour of his son.

Step up—गति बढ़ाना

I *stepped up* the speed of my car.

Stick around—उसी स्थान पर बने रहना

After dinner we requested our guest to *stick around* for the movie on the TV.

Stick at—हिचकिचाना

He will *stick at* nothing to fulfil his ends.

Stick by—साथ देना

Stick by your friends in their difficulty.

Stick out—बाहर निकालना

I went to the doctor with a stomach complaint and he asked me to *stick out* my tongue.

Stick to—एक ही बात पर डटे रहना

Despite interrogation he *stuck to* his story till the end.

Stir up—उकसाना, उत्तेजित करना

He tried to *stir up* trouble between the management and the workers.

Stop short—अचानक रुकना

He was talking about Naresh, but suddenly *stopped short* as he saw him coming.

Strike down—अवैध घोषित करना

The court *struck down* the government's ordinance as unconstitutional.

Strike off— सूची से निकाल देना

At the last moment something came into her mind and she *struck off* his name from the list of invitees.

Strike up—संगीत शुरू करना

At the end of the programme the band *struck up* the national anthem.

Strike work—हड़ताल करना

The factory workers *struck work* to demand higher wages.

Subscribe to—किसी विचार से सहमत होना

Do you *subscribe to* the philosophy of Karma?

Subsist on—जीवन निर्वाह करना

The sadhu *subsisted on* nuts and roots for many weeks.

Succeed to—किसी के बाद पदासीन होना

The prince will *succeed to* the throne on the king's death.

Sue for—न्यायालय में हक मांगना

As he developed after-operation complication he *sued* the Verma Nursing Home *for* damages to the extent of ten thousand rupees.

(T)

Take after—समान दिखना

She has *taken after* her mother.

Take apart—पुर्जे अलग करना, कोई यंत्र खोलना

Can you *take apart* a watch?

Take down—लिख लेना

Take down carefully whatever I say.

Take for—समझ बैठना

I *took him* for a doctor.

Take in—धोखा देना, धोखा खाना

He tried to play a trick on me, but I couldn't be *taken in.*

Take off—1. कपड़े उतारना

He *took off* his coat.

2. उड़ान भरना

We watched the plane *take off.*

Take on—नौकरी पर रखना

They are *taking on* many new workers at that factory.

Take over—1. ज़िम्मेदारी संभालना

After the Chairman retired the Managing Director *took over* as the new Chairman.

2. अधिकार जमाना

They defeated the enemy and *took over* the fort.

Take place—घटित होना

Where did the meeting *take place?*

Take to—आकर्षित होना

I *took to* Anil right from the very beginning.

Take turns—बारी-बारी से कोई काम करना

During the trip Jeevan and I *took turns* at car driving.

Take up—पढ़ाई आरम्भ करना

After completing school he *took up* mechanical engineering.

Talk back—बेअदबी से जवाब देना

It is very rude to *talk back* to your elders.

Talk over—विचार-विमर्श करना

The committee is *talking over* our report.

Talk shop—अपने काम के बारे में बातचीत करना

The two lawyers always *talk shop.*

Taste of—वैसा ही स्वाद होना

This coffee is no good—it *tastes of* kerosene.

Tear down—गिराना, नष्ट करना

They brought bulldozers to *tear down* the building.

Tell against—खिलाफ जाना

The new evidence relating to this case *tells against* the accused.

Tell off—भर्त्सना करना

The headmaster *told off* the rowdy student.

Tell on—चुगली करना

It is unfair to *tell on* others.

Tell upon—प्रभावित करना, दर्शाना

You must not work so hard. It will *tell upon* your health.

Think of—राय होना

What did you *think of* the movie?

Think out—सोच-समझ कर योजना बनाना

They will have to *think out* some good idea to produce this kind of advertisement.

Think up—सोचकर खोज निकालना

You will have to *think up* a good excuse for the delay.

Throw out—नामंजूर करना, बाहर निकालना

He was making a nuisance of himself, so he was *thrown out* of the lecture hall.

Throw up—त्याग पत्र देना

Why have you ***thrown up*** **your job?**

Tide over—निभा लेना

Will this amount enable you to *tide over* your financial difficulties?

Touch at—बहुत थोड़े समय के लिए रुकना

The Rajdhani Express between Delhi and Bombay *touches at* Baroda.

Touch on—संक्षेप में जिक्र करना

Your lecture was illuminating but did not *touch on* the problem of casteism in the country.

Touch up—थोड़ा ठीक करना

The photographer *touched up* my photograph.

Trade in—बदले में लेना-देना

I *traded in* my old car for a new one

Trade on—फायदा उठाना

I *traded on* his good nature to help me out of my financial difficulties.

Trifle with—मजाक उड़ाना

It is cruel to *trifle with* anybody's feelings.

Trump up—झूठमूठ बात बनाना

The story you have *trumped up* is not at all convincing.

Try on—पहन कर देखना

The tailor asked me to *try on* the coat.

Try out—जांच के लिए चलाकर देखना

You should *try out* that TV set before you finally buy it.

Turn about—उल्टी दिशा में मुंह करना

The moment she saw him coming she *turned about.*

Turn against—किसी के खिलाफ खड़े हो जाना

We have been such good friends and I had no idea that he would *turn against* me.

Turn around—पूरा घूमना

Being a novice he could not *turn around* the car in the narrow lane.

Turn aside—मार्ग से विचलित होना

Never *turn aside* from the path of truth.

Turn away—वापिस भेजना

He has *turned away* three applicants for the new post of purchase-officer.

Turn back—पीछे हटना, हटाना

Please *turn back* from the edge of the water.

Turn down—1. इन्कार करना

I'm counting a lot on this so please do not *turn down* my request.

2. कम करना

Please *turn down* the volume of the radio.

Turn in— प्रस्तुत करना

He *turned in* his answer paper and came out of the examination hall.

Turn on—चालू करना

Please *turn on* the light.

Turn out—1. उत्पादन करना

How many cars does this factory *turn out* everyday?

2. सिद्ध होना

To begin with he looked like any other carpenter, but later he *turned out* to be a very talented one.

Turn tail—भाग जाना

The enemy had to *turn tail* as it could not hold against the massive attack of our army.

Turn up—1. अचानक आ पहुंचना

Everybody was surprised to see him *turn up* at the meeting.

2. ज़ाहिर होना

Some interesting facts have *turned up* during the inquiry.

(U)

Used to—आदत डालना

I am quite *used to* driving in crowded places.

Use up—प्रयोग कर खत्म करना

Have you *used up* all the paper I had given you?

(W)

Wade into—हमला करना

Ram could not tolerate Shyam's insulting remark. He *waded into* him and knocked him down.

Wade through—लंबा काम हाथ में लेना

Today I have to *wade through* a lot of correspondence.

Wait for—इंतजार करना

I'll *wait for* you at my office till you come.

Wait on—सेवा करना, परोसना

She *waited on* us efficiently.

Wash out—धोकर निकाल देना

Can this stain be *washed out.*

Watch over—निगरानी करना, रक्षा करना

The dog faithfully *watched over* his master's sleeping child.

Wear off—धुंधला पड़ना

This colour will *wear off* soon.

Wear out—फेंकने लायक बनाना

Constant use will *wear out* any machine.

While away—समय नष्ट करना

Get to work. Don't *while away* your time in trifles.

Wind up—1. खत्म करना, बंद कर देना
Recurring losses compelled him to *wind up* his business.
2. घड़ी की चाबी देना
I *wound up* my watch when I went to bed.

Wink at—अनदेखी करना
I can *wink at* his faults no longer.

Work away—काम करते रहना
He is a hard working man. He can *work away* at his job for hours at a stretch.

Work into—प्रयासपूर्वक अंदर घुसना
The miner's drill *worked into* the hard rock.

Work open—किसी तरीके से खोलना
I had lost my suitcase's key, but somehow I managed to *work* it *open.*

Work out—सुलझाना, उत्तर ढूंढ निकालना
Could you *work out* that problem?

Work up—उत्तेजित करना
Why are you so *worked up?*

(Y)

Yield to—स्वीकार करना, मान लेना
It took me long to persuade him to *yield to* my request.

IDIOMS & PHRASES

(A)

Abounding in—से भरपूर
Sea *abounds in* all kinds of animals.

Above all—मुख्यत:, खासकर
*Above all,*don't mention this to Hari.

Abreast with—जानकारी रखना
He keeps himself *abreast with* the latest developments in the world of science.

Absent-minded person—असावधान व्यक्ति
Our professor is a very *absent-minded person.*

Accessary to—सहायक
This man was *accessary to* the crime.

Affect ignorance—कुछ पता न होने का दिखावा करना
You cannot *affect ignorance* of the law and escape punishment.

Aghast at—हक्का-बक्का होना
As she entered the hospital she looked *aghast at* the bed of the wounded.

Agreeable to—पसंद/अनुकूल होना
He being very fussy, the plan was not *agreeable to* his wishes.

Alive to—जानकारी रखना, सचेत रहना
He is not at all *alive to* the current economic problems.

All at once—अचानक
All at once the sky became dark and it began to rain.

All moonshine—बिल्कुल झूठा, मनगढ़ंत
What you are saying is *all moonshine.*

All of a sudden—अचानक
All of a sudden the walls of the room started shaking.

All the same—फिर भी
Although your agreements appear convincing *all the same* it will not happen.

Animal spirits—जोशीली प्रकृति
Young children are by nature full of *animal spirits.*

Apple of discord—झगड़े का परिणाम/कारण
Ever since their father's death this property has been an *apple of discord* between the two brothers.

Apple of one's eye—बहुत प्रिय
His lovely little daughter is the *apple of his eye.*

Ask for something—नुकसान या खतरा मोल लेना
Now you are complaining about the cut in your salary. You had *asked for it* by regularly coming late.

At all—थोड़ा सा भी
He told me that he did not have any money *at all.*

At daggers drawn—दुश्मनी होना
Once upon a time they were friends, but now they are *at daggers drawn* over the issue of money.

At large—बंधनमुक्त रहना, पकड़ा न जाना
A convict who had escaped from prison last month is still *at large.*

At once—तुरन्त

The boss was furious over secretary's mistake and asked him to come to his room *at once.*

At the eleventh hour—अन्तिम क्षण पर, ऐन मौके पर

The mob was getting out of control, but *at the eleventh hour* the police arrived and averted a riot.

At times—कभी-कभी

At times she feels a little better, but then again relapses into her old condition.

Aware of—जानकारी होना

I was not *aware of* his intentions.

(B)

Back out of—दिये हुए वचन से मुकर जाना

He *backed out of* the promise he had given me.

Backstairs influence—छुपा, नाजायज़ प्रभाव

He managed to get the job through *backstairs influence.*

Bad blood—दुश्मनी

There is *bad blood* between the two neighbours.

Be a party to something—पक्ष लेना, सहमत होना

I disagree with your proposals so I won't be a *party to* this agreement.

Be all ears—बहुत ध्यान से सुनना

The children were *all ears* as I began to tell the story of Alibaba.

Be beside oneself—भावना से बेकाबू होना

She was *beside herself* with grief when she heard about her son's death.

Be born with a silver spoon in one's mouth—अत्यन्त धनवान होना

Pandit Nehru was *born with a silver spoon in his mouth.*

Be bound to—निश्चित रूप से

We are *bound to* be late if you don't hurry.

Be bound for—किसी निश्चित स्थान को जाना

This ship is *bound for* London.

Be ill at ease—परेशान होना

The whole night mosquitoes kept on biting him and he was quite *ill at ease.*

Be in the way—रास्ता रोकना

Is this chair *in your way?*

Be no more—मर जाना

Since her husband is *no more* she feels quite lost.

Be off—चले/निकल जाना

I was tired of his chattering and asked him to *be off.*

Be out of the question—असंभव होना

Without oxygen life is *out of question.*

Be under age—नाबालिग होना

You cannot vote as you are *under age.*

Be up something—कोई योजना बनाने में व्यस्त रहना

These boys have suspicious movements. I am sure they are *upto something.*

Be well-off—धनवान होना

They own a house and a car, so they certainly are *well-off.*

Be worth its weight in gold—बहुत कीमती होना

In the desert a bottle of water is *worth its weight in gold.*

Bear down upon—हमला करना (युद्धपोत का)

Our warship *bore down upon* the enemy convoy.

Beast of burden—सामान ढोने वाला जानवर

Mules are used as *beasts of burden* by the Indian Army.

Beast of prey—शिकार करने वाला जानवर

A tiger is a *beast of prey.*

Beat about the bush—इधर-उधर की बातें करना

Come to the point. Don't *beat about the bush.*

Beck and call—बुलाने पर हाज़िर होना

You cannot expect me to be at your *beck and call* everytime.

Bed of roses—सुख चैन की अवस्था

Life is no *bed of roses.*

Beggar description—वर्णन करने के परे होना

Her beauty *beggared description.*

Behind the scenes—छुपके

The leaders had been discussing *behind the scenes* for long, and finally they arrived at an agreement.

Bent on—प्रवृत्त, उद्यत

I am sure the two boys are *bent on* some mischief.

Better half—पत्नी

His *better half* takes good care of him.

Bide his time—अनुकूल अवसर के लिए शांति से प्रतीक्षा करना

The hunter *bided his time* till the tiger approached the pond for a drink.

Big deal—स्वयं के बारे में बड़प्पन की झूठी भावना

You think you can beat me! A *big deal!*

Birds's eye view—विहंगावलोकन

We had a *bird's eye view* of the city from the plane.

Birds of a feather—समान स्वभाव के लोग

Birds of a feather tend to flock together.

Black sheep—बदनाम आदमी

Ramesh is the *black sheep* of the family.

Blind alley—एक तरफ से बंद गली

They had to turn back as they had entered a *blind alley.*

Blind to—अनदेखी करना

He is *blind to* his son's actions.

Blow one's own trumpet—अपना बड़प्पन कहते फिरना

Blowing one's own trumpet speaks of ill breeding.

Blow one's top—बहुत गुस्से में होना

Ram has not been caring for his studies at all. Naturally, his father had to *blow his top.*

Blue stocking—साहित्यकार, विदुषी स्त्री

She has made a name for herself in society as a *blue stocking.*

Body and soul—ज़ी ज़ान से

He gave himself *body and soul* to the pursuit of learning.

Boil down—सारांश, मतलब होना

It all *boils down* to a clear case of murder.

Bolt upright—बिल्कुल सीधा

As he was suddenly awakened by a passing procession's noise he got up and sat *bolt upright.*

Bosom friend—ज़िगरी दोस्त

Arun and Anil are *bosom friends.*

Brazen-faced fellow—अशिष्ट आदमी

I cannot stand that *brazen-faced fellow.*

Break cover—छुपने के स्थान से बाहर आना

The enemy resumed heavy firing as the soldiers *broke cover.*

Break in—ज़बर्दस्ती दाखिल होना

The thief quietly *broke in* when everyone was asleep

Break the ice—चुप्पी भंग करने की खातिर बातें छेड़ना

They sat in awkward silence till I *broke the ice.*

Break the news—कोई समाचार देना

Ram had drowned and somebody had to *break the* sad *news* to his family somehow.

Breathe one's last—मर जाना

The nation plunged into grief as the beloved leader Pandit Nehru *breathed his last.*

Bring to light—राज़ खोलना

The C.I.D. *brought to light* a hideous conspiracy to assassinate the police chief.

Bring to the hammer—नीलाम करना

As he went bankrupt, all his goods were *brought to the hammer.*

Broad daylight—दिन दहाड़े

Yesterday the bank near our house was robbed in *broad daylight.*

Brown study—विचारों में मग्न रहना

Shyam is in the habit of getting into *brown study.*

Build castles in the air—हवा में महल बनाना

Be content with what you have. There is no point in *building castles in the air.*

Burning question—ज्वलंत प्रश्न

In the world today, issue of Poland is a *burning question.*

Burn the candle at both ends—अपनी शक्ति या धन का अधिक व्यय/खर्च करना

If you *burn the candle at both ends* like this, you will soon land up in the hospital.

Bury the hatchet—दुश्मनी भूलकर मित्रता करना

The two warring nations reached a truce and at last *buried the hatchet.*

By and By—आहिस्ता-आहिस्ता

By and by people began to come into the lecture hall.

By heart—कंठस्थ

I know many passages from Shakespeare *by heart.*

By himself—अकेले

I have often seen him walking all *by himself* in the woods.

By the way—बात-बात में यूं ही

By the way, are you married?

(C)

Call a spade a spade—साफ-साफ कह देना

I am not rude but at the same time I don't hesitate to *call a spade a spade.*

Call to order—सभा, बैठक प्रारंभ करना

The chairman *called the* meeting *to order.*

Capital crime—मौत की सज़ा जैसा गुनाह

Murder is a *capital crime.*

Capital idea—उत्कृष्ट कल्पना

Going on a picnic this Sunday is a *capital idea.*

Capital punishment—मौत की सज़ा

The murderer was awarded *capital punishment.*

Carry one's point—विरोध समाप्त करना

In the beginning Mohan was slightly vague in his speech but gradually he succeeded in *carrying his point.*

Carry the day—यशस्वी बनना

The opener scored a century and *carried the day.*

Cast about for—इंतज़ार में रहना

He will *cast about for* an opportunity to take revenge on you.

Catch one's eye—ध्यान खींचना

I could not *catch his eye,* else I would have greeted him.

Chicken-hearted fellow—डरपोक आदमी

A *chicken-hearted man* like you will never make a soldier.

Clear off—जाना, भागना

Don't bother me? *Clear off!*

Close-fisted man—कंजूस

Alhough having lot of money, he is a *close-fisted man.*

Close shave—बाल-बाल बचना

My car was just about to dash against the lamp post. It was quite a *close shave.*

Cock and bull story—मनगढ़ंत कहानी

Who would believe such a *cock and bull story?*

Cold-blooded murder—घृणित हत्या

Karan had committed a *cold-blooded murder* so, the judge didn't show any mercy in awarding death sentence.

Cold feet—डर जाना

At the sight of his opponent he got *cold feet.*

Cold reception—ऊपरी मन से सत्कार

I wonder why she gave him such a *cold reception.*

Cold shoulder—किसी का साथ अप्रिय लगना

He tried to talk to her, but she gave him the *cold shoulder.*

Come of age—बालिग हो जाना

Now that you have *come of age,* you should take your own decisions.

Come off it—अवांछित आदत को छोड़ना

Come off it, don't start with that boasting again.

Come to an end—समाप्त होना

It was such a boring film that I thought it would never *come to an end.*

Come to light—पता चलना

The conspiracy *came to light* at the right time and plotters were arrested.

Come up to—बराबर होना

The profit from this deal with M/s Renuka Enterprise has not *come up to* my expectations.

Come up with—उत्तम विचार होना

I must say you have *come up with* an excellent idea.

Commanding view—ऊंचाई से दिखने वाला दृश्य

Come we can go up and get a *commanding view* of the harbour from the hill top.

Confirmed bachelor—नामजद कुंआरा

Is he going to marry late or is he a *confirmed bachelor?*

Corresponding to—मिलता-जुलता होना

While digging in the field other day I found an old coin *corresponding to* the one shown in this picture.

Cover a lot of ground—विस्तार से कहना

In his very first lecture the professor *covered a lot of ground.*

Creature comforts—शारीरिक सुख-चैन की चीज़ें

Being rich he would equip his mansion with all *creature comforts.*

Crocodile tears—बनावटी आंसू

He shed *crocodile tears* at the loss incurred by his friend.

Crux of a problem—समस्या का मुख्य भाग

The *crux of the problem* is how we are going to raise the funds we require for this project.

Cry over spilt milk—व्यर्थ खेद करना

In the beginning only, I had told you that was a bad bargain. It is no use *crying over spilt milk* now.

Curtain lecture—एकांत में पत्नी का पति को कोसना

The hen-pecked husband had to endure a *curtain lecture* every night.

Cut a sorry figure—अयोग्य सिद्ध होना

When asked to make a speech he *cut a sorry figure.*

Cut out for—योग्य होना

Vikas is not *cut out for* army.

Cut to the quick—मर्मभेदी बात कहना

Your reproaches *cut him to the quick*.

(D)

Dance attendance on one—आगे-पीछे घूमना

He *danced attendance on her* all the time, but she ignored him.

Day in, day out—रोज़-रोज़

He worked, *day in, day out* to pass his C. A. Examination.

Dead against—बिल्कुल खिलाफ़

Her mother is *dead against* her acting in the films.

Dead letter—1. गलत पते के कारण डाक घर में पड़ा रहने वाला पत्र

As there was no address on the letter it went to the *dead letter* office.

2. लागू नहीं किया जाने वाला कानून

Several enactments still on the statute book are now a *dead letter.*

Dead loss—कतई पूरा न होने वाला नुकसान

He invested quite a lot of money in paper business but it proved to be a *dead loss.*

Dead of night—आधी रात को

The thief entered the house at *dead of night.*

Dead silence—पूर्ण स्तब्धता

There was *dead silence* in the deserted house.

Dead tired—बहुत थका हुआ

Having walked four miles I felt *dead tired* and immediately fell asleep.

Dish something out—बहुत सफाई से आलोचना करना

He is a glib talker and very good at *dishing out* flattery.

Do a city—शहर में घूमकर आकर्षक स्थान देखना

While I *do the city* you can relax in the hotel and watch the television.

Do away with—नष्ट करना

The murderer seems to have *done away with* the body.

Done to death—मार डालना

The poor man was *done to death* by repeated lathi blows on the head.

Do well—प्रगति करना, यश पाना

He is *doing quite well* in his new business.

Dog-eared book—जिस पुस्तक में पन्नों के कोने खास वाक्यों या परिच्छेदों की निशानी के तौर पर मुड़े हुए हों

This *dog-eared book* suggests that you have read it carefully and marked the important pages.

Down and out—हतोत्साह होना

He was without money and without food. In short, just *down and out.*

Draw out a person—किसी व्यक्ति की इच्छा के विरुद्ध चतुराई से उससे जानकारी प्राप्त करना

For a long time he was reluctant to say anything, but in the end I managed to *draw him out.*

Draw a line—मर्यादा तय करना

I can at the most give you one thousand rupees. And then I must *draw a line.*

Drop a line—छोटा सा पत्र लिखना

As soon as I get to Bombay, I'll *drop* you a *line.*

Drop a subject—किसी विषय पर विवाद बंद करना

We don't seem to agree, so let us *drop the subject.*

Drop in on—मिलने जाना

Do *drop in on* me whenever you have the time.

Drop out of—छोड़ देना

He had to *drop out of* the race when his car broke down.

Dutch courage—शराब पीकर आने वाली झूठी वीरता

He showed a lot of *Dutch courage*, but got frightened as the drink wore off.

(E)

Ease someone out—शिष्टतापूर्वक नौकरी से निकालना

After the two companies merged a number of their officers had to be *eased out*.

Easy come, easy go—बिना प्रयास प्राप्त होना/खर्च हो जाना

He inherited great wealth but spent it all foolishly. It was a case of *easy come, easy go*.

Eat humble pie—गर्व त्यागना, विनम्र हो जाना

He used to boast about his intelligence. Now with such bad examination results he has to *eat the humble pie*.

Eat one's words—शब्द वापिस लेना

He was vehemently insisting on his point, but finally had to *eat his words*, when the truth came out.

Eat out—होटल में भोजन करना

When you *eat out*, what restaurant do you generally go to?

Elbow room—काम करने की स्वतंत्रता

He is a go-getter and needs just *elbow room* to succeed.

Err on the safe side—दो पर्यायों में नुकसान न देने वाला पर्याय-गलत हो तो भी स्वीकारना

To *err on the safe side*, I gave him fifty-five when he asked seventy pieces.

Escape notice—ध्यान न जाना

I read this copy very carefully, but don't know how this mistake *escaped my notice*.

Escape one's lips—बोल जाना

Never let that abusive word *escape your lips* again.

Every now and then—अक्सर, बहुधा

We are very good friends and visit each other, *every now and then*.

(F)

Fast living—ऐश आराम की ज़िन्दगी

Rich men's children generally like *fast living*.

Feather one's nest—अवैध तरीके से कमाई करके रखना

The corrupt people are always busy *feathering their nests*.

Fed up with—तंग आ जाना

I am *fed up with* this daily drudgery.

Feel up to—स्वयं को समर्थ पाना

Do you *feel up to* writing letters after a hard working day?

Fellow feeling—भाईचारा, अपनापन

One should have *fellow feelings* for all.

Few and far between—बहुत कम

His visits to our place are now *few and far between*.

Fight shy of—टालना

I *fight shy of* air travel as it makes me sick.

Fill one in—जानकारी देना

As Ramesh could not attend the meeting he asked me to *fill him in*.

Fish out of water—अप्रिय परिस्थिति में लोगों के बीच होना

I felt like a *fish out of water* in the company of those scientists.

Flowery style—बहुत लालित्यपूर्ण भाषा शैली

Flowery style is not suited to every kind of writing.

Fly in the face of—जान बूझ कर उल्टा व्यवहार करना

Why should you recklessly *fly in the face of* danger?

Fly off at a tangent—बीच में कोई असंबद्ध बात छेड़ना

Stick-to the point. Don't *fly off at a tangent*.

For good—हमेशा के लिए

He proposes to leave India *for good*.

For long—बहुत समय के लिए

I cannot go on with this boring work *for long*.

Force one's hand—मन की बात प्रकट करने के लिए मजबूर करना

I *forced his hand* to learn the real motive behind his plan.

Forty winks—बहुत थोड़ी देर के लिए झपकी लेना

After lunch I must have my *forty winks*.

Fill in for—किसी की जगह लेना

Our manager has not been keeping well. So, I have *filled in for* him.

For the time being—कुछ समय के लिए

For the time being I am staying at a hotel, but I

propose to rent a flat shortly.

Free-lance—कहीं नौकरी न करने वाला पत्रकार

He is a *free-lance* and contributes to several papers and magazines.

French leave—बिना बताये चले जाना

The boss is angry with him for taking *french leave.*

Fresh lease of life—पुनर्जीवित करना

The heart patient ws almost dying. But now through the relentless efforts of doctor he has got a *fresh lease of life.*

Fringe benefits—वेतन के अलावा मिलने वाला लाभ

His salary is small, but he gets good *fringe benefits.*

Face up to—किसी अप्रिय बात को स्वीकारना

You have to *face up to* the fact that you are not capable of handling this job.

Fair play—न्यायसंगत वर्ताव

I know him well and can count on his sense of *fair play.*

Fair sex—नारी जाति

She was the only representative of the *fair sex* at the meeting.

Fair weather friend—मुसीबत में साथ न देने वाला मित्र

Most of the people you are associating with these days are just *fair weather friends.*

Fall a prey to—ठग जाना

The innocent man *fell a prey* to the designs of the cheat.

Fall back upon—किसी चीज का सहारा लेना

If I don't do well as a businessman I'll have to *fall back upon* my old profession of journalism.

Fall behind in—पिछड़ जाना

He fell ill and had to miss his college for a month. As a result he *fell behind in* his studies.

Fall foul of—किसी से दुश्मनी मोल लेना

If this new clerk continues with his criticism like this he will soon *fall foul* of the manager.

Fall in with—सहमत होना

He found my plan very profitable and so readily *fell in with* it.

Fall out of use—प्रयोग बंद हो जाना

As a language grows new words are added and many old ones *fall out of use.*

Fall out with—झगड़ा करना

It is indeed sad to see that you have *fallen out with* your best friend.

Fall to one's lot—नसीब में होना

I *fell to my lot* to become a writer.

Fall to work—काम आरंभ करना

He *fell to work* with enthusiasm and completed the job in an hour.

Family likeness—पारिवारिक समानता

There is a *family likeness* between the two cousins.

Family tree—वंश तालिका

Our *family tree* is rooted in eighteenth century.

Fan the flame—किसी बुरी बात को प्रोत्साहन देना

Although outwardly he professed loyalty, in secret he was *fanning the flame* of sedition.

Fancy price—बहुत अधिक मूल्य का होना

He has recently bought an imported TV set at a *fancy price.*

(G)

Gain ground—धीरे-धीरे प्रगति करना

India lost the first two matches, but began to *gain ground* gradually.

Game is not worth the candle—कष्ट की मात्रा में प्रर्याप्त लाभ न होना

If you have to send your article to a dozen editors to get it published, I must say that the *game is not worth the candle.*

Get ahead of—आगे निकल जाना

Ram has *got ahead of* Shyam in mathematics.

Get all dolled up—बहुत सजधज कर तैयार होना

She gets all *dolled up* when she gets ready to go to parties.

Get along with—मित्रवत रहना

He has the knack for *getting along with* all sorts of people.

Get away with—बुरा काम करके सजा से मुक्त रहना

You can't cheat me like that and *get away with* it.

Get by heart—ज़बानी याद करना

Have you got the whole poem *by heart?*

Get down to—काम गंभीरतापूर्वक आरम्भ करना

Now as we have had an hour's rest let us *get down to* business.

Get even with—बदला लेना

The other day Arun made a fool of Anil. And now Anil wants to *get even **with*** **him.**

Get hold of—मतलब समझ पाना

I was quite far from the stage and couldn't *get hold of* what the speaker was saying.

Get into a soup—झंझट में पड़ना

You will *get into a soup* if you neglect your studies like this.

Get into the swing of things—नई परिस्थिति में घुल मिल जाना

Many of the Indian students don't take long to *get into the swing of things* in the U. S. A

Get on one's nerves—तग करना

She talks so much that she *gets on my nerves.*

Get on with—1. काम चालू करना 2. साथ होना

Get on with your work.

Naresh and I *get on with* each other quite well.

Get out of—बाहर निकल जाना

Sita is a very affectionate mother and does not let her children *get out of* her sight.

Get out of line—अनुशासन भंग करना

The headmaster warned unruly Gopal that he would be expelled if he *got out of line* in future.

Get rid of—छुटकारा पाना

Don't ask what all I had to do to *get rid of* a bore like Vinay.

Get the better of—विजय पाना, मात करना

He easily *got the better of* her in the argument.

Get the sack—नौकरी से हटाया जाना

He is thoroughly incompetent and I know that one day he will *get the sack.*

Get the upper hand—मात करना, प्रमुखता प्राप्त करना

It was a keenly fought match, but in the end I *got the upper hand.*

Get through with—काम पूरा करना

When will you *get through with* your homework?

Get wind of—रहस्य का पता लगाना

There was a well-guarded conspiracy, but somehow the government *got wind of it.*

Get word—संदेश मिलना

I *got word* that my brother had suddenly become ill.

Gift of the gab—भाषण कला

He has a *gift of the gab* and can hold his audience spellbound.

Give a break—अवसर देना

Considering the fact that it was his first offence the judge *gave him a break* and let him off only with a warning.

Give a piece of mind—कोसना

He is so negligent in his work that I had to *give* him *a piece of my mind.*

Give a ring—टेलीफोन करना

I'll *give you a ring* as soon as I get there.

Give a wide berth—टालना, दूर रखना

He is not to be trusted. You should always *give* him *a wide berth.*

Give chapter and verse—साबित होना

I can give you *chapter and verse* for every statement I am making.

Give currency to—फैलाना, ज़ाहिर करना

Many new words in English have *got currency.* of late.

Give into—मान लेना, सहमत होना

He *gave into* her wishes.

Give quarter—सहानुभूति दिखाना

The conqueror *gave* no *quarter* to the defeated.

Give the go by—भूलना, टालना

There are many old religious practices to which we have now *given the go by.*

Give the slip—चकमा देकर भाग जाना

As the thief saw the policeman he *gave him the slip* by getting into a nearby lane.

Given to—व्यसन हाना

I was sorry to see that he was *given to* heavy drinking.

Go a long way—काफी हद तक उपयुक्त होना

This amount will *go a long way* in defraying your trip's expenses.

Go hand-in-hand—साथ-साथ चलना

Going hand-in-hand with this expansion programme of the company is a massive plan of modernisation.

Go in for—रुचि लेना
What sports do you *go in for?*

Go off the deep end—जल्दी से कूछ कर बैठना
Think with a cool mind. There is no need to *go off the deep end* and act foolishly.

Go through channels—योग्य मार्ग से
You will have to go *through the channels* if you want your representation for promotion to be considered.

Go through fire and water—कोई भी खतरा मोल लेना
A patriot is ready to *go through fire and water* to serve his motherland.

Go through/with—कोई काम अंत तक करते रहना
Do you have the determination enough to *go through with* this job?

Go to law—कानून का सहारा लेना
In the western countries people *go to law* on very petty issues.

Go to rack and ruin—विनाश होना
The government must do something to save this sick sugar mill from *going to rack and ruin.*

Go to town—कोई काम ध्यानपूर्वक करना
The interior decorator *went to town* on my flat and made it like a palace.

Go without saying—स्पष्ट होना
It *goes without saying* that honesty pays in the long run.

Going concern—अच्छी तरह चलने वाला व्यवसाय
He has expanded his business and it is now a *going concern.*

Golden mean—बीच का मार्ग
We shall not go to the extremes, rather find a *golden mean* between the two.

Golden opportunity—बहुत अनुकूल परिस्थिति, स्वर्णिम अवसर
It was a *golden opportunity* for me to show my mettle.

Good deal—बहुत मात्रा में
This sofa set has cost me a *good deal* of money.

Good hand—1. कुशल, प्रवीण
She is quite a *good hand* at knitting.
2. अच्छी लिखावट
You have a *good hand.*

Good humour—प्रसन्नचित्त होना
He has got a promotion today so he is in *good humour.*

Good offices—सहयोग से
This dispute between the two countries can be resolved only through the *good offices* of Irrigation Ministers.

Green room—नैपथ्य, अभिनेता का भेष-भूषा का कमरा
After the play was over I went to the *green room* to see the hero.

Grow grey—एक ही काम में जिंदगी बिताना
Prasad began working at the age of twenty, and has *grown grey* in the same office.

Grow out of—आयु बढ़ने के साथ कोई आदत छूटना
As child he used to stutter, but now has *grown out of* it.

(H)

Hall mark—उत्कृष्टता की निशानी
He is generally a good painter, but Batik painting is one of his *hall marks.*

Hammer and tongs—बड़े ज़ोर-ज़ोर से
The opposition went for the government's policies *hammer and tongs.*

Hang by a thread—बहुत नाज़ुक स्थिति में होना
Naresh has been badly injured in the train accident and he is still *hanging by a thread.*

Hang fire—देर होना
This matter had been *hanging fire* for more than a month.

Hard boiled—व्यवसाय के आगे भावना की कीमत न रखना
He is a *hard-boiled* businessman.

Hard of hearing—कुछ हद तक बहरा
You will have to speak a little louder, as Mr. Rao is *hard of hearing.*

Hard up—रुपयों की तंगी होना
Ever since he has left his job he has been quite *hard up.*

Haul over the coals—कोसना, भर्त्सना करना
The boss *hauled him over the coals* for his insubordination.

Have a brush with—थोड़ी सी अनबन होना
Our union's president *had a brush with* the general secretary in a meeting last week.

Have a finger in the pie—किसी चीज़ में हिस्सा होना

Why should you be so interested in what he is being paid? Do you *have a finger in the pie?*

Have a mind—राज़ी होना, दिल करना

He can be very funny if he *has a mind.*

Have a thing at one's finger tips—पूर्णत: ज्ञात होना

He has the Maratha history *at his finger tips.*

Have an easy time of it—आराम होना

As long as Mr. Rao was there as the manager the staff had *an easy time of it,* but now things have changed.

Have another guess coming—गलत होना

If you think I'll be with you in this mischief you *have another guess coming.*

Have been to—किसी स्थान का हा आना

Have you *been* to Bombay of late.

Have clean hands—निर्दोष पाना

You can't suspect him of taking bribery. I am sure his *hands are clean.*

Have in hand—कोई काम हाथ में होना

What job do you *have in hand* at present?

Have it out with—झगड़ा करना

I am sure he has cheated me, and I am going to *have it out with* him.

Have an eye on a thing—किसी वस्तु पर दृष्टि रखना

Be content with what you have. Don't *have an eye on* others' things.

Have one's hands full—किसी काम में व्यस्त होना

Please do not ask me to do anything more, my *hands are already* full.

Have one's heart set on—बहुत इच्छा रखना

Ever since he had heard of accounts of the U.S.A. from his brother he has *his heart set on* going abroad.

Have one's way—अपनी ही बात करना

Little children must *have their way* in everything.

Have the right ring—ठीक महसूस होना

The statesman's speech about the problem *had the right ring* about it.

Have too many irons in the fire—एक ही साथ अनेक काम करने की कोशिश करना

Beware of your health breaking down under the strain of overwork; I think you have *too many irons in the fire.*

Help oneself to—स्वयं ले लेना

Please *help yourself* to whatever you would like to have.

Hen-pecked husband—जोरू का गुलाम

Prakash is known among his friends as an *hen-pecked husband.*

Herculean task—बहुत कठिन कार्य

Preparing such a big report in such a short time was indeed a *herculean task.*

Hide one's light under a bushel—गुण छुपाकर रखना

To keep such a learned man in his present obscure position is like *hiding his light under a bushel.*

High and low—सर्वत्र

I searched for my pen *high and low.*

High-flown style—पांडित्यपूर्ण शैली

He has a *high-flown style* which does not cater to masses.

High living—ऐश आराम की ज़िन्दगी

Many diseases are brought on by *high living.*

High noon—मध्याह्न

At *high noon* during summer in Delhi people generally keep indoors.

High time— ठीक समय होना

It is *high time* to get up.

Hit it off—घुल-मिल जाना

She and her husband do not seem to *hit it off.*

Hit the nail on the head—सही बात कहना

The reviewer *hit the nail on the head* when he wrote that the main shortcoming of the book was the author's ignorance of the subject.

Hold on to—मजबूती से पकड़े रहना

He *held on to* the rope for fear of falling.

Hold one's own—अपना स्थान जमा के रखना

Will you be able to *hold your own* in front of a great player like him?

Hold one's tongue—खामोश रहना

She talked so much that I had to ask her to *hold her tongue.*

Hold out against—प्रतिकार जारी रखना

Although our force was small we *held out against* a large number of enemies.

Husband one's resources—किसी गाढ़े समय के लिए सामग्री बचाकर रखना

We were careful to *husband our resources* for our journey across the desert.

Hush money—रिश्वत

A lot of *hush money* passed between the minister and his favourite business house.

(I)

Idle compliment—झूठी प्रशंसा

Although he praised my work yet I knew it was an *idle compliment.*

In a bad way—स्वास्थ्य चिन्ताजनक होना

Rajiv had an accident yesterday and now he is *in a bad way.*

In a body—सब मिलाकर

The boys went *in a body* to the headmaster to request him to declare a holiday on account of their winning a cricket match.

In a fair way—अच्छी सम्भावना होना

The doctor thinks that Ramesh is *in a fair way* to recovery.

In a fix—दुविधा में पड़ना

I could not decide whether to leave or stay—I was *in a fix.*

In a mess—संकट में पड़ना

Do your work properly, else you'll get *into a mess.*

In a person's good books—किसी का प्रिय होना

Ram is a bright boy and naturally in his *teacher's good books.*

In a temper—गुस्से में होना

The boss seems to be *in a temper* today.

In a word—संक्षेप में

In a word he doesn't care for your company.

In an instant—एक ही क्षण में

In an instant the panther leapt onto its prey.

In all—सब मिलाकर

In all there were thirty students in the class.

In a bad taste—अप्रिय होना

You should not have criticised him so viciously. It was *in a bad taste.*

In course of time—समय बीतने पर

In course of time the little boy grew into a fine young man.

In keeping with—अनुकूल

I knew he would help you. This is *in keeping with* his character.

In one's element—अनुकूल परिस्थिति में होना

Everyone at the party laughed at his jokes and I could see that he was *in his element.*

In one's line—पेशे के अनुकूल होना

He writes quite well. After all this is *in his line.*

In one's teens—किशोर अवस्था में होना

Some girls get married while still *in their teens.*

In the air—किसी खबर की अफवाह उड़ाना

It's *in the air* that he is going to become a minister.

In the chair—सभापति के स्थान पर

Who was *in the chair* at the meeting?

In the doldrums—प्रगति रुक जाना

On account of trade recession his business is *in the doldrums* for more than a year.

In the same boat—समान पारास्थति में होना

Don't get worked up about financial problems. We are *in the same boat.*

In time—समय पर

Did you reach office *in time?*

In the long run—अंत में

You will find that he proves to be your best friend *in the long run.*

In the van—सबसे आगे

Kalidas will always be *in the van* of Sanskrit poets.

In vain—व्यर्थ में

The doctor's all efforts went *in vain* and the patient could not be saved.

Ins and outs—पूरा विवरण

Only Prakash knows the *ins and outs* of this affair.

Iron hand—कठोरता

The despots usually rule their kingdom with an *iron hand.*

Iron will—बलवती इच्छा

Sardar Patel is known as a man of an *iron will.*

(J)

Jack of all trades—सब काम कर सकने वाला व्यक्ति

Anand is a *jack of all trades* and master of none.

Jail bird—बार-बार जेल जाने वाला अपराधी
He being a notorious *jail bird* the judge did not show any mercy to him.

Join in with—हिस्सा लेना
We requested him to *join in with* us, but he preferred to act independently.

Jaundiced eye—पूर्वाग्रह ग्रसित दृष्टि
Don't look at the proposal with a *jaundiced eye.*

Jump to a conclusion—पूरा विचार न करते हुए
Don't *jump to the conclusion* that Ravi does not care for you only because he could not help you this time.

Just the thing—बिलकुल सही
You are being critical but in my opinion Arun's appointment to this post is *just the thing.*

(K)

Keep a thing to oneself—राज़ न खोलना
I knew he did not mean what he was saying, so I *kept the whole thing to myself.*

Keep an eye on—निगरानी रखना
Please *keep an eye on* my suitcase while I buy my ticket.

Keep body and soul together—जीवित रहना
His income is just enough to keep his *body and soul together.*

Keep company with—संगत करना
If you *keep company with* bad people you will automatically acquire bad habits.

Keep good time—ठीक समय बताना
My watch always *keeps good time.*

Keep in mind—न भूलना
Please *keep in mind* that you promised to phone her this evening.

Keep in the dark—जानकारी न देना
Why did you *keep* me *in dark* about your illness.

Keep in touch with—संपर्क बनाए रखना
He promised to *keep in touch with* us while he was abroad.

Keep late hours—देर तक जगे रहना
If you *keep late hours,* you will ruin your health.

Keep on with—एक ही काम करते रहना
I asked him to check these proofs and he has *kept on with it* for the last four hours.

Keep one's head—गाढ़े समय में धैर्य रखना
When I saw a thief enter the room I *kept my head* and bolted the door from outside.

Keep out of the way—दूर रखना
Keep selfish people like Govind *out of the way.*

Keep pace with—उसी गति से
Jeewan is really fast in Mathematics. I cannot *keep pace with* him.

Keep someone at arm's length—पास फटकने न देना
He is a cheat so I take care to *keep him at arm's length.*

Keep the wolf from the door—दरिद्रता से संघर्ष करना
The poor man found it hard to *keep the wolf from the door.*

Keep to the house—घर से बाहर न जाना
He has not been keeping well of late so *he keeps to the house.*

Keep track of—नोट करके रखना
We are going to *keep track of* all our expenses while we are in the U.S.A.

Keep up with—उसी गति से चलना
Ram walks so fast that it is difficult to *keep up with* him.

Kick a habit—आदत छोड़ देना
He used to be quite a heavy smoker. I wonder how come he has *kicked this habit.*

Kick something around—किसी प्रस्ताव पर विचार करना
They will first *kick around* with many proposals and then finally settle on one.

Kill two birds with one stone—एक ही समय में दो काम करना
While in New Delhi I'll call on a friend and also do some shopping. Thus, I'll *kill two birds with one stone.*

Knock off—कोई काम खत्म करना
You have been working since morning—now *knock it off.*

Know by sight—शक्ल से पहचानना
Although I haven't been introduced to our new neighbour, yet I *know him by sight.*

Knowing look—सारगर्भित दृष्टिक्षेप

He gave me a *knowing look,* when I said I was busy in the evening.

(L)

Laid up with—बीमार होकर बिस्तर पर पड़े रहना

He was out in the rain yesterday and now is *laid up with* cold and fever.

Lame excuse—न जंचने वाला बहाना

Whenever Virendra is late for office he gives some *lame excuse.*

Land on one's feet—किसी खतरे से बच निकलना

It was dangerous dive in the air, but he finally *landed on his feet.*

Laugh in one's sleeve—मन में हंसना

He was wearing a funny dress at the party. And everyone was *laughing in his sleeve.*

Laughing stock—हंसी मज़ाक का निशाना बनना

He talked nonsense and made himself the *laughing stock* at the party.

Lay bare—राज खोलना

I can't rest until I've *laid bare* this conspiracy.

Lay down the law—हुक्म चलाना

In his house his wife *lays down the law.*

Lay hands on—जबर्दस्ती पकड़ना

The bandit *laid hands on* the poor travellers.

Lay one's hand on—ज़रूरत की चीज़ का मिल जाना

I hope I'm lucky to *lay my hand on* the history book, I'm looking for.

Lay oneself open to—स्वयं को खतरे में डालना

Fault finders *lay themselves open to* attack if they make a slip anywhere.

Lay up for a rainy day—गाढ़े वक्त के लिए इंतजाम कर रखना

Don't spend your money so lavishly. You should *lay up something* for a rainy day.

Lay waste—नष्ट करना

During the World War II many cities in Europe were *laid waste* by continuous bombardment.

Lead a charmed life—बड़े-बड़े खतरों से बच निकलना

I wonder how he has come out unscathed from this dangerous mission. He seems to be *leading a charmed life.*

Lead a person a dance—किसी को ज़रूरत से ज्यादा तकलीफ देना

Why don't you pay him his dues instead of *leading him a dance?*

Lead by the nose—किसी को अपने हुक्म के नीचे रखना

He is quite a henpecked husband and is *led by nose* by his wife.

Leading question—जिसका उत्तर प्रश्न में ही निहित है

The lawyer asked the witness many a *leading question.*

Leave in the lurch—कठिनाई में साथ छोड़ देना

He stood by me as long as all was well, but *left me in the lurch* the moment he sensed danger.

Leave much to be desired—संतोषजनक न होना

The arrangements they made for the function left *much to be desired.*

Leave the beaten track—घिसी-पिटी लकीर से हटना

This author has *left the beaten track* and suggested a fresh look on the age-old problem of casteism.

Leave to oneself—अकेले छोड़ना

At times I prefer to be *left to myself.*

Left-handed compliment—उल्टा अर्थ निकलने वाली प्रशंसा

It is no *left-handed compliment.* You really acted very well.

Legal tender—सरकारी मान्यता प्राप्त

Thousand rupee notes are not *legal tender* any more.

Lend a hand—सहायता करना

Let us all *lend* him *a hand* in carrying these books to the basement.

Lend one's ear—ध्यान से सुनना

Friends, *lend me your ears.*

Let bygones be bygones—बीती बातें भूल जाना

We are now friends, so *let bygones be bygones.*

Let fly—ज़ोर से फेंकना

The boy *let fly* a stone in the direction of the dog.

Let go of—छोड़ देना

Don't *let go of* the rope until I tell you.

Let loose—खुला छोड़ना

The dogs were *let loose* on the running thief.

Let the cat out of the bag—भेद खोलना

Ramesh let the *cat out of the bag* when he said Renu was just pretending to be ill because she did not want to go to school.

Let the grass grow under your feet—किसी काम में विलंब करना

Do this work quickly; don't *let the grass grow under your feet.*

Lie in one's power—समर्थ होना

I will do whatever *lies in my power* to get you the job.

Lie in wait for—इन्तज़ार में रहना

The tiger hid and *lay in wait for* its prey.

Light-fingered gentry—पाकिटमार

As he reached his trousers' pocket for his wallet he realised that he had fallen a victim to the *light fingered gentry.*

Light reading—उपन्यास आदि हलका साहित्य

I think I'll do some *light reading* during train journey to pass time.

Light sleeper—आसानी से जगने वाला व्यक्ति

I am *a light sleeper* and even a slight sound can wake me up.

Lion's share—बहुत बड़ा हिस्सा होना

The *lion's share* of his profit was appropriated by his financier.

Little by little—धीरे-धीरे

His health is improving, but *little by little.*

Live from hand to mouth—मुफलिसी में गुजारा करना

Majority of Indian population *lives from hand to mouth.*

Live it up—ऐश आराम की ज़िंदगी बिताना

The rich man's son went to America and *lived it up.*

Live up to—वचन का निर्वाह करना

Kuldip had great expectations of his son but he did not *live up to* them.

Long and short—संक्षेप में

The *long and short* of what I have to say to you is that you are inefficient.

Long winded—भाषण का लम्बा होना

The audience visibly appeared bored with his *long winded* speech.

Look a gift horse in the mouth—मिले हुए उपहार की आलोचना करना

You should not say that the book Mohan has gifted you is rubbish. It is improper to *look a gift horse in the mouth.*

Look back on—स्मरण करना

It is usually pleasant to *look back on* the childhood memories.

Look daggers at someone—किसी को बहुत गुस्से से घूरना

What have I done? Why are you *looking daggers* at me?

Look down upon—घृणा करना

We should not *look down upon* him just because he is poor.

Look every inch—सही-सही लगना

He looks *every inch* a king.

Look forward to—उत्सुकता से प्रतीक्षा करना

We are all *looking forward to* your visit to Bombay.

Look out for—खोज में होना

I am on the *look out for* a good second hand car.

Look up to—आदर करना

When Gandhiji was alive everybody used to *look up to* him.

Lord it over—शासन करना

Try to be independent. Don't let others *lord over* you.

Lose ground—पिछड़ जाना

To begin with he was ahead of others in the race; but later he *lost ground.*

Lose heart—धीरज खोना

Don't *lose heart,* everything will be all right in due course.

Lose one's cool—उत्तेजित होना

One should not *lose one's cool* even in the most difficult situation.

Lose one's head—संयम खो बैठना

You are of course in a fix but still you must not *lose your head.*

Lose one's touch—पहले की कुशलता

I'm afraid I will not be able to play well anymore; I seem to have *lost my touch.*

Lose one's way—रास्ता भूलना

We had gone for hunting, but while returning *lost our way* in the woods.

(M)

Maiden name—विवाहित स्त्री का विवाहपूर्व नाम

What is the *maiden name* of Mrs. Kapur?

Maiden speech—पहला भाषण

The new M.P. of our area promised to bring electricity in our town in his *maiden speech.*

Make a clean breast of something—सब कुछ बता देना

The accused made a *clean breast of everything.*

Make a hash—गड़बड़ घोटाला कर देना

Don't meddle in my cooking. You will *make a hash* of everything.

Make a mountain of a molehill—छोटी सी बात को बढ़ा चढ़ाकर पेश करना

This job will not take you more than a few minutes. So don't *make a mountain of a molehill.*

Make a living—जीविका चलाना

In India it is difficult to *make a living* as an artist.

Make a point—कोई काम निश्चित रूप से करने का विचार रखना

I *make it a point* of buying a new book every month.

Make a virtue of necessity—कोई अप्रिय कार्य मजबूरी में करना, लेकिन कर्तव्य-पालन का आभास दिलाना

Knowing that the landlord was about to drive him out he vacated the house himself. Thus *making a virtue of necessity.*

Make an example of—उदाहरण देना या मिलना

I must *make an example of* behaving in the same rude manner as he does with others.

Make amends for—क्षति-पूर्ति करना

By his good deed today he had *made amends for* past misbehaviour.

Make away with—चोरी से भाग जाना

The thief *made away with* a thousand rupees.

Make believe—विश्वास दिलाना

The little girl *made believe* that she was a princess.

Make bold to—जिसको करने के लिए ढ़ाढस की आवश्यकता है, ऐसा कार्य करना

We *made bold to* call directly on the minister to present our memorandum of demands.

Make both ends meet—आय में गुजारा कर पाना

In a poor country like India a lot of people find it difficult to *make both ends meet.*

Make common cause with—किसी कार्य में किसी को सहयोग देना

I will make *common cause with* you in your efforts to eradicate the evil of casteism from the country.

Make fun of—किसी का मज़ाक उड़ाना

Anita had made a very funny hairdo for the party and everybody *made fun of* it.

Make hay while the sun shines—परिस्थिति अनुकूल होने का फायदा उठाना

When business was good he worked hard and made money; he believes in *making hay while the sun shines.*

Make it up with—सुलह करना

I had quarrelled with Ram yesterday, but now I have *made it up with* him.

Make light of—विशेष महत्त्व न देना

Although Naresh had committed a serious mistake in the ledger yet he tried to *make light of* it.

Make much ado about nothing—छोटी सी बात का बहुत शोर मचाना

I am only five minutes late, so don't *make much ado about nothing.*

Make much of —बहुत महत्त्व देना

Every mother *makes much of* her children.

Make neither head nor tail—कुछ भी समझ में न आना

He was so confused that I could *make neither head nor tail* of what he said.

Make no bones about—किसी बात को साफ-साफ कह देना

She *made no bones about* her distaste for mathematics.

Make off with—चोरी से लेकर भाग जाना

The thief *made off with* a thousand rupees.

Make one fire—साहसिक कार्य करना

I am amazed at your capacity for hard work and I wonder what *makes you fire.*

Make his mark—गुणों से सम्मान प्राप्त करना

It did not take him long to *make his mark* at the college.

Make their mouth water—मुंह में पानी भरना

As I was hungry the sight of cakes *made my mouth water*.

Make his way—प्रतिकूल परिस्थिति में धीरे-धीरे प्रगति करना, आगे जाना

I *made my way* through the great crowd.

Make oneself at home—अपना ही घर समझकर बिना संकोच व्यवहार करना

Please *make yourself at home;* there is no need to be formal.

Make oneself scarce—चले जाना

Don't trouble me. *Make yourself scarce.*

Make short of—जल्द खत्म कर देना

Our lawyer was quite smart and *made short of* the defence counsel's arguments.

Make the best of—प्रतिकूल परिस्थिति को खुशी से झेलना

If we cannot find a larger apartment we will continue living here and *make the best of* what we have.

Make the best of a bad bargain—निराशाजनक परिस्थिति का यथासम्भव लाभ उठाना

As the cloth was little damaged, I got it very cheap; thus *making the best of a bad bargain.*

Make up for—क्षतिपूर्ति करना

You will have to *make up for* the loss you have caused.

Make up one's mind—सोचकर कार्य की दिशा तय करना

Have you *made up your mind* about my proposal to go to Simla this summer?

Make up to—खुशामद करना

Ramkrishan has been *making up to* the manager in the hope of a promotion.

Man in a thousand—हज़ारों में एक

I like Ramesh very much; in my opinion he is a *man in a thousand.*

Man in the street—सर्वसाधारण व्यक्ति/प्रतिनिधि

The critics praised him as a great author but the *man in the street* did not think much of him.

Man of letters—साहित्यकार

He started writing at a very young age and is now an acknowledged *man of letters.*

Man of parts—विविध गुणों वाला व्यक्ति

He is a singer, a dancer and a musician; in short a *man of parts.*

Man of straw—जिसमें कुछ दम नहीं, ऐसा व्यक्ति

Gulzar is a *man of straw*. You cannot possibly rely on him.

Meet one half way—समझौता करना

I cannot accept, but I am prepared to *meet you half way.*

Middle age—चालीस से साठ के दरम्यान की आयु

Although he is *middle aged* yet he looks quite young.

Milk of human kindness—दया का भाव

She is full of the *milk of human kindness.*

Mind one's own business—दूसरों के काम में दखल न देना, अपना ही काम करना

Mind your own business; don't interfere in my personal affairs.

Miss the boat—अवसर खोना

It was a golden opportunity for him to make a profit, but choosy as he is, he *missed the boat.*

Moot point—विवाद का विषय

Whether school children should be given sex education or not is a *moot point.*

Move heaven and earth—किसी काम के लिए अत्यधिक प्रयत्न करना

He will move *heaven and earth* to find out about the murderer.

(N)

Naked eye—किसी उपकरण की सहायता के बिना देखना

You can not look straight at the sun at noon with *naked eye.*

Narrow escape—बाल-बाल बचना

No sooner did we run out of the burning house than it collapsed. It was indeed a *narrow escape.*

Never mind—कोई बात नहीं, कष्ट करने की कोई ज़रूरत नहीं

Never mind, if you cannot arrange for the books I had asked for.

Next to nothing—करीब-करीब कुछ भी नहीं

The children have eaten the entire loaf of bread and there is *next to nothing* left.

Nine days wonder—केवल थोड़े ही दिनों के लिए ध्यान आकर्षित करने वाली कोई नयी चीज़

Many a scientific inventions have proved just *nine day's wonders.*

Nip in the bud—कोई चीज़ प्रारंभ में ही/बाल्यावस्था में ही खत्म कर देना

The government *nipped* the revolt *in the bud.*

No love lost between—अनबन/दुश्मनी होना

Although Mr. Sharma and Mr. Verma do not quarrel openly there is *no love lost between* them.

No matter—कुछ भी हो तो भी

No matter where the thief tries to hide, the police will find him out.

Not fit to hold a candle—निचले दर्जे का होना

Most of the English dramatists are *not even fit to hold a candle* to Shakespeare.

Not on your life—बिल्कुल नहीं

I asked Ashok if he was interested in joining politics and he retorted: *"not on your life".*

Not worth his salt—नालायक व्यक्ति

I had employed him as he had brought good certificates, but I soon found out that he was really *not worth his salt.*

Now and then—कभी-कभी

I don't often fall ill, but *now and then* I do catch cold.

Null and void—व्यर्थ

This offer is open for six months, after which it will become *null and void.*

(O)

Of a piece—समान, सदृश

Ram and Shayam are *of a piece* in their general conduct.

Of late—आजकल

Of late many girls have started dressing like boys.

Off and on—कभी-कभी, अनियमित रूप से

He drops in *off and on* for a chat with me.

Off one's head—बुद्धि भ्रष्ट होना

How can you say I won't help you? Are you *off your head?*

Oily tongue—खुशामद की भाषा

I have seen many people falling prey to his *oily tongue.*

On edge—उत्सुकता से बेचैन होना

Expecting his examination result any moment he was *on an edge* throughout.

On one's guard—सावधान/सचेत रहना

He tried to trick me, but I was *on my guard.*

On one's last legs—खत्म होने की तैयारी में होना

This hotel project is on its *last legs* now.

On purpose—जानबूझकर

I suspect he made that mistake *on purpose.*

On the alert—सावधान

The commander asked the guards to be *on the alert.*

On the double—एकदम, जल्द

Double up to your quarters soldiers.

On the eve of—किसी कार्य का समय आ पहुंचने पर

On the eve of his marriage he fell ill.

On the look out—सावधान/सचेत रहना

The police inspector asked all constables to be *on the look out* for the thief.

On the spot—तत्काल, उसी क्षण

During police firing one man died *on the spot.*

On the wane—प्रभाव कम होते जाना

The British Empire's influence is now *on the wane.*

On the whole—साधारणतया

I have slight doubts about certain things, but *on the whole,* I agree with you.

On time—समय पर

Did you reach office *on time* today?

Once and for all—आखिरी बार निश्चित रूप से

I am warning you *once and for all* to mend your ways.

Once in a while—कभी-कभी, एकाध बार

Earlier I used to see a film every Sunday, but now I go only *once in a while.*

Once upon a time—प्राचीन काल में (किसी समय)

Once upon a time there was a king, who was very powerful.

One and all—सबके सब

The soldiers *one and all* were drunk.

Open fire—गोली चलाना प्रारंभ करना

As the enemy approached, we *opened fire.*

Open-handed man—रुपए उदारता से ख़र्च करने वाला व्यक्ति

He is an *open-handed man* and will certainly help you with money.

Open-hearted man—खुले दिल का आदमी

He is an *open-hearted person* and liked by all.

Open mind—किसी बात पर निर्णय पर न पहुंचना

I have an *open mind* on this question.

Open one's mind—अपने (गुप्त) विचार बता देना

She *opened her mind* to me and told me that she was in love with him.

Open question—अनिर्णीत बात

Whether the government will accept opposition's this proposal or not is an *open question.*

Open secret—ऐसा राज़ जो सबको मालूम हो गया है

It is an *open secret* that this film star is bald and wears a wig.

Order of the day—कोई चीज़ या कार्य प्रचलित होना

Nowadays jeans are the *order of the day* among youth.

Out and out—पूरी तरह से

He is *out and out* a docile character.

Out at elbows—गरीब, निर्धन

He has suffered heavy losses in business and is now *out at elbows.*

Out of breath—थक जाना, जोर-जोर से सांस लेना

He ran very fast and was *out of breath,* when he reached here.

Out of date—पुराना

Double-breasted coats are now *out of date.*

Out of doors—घर के बाहर

One must spend some time *out of doors* everyday.

Out of favour—खफा होना

Mr. Sharma, once a great favourite of our boss, now seems to be *out of favour* with him.

Out of hand—बिना विलम्ब, तत्काल

If you do this job *out of hand* you will be free in the evening.

Out of one's mind—पागल हो जाना

You are shouting and screaming as if you are *out of your mind.*

Out of order— काम न करने वाला यंत्र

I had to take a taxi because my car was *out of order.*

Out of pocket—पैसे न होना

I'm sorry I cannot lend you any money as I am *out of pocket* myself.

Out of sight, out of mind—कोई चीज़ अथवा कोई कार्य सामने न होने से/दिखने से भूल जाना

Even when I was in Bombay I remembered you always. It was not a question of *out of sight, out of mind.*

Out of sorts—स्वास्थ्य थोड़ा सा ठीक न होना

I feel *out of sorts* today.

Out of step—असामयिक अथवा असंबद्ध

Your remark is quite *out of step* in what we are discussing.

Out of temper—गुस्से में होना

Be on your guard, the boss seems to be *out of temper today.*

Over and over—बार-बार

He is such a dull boy that I have to explain to him the same thing *over and over.*

Over head and ears—दिलोजान से (प्यार करना)

He is *over head and ears* in love with her.

Over night—रात में

It's quite late, why don't you stay here *over night?*

Over and above—इसके अलावा

Over and above this consideration, there is another I wish to mention.

Over one's head—समझ में न आना

The speech of chairman was so pedantic that it went *over the heads of* the audience.

(P)

Part and parcel—उसी का अंग होना

Every person is *part and parcel* of the society.

Passing strange—अत्यधिक आश्चर्यजनक

Rakesh has turned out to be spy for the enemy! It's *passing strange.*

Pay one back in his own coin—जैसे को तैसा

Don't play tricks on him, otherwise he will *pay you back in your own coin.*

Pick a lock—कुंजी के बिना ताला खोलना

The burglar *picked the lock* and broke into the house.

Pick a quarrel with—किसी के साथ उलझना

The soldier was furious over his insulting

remark and was determined to *pick a quarrel* with the sailor.

Pick holes—त्रुटियां निकालना
Scientists tried to *pick holes* in his theory.

Pick pocket—पाकिट मारना
A young boy was arrested by the police for *picking* a man's *pocket.*

Pick up the tale—दूसरे का बिल चुकाना
When he went abroad to attend an international conference, his company *picked up the tale.*

Pin something on—किसी को ज़िम्मेदार ठहराना
Despite his best efforts the public prosecutor could not *pin the robbery on* the accused.

Pink of condition—उत्तम स्वास्थ्य होना
If you want to make a name as an athlete you must be in the *pink of condition.*

Piping hot—बहुत गर्म/ताज़ा
I always prefer to have my tea *piping hot.*

Play a trick on—किसी के साथ मज़ाक करना
The boys tried to *play a trick on* the professor, but he was too clever for them.

Play fast and loose with—काम पूरा न करने की परवाह न करना
You promised to stitch my shirt by today. But you haven't. How can you *play fast and loose with* your promises like this.

Play second fiddle—निचला स्थान स्वीकारना
He always *plays second fiddle.*

Play something by the ear—अन्दाज़ से कार्यवाही करना
As I did not know much of subject, I decided to *play it by the ear* rather than show my ignorance by asking a lot of questions.

Play the game—नियमानुसार करना
Whatever you do, always *play the game.*

Play truant—भाग जाना
Playing truant is a bad practice among school children which should be checked at a proper stage.

Play up to—खुशामद करना
Ravi *plays up to* every girl he meets.

Plume oneself on—डींग मारना
Vikas always *plumes himself on* his record in mathematics.

Pocket an insult—अपमान सहकर खामोश रहना
A debtor, unable to pay, has to often *pocket insults* from his creditor.

Poet laureate—राजकवि
Wordsworth was the *poet laureate* for England during the early nineteenth century.

Point blank—तत्काल
When I asked him to loan me 200 rupees, he refused *point blank.*

Poison the mind—किसी के खिलाफ दिमाग में ज़हर घोलना
Ramesh tried to *poison my mind* against Umesh.

Pros and cons—किसी समस्या के परस्पर विरोधी अंग
Don't pester me about your appointment. I shall take a decision only after weighing the *pros and cons* of the matter.

Provide against a rainy day—बुरे दिन के लिए बचत करना
Wise men save to *provide against a rainy day.*

Pull one's punches—नर्म आलोचना करना
When I complained to the neighbour about his vicious dog, I did not *pull any punches.*

Pull one's weight—ज़िम्मेदारी निभाना
If you do not *pull your weight* you will be sacked.

Pull oneself together—स्वयं पर काबू पाना
You can't go on weeping like this over bad results. *Pull yourself together.*

Pull well with—मिलजुलकर काम करना
I resigned my job because I could not *pull well with* my ill-tempered boss.

Put a spoke in one's wheel—प्रगति में रुकावट
Babu Ram was getting on well in business till Lala Ram opened a rival establishment and thus *put a spoke in his wheel.*

Put down in black and white—लिखकर रखना
I am not lying. The evidence is here in *black and white.*

Put it to one—राय के लिए पेश करना
I *put it to you,* is it wise to squander money like this.

Put on trial—केस करना
Although Ram hadn't stolen any money he was *put on trial.*

Put one on his guard—किसी को सावधान करना

As the robber saw the watchman he *put his* accomplice *on his guard.*

Put one out of countenance—लज्जित करना

My friendly response to his hostile attitude *put him out of countenance.*

Put one's foot down—सख्त मनाही करना

I did not mind my son spending some money on clothes, but when he asked for a hundred rupees for a new tie, I had to *put my foot down.*

Put one's foot in it—बहुत बड़ी गलती करना

He *put his foot in it* when he addressed the chief guest by the wrong name.

Put one's hand to a thing—कोई कार्य हाथ में लेना

Once you *put your hand to this* job you won't find it very difficult.

Put one's shoulder to the wheel—स्वयं खूब प्रयास करना

It was a very tough job to be handled by one person, but he *put his shoulder to the wheel.*

Put something by for a rainy day—बचत करना

Don't be in a hurry to spend all your money; *put something by for a rainy day.*

Put the cart before the horse—कोई काम उल्टे सिरे से प्रारंभ करना

How can you prepare the plan before you have got the loan sanctioned. It's like putting the *cart before the horse.*

Put the screw—ज़बर्दस्ती रोकना

Unless you *put the screw on* your extravagant expenditure you'll be in debt soon.

Put things ship shape—ठीक जंचाकर रखना

Clean the room and *put everything ship shape.*

Put to bed—सुलाना

She *put* her children *to bed.*

Put to flight—भगाना

During 1971 war the Indian Army put up a tremendous show and *put the enemy to flight.*

Put to sea—समुद्री यात्रा आरम्भ करना

That ship will be *put to sea* tomorrow.

Put to shame—लज्जित करना

I had been unfair to him, but he *put me to shame* by his generous behaviour.

Put to the sword—कत्ल करना

Nadir Shah *put* many innocent Indians *to sword.*

Put up to—उकसाना

Who *put* you *up to* this mischief?

Put up with—बर्दाश्त करना

How do you *put up with* that kind of noise whole day?

(Q)

Quarrel with one's bread and butter—जहां से रोटी मिलती है वहां के वरिष्ठ अधिकारी से झगड़ा करना

Giving it back to your superiors is just like *quarrelling with your bread and butter.*

Queer fish—अस्थिर व्यक्ति

You never know how he might behave. He's a *queer fish.*

Quick of understanding—तेज़ बुद्धि वाला

I didn't think much of him, but he was *quick of understanding* and easily grasped the subject.

Quite a few—बहुत सारे

Quite a few students were absent in our class today.

(R)

Rack one's brains—बहुत अधिक सोचना

I *racked my brains* over this algebra problem for two hours, but could not find a solution.

Racy style—विशिष्ट शैली

He writes in a *racy style.*

Read between the lines—अतिरिक्त मतलब समझ जाना

His speech was very simple, but if you *read between the lines* you can find it was full of biting criticism.

Read upon—जानकारी एकत्र करना

I am *reading upon* Canada as I shall be shortly visiting it.

Ready money—नकद रुपया

Do you have *ready money* to make the payment?

Ready pen—जल्द लिखने की क्षमता

A journalist has to have a *ready pen.*

Real estate— मकान आदि अचल संपत्ति
The most safe investment these days is the one in the *real estate.*

Red letter day—स्वर्ण दिन
August 1947 is a *red letter day* in Indian history.

Red tape—दफ्तरी कार्यवाही में विलम्ब होना
The *red tape* of government thwarts many a promising project.

Rest on one's laurels—और यश प्राप्ति हेतु कोशिश न करना
It's a great achievement to have secured a first position in University, but you must not *rest on your laurels.*

Rest on one's oars—थोड़ा यश प्राप्ति के बाद कोशिश बंद करना
Don't *rest on your oars* until you've reached the top.

Ride a hobby—अपने प्रिय विषय की ही बातें करते रहना
I tried to converse with him on various subjects, but he kept *riding his hobby.*

Right hand man—दाहिना हाथ होना, प्रमुख सहायक
Ram Prashad is minister's *right hand man* so you can't displease him.

Right here—इसी जगह
See me *right here* at this shop after half an hour.

Right now—तत्काल, इसी समय
Let us do it *right now.*

Rise like a phoenix from its ashes—नष्ट की हुई वस्तु का फिर से जीवित होना
Many times the tyrant stamped out revolt in his kingdom, but it kept on *rising like a phoenix from its ashes.*

Rise to the occasion—किसी विशेष अवसर का मुकाबला करना
During the Chinese aggression many people *rose to the occasion* and raised crores of rupees for war efforts.

Roaring business—बहुत तेज़ी का व्यवसाय
Till yesterday he was a small time shopkeeper. But ever since he has started with book trade he has been doing *roaring business.*

Rough guess—मोटा अन्दाज़ा
At a *rough guess* I would say there were about fifty people at Shyam's party.

Round dozen—पूरा दर्जन
This man has a *round dozen* of children.

Rule of thumb—योग्यता नहीं अनुभव के बल पर कार्य करना
He is an efficient mechanic although he does the job only by *rule of thumb.*

Rule the roost—दूसरों पर रोब डालना, अधिकार जमाना
I don't like Ashok. He always tries to *rule the roost.*

Ruling passion—जीवन का स्थायी भाव
Love of money has been the *ruling passion of* his life.

Run away with—1. बह जाना
If you let your feelings *run away with* your judgement, you won't make a good judge.
2. एक ही भाव को लिए बैठे रहना
Don't *run away with* the notion that I do not want to succeed.

Run in the blood—परिवार में आनुवंशिक होना
Acting *runs in* Kapoor family's *blood.*

Run of good luck—अनकूल भाग्य का अवसर
In the beginning he had a *run of good luck* and made a big profit, but has been suffering losses now.

Run on a bank—लोगों की ओर से बैंक से तुरन्त रुपये निकालने का आग्रह
There was a *run on the bank* as the rumour spread that it was being closed down.

Run out of—समाप्त हो जाना
We *ran out of* petrol on our way to Agra.

Run riot—निरंकुश बर्ताव करना
The poet's imagination has *run riot* in this poem.

(S)

Scot free—बचकर निकलना
As the police could not collect enough evidence against the robber he went *scot free.*

Search me—मुझे पता नहीं
"Why did she get so angry suddenly?" *search me*

Seasoned food—मसालेदार भोजन
Seasoned food is tasty, but not good for digestion.

See how the land lies—चारों ओर की परिस्थिति का अंदाज़ा लगाना

We'll attack the enemy at night after seeing *how the land lies.*

See how the wind blows—परिस्थिति का अन्दाज़ा लगाना

We might launch the product in the market next month after *seeing how the wind blows.*

See the light—प्रकाशित होना

He says he has written a book. But if he has, it is yet to *see the light.*

See through coloured spectacles—पूर्वाग्रह, पूर्व दृष्टि

If you couldn't do well in the hockey tournament you should not lose heart. Don't *see through coloured spectacles.*

Send one about his business—किसी को तुच्छता पूर्वक चलता करना

As the salesman started getting on my nerves I *sent him about his business.*

Serve one right—योग्य सज़ा मिलना

He was trying to push Sanjay but fell himself. It *served him right.*

Set a scheme on foot—योजना आरम्भ करना

After we had worked out all the details we *set the scheme on foot.*

Set at defiance—परवाह न करना

He *set* the law of land *at defiance* and landed up in jail.

Set at liberty—रिहा करना

As the police could not prove the case against the prisoner he was *set at liberty.*

Set eyes on—देखना

While wandering in the woods yesterday I happened to *set my eyes on* a strange sight.

Set one on his legs again—दुखी: व्यक्ति को सहायता कर उसे फिर से खड़ा करना

After he sustained serious losses in his business I gave him a loan to *set him on his legs again.*

Set one's face against—कड़ा विरोध करना

They tried their best to draw him in the conspiracy, but he *set his face against* it.

Set one's heart on—बहुत चाहना

My son has *set his heart* on going abroad for higher studies.

Set one's house in order—अपने कार्यक्रम की ठीक ढंग से व्यवस्था करना

Ever since Lal Singh's son has taken over the business he has *set the house in order.*

Set one's teeth—कठिनाई सहन करने का निश्चय करना।

I know I had to suffer hardship, but I had *set my teeth* and determined not to give up.

Set one's teeth on edge—घृणा पैदा करना

His disgusting behaviour *set my teeth on edges.*

Set sail—समुद्री यात्रा आरम्भ करना

Let us go on board, the ship is about to *set sail.*

Set store in—बहुत महत्त्व देना

You don't seem to *set store in* his advice.

Settle an account—झगड़ा करना

I have to *settle an account* with Ram.

Sharp practice—अप्रमाणिक व्यवहार

It is said that he has made good money through *sharp practice.*

Shooting star—उल्का

Have you ever seen a *shooting star?*

Short cut—नज़दीक का रास्ता

This lane is a *short cut* to my house.

Show a bold front—उठकर विरोध करने का भाव दिखाना

You only have to show a *bold front* and he will yield to your demand.

Show fight—लड़ने की तैयारी दिखाना

A bully is a coward, and he will back out if you *show fight.*

Shut one's mouth—किसी को चुप कराना

You can easily *shut his mouth* if you remind him of his foolish behaviour in the last party.

Sick bed—बीमार व्यक्ति का बिस्तर

How did you get into *sick bed?* Till yesterday you were alright.

Sick leave—बीमारी के कारण ली हुई छुट्टी

I am on *sick leave* for the last one week.

Side issue—गौण प्रसंग

We'll take up the *side issues* after we are through with the main problem.

Side line—मुख्य कार्य के अलावा कार्य

We are mainly dealers in ready-made garments, but sale of hosiery items is our *side line.*

Sight seeing—दृश्यावलोकन

During our halt in Madras we went *sight seeing.*

Single blessedness—अविवाहित अवस्था

Why should I marry? I don't want to give up the state of *single blessedness.*

Sink money—किसी व्यवसाय में सदा के लिए धन लगाना

He has *sunk* in a lot of *money* in a business of precious stones and nothing has come out of it.

Sink or swim—करो या मरो

Whatever be the situation I will never leave you. We shall *sink or swim* together.

Sit up with—बैठे रहना

As her husband was ill she *sat up with* him throughout the night.

Skin of one's teeth—बाल-बाल बचना

When the ship sank everybody drowned except Vimal who managed to escape with the *skin of his teeth.*

Sleeping partner—किसी व्यवसाय में सक्रिय भाग न लेने वाला भागीदार

I told him that I could invest some money in a joint venture with him, but as I was busy with my own affairs I could only be a *sleeping partner.*

Slip of the pen—लिखने में थोड़ी गलती होना

It was just a *slip of the pen* when I wrote 'boot' instead of 'foot'.

Slip of the tongue—बोलने में थोड़ी गलती होना

I didn't mean to hurt you. It was just a *slip of the tongue.*

Slip through one's fingers—हाथ से निकल जाना

Had you been a little careful this golden opportunity would not have *slipped through your fingers.*

Small arms—पिस्तौल आदि हथियार

Illegal distribution of *small arms* has given a fillip to crime in our area.

Small fry—छोटा/नगण्य

I have a factory of my own, but as compared to a big industrialist like you I am only a *small fry.*

Small hours—सुबह के पहले का समय

As I had to catch a flight I got up in the *small hours* of the morning.

Small talk—गपशप

We passed a pleasant hour in *small talk.*

Snake in the grass—आस्तीन का सांप

Don't ever trust Mohan. He is a *snake in the grass.*

So far—अब तक

So far I have completed only five chapters of this book.

Sound a person—किसी विचार का पता बताना

I learn you have been *sounded for* the general manager's post.

Sound beating—अच्छी तरह पिटाई करना

The teacher caught on to Gopal's mischief and gave him a *sound beating.*

Sour grapes—अंगूर खट्टे

The fox tried her best to reach the grapes but couldn't. Finally she said that *grapes were sour.*

Sow one's wild oats—युवावस्था में भ्रष्ट जीवन बिताना

After *sowing his wild oats* he has now got a job and finally settled down.

Spare time—आराम का समय

In my *spare time* I prefer to read.

Speak extempore—किसी मौके पर, बिना पहली तैयारी के भाषण देना

Although he *spoke extempore* it was a fine speech.

Speak for itself—खुद बोलना

I am not exaggerating by praising him. His work *speaks for itself.*

Speak for one—किसी की तरफ से बोलना

As he was too shy to put forward his case I had to *speak for him.*

Speak of one in high terms—खूब प्रशंसा करना

You speak of him in *high term.* But does he deserve so much praise?

Speak one's mind—साफ-साफ बताना

Since you have asked for my candid opinion, I shall *speak my mind.*

Speak volumes—अच्छी तरह साबित करना

It *speaks volumes* for her love for him that she left her home to marry him.

Speak well for—अच्छा अभिप्राय निकालना

The neatness of his writing *speaks well for* him.

Spin a yarn—कहानी कहना

Are you telling the truth or just *spinning a yarn?*

Split hairs—बहुत बारीक फर्क निकालना

You should not *split hairs,* but take a broad view of the matter.

Spur of the moments—उसी क्षण

On the *spur of the moment* we decided to go to Simla for vacation.

Stand in another man's shoes—किसी दूसरे की जगह में

In his absence I have to *stand in his shoes.*

Stand in good stead—बहुत काम आना

His regular habit of saving *stood him in good stead* in difficult times.

Stand on ceremony with—शिष्टाचार पालन करना

Please be at ease, you don't have to *stand on ceremony with* me.

Stand one's ground—अपनी बात पर डटे रहना

He put forth many objections to my proposal but I *stood my ground.*

Stand a chance—सम्भावना होना

Although the rival cricket team was quite good it did not *stand a chance* of beating us.

Stand out against—हार न मानना

We tried our best to take him along for the expedition, but he *stood against* all our efforts.

Stand to reason—समझदारी के अनुकूल होना

It *stands to reason* that he would side with you.

Stand up for—जोर से मांग करना

If you yourself don't *stand up for* your rights, no one else will do it for you.

Standing joke—हमेशा के लिए हंसी मज़ाक का विषय

His so-called skill at horse riding has become a *standing joke* after his fall from the horse the other day.

Standing orders—हमेशा पालन करने के लिए बनाए गए नियम

Our *standing orders* are to answer all letters the same day.

Stare one in the face—कोई संकट सामने उपस्थित होना

During his trek across the desert he ran out of water supply and death *stared him in the face.*

Steer clear of—दूर रहना

Why do you get involved with bad characters? You should *steer clear* of them.

Stick at nothing—कुछ भी करने से न झिझकना

He is so ambitious that he will *stick at nothing* to get ahead of others.

Stick up for—पक्ष लेना

If anybody criticises you in the meeting I'll *stick up for* you.

Stone deaf—पूर्णत: बहरा

My grandmother was already hard of hearing but, of late, she has become *stone deaf.*

Stone's throw—बहुत थोड़ा फासला होना

The railway station is just at a *stone's throw* from our house.

Strain every nerve—अत्यधिक कोशिश करना

Although he *strained every nerve* to get audience's attention nobody listened to him.

Strait-laced person—संकुचित मनोवृद्धि का व्यक्ति

His ideas are too liberal for a *strait-laced person* like his father.

Strike a bargain—सौदा पटाना

The fruit seller was asking for eight rupees for one kilogram of grapes. But, I managed to *strike a bargain* and got them for six only.

Strike while the iron is hot—अवसर आने पर लाभ उठाना

Now that prices are rising let us sell our stocks. We should *strike while the iron is hot.*

Strong language—गुस्से से भरी भाषा

Don't use such *strong language* in the company of ladies.

Sum and substance—कुल मिलाकर मतलब

The *sum and substance* of my argument is that it is now too late to do anything.

Swallow the bait—प्रयोजन से ठग जाना

Election time promises are made to catch votes and many illiterate and ignorant men *swallow the bait.*

Swan song—आखिरी वक्तव्य

Mr. Pronob Ghoshal, a leading communist leader, issued a statement to the press during his serious illness, which proved to be his *swan song.*

Sworn enemies—कट्टर दुश्मन

Nothing can bring these two *sworn enemies* together.

(T)

Take a fancy—बहुत पसन्द आना

Although there is nothing outstanding about this bed sheet, yet I have *taken a fancy* to it.

Take a leap in the dark—परिणाम की परवाह किए बगैर कोई खतरे का काम करना

You took a *leap in the dark* by going into partnership with a dishonest person like Kuldip.

Take advantage of—फायदा उठाना

I *took advantage of* the sale at "Babulal and Company" and bought some cheap shirts.

Take by storm—अचानक प्रभावित करना

Runa Laila, melodious singer, *took* the audience *by storm.*

Take into account—विचार में लेना

In judging his performance in the examination you should also *take into account* the fact he was ill for a month.

Take it easy—अधिक फ्रिक न करना

The test is still quite far. So, *take it easy.*

Take it ill—बुरा मानना

I hope you will not *take it ill* if I tell you the truth.

Take one at his word—किसी के कहने पर विश्वास करना

Taking him on his word I put in Rs. 10,000 in sugar business.

Take one's time—जल्दी न करना

I am in no hurry to go out. You *take your time.*

Take oneself off—चले जाना

Munnu, don't trouble me. *Take yourself off.*

Take sides—दो के झगड़े में किसी एक का पक्ष लेना

I would not like to *take sides* in this quarrel.

Take someone by surprise—आश्चर्यचकित करना

I didn't know he could sing so well. He *took me by surprise* that day.

Take someone for—गलत समझ बैठना

He resembles you so much that I *took him for* your brother.

Take stock—परिस्थिति का जायज़ा लेना

It is time for us to *take stock* of the situation before we take any further steps.

Take the air—खुली हवा में घूमना

To improve your health you should *take the air* every morning.

Take the bull by the horns—संकट का डटकर मुकाबला करना

Finally he decided to take the *bull by the horns* and ask his boss for a promotion.

Take the law into one's hands—किसी को अपने ही हाथों सज़ा देना

Even if he is guilty you can't *take law in your hands* and beat him like this.

Take time off—छुट्टी लेना

Since I was not feeling well I *took* two *days off* last week.

Take to heart—हृदय से अनुभव करना

She has *taken* her father's death *to heart.*

Tell to one's face—मुंह पर विरोध करना

Do you have the courage to *tell him to his face* that he is a fool?

Take to one's heels—भाग जाना

As the thief heard policemen's whistle he *took to his heels.*

Take to pieces—पुर्जे अलग-अलग करना

Only yesterday I bought Raja this toy train and today he has *taken it to pieces.*

Take to task—कोसना, भर्त्सना करना

Mother *took Naresh to task* for his idleness.

Take aback—आश्चर्य चकित होना

I was *taken aback* at a strange sight in the jungle.

Taken up with—व्यस्त रहना

My time is *taken up with* a lot of household jobs.

Take upon oneself—जिम्मेदारी लेना

I *took upon myself* to look after Gopal's ailing father.

Tell time—घड़ी में क्या समय है यह बताना

My son could *tell time* when he was only four years old.

Tell two things/persons apart—दो वस्तुओं में फर्क समझना

The two brothers look so much alike that no one can *tell them apart.*

Through and through—पूर्णत:

I was caught in the rain yesterday and by the time I reached home I was wet *through and through.*

Through thick and thin—प्रतिकूल परिस्थिति में

The two friends stayed together through *thick and thin.*

Throw away money—अंधाधुंध खर्च करना

If you *throw away money* like this you will soon be on the streets.

Throw cold water upon—हतोत्साहित करना

I was eager to set up a business in precious stones, but he *threw cold water upon* my enthusiasm by pointing out its minus points.

Throw dust in one's eyes—आंखों में धूल झोंकना, ठगना

He outlined a grand plan and asked for a loan for it, but I knew he was trying to *throw dust in my eyes.*

Throw oneself on—किसी से प्रार्थना करना

He knew I could help him out of the tight corner so he *threw himself on* my mercy.

Throw people together—लोगों को एकत्र करना

The purpose of my party is to *throw persons* of like interests *together.*

Time after time—बार-बार

He applied for a professor's job *time after time* but could not succeed.

Time hangs heavy—मुश्किल से समय बिताना

Time hangs heavy on my hands on a holiday.

To a man—सब के सब

They rose *to a man* and left the room agitatedly.

To and fro—आगे पीछे

Preoccupied with his emotional problems he walked *to and fro* about the room in a pensive mood.

Turn away from—निवृत करना

I tried to *turn* them *away from* their evil purpose, but was unsuccessful.

Turn over a new leaf—नया जीवन आरंभ करना

He gave up his bad habits and *turned over a new leaf.*

Turn the tables—किसी की वरिष्ठता को उलट देना

He was ahead of me in the terminal examination, but I *turned the tables* on him in the annual examination.

Turn up one's nose at—नीचा समझना

He is so poor that he hardly gets anything to eat, and yet he *turns up his nose* at the idea of working for a living.

(U)

Under a cloud—संशयास्पद होना

After his misbehaviour on the field in India Boycott is *under a cloud.*

Up in arms—लड़ने को तैयार होना

In Afghanistan many Pathans are *up in arms* against Russians.

Up -to-date—आधुनिक

He is very careful to keep up with *up-to-date* fashions.

Ups and downs of life—जीवन का उतार चढ़ाव

I have had my share of *ups and downs of life.*

(W)

Wash one's hand of—जिम्मेदारी समाप्त कर लेना

I don't think anything is going to come off your programme of going for a trek so I *wash my hands of* it.

Waste one's breath—निरर्थक कोशिश करना

Don't argue with Harish any longer. You are only *wasting your breath.*

Watch out for—नज़र रखना

One thief went inside while the other waited outside near the gate to *watch out for* the police.

What not—इत्यादि

She went to the market on a shopping spree and bought shirts, socks, ties and *what not.*

What's what—किसी परिस्थिति में क्या उचित है

He is an intelligent person and knows *what's what.*

Wheels within wheels—जटिल कार्य का और जटिल होना

To begin with I thought I could tackle this job, but then I found that there were *wheels within wheels.*

Wide awake—पूरा जगा हुआ

I thought Manmohan was asleep. But as I talked of the plan for a film he got up *wide awake.*

Wide of the mark—निशाना चूकना

His argument sounds impressive, but is *wide of the mark.*

With might and main—पूरी ताकत लगाकर

They pushed the huge rock with *might and main* and cleared the way.

With bated breath—बड़ी उत्सुकता से

They all waited with *bated breath* for the election results.

Within an ace—करीब-करीब

He was *within an ace* of being killed by the tiger.

Wolf in sheep's clothing—मित्रता जताने वाला खतरनाक आदमी

Beware of Suresh. He is a *wolf in sheep's clothing.*

World of good—बहुत अच्छा असर होना

This ayurvedic medicine has done me a *world of good* to my stomach problem.

Worn out—राज़ पता लगा लेना

The spy pretended to be his friend and tried to *worn his secret out* of him.

Worship the rising sun—उगते सूर्य को नमस्कार करना

The newly appointed manager has taken over and the staff has been *worshipping the rising sun.*

●●

वर्गीकृत शब्दावली

CLASSIFIED VOCABULARY

शरीर के अंग

(PARTS OF BODY)

अक्कल दाढ़—Dens serotinous (डैंस सिरोटिनस)
अनामिका—Ring finger (रिंग फिंगर)
अंगुली (पैर की)—Toe (टो)
अंगुली (हाथ की)—Finger (फ़िगर)
अंगूठा—Thumb (थम)
आंख—Eye (आई)
आंत, अंतड़ी—Intestine (इन्टेस्टाइन)
उपास्थि—Cartilage (कार्टिलिज)
ओंठ—Lip (लिप)
एड़ी—Heel (हील)
कंधा—Shoulder (शोल्डर)
कनपटी—Temple (टैम्पल)
कमर—Waist (वेस्ट)
कर्णपटल—Eardrum (ईयरड्रम)
कलाई—Wrist (रिस्ट)
कान—Ear (ईयर)
कानी अंगुली—Little finger (लिटिल फ़िगर)
कांख, बग़ल—Armpit (आर्मपिट)
कोहनी—Elbow (एल्बो)
खोपड़ी—Skull (स्कल)
गर्दन, ग्रीवा—Neck (नैक)
गर्भाशय—Womb (वूम)
गर्भाशय—Uterus (यूटेरस)
गालमुच्छ—Whiskers (व्हिस्कर्स)
गला—Throat (थ्रोट)
गाल—Cheeks (चीक्स)
गुदा—Anus (ऐनस)
गुर्दा, वृक्क—Kidney (किडनी)
गोद—Lap (लैप)
घुटना—Knee (नी)
चमड़ा—Skin (स्किन)
चूचुक—Nipple (निपल)
चूतड़—Rump (रम्प)
चेहरा—Face (फ़ेस)
छाती (पुरुष की)—Chest (चैस्ट)
छाती (स्त्री की)—Breast (ब्रैस्ट)
जठर, आमाशय—Stomach (स्टॅमक)
जबड़ा—Jaw (जॉ)
जांघ—Thigh (थाइ)
जिगर—Liver (लिवर)
जीभ—Tongue (टंग)
जूड़ा बालों का—Bun (बन)
टखना—Ankle (ऐंकल)
जोड़—Joint (जायंट)
ठुड्डी—Chin (चिन)
तर्जनी—Index finger (इंडैक्स फ़िगर)
तलवा—Sole (सोल)
तालू—Palate (पैलेट)
थूथन—Snout (स्नाउट)
दाढ़ (चबाने वाले दांत)—Molar teeth (मोलर टीथ)
दाढ़ी—Beard (बिअर्ड)
दांत, दंत—Tooth (टुथ)
दिमाग—Brain (ब्रेन)
धमनी—Artery (आर्टरी)
नख या नाखून—Nail (नेल)
नथुना—Nostril (नॉस्ट्रिल)
नस—Vein (वेन)
नाक—Nose (नोज़)
नाड़ी—Pulse (पल्स)
नाभि—Navel (नेवल)
निगल नली—Gullet (गलेट)
पलक—Eyelid (आइलिड)
पसली—Rib (रिब)
प्लीहा—Spleen (स्प्लीन)
पिंडली—Calf (काफ़)
पित्त—Bile (बाइल)
पीठ—Back (वैक)
पेट (बाहरी)—Belly (बैली)
पेट (भीतरी)—Stomach (स्ट्मक)
पेट—Abdomen (ऐब्डोमेन)

पुतली (आंख की)—Eyeball (आइबॉल)
पेशी (पुट्ठा)—Muscle (मस्ल)
पैर—Foot (फ़ुट)
फेफड़ा, फुफ्फस—Lung (लंग)
बगल—Armpit (आर्मपिट)
बरौनी—Eyelash (आइलैश)
बाल—Hair (हेयर)
बांह—Arm (आर्म)
भग—Vagina (वजिना)
भगनास—Glans clitoris (ग्लैन्स क्लिटोरिस)
भ्रूण—Embryo (एम्ब्रयो)
भौंह, भृकुटि—Eyebrow (आइब्रो)
मध्यमिक—Middle-finger (मिडल फिंगर)
मसूड़ा—Gum (गम)
मस्तिष्क—Brain (ब्रेन)
मुट्ठी—Fist (फ़िस्ट)
मुख—Mouth (माउथ)
मूत्राशय—Urinary bladder (यूरिनरी ब्लेडर)
मूंछ—Moustache (माउस्टेच)
योनि—Vagina (वजिना)
रग—Nerve (नर्व)
रोमकूप—Pore (पोर)
रौवां—Hair (हेयर)
लट —Lock (लॉक)
ललाट—Forehead (फ़ोरहेड)
लार—Saliva (सैलिवा)
लिंग—(शिश्न)-Penis (पीनिस)
लोहू—Blood (ब्लड)
श्वास नली, कंठनाल—Trachea (ट्रैचिया)
शिश्न मुंड—Glans penis (ग्लैन्स पीनिस)
स्कन्ध, मध्य धड़—Trunk (ट्रंक)
हड्डी—Bone (बोन)
हथेली—Palm (पाम)
हंसुली की हड्डी—Collar-bone (कॉलर-बोन)
हृदय—Heart (हॉर्ट)
हृदयावरण—Pericardium (पेरीकार्डियम)
हाथ—Hand (हैंड)

रोग और शारीरिक दशाएं (AILMENTS & BODY CONDITIONS)

अजीर्ण, बदहज़्मी—Indigestion (इंडाइजैश्न)
अन्धा—Blind (ब्लाइंड)
अल्पदृष्टि—Shortsightedness (शार्टसाइटिडनैस)
अम्ल पित्त—Acidity (एसिडिटी)
अतिसार—Diarrhoea (डायरिया)
आतशक—Syphilis (सिफ़लिस)
आंत उतरना—Hernia (हर्निया)
आंसू—Tears (टिअर्स)
उकवत—Eczema एग्ज़िमा)
उबासी—Yawn (यॉन)
कद—Stature (स्टैचर)
कै करना—Vomit (वौमिट)
कामला—Jaundice (जॉन्डिस)
काला ज्वर—Typhus (टाइफ़स)
कास—Bronchitis (ब्रॉन्काइटिस)
काना—One-eyed (वन-आइड)
कुबड़ा—Hunchback (हन्चबैक)
कोढ़, महाकुष्ठ—Leprosy (लेप्रोसी)
कोष्ठबद्धता, कब्ज़—Constipation (कांस्टिपेशन)
कृमि—Worm (वर्म)
खसरा—Measles (मीज़ल्स)
खाज—Scabies, (स्कैबीज़)
खांसी—Cough (कफ़)
खुज़ली—Itch (इच)
खून की कमी—Anaemia (एनेमिया)
खून का बहना—Bleeding (ब्लीडिंग)
गठिया—Rheumatism (रूमेटिज़्म)
गर्भपात—Abortion (एबॉर्शन)
गरमी—Syphilis (सिफ़लिस)
गलदाह—Sore throat (सोर थ्रोट)
गला बैठना—Hoarseness (होर्सनैस)
गलसुआ, गुटिका—Tonsil (टॉन्सिल)
गांठ—Tumour (ट्यूमर)
गिल्टी—Gland (ग्लैंड)
गूंगा—Dumb (डम)
गंजा—Bald (बॉल्ड)
घाव—Wound (वून्ड)
चक्कर आने की स्थिति—Giddiness (गिडीनैस)
चर्बी बढ़ना—Obesity (ओबेसिटी)
चोट—Hurt (हर्ट)
छींकना—Sneezing (स्नीज़िंग)
जहरबाद—Cancer (कैन्सर)
जलोदर—Dropsy (ड्राप्सी)
जुकाम—Coryza (कौरिज़ा)

जूड़ी, शीतज्वर—Ague (ऐग्यू)
जंभाई—Yawning (यॉनिंग)
ज्वर, बुखार—Fever (फ़ीवर)
ठंड—Chill (चिल)
डकार—Belching (बैल्चिग)
तन्दुरुस्ती—Health (हैल्थ)
थूक—Spittle (स्पिट्ल)
दमा—Asthma (एस्थमा)
दर्द—Pain (पेन)
दर्द (सिर का)—Headache (हैडेक)
दर्द (पेट का)—Stomachache (स्ट्म्कएक)
दस्त—Loose-stool, motion (लूज़ स्टूल, मोशन)
दाद—Ringworm (रिंगवर्म)
दुबला—Lean (लीन)
दुस्साध्य उन्माद—Psychosis (साइकोसिस)
दूरदृष्टि—Long-sightedness (लांग-साइटिडनैस)
धसंका, श्वासनली शोथ—Bronchitis (ब्रानकाइटिस)
नकसीर—Epistaxis (एपिस्टैक्सिस)
नस चटकाना, मोच—Sprain (स्प्रेन)
निद्रा रोग—Narcolepsy (नार्कोलैप्सी)
नींद—Sleep (स्लीप)
नींद न आना—Insomnia (इन्सोम्निया)
पथरी—Stone (स्टोन)
पसीना—Sweat (स्वैट)
पागल—Mad (मैड)
पागलपन, उन्माद—Lunacy (ल्यूनेसी)
पीव (पीप)—Pus (पस)
पेचिश—Dysentery (डाइसेंट्री)
प्रदर—Leucorrhoea (लिकोरिया)
प्यास—Thirst (थर्स्ट)
प्लेग—Plague (प्लेग)
फुन्सी, मुहांसा—Pimple (पिम्पल)
फोड़ा—Boil (बॉयल)
बलगम, कफ़—Phlegm (फ़्लेम)
बवासीर—Piles (पाइल्स)
बहुमूत्र, मधुमेह—Diabetes (डायबिटीज़)
वृण—Sore (सोर)
बौना—Dwarf (ड्वार्फ़)
भगन्दर—Fistula (फिस्टुला)
मन्दाग्नि—Lack of appetite (लैक ऑफ़ एपिटाइट)
मरोड़ा—Griping (ग्राईपिंग)
मलबन्ध, कब्ज़—Constipation (कांस्टीपेशन)
मस्सा—Wart (वॉर्ट)
महामारी—Plague (प्लेग)
मिरगी—Epilepsy (एपिलैप्सी)
मुंहासों का रोग—Acne (एक्नि)
मूत्र—Urine (यूरिन)
मोतियाबिन्द—Cataract (कैटेरेक्ट)
मोतीझरा—Typhoid (टायफायड)
यकृत शोथ—Hepatitis (हेपाटिटिस)
योनिच्छद—Hymen vaginale (हाइमेन वैज़िनल)
लार—Saliva (सैलिवा)
लू लगना—Sunstroke (सनस्ट्रोक)
विष्टा—Stool (स्टूल)
रक्तक्षीणता—Anaemia (एनेमिया)
राजयक्ष्मा—Tuberculosis (ट्युबरकुलोसिस)
रोग—Disease (डिज़ीज़)
लंगड़ा—Lame (लेम)
लंगड़ा बुखार—Dengue (डैंगे)
शीत ज्वर—Influenza (इन्फ्लुएन्ज़ा)
शीतला—Small-pox (स्माल-पॉक्स)
श्वेत कुष्ठ—Leucoderma (ल्यूकोडेर्मा)
सांस—Breath (ब्रैथ)
सूजन—Swelling (स्वैलिंग)
सूरजमूखी—Albino (एल्बिनो)
सूज़ाक—Gonorrhoea (गोनोरिया)
संग्रहणी—Diarrhoea (डायरिया)
स्वर—Voice (वॉयस)
स्वस्थ—healthy (हैल्दी)
हिचकी—Hiccup (हिक्कप)
हैज़ा—Cholera (कॉलरा)
हृदय—Heart (हार्ट)
हृदय झिल्ली-शोथ—Pericarditis (पैरिकार्डिटिस)
क्षय—Consumption (कन्सम्पशन)
क्षुधा-अभाव (अरुचि)—Anorexia (ऐनोरेक्सिया)

वेषभूषा
(DRESSES)

अस्तर—Lining (लाइनिंग)
आस्तीन—Sleeve (स्लीव)
अँगिया (चोली)—Bodice (बॉडिस)
अंग्रेज़ी टोपी (टोप)—Hat (हैट)
ऊन—Wool (वूल)

कपड़ा—Cloth (क्लॉथ)
कपड़े—Clothes (क्लॉद्स)
कमरबन्द—Belt (बैल्ट)
कमीज़—Shirt (शर्ट)
कमीज़ का कपड़ा—Shirting (शर्टिंग)
कम्बल—Blanket (ब्लैंकेट)
टोपी—Cap (कैप)
कश्मीरा—Cashmere (कैश्मीर)
कामदानी—Diaper brocade (डिआपर ब्रोकेड)
किनारा—Border (बॉर्डर)
किरमिच—Canvas (कैनवस)
कोट—Coat (कोट)
कोट-पतलून—Suit (सूट)
गद्दा—Mattress (मैट्रेस)
गैलिस—Suspenders (सस्पैंडर्स)
गुलूबन्द—Muffler (मफ़लर)
घाघरा—Skirt (स्कर्ट)
घूंघट—Veil (वेल)
चादर—Sheet (शीट)
छींट—Chintz (चिंट्स)
छोटा मोज़ा—Socks (सॉक्स)
जामदानी; बेलबूटेदार, रेशमी वस्त्र—Damask (डैमस्क)
जाली—Gauze (गॉज़)
जांघिया—Underwear (अंडरवियर)
जीन—Drill (ड्रिल)
जेब—Pocket (पॉकेट्)
झालर—Trimming (ट्रिमिंग)
टोपी—Cap (कैप)
दुपट्टा—Scarf (स्कार्फ़)
तसमें—Laces (लेसिस)
तागा—Thread (थ्रैड)
तौलिया—Towel (टॉवेल)
दस्ताने—Gloves (ग्लव्स)
दुशाला—Shawl (शॉल)
पट्टा—Lace (लेस)
पतलून—Trousers (ट्राउज़र्स), Pant (पैंट)
पाजामा—Pyjama (पाजामा)
फतुही—Jacket (जैकट)
फलालीन—Flannel (फ़्लैनेल)
फीता—Tape (टेप)
बटन—Button (बटन)
बड़ा कोट—Chester, Overcoat (चेस्टर, ओवरकोट)
मखमल—Velvet (वेल्वेट)
मगजी—Border (बॉर्डर)
मलमल—Linen (लिनेन)
मोज़े—Stockings (स्टॉकिंग्स)
मोमजामा—Oil-cloth (आइल-क्लॉथ)
रज़ाई—Quilt (क्विल्ट)
रफ़ू—Darning (डार्निंग)
रुई—Cotton (कॉटन)
रूमाल—Handkerchief (हैंडकरचीफ़)
रेशम—Silk (सिल्क)
लबादा , चोगा—Gown (गाउन)
लट्ठा Longcloth (लौंगक्लाथ)
लहंगा—Long skirt (लॉन्ग स्कर्ट)
वर्दी—Uniform (यूनिफ़ॉर्म)
वासकट—Waist-coat (वेस्ट-कोट)
सर्ज—Serge (सर्ज)
साटन—Satin (सैटेन)
साफा—Turban (टर्बन)
सूत—Yarn (यार्न)
सूट का कपड़ा—Suiting (सूटिंग)
शोख रंग—Bright colour (ब्राइट कलर)
हल्का रंग—Light colour (लाइट कलर)

सम्बन्ध और रिश्ते
RELATIONS

अतिथि, यजमान—Guest (गैस्ट)
अध्यापक—Teacher (टीचर)
अम्मा, माता—Mother (मदर)
किराएदार—Tenant (टेनैंट)
उप-पत्नी—Mistress (मिस्ट्रेस)
गुरु—Preceptor (प्रिसैप्टर)
ग्राहक—Customer (कस्टमर)
चाचा—Uncle (अंकल)
चाची—Aunt (आन्ट)
चेला—Disciple (डिसाइपल)
जमींदार—Landlord (लैंडलॉर्ड)
साली, जेठानी, देवरानी, ननद—Sister-in-law (सिस्टर-इन-लॉ)
दत्तक कन्या—Adopted daughter (ऐडॉप्टिड डॉटर)
दत्तक पुत्र--Adopted son (ऐडॉप्टिड सन)
दादा—Grandfather (ग्रैण्डफ़ादर)

दादी—Grandmother (ग्रैण्डमदर)
दामाद—Son-in-law (सन-इन-लॉ)
दोस्त (मित्र)—Friend (फ्रैंड)
नाना—Maternal-grandfather (मैटर्नल ग्रैण्डफ़ादर)
नानी—Maternal-grandmother (मैटर्नल ग्रैण्डमदर)
पति—Husband (हस्बैंड)
पत्नी—Wife (वाइफ़)
पतोहू—Daughter-in-law (डॉटर-इन-लॉ)
पिता—Father (फ़ादर)
पुत्र—Son (सन)
पुत्री—Daughter (डॉटर)
प्रेम—Love, affection (लव अफ़ैक्शन)
प्रेमी—Lover (लवर)
बहन—Sister (सिस्टर)
बहनोई—Brother-in-law (ब्रदर-इन-लॉ)
भतीजा, भांजा—Nephew (नेफ़्यू)
भतीज़ी, भांजी—Niece (नीस)
भाई—Brother (ब्रदर)
मामा—Maternal uncle (मैटर्नल अंकल)
मामी—Maternal aunt (मैटर्नल आंट)
मुवक्किल—Client (क्लाइंट)
मौसी—Mother's sister (मदर्स सिस्टर)
रखैल—Concubine, keep, mistress (कौंक्युबाईन कीप, मिस्ट्रेस)
रोगी—Patient (पेशेंट)
वारिस—Heir (ऐयर)
शिष्य—Pupil (प्यूपिल)
सगा—Own (ओन)
ससुर—Father-in-law (फ़ादर-इन-लॉ)
सास—Mother-in-law (मदर-इन-लॉ)
संबंध—Relation (रिलेशन)
संबंधी—Relative (रिलेटिव)
सौतेली कन्या—Step-daughter (स्टैप-डॉटर)
सौतेला पुत्र—Step-son (स्टैप-सन)
सौतेले पिता—Step-father (स्टैप-फ़ादर)
सौतेली बहन—Step-sister (स्टैप-सिस्टर)
सौतेला भाई—Step-brother (स्टैप-ब्रदर)

घरेलू सामान
(HOUSEHOLD ARTICLES)

अलमारी—Almirah (एलमिरा)
अलमारी (दीवार में)—Cupboard (कबर्ड)
ओखली, खरल—Mortar (मॉर्टर)
अंगारा—Cinder (सिंडर)
अंगीठी—Hearth (हर्थ)
अंगुश्ताना—Thimble (थिम्बल)
अंटी, फ़िरकी, अटेरन—Bobbin (बॉबिन)
इस्त्री—Iron (आयरन)
ईंधन—Fuel (फ़्यूल)
कड़ाही—Cauldron (कॉल्ड्रन)
कम्बल—Blanket (ब्लैंकेट)
करछुल, थम्बल—Ladle (लेडल)
कनस्तर—Canister (कैनिस्टर)
कंघी—Comb (कोम)
कुरसी—Chair (चेयर)
कांटा—Fork (फ़ोर्क)
कीप—Funnel (फ़न्नल)
गगरा, मर्तबान—Jar (जार)
चकला—Pastry-board (पेस्ट्री-बोर्ड)
चटाई—Mat (मैट)
चमचा—Spoon (स्पून)
चलनी, छलनी—Sieve (सीव)
चादर—Bed-sheet (बैड-शीट)
चाभी—Key (की)
चारपाई—Cot (कॉट)
चिमटा—Tong (टौंग)
चिमनी—Chimney (चिमनी)
चूल्हा—Stove (स्टोव)
चूल्हा (बिजली का)—Electric-stove (इलेक्ट्रिक-स्टोव)
छड़ी—Stick (स्टिक)
छाता—Umbrella (अंब्रेला)
छोटा बक्स—Attache (case) (अटैची)
जाला—Cobweb (कॉबवेब)
जाली (चूल्हे की)—Grate (ग्रेट)
झाड़ू—Broom (ब्रूम)
झूला—Swing (स्विंग)
ट्रे—Tray (ट्रे)
टोकरी—Basket (बास्केट)
डिब्बा—Box (बॉक्स)
डोंगा—Bowl (बाउल)
तकिया—Pillow (पिलो)
तकिये का गिलाफ़—Pillow-cover (पिलो-कवर)
तराज़ू—Balance (बैलेंस)
तश्तरी—Saucer (सॉसर)

तार—Wire (वायर)
ताला—Lock (लॉक)
तिजोरी—Safe (सेफ़)
तन्दूर—Oven (ओवेन)
थाली—Plate (प्लेट)
दर्पण—Mirror (मिरर)
दियासलाई की डिबिया—Match-box (मैच-बॉक्स)
दियासलाई की तीली—Match-stick (मैच-स्टिक)
दन्त-खोदनी—Toothpick (टुथपिक)
दन्त-मंजन—Tooth-powder (टुथ-पाउडर)
धागा—Thread (थ्रैड)
धूपदानी—Censer (सैन्सर)
नल्का—Tap (टैप)
पलंग—Bed (बैड)
पालकी—Palanquin (पैलंकुइन)
पायदान—Door-mat (डोर-मैट)
पीकदान—Spittoon (स्पिटून)
प्याला—Cup (कप)
फानूस—Chandelier (शैनडिलियर)
फूलदान—Flower-vase (फ्लावर-वाज़)
बच्चों की गाड़ी—Perambulator (पेरैम्बूलैटर)
बत्ती—Wick (विक्)
बर्तन—Pot (पॉट), Container (कंटेनर), Utensils (यूटैन्सिलस)
बटन—Button (बटन)
बरफ रखने का ब्रक्स—Ice-box (आइस-बॉक्स)
बाल्टी—Bucket (बकेट)
बुरूश—Brush (ब्रश)
बेलन—Rolling pin (रोलिंग पिन)
बोतल—Bottle (बॉट्ल)
बोरा—Sack (सैक)
मथनी—Churner (चर्नर)
मसनद, तकिया—Bolster (बोल्सट्र)
मथने का पात्र—Churn (चर्न)
मिट्टी का तेल—Kerosene oil (कैरोसिन ऑयल)
मूसली—Pestle (पैस्ल)
मेज़—Table (टेबल)
मोमबत्ती—Candle (कैंडल)
रकाबी, थाली—Dish (डिश)
रज़ाई, लिहाफ—Quilt (क्विल्ट)
रस्सा—Rope (रोप)
रस्सी—String (स्ट्रिग)
राख—Ash (ऐश)
लेखनाधार—Table desk (टेबल डैस्क)
लेखनी—Pen (पेन)
लैंप—Lamp (लैंप)
लोटा—Bowl (बाउल)
वस्त्र टांगने की अलमारी—Wardrobe (वॉर्ड रोब)
शीशी—Phial (फ़ाइल)
सन्दूक—Box (बॉक्स)
सरौता—Nut cracker (नट-कैकर)
सलाई—Knitting needle (निटिंग नीड्ल)
साबुन—Soap (सोप)
साबुनदानी—Soap-case (सोप-केस)
सिंगारदान, मंजूषा—Casket (कास्केट)
सुराही—Flagon (फ्लैगग्न)
सुई—Needle (नीडैल)
सॅड़सी (चिमटी)—Pincers (पिसर्स)
हुक्का—Hubble-Bubble (हबल-बबल)/ Hookah (हुक्काह)

गहने और आभूषण
(ORNAMENTS AND JEWELS)

अंगूठी—Ring (रिंग)
कंगन, कड़ा—Bracelet (ब्रेसलेट)
कड़ी—Chain (चेन)
कांटा (साड़ी का)—Brooch (ब्रोच)
कील, लौंग (नाक की)—Nose-pin (नोज़-पिन)
कर्णफूल—Tops (टॉप्स)
गोमेदक—Zircon (ज़िरकॉन)
चांदी—Silver (सिल्वर)
चिमटी—Clip (क्लिप)
चूड़ी—Bangle (बैंगल)
जवाहरात—Jewellery (जुएलरी)
टीका (मांग)—Head-locket (हैड-लॉकेट)
तमगा—Medal (मैडल)
तल्ला (कान का)—Ear stud (ईयर स्टड)
तोड़ा, कंगन, पहुंची—Wristlet (रिस्टलेट)
नथ—Nose-ring (नोज़-रिंग)
नीलम—Sapphire (सैफायर)
पन्ना—Emerald (एमरैल्ड)
पेटी—Belt (बेल्ट)
पायज़ेब—Anklet (ऐंकलेट)
पुखराज—Topaz (टोपैज़)

पोलकी, दुधिया पत्थर—Opal (ओपल)
फीरोजा—Turquoise (टर्‌कौइज़)
बाज़ूबन्द—Armlet (आर्मलेट)
बालों की सुई—Hair-pin (हैअर-पिन)
बिल्लौर—Quartz (क्वॉरट्ज़)
मानिक—Ruby (रूबी)
माला, हार—Necklace (नैकलेस), Garland (गारलैण्ड)
मुकुट—Tiara (टिआरा), Crown (क्राउन)
मूंगा—Coral (कोरल)
मोती—Pearl (पर्ल)
मोती की सीप—Mother of pearl (मदर ऑफ़ पर्ल)
लहसुनिया—Cat's eye (कैट्स आई)
हीरा—Diamond (डायमंड)

संगीत/वाद्य (MUSICAL INSTRUMENTS)

गिटार—Guitar (गिटार)
घंटी—Bell (बैल)
चंग, सारंगी—Harp (हार्प)
झाँझ, छैना, करताल—Cymbal (सिम्बल)
डफ—Tambourine (टैम्बरीन)
डुगडुगी—Drumet (ड्रमेट)
ढोल—Drum (ड्रम)
ढोलक—Tomtom (टॉमटॉम)
तबला—Tabor (टेबर)
तुरही—Clarion (क्लैरियन)
नगाड़ा—Drum (ड्रम)
पियानो—Piano (पियानो)
बैंजो—Banjo (बैंजो)
बेला—Violin (वायलिन)
बांसुरी—Flute (फ्लूट)
बीन-बाजा—Mouth-organ (माउथ-ऑर्गन)
मशक बीन—Bagpipe (बैगपाइप)
मुरचंग—Jew's harp (ज्यू'ज़ हार्प)
शहनाई—Clarionet (क्लैरियनेट)
शंख—Conch (कौंच)
सरोद—Sarod (सरोद)
सितार—Sitar (सितार)
सिंघा या बिगुल—Bugle (ब्यूगल)
सीटी—Whistle (व्हिसल)
हारमोनियम—Harmonium (होरमोनियम)

खाद्य-पदार्थ (CEREALS AND EATABLES)

अचार—Pickle (पिकल)
अनाज, धान्य, कर्ण, दाना—Grain (ग्रेन)
अरहर—Pigeon pea (पिजिन पी)
अरारूट—Arrowroot (ऐरोरूट)
आटा—Flour (फ्लोर)
इलायचीदाना—Comfit (काम्‌फिट)
उड़द—Phaseolies mungo (फैसियोलीज़ मंगो)
कढ़ी, रसा, शोरबा—Curry (करी)
कहवा—Coffee (कॉफी)
कीमा—Minced meat (मिन्स्ड मीट)
कुलफी—Ice-cream (आइस-क्रीम), Kulfi (कुल्फी)
ग्वार—Cluster bean (क्लस्टर बीन)
गेहूं—Wheat (वीट)
घी—Clarified butter (क्लैरिफ़ाइड बटर), Ghee (घी)
गोल मटर—Field pea (फ़ील्ड पी)
चटनी—Sauce (सॉस)
चना—Gram (ग्राम)
चपाती—Chapati (चपाती)
चावल—Rice (राइस)
चाय—Tea (टी)
चिड़वा—Beaten paddy (बीटन पैडी)
चीनी—Sugar (शुगर)
चोकर—Bran (ब्रेन)
छना, पनीर—Cheese (चीज़)
ज्वार, बाजरा इत्यादि मोटा अनाज—Millet (मिलैट)
जलपान—Snacks (स्नैक्स)
जई—Oat (ओट)
जई का आटा—Oat-meal (ओट-मील)
जौ—Barley (बारले)
ज़ुवार, चोलम—Great millet (ग्रेट मिलैट)
जूस, यूष, शोरबा—Broth (ब्रॉथ)
तरकारी, सब्ज़ी—Vegetable (वेजिटेबल)
तिल—Sesame (सेसम)
तेल—Oil (ऑयल)
दलिया—Gruel (ग्रुएल)
दही—Curd (कर्ड)
दाल—Pulse (पल्स)
दिन का भोजन—Lunch (लंच)

दूध—Milk (मिल्क)
धान—Paddy (पैडी)
टमाटर की चटनी—Tomato ketchup/sauce (टोमैटो केचप/सॉस)
पनीर—Cheese (चीज़)
पाव रोटी—Loaf (लोफ़)
पोस्त—Poppy (पॉपी)
बबूल का गोंद—Gum acacia (गम अकेसिया)
बरफ—Ice (आइस)
बाजरा—Pearl millet (पर्ल मिलेट)
बिस्कुट—Biscuit (बिस्किट)
भुट्टा—Corn-ear (कॉर्न-ईयर)
भोज, दावत—Feast (फ़ीस्ट)
भोजन—Food (फूड)
मकई—Maize (मैज़)
मक्खन—Butter (बटर)
मटर—Pea (पी)
मट्ठा—Whey (व्हे)
मलाई—Cream (क्रीम)
मसूर—Lentil (लेन्टिल)
मांस—Meat (मीट)
मांस (गाय का)—Beef (बीफ़)
मांस (बकरे का)—Mutton (मटन)
मांस (सुअर का)—Pork (पोर्क)
मिठाई—Sweetmeat (स्वीटमीट)
मिश्री—Sugar-candy (शुगर-कैन्डी)
मुरब्बा—murabba (मुरब्बा), Conserve (कनसर्व)
मुरमुरा—Puffed rice (पफ़्ड राइस)
मूंग—Kidney-bean (किडनी-बीन)
मैदा—Maida (मैदा)
मोथी—Buck-wheat (बक-व्हीट)
राई, सरसों—Mustard (मस्टर्ड)
रात का भोजन—Dinner (डिनर)
रेंडी—Castor-seed (कैस्टर-सीड)
रोटी, डबलरोटी—Bread (ब्रैड)
शक्कर का डला—Loaf-sugar (लोफ़-शुगर)
शर्बत—Syrup (सिरप)
शीरा, राब, चाशनी—Treacle (ट्रीकल)
शराब—Wine (वाइन)
शहद—Honey (हनी)
सरसों—Mustard (मस्टर्ड)
सिरका—Vinegar (विनेगर)
सूजी—Semolina (सेमोलिना)
सफेद सरसों—White mustard (व्हाइट मस्टर्ड)

मसाले
(SPICES)

अगर, मुसब्बर—Aloe (एलो)
अजमोदा या खुरासानी अजवाइन—Parsley (पार्सली)
अजवाइन—Caraway (कैरावे)
अजवाइन का सत—Thymol (थाइमल)
अदरक—Ginger (जिंजर)
अलसी, अतसी—Linseed (लिनसीड)
आंवला—Phyllanthus emblica (फिलेन्थस एम्बलिक)
इलायची—Cardamom (कॉरडामॉम)
कत्था, खैर—Catechu (कैटिचू)
कपूर—Camphor (कैम्फर)
कलमी शोरा—Nitre (नाइटर)
कलौंजी—Nigella (नाइजेला)
कस्तूरी—Musk (मस्क)
कसीस—Vitriol (विट्रिआयल)
काली मिर्च—Black pepper (ब्लैक पैपर)
कूट फिटकरी—Pseudo-alum (स्यूडोएलम)
केसर—Saffron (सैफरन)
कोकेन—Cocain (कोकेन)
खमीर—Yeast (यीस्ट)
खसखस—Popy seed (पॉपी सीड)
चन्दन—Sandal (संदल)
चिरायता—Chirata (चिराता)
जायफल—Nutmeg (नटमेग)
जावित्री—Mace (मेस)
जीरा—Cumin seed (कमिन सीड)
तिली, रामतिल—Niger (निगर)
तुलसी—Basil (sacred basil) (बैसिल)
तेजपात—Cassia (कैसिया)
दालचीनी—Cinnamon (सिनामॅन)
धनिया—Coriander seed (कोरिएंडर सीड)
नमक—Salt (साल्ट)
पोदीने का सत—Menthol (मैनथॉल)
मजीठ—Indian madder (इंडियन मैडर)
माजूफल—Gall-nut (गैल-नट)
मिर्च—Red pepper, chilli (रेडपैपर, चिली)
मुलैठी—Liquorice (लिकराइस)

लौंग—Clove (क्लोव)
शरत केसर—Madow saffron (मैडो सफरॉन)
शिकाकाई—Origanum (आरीगनम)
शोरा—Saltpetre (साल्टपीटरं)
सज्जीखार, क्षार—Alkali (अलकली)
सफेदा—Litharge (लिथार्ज)
स्त्री केसर—Pistil (पिस्टिल)
सुपारी—Betel-nut (बीटल-नट)
सनाय—Senna (सेन्ना)
सौंठ—Dry ginger (ड्राइ जिंजर)
सौंफ—Aniseed (ऐनीसीड)
साबूदाना—Sago (सागो)
हल्दी—Turmeric (टरमेरिक)
हड़—Myrobalan (माइराबलन)
हींग—Asafoetida (एसफेटिडा)

खनिज पदार्थ (MINERALS)

अकीक—Cornelian (कोर्नेलियन)
अभ्रक—Mica (माइका)
कसौटी—Touchstone (टचस्टोन)
कोयला (पत्थर का)—Coal (कोल)
खनिज लोहा—Iron ore (आयरन ओर)
खड़िया—Chalk (चाक)
गन्धक—Sulphur (सल्फ़र)
गेरू—Red ochre (रेड ओकर)
चकमक पत्थर—Flint (फ़्लिंट)
चांदी—Silver (सिल्वर)
जस्ता—Zinc (ज़िंक)
तांबा—Copper (कॉपरं)
तूतिया, नीला थोथा—Blue vitriol (ब्लू विट्रियल)
धूसर बंग—Grey tin (ग्रे टिन)
नैट्रॉन—Natron (नैट्रोन)
पक्का लोहा, फौलाद—Steel (स्टील)
पारा—Mercury (मरकरी)
बिटुमेन—Bitumen (बिटुमेन)
भूर-तांबा—Grey copper (ग्रे कॉपर)
मिट्टी का तेल—Kerosene oil (केरोसिन ऑयल)
रांगा—Tin (टिन)
रामरज—Yellow ochre (येलो ऑकर)
लोहा—Iron (आयरन)
शैल तेल, पेट्रोलियम—Rock oil (रॉक ऑयल)
स्टिऐटाइट—Steatite (स्टिऐटाइट)
सुरमा—Antimony (ऐंटीमनी)
संखिया—Arsenic (आर्सेनिक)
सज्जी, मुल्तानी मिट्टी—Fuller's earth (फ़ुलर्स अर्थ)
सफेद अबरक, श्वेत अभ्रक—Muscovite (मस्कोवाइट)
सलेटी पत्थर—Shale (शेल)
सिंगरफ, सिंदूर—Cinnabar (सिन्नेबर)
सीसा—Lead (लैड)
सुघट्य मिट्टी—Plastic-clay (प्लास्टिक-क्ले)
सफेदा—White lead (व्हाइट लेड)
सेलखड़ी,—Soap stone (सोप स्टोन)
संगमरमर—Marble (मार्बल)
हरताल—Orpiment (ओर्पिमेंट)

वृक्ष और उनके भाग (TREES AND THEIR PARTS)

अंकुर—Germ (जर्म)
अमरूद—Guava (गुआवा)
अशोक—Polyalthia (पौलयाल्थिया)
आम—Mango (मैंगो)
इमली—Tamarind (टेमारिंड)
कलम—Graft (ग्राफ्ट)
कली, मुकुल, कलिका—Bud (बड)
कन्द—Bulb (बल्ब)
काठ—Wood (वुड)
कांटा—Thorn (थॉर्न)
गुठली—Stone (स्टोन)
गूदा—Pulp (पल्प)
गोंद—Gum (गम)
चीड़—Pine (पाइन)
छाल—Bark (बार्क)
छिलका—Skin (स्किन)
जटा (नारियल की)—Coir (कॉइर)
जड़—Root (रूट)
जयांग—Pistil (पिसिल)
झाऊ—Conifer (कॉनीफ़र)
ताड़—Palm (पाम)
टहनी, डाल—Branch (ब्रांच)
धड, स्कन्ध—Stem (स्टेम)
नस—Fibre (फाइबर)

पराग—Pollen (पोलेन)
पराग कण—Pollen-grain (पोलेन-ग्रेन)
पराग नलिका—Pollen tube (पोलेन-ट्यूब)
पत्ती—Leaf (लीफ़)
पत्रकन्द—Bubil (बबिल)
पुमंग—Stamen (स्टैमिन)
प्रकन्द—Rootstalk (रूटस्टाक)
फूल—Flower (फ्लावर)
बरगद, बड़—Banyan (बैनिअन)
बबूल—Acacia arabica (अकेसिया अरेबिका)
बीज—Seed (सीड)
बांस—Bamboo (बैम्बू)
भोजपत्र—Birch (बर्च)
रस—Juice (जूस)
रेशा—Fibre (फाइबर)
शाखा—Branch (ब्रांच)
सरो, सरू—Cypress (साइप्रेस)
सागवान—Teak (टीक)
सिरस—Abbizzia labbek (ऐबिजिया लेबेक)
सेहुर, थोर, सिज—Cactus (कैक्टस)

फूल, फल, मेवे और सब्जियां (FLOWERS, FRUITS, DRY FRUITS & VEGETABLES)

अखरोट—Chestnut (चेसनट)
अदरक—Ginger (जिंजर)
अनानास—Pineapple (पाइनएपिल)
अनार, दाड़िम—Pomegranate (पॉमेग्रेनेट)
अमरूद—Guava (गुआवा)
अलूचा—Plum (प्लम)
अंगूर—Grape (ग्रेप)
अंजीर—Fig (फिग)
आम, अम्ब—Mango (मैंगो)
आड़ू—Peach (पीच)
आलू—Potato (पोटैटो)
आलू बुखारा—Bokhara plum (बोखारा प्लम)
अलूचा—Plum (प्लम)
इमली—Tamarind (टॉमरिंड)
ईख—Sugarcane (शूगरकेन)
ककड़ी, खीरा—Cucumber (कूकंबर)
कटहल—Jack-fruit (जैक-फ्रूट)
कद्दू—Pumpkin (पम्पकिन)
कमरख—Carambola (कैरम्बोला)
कनेर—Oleander (ओलेयेंडर)
कमल—Lotus (लोटस)
कमलिनी, कुमुदिनी—Lily (लिली)
करेला—Bitter gourd (बिटर गुअर्ड)
काजू—Cashewnut (कैश्यूनट)
काशीफल—Red pumpkin gourd (रेड पम्पकिन गुअर्ड)
किशमिश—Currant (करैंट)
कुकुरमुत्ता—Mushroom (मशरूम)
केतकी, केवड़ा—Pandanus (पंडानस)
केला—Banana (बनाना)
कोहड़ा, फूट—Cucurbit gourd (कूकरबिट गुअर्ड)
खजूर—Date (डेट)
खरबूजा—Musk melon (मस्क मेलन)
खट्टा नीबू—Lime (लाइम)
खट्टी चेरी—Sour cherry (सावर चेरी)
खुबानी—Apricot (एप्रीकोट)
गलगल, चकोतरा—Citron (सिट्रॉन)
गाजर—Carrot (कैरट)
गांठगोभी—Knolkhol (नोलखोल)
गुलदाउदी—Chrysanthemum (क्रिसेंथेमम)
गुलमेंहदी—Touch-me-not (टच-मी-नॉट)
गुल बहार—Daisy (डेज़ी)
गुलाब—Rose (रोज़)
गूलर डोड़ा—Boll (बॉल)
गेंदा—Marigold (मैरीगोल्ड)
घास—Grass (ग्रास)
घिया, तुरई—Luffa (लूफ़ा)
घुंइया, अरबी—Colocesia antiquorum (कोलासेसिया ऐंटीकोरम)
चिचिंडा—Snake gourd (स्नेक गुअर्ड)
चमेली—Jasmine (जैसमिन)
चम्पा—Magnolia (मैग्नोलिया)
चिकनी तोरी—Luffa gourd (लूफ़ा गुअर्ड)
चिलगोज़ा—Pinus gerardiana (पाइनस गेरर्डियाना)
चीकू—Sapodilla (सैपोडिला)
चुकन्दर—Sugar beet (शूगर बीट)
चौलाई—Amaranthus (एमरैन्थस)

जमीकन्द—Amorphophallus campanulatus (एमोर्फोफालस कैम्पानुलेटस)
जंगली सेब—Crab apple (क्रैब ऐपल)
जंगली चौलाई—Prickly amaranth (प्रिकली एमारैंथ)
जापानी अलूचा—Japanese plum (जैपनीज़ प्लम)
जामुन—Black berry (ब्लैक बेरी)
जैतून—Olive (ऑलिव)
तम्बाकू—Tobacco (टोबैको)
तरबूज—Water melon (वॉटर मेलोन)
दाख—Currant (करेंट)
धतूरा—Belladona (बेलाडोना)
धनिया—Coriander (कोरिएंडर)
नरगिस—Narcissus (नार्सिसस)
नागफनी—Prickly pear (प्रिकली पियर)
नागभिका—Cobra flower (कोबरा फ्लावर)
नारियल—Coconut (कोकोनट)
नारंगी—Orange (ऑरेंज)
नीबू—Lemon (लेमन)
पटुआ—Hemp (हेम्प)
पपीता—Papaya (पपाया)
पत्ता गोभी—Brassica-campestrice (ब्रासिका-कैम्पेस्ट्राइस)
परवल—Trichosanthes dioica (ट्रिकोसैन्थेस डिओइका)
पहाड़ी पपीता—Mountain papaya (माउंटेन पपाया)
पान—Betel (बीटल)
पालक—Spinach (स्पिनिच)
पिंडार—Randia duentorum (रैंडिया डुएंटोरम)
पिस्ता—Pistachio (पिस्टैशियो)
पुदीना—Mint (मिंट)
पोस्त—Poppy (पॉपी)
प्याज़—Onion (अनियन)
फूलगोभी—Cauliflower (कॉलीफ्लावर)
फालसा—Grawia asiatica (ग्रेविया एशियाटिका)
बकायन—Lilac (लिलैक)
बग्गूंगोशा—Pyrus malus (पाइरस मैलस)
बादाम—Almond (एलमंड)
बनफशा—Sweet violet (स्वीट वायलेट)
बन्दगोभी—Cabbage (कैबेज)
बांस, केवड़ा, केतकी—Sisal-hemp (सीसल-हेम्प)
बैंगन—Brinjal (ब्रिजॉल)
भिंडी—Lady finger (लेडी फिंगर)
भुट्टा—Corn-ear (कार्न-ईयर)
मटर—Pea (पी)
मकोय—Night shade (नाइट-शेड)
मखाना—Euryle forex (यूराइल फ़ोरेक्स)
माल्टा—Malta (माल्टा)
मिर्च—Chilli (चिल्ली)
मीठी चेरी—Sweet cherry (स्वीट चेरी)
मुनक्का—Raisin (रैज़िन)
मूंगफली—Groundnut (ग्राउंडनट)
मूली—Raddish (रैडिश)
मौसम्बी—Mosambi (मोसम्बी)
रतालू—Yam (याम)
रूई—Cotton (कॉटन)
रोज़ बैरी—Rose Berry (रोज़ बैरी)
लीची—Lichi (लीची)
शकरकन्द—Sweetpotato (स्वीटपोटैटो)
शफ़तालू, सतालू, आड़ू—Peach (पीच)
शरीफा—Custard apple (क्स्टर्ड ऐपल)
शलजम—Turnip (टर्निप)
शहतूत—Mulberry (मलबेरी)
सन—Flax (फ्लैक्स)
सरस फल—Berry (बैरी)
सलाद (पत्ता)—Lettuce (लेटिस)
साबूदाना—Sago (सागो)
सिंघाड़ा—Water nut (वॉटर नट)
सेम—Bean (बीन)
सेब—Apple (ऐपल)
संतरा—Orange (ऑरेंज)
सेमल—Silk-cotton (सिल्क-कॉटन)

भवन और उनके भाग
(BUILDINGS AND THEIR PARTS)

अटारी, कोठा—Attic (ऐटिक)
अनाथालय—Orphanage (ऑर्फेनेज)
आला—Niche (निच)
अंगीठी—Hearth (हर्थ)
अस्पताल, चिकित्सालय—Hospital (हॉस्पिटल)
आंगन—Courtyard (कोर्टयार्ड)
इमारत—Building (बिल्डिंग)
कमरा—Room (रूम)
कसाईखाना, बूचड़खाना—Slaughter-house (स्लॉटर-हाउस)
कारखाना—Factory (फैक्टरी)

कारनिस, छजली, कंगनी—Cornice (कार्निस)
किला—Fort (फोर्ट)
कोनिया—Bracket (ब्रेकेट)
खपरेल—Tile (टाइल)
खलिहान—Granary (ग्रेनरी)
खिड़की—Window (विंडो)
खूंटी—Peg (पेग)
खण्ड—Storey (स्टोरी)
गलियारा—Gallery (गैलरी)
गिरजाघर—Church (चर्च)
गुम्बज़, गुम्बद—Dome (डोम)
चबूतरा—Platform (प्लेटफार्म)/ Parapet (पैरापेट)
चिड़ियाखाना—Aviary (ऐवियरी)
चिड़ियाघर—Zoo (ज़ू)
चुंगीघर—Octroi-post (ऑक्ट्राय-पोस्ट)
चौखट—Door-frame (डोर-फ्रेम)
चौरस छत—Terrace (टैरेस)
छड़—Bar (बार)
छत (ऊपर की)—Roof (रूफ़)
छत (अन्दर की)—Ceiling (सीलिंग)
छप्पर—Shed (शेड)
जाली—Lattice (लैटिस)
जंगला—Railing (रेलिंग)
जंजीर—Chain (चेन)
झरोखा—Peep-hole (पीप-होल)
झोपड़ी—Cottage (कॉटेज)
ड्योढ़ी, दहलीज—Threshold (थ्रैशोल्ड)
तहखाना—Underground cell (अंडरग्राउंड सैल)
दरवाज़ा—Door (डोर)
दफ्तर—Office (ऑफ़िस)
देहली—Door-sill (डोर-सिल)
धरन, शहतीर—Beam (बीम)
धुंवाकश—Chimney (चिमनी)
नाबदान—Drain (ड्रेन)
नींव—Foundation (फाउंडेशन)
टट्टी—Latrine (लैट्रिन)
टिकट घर—Booking office (बुकिंग ऑफ़िस)
पत्थर—Stone (स्टोन)
पढ़ने का स्थान—Reading room/ Study room (रीडिंग रूम/स्टडी रूम)
परनाला—Gutter (गटर)
पलस्तर—Plaster (प्लास्टर)
पागलखाना—Lunatic asylum (ल्यूनैटिक असाइलम)
पुस्तकालय—Library (लाइब्रेरी)
पेशाबखाना—Urinal (यूरिनल)
फर्श—Floor (फ्लोर)
फ़ुव्वारा—Fountain (फ़ाउंटेन)
बन्द—Plinth (प्लिन्थ)
बरफ़खाना—Ice Factory (आइस फैक्टरी)
बरसाती—Portico/ Attic (पोर्टिको/एटिक)
बरामदा—Verandah (वेरेण्डा)
बैठक—Sitting room/ Drawing-room (सिटिंग रूम/ ड्राइंग-रूम)
बंगला—Bungalow (बंगलौ)
भण्डार का कमरा—Store room (स्टोर रूम)
मकान—House (हाउस)
मचान—Dais (डायस)
मठ—Cloister (क्लॉयस्टर)
मन्दिर—Temple (टेम्पल)
मस्जिद—Mosque (मॉस्क)
महल—Palace (पैलेस)
महाविद्यालय—College (कॉलिज)
मीनार—Steeple (स्टीपल)
मुंडेर—Battlement (बैटलमेंट)
महराब—Arch (आर्च)
रसायनशाला—Laboratory (लेबोरेटरी)
रसोईघर—Kitchen (किचन)
रोशनदान—Ventilator (वेंटिलेटर)
विद्यालय—School (स्कूल)
व्यायामशाला—Gymnasium (जिम्नेज़ियम)
विश्वविद्यालय—University(यूनिवर्सिटी)
शहतीर—Rafter (रैफ्टर)
शयनागार—Bedroom (बेडरूम)
सहन—Courtyard (कोर्टयार्ड)
सराय—Inn (इन्न)
स्नानगृह—Bath-room (बाथ-रूम)
सिनेमा-घर—Picture-hall (पिक्चर-हॉय)/ Theatre (थियेटर)/ Cinema hall (सिनेमा हॉल)
सीमेंट—Cement (सीमेंट)
सीढ़ी—Stair (स्टेअर)
सेना निवास—Barrack (बैरेक)

औज़ार
(TOOLS)

आरी—Saw (सॉ)
कांटा (बांक)—Clamp (क्लैम्प)
करघा—Loom (लूम)
उस्तरा, खुर—Razor (रेज़र)
कुतुबनुमा—Compass (कम्पास)
कुदाली—Spade (स्पेड)
कुल्हाड़ी—Axe (ऐक्स)
कैंची—Scissors (सिज़र्स)
कोल्हू—Oil-mill (ऑयल-मिल)
कोल्हू (ईख पेरने वाला)—Sugar mill (शूगरमिल)
गेंती—Axe (ऐक्स)
गोनिया—Trying-angle (ट्राइंग-ऐंगल)
गोलची—Gauge (गॉज)
गोल रंदा—Bead plane (बीड प्लेन)
चोसा—Rasp (रैस्प)
छुरा—Dagger (डैगर)
छेनी—Cold chisel (कोल्ड चिज़ेल)
छेनी, टांकी, सवानी—Stone chisel (स्टोन चिज़ेल)
टेकुवा—Awl (ऑल)
डांड़ा—Oar (ओर)
तराज़ू—Balance (बैलेंस)
दरांती—Bagging hook (बैगिंग हुक)
दस्ती कैंची—Pruning shear (प्रूनिंग शियर,
धारी रंदा—Tooling plane (टूलिंग प्लेन)
धुरी—Axis (ऐक्सिस)
दराती—Sickle (सिक्कल)
नस्तर लगाने की छुरी—Lancet (लैन्सेट)
निहाई—Anvil (एनविल)
पतवार—Rudder (रडर)
पताम रंदा—Rebate plane (रिबेट प्लेन)
परकार—Divider (डिवाइडर)
पाराबटाम—Spirit-level (स्पिरिट लेवल)
पिचकारी—Syringe (सिरिंज)
पेच, डिबरी—Screw (स्क्रू)
पेचकस—Screw-driver (स्क्रू-ड्राइवर)
फन्नी—Cleat (क्लीट)
फाली—Bar-shear (बार-शीयर)
फावड़ा, बेलचा फल—Spade (स्पेड)
फर्मा (मोची का)—Last (लास्ट)
कार—Colter (कोल्टर)
फुंकनी—Blowpipe (ब्लोपाइप)
बरमा—Auger (ऑगर)
बरमी (छेदने की)—Drill (ड्रिल)
बंसी—Fishing-rod (फिशिंग रॉड)
बादिया—Stock and dies (स्टाक ऐंड डाइज़)
बारीक रंदा—Smoothing plane (स्मूदिंग प्लेन)
बांक—Vice (वाइस)
बिरंजी—Needle-point (नीडल पॉइंट)
भभका—Still (स्टिल)
भाषी—Bellows (बेलोज़)
भारोत्तोलदण्ड—Lever (लीवर)
मझला रन्दा—Trying plane (ट्राइंग प्लेन)
मुंगरी—Mallet (मेलेट)
रन्दा (छोटा)—Trying plane (ट्राइंग प्लेन)
रन्दा (बड़ा)—Jack plane (जैक प्लेन)
रेती—File (फाइल)
रंभा—Dibble (डिबल)
लंगर—Anchor (ऐनकर)
सिल्ली (शान लगाने की)—Hone (होन)
साहुल—Plumbine (प्लमबाइन)
शंकु—Cone (कोन)
हथकल—Spanner (स्पैनर)
हथौड़ी—Hammer (हैमर)
हल—Plough (प्लाओ)
हल का फार—Ploughshare (प्लाओशेयर)
हाथबांक—Hand vice (हैंड वाइस)

युद्ध सम्बन्धी
(WARFARE)

अणुबम—Atom bomb (ऐटम बॉम)
अनिवार्य भर्ती—Conscription (कन्सक्रिप्शन)
आक्रमण (चढ़ाई)—Aggression (ऐग्रेशन)
आक्रमण (धावा)—Attack (अटैक)
कवच—Armour (आरमर)
कारतूस—Cartridge (कारट्रिज)
किलाबन्दी—Fortification (फ़ोर्टीफ़िकेशन)
खाई—Trench (ट्रेंच)
गुरिला लड़ाई, छापामार युद्ध—Guerilla warfare (गुरिल्ला वॉरफेयर)

गोला बारूद इत्यादि—Ammunition (एम्युनिशन)
गोली—Bullet (बुलेट)
गैस-नकाब—Gas-mask (गैस-मॉस्क)
घरेलू युद्ध—Civil-war (सिविल-वार)
घुड़सवार सेना, अश्वसेना—Cavalry (कैवलरी)
घेरा—Siege (सीज़)
जल सेना, नौसेना—Navy (नेवी)
ज़ंगी जहाज़—Battleship (बैटलशिप)
तोप—Cannon (कैनन)
तोप का गोला—Cannon-ball (कैनन-बॉल)
धमाके से फटने वाला बम—Explosive-bomb (एक्सप्लोसिव-बॉम)
नाकाबन्दी—Blockade (ब्लॉकेड)
पनडुब्बी—Submarine (सबमेरीन)
परमाणु युद्ध—Atomic warfare (अटॉमिक वारफेयर)
पाशविक शक्ति—Brute force (ब्रूट फ़ोर्स)
पेंदी तोड़ने वाला गोला फेंकने वाली नौका—Torpedo boat
पैदल सेना, स्थल सेना—Land force (लैंड फोर्स)
प्रस्थान (कूच)—Expedition (एक्सपीडिशन)
बम—Bomb (बॉम)
बम आक्रमण—Bombardment (बॉम्बार्डमेंट)
बारूद—Gunpowder (गनपाउडर)
बारूदखाना—Magazine (मैगज़ीन)
भोजन सामग्री—Provisions (प्रोविज़न्स)
मनोबल—Morale (मोरेल)
युद्ध—Battle, war (बैटल, वार)
युद्ध के शस्त्र—Armaments (आरमामेंट्स)
युद्ध-कौशल—Strategy (स्ट्रैटेजी)
युद्ध-विराम—Cease-fire (सीज़-फ़ायर)
युद्ध-बन्दी—Prisoners of war (प्रिज़नर्स ऑफ़ वार)
युद्ध-मन्त्री—War minister (वॉर मिनिस्टर)
युद्ध-प्रवृत्ति—Campaign (कैम्पेन)
रक्तपात—Bloodshed (ब्लडशेड)
रंगरूट की भर्ती—Recruitment (रिक्रूटमेंट)
रक्षा—Defence (डिफेंस)
रक्षा-मन्त्रालय—Defence-ministry (डिफ़ेंस मिनिस्ट्री)
रक्षा-कोष—Defence fund (डिफेंस फंड)
रक्षा-कर्मचारी वर्ग—Defence service (डिफेंस सर्विस)
लड़ने वाले (योद्धा)—Combatants (कंबैटेंट्स)
लड़ने वाला (राष्ट्र)—Belligerent nation (बेलिजरेंट नेशन)
लगातार गोला छोड़ने वाली तोप—Machine-gun (मशीन-गन)
लड़ाकू वायुयान—Fighter plane(फाइटर प्लेन)
विद्रोह—Mutiny (म्युटिनी)
वायुयान-भेदी तोप—Anti-aircraft gun (ऐंटी-एयरक्राफ्ट गन)
विध्वंसक—Destroyer (डिस्ट्रायर)
सन्धि—Treaty (ट्रीटी)
सहायक सेना—Auxiliary force (आग्ज़िलियरी फ़ोर्स)
सेना—Army, troops (आर्मी, ट्रूप्स)
सेनागति—Operation (ऑपरेशन)
सेनाभंग—Demobilization (डेमोबिलाइजेशन)
सेनापति—Commander-in-chief (कमांडर-इन-चीफ़)
सेना का प्रधान अधिकारी—Field-marshal (फ़ील्ड-मार्शल)
शत्रु—Enemy (एनिमी)
शीत युद्ध—Cold war (कोल्ड वॉर)

पेशे और व्यवसाय
(PROFESSIONS & OCCUPATIONS)

अखबार वाला—Newspaper vendor (न्यूज़पेपर वेंडर)
अध्यापक—Teacher (टीचर)
अभियन्ता—Engineer (इंजिनियर)
अहीर, ग्वाला—Milkman (मिल्कमैन)
अहीरन, ग्वालन—Milkmaid (मिल्कमेड)
औषधि बनाने वाला—Compounder (कम्पाउंडर)
उपन्यासकार—Novelist (नॉवलिस्ट)
कवि—Poet (पोएट)
कसाई—Butcher (बुचर)
कलाकार—Artist (आर्टिस्ट)
कारीगर—Artisan (आर्टिज़न)
कार-चालक—Chauffeur (शॉफ़र)
किसान—Farmer (फ़ार्मर)
कुम्हार—Potter (पोटर)
कुंजड़ा—Green vendor (ग्रीन वेंडर)
कुली—Coolie (कुली)
कोचवान—Coachman (कोचमैन)
खज़ांची—Treasurer (ट्रेज़रर)
खरादने वाला—Turner (टर्नर)
खुदरा फरोश—Retailer (रिटेलर)
गद्य लेखक—Prose-writer (प्रोज़ राइटर)
गन्धी—Perfumer (पर्फ्यूमर)
गाड़ीवान—Coachman (कोचमैन)
चपरासी—Peon (पिअन)
ग्रन्थकार—Author (ऑथर)
चित्रकार—Artist, painter (आर्टिस्ट, पेंटर)
चेचक के टीके लगाने वाला—Vacc nator (वेक्सिनेटर)

चौकीदार—Watchman (वाचमैन)
जर्राह—Surgeon (सर्जन)
जमींदार—Landlord (लैंडलार्ड)
जादूगर—Magician (मेजिशियन)
जिल्दसाज—Book-binder (बुक-बाइंडर)
जुलाहा—Weaver (वीवर)
जूता बनाने वाला—Shoemaker (शूमेकर)
जौहरी—Jeweller (जुएलर)
टाइप लगाने वाला—Compositor (कम्पोज़िटर)
ठठेरा—Brasier (ब्रेसियर)
ठेकेदार—Contractor (कॉन्ट्रैक्टर)
डाक्टर—Doctor (डॉक्टर)
डाकिया—Postman (पोस्टमैन)
तबलची—Tabla player (तबला प्लेयर)
तमोली, पनवाड़ी—Betel-seller (बीटेल-सैलर)
तेली—Oilman (ऑयलमैन)
दर्जी—Tailor (टेलर)
दलाल—Broker (ब्रोकर)
दवा विक्रेता—Druggist (ड्रगिस्ट)/Chemist (केमिस्ट)
दाई—Midwife (मिडवाइफ़)
दन्त चिकित्सक—Dentist (डेंटिस्ट)
दुकानदार—Shopkeeper (शॉपकीपर)
दूत—Messenger (मैसेंजर)
धाय—Nurse (नर्स)
धुनिया—Carder (कार्डर)
धोबी—Washerman (वाशरमैन)
धोबिन—Washerwoman (वाशरवोमैन)
नक्शानवीस—Draftsman (ड्राफ्ट्समैन)
नाचने वाला—Dancer (डांसर)
नाटककार—Dramatist (ड्रेमैटिस्ट)
नानबाई—Baker (बेकर)
निरीक्षक—Inspector (इंस्पेक्टर)
नीलाम करने वाला—Auctioneer (ऑक्शनियर)
परीक्षक—Examiner (एग्ज़ैमिनर)
पुरोहित—Priest (प्रीस्ट)
पुलिस का सिपाही, आरक्षक—Constable (कॉन्स्टेबल)
प्रकाशक—Publisher (पब्लिशर)
प्रबन्धकर्ता—Manager (मैनेजर)
फेरीवाला—Hawker (हॉकर)
फोटो खींचने वाला—Photographer (फोटोग्राफर)
बढ़ई—Carpenter (कार्पेन्टर)
बजाज—Draper (ड्रैपर)
बस का टिकट देने वाला—Conductor (कंडक्टर)
बीज विक्रेता—Seedsman (सीड्समैन)
भण्डारी—Butler (बटलर)
मछुवा—Fisherman (फ़िशरमैन)
मशीन चलाने वाला—Operator (ओपरेटर)
मशीन साफ रखने वाला—Cleaner (क्लीनर)
मल्लाह—Boatman (बोटमैन)
महरा—Water carrier (वाटर कैरियर)
मांझी (जहाज़ी)—Sailor (सेलर)
माल ढोने वाला—Carrier (कैरियर)
मालिक—Proprietor (प्रोपराइटर)
माली—Gardener (गार्डनर)
मीनाकार—Enameller (इनेमलर)
मिस्त्री—Mechanic (मकैनिक)
मुनीम—Agent (एजेंट)
मुद्रक—Printer (प्रिंटर)
मुन्शी, लिपिक, मुहर्रिर—Clerk (क्लर्क)
मेहतर (भंगी)—Sweeper (स्वीपर)
मोची—Cobbler (कोबलर)
रसायनी—Chemist (केमिस्ट)
रसोइया—Cook (कुक)
राज—Mason (मेसन)
राजनीतिज्ञ—Politician (पोलिटिशियन)
रोकड़िया (खज़ांची)—Cashier (कैशियर)
रेल के टिकट देखने वाला—Train ticket examiner, T.T.E. (ट्रेन टिकट एग्ज़ैमिनर, टी० टी० ई०)
रोशनाई वाला—Inkman (इंकमैन)
रंगसाज—Painter (पेन्टर)
रंगरेज—Dyer (डाइअर)
लेखक—Writer (राइटर)
लोहार—Blacksmith (ब्लैकस्मिथ)
वकील—Advocate (एडवोकेट)
वैद्य—Physician (फ़िज़िशियन)
शिल्पकार—Artisan (आर्टिज़न)
शल्य वैद्य—Surgeon (सर्जन)
शिक्षक—Teacher (टीचर)
शीशा लगाने वाला—Glazier (ग्लेज़ियर)
संगीतकार—Musician (म्यूज़िशियन)
साईस—Groom (ग्रूम)
सफाई का दरोगा—Sanitary Inspector (सैनिटरी इंस्पैक्टर)

सुनार—Goldsmith (गोल्डस्मिथ)
सौदागर—Merchant (मर्चेण्ट)
संगतराश (मूर्तिकार)—Sculptor (स्कल्पटर)
सम्पादक—Editor (एडिटर)
हज्जाम, नाई—Barber (बारबर)
हलवाई—Confectioner (कन्फेक्शनर)/ Halwai (हलवाई)
होटल में खाना खिलाने वाला—Waiter (वेटर)

व्यावसायिक शब्दावली (BUSINESS)

कीमतों का बढ़ना (मुद्रास्फीति)—Inflation (इनफ्लेशन)
अग्रतिथि हुंडी After date bill (आफ्टर डेट बिल)
अग्रप्रेषण पत्र—Forwarding letter (फारवर्डिंग लेटर)
अग्रिम मांग अदायगी—Call in advance (काल इन एडवांस)
अग्रिम राशि लेखा—Advances accounts (एडवांसिस एकाउंट्स)
अचल पूंजी—Fixed capital (फ़िक्स्ड कैपिटल)
अदत्त चेक—Open Cheque (ओपन चेक)
अदायगी क्षमता—Paying capacity (पेइंग केपैसिटी)
अधिकरण पत्र—Letter of authorisation (लेटर ऑफ़ ऑथोराइज़ेशन)
अधिकृत पूंजी—Authorised capital (ऑथोराइज़्ड कैपिटल)
अधिमुद्रा—Occupation money (आक्युपेशन मनी)
अनर्जित—Unearned (अनअर्न्ड)
अनिवार्य नकद आरक्षित निधि—Compulsory reserve (कंपलसरी रिज़र्व)
अनुमोदन, मंजूरी—Endorsement (एंडोर्समेंट)
अनुमोदित मुद्रा—Approved Currency (एप्रूव्ड करेंसी)
अप्राप्य ऋण,बट्टे-खाते का धन—Bad debt (बैड डैट)
अप्राप्य ऋण लेखा—Bad debt account (बैड डैट एकाउंट)
अर्थव्यवस्था, किफायत—Economy (एकॉनमी)
अल्पकालिक उधार—Short-term credit (शार्ट-टर्म क्रेडिट)
अविलम्ब कर्जा—Demand loan (डिमांड लोन)
अविलम्ब दर—Call rate (काल रेट)
असली आमदनी—Net income (नेट इनकम)
अस्थायी ऋण—Floating debt (फ्लोटिंग डे'ट)
आदेशी चेक—Order cheque (आर्डर चेक)
आपाती उधार—Emergency credit (एमर्जेंसी क्रेडिट)
आय, आमदनी—Income (इनकम)
आरम्भिक लेखा—Initial account (इनिशियल एकाउंट)
आवर्ती जमा—Recurring deposit (रेकरिंग डिपाज़िट)
औद्योगिक बैंक—Industrial bank (इंडस्ट्रियल बैंक)
औसत—Average (ऐवरेज)
औसत दर—Average rate (एवरेज रेट)
औसत दूरी—Average distance (ऐवरेज डिस्टेंस)
उगाही बिल—Bill of collection (बिल ऑफ़ कलेक्शन)
उचन्ती नाम—Suspended debt (सस्पेंडिड डैट)
उत्तर तिथि चेक—Postdated cheque (पोस्टडेटिड चेक)
उधार जमा—Credit deposit (क्रेडिट डिपॉज़िट)
उधार-पत्र, साख-पत्र—Letter of credit (लेटर ऑफ़ क्रेडिट)
उधार बिक्री—Sale on credit (सेल ऑन क्रेडिट)
उधार लेखा—Credit account (क्रेडिट एकाउंट)
उधार, ऋण—Credit (क्रेडिट)
उपभोक्ता—Consumer (कन्ज़्यूमर)
उपभोक्ता माल—Consumer's goods (कन्ज़्यूमर्स गुड्स)
कच्ची बही—Rough day-book (रफ़ डे-बुक)
कम से कम कीमत—Bottom price (बॉटम प्राइस)
कमाई, उपार्जन—Earning (अर्निंग)
कर्जा चालू करना—Floatation (फ्लोटेशन)
कर्जा-शेष—Loan balance (लोन बैलेंस)
कर्जे के देनदार—Debtors for loan (डैटर्स फ़ॉर लोन)
कर्जे के लेनदार—Creditors for loan (क्रैडिटर्स फ़ॉर लोन)
कर्मचारी, नौकर—Employee (एम्प्लॉयी)
कागज-पैमाना—Paper scale (पेपर स्केल)
कागज मुद्रा—Paper currency (पेपर करेंसी)
कारखाना—Factory (फ़ैक्टरी)
कार्य—Job (जॉब)
कार्यकर पूँजी—Working capital (वर्किंग कैपिटल)
कालिक ऋण—Time money (टाइम मनी)
कीमत, मूल्य—Price (प्राइस)
कीमत-सूची—Price list (प्राइस लिस्ट)
कुल कमाई—Gross earning (ग्रॉस अर्निंग)
कुल हानि—Gross loss (ग्रॉस लॉस)
कोरी बेचान—Blank endorsement (ब्लैंक एंडोर्समेंट)
खजांची—Cashier (कैशियर)
खड़ी जमा—Standing credit (स्टैंडिंग क्रेडिट)
खड़ी हुंडी—Overdue bill (ओवरड्यू बिल)
खर्चे का बिल—Bill of costs (बिल ऑफ़ कॉस्ट्स)
खर्चे के लेनदार—Creditors for expenses (क्रेडिट्र्स फ़ॉर एक्सपेंसिस)

खाता उधार—Credit book (क्रेडिट बुक)
खाता जमा—Book deposit (बुक डिपॉज़िट)
खाता ऋण—Book debt (बुक डैट)
खालिस आय, शुद्ध आय—Net income (नेट इन्कम)
खुदरा रोकड़ बही—Petty cash book (पैटी कैश बुक)
खुला चेक—Blank cheque (ब्लैंक चेक)
खुली सुपुर्दगी (माल की)—Open delivery (of goods) ओपन डिलीवरी (ऑफ़ गुडस)
खुले पन्नों का खाता—Loose leaf ledger (लूज़ लीफ़ लेजर)
खुली हुण्डी—Lost bill of exchange (लॉस्ट बिल ऑफ़ एक्सचेंज)
गाहक, गाहक—Customer (कस्टमर)
गाहक खाता—Sales ledger (सेल्ज़ लैजर)
ग्राहक लेखे—Customer's account (कस्टमर्स एकाउंट)
घटत बढ़त दोलन—Fluctuation (फ्लक्चुएशन)
चल उधार—Revolving credit (रिवाल्विंग क्रेडिट)
चल प्रभार—Floating charge (फ्लोटिंग चार्ज)
चालू उधार—Running credit (रनिंग क्रेडिट)
चालू कर्जा—Current loan (करेंट लोन)
चालू जमा—Current deposit (करेंट डिपॉज़िट)
चालू लेखा, चालू खाता—Current account (करेंट एकाउंट)
चार्टर लेखाकार—Chartered accountant (चार्टर्ड एकाउंटेंट)
चुकाई हुंडी—Discharged bill (डिस्चार्ज्ड बिल)
चुका कर्जा—Discharged loan (डिस्चार्ज्ड लोन)
चैक जमानिक्षेप—Cheque deposit (चैक डिपॉज़िट)
जमा करना—Crediting (क्रेडिटिंग)
जमा कापी—Paying-in-book (पेइंग-इन-बुक)
जमा खाता—Deposit ledger (डिपॉज़िट लैजर)
जमानती हुंडी—Bill as security (बिल ऐज़ सेक्यूरिटी)
जमा पर्ची—Pay-in-slip (पे-इन-स्लिप)
जमा पत्र—Credit note (क्रेडिट नोट)
जमा बैंक—Bank of deposit (बैंक ऑफ़ डिपॉज़िट)
जमा मुद्रा—Deposit currency (डिपॉज़िट करेंसी)
जमा रकम—Deposit amount (डिपॉज़िट एमाउंट)
जमा रजिस्टर—Deposit register (डिपॉज़िट रजिस्टर)
जमा लेखा—Deposit account (डिपॉज़िट एकाउंट)
जाली नोट—Forged note (फोर्ज्ड नोट)
जोखिम पत्र—Risk note (रिस्क नोट)
टकसाल दर—Mint par (मिंट पार)
टीपान्तरण, खातान्तरण—Book transfer (बुक ट्रांसफ़र)
टूट-फूट—Wear and tear (वियर ऐण्ड टियर)
डूबी रकम—Bad debt (बैड डैट)
तुरंत नगदी उधार खाता—Demand cash credit (डिमांड कैश क्रेडिट)
थोक बाजार—Wholesale market (होलसेल मार्केट)
दर्शनी हुंडी—Bill payable at sight (बिल पेएबल ऐट साइट)
दर्शनी हुंडी की दर—Cheque rate (चेक रेट)
दर्शनोत्तर हुंडी—Bill payable after sight (बिल पेएबल आफ़्टर साइट)
दावे की राशि—Claimed amount (क्लेम्ड एमाउंट)
दिवाला—Bankruptcy (बैंक्रप्ट्सी)
दिवालिया—Bankrupt (बैंक्रप्ट)
दुकान, श्रमालय—Shop (शॉप)
दुर्लभ मुद्रा—Hard currency (हार्ड करेंसी)
दुर्लभ रुपया—Tight money (टाइट मनी)
देनगियां—Charges (चार्जेज़)
देय-बिल—Bill payable (बिल पेएबल)
देय बैंक लेखा—Payable bank draft (पेएबल बैंक ड्राफ़्ट)
देशी बैंक—Indigenous bank (इंडिजिनस बैंक)
धनादेश—Draft (ड्राफ़्ट)
नकद, नकदी रोकड़—Cash (कैश)
नकद उधार—Cash credit (कैश-क्रेडिट)
नकद जमा—Cash deposit (कैश डिपॉज़िट)
नकद देन—Cash payment (कैश पेमेंट)
नकद पर्ची—Cash-memo (कैश–मेमो)
नकद बट्टा—Cash discount (कैश डिस्काउंट)
नकद मूल्य—Cash value (कैश वैल्यू)
नकदी अग्रदान—Cash imprest (कैश इम्प्रेस्ट)
नकदी आदेश—Cash order (कैश ऑर्डर)
नाम खाता—Debit account (डेबिट एकाउंट)
नाम बाकी—Debit balance (डेबिट बैलेंस)
निकाली रकम—Withdrawn amount (विदड्रॉन एमाउंट)
निकासी, काम, उत्पादन—Outturn (आउटटर्न)
निकासी ऐजेन्ट—Clearing agent (क्लियरिंग एजेंट)
निधि—Fund (फ़ंड)
निधिबद्ध कर्जा—Funding loan (फ़ंडिंग लोन)
नियत कार्य लागत खाता—Job cost ledger (जॉब कास्ट लेजर)
नियत दर—Fixed rate (फ़िक्स्ड रेट)
नियत निधि—Allotted fund (एलौटिड फ़ंड)
नियत प्रभार—Fixed charges (फ़िक्स्ड चार्जेज़)

निर्माता का छाप—Maker's brand (मेकर्स ब्रांड)
निर्यात, माल बाहर भेजना—Export (एक्सपोर्ट)
निर्यात उधार—Export credit (एक्सपोर्ट क्रेडिट)
निर्यात कर—Export duty (एक्सपोर्ट ड्यूटी)
निरी हुंडी—Clean bill (क्लीन बिल)
निर्मुक्त दिवालिया—Discharged bankrupt (डिस्चार्ज्ड बैंक्रप्ट)
निलम्बित लेखा, उचन्ती लेखा—Suspense account (सस्पेंस एकाउंट)
निवल आय-व्यय लेखा—Net revenue account (नेट रेवेन्यू एकाउंट)
निवल उत्पादन Net production (नेट प्रोडक्शन)
निवल कमाई—Net earning (नेट अर्निंग)
निवल बिक्री—Net selling, sale (नेट सेलिंग, सेल)
पड़ताल रजिस्टर—Check register (चेक रजिस्टर)
परिपाक तिथि—Date of maturity (डेट ऑफ़ मैचुरिटी)
परिमित साझेदार—Limited partner (लिमिटेड पार्टनर)
पत्रक—Letter card (लेटर कार्ड)
प्रतिबन्धी—Restrictive duty (रेस्ट्रिक्टिव ड्यूटी)
प्रत्याभूति पत्र—Letter of guarantee (लेटर ऑफ़ गैरेंटी)
प्रभार, खर्च, व्यय—Charge (चार्ज)
प्रलेख पर अदायगी—Cash against documents (कैश अगेन्स्ट डॉकुमेंट्स)
प्रलेख हुंडी—Documentary bill (डॉकुमेंटरी बिल)
प्राप्त हुंडी—Bill receivable (बिल रिसीवेबल)
प्राप्ति और अदायगी लेखा—Receipts and payments account (रिसीट्स ऐंड पेमेंट्स एकाउंट)
प्राप्तियां, आय—Receipts (रिसीट्स)
प्रार्थना पत्र—Application (ऐप्लिकेशन)
पिछला हिसाब—Account rendered (एकाउंट रेंडर्ड)
पुराना चेक—Stale cheque (स्टेल चेक)
पूंजी, मूल, मूलधन—Capital (कैपिटल)
पूंजी आरक्षित निधि—Capital reserve fund (कैपिटल रिज़र्व फ़ंड)
पूंजीकृत मूल्य—Capitalised value (कैपिटलाइज़्ड वैल्यू)
पूंजीकृत लाभ—Capitalised profit (कैपिटलाइज़्ड प्रॉफेट)
पूंजी का निर्गम—Capital outflow (कैपिटल आउटफ्लो)
पूंजीगत और राजस्व लेखा—Capital and revenue account (कैपिटल ऐंड रेवेन्यू एकाउंट)
पूंजीगत राशि—Capital sums (कैपिटल सम्स)
पूंजीगत लाभ—Capital profit (कैपिटल प्रोफ़िट)
पूंजीपति—Capitalist (कैपिटलिस्ट)
पूंजी पर प्रतिफल—Return on capital (रिटर्न ऑन कैपिटल)
पूंजी परसम्पत्ति—Capital asset (कैपिटल एसेट)
पूंजी बाज़ार—Capital market (कैपिटल मार्केट)
पूंजी लेखा—Capital account (कैपिटल एकाउंट)
फालतू रुपया—Floating money (फ्लोटिंग मनी)
फुटकर कीमत—Retail price (रिटेल प्राइस)
बकाया—Arrears (एरियर्स)
बकाया मांग—Call in arrears (काल इन एरियर्स)
बकाया या शेष निकालना—Balancing (बैलेंसिंग)
बचत जमा—Saving deposit (सेविंग डिपॉज़िट)
बट्टा—Discount (डिस्काउंट)
बट्टा लेखा—Discount account (डिस्काउंट एकाउंट)
बट्टे पर विनिमय—Exchange at discount (एक्सचेंज ऐट डिस्काउंट)
बही खाता, लेखा पुस्तक—Account book (एकाउंट बुक)
बाकी, शेष, बकाया—Balance (बैलेंस)
बाकी या शेष निकालना—Balancing (बैलेंसिग)
बाज़ार—Commodity market (कॉमॉडिटी मार्केट)
बाजार मूल्य—Market price (मार्केट प्राइस)
बाहरी चेक—Outstation cheque (आउटस्टेशन चेक)
बिक्री का माल—Stock in trade (स्टॉक इन ट्रेड)
बिक्री खाता—Sale account (सेल एकाउंट)
बिक्री बिल—Bill of sale (बिल ऑफ़ सेल)
बिना मूल्य—Free of charge (फ्री ऑफ़ चार्ज)
बीता कर्जा—Expired loan (एक्सपायर्ड लोन)
बीमा—Insurance (इंश्योरेंस)
बेचान कर्त्ता—Endorser (एंडोर्सर)
बेचान चैक—Endorsed cheque (एंडोर्स्ड चेक)
बेजमानती कर्जा—Clean loan (क्लीन लोन)
बेमियादी कर्जा—Morning loan (मॉर्निंग लोन)
बैंक अदायगी—Banker's payment (बैंकर्स पेमेंट)
बैंक आदेश—Banker's order (बैंकर्सस ऑर्डर)
बैंक उधार—Banker's advance (बैंकर्स एडवांस)
बैंक उधार जमा—Bank credit (बैंक क्रेडिट)
बैंक दर—Bank rate (बैंक रेट)
बैंक दर का घटाना-बढ़ाना—Manipulation of bank rate (मैनीपुलेशन ऑफ़ बैंक रेट)
बैंक प्रभार—Bank charge (बैंक चार्ज)
बैंक-बंधक—Banker's mortgage (बैंकर्स मार्टगेज)
बैंक रोकड़—Bank cash (बैंक कैश)
बैंक लेखा—Bank account (बैंक एकाउंट)

बैंक लेखा मांग—Bank call (बैंक काल)
बैंक व्यवस्था—Banking structure (बैंकिंग स्ट्रक्चर)
बैंक ऋण—Banking debt (बैंकिंग डैट)
बैंक ऋणाधार—Banker's security (बैंकर्स सिक्योरिटी)
भागी, साझेदार—Partner (पार्टनर)
मज़बूत बाज़ार—Firm market (फ़र्म मार्केट)
मन्दे की ओर झुकाव—Bearish tendency (बियरिश टेंडेन्सी)
मध्यस्थ—Arbitrator (आर्बिट्रेटर)
मंडी, बाज़ार, हाट—Market (मार्केट)
मांग—Demand (डिमांड)
मांग कर्जा—Demand loan (डिमांड लोन)
मांग धनादेश—Demand draft (डिमांड ड्राफ़्ट)
मांग-पत्र, लिखित मांग—Demand note, indent (डिमांड नोट, इंडेंट)
मांग सूचना—Call notice (काल नोटिस)
मानार्थ अदायगी—Payment for honour (पेमेंट फ़ॉर आनर)
माल, सामग्री, पदार्थ—Goods (गुड्स)
माल भाड़ा, वहन शुल्क—Freight (फ्रेट)
माल रखने की सीमा—Stock limit (स्टॉक लिमिट)
माल रोकड़ पुस्तक—Goods cash book (गुड्स कैश बुक)
माल-लेखा—Stock account (स्टॉक एकाउंट)
मालिक, नियोजक—Employer (एम्पलायर)
मियादी कर्जा—Terminable loan (टर्मिनेबल लोन)
मियादी जमा—Fixed deposit (फिक्स्ड डिपोज़िट)
मिश्रित पूंजी बैंक—Joint stock bank (जायंट स्टॉक बैंक)
मुआवज़ा, प्रतिकर—Compensation (कम्पेन्सेशन)
मुद्दती हुंडी—Bill payable after date (बिल पेएबल आफ़्टर डेट)
मुद्रा, द्रव्य, रुपया, धन—Currency, money (करेंसी, मनी)
मुद्रा अवस्फीति—Deflation of currency (डिफ़्लेशन ऑफ़ करेंसी)
मुद्रांक शुल्क—Stamp duty (स्टाम्प ड्यूटी)
मुद्रा का अन्तरण—Currency transfer (करेंसी ट्रांस्फ़र)
मुद्रा प्रणाली—Monetary system (मोनेटरी सिस्टम)
मुद्रा मूल्य ह्रास—Depreciation of currency (डेप्रिसिएशन ऑफ़ करेन्सी)
मुद्रा विनिमय—Currency exchange (करेंसी एक्सचेंज)
मुद्रा स्फीति—Inflation of currency (इन्फ्लेशन ऑफ़ करेन्सी)
मूल्य ह्रास—Depreciation (डेप्रिसिएशन)
मूल्य ह्रास लेखा—Depreciation account (डेप्रिसिएशन एकाउंट)
यात्री साख पत्र—Traveller's letter of credit (ट्रैवलर्स लेटर ऑफ़ क्रेडिट)
राजवित्त—Public finance (पब्लिक फ़ाइनेंस)
राशि, रकम—Amount (एमाउंट)
रुक्के पर उधार—Credit paper (क्रेडिट पेपर)
रुपया बाज़ार—Money market (मनी मार्केट)
रेखित चैक—Crossed cheque (क्रास्ड चेक)
रेल तक निष्प्रभार—Free on rail, F.O.R. (फ्री ऑन रेल, एफ़० ओ० आर०)
रोकड़ जमा—Opening balance (ओपनिंग बैलेंस)
रोकड़ बही—Cash book (कैश बुक)
रोकड़ बाकी—Cash balance (कैश बैलेंस)
रोकड़ लेखा—Cash account (कैश एकाउंट)
रोकड़ सूची—Cash scroll (कैश स्क्रोल)
रोक सूचना—Notice of stoppage (नोटिस ऑफ़ स्टॉपेज)
लाभांश—Bonus (बोनस)
लेखा, खाता, हिसाब—Account (एकाउंट)
लेखा और बाकी—Account and balance (एकाउंट ऐंड बैलेंस)
लेखाकार—Accountant (एकाउंटेंट)
लेखा रखना—Maintenance of account (मैंटेनेंस ऑफ़ एकाउंट)
लेखा-वर्ष—Accounting year (एकाउंटिंग ईयर)
लेखा-शास्त्र, लेखा विधि—Accountancy (एकाउंटेंसी)
लेनदार, ऋणदाता—Creditor (क्रेडिटर)
लौटा चेक—Returned cheque (रिटर्न्ड चेक)
व्यक्तिगत लेखा—Individual account (इंडिविजुअल एकाउंट)
व्याख्या पत्र—Covering letter (कॅवरिंग लेटर)
व्यापारिक माल—Merchandise (मर्चेन्डाइज़)
व्यापारी, वणिक—Merchant (मर्चेंट)
व्यापारी लेन-देन—Trade creditor (ट्रेड क्रेडिटर)
व्यवसाय पूंजी—Trading capital (ट्रेडिंग कैपिटल)
वाणिज्य बैंक—Commercial bank (कमर्शियल बैंक)
वाणिज्य लेखा—Commercial account (कमर्शियल एकाउंट)
वायदा बाज़ार—Free market (फ्री मार्केट)
वार्षिक निधि—Annuity fund (एनुइटी फ़ंड)
वार्षिक लाभ—Annual profit (एनुएल प्राफ़ेट)
वार्षिक लेखा—Annual account (एनुएल एकाउंट)
वार्षिक विवरणी—Annual return (एनुएल रिटर्न)
वार्षिक वेतन—Annual pay (एनुएल पे)

वार्षिक शुद्ध लाभ—Annual net profit (एनुएल नेट प्राफ़िट)
वार्षिक पद्धति—Annuity system (एनुइटी सिस्टम)
विक्रय विवरण—Sales account (सेल्स एकाउंट)
विकास खर्च—Development expenses (डेवलॅपमेंट एक्सपेन्सिस)
विक्रेता—Salesman (सेल्समैन)
वित्त—Finance (फ़ाइनेंस)
वित्त आभार—Financial obligation (फ़ाइनेंशियल ओबली-गेशन)
वित्त दण्ड—Financial penalty (फ़ाइनेंशियल पेनल्टी)
रुपया लगाने वाला—Financer (फ़ाइनेंसर)
वित्तदाता बैंक—Financial bank (फ़ाइनेंशियल बैंक)
वित्तदायी भागी—Financing partner (फ़ाइनेंसिंग पार्टनर)
वित्तीय दायिता—Financial liability (फ़ाइनेंशियल लायबिलिटी)
वित्तीय नियंत्रण—Financial control (फ़ाइनेंशियल कन्ट्रोल)
वित्तीय प्रबन्ध—Financial management (फ़ाइनेंशियल मैनेजमेंट)
वित्तीय रिपोर्ट देना—Financial reporting (फ़ाइनेंशियल रिपोर्टिंग)
वित्तीय व्यवहार—Financial transaction (फ़ाइनेंशियल ट्रान्सेक्शन)
वित्तीय वर्ष—Financial year (फ़ाइनेंशियल ईयर)
वित्तीय विवरण—Financial statement (फ़ाइनेंशियल स्टेटमेंट)
वित्तीय सलाह—Financial advice (फ़ाइनेंशियल एडवाइस)
वित्तीय ज्ञापन—Financial memorandum (फ़ाइनेंशियल मेमोरेंडम)
विदेशी मुद्रा—Foreign exchange (फ़ारेन एक्सचेंज)
विनिमय—Exchange (एक्सचेंज)
विनिमय दर—Exchange rate (एक्सचेंज रेट)
विदेशी मुद्रा नियंत्रण—Exchange control (एक्सचेंज कन्ट्रोल)
विनिमय-पत्र—Letter of exchange (लेटर ऑफ़ एक्सचेंज)
विनिमय-बैंक—Exchange bank (एक्सचेंज बैंक)
विनिर्माण क्रिया—Manufacturing process (मैनुफैक्चरिंग प्रौसेस)
विशिष्ट (नाप तोल) कर—Specific duty (स्पेसिफ़िक ड्यूटी)
वेतन, तनख्वाह—Pay (पे)
वैधता-अवधि—Validity period (वैलिडिटी पीरियड)
शुल्कदत्त दाम—Duty paid price (ड्यूटी पेड प्राइस)
शुल्कदेय माल—Dutiable goods (ड्यूटीएबल गुड्स)
शैयर बाज़ार—Stock exchange (स्टॉक एक्सचेंज)
सक्रिय पूंजी—Active capital (एक्टिव कैपिटल)
संचित निधि—Consolidated fund (कन्सोलिडेटिड फ़ंड)
समशोधन—Cash transfer clearing (कैश ट्रांसफ़र क्लियरिंग)
सम्मिलित खाता—Joint account (जॉइंट एकाउंट)
स्वयं ही को देय—Payable to self (पेएबल टु सेल्फ़)
सरकारी लेखा, सार्वजनिक लेखा—Public account (पब्लिक एकाउंट)
सरकारी साख—Public credit (पब्लिक क्रेडिट)
सराफ़ा बाज़ार—Bullion exchange (बुलियन एक्सचेंज)
स्वीकृत लेखा—Accounts stated (एकाउंट्स स्टेटिड)
सहकारी बैंक—Cooperative bank (कोऑपरेटिव बैंक)
सहमति-पत्र—Letter of consent (लेटर ऑफ़ कॉन्सेंट)
सशर्त कर्जा—Tied loan (टाइड लोन)
सहायक लेखाकार—Assistant accountant (असिस्टेंट एकाउंटैट)
साख-पत्र—Bill of credit (बिल ऑफ़ क्रेडिट)
साहूकार—Moneylender (मनीलैंडर)
सुनाम लेखा—Goodwill account (गुडविल एकाउंट)
हानि, नुकसान—Loss (लॉस)
हिसाब बन्द करना—Closing of account (क्लोज़िंग ऑफ़ एकाउंट)
हुण्डी, विपत्र—Bill (बिल)
हुंण्डी का पूर्व भुगतान—Retirement of bill (रिटायरमेंट ऑफ़ बिल)
हुण्डी चुकाना—Clearing a bill (क्लियरिंग ए बिल)
हुण्डी दलाल—Bill broker (बिल ब्रोकर)
हुण्डी बही—Bill journal (बिल जर्नल)
क्षतिपूर्ति का दावा—Claim for compensation (क्लेम फ़ॉर कम्पेन्सेशन)
ऋण, उधार—Loan (लोन)
ऋण लेखा—Debt account (डैट एकाउंट)

स्टेशनरी
(STATIONERY)

अक्स कागज़—Tracing paper (ट्रेसिंग पेपर)
अखबार (समाचारपत्र)—Newspaper (न्यूज़पेपर)
अड्डा—Perch (पर्च)
अलमारी—Almirah (ऐलमिरा)
आधी रसीद (गुसन्ना)—Counterfoil (काउंटरफ़ॉयल)
आराम कुर्सी—Easy-chair (ईज़ी-चेयर)

आलपिन—Pin (पिन)
आलपिन लगाने की गद्दी—Pin-cushion (पिन-कुशन)
कलम—Pen (पेन)
कागज़—Paper (पेपर)
कागज़-तराश—Paper-cutter (पेपर-कटर)
कागज़-दाब—Paper-weight (पेपर-वेट)
काग—Cork (कॉर्क)
कार्ड—Card (कार्ड)
काली स्याही—Black ink (ब्लैक इंक)
कोश—Dictionary (डिक्शनरी)
खड़िया पेंसिल—Crayon (क्रेयन)
रजिस्टर—Register (रजिस्टर)
गोंद—Gum (गम)
चिमटी—Clip (क्लिप)
चौकी—Bench (बेंच)
छिद्रण यन्त्र—Punching machine (पंचिग मशीन)
छेद करने का सूआ—Bodkin (बॉडकिन)
छेदनी—Punch (पंच)
जीभी (नोक)—Nib (निब)
जेबी किताब—Pocket-book (पॉकेट-बुक)
टिकट (डाक)—Postage-stamp (पोस्टेज-स्टैंप)
टिकट (रसीदी)—Revenue stamp (रेवेन्यू स्टैंप)
टेबल—Table (टेबल)
डोरी (कीलदार)—Tag (टैग)
ड्राइंग पिन—Drawing-pin (ड्राइंग-पिन)
तार—Wire (वायर)
तिपाई—Stool (स्टूल)
दवात—Inkpot (इंकपॉट)
दैनिक-पत्र—Daily paper (डेली पेपर)
नकल करने का कागज़ (कार्बन-कागज़)—Carbon-Paper (कार्बन-पेपर)
नकल करने की पेंसिल—Copying pencil (कॉपिंग पेंसिल)
नक्शा—Map (मैप)
निमन्त्रण-पत्र—Invitation Card (इन्विटेशन कार्ड)
नीली-काली स्याही—Blue-black ink (ब्लू-ब्लैक इंक)
नीली स्याही—Blue ink (ब्लू इंक)
परकार—Divider (डिवाइडर)
पर की कलम—Quill pen (क्विल पेन)
पुकारने की घंटी—Call-bell (कॉल-बेल)
पेंसिल—Pencil (पेंसिल)
पोस्टकार्ड—Post-card (पोस्ट-कार्ड)
फाइल (मिसिल)—File (फाइल)
फीता—Tape (टेप)
भेंट-कार्ड—Visiting card (विज़िटिंग कार्ड)
मासिक पत्रिका—Monthly Magazine (मंथली मैगज़िन)
मोहर—Seal (सील)
मोमी कपड़ा—Tracing cloth (ट्रेसिंग क्लॉथ)
रबर—Eraser (इरेज़र)
रबर की मोहर—Rubber-stamp (रबर-स्टैंप)
रद्दी की टोकरी—Waste-paper basket (वेस्ट-पेपर बास्केट)
रसीद बही—Receipt-book (रिसीट बुक)
रूलर—Ruler (रूलर)
रोशनाई—Ink (इंक)
रोशनाई का गद्दा—Inkpad (इंकपैड)
लपेटने का कागज़—Packing paper (पैकिंग पेपर)
लाख मुहर लगाने की—Sealing-wax (सीलिंग-वैक्स)
लिखने की पट्टी—Writing pad (राइटिंग पैड)
लिफ़ाफ़ा—Envelope (एनबेलप)
लेखा बही—Ledger (लैजर)
सरेस—Glue (ग्लू)
सादा कागज़—Blank-paper (ब्लैंक-पेपर)
साप्ताहिक पत्र—Weekly paper (वीकली पेपर)
सोखता—Blotting-paper (ब्लॉटिंग-पेपर)
होल्डर—Holder (होल्डर)

जानवर
(ANIMALS)

ऊंट—Camel (कैमल)
कस्तूरी मृग—Musk-deer (मस्क-डियर)
कंगारू—Kangaroo (कैन्गरू)
कुत्ता—Dog (डॉग)
कुतिया—Bitch (बिच)
खच्चर—Mule (म्यूल)
खरगोश (शशक)—Rabbit (रैबिट)
खरहा—Hare (हेअर)
खुर, शफ—Hoop (हूफ़)
गधा—Ass (ऐस)
गाय—Cow (कॉउ)
गिलहरी—Squirrel (स्क्विरिल)
गैंडा—Rhinoceros (रिनोसेरॅस)
गोरखर (ज़ैबरा)—Zebra (ज़ेब्रा)
घोड़ा—Horse (हॉर्स)
घोड़ी—Mare (मेअर)

घोड़े का बच्चा—Colt (कोल्ट)
चीता—Panther (पैंथर)
चींटीखोर—Ant eater (एंट-ईटर)
चूहा—Mouse (माउस)
छछूंदर—Mole (मोल)
जंगली सूअर—Boar (बोअर)
जिराफ़—Giraffe (जिराफ़)
झबरा कुत्ता—Spaniel (स्पैनियल)
टट्टू—Pony (पोनी)
तेंदुआ—Leopard (लैपर्ड)
नेवला—Mongoose (मोंगूज़)
दुम Tail (टेल)
पशु—Beast (बीस्ट)
पंजा—Claw (क्लॉ)
प्रजनक सांड—Sire (सायर)
पिल्ला—Puppy (पपी)
बकरा—He-goat (ही-गोट)
बकरी—She-goat (शी-गोट)
बकरी का बच्चा—Kid (किड)
बछड़ा—Calf (काफ़)
बछिया—She-calf (शी-काफ़)
बिल्ली—Cat (कैट)
बिल्ली का बच्चा—Kitten (किटन)
बन्दर—Monkey (मंकी)
बनमानुष—Chimpanzee (चिम्पैन्ज़ी)
बाघ—Tiger (टाइगर)
बारहसिंगा—Stag (स्टैग)
बारहसिंगी—Hind (हाइंड)
बैल—Ox (ऑक्स)
भालू—Bear (बिअर)
भेड़िया—Wolf (वुल्फ़)
भेड़ (मेष)—Sheep (शीप)
भेड़ी—Ewe (यू)
भेड़ का बच्चा—Lamb (लैम)
भैंस—Buffalo (बफ़लो)
मेढ़ा—Ram (रैम)
मेमना—Kid (किड)
मूसा, चूहा—Rat (रैट)
लोमड़ी—Fox (फॉक्स)
लकड़बग्घा—Hyena (हायना)
लंगूर—Ape (एप)
शिकारी कुत्ता—Hound (हाउंड)
सांड—Bull (बुल)
साही—Porcupine (पोर्कुपाइन)
सियार (गीदड़)—Jackal (जैकाल)
सिंह—Lion (लायन)
सींग—Horn (हार्न)
सुअर—Pig (पिग), Swine (स्वाइन)
हिरन—Deer (डियर)
हिरन का बच्चा—Fawn (फ़ॉन)
हाथी—Elephant (एलिफैंट)

कीट-पतंग
(WORMS & INSECTS)

अजगर—Boa (बोआ)
कछुवा, कच्छप—Turtle (टर्टल)
केंचुआ—Earthworm (अर्थवार्म)
केकड़ा—Crab (क्रैब)
खटमल—Bug (बॅग)
गेहुवन सांप—Adder (ऐडर)
गोबरीला—Beetle (बीटल)
घोंघा—Snail (स्नेल)
चीलर—Body-lice (बॉडी लाइस)
छिपकली—Lizard (लिज़र्ड)
ज़हर—Poison (पॉयज़न)
जहर के दांत—Fangs (फ़ैंग्स)
जुगनू—Glowworm (ग्लोवार्म)
जूं—Lice (लाइस)
जोंक—Leech (लीच)
झींगुर—Cricket (क्रिकेट)
टिड्डा—Grass-hopper (ग्रास-हौपर)
टिड्डी—Locust (लोकस्ट)
ततैया, भिड़—Wasp (वॉस्प)
तितली—Butterfly (बटरफ़्लाइ)
दरियाई घोड़ा—Hippopotamus (हिप्पोपौटेमस)
दीमक—Termite (टर्माइट)
नाग—Cobra (कोबरा)
पिस्सू—Flea (फ्ली)
फन—Hood (हुड)
बिच्छू—Scorpion (स्कॉरपिअन)
मक्खी—Fly (फ्लाइ)
मकड़ी—Spider (स्पाइडर)
मकड़े का जाला—Web (वैब)
मगरमच्छ—Crocodile (क्रोकोडाइल)

मच्छर—Mosquito (मास्किटो)
मछली—Fish (फ़िश)
मधुमक्खी—Honey-bee (हनी-बी)
मधुमक्खी (मादा)—Bee (बी)
महाचिंग (झिंगा मछली)—Lobster (लॉब्स्टर)
मूषक पिस्सू—Rat flea (रैट फ्ली)
मेंढक—Frog (फ्रॉग)
मेंढक का बच्चा—Tadpole (टैडपोल)
रेशम का कीड़ा—Silk-worm (सिल्क-वार्म)
रेशम का कोआ—Cocoon (कोकून)
लीख—Nit (निट)
सर्प मीन—Eel (ईल)
शार्क, हंगुर—Shark (शार्क)
सांप—Snake (स्नेक)
सीप (शुक्ति, कस्तूरा मछली)—Oyster (ओइस्टर)

पक्षी (BIRDS)

अबाबील—Swallow (स्वैलो)
उल्लू—Owl (आउल)
कठफोड़ा—Woodpecker (वुडपैकर)
कबूतर (कपोत)—Pigeon (पिजिन)
काला कौवा—Raven (रैवन)
कोयल —Cuckoo (कुक्कू)
कौवा—Crow (क्रो)
गरुड़—Eagle (ईगल)
गिद्ध—Vulture (वल्चर)
गौरैया—Sparrow (स्पैरो)
चमगादड़—Bat (बैट)
चील—Kite (काइट)
चूज़ा—Chicken (चिकन)
तीतर—Partridge (पार्ट्रिज़)
तोता—Parrot (पैरट)
नीलकण्ठ—Magpie (मैग्पी)
डैना (पर)—Wing (विंग)
पंख—Feather (फ़ैदर)
फ़ाख्ता—Dove (डव)
बत्तख (नर)—Drake (ड्रेक)
बत्तख का बच्चा—Duckling (डकलिंग)
बत्तखी—Duck (डक)
बुलबुल—Nightingale (नाइटिंगेल)
बया—Weaver bird (वीवर बर्ड)
बटेर—Quail (क्वेल)
बाज़—Hawk (हॉक)
मुर्गा—Cock (कॉक)
मुर्गी—Hen (हेन)
मुर्गी का बच्चा—Chicken (चिकन)
मोर—Peacock (पीकॉक)
मोरनी—Peahen (पीहैन)
लवा—Lark (लार्क)
सारस—Crane (क्रेन)
हंस (राजहंस)—Swan (स्वैन)

अंग्रेजी-हिंदी शब्दकोश (English–Hindi Dictionary)

A

aback—(अबैक) *adv.* backwards पीछे; Taken aback-surprised. चकित.

abandon—(अबैण्डन्) *v. t.* to forsake, to give up to another. परित्याग करना, किसी के ऊपर छोड़ देना.

abandonment—(अबैण्डनमेण्ट) *n.* giving up completely, surrender. पूर्ण परित्याग.

abate—(अबेट) *v. t.* to diminish or weaken. कम करना, कमज़ोर करना, घटाना.

abatement—(अबेटमेण्ट) *n.* deduction, decrease. कमी, कटौती.

abbreviate—(एब्रीविएट) *v. t.* to make brief or short. संक्षिप्त करना, छोटा करना.

abbreviation—(एब्रीविएशन) *n.* making short specially a word or phrase. किसी शब्द या वाक्यांश को संक्षिप्त करना.

abide—(अबाइड) *v. t.* stand firm, continue, put up with. दृढ़ रहना, जारी रहना, सहना, टिकना.

abiding—(अबाइडिंग) *adj.* permanent. स्थायी.

ability—(एबीलिटी) *n.* capacity, skill, mental or physical power. योग्यता, क्षमता, कौशल.

abject—(एबजेक्ट) *adj.* mean, worthless, तुच्छ, निकम्मा.

ably—(एब्ली) *adv.* in a competent manner. योग्यतापूर्वक.

abnegate—(एबनीगेट) *v. t.* to deny oneself, to give up. अपने को वंचित करना या त्यागना.

abnegation—(एब्नीगेशन) *n.* denial, self sacrifice. त्याग.

abnormal—(एब्नॉर्मल) *adj.* irregular, not usual. अनियमित, असाधारण.

aboard—(अबोर्ड) *prep. adv.* on a ship, aircraft or train. जहाज़, हवाई जहाज़ या रेल गाड़ी के ऊपर.

abode—(अबोड) *n.* dwelling. निवास स्थान.

abolish—(अबॉलिश) *v. t.* to put an end to. समाप्त करना, हटाना (विशेषत: कोई रीति, कानून या संस्था).

abomination—(एबॉमिनेशन्) *n.* an object of disgust, a hateful thing or habit. घृणित कार्य या आदत

abortion—(एबॉरशन्) *n.* miscarriage before birth. गर्भपात.

above—(एबव) *adv.* in a higher place. ऊपर; *prep.* on the top of, more than. ऊपर, अधिक.

abridgement—(अब्रिजमेण्ट) *n.* shortening. छोटा, संक्षेप, कमी.

abrupt—(एब्रप्ट) *adj.* hasty, unexpected, sudden, unconnected. उतावला, आकस्मिक, अचानक, असम्बद्ध.

absence—(ऐब्सेन्स) *n.* being away from a place, non-existence. अनुपस्थिति, अभाव.

absent—(ऐब्सेण्ट) *adj.* not present. अनुपस्थित; absent-minded, abstracted. खोया हुआ-सा.

absentee—(ऐब्सेण्टी) *n.* one away from a place or post of duty. जो किसी स्थान या कार्य पर उपस्थित न रहे, गायब रहने वाला.

absolutely— (एब्सोल्यूटली) *adv.* in an absolute way. पूर्ण रूप से, स्वतंत्रता पूर्वक.

absorb—(एब्ज़ॉर्ब) *v. t.* to take in, to incorporate, to engage. सोखना, हड़प कर लेना, लीन होना.

absorption—(ऐब्ज़ॉर्पशन) *n.* sucking in engrossment. तल्लीनता.

abstract—(ऐब्सट्रैक्ट) *n.* summary. सारांश, सार.

abstract—(एब्सट्रैक्ट) *v. t.* to abridge, to remove. संक्षेप करना, अलग करना.

absurd—(ऐब्सर्ड) *adj.* illogical, ridiculous. असंगत, हास्यास्पद.

abuse—(ऐब्यूज़) *v. t.* to ill treat, to insult. दुर्व्यवहार करना, अपशब्द कहना.

accede—(एक्सीड) *v. i.* to agree, to consent, to comply with. स्वीकार करना, सहमत होना, मानना.

acceleration— (एक्सीलेरेशन) *n.* increase in speed. चाल में वृद्धि.

accept—(ऐक्सेप्ट) *v. t. & i.* to agree, to have, agree to a statement or proposal. कबूल करना, कार्य भार लेना, स्वीकार करना.

acceptable—(ऐक्सेप्टेबल) *adj.* fit to be accepted, welcome. स्वीकार करने योग्य, वांछनीय.

acceptance—(ऐक्सेप्टेन्स) *n.* approval of offer. स्वीकृति.

access—(ऐक्सेस) *n.* approach, passage. पहुंच, राह.

accessible—(ऐक्सेसिबिल) *adj.* easily approachable, easily influenced. जिससे आसानी से मिला जा सके या प्रभाव डाला जा सके.

accidental—(ऐक्सीडेण्टल) *adj.* happening by chance, अकारण या आकस्मिक.

acclaim—(अक्लेम) *v. t.* to applaud, to cheer. जयघोष द्वारा स्वीकार करना; *n.* acclaimer. प्रशंसक.

acclamation—(एक्लेमेशन) *n.* shoutings of applause. जय-ध्वनि.

accomplish—(अकम्प्लिश) *v. t.* fulfil, achieve, bring to completion. काम पूरा करना, पूरा करना.

accomplished—(अकम्प्लिश्ड) *adj.* perfect, graceful. कुशल, प्रवीण.

accomplishment— (अकम्प्लिश्मेण्ट) *n.* fulfilment, attainment. प्राप्ति, सिद्धि.

according—(अकार्डिंग) *adv.* consistent with. अनुकूल.

accordingly— (अकार्डिंगली) *adv.* as demanded by the circumstances. तदनुकूल.

account—(एकाउन्ट) *v. t.* reckon, to judge. गिनना, मूल्य करना; *v. i.* give reason. कारण बताना.

accumulation—(अक्यूम्युलेशन) *n.* collection, amassing. ढेर, संचय.

accurate—(अक्यूरेट) *adj.* exact. सही, यथार्थ.

accuracy—(अक्यूरेसी) *n.* exactness. शुद्धता, यथार्थता.

accuse—(अक्यूज़) *v. t.* blame, to charge. अभियोग लगाना, दोषारोपण करना.

accused—(एक्यूज़्ड) *adj.* or *n.* charged with crime, defendant. दोषी, अभियुक्त.

achieve—(अचीव) *v. t.* accomplish, to secure an end. काम पूरा करना, सफल होना.

achievement—(एचीवमेण्ट) *n.* deed, accomplishment, exploit. कार्य, पराक्रम, प्राप्ति.

acknowledgement— (एकनॉलेजमेण्ट) *n.* recognition, a receipt. स्वीकृति, रसीद.

acquaintance—(ऐक्वेन्टेन्स) *n.* familiarity, knowledge. परिचय, ज्ञान.

acquainted—(अक्वेन्टेड) *adj.* familiar. परिचित.

acquiesce—(एकविअस) *v. i.* to agree, to assent. मन ही मन सहमत.

acquire—(ऐक्वायर) *v. t.* to get, to obtain, to come in possession of. प्राप्त करना, अधिकार में करना.

acquisition—(ऐक्विज़िशन) *n.* the act of acquiring, gain, लाभ, उपलब्धि.

acquit—(एक्विट) *v. t.* to set free, to declare innocent, to release. दोष से मुक्त करना, छुटकारा देना, चरितार्थ करना.

action—(ऐक्शन) *n.* deed, a law suit, battle, activity. कार्य, मुक़दमा, लड़ाई, क्रिया.

activity—(ऐक्टिविटी) *n.* the state of being active, action. क्रियाशीलता, कार्य.

actor—(ऐक्टर) *n.* dramatic performer, a doer. अभिनेता, कर्त्ता.

actress—(ऐक्ट्रेस) *n. fem.* female actor. अभिनेत्री.

actually—(ऐक्चुअली) *adv.* in fact. वस्तुत:

acute—(ऐक्यूट) *adj.* sharp, keen. तीक्ष्ण, तीव्र.

adapt—(एडैप्ट) *v. t.* to make suitable, to fit. ठीक करना, उपयुक्त बनाना.

add—(ऐड) *v. t.* to join, to sum up, to unite. जोड़ना, जुटाना.

addition—(ऐडिशन) *n.* act of adding, something added. योग, जमा.

additional—(एडिशनल) *adj.* extra, supplementary. अतिरिक्त, अधिक, पूरक.

addiction—(एडिक्शन) *n.* the state of being addicted. आसक्ति, व्यसन.

addressee—(ऐड्रेसी) *n.* a person to whom a letter etc. is addressed. जिसे पत्र लिखा जाए.

adequate—(एडिक्वेट) *adj.* fully sufficient, equal to requirement. पर्याप्त, योग्य, काफी.

adhere—(एडहियर) *v. t.* to stick. चिपकना, लगे रहना.

Adherence—(एडहियरेंस) *n.* attachment. लगाव.

adjoin—(एडजॉयन) *v. i. & v t.* to join to, to be in contact with. समीप होना, संयुक्त करना.

adjourn—(ऐडजर्न) *v. t.* to put off till another day, to postpone. स्थगित करना, टालना, मुलतवी करना.

adjournment— (ऐडजर्नमेन्ट) *n.* putting off till another day, postponement. स्थगन, स्थगनकाल.

adjure—(एडज्यूर) *v. t.* to charge under oath. शपथ देकर बाध्य करना.

adjustment—(एडजस्टमेण्ट) *n.* putting in order, modify to suit purpose. समायोजन, व्यवस्था.

administer—(एडमिनिस्टर) *v. t.* to manage, to furnish, to act as administrator. प्रबंध करना, शासन करना, देना.

administration— (एडमिनिस्ट्रेशन) *n.* management of an office, agency or organization, Government department which manages public affairs. व्यवस्था, प्रबंध, प्रशासन.

administrator— (एडमिनिस्ट्रेटर) *n.* a governor. शासक.

admirable—(एडमिरेबल) *adj.* worthy of admiration. प्रशंसनीय, सराहने योग्य.

admire—(एडमायर) *v. t.* to prize highly, to wonder at. प्रशंसा करना, स्तुति करना.

admissible—(ऐडमिस्बल) *adj.* fit to be allowed. ग्राह्य, अंगीकार योग्य.

admission—(एडमिशन) *n.* access, introduction. प्रवेश.

adult—(एडल्ट) *n. & adj.* a grown up person. युवा पुरुष, बालिग.

adulterate—(एडल्टरेट) *v. t.* to make impure, to corrupt. अशुद्ध करना, मिलावट करना.

adulteration—(एडल्टरेशन) *n.* act of adulterating. मिश्रण, मिलावट.

advancement— (एडवांसमेण्ट) *n.* promotion, improvement. वृद्धि, उन्नति.

advantageous—(एडवाण्टेजियस) *adj.* beneficial. लाभदायक.

adventure—(एडवेन्चर) *n.* an enterprise, a risk or hazard. साहसिक कार्य; *v.t.* to risk, to dare. साहस करना.

adventurer—(एडवेन्चरर) *n.* one who seeks adventure, speculator. साहस या शौर्य का कार्य करने वाला, दांव लगाने वाला.

adventurous— (एडवेन्चरस) *adj.* enterprising. साहसी, प्रगतिशील, निर्भीक.

adverb—(एडवर्ब) *n.* a word that modifies an adjective, a verb or another adverb. क्रिया विशेषण.

adversary—(एडवर्सरी) *n.* an enemy, an opponent. बैरी, शत्रु, प्रतिवादी.

adverse—(एडवर्स) *adj.* opposing, contrary. विपरीत, विरुद्ध.

adversity—(एडवर्सिटी) *n.* misfortune. दुर्भाग्य.

advert—(एडवर्ट) *v. t.* to turn attention to, to allude. ध्यान देना, उद्देश्य करना.

advertise (ze)—(एडवटाइज़) *v. t.* to make public. प्रकाशित करना, विज्ञापन देना.

advertisement— (एडवटाइजमेण्ट) *n.* a public notice. विज्ञापन.

advice—(एडवाइस) *n.* counsel, instruction. उपदेश, परामर्श.

advise—(एडवाइज़) *v. t. & i.* to give advice, to inform, to notify. उपदेश करना, सूचना देना, परामर्श करना.

aerogram—(एरोग्राम) *n.* wireless message. बिना तार द्वारा भेजा हुआ संदेश.

aesthetic—(ईस्थेटिक) *adj.* concerning appreciation of beauty. सौंदर्य की परख सबंधी, सुरुचिपूर्ण.

affect—(अफ़ेक्ट) *v. t.* to act upon, to move the feelings of, to pretend, to assume. प्रभावित करना, बनाना.

affectation—(अफ़ेक्टेशन) *n.* false pretence. बनावट, आडम्बर.

affected—(अफ़ेक्टेड) *adj.* not natural. कृत्रिम, बनावटी.

affective—(अफ़ेक्टिव) *adj.* emotional. भावपूर्ण.

affection—(अफ़ेक्शन) *n.* love, tender attachment प्रेम, अनुराग.

affiliate—(अफ़िलिएट) *v. t.* to bring into close association or connection. साथ मिलाना, शामिल करना.

afford—(एफ़ोर्ड) *v. t.* to give forth, to have means. खर्च करने की क्षमता रखना, खर्च उठा सकना.

aforesaid—(एफ़ोरसेड) *adj.* before mentioned. पूर्व कथित.

afraid—(अफ़्रेड) *adj.* frightened. भयभीत, डरा हुआ.

afternoon— (एलॉटमेण्ट) the time from noon until evening. दोपहर.

afterwards—(आफ़्टरवर्ड्स) *adv.* subsequently. बाद में.

again—(अगेन) *adv.* once more. दुबारा, एक बार और.

against—(अगेन्स्ट) *prep.* in opposition to, in contact with. प्रतिकूल, सामने, विरुद्ध, अभिमुख, खिलाफ.

age—(एज) *n.* period of life, maturity of years, generation. वय, अवस्था, युग; to come of age. बालिग होना, वयस्क होना.

aged—(एजेड) *adj.* advanced in years. वयोवृद्ध, बुड्ढा.

agitate—(एजीटेट) *v. t.* to move, shake, discuss, excite feelings. हिलाना, झकझोरना, बहस करना, आंदोलन करना.

agitation—(एजीटेशन) *n.* moving, disturbance, public excitement. आंदोलन, सार्वजनिक वाद-विवाद.

agnostic—(एग्नॉस्टिक) *n. & adj.* one who believes that nothing can be known about God except material things. प्रत्यक्षवादी.

ago—(अगो) *adj. & adv.* past. पूर्व.

agree—(ऐग्री) *v. t. & i.* consent. राज़ी होना, सहमत होना.

agreeable—(अग्रीएबल) *adj.* pleasing, ready to agree. रुचिकर, अनुसार, सहमत.

agreement—(ऐग्रीमेण्ट) *n.* understanding, contract, treaty. एकरारनामा, समझौता, सन्धिपत्र.

agriculture—(एग्रीकल्चर) *n.* cultivation of land. कृषि, खेती.

aid—(ऐड) *n.* help, grant. सहायता, आर्थिक सहायता.

ailment—(एलमेण्ट) *n.* pain, disease. दर्द, बीमारी.

aim—(ऐम) *n. & v. t.* purpose, destination, to direct a blow, point. ध्येय, आदर्श, निशाना साधना, निशाना.

air—(एअर) *n.* the atmosphere, outward manner, a tune or melody. वायुमंडल, वायु, पवन, आकृति, चाल-ढाल, तान, सुर.

airmail—(एअरमेल) *n.* mail carried by aeroplane. हवाई जहाज़ से आने वाली डाक.

airport—(एअरपोर्ट) *n.* aerodrome. हवाई जहाज़ का अड्डा.

alcohol—(एलकोहॉल) *n.* intoxicating liquor. मदिरा.

alignment—(एलाइनमेण्ट) *n.* a row, plan of a road or railway. पंक्ति, सड़क या रेल की लाइन का नक्शा.

alike—(एलाइक) *adj. & adv.* like, in the same manner. सदृश, समान, एक प्रकार का.

alien—(एलियन) *n.* foreigner, stranger. विदेशी, अपरिचित.

alive—(एलाइव) *adj.* living, acting, full of. जीवित, सचेत, परिपूर्ण.

allegation—(एलीगेशन) *n.* assertion. अभियोग.

allegoric (al)—(एलिगोरिक (ल) *adj.* figurative. रूपकमय.

alley—(ऐली) *n.* a narrow passage, a street. संकुचित मार्ग, संकरी गली.

alliance—(अलाइअन्स) *n.* relationship, union. सम्बन्ध, नाता, मेल.

alligate—(एलीगेट) *v. t.* to conjoin, to combine. साथ-साथ मिलाना, जोड़ना.

alliteration—(एलिटरेशन) *n.* coming of several words in a sentence with the same letter. अनुप्रास.

allocate—(एलोकेट) *v.t.* to assign, to allot. भाग नियत करना, बांटना.

allopathy—(एलोपैथी) *n.* a system of treatment of disease. चिकित्सा शैली, डाक्टरी इलाज.

allotment—(एलॉटमेण्ट) *n.* share distributed. अंश, विभक्त भाग.

allow—(एलाउ) *v. t.* to permit. आज्ञा देना.

allowable—(एलाएबिल) *adj.* suitable to be allowed. आज्ञा देने योग्य.

allowance—(एलाउन्स) *n.* permission, a grant, discount. आज्ञा, गुज़ारा, कटौती.

allure—(अल्यूर) *v. t.* to tempt, to entice. ललचाना, फुसलाना.

allusion—(अल्यूज़न) *n.* implied or indirect reference. उद्देश्य, संकेत.

almighty—(ऑलमाइटी) *adj.* having infinite power, omnipotent. सर्वशक्तिमान.

almost—(ऑलमोस्ट) *adj., adv.* & *n.* nearly, all but. प्रायः, प्रायः सब.

alone—(एलोन) *adj.* single, solitary. अकेला, एक; *adv.* singly. अकेले, केवल.

alphabet—(ऐल्फाबेट) *n.* the letters of a language arranged in order. वर्णमाला.

already—(ऑलरेडी) *adv.* previously, by this time. पहिले ही से.

alter—(ऑल्टर) *n.* an elevated place for sacrifice or offerings. वेदी.

alter—(ऑल्टर) *v. t.* & *i.* to change, to make different. बदलना, भिन्न करना.

alteration—(ऑल्टरेशन) *n.* change. अदल-बदल, परिवर्तन.

alternate—(ऑल्टरनेट) *adj.* by turns. पक्षांतर. विकल्प; *v. t.* to follow in turns. पारी-पारी से.

alternative—(ऑल्टरनेटिव) *n.* a choice between two. पक्षांतर.

although—(ऑलदो) *conj.* though, supposing that. यद्यपि, मानो.

altitude—(ऐल्टीट्यूड) *n.* vertical height, elevation. ऊंचाई.

altogether—(ऑलटुगेदर) *adv.* entirely, quite. सर्वदा, पूर्णरूप से.

always—(ऑलवेज़) *adv.* at all times. सर्वदा, निरन्तर.

amateur—(अमेचर) *n.* one who cultivates an art, game etc. for pleasure sake. किसी शिल्प या विद्या का शौकिया अभ्यास करने वाला.

amazement—(अमेज़मेण्ट) *n.* astonishment. विस्मय, आश्चर्य.

ambiguous—(ऐम्बीग्युअस) *adj.* doubtful, indistinct, of more than one meaning. अस्पष्ट, संदिग्ध, एक से अधिक अर्थ वाला.

ambition—(एम्बिशन) *n.* an ardent or eager desire to rise in position or power. अभिलाषा, लालसा, महत्त्वाकांक्षा.

ambitious—(ऐम्बिशस) *adj.* strongly desirous. अधिक लालसा रखने वाला, महत्त्वाकांक्षी.

ambulance—(एम्बुलेंस) *n.* conveyance used for the wounded or sick persons. घायलों या बीमारों को अस्पताल में से ले जाने वाली गाड़ी.

ameliorate—(ऐमीलियोरेट) *v. t.* to improve, to make better. सुधारना, उन्नति करना.

amenable—(अमेनेबल) *adj.* responsible, submissive, liable to. आज्ञाकारी, उत्तरदाता.

amendment—(अमेण्डमेण्ट) *n.* improvement. संशोधन, उन्नति.

amiable—(एमीएबल) *adj.* of pleasing disposition, lovable. सुशील, मनोहर.

amicable—(एमीकेबल) *adj.* friendly, peaceable. मित्र-भाव का, सुशील, दोस्ताना.

amount—(अमाउण्ट) *n.* full value. पूरा मूल्य, जोड़; *v. t.* to be equivalent to. बराबर होना, परिणाम होना.

ample—(ऐमप्ल) *adj.* sufficient, spacious, abundant. पर्याप्त, विस्तृत, फैला हुआ.

amplification—(ऐम्प्लीफिकेशन) *n.* development. विस्तार.

amplifier—(ऐम्पलीफायर). *n.* an appliance for increasing force. शक्ति बढ़ाने का एक प्रकार का यंत्र.

amplify—(एम्पलीफ़ाई) *v. t.* to make bigger, to enlarge. बड़ा बनाना.

amputate—(एम्प्युटेट) *v. t.* to cut off the limb of a creature. किसी प्राणी का अंग काटना.

amusement—(अम्यूज़मेण्ट) *n.* a pastime. मन-बहलाव.

anaemia—(अनीमिया) *n.* poverty of blood. शरीर में रुधिर की कमी, कमजोरी, रक्तहीनता.

analysis—(अनालिसिस) *n.* (pl. ses. सीज़) the act of analysing, resolving into simple elements. परिच्छेद की क्रिया.

ancient—(एनशेंट) *adj.* of time long past, old, belonging to former age. प्राचीन, पुराना.

angel—(ऐंजेल) *n.* a messenger from heaven. देव दूत.

anger—(ऐंगर) *n.* rage, wrath. कोप, क्रोध; *v. t.* to make angry. क्रुद्ध करना.

angler—(ऐंग्लर) *n.* one who angles. मछली पकड़ने वाला.

anglo—(ऐंग्लो) *pref.* meaning English. "अंग्रेज़ी" अर्थ का उपसर्ग.

angry—(ऐंग्री) *adj.* wrathful. क्रोधी, कुपित.

anguish—(ऐंग्विश) *n.* extreme pain (of mind). मानसिक पीड़ा, वेदना.

animal—(ऐनीमल) *n.* a living and feeling creature. जन्तु, प्राणी, जीवधारी; *adj.* relating to life. प्राण सम्बन्धी.

annex—(अनेक्स) *v. t.* to append, to take possession. संयोग करना, जोड़ना, अधिकार में ले लेना.

annihilation—(ऐनिहिलेशन) *n.* total destruction. विनाश, संहार.

anniversary—(ऐनिवर्सरी) *n.* (ries pl.) an yearly celebration of an event. वार्षिकोत्सव.

announcement—(एनाउन्समेण्ट) *n.* proclamation. घोषणा, विज्ञापन.

annoy—(अनॉय) *v. t.* to worry, to trouble. कष्ट देना, चिढ़ाना.

annoyance—(अनॉयैन्स) *n.* worry. पीड़ा, बाधा, दुःख, झुंझलाहट.

annual—(ऐनुअल) *adj.* yearly, happening every year. वार्षिक, प्रतिवर्ष होने वाला; *n.* a plant that lives for one year only. एक वर्ष तक रहने वाला पौधा.

another—(अनअदर) *adj.* & *pron.* different, not the same, one more. दूसरा, भिन्न, दूसरा कोई, एक और.

anonymously—(एनॉनिमसली) *adv.* in a way where no name is mentioned. गुमनाम से, बिना नाम लिखे हुए.

answerable—(आनसरएब्ल) *adj.* that may be replied to. उत्तरदाता, जवाबदेह.

ante—(एण्टी) *pref.* before. पूर्व.

antecedent—(ऐण्टीसीडेण्ट) *n.* previous, preceding. पूर्वगामी, पहिले का.

antelope—(ऐण्टेलोप) *n.* a kind of deer. एक प्रकार का हिरन.

ante meridiem—(ऐण्टीमेरिडियम) (abbr. A. M.) before noon. मध्यान्ह के पहले का.

anterior—(ऐण्टीरियर) *adj.* former, previous. पूर्वकाल का, पहिले का.

anti—(एण्टी) *prep.* opposite to, against. भिन्न, विपरीत.

anticipate—(ऐण्टीसिपेट) *v. t.* & *i.* to do in advance, to foresee. पहिले से विचार करना, आशा करना.

anticipation—(ऐण्टीसिपेशन) *n.* expectation. आशा, पूर्व ज्ञान.

antique—(ऐण्टिक) *adj.* old fashioned, unusual. प्राचीन अनोखा

antiquity—(एण्टीक्विटी) *n.* relics of old times. प्राचीन काल के अवशेष.

antiseptic—(ऐण्टीसेप्टिक) *adj.* & *n.* preventing decay. सड़न रोकने वाली.

antonym—(ऐण्टोनिम) *adj.* a word of contrary meaning. विपरीत अर्थ का शब्द.

anxiety—(ऐंक्ज़ाइटी) *n.* uneasiness of mind, eager desire. चिन्ता, उत्कण्ठा, व्यग्रता.

anxious—(ऐंक्शस) *adj.* uneasy, troubled. चिन्तित, व्याकुल.

any—(एनी) *pron.* & *adj.* one, some. किसी, कोई, कुछ, कैसा ही.

apathy—(अपैथी) *n.* insensibility, indifference. अनुभव-शून्यता, उदासीनता.

apology—(अपॉलोजी) *n.* (pl. gies) an excuse, vindication. क्षमा, प्रार्थना.

apostrophe—(अपॉस्ट्रफी) *n.* sign of ommission of a letter ('), an exclamatory address. सम्बन्ध कारक का चिन्ह, सम्बोधन, आह्वान.

apparent—(अपैरेण्ट) *adj.* visible, clear, evident. प्रत्यक्ष, स्पष्ट.

appear—(अपीयर) *v. t.* to become visible, to show oneself, to seem. प्रकाशित होना, देख पड़ना, जान पड़ना.

appearance—(अपियरैन्स) *n.* a thing seen, outward aspect. आकृति, रूप, सम्भावना.

appendix—(अपेण्डिक्स) *n.* addition at the end in a document, a tubular structure at end of large intestine. परिशिष्ट, एक रोग जो आंतों के बढ़ जाने से होता है.

appetite—(एपिटाइट) *n.* hunger. भूख.

appetize—(एपिटाइज़) *v. t.* to have hunger. भूख लगना.

appetizer—(एपिटाइज़र) *n.* a thing that gives appetite. भूख बढ़ाने वाला.

applause—(अप्लॉज़) *n.* approval, praise. प्रशंसा, स्तुति.

applicable—(ऐप्लीकेबल) *adj.* suitable. अनुकूल, उचित.

applicant—(एप्लीकैण्ट) *n.* one who applies. प्रार्थना करने वाला.

apply—(अप्लाई) *v. t.* & i. (p.t. Applied) to put close to, to employ, to fix mind upon. संयुक्त करना, लगाना, आरूढ़ होना.

appointment— (अपॉइण्टमेण्ट) *n.* engagement. नियुक्ति.

apposite—(अपोज़िट) *adj.* suitable, proper. योग्य, अनुकूल, ठीक.

appraise—(अप्रेज़) *v. t.* to estimate the worth of, to set price on. मूल्य ठहराना, दाम लगाना.

appreciable— (ऐप्रीशिएबल) *adj.* noticeable. जानने योग्य.

appreciate—(ऐप्रीशिएट) *v. t.* & *i.* to estimate, to value highly, to rise or raise in value. गुण जानना, मान करना.

apprehension—(ऐप्रीहेन्शन) *n.* understanding, fear. अनुमान, भय.

approach—(अप्रोच) *v. t.* & *i.* to come near, to ask, to make proposal, to advance. निकट आना, प्रस्ताव करना, मांगना, बढ़ना.

appropriate—(एप्रोप्रियेट) *v. t.* to take possession of, to set apart as fund for a certain person or purpose. अधिकार करना, अपनाना, अलग निकाल कर रख देना.

approval—(अप्रूवल) *n.* sanction. अनुमोदित.

approve—(अप्रूव) *v. t.* to sanction, to like, to commend. रुचना, अनुमोदन करना.

approximately — (एप्रोक्सीमेटली) *adv.* in an approximate manner, nearly. लगभग करीब-करीब.

apt—(ऐप्ट) *adj.* ready, quick to learn, suitable. तत्पर, उद्यत, उपयुक्त.

arbitrate—(आर्बिट्रेट) *v. t.* to act as a judge. पंचों का न्याय करना.

arbitration—(आर्बिट्रेशन) *n.* decision of an arbitrator. पंच का निर्णय.

arbitrator—(आर्बिट्रेटर) *n.* one who arbitrates. पंच, मध्यस्थ.

architect—(आर्किटेक्ट) *n.* one skilled in planning and erecting buildings. शिल्पकार, गृहनिर्माण कला जानने वाला.

architecture—(आर्किटेक्चर) *n.* art of building. शिल्प विद्या, घर बनाने की कला.

ardent—(आर्डेण्ट) *adj.* burning, eager. उत्सुक, उत्साहपूर्ण.

ardour—(आरडर) *n.* warmth of feeling, heat, zeal. उत्कंठा, उत्सुकता.

argue—(आर्ग्यू) *v. t.* & *i.* to discuss, to try, to prove. तर्क करना, विवाद से सिद्ध करना.

argument—(आर्ग्यूमेण्ट) *n.* reasoning, debate, subject. तर्क शास्त्रार्थ, विषय.

aristocrat—(एरिस्टोक्रेट) *n.* one of good birth. रईस, अमीर.

arithmetician— (अरिथमैटीशियन) *n.* one skilled in Arithmetic. गणितज्ञ.

armament—(आममेण्ट) *n.* equipment for fighting. युद्ध सामग्री, शास्त्रास्त्र.

army—(आर्मी) *n.* a large body of men armed for war, a host. सेना, दलबल, फ़ौज.

around—(अराउण्ड) *adv.* in every direction, about, along. चारों ओर, आगे, सब ओर.

arrange—(एरेन्ज) *v. t.* to put in proper place, to settle, to adjust. उचित स्थान में लगाना, तैयारी करना.

arrear—(एरियर) *n.* state of being behind. पीछे रहने की स्थिति.

arrears—(एरियर्स) *n.* pl. money due but not paid. बकाया.

arrest—(अरेस्ट) *v.t.* to step, to seize by legal authority, to check motion. रोकना, पकड़ना; *n.* stoppage, imprisonment. गिरफ्तारी, रुकावट.

arrival—(अराइवल) *n.* act of reaching. आगमन, पहुंच.

arrive—(अराइव) *v. t.* to reach a place, to attain. पहुंचना, प्राप्त करना.

arrogant—(एरोगेण्ट) *adj.* haughty. अभिमानी.

art—(आर्ट) *n.* human skill or knowledge, cunning. शिल्प कला, कौशल चातुरी.

article—(आर्टीकल) *n.* a thing, a literary composition in grammar, the words a, an & the. वस्तु, लेख, धारा, व्याकरण में a, an और the.

artisan—(आर्टीज़न) *n.* mechanic. शिल्पकार.

artist—(आर्टिस्ट) *n.* one skilled in fine art. चित्रकार, निपुण कारीगर.

ascend—(असेण्ड) *v. t.* & *i* to go up, to rise, to mount. चढ़ना, बढ़ना, ऊपर जाना.

ascension—(असैन्शन) *n.* act of ascending. बढ़ती, चढ़ाव.

ascertain—(असर्टेन) *v. t.* to make certain, to find out. निश्चित करना, जांचना.

ash—(ऐश) *n.* name of a tree, dust or remains of anything burnt. एक प्रकार का पेड़, धूल, राख.

ashamed—(अशेम्ड) *adj.* abashed. लज्जित.

aside—(एसाइड) *adv.* on one side, away. एक ओर, अलग.

asleep—(अस्लीप) *adj.* in a state of sleep. निद्रा से सोते हुए.

aspiration—(ऐस्पिरेशन) *n.* intense desire. आकांक्षा, लालसा, उत्कंठा, इच्छा.

assail—(असेल) *v. t.* to attack, to assault. आक्रमण करना.

assassination— (असेसिनेशन) *n.* murder. हत्या.

assay—(असे) *v. t.* to try, to analyse. परीक्षा करना, जांच करना; *n.* trial, test of purity. परीक्षा, जांच, परख.

assembly—(असेम्बली) *n.* a meeting, a council. समाज, सभा, मजलिस.

assert—(एसर्ट) *v. t.* to state positively, to affirm. स्पष्ट रूप से व्यक्त करना, स्वीकार करना.

assertion—(एसर्शन) *n.* affirmation. स्वीकारोक्ति, स्पष्ट वचन.

assessment—(असेसमेण्ट) *n.* valuation. कर-निर्धारण, मूल्यांकन, निर्धारण,.

assessor—(असेसर) *n.* one who estimates taxes. कर आंकने वाला, कर अधिकारी.

assets—(एसेट्स) *n.* pl. property of person sufficient to pay his legal debts. पूंजी, सम्पत्ति, विभव.

assign—(असाइंन) *v. t.* to ascribe, to allot, to refer. निर्दिष्ट करना, नियुक्ति करना, सौंपना.

assignation—(एसिग्नेशन) *n.* allotment. बटवारा, सौंपना, हिस्से में देना.

assistance—(एसिस्टेन्स) *n.* act of assisting, help. सहायता, मदद.

assistant—(असिस्टेन्ट) *n.* one who assists another. सहायक, नायब.

assume—(अस्यूम) *v. t.* to take for granted, to adopt. कल्पना करना, मान लेना, अख्तियार करना.

assumption—(एसम्पशन) *n.* act of assuming, supposition. कल्पना, मानी हुई बात, धारणा.

astonish— (एस्टॉनिश) *v. t.* to surprise greatly, to amaze. चकित करना, अचम्भे में डालना.

astrology—(ऐस्ट्रोलॉजी) *n.* the science of the influence of stars on human affairs. फलित ज्योतिष.

astrologer—(ऐस्ट्रॉलॉजर) *n.* a student of astrology. ज्योतिषी.

astronomy—(ऐस्ट्रोनॉमी) *n.* the science of the heavenly bodies. ज्योतिष विद्या.

atheism—(एथीज़्म) *n.* disbelief in God. नास्तिकता.

athlete—(एथलीट) *n.* a person trained in physical exercises. खिलाड़ी.

atomic—(एटॉमिक) *adj.* pertaining to atoms. परमाणु सम्बन्धी.

attachment—(अटैचमेण्ट) *n.* a fastening, great affection. बन्धन, कुर्की, अनुराग, प्रीति.

attack—(अटैक) *v. t.* to fall upon, to assault. आक्रमण करना, धावा करना; *n.* offensive operation. अभियोग, आक्रमण, हमला.

attain—(अटेन) *v. t.* & *i* to reach, to gain, to achieve. प्राप्त करना, पहुंचना.

attendance—(अटेण्डेन्स) *n.* presence. उपस्थिति.

attendant—(अटेण्डेण्ट) *n.* a person attending. अनुचर, साथी.

attention—(अटेन्शन) *n.* act of applying one's mind. ध्यान, आकर्षण.

attest—(अटेस्ट) *v. t.* &*i* to bear witness, to affirm solemnly. प्रमाणित करना, सही करना.

attestation—(अटेस्टेशन) *n.* testimony. गवाही, प्रमाण.

attitude—(एटीट्यूड) *n.* behaviour, posture of body. व्यवहार, भाव, आकृति.

attract—(अट्रैक्ट) *v. t.* to draw, to entice. आकर्षित करना, लुभाना.

auction—(ऑक्शन) *n.* a public sale of property to the highest bidder. नीलामी

auctioneer—(ऑक्शनीयर) *n.* a holder of auction. नीलाम करने वाला.

audacity—(ऑडेसिटी) *n.* daring spirit. निर्लज्जता, धृष्ठता, दिलेरी.

audible—(ऑडिबल) *adj.* able to be heard. सुनाई देने योग्य.

audience—(ऑडिएन्स) *n.* a body of hearers, interview. श्रोतागण, सुनने वाले लोग, साक्षात्कार, भेंट.

auditor—(ऑडिटर) *n.* one who audits accounts. हिसाब-किताब जांचने वाला.

aught—(ऑट) *n.* & *adv.* anything, in any respect. कुछ, किसी प्रकार से.

authentic—(ऑथेण्टिक) *adj.* reliable, true. प्रामाणिक, सच्चा.

authenticity—(ऑथेण्टिसिटी) *n.* genuineness. प्रामाणिकता.

authority—(अथॉरिटी) *n.* power, right; (pl.) the person in power. प्रभाव, शक्ति, प्रभुत्व, अधिकारी पुरुष.

authorize—(ऑथोराइज) *v. t.* to give authority to. अधिकार देना.

auto—(ऑटो) *pref.* in the sense of one's own. "अपना, आप ही" अर्थ का उपसर्ग.

autobiography— (ऑटोबाओ-ग्राफी) *n.* life of a person written by himself. आत्मकथा.

autocracy—(ऑटोक्रेसी) *n.* absolute government. अधिराज्य.

autograph—(ऑटोग्राफ) *n.* signature. स्वहस्तलेख, हस्ताक्षर.

automatic—(ऑटोमैटिक) *adj.* self acting. अपने आप चलने वाली.

autumn—(ऑटम) *n.* the third season of the year. शरद ऋतु.

auxiliary—(आक्ज़िलियरी) *adj. n.* (pl. ries) helping, a helper. सहायक, सहकारी.

available—(अवेलेबल)*adj.* accessive. उपयोगी; of no avail, useless. निरर्थक.

avarice—(एवरिस) *n.* greediness. लोभ, लालच.

avenue—(ऐवेन्यू) *n.* road or street with trees. वृक्ष पंक्ति से ढका हुआ मार्ग.

average—(ऐवरेज) *n.* an ordinary standard, prevailing rate or account. मध्यम अवस्था, प्रचलित, परिमाण, औसत; *adj.* of the ordinary standard. सामान्य, मध्यम.

avoid—(अवॉइड) *v. t.* to evade, to shun. त्यागना, टालना, बचा जाना.

avoidance—(अवॉयडेन्स) *n.* the act of avoiding. आनाकानी, बचाव, परिहार.

await—(अवेट) *v. t.* to wait for. प्रतीक्षा करना, इंतजार करना.

awake—(अवेक) *v. t.* & *i.* to get up, to become active, to rouse from sleep. जागृत होना, जागना, सचेत करना;*adj.* not asleep, vigilant. जागृत, सचेत.

award—(अवॉर्ड) *n.* judgement, thing awarded. निर्णय, न्यायालय का फैसला, पुरस्कार.

aware—(अवेयर) *adj.* knowing, conscious, informed, attentive. सचेत, सावधान, सतर्क.

away—(अवे) *adj.* & *adv.* at distance, constantly. दूर, निरन्तर; To go away. चले जाना.

awful—(ऑफुल) *adj.* terrible, dreadful. भयंकर, डरावना.

awhile—(एह्वाइल) *adv.* for a short time. क्षण भर के लिए, जरा देर के लिए.

awkward—(ऑकवर्ड) *adj.* clumsy, difficult to deal with. भद्दा, कुरूप, अकुशल.

axe—(एक्स) *n.* a chopping tool. फरसा, कुल्हाड़ी; An axe to grind—an ulterior object. स्वार्थ.

axiom—(ऐक्सिअम) *n.* a self-evident truth. स्वतः सिद्ध प्रमाण.

aye—(ए) *interj.* & *n.* an affirmative answer. हां.

B

baa—(बा) *n.* bleat of a sheep. भेड़ की मिमियांहट.

bachelor—(बैचलर) *n.* an unmarried man. अविवाहित (पुरुष).

backbite—(बैकबाइट) *v. t.* to speak evil of in the absence of a person. पीठ पीछे चुगली करना.

backbone—(बैकबोन) *n.* the spine, support, power to resist. रीढ़ की हड्डी, आधार, साहस, दम.

backdoor—(बैकडोर)*n.* door at the back of a house. मकान का पिछला दरवाजा, चोर दरवाजा.

background—(बैकग्राउण्ड) *n.* the ground or base specially of a scene. पृष्ठ भूमि, आधार.

backward—(बैकवर्ड) *adj.* behind in time, slow in learning. पीछे आने वाला, सीखने में सुस्त.

bacteria—(बैक्टीरिया) *n.* minute germs or organisms in air and water. जल और वायु में प्रविष्ट सूक्ष्म जीवाणु.

badge—(बैज) *n.* special mark. विशिष्ट चिन्ह.

badly—(बैडली) *adv.* in a bad way. बुरी तरह.

bagman—(बैगमैन) *n.* a commercial traveller. व्यवसायी यात्री.

balcony—(बैलकनी) *n.* portion of house jutting out. छज्जा.

bale—(बेल) *n.* bundle. गांठ.

baleful—(बेलफुल) *adj.* regrettable, causing sorrow or pain. शोचनीय, दुखद.

ball—(बॉल) *n.* a round object used in games, bullet. गेंद, गोली; a dance-party. अंग्रेज़ी नाच-पार्टी.

ballad—(बैलेड) *n.* a short story in verse. कविता में लिखी हुई कहानी.

ballet—(बैले) *n.* entertainment with music and dance नृत्यमय प्रदर्शन.

balm—(बाम) *n.* an ointment. मरहम.

ban—(बैन) *n.* an order prohibiting some action, curse, sentence of outlawry. निषेध, शाप, देश निकाला.

banana—(बनाना) *n.* plant or its fruit. केले का पौधा या फल.

bandage—(बैण्डेज) *n.* band for binding wounds. घाव बांधने की पट्टी.

bangle—(बैंगल) *n.* an ornament, bracelet. कंगन, चूड़ी.

bank—(बैंक) *n.* margin of river, an establishment for keeping money. नदी, तट, बैंक.

bankrupt—(बैंक्रप्ट) *n.* an insolvent person. दिवालिया; Bankruptcy. दिवालियापन.

banner—(बैनर) *n.* a flag. देश का झंडा

bar—(बार) *n.* a rod, a barrier, a check, place for prisoners at trial, a tribunal, डंडा, बन्धन, रोक थाम के लिए बनाई गई लाइन, न्यायालय में वकीलों के लिए खड़े होने का स्थान, वकीलों का समुदाय; to be called to the bar—वकालत पेशे में दाखिल होना.

barbarism—(बारबैरिज़्म) *n.* absence of culture; savage life. असभ्यता, जंगलीपन.

barbarity—(बारबेरिटी) *n.* cruelty, savage behaviour. जंगलीपन, क्रूरता.

barbarous—(बारबेरस) *adj.* uncultured, uncivilised. असभ्य, जंगली, क्रूर.

barber—(बारबर) *n.* one who shaves and cuts hair. नाई, हज्जाम.

bare—(बेअर) *adj.* naked, undisguised, baled, unfurnished. नंगा, खुला, खाली, सजावट से हीन.

barely—(बेरली) *adv.* hardly. मुश्किल से, केवल, मात्र.

bargain—(बारगेन) *n.* agreement, contract. सौदा, इकरार, किसी वस्तु का बेचने या खरीदने का समझौता.

bark—(बार्क) *n.* sheath of tree, a ship, cry of a dog. पेड़ की छाल, नौका, कुत्ते का भौंकना.

barrack—(बैरेक) *n.* soldiers' quarters. फौजी सिपाहियों का घर.

baseless—(बेसलेस) *adj.* groundless. बिना किसी आधार के, आधारहीन.

basement—(बेसमेण्ट) *n.* storey below ground level. तहखाना.

baseness—(बेसनेस) *n.* meanness. तुच्छता, नीचता, कमीनापन.

basic—(बेसिक) *adj.* fundamental. आधारभूत.

bastard—(बैस्टर्ड) *n.* an illegitimate child. अवैध संतान.

batsman—(बैट्स्मैन) *n.* one who plays with the bat. क्रिकेट के खेल में बैट लेकर खेलने वाला.

batch—(बैच) *n.* a quantity produced at a time. समूह, समुदाय, धानी.

bath—(बाथ) *n.* a place for bathing or washing, water for bathing. स्नानागार, स्नान करने का जल.

bathe—(बेद) *v. t.* & *i.* to immerse in a liquid, to put in a bath, to wash the body all over. डुबोना, नहाना.

bathing—(बेदिंग) *n.* act of bathing. स्नान.

batter—(बैटर) *v. t.* to beat together. मंथन करना, फेटना; *n.* अच्छी तरह छना हुआ आटा.

beach—(बीच) *n.* the shore of a sea or lake. झील या समुद्र का किनारा; *v. t.* to put a vessel on shore. जहाज़ को किनारे पर लगाना.

beak—(बीक) *n.* the bill of a bird. पक्षी की चोंच.

beam—(बीम) *n.* ray of light. प्रकाश की किरण. *v. t.* to shine. चमकना.

bear—(बेअर) *n.* a thick-furred animal, an unmannerly person. भालू, अशिष्ट पुरुष.

bear—(बेयर) *v. t.* & *i.* (p.t. Bore, p. p. Born) to carry, to support, to endure, to conduct oneself, to produce. ले जाना, सहारा देना, सहना, व्यवहार करना, उत्पन्न करना.

beard—(बीयर्ड) *n.* hair that grow on cheek and chin, awn of plants. दाढ़ी, अनाज की बाल.

bearable—(बेयरेबल) *adj.* tolerable. सहन करने योग्य.

bearer—(बेयरर) *n.* a domestic servant. गृहस्थी का नौकर.

beargarden—(बीयरगार्डन) *n.* scene of uproar. उपद्रव, कोलाहल.

beast—(बीस्ट) *n.* a quadruped, a rude brutal person. पशु, निर्दयी, अशिष्ट पुरुष.

beauteous—(ब्यूटिअस) *adj.* beautiful, endowed with beauty. रमणीय, सुन्दर.

bedding—(बेडिंग) *n.* mattress and bed clothes. चटाई, बिछावन.

bedizen—(बिडाईज़ेन) *v. t.* to dress guadily. भड़कीला वस्त्र पहनना.

bee—(बी) *n.* an insect which produces honey and wax. मधुमक्खी.

beer—(बीयर) *n.* liquor prepared from barley. जौ की मदिरा.

befool—(बिफूल) *v. t.* to make a fool of. मूर्ख बनाना.

beforehand—(बिफोरहैण्ड) *adv.* before the time. समय से पहले.

beggar—(बैगर) *n.* one who begs. भिखारी, भिक्षु.

beginner—(बिगिनर) *n.* one who begins, a learner. आरम्भक, शुरू करने वाला.

behave—(बिहेव) *v. t.* to conduct oneself, to act. आचरण करना, व्यवहार करना.

behaviour—(बिहेवियर) *n.* conduct, manners, way of behaving. व्यवहार, बर्ताव, आचरण.

behind—(बिहाइंड) *adv. prep.* & *n.* in the rear, at one's back, further back. पीछे, पीठ की ओर.

behold—(बिहोल्ड) *v. t.* to see. देखना.

belief—(बिलीफ़) *n.* faith, confidence, trust, assurance. विश्वास, श्रद्धा, मत.

believable—(बिलीवेबिल) *adj.* that may be believed. विश्वास करने योग्य.

bell—(बेल) *n.* a hollow metallic vessel with a sounding tongue. घंटा.

belongings—(बिलौंगिंग्स) *n.* pl. one's goods. किसी मनुष्य की सम्पत्ति.

beloved—(बिलवेड) *n.* very dear. प्रिय व्यक्ति, प्यारी.

beneath—(बिनीथ) *adv.* & *prep.* under, below. नीचे, नीचे की ओर.

beneficial—(बेनिफ़िशल) *adj.* useful, advantageous, serviceable. लाभदायक, गुणकारी, फायदा करने वाला.

benefit—(बेनिफ़िट) *n.* advantage, act of favour. सुविधा, उपकार, कृपा; *v. t.* & *i.* (p. t. benefited) to do good to. उपकार करना, लाभ उठाना.

benevolence—(बेनिवोलेन्स) *n.* goodwill, kind disposition. कृपा, दया, परोपकारिता.

benighted—(बिनाइटेड) *adj.* overtaken by darkness, ignorant. अन्धकार से आच्छादित, अनभिज्ञ.

benign—(बिनाइन) *adj.* kind, mild, gentle. दयालु, नम्र, सुशील.

benignly—(बिनाइनली) *adv.* mildly, in a gentle way. नम्रता पूर्वक.

bereavement—(बिरीव्मेण्ट) *n.* loss by death. विछोह.

beside—(बिसाइड) *prep.* near, by the side of. निकट, समीप.

besides—(बिसाइड्स) *adv. prep.* in addition to, otherwise. अधिक, और भी, सिवाय.

best—(बेस्ट) *adj.* & *adv.* (sup. of good or well) of the most excellent kind. उत्तम, श्रेष्ठ, सबसे अच्छा; to make the best of. अच्छा उपयोग करना; to do for the best. अच्छे अभिप्राय से करना.

bethink—(बिथिंक) *v. t.* (p. t. bethought) to call to mind. विचारना, सोचना.

betimes—(बिटाइम्स) *adv.* early, soon. शीघ्र, यथासमय.

betray—(बिट्रे) *v. t.* to disclose, to deliver by treachery. भेद खोलना, विश्वासघात करना, भंडा फोड़ना.

betrayal—(बिट्रेयल) *n.* breach of faith. विश्वासघात.

better—(बेटर) *adj. adv.* & *n.* (comp. of good or well) superior value, in a higher degree, improved. श्रेष्ठ उच्चतर, उन्नति; *v. t.* to improve. सुधारना; better half (one's wife) पत्नी.

between—(बिट्वीन) *prep.* & *adv.* in the middle of, along, across. मध्य में, अन्तर में.

bewail—(बिवेल) *v. t.* to lament. विलाप करना, शोक करना.

beware—(बीवेयर) *v. t.* to take heed, to be on one's guard. सावधान होना, सचेत होना.

bias—(बाइस) *n.* prejudice, partiality. पक्षपात, तरफदारी.

big—(बिग) *adj.* haughty. घमंडी, अभिमानी.

bigamist—(बिगमिस्ट) *n.* having two husbands or wives at a time. दो पति वाली स्त्री, दो पत्नी वाला पुरुष.

billion—(बिलियन) *n.* a million millions. दस खरब की संख्या.

binding—(बाईंडिंग) *n.* & *adj.* the cover of a book, a bandage, obligatory. बन्धन, जिल्द, आवश्यक.

biograph—(बायोग्राफ) *n.* a moving picture machine, bioscope. चलचित्र, बाइस्कोप.

biographical—(बायोग्राफिकल) *adj.* pertaining to biography. जीवनी लेख सम्बन्धी.

biology—(बायोलॉजी) *n.* science of life. जीव विज्ञान, प्राणी विज्ञान; biologist (-जिस्ट) *n.* जीव-विज्ञान में निपुण.

birth—(बर्थ) *n.* origin, beginning. जन्म, उत्पत्ति, आरम्भ.

birthright—(बर्थराइट) *n.* a right acquired by birth. जन्मसिद्ध अधिकार.

biscuit—(बिस्किट) *n.* a hard dry bread in small cakes. बिस्कुट.

bisect—(बाइसेक्ट) *v. t.* to divide into two parts. दो भाग करना.

bishop—(बिशप) *n.* a consecrated clergyman. बड़ा पादरी.

bit—(बिट) *n.* a small piece, a small coin, horse's curb. छोटा खंड, टुकड़ा, छोटा सिक्का, लगाम; a bit rather. थोड़ा सा.

bitch—(बिच) *n.* female of a dog or wolf. कुतिया.

bitter—(बिटर) *adj.* tasting hot and acrid, causing grief, painful, severe. कड़वा, तीता, कष्टदायक; to weep bitterly. फूट-फूट कर रोना.

blackmail—(ब्लैकमेल) *n.* to extort money by threats. जबरदस्ती पैसा लेना.

blamable—(बलेमेब्ल) *adj.* fit to be blamed. निन्दनीय.

blame—(ब्लेम) *v. t.* to find fault with. दोष लगाना; *n.* censure. दोष, अपराध.

blank—(ब्लैंक) *adj.* not written, empty, without rhymes. सादा, खाली, छूंछा, अनुप्रास रहित; *n.* an empty space. रिक्त स्थान.

blanket—(ब्लैंकेट) *n.* a soft woollen covering. कम्बल.

blaze—(ब्लेज़) *n.* a bright flame, fire of active display. प्रभा, चमक, दिखावा; *v. i.* to throw out flame. ज्वाला फेंकना.

bleed—(ब्लीड) *v. t.* & *i.* to emit blood, to draw blood. रुधिर निकालना.

blemish—(ब्लेमिश) *n.* a stain, a defect. धब्बा, कलक, दोष; *v. t.* to spoil the beauty of. मलिन करना.

blessing—(ब्लेसिंग) *n.* an invocation of happiness or success. आशीर्वाद.

blockade—(ब्लॉकेड) *n.* & *v. t.* a blocking up. रोक, घेरना.

bloodshed—(ब्लडशेड) *n.* slaughter. हत्याकांड.

blood-thirsty—(ब्लडथर्स्टी) *adj.* eager for slaughter. हत्यारा.

bloom—(ब्लूम) *n.* a blossom, freshness, perfection. फूल, विकास, पूर्णता.

blotting paper—(ब्लॉटिंग पेपर) *n.* a paper used for drying ink. स्याही सोख्ता.

blouse—(ब्लाउज़) *n.* an woman's upper garment. स्त्रियों की चोली.

blunder—(ब्लण्डर) *n.* a gross mistake. बड़ी भूल.

bluntly—(ब्लंटली) *adv.* roughly. गंवारपन से.

boast—(बोस्ट) *v. i.* to talk proudly. श्लाघा करना, गर्व करना.

boat—(बोट) *n.* a small open vessel for transport by water. नाव.

boating—(बोटिंग) *n.* act of making a boat sail. नाव चलाने की क्रिया.

bodice—(बॉडिस) *n.* a close fitting jacket worn by a woman. बॉडी, अंगिया, चोली.

bold—(बोल्ड) *adj.* courageous, brave, daring, steep. साहसी, वीर, हिम्मती, गहरा.

bombastic—(बॉम्बैस्टिक) *adj.* extravagant. असार, निरर्थक शब्दों से पूर्ण.

bone—(बोन) *n.* a white hard substance which constitutes the skeleton of a body. हड्डी.

bonus—(बोनस) *n.* an extra payment. बढ़ोतरी.

bookworm—(बुकवर्म) *n.* one who is much devoted to books. सर्वदा पुस्तक पढ़ने वाला, किताबी कीड़ा.

boot—(बूट) *n.* a covering for human foot, profit, advantage. जूता, लाभ.

borne—(बोर्न) (p. p. of bear) *v. t.* to carry. ले जाना.

borrow—(बॉरो) *v. t.* to get loan. ऋण लेना, उधार लेना.

borrower—(बॉरोअर) *n.* one who takes loan. कर्ज़ लेने वाला, ऋणी.

bosom—(बूज़म) *adj.* dear, intimate. प्रिय, विश्वासी; *n.* the heart. हृदय, छाती.

botany—(बॉटेनी) *n.* the science of human life. वनस्पति विज्ञान.

both—(बोथ) *pron.* & *adv.* the two, equally. दोनों, बराबर से.

bother—(बॉदर) *v. t.* & *i.* to worry, to tease. तंग करना, खिजलाना.

bottom—(बॉटम) *n.* the lowest part, the base, keel of a ship, foundation. तल, अधो भाग, आधार, जहाज़ की पेंदी.

bough—(बाओ) *n.* branch of a tree. पेड़ की डाली, पेड़ की शाखा.

bounce—(बाउन्स) *v. t.* to jump, to boast. उछलना, अपनी बड़ाई करना.

bow—(बाओ) *v. t.* to bend, to curve. झुकना, घुमाना.

boy—(ब्वाय) *n.* a male child, a lad. बालक, कुमार, लड़का.

boycott—(बॉयकॉट) *v. t.* to refuse to have dealing with. बहिष्कार करना.

boyhood—(ब्वायहुड) *adj.* state of being a boy. बालकपन.

brain—(ब्रेन) *n.* nervous matter enclosed in the skull. मस्तिष्क.

brake—(ब्रेक) *n.* apparatus for checking motion. ब्रेक, गति रोकने वाला यंत्र.

branch—(ब्रांच) *n.* bough of tree, divisions of subjects, section, line of descent. शाखा, डाली, भाग, अंग, सन्तान.

brand—(ब्रैंड) *n.* mark made by a hot iron, a trade mark. छाप, व्यापार चिन्ह.

bravery—(ब्रेवरी) *n.* brave conduct. वीरता, साहस.

bravo—(ब्रेवो) (pl. bravoes) *n.* a bandit. डकैत; *interj.* well done शाबाश.

bread—(ब्रेड) *n.* baked food, livelihood. आहार, जीविका.

breadth—(ब्रेड्थ) *n.* broadness, width. विस्तार, चौड़ाई.

breakable—(ब्रेकबल) *adj.* able to be broken. टूटने योग्य.

breakage—(ब्रेकेज) *n.* act of breaking. तोड़ने का कार्य.

breakfast (ब्रेकफ़ास्ट) *v. t.* to take breakfast. नाश्ता करना, सुबह का खाना खाना, कलेवा करना.

breast—(ब्रेस्ट) *n.* front part of the chest. वक्षस्थल.

breath—(ब्रेथ) *n.* air inhaled and exhaled. श्वास, सांस.

breathe—(ब्रीद) *v. i.* to take breath. सांस लेना.

breezy—(ब्रीजी) *adj.* full of breeze. वायुमय, हवादार.

brevity—(ब्रेविटी) *n.* shortness. संक्षेप, छोटापन.

bribe—(ब्राइब) *n.* an illegal reward given to someone. घूस, उत्कोच; *v. t. to give bribe to.* घूस देना.

bribery—(ब्राइबरी) *n.* act of giving or receiving bribes. घूस देने या लेने का कार्य.

brick—(ब्रिक) *n.* moulded burnt clay used for building. ईंट.

bride—(ब्राइड) *n.* a woman just married or going to be married. नववधू, दुलहिन.

bridegroom—(ब्राइडग्रूम) *n.* husband of a bride. दूल्हा, वर.

brilliant—(ब्रिलिएण्ट) *adj.* bright, splendid. clever. चमकीला, देदीप्यमान, बुद्धिमान; *n.* a gem of finest quality. पानीदार रत्न.

bring—(ब्रिंग) *v. t.* (p. t. & p. p. brought) to carry, to produce. लाना, प्रस्तुत करना.

brink (ब्रिंक) *n.* edge, bank, margin. तट, किनारा, छोर.

Britain—(ब्रिटेन) *n.* England, Wales and Scotland. इंगलैण्ड, ग्रेट ब्रिटेन से सम्बद्ध.

British—(ब्रिटिश) *adj.* pertaining to Britain. अंग्रेज़ी.

bronchitis—(ब्रॉन्काइटिस) *n.* inflammation of the branches of the windpipe. फेफड़े की सूजन.

bronze—(ब्रॉन्ज़) *n.* alloy of copper and zinc. कांसा.

brother—(ब्रदर) *n.* sons of the same parents. सहोदर, भाई.

brotherhood—(ब्रदरहुड) *n.* companionship. बंधुत्व.

brush—(ब्रश) *n.* tool of hair used in painting. बालों का बना हुआ ब्रुश.

brush—(ब्रश) *v. t.* to clean. साफ करना.

brutality—(ब्रुटैलिटी) *n.* cruelty, rudeness. निर्दयता, असभ्यता.

brute—(ब्रूट) *n.* a beast, an unfeeling person. पशु, कठोर मनुष्य.

build—(बिल्ड) *v. t.* to construct, to form. बनाना, निर्माण करना.

bulk—(बल्क) *n.* size, magnitude, the main body. प्रमाण, मात्रा, विस्तार.

bull—(बल) *n.* a male ox. सांड.

bullet—(बुलेट) *n.* a metal ball for gun or pistol. बन्दूक से चलाने की गोली.

bulletin—(बुलेटिन) *n.* a short official statements. सरकारी समाचार पत्र (गज़ट).

bum—(बम) *n.* good for nothing. निरर्थक, व्यर्थ.

bump—(बम्प) *n.* a heavy blow, a swelling. धमाका, सूजन.

bureau—(ब्यूरो) *n.* a writing-desk with drawers, office for public business. मेज़, कार्यालय, महकमा, केन्द्र.

burly—(बर्ली) *adj.* sturdy, bulky. स्थूल, मोटा.

burn—(बर्न) *v. t.* & *i.* (p. t. burnt, burned) to consume by fire, to be on fire. जलाना, जलना; *n.* injury by fire. अग्नि से जलना.

bushy—(बुशी) *adj.* full of bushes. झाड़ीदार.

busy—(बिज़ी) *adj.* fully occupied, diligent. कार्य में लीन, उद्योगी.

butter—(बटर) *n.* fatty substance made from cream. मक्खन.

buttermilk—(बटरमिल्क) *n.* liquid left after making butter. मट्ठा, छाछ.

by—(बाइ) *prep.* near, in the company, through, of. पास, साथ में, से; by the bye (incidentally) संयोग से.

bygone—(बाइगॉन) *adj.* past. गुज़रा हुआ, बीता हुआ.

byproduct—(बाईप्रोडक्ट) *n.* anything of less value produced during the manufacture of another. अप्रधान रचना.

byword—(बाईवर्ड) *n.* a familiar saying, proverb. कहावत.

C

cablegram—(केबलग्रैम) *n.* a telegram sent by underwater cable. समुद्री तार.

cadet—(कैडेट) *n.* student of military school. सैन्य शिक्षा का विद्यार्थी.

cafe—(कैफ़े) *n.* restaurant. रेस्टोरेण्ट, खाना खाने तथा चाय पीने का स्थान.

cage—(केज) *n.* an enclosure for birds. पिंजड़ा, कटघरा; *v. t.* to shut in a cage. पिंजड़े में बन्द करना.

cake—(केक) *v. t.* to make a cake. केक बनाना.

calamity—(कैलेमिटी) *n.* misfortune, disaster. आपत्ति, संकट.

calibre—(कैलिबर) *n.* diameter, capacity. व्यास, महत्त्व.

calligraphy—(कैलीग्राफी) *n.* good handwriting. सुन्दर लेख.

callous—(कैलस) *adj.* hard-hearted. कठोर हृदय.

calmly—(कामली) *adv.* in a peaceful way. शांतिपूर्वक.

calmness—(कामनेस) *n.* the state of being calm. शांति, स्थिरता.

calorie—(कैलोरी) *n.* unit of body heat. शरीर के तापमान की इकाई.

calumination— (कैल्मनिएशन) *n.* false charge. कलंक, निन्दा.

calumny—(कैल्मनी) *n.* false accusation, slander. निन्दा, कलंक.

campaign—(कैम्पेन) *n.* series of military operations, organized course of action. युद्धक्रम, नियमित कार्यक्रम.

cancel—(कैन्सेल) *v. t.* to cut out, to abolish, to annul. काटना, तोड़ना, मिटाना.

cancellation—(कैन्सेलेशन) *n.* act of cancelling. काटने या मिटाने की क्रिया.

candidature—(कैण्डिडेचर) *n.* one standing for election. निर्वाचन प्रार्थी.

cannon—(कैनन) *n.* a big gun. तोप; *v. t.* to fire with gun. तोप से उड़ाना.

canon—(कैनन) *n.* a law or church decree. धार्मिक नियम, गिरजाघर की व्यवस्था.

can't—(काण्ट) *v. t.* short form of 'can not'. 'कैन नाट' का छोटा रूप.

canto—(कैण्टो) *n.* division of a poem. सर्ग, अध्याय, स्कन्ध.

cantonment —(केण्टूनमेण्ट) *n.* quarters for troops. छावनी.

capability—(कैपेबिलिटी) *n.* capacity. योग्यता, शक्ति.

capacity—(कैपेसिटी) *n.* power of grasping, ability. विस्तार, शक्ति, योग्यता.

capitalist—(कैपिटलिस्ट) *n.* one who has money. साहूकार, महाजन.

caprice—(केप्रिस) *n.* a change without reason, whim, fancy. अस्थिरता, इच्छा, मौज, सनक.

capture—(कैप्चर) *n.* arrest. ग्रहण, पकड़; *v. t.* to take prisoner. पकड़ना, बन्दी करना.

caretaker—(केयरटेकर) *n.* a person left in charge. जिसको देखरेख सौंपी गई हो.

cartage—(कार्टेज) *v.* charges. भाड़ा.

carve—(कार्व) *v. t.* to cut, to engrave, to sculpture. काटना, खोदना.

carving—(कार्विंग) *n.* act or art of sculpture. पत्थर पर, खुदाई करने की विद्या/कला.

cash—(कैश) *n.* money, currency. नकदी, रोकड़.

caste—(कास्ट) *n.* a class of society, social position. वर्ण, जाति, कुल.

casualty—(कैज्युअल्टी) *n.* an accident. आकस्मिक घटना; *pl.* list of men killed or wounded. युद्ध में मरे या घायल सैनिकों की संख्या.

catalogue—(कैटेलॉग) *n.* a list of books. पुस्तकों का सूची-पत्र, विषयसूची.

catch—(कैच) *v. t. & i.* to seize, to grasp, to understand, to take captive, to reach in time. पकड़ना, बांधना, समझना, बन्दी करना, समय पर पहुंचना.

categorical—(कैटेगॉरिकल) *adj.* of category. वर्ग या श्रेणी का.

category—(कैटेगरी) *n.* class or rank, general heading. श्रेणी, पद, समान वर्ग.

cater—(केटर) *v. t.* to provide food or entertainment. भोजनादि का प्रबन्ध करना.

causeway—(कॉज़वे) *n.* raised footpath. पैदल चलने की ऊंची सड़क.

caution—(कॉशन) *n.* foresight, warning. सावधानी, बुद्धिमानी, चौकसी.

ceaseless—(सीज़लेस) *adj.* continual. नित्य, निरन्तर.

ceiling—(सीलिंग) *n.* the top surface of a room. कमरे के ऊपर की छत.

celebration—(सेलीब्रेशन). *n.* act of celebrating. प्रशंसा, अनुष्ठान.

celebrity—(सेलीब्रिटी) *n.* fame. यश, प्रसिद्धि.

celestial—(सेलेस्शल) *adj.* heavenly. दैवीय, स्वर्गीय.

cellar—(सेलर) *n.* an underground cell or room. भूमिगृह.

cement—(सीमेण्ट) *n.* a substance for sticking bond of union. चिपकाने का पदार्थ, जोड़ने का साधन.

censure—(सेन्शर) *n.* blame, reproof, दोष, निन्दा; *v. t.* to blame. दोष लगाना, निन्दा करना.

census—(सेन्सस) *n.* an official numbering of people. जनगणना.

centigrade—(सेण्टीग्रेड) *adj.* having a hundred degrees. सौ अंश का.

central—(सेण्ट्रल) *adj.* relating to the centre, principal. केन्द्र से सम्बन्धित, मुख्य.

centralize—(सेण्ट्रलाइज़) *v. t.* to concentrate. एक केन्द्र में स्थित करना.

centre—(सेण्टर) *n.* the middle point of anything, pivot, source. केन्द्र, मध्य भाग, धुरा, उद्गम.

century—(सेंचुरी) *n.* of hundred years, a hundred of something. सौ वर्ष, सौ.

cereal—(सिरियल) *adj.* relating to corn. अन्नसम्बन्धी; *n.* corn used as food. भोजन में प्रयोग करने का अन्न.

ceremonial— (सेरीमोनियल) *adj. & n.* with ceremony, a formality. विधिपूर्वक, शिष्टाचार.

ceremony—(सेरेमनी) *n.* religious rite. धार्मिक उत्सव.

certain—(सर्टेन) *adj.* settled, fixed, one or some. निश्चित, आवश्यक, कोई.

certainly—(सर्टेनली) *adv.* no doubt. बेशक, निःसन्देह.

certainty—(सर्टेन्टी) *n.* settled fact. निर्णय, निश्चय.

certificate—(सर्टीफ़िकेट) *n.* a written declaration. प्रमाण-पत्र.

certify—(सर्टीफ़ाई) *v. t.* to attest formally, to inform. प्रमाणित करना, सूचना देना.

challenge—(चैलेन्ज) *v. t.* to call to contest, to object to. ललकारना, निषेध करना; *n.* demand for something. ललकार.

chancellor—(चांसलर) *n.* state or law official, head of a university. प्रधान धमाधिकारी, विश्वविद्यालय का प्रधान अध्यक्ष.

change—(चेन्ज) *v. t.* to alter, to exchange. बदलना, पलटना, त्यागना; *n.* small coin given for a larger one, alteration. रेज़गारी, परिवर्तन.

changeable—(चेन्जेबल) *adj.* given to change. परिवर्तनशील.

chaos—(केऑस) *n.* confused state, disorder. विपल्व, उपद्रव.

character—(कैरेक्टर) *n.* actor's part, person in novel and drama. चरित्र, उपन्यास और ड्रामे के पात्र.

chargeable—(चार्जेबल) *adj.* liable to be charged. आरोपण करने योग्य, वसूलने योग्य.

charitable—(चैरिटेबल) *adj.* generous. दयालु, कृपालु.

charity—(चैरिटी) *n.* act of kindness, leniency, alms. दयालुता, कृपा, उदारता, भिक्षा.

chaste—(चेस्ट) *adj.* pure, virtuous, refined, simple. शुद्ध, धार्मिक, पवित्रता, स्वच्छ.

chasten—(चेसेन) *v. t.* to refine. शुद्ध करना.

chastity—(चेस्टिटी) *n.* chasteness, purity of conduct. सतीत्व, शुद्धता.

chatter—(चैटर) *v. t.* to talk idly, to make a noise. बकवाद करना, कोलाहल करना; *n.* बकवाद.

cheap—(चीप) *adj.* low in price, worthless. सस्ता, घटिया.

cheat—(चीट) *v. t.* to deceive, धोखा देना, छलना; *n.* deceiver. धूर्त, ठग.

check—(चेक) *v. t.* to stop, to restrain, to chide. रोकना, झिड़की देना; *n.* a sudden arrest, cross-lined pattern. संयम, अवरोध, रुकावट, चारखाना.

cheer—(चीयर) *v. t.* to make joyful applaud, to comfort. प्रसन्न करना, सांत्वना देना.

cheerful—(चीयरफुल) *adj.* in good spirits. प्रफुल्ल, प्रसन्न.

cheerfulness— (चीयरफुलनेस) *n.* happiness. प्रसन्नता.

cheese—(चीज़) *n.* curd of milk pressed and dried. पनीर.

chemistry—(केमिस्ट्री) *n.* the science of elements and their laws. रसायन शास्त्र.

cheque—(चैक) *n.* an order for money. हुंडी, चैक.

chew—(चिउ) *v. t.* & *i* to grind with teeth. दांतों में चबाना.

chicken—(चिकेन) *n.* the young of a domestic fowl. मुर्गी का बच्चा.

chiefly—(चीफ़ली) *adj.* principally. प्रधान रूप से.

childhood—(चाइल्डहुड) *n.* the period of being a child. बाल्यावस्था.

childish—(चाइल्डिश) *adj.* like a child. शिशु के समान.

childlike—(चाइल्ड लाइक) *adj.* simple, good. सरल स्वभाव.

chill—(चिल) *n.* coldness. ठंडा.

chilly—(चिली) *adj.* cold. ठंडा.

chin—(चिन) *n.* front part of lower jaw. चिबुक, ठुडडी.

chirp—(चर्प) *v. t.* to make sharp notes like a bird. कूजना; *n.* पक्षी की चहचहाहट.

chit-chat—(चिट-चैट) *n.* gossip. बातचीत, गपशप.

chloroform—(क्लोरोफॉर्म) *n.* a medicine for producing insensibility. संज्ञाहीन करने की एक औषधि.

chorus—(कोरस) *n.* band of singers. गाने वालों का समूह.

chorus—(कोरस) *v. t.* to sing together. साथ-साथ गाना, मिलकर गाना.

Christ—(क्राइस्ट) *n.* the Messiah. ईसा मसीह.

Christianity—(क्रिस्चियैनिटी) *n.* Christian religion. ईसाई धर्म.

chronic—(क्रोनिक) *adj.* lasting for a long time, lingering, deep-seated. दीर्घ-स्थायी, पुराना, चिरकालीन.

chronicle—(क्रॉनिकल) *n.* a narrative, an account. इतिहास, वृत्तान्त.

circle—(सर्किल) *n.* a round figure, a ring, persons of a certain class. वृत्त, गोल, मण्डली.

circular—(सर्क्युलर) *n.* a business letter, a communication sent to many people. व्यवसायी पत्र, विज्ञापन.

circumstance— (सरकमस्टेन्स) *n.* event. घटना.

circumstances—(सरकमस्टेन्सेज़) *n. plural.* condition in life. स्थिति, दशा, हालत.

civilisation — (सिविलाइज़ेशन) *n.* state of being civilized. सभ्यता, आचार, शिष्टता.

clap—(क्लैप) *n.* pat. थपथपाहट; *v. t.* to applaud by striking the palm of hands together. ताली बजाना.

clarify—(क्लैरिफ़ाई) *v. t.* & *i.* to make clear, purify. स्पष्टीकरण करना, स्वच्छ करना.

clarification —(क्लैरीफ़िकेशन) *n.* act of making clear. स्पष्टीकरण.

clash—(क्लैश) *v. t.* to make a clash, to disagree, to interfere. टकराने का शब्द करना, विरोध करना, विघ्न डालना.

class—(क्लास) *n.* division, rank, order, set of students taught together. वर्ग, श्रेणी, जाति, स्कूल की कक्षा.

classic—(क्लासिक) *n.* study of ancient languages. प्राचीन भाषाओं की शिक्षा.

classical—(क्लासिकल) *adj.* pertaining to ancient literature. प्राचीन साहित्य से सम्बन्धित.

classification— (क्लैसीफ़िकेशन) *n.* arrangement. वर्गीकरण.

cleanliness—(क्लीन्लीनेस) *n.* purity. स्वच्छता.

cleanse—(क्लीन्स) *v. t.* to make clean. पवित्र या स्वच्छ करना.

clearance—(क्लियरैन्स) *n.* removal of obstacles. निर्वारण.

clerical—(क्लैरिकल) *adj.* pertaining to clergy or a clerk. पादरी या लिपिक सम्बन्धी.

clerk—(क्लर्क) *n.* a writer in an office. दफ़्तर का लेखक.

clever—(क्लेवर) *adj.* skilful, ingenious. चतुर, बुद्धिमान.

client—(क्लाएण्ट) *n.* one who employs a lawyer, customer. मुवक्किल, असामी, ग्राहक.

climax—(क्लाइमैक्स) *n.* the highest point, the greatest degree. शिखर, उत्कर्ष, वृद्धि.

climb—(क्लाइम) *v. t.* to ascend. चढ़ना.

clinical—(क्लिनिकल) *adj.* pertaining to the sick-bed. शय्याग्रस्त रोगी सम्बन्धी.

cloak—(क्लोक) *n.* a loose upper garment, that which conceals, a pretext. लबादा, ढापना, बहाना.

clock—(क्लॉक) *n.* a time-indicating instrument. बड़ी घड़ी.

closure—(क्लोज़र) *n.* closing, closing of debate. समाप्ति, वाद विवाद को बन्द करना.

cloth—(क्लॉथ) *n.* (pl. clothes) fabric made from wearing. कपड़ा.

clothe—(क्लोद) *v. t., p. t.* or (*p. p.* clothed or clad) to dress, to cover. वस्त्र पहनना, ढांपना.

clothing— (क्लोदिंग) *n.* clothes. वस्त्र.

coalition—(कोलिशन) *n.* temporary combination between parties. भिन्न समाजों का अस्थायी मिलाप.

coarse—(कोर्स) *adj.* rough, rude, vulgar. रूक्ष, असभ्य, भद्दा.

cobbler—(कॉब्लर) *n.* a mender of shoes. जूते की मरम्मत करने वाला, मोची.

cock—(कॉक) *n.* male bird, male fowl, part of the lock of a rifle, a tap. नर चिड़िया, बन्दूक का घोड़ा, टोंटी.

cocktail—(कॉकटेल) *n.* a kind of horse, a mixed drink. एक प्रकार का घोड़ा, मिश्रित मदिरा.

coconut—(कोकोनट) *n.* the coco palm. नारियल का वृक्ष.

code—(कोड) *n.* a system of laws, rules or signals. नियम संग्रह, संकेत संग्रह.

co-education—(को-एजूकेशन) *n.* system of education where girls and boys study together. सहशिक्षा.

coerce—(कोअर्स) *v. t.* to compel, to restrain. रोकना, बाधित करना.

coin—(कॉयन) *n.* piece of money. मुद्रा, सिक्का; *v. t. to* make metal into coin, to invent. सिक्का बनाना, आविष्कार करना.

cold—(कोल्ड) *adj.* wanting in heat, spiritless, reserved. ठण्डा, निस्तेज़, गम्भीर, ज़ुकाम.

collaborate—(कोलैबोरेट) *v. t.* to work together. मिलकर काम करना.

collaboration — (कलैबुरेशन) *n.* state of working together. दूसरे के साथ कार्य करने की अवस्था.

collapsible—(कुलाप्सैबिल) *adj.* fit for collapsing. तह हो जाने वाली.

collapsable— (कुलास्पेबिल) *adj.* same as collapsible.

collision—(कुलीज़न) *n.* state of being collided. टक्कर.

colloquial—(कोलोक्विअल) *adj.* conversational. बोलचाल का.

colon—(कोलन) *n.* the punctuation mark, part of large intestine. (:) विसर्ग चिन्ह, आंतों का विशिष्ट भाग.

colour—(कलर) *n.* hue, tint, appearance, pretence. रंग, आकृति, बहाना; (*pl.*) paints, a flag. रंग, पताका; *v. t.* to give colour to. रंग देना.

comb—(कोम) *n.* an instrument with teeth for dressing hair, wool etc., crest of a cock. कंघी, मुर्गी की चोटी; *v. t.* to dress, to separate. कंघी करना, अलग करना.

comfortable—(कम्फर्टेबल) *adj.* promoting comfort. आनन्द-दायक, सुखकर.

comic—(कॉमिक) *adj.* humorous, funny. हंसी लाने वाला, हास्यास्पद.

comma—(कॉमा) *n.* punctuation mark (,) अंग्रेज़ी का छोटा विराम; inverted commas ऐसे दोहरे चिन्ह (" ") जो किसी उक्ति के आगे और पीछे लगाये जाते हैं.

commanding—(कमाण्डिंग) *adj.* impressive. प्रभावशाली.

commandment—(कमाण्डमेण्ट) *n.* mandate, order. आज्ञा.

commence—(कमेन्स) *v. t.* to begin, to originate. आरम्भ करना.

commencement—(कमेन्समेण्ट) *n.* a beginning. आरम्भ.

comment—(कमेण्ट) *v. t.* to write explanatory notes on. टीका करना, व्याख्या करना; *n.* a collection of notes. टीका, व्याख्या.

commentator—(कमेण्टेटर) *n.* the writer of a commentary. विवरण प्रसारक.

commercial—(कर्मशियल) *adj.* pertaining to a trade. व्यवसाय सम्बन्धी.

commit—(कमिट) *v. t.* to entrust, to send, to be guilty. सौंपना, भेजना, अपराधी होना.

commitment—(कमिटमेण्ट) *n.* pledge. वचन, वायदा.

commodity—(कमॉडिटी) *n.* articles of trade, useful things. पदार्थ, सामग्री.

commoner—(कॉमनर) *n.* one of the people. सामान्य मनुष्य.

communicate—(कम्यूनिकेट) *v. t.* to give information, to join. प्रकाशित करना, मिलाना.

communication—(कम्यूनिकेशन) *n.* act of giving information, information, message, correspondence. खबर देने का कार्य, सूचना, संदेश, पत्र व्यवहार.

communism—(कम्यूनिज़्म) *n.* vesting of property in common. सब सम्पत्ति को सर्वाधिकार में करने का सिद्धान्त, साम्यवाद.

companion—(कम्पैनियन) *n.* an associate, a mate. साथी, संगी.

comparable—(कम्पेयरेबल) *adj.* able to be compared. तुलना करने योग्य.

compare—(कम्पैयर) *v. t.* to find out points of likeness. तुलना करना.

comparison—(कम्पैरीसन) *n.* act of comparing. तुलना.

compassion—(कम्पैशन) *n.* pity, sympathy. दया, कृपा.

compensation—(कम्पेन्सेशन) *n.* recompense. प्रतिफल, क्षतिपूर्ति.

compete—(कम्पीट) *v. t.* to strive with others, to contend. स्पर्धा करना, बराबरी करना.

competent—(कम्पीटेण्ट) *adj.* of sufficient ability, suitable. योग्य, निपुण.

competition—(कॉम्पिटीशन) *n.* rivalry. स्पर्धा, बराबरी.

compile—(कम्पाइल) *v. t.* to collect matter from various authors. संकलित करना, संग्रह करना.

complain—(कम्प्लेन) *v. t.* to express displeasure, to find fault with. असन्तोष प्रकट करना, दोष निकालना.

complainant—(कम्प्लेनेण्ट) *n.* one who makes a charge against another. दोषी ठहराने वाला.

complaint—(कम्प्लेण्ट) *n.* accusation, ailment. अभियोग, रोग.

complement—(कॉम्प्लीमेण्ट) *n.* anything that completes. पूरक.

complementary—(कॉम्प्लीमेण्ट्री) *adj.* supplying a deficiency. कमी पूरी करने वाला.

complete—(कम्प्लीट) *v. t.* to finish, to perfect. समाप्त करना, पूर्ण करना.

completion—(कम्पलीशन) *n.* accomplishment. परिणाम, सिद्धि.

complex—(कॉम्प्लेक्स) *adj.* not simple, intricate. मिश्रित, पेचीदा.

complicacy—(कॉम्पलीकेसी) *n.* state of being complicated. उलझन.

complication—(कॉमप्लीकेशन) *n.* complicated situation. उलझन.

compliment—(कॉम्प्लीमेण्ट) *n.* a polite praise or respect. अभिनन्दन, नमस्कार; *v. t.* to praise, प्रशंसा करना.

complimentary—(कॉम्प्लीमेण्ट्री) *adj.* expressive of praise. प्रशंसात्मक.

composition—(कम्पोज़ीशन) *n.* a construction, literary production. रचना, बनावट, खेल.

comprehension—(कॉम्प्रीहेन्शन) *n.* understanding. समझ.

comprise—(कम्प्राइज़) *v. t.* to contain, to include. व्याप्त करना, मिलाना.

compromise—(कॉम्प्रोमाइज़) *v. t.* to settle by mutual consent. आपस में मिलकर झगड़ा तय करना; *n.* settlement. समझौता.

compulsion—(कम्पलज़न) *n.* force, obligation. दबाव, अनरोध.

compulsory—(कम्पलसरी) *adj.* having no option. अनिवार्य.

compute—(कम्प्यूट) *v. t.* to reckon, to value. गणना करना, लेखा करना.

comrade—(कॉमरेड) *n.* a companion. मित्र, संगी, साथी.

conceal—(कंसील) *v. t.* to hide, to shelter. छिपाना; शरण देना.

conceivable—(कंसीवेबल) *adj.* able to be conceived. विचारने योग्य.

conception—(कंसेप्शन) *n.* thought, notion. विचार, कल्पना.

concentration—(कॉन्सेण्ट्रेशन) *n.* act of concentrating. एकाग्रता.

conception—(कनसेप्शन) *n.* concept, idea. विचार.

concern—(कन्सर्न) *v. t.* to relate to, to belong to, to have to do with. सम्बन्ध रखना, उद्देश्य होना; *n.* business or affair, anxiety. व्यवसाय, व्याकुलता.

concise—(कन्साइज़) *adj.* short. अल्प, संक्षिप्त.

conclude—(कनक्लूड) *v. t.* to finish, to infer. समाप्त करना.

concord—(कॉनकॉर्ड) *n.* harmony, agreement. मेल, एकता.

condemn—(कण्डेम) *v. t.* to pronounce guilty, to censure. दण्ड देना, अपराधी ठहराना.

condemnation—(कण्डेम्नेशन) *n.* the act of condemning. अपराध का दण्ड.

condense—(कण्डेंस) *v. t.* to reduce in volume, to compress, to abbreviate. घना करना, गाढ़ा करना.

condensation — (कण्डेन्सेशन) *n.* act of making dense. गाढ़ा करने की क्रिया.

condition—(कण्डीशन) *n.* state, circumstance. दशा, अवस्था, स्थिति.

conditional—(कण्डीशनल) *adj.* depending on conditions. स्थिति पर निर्भर, दशा के साथ.

condole—(कण्डोल) *v. t.* to grieve, to sympathise. विलाप करना, सहानुभूति प्रकट करना.

condolence—(कण्डोलेन्स) *n.* grief expressed on other's loss. दूसरों के दुःख पर प्रदर्शित की हुई सहानुभूति.

conduce—(कण्ड्यूस) *v. t.* to lead, to contribute. प्रवृत्त करना, बढ़ाना.

conducive—(कण्ड्यूसिव) *adj.* tending. प्रेरक.

conduct—(कण्डक्ट) *v. t.* to lead or guide, to direct, to manage, to behave, to carry. मार्ग दिखाना, प्रबन्ध करना, व्यवहार करना, ले जाना.

confectioner—(कन्फेक्शनर) *n.* a maker or seller of sweetmeats. हलवाई.

confess—(कन्फेस) *v. t. & i.* to acknowledge, to disclose. स्वीकार करना, प्रकाशित करना.

confession—(कन्फेशन) *n.* the acknowledgement of a fault or crime. अपराध या दोष का स्वीकरण.

confide—(कनफ़ाइड) *v. t.* to trust. विश्वास करना.

confidence—(कॉन्फ़िडेन्स) *n.* trust. विश्वास.

confident—(कॉन्फ़िडेण्ट) confidential. *adj.* trusted, private, विश्वस्त, गुप्त.

confirm—(कन्फ़र्म) *v. t.* to strengthen, to make sure, to ratify. पुष्ट करना, स्थिर करना, प्रमाणित करना.

confirmation—(कन्फ़र्मेशन) *n.* corroborating statement. प्रमाणीकरण.

conflict—(कॉनफ़्लिक्ट) *v. t.* to fight. युद्ध, कलह.

conform—(कन्फ़ॉर्म) *v. t.* to adopt, to make like, to comply with. अनुरूप करना, समान करना, स्वीकार करना.

conformation—(कन्फ़ॉर्मेशन) *n.* shape, structure. आकृति, बनावट.

confront—(कन्फ़्रण्ट) *v. t.* to face. मुकाबला करना, सामना करना.

confuse—(कन्फ़्यूज़) *v. t.* to mix together, to perplex. गड़बड़ करना, भ्रम में डालना.

confusion—(कन्फ़्यूज़न) *n.* disorder. गड़बड़ी.

congratulate—(कांग्रेच्युलेट) *v. t.* to wish joy. अभिनंदन करना.

congratulation—(कॉन्ग्रेचुलेशन) *n.* expression of joy at the success. बधाई.

connect—(कनेक्ट) *v. t.* to join together, to associate. जोड़ना, मिलाना.

conquer—(कॉन्कर) *v. t.* to gain by force, to subdue. जीतना, अधीन करना.

conqueror—(कॉन्करर) *n.* one who conquers. विजयी, जीतने वाला.

conscience—(कॉन्शएन्स) *n.* the sense of right and wrong. अन्तःकरण.

conscious—(कॉन्शस) *adj.* knowing, aware. सचेत, ज्ञानी.

consciousness—(कॉन्शसनेस) *n.* person's thoughts and feelings. चेतना.

consequence—(कॉन्सीक्वेन्स) *n.* result, importance. परिणाम, प्रभाव.

consider—(कन्सीडर) *v. t. & i.* to think. सोचना, विचार करना.

consider—(कन्सीडर) *v. t.* to contemplate, to reflect upon. विचार करना, मनन करना.

considerable—(कंसीड्रेबल) *adj.* great, important. मान्य, अधिक.

consist—(कंसिस्ट) *v. t.* to be composed of. निर्मित, बना होना.

consolation—(कंसोलेशन) *n.* alleviation of grief. धीरज, ढाढ़स.

consolidate—(कंसॉलिडेट) *v. t.* to solidify together into a mass, to unite. ठोस करना, एक पिण्ड बनाना, जोड़ना.

conspire—(कॉन्स्पयार) *v. t.* to plot together. षडयंत्र रचना.

conspiracy—(कॉन्स्पीरेसी) *n.* a plot. षडयन्त्र.

constancy—(कॉन्स्टेंसी) *n.* firmness. स्थिरता, दृढ़ता.

constant—(कॉन्स्टैण्ट) *adj.* fixed, unchanging अचल, स्थिर.

constipation—(कॉन्सस्टीपेशन) *n.* difficulty in evacuating the bowels. कब्ज़ी.

constituency—(कॉस्टिटुएन्सी) *n.* body of electors in a place. निर्वाचन केन्द्र.

constituency—(कांस्टिटुएन्सी) *n.* body of electors in a region. निर्वाचन क्षेत्र.

constitution—(कांस्टिट्युशन) *n.* natural state of mind or body, formation, a system of laws. प्रकृति, शारीरिक अवस्था, रचना, संविधान.

consult—(कंसल्ट) *v. t.* to seek advice. सम्मति लेना.

consultation—(कंसल्टेशन) *n.* conference. आलोचना, परामर्श.

consume—(कंज़्यूम) *v. t.* to eat up, to destroy. व्यय करना, नष्ट करना.

consumption—(कंज़म्प्शन) *n.* act of consuming, a wasting disease. खपत, क्षय का रोग.

contain—(कण्टेन) *v. t.* to hold, to include. सम्मिलित करना.

contempt—(कण्टेम्प्ट) *n.* scorn, disrespect. तिरस्कार, अनादर.

contending—(कण्टैण्डिंग) *n.* opposing. विरोधी.

content—(कण्टेण्ट) *adj.* satisfied. संतुष्ट.

contentment—(कण्टेण्टमेण्ट) *n.* satisfaction. सन्तोष.

contest—(कॉण्टेस्ट) *v. t.* to debate, to fight. झगड़ना; *n.* debate, strife. विवाद, कलह.

continental—(कॉण्टिनेंटल) *adj.* pertaining to a continent. महाद्वीप सम्बन्धी.

continual—(कण्टीन्युअल) *adj.* occurring on every occasion. निरन्तर.

continuation—(कण्टीनुएशन) *n.* going on in a series or line. निरन्तर भाव.

continue—(कण्टीन्यू) *v. t. & i.* to remain, to maintain, to extend, to prolong. जारी रखना.

continuous—(कण्टीन्युअस) *adj.* uninterrupted. सतत, अनवरत.

contra—(कॉण्ट्रा) *pref.* in sense of "against" "विपरीत" अर्थ का उपसर्ग.

contradict—(कॉण्ट्राडिक्ट) *v. t.* to oppose. विरोध करना.

contrary—(कॉण्ट्रास्ट) *adj.* opposite, opposing. विपरीत, प्रतिकूल.

contrast—(कॉण्ट्रास्ट) *v. i.* to set in opposition. भेद दिखलाना; *n.* opposing. विरोध, अन्तर.

contribution—(कॉण्ट्रीब्यूशन) *n.* act of contributing, a literary article. भागदान, लेख.

controversy—(कॉण्ट्रोवर्सी) *n.* a discussion, a dispute. विवाद, कलह, झगड़ा.

convenience—(कनवीनिएन्स) *n.* suitableness, comfort. योग्यता, सुविधा.

convenient—(कनवीनिएण्ट) *adj.* suitable, handy. अनुकूल, उपयुक्त.

conventional—(कन्वेन्शनल) *adj.* customary. परम्परा के अनुसार, प्रथा के अनुसार.

conversant—(कन्वसेण्ट) *adj.* well acquainted with. निपुण, अति परिचित, कुशल.

conversation—(कन्वर्सेशन) *n.* talking. बातचीत, वार्तालाप.

conveyance—(कन्वेएन्स) *n.* act of carrying, a carriage. ले जाने की क्रिया, गाड़ी.

cooperate—(कोऑपरेट) *v. t.* to work together. मिलकर काम करना.

cooperation—(कोऑपरेशन) *n.* the act of cooperating. सहयोग.

cooperative — (कोऑपरेटिव) *adj.* on the basis of cooperation. सहयोगी.

coordinate—(कोऑर्डिनेट) *adj.* of the same order or rank. एक पद वाला; *v. t.* bring together. उचित सम्बन्ध में लाना.

coordination—(कोऑर्डिनेशन) *n.* act of coordinating. एकीकरण, सहकारिता.

copyright—(कॉपीराइट) *n.* legal right to print and publish books and articles. छापने का पूर्ण अधिकार.

cordially—(कॉरडियली) *adj.* warmly. हार्दिक रूप से.

cordiality—(कॉरडिऐलिटी) *n.* state of being cordial. मित्र भाव, मधुरता.

corn—(कॉर्न) *n.* a grain seed, horny growth on toes. अन्न, धान्य, पैर का गोखरू.

corporal—(कॉरपोरल) *n.* an officer in an army next to a sergeant. सेना का एक छोटा अधिकारी, नायक; *a.* pertaining to body. शरीर सम्बन्धी.

corporation—(कॉर्पोरेशन) *n.* united body of persons. संघ, समाज.

corps—(कॉर) *n.* a division of an army. सेना का एक भाग, पलटन.

correction—(करेक्शन) *n.* amendment. सुधार, दण्ड.

correctness—(करेक्टनेस) *n.* state of being correct, accuracy. शुद्धि.

correlation—(कोरिलेशन) *n.* mutual relation. पारस्परिक सम्बन्ध.

correspondence—(कॉरेस्पॉण्डेंस) *n.* agreement, communication by letters. संसर्ग, पत्र.

correspondent—(कॉरेस्पॉण्डेंट) *n.* one who communicates by letter. सवांददाता.

corruption—(करप्शन) *n.* depravity. भ्रष्टता, खोटापन.

cosmetic—(कॉस्मेटिक) *n., adj.* relating to personal adornment. श्रृंगार सम्बन्धी.

cost—(कॉस्ट) *n.* money, expense paid for things. मूल्य, व्यय, दाम.

costly—(कॉस्टली) *adj.* expensive. कीमती.

cottage—(कॉटेज) *n.* a small house. झोंपड़ी.

councillor—(काउंसिलर) *n.* member of council. सभासद.

counteract—(काउण्टरएक्ट) *v. t.* to oppose, to defeat. विरोध करना, हराना.

counterattack—(काउंटरअटैक) *n.* attack done after enemy's action. शत्रु के आक्रमण के उत्तर में किया हुआ आक्रमण.

countercharge—(काउंटरचार्ज) *n.* charge in answer to another. अभियोग के उत्तर में लगाया हुआ अभियोग.

counterfoil — (काउंटरफ़्वायल) *n.* a corresponding part of a cheque etc. retained by the sender. प्रतिरूप, मुसन्ना.

courage—(करेज) *n.* bravery. साहस, वीरता.

courageous—(करेजिअस) *adj.* brave, bold. वीर, बहादुर, साहसी.

courtesy—(कर्टिसी) *n.* politeness. नम्रता.

cousin—(कज़िन) *n.* a child of one's uncle or aunt. चचेरा, ममेरा, मौसेरा या फुफेरा भाई या बहन.

coward—(कावर्ड) *n.* a faint hearted person. कायर, डरपोक मनुष्य.

cowardice—(कावर्डिस) *n.* timidity. भीरुता.

craftsman—(क्राफ्ट्समैन) *n.* an artisan. शिल्पकार.

credible—(क्रेडिब्‌ल) *adj.* believable. विश्वास योग्य.

creditable—(क्रेडिटेब्‌ल) *adj.* praiseworthy. प्रशंसनीय.

credulous—(क्रेड्युलस) *adj.* ready to believe. विश्वास करने को उद्यत.

crimson—(क्रिम्सन) *adj.* of a deep red colour. गहरे लाल रंग का.

cripple—(क्रिप्ल) *n.* a lame person. लंगड़ा मनुष्य; *v. t.* to disable, to weaken. लंगड़ा करना, निर्बल करना.

crisis—(क्राइसिस) *n.* (*pl.* crises) a turning point, a decisive moment. सकंट, निर्णायक क्षण.

critic—(क्रिटिक) *n.* one skilled in judging the quality of a thing. गुण-दोष निरूपक, समालोचक.

criticism—(क्रिटिसिज़्म) *n.* a critical judgement. समालोचना.

critique—(क्रिटिक) *n.* a critical estimate. समीक्षा, आलोचनात्मक विचार.

crooked—(क्रुकेड) *adj.* bent, deformed, dishonourable. ऐंठा, टेढ़ा, कुरूप, अप्रतिष्ठित.

crossing—(क्रॉसिंग) *n.* an intersection of roads. चौरस्ता, चौराहा.

crystal—(क्रिस्टल) *adj.* clear as glass. कांच के समान स्वच्छ; *n.* clear transparent mineral. स्फटिक, बिल्लौर.

culmination—(कल्मिनेशन) *n.* state of having risen to the highest point. सर्वोच्च स्थिति की प्राप्ति.

culprit—(कलप्रिट) *n.* an accused person. अपराधी, दोषी मनुष्य.

cultivator—(कल्टीवेटर) *n.* one who cultivates. किसान, खेतिहर.

curiosity—(क्यूरीऑसिटी) *n.* state of being curious. आश्चर्य, कौतुक, अचम्भा.

curriculum—(करीक्युलम) (*pl.* curricula) *n.* course of study. पाठ्यक्रम.

curse—(कर्स) *v. t.* to call down evil. शाप देना; *n.* an utterance of destruction. शाप.

cursory—(कर्सरी) *adj.* hasty, without much care. सरसरी, जल्दी में.

curtail—(कर्टेल) *v. t.* to cut short. छोटा करना, संक्षेप करना.

curtain—(कर्टेन) *n.* a hanging screen. पर्दा, चिक; *v. t.* to

curved—(कर्वड) *adj.* bent. झुकी हुई.

custard—(कस्टर्ड) *n.* a mixture of milk, eggs etc. पका हुआ अण्डा और दूध का मिश्रण.

cyclone—(साइक्लोन) *n.* circular storm, whirlwind. चक्करदार आंधी, तूफान.

cyclopaedia—(साइक्लोपीडिया) *n.* a guide to knowledge arranged alphabetically. विश्वकोष.

cyclostyle—(साइक्लोस्टाइल) *n.* an apparatus for printing copies from stencil-plate. हाथ की लिखावट छापने का यंत्र, चक्रमुद्रणयंत्र.

cylinder—(सिलिण्डर) *n.* a roller-shaped hollow or solid vessel. बेलन के आकार का पोला अथवा ठोस पदार्थ, रोलर.

cymbal—(सिम्बल) *n.* one of a pair of brass plates clashed together for sound. मजीरा.

cypher (cipher)—(साइफर) *n.* nothing. शून्य.

D

dacoit—(डकॉयट) *n.* one of a gang of robbers. डाकू.

dacoity—(डकॉयटी) *n.* a dacoit's work. डकैती.

dainty—(डेण्टी) *adj.* neat, delicious. स्वादिष्ट, ज़ायकेदार, अच्छा.

dais—(डाएस) *n.* raised platform. मंच, चबूतरा.

damage—(डैमेज) *n.* injury, loss. नाश, हानि; *v. t.* to injure to defame. हानि करना, क्षति पहुंचाना.

dame—(डेम) *n.* the lady keeper of a boarding-house, wife of a baronet or knight. होस्टल प्रबन्धिका, बैरोनेट या नाइट की पत्नी.

damnable—(डैमनेबिल) *adj.* hateful. घृणास्पद.

dangerous—(डेन्जरस) *adj.* perilous. भयंकर.

daring—(डेयरिंग) *n.* boldness. साहस; *a.* bold, fearless. वीर, निडर.

daughter—(डॉटर) *n.* a female child. पुत्री, बेटी; *n.* daughter-in-law (son's wife) पतोहू.

dauntless—(डॉण्टलेस) *adj.* fearless. निर्भय.

accountbook of daily transsactions. प्रतिदिन का हिसाब लिखने की बही.

dazzle—(डैज़ल) *v. t.* to overpower with, to confound with brilliance. चकित करना, चौंधियाना.

de—(डी) *pref.* in sense of "down, away" "नीचे, दूर" अर्थ का उपसर्ग.

dealing—(डीलिंग्स) *n. pl.* a person's conduct or transactions. व्यवहार, लेनदेन.

dear—(डियर) *adj.* beloved, costly. प्यारा, मंहगा.

dearth—(डर्थ) *n.* state of scarcity, famine. कमी, अकाल.

debatable—(डिबेटेब्ल) *adj.* liable to be disputed. विवाद योग्य.

debate—(डिबेट) *v. t.* to argue, to discuss. बहस करना, झगड़ना; *n.* discussion. विवाद, तर्क.

debt—(डेट) *n.* sum owed to a person. ऋण, उधार.

debtor—(डैटर) *n.* person owing something to another. कर्जदार, देनदार, ऋणी.

decency—(डिसेन्सी) *n.* goodness, beauty. अच्छाई, सौन्दर्य.

decent—(डिसेण्ट) *adj.* proper, respectable. योग्य, सभ्य, शिष्ट.

decision—(डिसिज़न) *n.* act of deciding, judgement. निर्णय.

declare—(डिक्लेयर) *v. t. to* assert, to decide in favour of. सूचित करना, घोषित करना.

decorate—(डेकोरेट) *v. t.* to beautify, to adorn. श्रृंगार करना.

decoration—(डेकोरेशन) *n.* ornamentation. अलंकार, सजावट.

dedicate—(डेडीकेट) *v. t.* to set apart for a holy purpose, to give wholly up to, to inscribe. भेंट करना, समर्पण करना.

deer—(डियर) *n.* animal with branched horns. हरिण, मृग.

deface—(डिफ़ेस) *v. t.* to disfigure. रूप बिगाड़ना.

defacement—(डिफ़ेसमेण्ट) *n.* act of defacing. रूप का विनाश.

defamation—(डिफ़ेमेशन) *n.* act of defaming. बदनामी, निन्दा, मान-हानि.

defame—(डिफ़ेम) *v. t.* to take

accuse falsely. निन्दा करना, आक्षेप करना.

default—(डिफ़ॉल्ट) *n.* neglect of duty. चूक, अपराध.

defaulter—(डिफ़ॉल्टर) *n.* one who fails in payment. ऋण न चुकाने वाला.

defeat—(डिफ़ीट) *v. t.* to subdue, to overcome. हराना.

defect—(डिफ़ेक्ट) *n.* want, imperfection. विकार, त्रुटि.

defence—(डिफ़ेंस) *n.* protection, justification, defendant's plea. रक्षा, बचाव, प्रत्युत्तर.

defend—(डिफ़ेण्ड) *v. t.* to protect, to resist. रक्षा करना, बचाना.

defensive—(डिफ़ेंसिव) *adj.* serving to defend. रक्षात्मक.

defer—(डिफ़र) *v. t.* to put off, to lay, to submit, to yield. देर करना, टालना, मान लेना.

deference—(डेफ़रेंस) *n.* respectful conduct. विनीत आचरण.

deficiency—(डेफ़ीशिएंसी) *n.* lack, want. न्यूनता, कमी.

definable—(डिफ़ाइनेब्ल) *adj.* able to be defined. लक्षण, बतलाने योग्य.

definition—(डेफ़िनीशन) *n.* an exact statement of meaning. व्याख्या, परिभाषा.

deformity—(डिफ़ॉर्मिटी) *n.* ugliness. भद्दापन; कुरूपता.

degradation—(डिग्रेडेशन) *n.* disgrace. मानभंग.

degrade—(डिग्रेड) *v. t.* to lower in rank, to disgrace. पद नीचा करना, अपमान करना.

degree—(डिग्री) *n.* rank, proportion, academic proficiency, 360 part of a circle, part of right angle. पद, दशा, परिमाण, उपाधि, अंश.

deity—(डीटी) *n.* a god or goddess. देवता या देवी.

dejected—(डिजेक्टेड) *adj.* sad. उदासीन.

delay—(डिले) *v. t. & i.* to postpone, to hinder. टालना, देर करना; *n.* lingering. कालक्षेप.

delegate—(डेलीगेट) *n.* representative, deputy. प्रतिनिधि.

delegation—(डेलीगेशन) *n.* body of delegates. प्रतिनिधि-

delete—(डिलीट) *v. t.* to blot out, to erase. हटाना, मिटाना.

deliberation—(डेलीबरेशन) *n.* careful consideration. समुचित विचार, गौर.

deliberate—(डेलीबरेट) *v. t.* to reflect, to consider. सोचना, विचार करना.

delicacy—(डेलीकेसी) *n.* tenderness, state of being delicate. कोमलता, नज़ाकत.

deliver—(डिलीवर) *v. t.* to set free, to make an address. मुक्त करना, त्यागना, व्याख्यान देना.

deliverence—(डेलिवरेंस) *n.* release. मुक्ति, छुटकारा.

delusion—(डिल्यूज़न) *n.* deception. भ्रम, भ्रान्ति.

demarcation—(डिमार्केशन) *n.* boundary, separation. सीमा, मर्यादा.

democracy—(डिमोक्रेसी) *n.* government by the people. जनसत्तात्मक सरकार.

demonstration—(डिमॉन्सट्रेशन) *n.* proof. प्रमाण, दिखाव.

demoralize—(डिमॉरलाइज़) *v. t.* to ruin the morals of, to cause fear. चरित्र भ्रष्ट करना, आतंकित करना.

denial—(डिनायल) *n.* act of refusing or denying. अस्वीकृति, निषेध.

dense—(डेंस) *adj.* thick, compact, dull. घना, मूर्ख.

density—(डेंसिटी) *n.* closeness of a substance, denseness. घनापन, ठोसपन.

dentist—(डेण्टिस्ट) *n.* a dental surgeon. दांत का वैद्य.

deny—(डिनाई) *v. t.* to refuse, to contradict. अस्वीकार करना, निषेध करना.

depart—(डिपार्ट) *v. t.* to go away, to leave. चला जाना, छोड़ना.

departure—(डिपाचर) *n.* act of departing. प्रस्थान.

dependable — (डिपेण्डेबिल) *adj.* reliable. निर्भर, विश्वसनीय.

dependant—(डिपेण्डेण्ट) *n.* a follower. आश्रित.

deponent—(डिपोनेण्ट) *n.* one who gives sworn testimony. साक्षी.

deposit—(डिपॉज़िट) *v. t.* to lay down, to entrust. जमा करना, धरोहर रखना.

depression—(डिप्रेशन) *n.* dejection, a hollow. उदासी, गड्ढा.

deprive—(डिप्राइव) *v. t.* to take away from, to rob of. हरण करना, छीन लेना.

depth—(डेप्थ) *n.* deep place, depression. गहराई.

deputation—(डेप्यूटेशन) *n.* person or persons appointed to act or speak for others. प्रतिनिधि, प्रतिनिधि मण्डल.

derangement—(डिरेंजमेण्ट) *n.* disturbance, disorder. अव्यवस्था.

descend—(डिसेण्ड) *v. t.* to come down, to be derived from, to invade. उतरना, वंश में होना, आक्रमण करना.

description—(डिष्क्रिप्शन) *n.* account in detail, verbal portraiture. वर्णन, चित्रण.

deserving—(डिज़र्विंग) *adj.* meritorious. योग्य, प्रवीण.

desirable—(डिज़ायरेबल) *adj.* agreeable. इच्छित, वांछित.

desirous—(डिज़ायरस) *adi.* wishful. इच्छुक.

desperation—(डेस्पेरेशन) *n.* hopelessness. निराशा.

destination—(डेस्टीनेशन) *n.* place to be reached. ठिकाना, मंजिल.

destroy—(डिस्ट्रॉय) *v. t.* to lay waste, to ruin. ध्वंस करना, नाश करना.

destructible — (डिस्ट्रक्टब्ल) *adj.* destroyable. नाश करने योग्य.

detective—(डिटेक्टिव) *n.* one employed in detecting criminals. जासूस, गुप्तचर.

deteriorate—(डिटीरियरेट) *v. t.* to become worse in quality. भ्रष्ट होना.

determination— (डिटर्मिनेशन) *n.* resolution. निश्चय.

determine—(डिटर्मिन) *v. t. & i.* to resolve, to fix, to influence. निर्णय करना, स्थिर करना, प्रभाव डालना.

develop—(डिवेलप) *v. t.* to unfold, to promote the growth of. पुष्ट करना, उन्नत करना.

development—(डिवेलपमेण्ट) *n.* gradual growth. उन्नति.

devil—(डेविल) *n.* evil spirit. शैतान.

devoted—(डिवोटेड) *adj.* ardent, zealous. सेवानिष्ठ, श्रद्धावान.

devotee—(डिवोटी) *n.* a devoted person. भक्त.

dew—(डयू) *n.* moisture deposited on cool surface. ओस.

diagnosis—(डायग्नोसिस) *n.* recognition of a disease by its symptoms. लक्षणों द्वारा रोग का निर्णय, निदान.

diagnosis—(डायग्नोसिस) *n.* recognition of a disease by its symptoms. लक्षणों द्वारा रोग का निर्णय, निदान.

dialogue—(डायलॉग) *n.* conversation. बातचीत.

diary—(डायरी) *n.* a daily record of events. दिनचर्या का लेखा.

dictate—(डिक्टेट) *v. t.* to ask another to write. दूसरे को लिखाना.

dictation—(डिक्टेशन) *n.* act of dictating. बोल कर लिखवाना.

dictator—(डिक्टेटर) *n.* an absolute ruler. अनन्य शासक.

diet—(डाएट) *n.* a way of feeding, food. आहार, भोजन.

difference—(डिफ़रेंस) *n.* unlikeness, disagreement. भेद.

different—(डिफ़रेण्ट) *adj.* unlike. भिन्न.

differentiate—(डिफ़रेंशिएट) *v. t.* to discriminate. पृथक करना, अलग करना.

difficulty—(डिफ़िकल्टी) *n.* difficult situation, obstacle. कठिनता, क्लेश.

diffusion—(डिफ़्यूज़न) *n.* a spreading abroad, distribution. विस्तार, फैलाव, विसरण.

digest—(डाइजेस्ट) *v. t.* to make absorbable, to arrange, to think over. पचाना, संग्रह करना, विचारना; *n.* collection of laws, summary. विधि, संग्रह.

dignity—(डिग्निटी) *n.* honour, impressiveness. मान, प्रतिष्ठा.

dilemma—(डाइलेमा) *n.* a difficult position. दुविधा.

diligence—(डिलिजेंस) *n.* earnest effort. उद्योग, अभ्यास.

dilute—(डाइल्यूट) *v. t.* to make thin by mixing with water. पानी मिला कर पतला करना.

dimension—(डाइमेन्शन) *n.* size, extent. परिमाण, मात्रा.

dine—(डाइन) *v. t.* to take food. भोजन करना.

dining-room—(डाइनिंगरूम) *n.* a room used for meals. भोजनालय.

dinner—(डिनर) *n.* the chief meal of the day, a public feast. दिन का प्रधान भोजन.

diplomat—(डिप्लोमैट) *n.* tactful. चतुर.

direction—(डाइरेक्शन) *n.* course, address. लक्ष्य, पता, दिशा.

directive—(डाइरेक्टिव) *adj.* giv-ing instruction. आदेश.

disability—(डिसएबिलिटी) *n.* incapability. अयोग्यता.

disagreeable— (डिसअग्रीएबल) *adj.* unpleasant. अप्रिय.

disappear—(डिसअपीयर) *v. t.* to vanish. अदृश्य होना.

disappointment—(डिसअपॉइंटमेण्ट) *n.* failure of expectation. निराशा.

disapproval—(डिसअप्रूवल) *n.* state of rejecting. अस्वीकृति, नामंज़ूरी.

disarmament—(डिसआर्मामेण्ट) *n.* abandonment of warlike establishment. निःशस्त्रीकरण.

disbelief—(डिसबिलीफ़) *n.* refusing to believe, no confidence. अविश्वास.

discharge—(डिसचार्ज) *v. t.* to unload, to acquit, to dismiss, to fire, to perform. भार हटाना, छोड़ना, मुक्त करना, कार्य करना.

disclose—(डिसक्लोज़) *v. t.* to uncover, to expose to view. स्पष्ट करना, प्रकट करना.

discomfit—(डिस्कम्फ़िट) *v. t.* to defeat, to frustrate. हराना, मात करना.

disconnect—(डिसकनेक्ट) *v. t.* to disunite, to separate. खोलना, सम्बन्ध विच्छेद करना.

discouragement— (डिसकरेजमेण्ट) *n.* act of discouraging. खिन्नता, हताश अवस्था.

discovery—(डिसकवरी) *n.* thing discovered. आविष्कार.

discussion—(डिसकशन) *n.* debate. विवाद, बातचीत.

disease—(डिसीज़) *n.* illness. बीमारी, रोग.

disengage—(डिसइंगेज) *v. t.* to set free, to separate. निर्मुक्त करना, अलग करना.

disfavour—(डिसफ़ेवर) *n.* dislike, displeasure. घृणा, असन्तोष.

disgrace—(डिसग्रेस) *v. t.* to dishonour. अपमान करना.

disguise—(डिसगाइज़) *v. t.* to conceal, to misrepresent. छिपाना, वेष बदलना; *n.* स्वांग.

disgust—(डिसगस्ट) *n.* dislike, loathing. घृणा, उद्वेग; *v. t.* to excite aversion. अरुचि उत्पन्न करना.

dishonest—(डिसऑनेस्ट) *adj.* insincere. कपटी, धूर्त.

dishonour—(डिसऑनर) *v. t.* to disgrace. अपमान करना.

disinterested—(डिसइंटरेस्टेड) *adj.* without personal interest. स्वार्थहीन, निष्पक्ष, तटस्थ.

dislike—(डिसलाइक) *v. t.* to disapprove. नापसन्द करना.

dislocate—(डिसलोकेट) *v. t.* to displace. जगह से हटा देना.

dislodge—(डिसलॉज) *v. t.* to remove from a position. जगह से हटाना.

dismiss—(डिसमिस) *v. t.* to remove from office, to send away. पदच्युत करना, विदा करना.

dismissal—(डिसमिसल) *n.* act of dismissing. बरखास्त होना, पृथकत्व.

disobedient—(डिसओबीडिएण्ट) *adj.* one who does not obey. आज्ञा न मानने वाला.

disobey—(डिसओबे) *v. t.* to refuse to obey. आज्ञा न मानना.

disorder—(डिसऑर्डर) *n.* confusion. गड़बड़, अव्यवस्था, परेशानी.

dispatch—(डिसपैच) *v. t.* to send out, to dispose of. रवाना करना, तय करना, निपटाना.

dispensary—(डिसपेन्सरी) *n.* a druggist's room. औषधालय.

disperse—(डिसपर्स) *v. t.* to dismiss, to scatter about. विकेन्द्रित करना, इधर उधर हटाना.

displace—(डिसप्लेस) *v. t.* to put out of place. जगह से हटाना.

display—(डिसप्ले) *v. t.* to exhibit, to make a show of. प्रदर्शन करना.

displease—(डिसप्लीज़) *v. t.* to annoy. नाखुश करना. *n.* displeasure. नाखुशी.

disposal—(डिसपोज़ल) *n.* arrangement, settlement. प्रबन्ध.

dispute—(डिसप्यूट) *v. t.* to argue. विवाद करना, न मानना.

disreputable—(डिसरिप्यूटेबल) *adj.* of ill fame. बदनाम, कुख्यात.

disrepute—(डिसरिप्यूट) *n.* ill fame. बदनामी.

distance—(डिसटेन्स) *n.* remoteness. दूरी.

distant—(डिसटैण्ट) *adj.* far off. दूर.

distaste—(डिसटेस्ट) *n.* dislike, aversion. अरुचि, घृणा.

distemper—(डिसटेम्पर) *n.* derangement of body, paint for wall. तबीयत खराब होना, दीवार का रंग.

distillation—(डिस्टिलेशन) *n.* act of distilling. अर्क खीचने की क्रिया.

distort—(डिस्टॉर्ट) *v. t.* twisted to give false or twisted account. तोड़मरोड़ के वर्णन करना.

distortion—(डिस्टॉर्शन) *n.* twisted or false account. विकृत या असत्य रूप.

distribution—(डिस्ट्रीब्यूशन) *n.* division. वितरण, बांटना.

disturb—(डिस्टर्ब) *v. t.* to unsettle, to cause agitation. विचलित करना, गड़बड़ी पैदा करना.

disunite—(डिसयूनाइट) *v. t.* to separate, to cause dissension. विभेद करना, मतभेद कर देना, अलग करना.

ditto—(डिटो) *n. adj. & adv.* the same as above (in account or lists etc.) वही जो ऊपर लिखा है.

diversity—(डाइवर्सिटी) *n.* being unlike, variety. विभिन्नता, अनमेल होना.

diversion—(डाइवर्ज़न) *n.* diverting of attention, amusement, a military manoeuvre. ध्यान हटना, दिल बहलाव, एक सैनिक चाल.

divert—(डाइवर्ट) *v. t.* to turn aside, deflect, to change. निश्चित पथ से हटाना, राह बदल देना.

dividend—(डिविडेण्ड) *n.* number to be divided, sum payable as interest on loan, or profit. विभाजनीय संख्या, मुनाफा.

division—(डिविज़न) *n.* distribution, disagreement, classification, a unit in the army. वोट, मतभेद, वर्ग विभाजन, सैनिक टोली.

divorce—(डाइवोर्स) *n.* dissolution of marriage. *v. t.* to dissolve, marriage, sever. विवाह विच्छेद, तलाक देना, अलग करना.

docile—(डोसाइल) *adj.* submissive. सीधा, पालतू.

doctrine—(डॉक्ट्रिन) *n.* belief, religious or scientific teaching. सिद्धान्त.

document—(डॉक्यूमेण्ट) *n.* दस्तावेज, लेख.

dogma—(डॉग्मा) *n.* principle, rigid opinion. सिद्धान्त, निश्चित मत.

dogmatic—(डॉगमैटिक) *adj.* doctrinal, authoritative. सैद्धान्तिक, प्रामाणिक, कट्टर.

domain—(डोमेन) *n.* estate, territory. राज, इलाका.

domestic—(डोमेस्टिक) *adj.* concerning the home. घरेलू.

domination—(डोमीनेशन) *n.* rule. राज्य, शासन.

donation—(डोनेशन) *n.* gift of money. दान.

donee—(डोनी) *n.* one who receives a gift. दान पाने वाला.

donor—(डोनर) *n.* giver. देने वाला.

doom—(डूम) *n.* condemn to hard fate, decree. कठोर सजा देना, दुर्भाग्य.

doubt—(डाउट) *v. t.* to distrust, to hesitate. सन्देह करना, हिचकिचाना.

dowry—(डावरी) *n.* money or goods given to a daughter as marriage gift. दहेज.

dozen—(डज़न्) *n.* twelve. बारह, एक दर्जन.

drainage—(ड्रेनेज) *n.* a system of drains. नालियों की व्यवस्था.

dramatist—(ड्रैमैटिस्ट) *n.* writer of dramatic work. नाटककार.

drastic—(ड्रैस्टिक) *adj.* powerful, violent. सख्त.

drawback—(ड्रॉबैक) *n.* a disadvantage. कमी, त्रुटि.

drawing—(ड्रॉइंग) *n.* a sketch, a picture. रेखा चित्र, चित्र.

dread—(ड्रेड) *n.* fear. डर; *adj.* fearful. भयानक; *v. t.* to be afraid. डरना.

dreamy—(ड्रीमी) *adj.* given to dream, full of vision. स्वप्निल, अवास्तविक.

dressing—(ड्रेसिंग) *n.* bandage. पट्टी.

drive—(ड्राइव) *n.* a ride, a road. सवारी, सड़क; *v. t. & i.* to push forward. ढकेलना, हांकना.

drizzle—(ड्रिज़िल) *v. t.* light rain. हल्की वर्षा.

drone—(ड्रोन) *n.* male bee. शहद की मक्खी.

drowsy—(ड्राउज़ी) *adj.* half asleep. निद्राशील.

dual—(डुअल) *adj.* of two, double. दोहरी.

duchess—(डचेस) *n.* wife of a duke. ड्यूक की पत्नी.

due—(ड्यू) *adj.* proper, owing, adequate. उचित, दिया जाने वाला, पर्याप्त; *n.* that which owed. कर्जा.

duel—(ड्यूअल) *n.* fight between two persons. द्वन्द्व युद्ध.

duke—(ड्यूक) *n.* a noble of England. ड्यूक.

duly—(ड्यूली) *adv.* in due course of time. उपयुक्त समय पर.

dumb—(डम) *n.* speechless. गूंगा.

dunce—(डन्स) *n.* backward student, dullard. मन्द बुद्धि, कम अक्ल.

duplicate—(ड्यूप्लीकेट) *n.* second copy; *adj.* double; *v. t.* to make twice. दूसरी प्रतिलिपि, दोहरा, दोहराना.

duplicity—(ड्यूप्लीसिटी) *n.* double dealing. दोरंगी चाल.

durability—(ड्यूरेबिलिटी) *n.* the quality of being lasting. मज़बूत, टिकाऊपन.

durable—(ड्यूरेबल) *adj.* lasting. टिकाऊ.

duration—(ड्यूरेशन) *n.* time by which anything lasts. मियाद, अवधि, मुद्दत.

during—(ड्यूरिंग) *prep.* in the time of. में, बीच.

dusty—(डस्टी) *adj.* full of dust. धूल से भरा.

dutch—(डच) *n.* a man of Holland. हालैण्ड निवासी.

duty—(ड्यूटी) *n.* what one ought to do, deference due to superior, a tax on goods. कर्त्तव्य, चुंगी.

dwarf—(ड्वार्फ़) *n.* a very small man. बौना.

dwelling—(ड्वैलिंग) *n.* place to live in, house. मकान.

dynamite—(डाइनैमाइट) *n.* an explosive substance. बारूद.

dynamo—(डाइनेमो) *n.* machine for creating electric energy. बिजली उत्पन्न करने का यन्त्र.

dysentery—(डिसेण्टरी) *n.* an upset of the bowels. अतिसार, आंव पड़ना.

E

each—(ईच) *adj.* every one. प्रत्येक.

eager—(ईगर) *adj.* earnest, keen. उत्सुक.

eagle—(ईगल) *n.* a big bird of prey. गिद्ध.

earmark—(ईअरमार्क) *n.* a mark of identification. पहचान का चित्र.

earnest—(अर्नेस्ट) *n.* part payment, as guarantee. पेशगी; *adj.* serious, determined, eager. धीर, गम्भीर, उत्सुक.

earnings—(अर्निंग्स) *n.* wages earned. आमदनी.

earth—(अर्थ) *n.* soil, land. पृथ्वी, मिट्टी.

earthen—(अर्थन) *adj.* made of soil. मिट्टी के बने हुये.

earthly—(अर्थली) *adv.* worldly. सांसारिक.

earthquake—(अर्थक्वेक) *n.* a sudden, violent shaking of the earth. भूकम्प, जलजला.

ease—(ईज़) *n.* freedom from pain or difficulty. आराम, सुविधा; *v. t.* to render easy. सुविधाजनक बनाना.

easel—(ईसल) *n.* frame for supporting pictures during painting. चित्र का ढांचा.

easygoing—(ईज़ी गोइंग) *adj.* one who takes things easy. बेफ़िक्र, सरल प्रकृति का.

eatable—(ईटेब्ल) *adj.* fit for eating. खाने लायक.

echo—(ईको) *n.* repetition of sound. आवाज़ की गूंज.

echo—(ईको) *v. t.* to resound. गूंजना.

ecstacy—(एक्सटेसी) *n.* condition of extreme joy. अत्यधिक आनन्द.

eczema—(एक्ज़ेमा) *n.* a skin disease, inflammation of the skin. खुजली.

edge—(एज) *n.* border, sharp side of an instrument. किनारा, तेज़ धार.

edible—(एडिबिल) *adj.* fit for eating. खाने लायक, खाद्य.

edition—(एडिशन) *n.* the number of copies of a book published at a time. संस्करण.

editor—(एडीटर) *n.* one who edits. सम्पादक.

educative—(एजूकेटिव) *adj.* likely to prove instructive. ज्ञानवर्धक, शिक्षापूर्ण.

effect—(इफ़ेक्ट) *n.* result, influence. परिणाम, प्रभाव.

effective—(इफ़ेक्टिव) *n. adj.* powerful, having effect. कारगर, काम करने वाली.

efficiency—(इफ़ीशेन्सी) *n.* power, strength, competence. कौशल, निपुणता.

efficient—(इफ़ीशिण्ट) *adj.* competent, capable. निपुण, कुशल.

effigy—(एफ़ीजी) *n.* image, representation in dummy form. पुतला.

effort—(एफ़र्ट) *n.* exertion, endeavour. प्रयास.

egoism—(ईगोइज़्म) *n.* too much interest in oneself. अपने आप पर अधिक ध्यान देने की अवस्था, अहभाव.

egotism—(इगोटिज़्म) *n.* self-absorption, speaking too much of oneself. आत्मचर्चा

eighty—(एट्टी) *n.* eight times ten. अस्सी.

elastic—(इलैस्टिक) *adj.* springing back, able to recover former state quickly. लचीला.

elasticity—(इलैस्टिसिटी) *n.* the quality of tension. लचीलापन.

elder—(एल्डर) *adj.* older in age. ज्येष्ठ.

elderly—(एलडरली) *adj.* grown old. वयस्क.

elect—(एलेक्ट) *v. t.* to choose or select. चुनना; *adj.* chosen. चुना हुआ.

electorate—(इलेक्टोरेट) *n.* the body of electors. मतदाताओं का समूह.

electropathy—(इलेक्ट्रोपैथी) *n.* medical treatment by means of electric current. बिजली द्वारा इलाज.

element—(एलीमेण्ट) *n.* component, part, substance incapable of analysing. तत्व, मूल.

(elements *n.* plural.)

elementary—(एलीमेण्टरी) *adj.* simple, rudimentary. मौलिक, आधारभूत, सरल.

elephant—(एलीफ़ैण्ट) *n.* a huge quadruped with tusks. हाथी.

elevation—(एलीवेशन) *n.* raising, height above sea level. ऊंचाई, उन्नति.

eligible—(एलीजिबिल) *adj.* fit to be chosen, desirable. योग्य.

elopement—(इलोपमेण्ट) *n.* secret running away of a woman from her guardian with a lover. प्रेमी के साथ स्त्री का भाग निकलना.

elucidate—(एल्यूसीडेट) *v. t.* to explain. स्पष्ट करना, समझाना.

elusion—(एल्यूज़न) *n.* escape by deception. धोखा, कपट.

em—(एम) *n.* unit of measurement (in types). टाइप बैठाने की नाप.

embrace—(एम्ब्रैस) *v. t.* to hold in arms, to receive eagerly. आलिंगन करना, उत्साह-पूर्वक स्वीकार करना; *n.* folding in arms, clasp. आलिंगन.

embroidery—(एम्ब्रॉयडरी) *n.* designs worked in a fabric with needles. बेल-बूटे का काम.

emergency—(इमर्जेन्सी) *n.* anything calling for prompt action. शीघ्र कार्य की आवश्यकता का समय.

emigrant—(एमिग्रैण्ट) *n.* one who emigrates. परदेशवासी, प्रवासी.

emotion—(इमोशन) *n.* agitation of mind, feeling. चित्त का आवेग, भावना.

employ—(इम्प्लॉय) *v. t.* to engage in service, to give work to, to use. नौकर रखना, काम में लगाना, व्यवहार करना.

employee—(इम्प्लॉई) *n.* one who is employed. सेवक.

employer—(इम्प्लॉयर) *n.* one who engages others for service. मालिक.

emporium—(एम्पोरियम) *n.* (*pl.* -s, -ria) a large store-house, centre of trade. बड़ा भण्डार, व्यावसायिक केन्द्र.

empower—(एम्पावर) *v. t.* to give authority to. अधिकार देना.

empress—(एम्प्रेस) *n.* wife of an emperor. महारानी, साम्राज्ञी.

emptiness—(एम्प्टीनेस) *n.* state of being empty. शून्यता.

emulation—(एम्युलेशन) *n.* ambition to rival another. स्पर्धा, डाह.

enclose—(एनक्लोज़) *v. t.* to surround, to shut up. घेरना, बन्द करना.

encounter—(एनकाउण्टर) *v. t.* to meet, to oppose, to fight against. लड़ाई करना, भिड़ना.

encourage—(एनकरज) *v. t.* to put courage into, to stimulate. प्रोत्साहन करना, हिम्मत बढ़ाना.

encyclopaedia—(एनसाइक्लोपीडिया) *n.* a dictionary of general knowledge. विश्वकोष.

endeavour—(एनडेवर) *v. t.* to attempt. प्रयत्न करना.

endeavourment—(एण्डेवरमेण्ट) *n.* attempt. प्रयत्न.

endorsement—(एण्डोर्समेण्ट) *n.* writing comments or signature on the back. मंज़ूरी, हस्ताक्षर.

endurance—(इण्ड्योरेन्स) *n.* power of enduring. सहनशक्ति.

endure—(इण्ड्यर) *v. t. & i.* to bear. सहना, बर्दाश्त करना.

enema—(एनिमा) *n.* injection of liquid into the rectum. एनिमा, पिचकारी.

energetic—(एनर्जेटिक) *adj.* full of energy. फुर्तीला.

enforce—(एन्फोर्स) *v. t.* to compel obedience, to impose action on. लागू करना, चलाना, बाध्य करना.

engagement—(एन्गेजमेण्ट) *n.* appointment, employment betrothal, fight. काम, लड़ाई, सगाई.

enmity—(एनमिटी) *n.* hostility. शत्रुता, विरोध, वैर.

enormous—(इनोर्मस) *adj.* huge. बहुत बड़ा.

enough—(इनफ़) *adj. & adv.* sufficient. काफी, पर्याप्त रूप से.

enquire—(इन्क्वायर) *v. t.* to inquire. पूछना, मालूम करना.

entry—(एण्ट्री) *n.* act of entering, entrance, item entered. प्रवेश, मार्ग, प्रविष्टि. (entries plural.)

envelope—(एनवेलप) *n.* cover of a letter. लिफ़ाफ़ा.

enviable—(एनविएबल) *adj.* worthy of envy. ईर्षा के योग्य, डाह उत्पन्न करने वाला.

envious—(एनवियस) *adj.* full of envy. ईर्ष्या करने वाला.

envoy—(एनवॉय) *n.* messenger. दूत, एलची.

envy—(एन्वी) *v. t.* to have ill will. ईर्ष्या करना.

epic—(एपिक) *n.* & *adj.* a poem in lofty style narrating a series of great events. वीर चरित्र वर्णन, महाकाव्य.

epidemic—(एपीडेमिक) *n.* an infectious disease prevalent in a community at the same time. संक्रामक या व्यापक रोग.

epistle—(इपिस्ल) *n.* a letter. पत्र, चिट्ठी.

epitaph—(एपीटाफ) *n.* an inscription on a tomb. समाधि (कब्र) के ऊपर का लेख.

equal—(ईक्वल) *adj.* of the same size, identical. समान, तुल्य, बराबर; *v. t.* & *i.* to make or be equal to. बराबर होना या करना.

equation—(इक्वेशन) *n.* reduction to equality. समीकरण.

equi—(ईक्वी) in combination meaning "equal". "समान" अर्थ का उपसर्ग.

equilibrium — (ईक्वीलिब्रिअम) *n.* state of even balance. सन्तुलन, समभार.

equitable—(इक्विटेबल) *adj.* impartial, just. पक्षपात रहित, न्यायपूर्ण.

equity—(इक्विटी) *n.* justice, fair dealing. न्याय, पक्षपातहीनता.

equivalent—(ईक्वीवलैण्ट) *adj.* of equal value, corresponding to. बराबर का, समान मूल्य का.

era—(इरा) *n.* a period of time. युग, काल.

eradicate—(इरैडीकेट) *v. t.* to uproot, to destroy utterly. जड़ से उखाड़ना, जड़ोन्मूलन करना.

erection—(इरेक्शन) *n.* act of erecting. निर्माण.

err—(अर) *v. t.* to wander from the right path, to make mistakes. अपराध करना, गलती करना.

error—(एरर) *n.* mistake, wrong opinion. भूल, गलती, त्रुटि.

erst—(अर्स्ट), **erstwhile**—(अर्स्टवाइल) *adv.* of old, formerly. पुराना, पहले का.

escape—(इस्केप) *v. t.* & *i.* to get away from danger, to avoid, to hasten away. भागना, बचाना, भाग निकलना; *n.* evasion. छुटकारा.

essence—(एसेंस) *n.* intrinsic nature, a perfume. तत्त्व, सार, इत्र.

essential—(एसेंशल) *adj.* necessary. सारभूत, आवश्यक.

establishment— (एस्टैब्लिशमेण्ट) *n.* household, house of business. गृहस्थी, निर्माणशाला.

estate—(एस्टेट) *n.* condition, state, property. अवस्था, दशा, सम्पत्ति.

esteem—(एस्टीम) *v. t.* to think highly of, to regard. आदर करना.

estimable—(एस्टीमेबल) *adj.* deserving good opinion. माननीय.

etching—(एचिंग) *n.* art of engraving. तेजाब की सहायता से खुदाई.

eternal—(इटर्नल) *adj.* without beginning or end. अनन्त, अनादि.

ethics—(एथिक्स) *n.* the science of conduct. आचारशास्त्र, नीति.

eulogy—(यूलॉजी) *n.* praise. प्रशंसा, स्तुति.

evacuate—(इवैकुएट) *v. t.* to make empty, to leave. शून्य करना, निकालना.

evade—(इवेड) *v. t.* to escape from, to avoid cunningly. हटाना; निकलना.

eve—(ईव) *n.* evening. सांयकाल.

even—(ईवन) *n.* (in poetry) evening. सायंकाल; *adj.* level, not odd. समतल, चौरस, बराबर.

event—(इवेण्ट) *n.* something that happens, an incident. वृत्तान्त, घटना.

everlasting — (ऐवरलास्टिंग) *adj.* perpetual. हमेशा रहने वाला.

evidence—(इविडेंस) *n.* testimony, a sign or token प्रमाण, साक्षी.

evident—(एविडेण्ट) *adj.* obvious, clear. स्पष्ट, प्रकट.

evolution—(इवोल्यूशन) *n.* evolving, development. विकास.

exaggerate—(एग्ज़ेजरेट) *v. t.* to overstate. बढ़ाकर कहना.

exaggeration— (एग्ज़ेजरेशन) *n.* a statement in excess of the truth. अतिशयोक्ति, अत्युक्ति, अतिवर्णन.

examinee—(इग्जैमिनी) *n.* one who is examined. परीक्षार्थी.

examiner—(एग्ज़ैमिनर) *n.* one who tries or inspects. परीक्षक.

exceed—(एक्सीड) *v. t.* & *i.* to go beyond, to surpass. अधिक होना, बढ़ना.

excellent—(एक्सिलैन्ट) *adj.* very good. उत्तम, श्रेष्ठ.

exception—(एक्सेप्शन) *n.* not according to rule, objection. अपवाद, त्याग, विरोध.

exchange—(एक्सचेंज) *v. t.* to change. बदलना.

exchangeable— (एक्सचेन्जेब्ल) *adj.* able to be exchanged. विनिमय योग्य, बदलने योग्य.

excise—(एक्साइज़) *n.* a tax on home products, money paid for a license. चुंगी, राजकर.

excitement—(इक्साइटमेण्ट) *n.* stimulation. उत्तेजना.

exclaim—(एक्सक्लेम) *v. t.* to cry out, to speak aloud. चिल्लाना, पुकारना.

exclamation— (एक्सक्लेमेशन) *n.* outcry, expression of surprise and the like. विस्मय प्रकट करने के शब्द, चिल्लाहट.

exclude—(एक्सक्लूड) *v. t.* to shut out, to debar from. निकालना, पृथक करना.

exclusion—(एक्सक्ल्यूज़न) *n.* act of rejecting. निषेध, वर्जन, पृथकत्व.

exclusive—(एक्सक्लूसिव) *adj.* having power to exclude. निषेधक.

excusable—(एक्सक्यूज़ेबल) *adj.* admitting of excuse. क्षमा योग्य.

excuse—(एक्सक्यूज़) *v. t.* to let off from punishment, to overlook a fault. क्षमा करना, बहाना करना; *n.* pretext. बहाना.

exempt—(एग्जेमप्ट) *v. t.* to make free, to free. त्यागना, मुक्त करना; *adj.* free from duty etc. कर से मुक्त.

exhaustion—(एग्ज़ॉशन) *n.* the state of being exhausted. थकावट.

exhibit—(एग्ज़िबिट) *v. t.* to show. दिखाना, प्रकट करना.

exhibitor—(एग्ज़िबिटर) *n.* one who exhibits. प्रदर्शन करने वाला.

exist—(एग्जिस्ट) *v. t.* to be, to live. होना, जीना.

existence—(एग्जिस्टेंस) *n.* continued being. जीवन, अस्तित्व.

expand—(एक्सपैण्ड) *v. t.* to spread out, to enlarge. बढ़ाना, फैलाना.

expansion—(एक्सपैंशन) *n.* act of expanding. फैलाव, विस्तार.

expect—(एक्सपेक्ट) *v. t.* to suppose, to anticipate, to hope. आशा करना.

expectation— (एक्सपेक्टेशन) *n.* anticipation, hope. आशा.

expensive—(एक्स्पेंसिव) *adj.* valuable, costly. बहुमूल्य, मूल्यवान.

expedite—(एक्सपेडाइट) *v. t.* to hasten. शीघ्रता करना.

expedition—(एक्सपीडिशन) *n.* an undertaking, an enterprise. यात्रा, साहसिक यात्रा.

expel—(एक्सपेल) *v. t.* to drive out, to banish. बाहर निकालना, हटाना.

experiment—(एक्सपेरीमेण्ट) *n.* a trial to discover something. प्रयोग; *v. t.* परीक्षा करना.

experimental—(एक्सपेरीमेण्टल) *adj.* based on experiment. प्रयोग सम्बन्धी.

expire—(एक्सपायर) *v. t.* to die, to come to an end. मरना, अन्त होना.

expiry—(एक्सपायरी) *n.* end. अन्त.

explanation— (एक्सप्लेनेशन) *n.* the statement that explains. व्याख्या, टीका, जवाब.

explode—(एक्सप्लोड) *v. t.* to burst with a loud report. धड़ाके से फटना.

exploit—(एक्सप्लॉइट) *n.* a heroic act. बहादुरी का काम.

explore—(एक्सप्लोर) *v. t.* & *i.* to search carefully, to travel through new regions. खोजना, नये प्रदेश में यात्रा करना.

export—(एक्सपोर्ट) *v. t.* to send goods to another country. निर्यात करना; *n.* an exported article. निर्यात.

expose—(एक्सपोज़) *v. t.* to lay open, to subject to danger. प्रकाशित करना, आपत्ति में डालना.

express—(एक्सप्रेस) *adj.* definite, precise, going at a high speed. निश्चित, स्पष्ट, द्रुतगामी, तेज़ जाने वाला.

expressible— (एक्सप्रेसिबल) *adj.* fit to be expressed. वर्णन करने योग्य.

expression—(एक्सप्रेशन) *n.* utterance, a phrase, look. उच्चारण, उक्ति, अभिव्यक्ति.

expulsion—(एक्सपल्शन) *n.* banishment. निर्वासन.

extempore— (ऐक्सटमपरि) *adv.* & *adj.* expressed without previous preparation. बिना तैयारी के कहा हुआ, तात्कालिक.

extend—(एक्सटेण्ड) *v. t.* to stretch out, to enlarge. फैलाना.

extension—(एक्सटेंशन) *n.* extent, stretch. विस्तार, फैलाव.

extra—(एक्स्ट्रा) *adv.* unusually. अतिरिक्त रूप से; *adj.* additional. अतिरिक्त, अधिक.

extract—(ऐक्स्ट्रैक्ट) *n.* passage from a book, essence. तत्व, निचोड़, पुस्तक से लिया हुआ अंश.

extraordinary—(एक्स्ट्राऑर्डिनरी) *adj.* uncommon, remarkable. अपूर्व, अद्भुत, विलक्षण.

extravagance (एक्स्ट्रावेगेंस) *n.* unnecessary expenditure. अपव्यय

extreme—(एक्सट्रीम) *adj.* outermost, remote. अत्यन्त, अन्तिम.

eyebrow—(आइब्रो) *n.* fringe of hairs over the eye. भौंह.

eyelid—(आईलिड) *n.* cover of the eye. पलक.

eye-witness—(आई-विटनेस) *n.* one who can testify from his own observation, one who sees a thing done. प्रत्यक्ष, साक्षी, चश्मदीद गवाह.

F

facial—(फ़ेशल) *adj.* of the face. मुख सम्बन्धी.

facile—(फेसील) *adj.* easily done, ready with words, yielding. सुगम, वाकपट्ट, सीधा.

facilitate—(फेसिलिटेट) *v. t.* to make easy, to help. सुगम, बनाना, सहायता करना.

facility—(फ़ेसिलिटी) *n.* easiness. सुगमता, आसानी.

facilities—(फ़ेसिलिटीज़) *n. pl.* opportunities, good conditions. अवसर, अच्छे साधन.

fade—(फ़ेड) *v. t.* & *i.* to wither. मुर्झाना, सूखना.

faint—(फ़ेण्ट) *adj.* feeble, weak, inclined to swoon. कमज़ोर, निर्बल, मूर्छित.

faintness—(फ़ेण्टनेस) *n.* state of being senseless. मूर्च्छा.

faithful—(फ़ेथफुल) *adj.* loyal, true. विश्वासपात्र, सच्चा, ईमानदार.

fallacy—(फ़ेलेसी) *n.* a false argument, a wrong belief. भ्रमात्मक तर्क, भ्रान्ति.

famous—(फ़ेमस) *adj.* well-known. प्रसिद्ध.

fantasy—(फ़ैन्टसी) *n.* imagination, fanciful invention, mental image. अनुमान, भूल, कल्पना.

farewell—(फ़ेयरवेल) *n.* words said at parting, leavetaking. विदाई.

fascinate—(फ़ैसीनेट) *v. t.* to charm, to attract, to enchant. मोह लेना, वशीभूत करना.

fatal—(फ़ैटल) *adj.* deadly, destructive. घातक, विनाशकारी.

fault—(फ़ॉल्ट्) *n.* an error, a wrong action, an imperfection. भूल, अपराध, अवगुण.

favourable—(फ़ेवरेबल) *adj.* suitable, helpful. उपयुक्त, अनुकूल, हितकारी, लाभदायक.

feasible—(फीज़िबल) *adj.* practicable, convenient. सार्थक, सुलभ.

feasibility—(फ़ीज़ीबिलटी) *n.* practicability. सुलभता.

feature—(फ़ीचर) *n.* marked peculiarity. आकृति, लक्षण; *pl.* countenance. मुख की आकृति; *v. t.* to portray. दर्शाना.

feeble—(फ़ीबल्) *adj.* weak. कमज़ोर.

female—(फ़ीमेल) *n.* & *adj.* a woman or a girl. लड़की, स्त्री, मादा.

feminine—(फ़ेमीनिन) *adj.* relating to women. स्त्रीजातीय.

festival—(फ़ेस्टीवल) *n.* a grand feast, time marked out for pleasure making. उत्सव, त्योहार.

festive—(फ़ेस्टिव) *adj.* of festival. त्योहार सम्बन्धी.

fever—(फ़ीवर) *n.* high temperature. बुखार.

fiction—(फ़िक्शन) *n.* something invented, false story, literature of stories. कल्पना, काल्पनिक साहित्य जैसे उपन्यास.

fictitious—(फ़िकटिशस) *adj.* imaginary, not genuine. काल्पनिक, नकली.

fidget—(फ़िजिट) *v. t.* to move uneasily. बेचैनी से अंग हिलाना; (-y) *adj.* बेचैनी, अशान्त, अस्थिर.

fiend—(फ़ीण्ड) *n.* the devil, a cruel person. शैतान, पिशाच.

fierce—(फ़ियर्स) *adj.* violent, angry. क्रुद्ध, भयानक.

fiery—(फ़ायरी) *adj.* containing fire, ardent, irritable. आग की तरह, जोशीला, शीघ्रक्रोधी.

figurative—(फ़िगुरेटिव) *adj.* words used to denote thing other than that pointed out by the straight forward meaning. आलंकारिक, लाक्षणिक.

filthy—(फ़िल्थी) *adj.* unclean, dirty. गंदा, मैला.

finance—(फ़ाइनैन्स) *n.* (*pl.*) matters relating to money, revenue, science of controlling public money. अर्थ, आय-व्यय सम्बन्धी.

finely—(फ़ाइनली) *adv.* decently. उत्तम रीति से, अच्छी तरह से.

finish—(फ़िनिश) *n.* (*no pl.*) end. अन्त, इति.

firebrigade—(फ़ायरब्रिगेड) *n.* body of firemen. दमकल.

fireproof—(फ़ायरप्रूफ़) *adj.* that cannot be burnt in fire. आग में न जलने वाला.

fishery—(फ़िशरी) *n.* business of catching fish. मछली पकड़ने का काम.

fist—(फ़िस्ट) *n.* the clenched hand. मुट्ठी, मुक्का.

fitness—(फ़िटनेस) *n.* state of being fit. योग्यता, ठीक होने की अवस्था.

fixity—(फ़िक्सिटी) *n.* the state of being fixed, permanence. स्थिरता.

flagrant—(फ़्लैग्रेण्ट) *adj.* prominent, notorious. प्रमुख, कुख्यात.

flame—(फ्लेम) *n.* a blaze. ज्वाला.

flatter—(फ़्लैटर) *v. t.* to please with false praise. मिथ्या प्रशंसा करना, झूठी आशा दिलाना.

flavour—(फ़्लेवर) *n.* a distinguishing taste or smell. स्वाद, सुरस.

flawless—(फ्लॉलेस) *adj.* perfect, without any defect. पूर्ण, दोषरहित.

flexible—(फ़्लेक्सिबिल) *adj.* pliable, yielding, easily bent. लचीला.

flexibility—(फ्लैक्सिबिलिटी) *n.* state of being flexible. लचीलापन; *ant.* rigidity.

flight—(फ़्लाइट) *n.* the act of flying, flock of birds, series of steps. उड़ान, पक्षियों का समुदाय, सीढ़ियों का डंडा.

flirt—(फ़्लर्ट) *v. t.* to jerk, to show affection for amusement without serious intentions. हिलाना, झूठा प्यार दिखाना.

flirtation—(फ्लर्टेशन) *n.* playing at a courtship. दिखावटी प्यार.

flock—(फ्लॉक) *n.* a company of birds or animals. पक्षियों या जानवरों का झुंड.

fluctuation—(फ्लक्चुएशन) *n.* unsteadiness. अस्थिरता, इधर उधर हिलना.

fluent—(फ्लुएण्ट) *adj.* flowing ready in speech. बहता हुआ.

fluidity—(फ्लुइडिटी) *n.* the quality of being fluid. तरलता, द्रवता.

foamy—(फ़ोमी) *adj.* covered with foam. झागदार.

foggy—(फ़ॉगी) *adj.* covered with fog, dim. कुहरे से ढका हुआ, धुंधला.

folio—(फ़ोलियो) *n.* a sheet of paper once folded, page number of a printed book, a volume having pages of the largest size. दो पर्त में मोड़ा हुआ कागज़, पुस्तक की पृष्ठ संख्या, बड़े आकार की पुस्तक.

folk-lore—(फ़ोक लोर) *n.* legendary tradition. पौराणिक कथा.

follower—(फ़ॉलोअर) *n.* one who follows. अनुसरण करने वाला.

following—(फ़ॉलोइंग) *adj.* succeeding. अगला, निम्नलिखित.

foolish—(फूलिश) *adj.* weak in intellect. मूढ़, बुद्धिहीन.

forbade—(फॉरबेड) *past tense* of forbid. इनकार किया, निषेध किया.

forbear—(फॉरबेयर) *v. i. & t.* to refrain, to be patient. रोकना, धैर्य करना, *n.* ancestor. पूर्वज

forbearance—(फोरबेअरेन्स) *n.* exercise of patience. धैर्य.

forbid—(फ़ॉरबिड) *v. t.* to tell not to do, to prohibit. रोकना, निषेध करना.

forcible—(फ़ोरसिबिल) *adj.* powerful. बलयुक्त.

forebode—(फ़ोरबोड) *v. t.* to predict. भविष्य बताना, अनुमान करना.

forecast—(फोरकास्ट) *v. t.* to foresee, to predict, to conjecture beforehand. दूरदर्शिता, पहले से कल्पना करना.

forefather—(फ़ोरफ़ादर) *n.* an ancestor. पुरखा, पूर्वज.

forego—(फ़ोरगो) *v. t.* to precede, to give up. आगे होना, छोड़ना.

foregoing—(फोरगोइंग) *adj.* preceding. पहले का.

foreigner—(फ़ारेनर) *n.* a stranger, an alien. विदेशी, अन्य देशीय.

forejudge—(फ़ोरजज) *v. t.* to judge beforehand. पहले से ही निर्णय का लेना.

forerun—(फ़ोररन) *v. t.* to precede. आगे जाना.

foresight—(फ़ोरसाइट) *n.* foreknowledge. पूर्व ज्ञान.

forever—(फोरएवर) *adv.* always. हमेशा, सदैव.

foreword—(फ़ोरवर्ड) *n.* introductory remarks to a book. भूमिका, प्रस्तावना.

forfeit—(फोरफीट) *v. t.* to lose right to, to pay as penalty for. अर्थ दण्ड देना. अधिकार छोड़ना.

forgiveness—(फोरगिवनेस) *n.* pardon. क्षमा.

forge—(फ़ोर्ज) *n.* furnace, smithy. अंगीठी, भट्टी.

forgettable—(फ़ॉर्गेटेबल) *adj.* apt to forget, not remembering. भूलने वाला.

formality—(फ़ॉर्मेलिटी) *n.* formal conduct. तकल्लुफ, रिवाज के अनुकूल आचरण.

formally—(फॉर्मली) *adv.* in a formal way. नियमानुसार, दिखावे के रूप में.

formulate—(फ़ॉरम्यूलेट) *v. t.* to express in clear and definite form. स्पष्ट शब्दों में कहना.

forsake—(फ़ॉरसेक) *v. t.* to abandon, to renounce. त्यागना.

fort—(फ़ोर्ट) *n.* a fortified place. किला, दुर्ग.

fortify—(फ़ॉर्टीफ़ाई) *v. t.* to encourage. दृढ़ करना, स्थिर करना.

forthwith—(फ़ोर्थविद) *adv.* immediately. तुरन्त, झट से.

fortitude—(फ़ार्टीट्यूड) *n.* patient, firmness, strength of mind, endurance. साहस, पौरुष, धैर्य.

forty—(फ़ॉटी) *adj.* four times ten. चालिस.

forum—(फ़ोरम) *n.* a. market place, public place for meeting. हाट, सार्वजनिक स्थान.

forwards—(फ़ॉरवर्ड्स) *adv.* onwards. भविष्य में, आगे को.

foundation—(फ़ाउण्डेश्न) *n.* basis, the act of establishing. नींव, आधार.

founder—(फाउण्डर) *n.* one who establishes. स्थापित करने वाला.

foundry—(फ़ाउंड्री) *n.* a place for casting metals. ढलाई का कार्यालय.

fourfold—(फ़ोरफ़ोल्ड) *adj.* four times of much. चौगुना.

frankly—(फ़्रैंकली) *adv.* without any hesitation. स्पष्ट रूप से, संकोच रहित होकर.

frankness—(फ़्रेंकनेस) *n.* state of being outspoken. स्पष्टता.

fraud—(फ्रॉड) *n.* cheating, deception. छल, कपट, धोखा.

freehold—(फ्री होल्ड) *n.* land hold free of rates. कर रहित भूमि.

freewill—(फ़्रीविल) *n.* power of doing work voluntarily, liberty of choice. स्वेच्छा, अपनी मर्जी, मनमौजी.

freeze—(फ्रीज़) *v. t. & i.* to chill, to become ice. हिम होना ठंडा होना.

freight—(फ़्रैट) *n.* hire of ship बोझ, माल का भाड़ा.

frequency—(फ्रीक्वेन्सी) *n.* frequent occurrence. बारम्बार होना.

fretful—(फ्रेटफुल) *adj.* peevish irritable. व्यग्र, चिड़चिड़ा.

friendly—(फ्रेंडली) *adj.* acting as a friend on amicable terms. अनुकूल, मित्रतापूर्ण.

frigidity—(फ्रिजिडिटी) *n.* coolness. ठंडक, ठंडापन.

front—(फ्रण्ट) *n.* forehead, fore part, face. ललाट, अगला भाग, मुख.

frosty—(फ्रॉस्टी) *adj.* full of frost. पाले से पूर्ण.

fruitful—(फ्रूटफुल) *adj.* productive. उपजाऊ.

fruition—(फ्रूईशन) *n.* fulfilment. सफलीभूत होना, सार्थकता.

fruity—(फ्रूटी) *adj.* of fruit. फल जैसा.

fulfil—(फुलफ़िल) *v. t.* to carry-out, to complete, to bring, to pass. पूर्ण करना, सफल करना.

fulfilment—(फुलफिलमेण्ट) *n.* accomplishment. पूर्णता, संतुष्टि.

fullstop—(फुलस्टाप) *n.* a punctuation mark used at the end of a sentence. पूर्ण विराम का चिन्ह.

fun—(फ़न) *n.* sport, amusement. क्रीड़ा, खेल.

function—(फंक्शन) *n.* a ceremony, special work. विशेष कार्य, व्यवहार.

fundamental — (फण्डामेण्टल) *adj.* important, belonging to foundation, essential. प्रधान, मौलिक, आवश्यक.

funny—(फ़नी) *adj.* full of fun, amusing, odd. हास्यजनक, विनोदशील, विचित्र.

furious—(फ्यूरियस) *adj.* very angry. अति क्रुद्ध.

furnishings—(फ़र्निशिंग्स) *n. plural.* furniture. सामान.

furniture—(फ़र्नीचर) *n.* equipment. सामान, असबाब जैसे मेज़, कुर्सी इत्यादि.

further—(फ़र्दर) *adv.* moreover, to a great distance or degree. आगे, और भी.

furthermore—(फ़र्दरमोर) *adj.* moreover. और भी आगे.

furthest—(फ़र्देस्ट) *adj. & adv.* farthest. सब से आगे.

fury—(फ्यूरी) *n.* rage, great anger, excitement. उत्तेजना, रोष, क्रोध.

fusibility—(फ्यूज़ीबिलिटी) *n.* the act of being melted or amalgamated. द्रवशीलता, पिघलने की योग्यता.

fusible—(फ्यूज़िब्ल) *adj.* capable of melting. गलने या गलाने योग्य.

fusion—(फ्यूज़न) *n.* fused mass, act of fusing. एकरूपता.

fuss—(फ़स) *n.* tumult, bustle. गड़बड़, कोलाहल.

fussy—(फ़सी) *adj.* making a fuss. उपद्रवी.

future—(फ्यूचर) *n.* going to be, about to happen. भविष्य, आगे होने वाला.

futurity—(फ्यूचरिटी) *n.* time to come. आगे आने वाला समय, आगामी संतति.

futile—(फ्यूटाइल) *adj.* useless, trifling. व्यर्थ, निरर्थक.

fy—(फ़ाई) *int.* same as fie. छी, छी, घृणा प्रकट करने वाला शब्द.

G

gaby—(गेबी) *n.* foolish fellow, simpleton. मूर्ख.

gaiety—(गेयटी) *n.* cheerfulness. हर्ष, आनन्द.

gait—(गेट) *n.* manner of walking, bearing. चाल-ढाल.

gamble—(गैम्बल) *v. i.* to play for money. जुआ खेलना.

gambol—(गैम्बल) *n. & v. i.* a frolic, a skip. खेल कूद.

gaol—(जेल) *n.* jail, prison. बन्दीगृह.

garland—(गारलैण्ड) *n.* a wreath of flowers. माला.

garment—(गारमेण्ट) *n.* dress. कपड़ा, पोशाक, वस्त्र.

gathering—(गैदरिंग) *n.* crowd, assembly. भीड़, जमघट, सभा.

gaze—(गेज़) *v. i.* to look steadily at, a fixed look. ध्यान से देखना.

gem—(जेम) *n.* jewel, an object of great worth. रत्न, हीरा, अमूल्य वस्तु.

generally—(जेनरली) *adv.* usually. सामान्य रूप से.

generate—(जेनरेट) *v. t.* to produce, to give birth, to originate. पैदा करना.

generation—(जेनरेशन) *n.* race, people of the same time. वंश, पीढ़ी.

generosity—(जेनरॉसिटी) *n.* nobleness, kindness. उदारता.

generous—(जेनरस) *adj.* kind, of liberal nature. दानी, उदार.

genius—(जीनियस) *n.* a person having extraordinary mental power. अत्यंत गुणी व्यक्ति, प्रतिभाशाली.

gentle—(जेण्ट्ल) *adj.* noble, kind. दयालु, भद्रजन.

gentleness—(जेण्ट्लनेस) *n.* mildness, goodness. नम्रता, भद्रता.

genuine—(जेनुइन) *adj.* pure, real. शुद्ध, पवित्र.

germ—(जर्म) *n.* that from which anything develops, productive element. बीज, अंकुर.

giant—(जायण्ट) *n.* a very tall man. एक दानव.

gifted—(गिफ़्टेड) *adj.* talented. गुणी.

ginger—(जिंजर) *n.* a hot spice. अदरक.

girdle—(गर्डल) *v. t.* to surround with girdle. पेटी से बांधना.

girlhood—(गर्लहुड) *n.* the state of being a girl. लड़कीपन.

girlish—(गर्लिश) *adj.* like a girl. लड़की की तरह.

gladly—(ग्लैडली) *adv.* cheerfully. प्रसन्नता पूर्वक.

glamour—(ग्लैमर) *n.* fascination, magic spell. आकर्षण, जादू टोना.

glare—(ग्लेयर) *n.* a dazzling light. चौंधियाने वाला प्रकाश.

glimps—(ग्लिम्प्स) *n.* a brief passing view. झलक.

globe—(ग्लोब) *n.* a round body, a sphere, the earth. गोल, गोल पदार्थ.

glorious—(ग्लोरियस) *n.* magnificent, illustrious. प्रख्यात, गौरवपूर्ण.

glossary—(ग्लॉसरी) *n.* a list of words with their meanings. शब्दकोश.

God—(गॉड) *n.* a being or spirit having power over nature and human beings. ईश्वर.

godless—(गॉडलेस) *adj.* living without God. नास्तिक.

godly—(गॉडली) *adj.* pious. धार्मिक.

gold—(गोल्ड) *n.* a precious yellow metal, money, riches. सोना, धन.

goldsmith—(गोल्डस्मिथ) *n.* one who works in gold. सुनार.

goodbye—(गुडबाई) *int.* farewell. विदाई.

goodness—(गुडनेस) *n.* kindness, excellence. कृपा, दया.

goodwill—(गुडविल) *n.* a friendly feeling, popularity in trade. मित्र-भाव, सद्भावना, व्यापार में लोकप्रियता.

gossip—(गॉसिप) *n.* idle talk. गपशप.

governable—(गवर्नेब्ल) *adj.* capable of ruling. राज्य करने योग्य.

grace—(ग्रेस) *n.* mercy, favour, pardon, politeness. दया, कृपा.

gradually—(ग्रैजुअली) *adv.* in a gradual manner. क्रमशः, धीरे- धीरे.

grand—(ग्रैण्ड) *adj.* supreme, magnificent. उत्तम महान, शानदार.

grammarian—(ग्रैमेरियन) *n.* one versed in grammar. व्याकरणाचार्य.

grape—(ग्रेप) *n.* a fruit. अंगूर.

grasp—(ग्रास्प) *v. t.* to catch, to hold, to seize. समझना, कसकर पकड़ना.

gratification — (ग्रैटीफिकेशन) *n.* delight, pleasure, satisfaction. आनन्द, सन्तोष, तृप्ति.

gratitude—(ग्रैटीट्यूड) *n.* thankfulness. कृतज्ञता, धन्यवाद.

gratuity—(ग्रैच्युटी) *n.* a gift, a payment on discharge. भेंट, नौकरी समाप्त होने पर दिया जाने वाला वेतन.

greatness—(ग्रेटनेस) *n.* state of being great. महानता, बड़प्पन.

greediness—(ग्रीडीनेस) *n.* the quality of being greedy. लालचीपन.

greedy—(ग्रीडी) *adj.* intensely desirous. लालची.

greed—(ग्रीड) *n.* eager desire. लोभ.

greeting—(ग्रीटिंग) *n.* salutation. नमस्कार.

grey—(ग्रे) *adj.* & *n.* of mixed black and white colour. भूरा.

grievance—(ग्रीवैन्स) *n.* distress, injustice, hardship. दुख, अन्याय.

grip—(ग्रिप) *v. t.* to seize. पकड़ना.

groaning—(ग्रोनिंग) *n.* deep sigh. विलाप.

groundnut—(ग्राउण्डनट) *n.* peanut. मूंगफली.

growth—(ग्रोथ) *n.* development. बढ़ती, उन्नति.

grumble—(ग्रम्बल) *v. i.* to murmur, to complain. भुनभुनाना.

guarantee—(गैरण्टी) *n.* a pledge, surety. बन्धक, जमानत.

guardian—(गार्जियन) *n.* person having custody of a minor. संरक्षक.

guidance—(गाइडैन्स) *n.* direction, act of guiding. मार्ग प्रदर्शन.

gun—(गन) *n.* cannon, rifle, revolver etc. तोप, बन्दूक, पिस्तौल आदि.

gunsmith—(गनस्मिथ) *n.* one who makes gun. बन्दूक बनाने वाला.

gust—(गस्ट) *n.* a sudden blast of wind. प्रचण्ड वायु.

gutter—(गटर) *n.* a passage made for running water. नाली.

guy—(गाई) *n.* a rope to hold tents. रस्सी.

gymkhana—(जीमखाना) *n.* place for display of athletics. खेल-कूद का स्थान.

gymnastics—(जिमनैस्टिक) *n.* muscular, exercises. कसरत, व्यायाम.

H

habitual—(हैबीचुअल) *adj.* customary, acquired by habit. अभ्यस्त, व्यावहारिक.

hale—(हेल) *adj.* healthy, stout. बलवान, शक्तिवान, स्वस्थ.

half-hearted—(हाफ़ हार्टेड) *adj.* indifferent, wanting in zeal. उदास, उत्साहहीन.

halt—(हाल्ट) *v. t.* to stop. रुकना, ठहरना; *n.* stopping. विश्राम, पड़ाव.

handful—(हैण्डफुल) *n.* quantity that fills the hand. हाथ भर, मुट्ठी भर.

handicap—(हैण्डीकैप) *v. t.* to place at a disadvantage. असुविधा.

handicraft—(हैण्डीक्राफ़्ट) *n.* a manual occupation. शिल्प-व्यवसाय.

handkerchief—(हैंकरचीफ़) *n.* a square cloth for wiping hands and face. रुमाल.

haphazard—(हैपहैज़र्ड) *n.* mere chance. अवसर, मौका; *adj.* casual. आकस्मिक; *adv.* casually. अनियमित रूप से.

happiness—(हैपीनेस) *n.* the state of being happy, goodluck. आनन्द, सुख, सौभाग्य.

harmful—(हार्मफुल) *adj.* injurious. हानिप्रद, हानिकारक.

haste—(हेस्ट) *n.* hurry, rash, speed. वेग, जल्दी.

hasten—(हेस्न) *v. t.* to cause, to make haste. जल्दी करना.

hasty—(हेस्टी) *adj.* speedy. उतावला.

hateable—(हेटएबल) *adj.* detestable. घृणा करने योग्य.

hatred—(हेट्रेड) *n.* dislike. घृणा.

haughty—(हॉटी) *adj.* proud, arrogant. घमण्डी.

havoc—(हैवक) *n.* destruction. विनाश.

headache—(हैडेक) *n.* a pain in the head. सरदर्द.

heading—(हैडिंग) *n.* title. शीर्षक.

healthy—(हेल्थी) *adj.* in state of good health. स्वस्थ.

hearsay—(हियरसे) *n.* rumour. चर्चा, अफ़वाह.

heartache—(हार्टेक) *n.* mental anguish. मानसिक व्यथा.

hearty—(हार्टी) *adj.* genial, sincere. स्नेहपूर्ण.

hectogram—(हेक्टोग्राम) *n.* a weight of 100 grams. 100 ग्राम की तौल.

heir—(एअर) *n.* one who inherits other's property. उत्तराधिकारी, वारिस.

helpless—(हेल्पलेस) *adj.* wanting help. अभागा.

hence—(हेन्स) *adv.* therefore, from here. अतः, यहां से.

herd—(हर्ड) *n.* number of beasts assembled together. जानवरों का झुंड, रेवड़.

herdsman—(हर्ड्समैन) *n.* one who tends a herd. चरवाहा.

hereabout — (हियर्अबाउट) *adv.* in this neighbourhood. इसी के आस पास.

hereafter—(हियरआफ़्टर) *adv.* in the future. भविष्य में.

heredity—(हेरीडिटी) *n.* handing of qualities to offspring. वंशगत या जन्मगत गुण.

heretofore—(हियरटूफ़ोर) *adv.* formerly. पहले से.

hereunder—(हियरअंडर) *adv.* underneath this. इसके नीचे.

hereupon—(हियरअपॉन) *adv.* on this. इस पर.

herewith—(हियरविद) *adv.* with this. इसके साथ.

heritage—(हेरीटेज) *n.* inheritance. बपौती.

hero—(हीरो) *n.* the chief person in a play, brave. बहादुर, बलवान, नायक.

heroine—(हिरोइन) *n.* a female hero, supremely courageous. वीरांगना.

hesitation—(हैज़ीटेशन) *n.* act of hesitating. हिचकिचाहट.

hiatus—(हायटस) *n.* a break between two vowels. दो स्वरं में भेद.

highway—(हाई वे) *n.* a road. सड़क.

himself—(हिमसेल्फ़) *pron.* reflexive form of him.

hinder—(हिण्डर) *v. t.* to check, to prevent, to retard. रोकना.

hindrance—(हिण्ड्रैंस) *n.* obstruction. रुकावट.

historian—(हिस्टोरियन) *n.* writer of history. इतिहासकार.

historical—(हिस्टोरिकल) *adj.* belonging to past, pertaining to history. ऐतिहासिक.

hitherto—(हिदरटू) *adv.* till now. अब तक.

hoarse—(होर्स) *adj.* harsh. कठोर.

hobby—(हॉबी) *n.* an interest, a favourite pursuit. शौक.

hoist—(होइस्ट) *v. t.* to lift, to raise. उठाना, फहराना.
(Flag hoisting ceremony—झंडा अभिवादन.

holiday—(हॉलीडे) *n.* a festival, a day of recreation. छुट्टी.

hollow—(हॉलो) *adj.* false, empty, insincere. शून्य.

homeopath—(होमियोपैथ) *n.* a system of curing disease by minute drugs, one who use this system. होमियोपैथिक चिकित्सक.

homeopathy—(होमियोपैथी) *n.* Hahneman's system of curing disease by minute doses of drugs. होमियोपैथिक चिकित्सा.

honesty—(ऑनेस्टी) *n.* uprightness, sincerity. इमानदारी.

honeymoon—(हनीमून) *n.* the wedding holiday. विवाह के उपरान्त आनन्द करने का समय.

honorarium—(ऑनरेरीयम) *n.* a fee paid for professional services. मानदेय.

honorary—(ऑनरेरी) *adj.* holding office without pay. अवैतनिक.

honour—(ऑनर) *n.* dignity, pride. आदर, सम्मान.

honourable—(ऑनरेबल) *adj.* worthy of honour. माननीय, आदरणीय.

horizon—(होराइज़न) *n.* limit, a line where sky and earth seem to touch. क्षितिज.

horrible—(हॉरीब्ल) *adj.* fearful. भयानक.

horror—(हॉरर) *n.* fear, dislike. भय.

horticulture—(हॉटीकल्चर) *n.* gardening. बागवानी.

hosier—(होज़ियर) *n.* one who deals in hosiery. मोजे, बनियाईन आदि का व्यापारी.

hospitality—(हॉस्पिटैलिटी) *n.* kindness to guest. अतिथि-सत्कार

nost—(होस्ट) *n.* a person who entertains a guest, an innkeeper. मेहमानदारी करने वाला, सराय या होटल का मालिक.

hostel—(होस्टल) *n.* a residence for students. छात्रावास.

hostile—(होस्टाइल) *adj.* warlike, rude. वैरी.

hostility—(होस्टिलिटी) *n.* enmity. शत्रुता.

hour—(आवर) *n.* a period of sixty minutes. एक घंटा.

household—(हाउसहोल्ड) *n.* family, of family. कुटुम्ब.

housemaid—(हाउसमेड) *n.* a female servant. दासी, नौकरानी.

housewife—(हाउस-वाईफ़) *n.* mistress. गृहस्वामिनी.

however—(हाउएवर) *adv.* in whatever manner. तो भी.

howsoever—(हाउसोएवर)*adv.* although. यद्यपि.

human—(ह्यूमन) *adj.* pertaining to mankind. मानव.

humane—(ह्यूमेन) *adj.* kind. दयालु, मनुष्यतापूर्ण.

humanity—(ह्यूमैनिटी) *n.* human nature. मनुष्यत्व.

humbly—(हम्बली) *adv.* in a humble manner. नम्रता से.

humiliate—(ह्यूमीलिएट) *v. t.* to humble. निरादर करना, नीचा दिखाना.

humility—(ह्यूमीलिटी) *n.* humbleness. विनय.

humour—(ह्यूमर) *n.* wit, state of mind, inclination. हास, मनोदशा, झुकाव.

humorist—(ह्यूमरिस्ट) *n.* a man of playful fancy. मज़ाकिया.

hungry—(हंग्री) *adj.* suffering from hunger. भूख से पीड़ित.

hunter—(हण्टर) *n.* one who hunts. शिकारी.

hurriedly—(हरीडली) *adv.* in haste. जल्दी में.

hygiene—(हाईजीन) *n.* the science of health. स्वास्थ्य-विज्ञान.

hygienic—(हाइजिनिक) *adj.* pertaining to health. स्वास्थ्य सम्बन्धी.

hygrometer—(हाइग्रोमीटर) *n.* an instrument for measuring moisture. आर्द्रता मापक यन्त्र.

hymn—(हिम) *n.* a song in praise of God. प्रार्थना के गीत, प्रार्थना.

hymnal—(हिमल) *n.* a hymn book. प्रार्थना के गीतों की पुस्तक.

hypercritic —(**al**)— (हाइपर-क्रिटिक) *adj.* over critical. छिद्रान्वेषी, अत्यालोचनात्मक.

hypnotism—(हिप्नोटिज़्म) *n.* artificially induced sleep. सम्मोहन.

hysteria—(हिस्टीरिया) *n.* a nervous affection accompanied with a convulsive fit. मूर्छा.

hysterical—(हिस्टेरिकल) *adj.* pertaining to hysteria. मूर्छा रोग सम्बन्धी.

I

ibid—(इबिड) *adv.* in the same place. उसी स्थान पर.

icon—(आइकॉन) *n.* statue image of a saint. प्रतिमा, मूर्ति.

ideal—(आइडिअल) *n.* standard of perfection. आदर्श; *adj.* perfect, faultless. पूर्ण, दोषरहित.

idealist—(आइडियलिस्ट) *n.* an upholder of idealism. आदर्शवादी.

identity—(आइडेण्टिटी) *n.* sameness. समानता.

idiom—(इडियम) *n.* peculiar but customary way of expression. मुहावरा.

idle—(आइडिल) *adj.* indolent, useless. बेकार, आलसी.

idler—(आइडलर) *n.* one who observes idleness. आलसी.

idol—(आइडल) *n.* an image, statue. प्रतिमा.

idolator—(आइडोलेटर) *n.* one who worships idols. मूर्ति-पूजक.

if—(इफ़) *conj.* whether. यदि.

igneous—(इगनियस) *adj.* pertaining to fire, produce by fire. अग्नि सम्बन्धी.

ignitable—(इगनाइटेबल) *adj.* able to be ignited. जलाने योग्य.

ignite—(इगनाइट) *v. t. & i.* to set on fire. आग लगाना.

ignoble—(इग्नोबल) *adj.* mean, of low birth, dishonourable. नीच, तुच्छ.

ignorance—(इग्नोरैंस) *n.* want of knowledge, darkness. अज्ञानता.

ill—(इल) *adj.* evil, bad, sick. बुरा, बीमार, अस्वस्थ.

illegal—(इल्लीगल) *adj.* contrary to law. न्याय विरुद्ध, अवैध.

illegible—(इल्लेजिबल) *adj.* indistinct. अस्पष्ट.

illustrative—(इलस्ट्रेटिव) *adj.* serving as illustration. उदाहरण.

imagination—(इमैजीनेशन) *n.* idea, dream. कल्पना.

imbibe—(इम्बाइब) *v. t.* to absorb, to drink in. पीना, सोखना.

imitable—(इमिटेबल) *adj.* which can be imitated. अनुकरण योग्य.

imitate—(इमिटेट) *v. t.* to copy, to mimic. चिढ़ाना, नकल करना.

imitator—(इमीटेटर) *n.* one who imitates. अनुकरण या नकल करने वाला.

illusion—(इल्यूज़न) *n.* deception. माया, भ्रम.
illiteracy—(इल्लिटरेसी) *n.* want of knowledge, want of education. निरक्षरता.
illiterate—(इल्लिटरेट) *adj.* unable to read and write. निरक्षर.
illness—(इलनेस) *n.* bad health, disease. रोग.
illogical—(इल्लॉजिकल) *adj.* without reason. तर्कहीन.
immobile—(इम्मोबाइल) *adj.* unremovable. अचल.
immature—(इम्मैच्योर) *adj.* imperfect, not mature. अपूर्ण, कच्चा.
immeasurable — (इम्मेज़रेबल) *adj.* great, boundless. अपरिमित, अथाह.
immorality—(इम्मौरेलिटी) *n.* viciousness, sin. पाप, अधर्म.
immovable—(इम्मूवेबल) *adj.* which cannot move, fixed. अचल.
immune—(इम्यून) *adj.* free from obligation, free. मुक्त, उपकार रहित, सुरक्षित.
impassable—(इम्पासबल) *adj.* that cannot be penetrated into. अगम्य.
impatience—(इम्पेशन्स) *n.* intolerance. अधीरता.
impatient—(इम्पेशण्ट) *adj.* restless. अधीर.
impeach—(इम्पीच) *v. t.* to accuse, to charge with crime. दोषी ठहराना.
imperfect—(इम्परफेक्ट) *adj.* defective, incomplete. अपूर्ण.
imperil—(इम्पेरिल) *v. t.* to bring into danger. विपदा में डालना, मुश्किल में डालना.
imperishable— (इम्पेरिशेबिल) *adj.* indestructible. अनश्वर, अविनाशी.
impiety—(इम्पाइटी) *n.* ungodliness, sin. अधर्म, पाप.
impolite—(इम्पोलाइट) *adj.* not civil, rude. अशिष्ट.
import—(इम्पोर्ट) *v. t.* to bring into country. विदेशी माल लेना, आयात.
impose—(इम्पोज़) *v. t.* to influence, to deceive. लगाना, प्रभाव डालना, धोखा देना.
imposture—(इम्पॉस्चर) *n.* deceit, fraud. छल, कपट.
impostor—(इम्पॉस्टर) *n.* a false character, a swindler. धोखेबाज, कपटी.
impotence—(इम्पोटेन्स) *n.* weakness. नामर्दी, शक्तिहीनता.
impracticable—(इम्प्रैक्टिकेबल) *adj.* not able to be done. असाध्य.
impression—(इम्प्रेशन) *n.* an effect produced. मन पर पड़ा हुआ प्रभाव.
improper—(इम्प्रॉपर) *adj.* incorrect. अनुचित.
improvable—(इम्प्रूवेब्ल) *adj.* that can be improved. सुधारने योग्य.
improvement—(इम्प्रूवमेण्ट) *n.* progress. उन्नति, सुधार.
impure—(इम्प्योर) *adj.* unchaste. अपवित्र.
in—(इन) *prep.* into, against, towards. में या विपरीत.
inability—(इनएबिलिटी) *n.* incapacity. अयोग्यता, कमी.
inaccurate—(इनऐक्युरेट) *adj.* erroneous. अशुद्ध.
inactive—(इनऐक्टिव) *adj.* not active. आलसी.
inapplicable— (इनऐप्लीकेबल) *adj.* irrelevant. अनुपयुक्त, अनुचित
inattentive—(इनअटेण्टिव) *adj.* paying no heed. ध्यान न देने वाला.
inaudible—(इनऑडिबल) *adj.* that cannot be heard. जो सुना न जा सके.
inauguration— (इनऑग्युरेशन) *n.* formal ceremony, beginning. उदघाटन, प्रतिष्ठापन.
inauspicious— (इनऑसपिशस) *adj.* unlucky, unfortunate. अशुभ.
incalculable— (इनकैलकुलेबल) *adj.* uncertain. अनिश्चित.
incapable—(इनकेपिबल) *adj.* not capable. अयोग्य.
incapacity—(इनकैपेसिटी) *n.* inability. अयोग्यता.
incarnation—(इनकार्नेशन) *n.* embodiment in human form. अवतार.
inch—(इंच) *n.* a unit of measure, 1/12 foot, an island. एक इंच, टापू.
incident—(इन्सीडेण्ट) *n.* an occurrence. घटना.
include—(इन्क्ल्यूड) *v. t.* to contain, to regain. समावेश करना.
incoherent—(इन्कोहरेण्ट) *adj.* disconnected. अस्पष्ट.
incoming—(इनकमिंग) *adj.* coming in. आने वाले.
incommode—(इनकमोड) *v. t.* to annoy, to molest. दिक करना.
incomparable— (इनकम्पेरेबल) *adj.* matchless. अद्वितीय, अनुपम
incompetent— (इनकॉम्पिटेण्ट) *adj.* not competent. अप्रवीण.
incomplete— (इनकम्प्लीट) *adj.* imperfect. अधूरा.
incontestable—(इनकॉन्टेन्टीबल) *adj* indisputable. निर्विवाद.
inconvenient—(इन्कनवीनियण्ट) *adj.* unsuitable. अयोग्य.
incorrect—(इन्करेक्ट) *adj.* wrong. ग़लत.
incorrigible— (इन्कॉरीजिबल) *adj.* depraved, impossible to rectify. असाध्य.
incorruptible— (इनकरप्टिबल) *adj.* that cannot decay. अक्षय।
incredible—(इनक्रेडिबल) *adj.* hard to believe. अविश्वसनीय.
increment—(इन्क्रिमेण्ट) *n.* profit, increase. लाभ, उन्नति.
incurable—(इन्क्योरेब्ल) *adj.* that cannot be cured. असाध्य.
indecency—(इंडिसेंसी) *n.* immodesty. निर्लज्जता, धृष्टता.
indeed—(इनडीड) *adv.* really. वास्तव में.
index—(इण्डैक्स) *n.* & *v. i.* alphabetical list of names, places etc. संकेत-सूची.
indication—(इण्डिकेशन) *n.* hint. इशारा, संकेत.
indicator—(इण्डिकेटर) *n.* a guide. निर्देशक.
indifference—(इण्डिफरेन्स) *n.* absence of interest. उदासीनता, उपेक्षा, लापरवाही.
indifferent—(इण्डिफेरेण्ट) *adj.* neutral. उदासीन.
indigestion—(इण्डाइजेशन) *n.* want of proper digestion. मन्दाग्नि, अपच.
indirectly— (इनडाइरेक्टली) *adv.* अप्रत्यक्ष रूप से.
individual—(इण्डीविजुअल) *n.* special, person, peculiar, separate. व्यक्तिगत.
induct—(इण्डक्ट) *v. t.* to introduce. प्रारम्भ करना.
indulgence—(इण्डलजेन्स) *n.* gratification, tolerance. भोग, सहनशीलता.
industrial—(इण्डस्ट्रियल) *adj.* pertaining to industry. वाणिज्य सम्बन्धी.
industrious—(इण्डस्ट्रियस) *adj.* active, smart, diligent. परिश्रमी.
inequity—(इनइक्ईटी) *n.* injustice. अन्याय.
inertia—(इनर्शिया) *n.* inactivity. निश्चलता.
inevitable—(इनएविटेबल) *adj.* unavoidable. अनिवार्य.
inferiority—(इनफीरिऔरिटी) *n.* the state of being inferior. हीनता, घटियापन.
infinite—(इनफिनिट) *adj.* endless. अनंत.
infirmity—(इन्फर्मिटी) *n.* weakness. कमज़ोरी.
inflammation— (इन्फ़्लैमेशन) *n.* a swelling on a part of body. सूजन.
inflammatory— (इन्फ़्लैमेटरी) *adj.* tending to inflame or excite. दाहक.
inflate—(इनफ़्लेट) *v. t.* to increase, to blow up with air or gas. फूलना, बढ़ाना, हवा या गैस भरना.
infringement— (इन्फ्रिजमेण्ट) *n.* violation. उल्लंघन करना.
influence—(इन्फ़्लूएन्स) *n.* the power of producing influence. प्रभाव.
influenza—(इन्फ़्लूएन्ज़ा) *n.* a fever with severe cold. एक प्रकार का ज्वर.
informal—(इन्फ़ॉर्मल) *adj.* not in due form. अनियमित.
inhabitant—(इन्हैबीटैण्ट) *n.* a dweller. निवासी.
inhale—(इन्हेल) *v. t.* to breathe. स्वास लेना.
inheritance—(इन्हेरिटैन्स) *n.* which is inherited. पैतृक सम्पत्ति.
inhuman—(इन्ह्यूमन) *adj.* brutal, barbarous. निर्दयी.
initial—(इनीशियल) *adj.* & *n.* primary, of the beginning. आदि का.
initiate—(इनीशिएट) *v. t.* to introduce, to begin. पारम्भ करना
initiative—(इनीशिएटिव) *n.* self reliance, taking the first step. आत्मबल, पहला कदम.

injection—(इन्जेक्शन) *n.* act of injecting. सुई लगाने की विधि.

injury—(इन्जरी) *n.* harm, damage. नुकसान, चोट.

inland—(इनलैण्ड) *adj. & adv.* of the country. देश के भीतर.

inmost—(इनमोस्ट) *adj.* most inward. सबसे भीतर.

inn—(इन) *n.* a shelter, a lodging for travellers. सराय.

innocence—(इनोसेन्स) *n.* simplicity, harmlessness. भोलापन, निर्दोषता.

innumerable— (इनन्यूमरेबल) *adj.* numberless. असंख्य.

inodorous—(इनओडोरस) *adj.* odourless. सुगन्धहीन.

inquire—(इन्क्वायर) *v. t. & i.* to ask, to make an investigation. पूछ-ताछ करना, जांच करना.

inquiry—(इन्क्वायरी) *n.* investigation. जांच.

inquisition—(इनक्वीजीशन) *n.* a search, investigation. तलाशी.

inquisitive— (इनक्वीजीटिव) *adj.* inquiring. जिज्ञासु.

insanity—(इनसैनिटी) *n.* madness. पागलपन.

inscription—(इन्सक्रिप्शन) *n.* engraving. खुदा हुआ, नक्काशी किया हुआ.

inseparable— (इन्सेपेरेबल) *adj.* that cannot be separated. न पृथक होने वाला.

insert—(इन्सर्ट) *v. t.* to place in, to introduce. लिखना, दर्ज करना.

insertion—(इनसर्शन) *n.* act of inserting.निवेश, प्रवेशन.

inside—(इनसाइड) *n., adj. & adv.* within. भीतर की तरफ.

insight—(इनसाइट) *n.* power of understanding through knowledge. परिज्ञान.

insistence—(इर्नासिसटेण्स) *n.* the act of insisting on. हठ, आग्रह.

insoluble—(इन्सॉल्यूबल) *adj.* that cannot be dissolved in fluid. जो घुल न सके.

insolvent—(इन्सॉलवेण्ट) *adj.* bankrupt. दिवालिया.

insomnia—(इनसॉमनिया) *n.* sleeplessness. अनिद्रा का रोग.

inspector—(इन्सपेक्टर) *n.* one who inspects. निरीक्षक.

inspiration—(इन्सपीरेशन) *n.* inhaling of air, divine influence. प्रोत्साहन, दैवी प्रेरणा.

instability—(इन्सटेबिलिटी) *n.* fickleness. चंचलता, अस्थिरता.

instance—(इन्सटैन्स) *n.* an example, suggestion. सुझाव, उदाहरण.

instant—(इन्सटैण्ट) *adj.* urgent. immediate. तुरन्त.

instigate—(इन्सटीगेट) *v. t.* to urge on, to stimulate. बहकाना, उकसाना.

institute—(इन्सटीट्यूट) *v. t.* to set up, to establish. नींव डालना, प्रारम्भ करना.

instructor—(इन्स्ट्रक्टर) *n.* a teacher. शिक्षक.

insufficient— (इनसफीशेण्ट) *adj.* inadequate. अपर्याप्त.

insult—(इनसल्ट) *n.* dishonour. अपमान, अनादर.

insuperable – (इन्सुपरेबल) *adj.* not able to be overcome. अजेय.

insurance —(इन्श्योरेंस) *a.* contract, to indemnify insured things against loss. बीमा.

insure—(इनश्योर) *v. t.* to guarantee. निश्चित करना, बीमा करना.

integrity —(इनटेग्रिटी) *n.* honesty. सचाई, ईमानदारी.

intelligent—(इन्टेलीजेण्ट) *adj.* quick to learn. बुद्धिमान.

intelligible— (इण्टेलिजिबल) *adj.* comprehensible. समझ में आने योग्य, सुबोध, जो समझ में आ सके.

intend—(इण्टैण्ड) *v. t.* to mean, to purpose. इच्छा करना.

intense —(इण्टेन्स) *adj.* extreme, eager. तीव्र, अत्यधिक.

interchange—(इण्टरचेंज) *v. t.* to change with another. आपस में बदलना.

interesting—(इण्टरेस्टिंग) *adj.* exciting interest. सुहावना, आकर्षक.

interfere—(इण्टर्राफयर) *v. i.* to obstruct. बोधा डालना.

interference—(इण्टरफियरेंस) *n.* obstruction. रुकावट, बाधा.

interim—(इर्ण्टरम) *n.* of the time, in between. मध्य का समय, *adj.* temporary. अस्थायी, कुछ समय का.

interlink—(इण्टर्रालक) *v. t.* to connect together. कड़ियों को जोड़ना, आपस में मिलाना.

interlock—(इण्टरलॉक) *v. t.* to lock together. आपस में मिलाना.

intermediary— (इण्टरमीडियरी) *n. & adj.* mediator. मध्यस्थ.

intermingle—(इण्टरर्मिगल) *v. t. & i.* to mix together. मिलाना.

intermission—(इण्टरमिशन) *n.* an interval. अवकाश.

intern—(इण्टर्न) *v. t.* to confine within the limits of a place. नज़रबंद करना.

internal—(इण्टरनल) *adj.* inward. अंदर का, भीतरी; *ant.* external.

interpolation—(इण्टरपोलेशन) *n.* insertion of something new, not genuine. क्षेपक, मिथ्यारोपण, अर्नाधकृत प्रवेश.

interpreter—(इण्टरप्रिटर) *n.* one who interprets. व्याख्या कर्त्ता.

interrupt—(इण्टररप्ट) *v. t.* to obstruct. बाधा डालना, रोकना.

interval—(इण्टरवैल) *n.* a halt, stop. विराम.

intervention—(इण्टरवेन्शन) *n.* interference. हस्तक्षेप.

interview—(इण्टरव्यू) *n.* conference, a formal meeting for talk. भेंट, मुलाकात.

intestine—(इण्टेस्टाइन) *n.* the lower part of the digestive system. आंत.

intimacy—(इण्टीमेसी) *n.* a close familiarity. अति निकट संसर्ग.

intimate—(इण्टीमेट) *adj.* familiar. घनिष्ट.

intimation—(इण्टिमेशन) *n.* hint. सूचना.

intimidate—(इण्टिमिडेट) *v. t.* to terrify. डराना.

into—(इण्टू) *prep.* entrance within a thing. भीतर, में.

intolerable— (इण्टॉलरेबल) *adj.* not to be endured. असह.

intonation—(इण्टोनेशन) *n.* the production of a musical tone. स्वरयुक्त पाठ, स्वरोत्पादन.

intoxication— (इण्टॉक्सीकेशन) *n.* state of being intoxicated. नशा.

intricacy—(इण्ट्रिकेसी) *n.* complication. गहनता.

intrigue—(इण्ट्रीग) *v. t.* to plot secretly. मंत्रणा करना, षड्यन्त्र.

introduction— (इण्ट्रोडक्शन) *n.* a formal presentation. परिचय.

intrude—(इण्ट्रूड) *v. t.* to enter uninvited. अनाधिकार प्रवेश करना, बिना बुलाये पहुंचना.

intuition—(इण्टुइशन) *n.* insight, instructive knowledge. सहज ज्ञान.

invalid—(इनवैलिड) *n.* ill, weak. बीमार, शक्तिहीन.

invariable—(इनवेरिएब्ल) *adj.* constant, without change. अपरिवर्तनीय.

invasion—(इनवेजन) *n.* an attack, encroachment. चढ़ाई, आक्रमण.

invention—(इन्वेन्शन) *n.* discovery. अन्वेषण.

investigate—(इन्वैस्टिगेट) *v. t.* to search out carefully. अनुसंधान करना, छान-बीन करना.

invigorate—(इनवीगोरेट) *v. t.* to put life. जीवनदान देना, शक्ति प्रदान करना.

invincible— (इनविनसिबल) *adj.* unconquerable. अजेय.

invisible—(इनविज़ीबल) *adj.* that cannot be seen. जिसे देखा न जा सके, अदृश्य.

invitation—(इनविटेशन) *n.* solicitation. बुलवाना.

invite—(इनवाइट) *v. t.* to request to come and participate. निमंत्रण देना, बुलाना.

invocation—(इनवोकेशन) *n.* the act of calling in prayer. प्रार्थना.

invoke—(इनवोक) *v. t.* to beg for protection. रक्षा के हेतु प्रार्थना.

inwardly—(इनवर्डली) *adv.* in the mind. मन में.

irk—(इर्क) *v. t.* to trouble, to annoy. तंग करना, परेशान करना.

iron—(आयरन) *n.* name of a metal. लोहा.

irony—(आयरनी) *n.* satire, state of affairs which is the opposite of what was desired. व्यंग.

irrecoverable—(इर्रिकवरेबल) *adj.* that cannot be recovered. अप्राप्य.

irreducible— (इर्रिड्यूसेबल) *adj.* not able to be lessened. न कम करने योग्य.

irregular—(इरेंगुलर) *adj.* uneven. टेढ़ा-मेढ़ा.

irregularity—(इर्रेगुलैरिटी) *n.* the quality of being irregular. अनियमता, विषमता.

irrelevant—(इर्रेलेवेण्ट) *adj.* not to the point. असंगत.

irreparable— (इर्रिपेरेबुल)*adj.* not able to be rectified. जिसका सुधार न हो सके.

irritable —(इर्रिटेबुल) *adj.* easily angered. कुपित होने वाला.

irritate—(इरिटेट) *v. t.* to annoy, to make angry. क्रुद्ध करना, चिढ़ाना

irritation —(इरिटेशन) *n.* vexation. सन्ताप, उत्तेजना.

island—(आईलैंड) *n.* land surrounded by water on all sides. द्वीप, टापू.

isle—(आइल) *n.* island. द्वीप.

islet—(आइलेट) *n.* a small island. छोटा द्वीप.

J

jabber—(जैबर) *v. t.* to chatter rapidly. तेज़ी से बोलना.

jack—(जैक) *n.* knave at card, flag, machine for lifting weights. ताश का गुलाम, झंडा, बोझ उठाने का यंत्र, जैक.

jackal—(जैकॉल) *n.* an animal related to dog. गीदड़.

jailer—(जेलर) *n.* the keeper of a prison. बन्दी गृह का मालिक.

jam—(जैम) *n.* fruit preserved by boiling with sugar. मुरब्बा, मीठा अचार.

jaundice—(जौंडिस) *n.* a kind of disease with yellowness of eyes and skin. पाण्डु रोग, पीलिया.

jealousy—(जैलसी) *n.* suspiciousness. डाह, ईर्ष्या.

jester—(जेस्टर) *n.* one who jests. मज़ाकिया.

jet black—(जेट ब्लैक) *n.* ivory black. चमकता हुआ काला रंग.

jew—(जिउ) *n.* a person of the Hebrew race. यहूदी.

jewel—(ज्वेल) *n.* a precious stone. रत्न, मणि.

jewellery—(ज्वेलरी) *n.* jewels in general, ornaments. जवाहरात, ज़ेवर.

journal—(जर्नल) *n.* a diary, a newspaper, a register. पत्र, बही खाता, रोजनामचा.

journalist—(जर्नलिस्ट) *n.* one who writes for or conducts a newspaper or magazine. पत्रकार.

journey—(जर्नी) *n.* & *v. t.* a travel. यात्रा.

joyously —(ज्वॉयसली) *adv.* merrily. आनन्द से.

judicial—(जूडीशियल) *adj.* pertaining to justice, impartial. न्याय सम्बन्धी, न्यायकारी, पक्षपात रहित.

juice—(जूस) *n.* the fluid part of the fruit. रस, अर्क.

juncture—(जंक्चर) *n.* a critical time. उचित बेला या समय.

juniority—(जूनिऑरिटी) *n.* the state of being junior. छोटापन.

juryman—(जूरीमैन) *n.* a member of jury. पंचों में से एक.

justice—(जस्टिस) *n.* equity, judge. न्याय, जज.

justify—(जस्टिफाई) *v. t.* to prove to be just or right. उचित ठहराना.

juvenile —(जुवेनाइल) *adj.* youthful, childish. बचकाना.

juvenility—(जुवेनिलिटी) *n.* youthfulness. लड़कपन.

juxtaposition— (जक्सटापोजीशन) *n.* nearness, placing side by side. निकटता, समीपता.

K

kerchief—(करचिफ़) *n.* a square piece of cloth. रुमाल.

kernel—(कर्नल) *n.* inner part of nut, essential part. गोले की गिरी, मुख्य भाग.

kerosene—(किरोसीन) *n.* refined petroleum. (मिट्टी का तेल.

kindergarten —(किंडरगार्टेन) *n.* an infant school. एक बच्चों का स्कूल.

kindle—(किण्डल) *v. t.* to inflame, to set on fire. जलाना, उत्तेजित करना.

kindly—(काइण्डली) *adj.* & *adv.* with kindness. दयालुता से.

kinship—(किनशिप) *n.* relationship. रिश्ता, नाता.

kiss—(किस) *v. t.* to touch with lips. प्यार करना, चूमना, पुचकारना.

kitchen—(किचेन) *n.* a place where cooking is done. रसोईघर.

knit—(निट) *v. t.* to weave into a net, to unite. बुनना.

knock—(नॉक) *v. t.* & *i.* to push, to clash, to strike. धक्का देना, प्रहार करना.

knot—(नॉट) *n.* a tie, a cluster. गांठ.

knowingly—(नोइंगली) *adv.* consciously. सोच-समझ कर.

knowledge—(नॉलिज) *n.* learning. ज्ञान, विद्या.

kodak—(कोडैक) *n.* a small camera. एक छोटा कैमरा.

kopeck—(कोपेक) *n.* a Russian coin. रूसी सिक्का.

kraal—(क्राल) *n.* an enclosure for cattle. बाड़ा.

L

laboratory—(लैबोरेट्री) *n.* place for experiments. प्रयोगशाला.

laborious—(लेबोरियस) *adj.* industrious. परिश्रमी.

labour—(लेबर) *n.* to work hard, to toil, to strive, work. परिश्रम, परिश्रम करना, काम.

laboured—(लेबर्ड) *adj.* unnatural. अस्वाभाविक.

lack—(लैक) *v. i.* & *t.* to be in need of, want. कमी.

lamb—(लैम) *n.* young of sheep. मेमना.

lame—(लेम) *adj.* imperfect. *v. t.* disabled in one or two limbs. लंगड़ा.

lament—(लैमेण्ट) *v. i.* to feel sorry. विलाप करना.

lamentation—(लैमेनटेशन) *n.* expression of sorrow. विलाप.

landlord—(लैण्डलॉर्ड) *n.* owner of land. जमींदार.

landscape—(लैण्डस्केप) *n.* a part of land seen from a point. नयनगोचर दृश्य.

lane—(लेन) *n.* a street. संकरी गली.

language—(लैंगुएज) *n.* faculty of human speech or of a nation. भाषा.

lantern—(लैण्टर्न) *n.* case for holding or carrying light. लालटेन.

largely—(लार्जली) *adv.* to a great extent. बढ़कर.

lastly—(लास्टली) *adv.* in the end. अंत में.

latrine—(लेट्रीन) *n.* toilet, lavatory. टट्टी, सण्डास.

laudable—(लॉडेबुल) *adj.* worthy of praise. सराहने योग्य.

laughable—(लाफेबल) *adj.* funny, ridiculous. हंसने योग्य.

lavatory—(लैवेटरी) *n.* a place for washing hand and face. हाथ मुंह धोने का स्थान.

lavish—(लैविश) *adj.* extravagant, abundant. *v. t.* ज्यादती, अधिकता, खर्चीला.

lawful—(लॉफुल) *adj.* just, rightful. शास्त्रोक्त.

lawless—(लॉलेस) *adj.* against law, disobedient. न्यायविरुद्ध.

lawyer—(लॉइयर) *n.* pleader, a man of legal profession. वकील.

leap—(लीप) *n.* spring, jump, bound. *v. i.* उछलना, कूदना.

leavings—(लीविंग्स) *n. plural.* remaining portion. शेष भाग, बचा हुआ भाग.

lecture—(लेक्चर) *n.* a formal reproof. *v. t.* a discourse. उपदेश, व्याख्यान.

ledger—(लेजर) *n.* a book of accounts. बहीखाता.

legacy—(लेगसी) *n.* the money which is left by will. वसीयत द्वारा छोड़ा गया धन.

legal—(लीगल) *adj.* just, lawful. विधिपूर्ण.

legible—(लेजिबल) *adj.* clear, readable. स्वच्छ.

leisure—(लीज़र) *n.* a spare time. अवकाश.

length—(लेन्थ) *n.* the distance between two points, extension. लम्बाई.

lengthy—(लेन्थी) *adj.* long लम्बा.

leniency—(लीनियन्सी) *n.* mildness. कोमलता.

lenient—(लीनियण्ट) *adj.* mild, gentle. नम्र.

lessen—(लेसेन) *v. t.* & *i.* to diminish, to decrease. कम करना या होना.

lesson—(लेसन) *n.* instruction, something to be learnt. *v. t.* an example, punishment. पाठ, शिक्षा.

let—(लेट) *v. t. aux. (verb)* to allow, to permit, to give leave. आज्ञा देना.

liability—(लायबिलिटी) *n.* responsibility. उत्तरदायित्व.

liable—(लायबल) *adj.* accountable, responsible, probable. उत्तरदायी, जिम्मेदार.

liberal—(लिबरल) *adj.* kind, unselfish. उदार.

liberate—(लिबरेट) *v. t.* to set free. मुक्त करना।

liberty—(लिबर्टी) *n.* freedom, right to do as one likes. आज़ादी, स्वतंत्रता।

librarian—(लाइब्रेरियन) *n.* one who keeps a library. पुस्तकालय का मालिक।

licence—(लाइसेन्स) *v. t.* to authorize, to grant permission. आज्ञा देना, अधिकार देना; *n.* permission. आज्ञा।

licensee—(लाइसेन्सी) *n.* holder of licence. अधिकार पाने वाला।

lie—(लाइ) *v. i.* to utter falsehood. झूठ बोलना।

lifelong—(लाइफ़लांग) *adv.* during the life time. जीवन काल तक।

limited—(लिमिटेड) *adj.* bounded. सीमित।

linguist—(लिंगुइस्ट) *n.* one skilled in many languages. बहुत-सी भाषाओं का ज्ञाता।

liquid—(लिक्विड) *n.* flowing. बहने वाली, द्रव।

liquidate—(लिक्विडेट) *v. t.* to settle, to clear up debts, to put an end. ऋण अदा करना, समाप्त करना।

liquidity—(लिक्विडिटी) *n.* state of being liquid. द्रवत्व।

liquor—(लिकर) *n.* a fermented drink. मदिरा।

listener—(लिस्नर) *n.* one who listens. सुनने वाला, ध्यान देने वाला।

literacy—(लिटरेसी) *n.* ability to read and write. पढ़ने लिखने की योग्यता।

livelihood—(लाइवलीहुड) *n.* means of living. जीविका।

liver—(लिवर) *n.* the gland by which the bile is secreted. यकृत, जिगर, कलेजा।

locality—(लोकैलिटी) *n.* position, situation. स्थान।

lockup—(लॉकअप) *n.* a place where prisoners are kept. बन्दीगृह।

loftiness —(लॉफ़्टीनेस) *n.* pride, height. अभिमान, ऊंचाई।

logic—(लॉजिक) *n.* art of reasoning. तर्क शास्त्र।

longevity—(लोंगेविटी) *n.* long life. दीर्घायु।

longitude —(लोंगीट्यूड) *n.* distance east or west from meridian. देशान्तर।

loom—(लूम) *n.* a machine for weaving. करघा; *v. t.* to appear indistinct. अस्पष्ट देख पड़ना।

lot—(लॉट) *n.* luck, choice. भाग्य।

lotus—(लोटस) *n.* water lily. कमल।

lovable —(लवेबल) *adj.* charming, worthy of love. प्यार करने योग्य।

love—(लव) *n.* affection. प्रेम; *v. t.* to like very much. प्यार करना।

loving—(लविंग) *adj.* affectionate. प्यारा।

low—(लो) *adj.* humble, not high. नम्र, नीचा।

loyalty—(लॉयल्टी) *n.* faithfulness. निष्ठा, भक्ति।

lubricant—(लुब्रीकैण्ट) *n.* a substance used for lubricating. चिकना करने का पदार्थ।

lucidity—(ल्यूसिडिटी) *n.* brightness. स्पष्टता।

luminous—(ल्यूमिनस) *adj.* bright, clear. प्रकाशित, प्रकाश देने वाला।

lunatic—(लूनैटिक) *n.* a mad man. पागल मनुष्य।

lust—(लस्ट) *n.* eager desire. लोलुपता।

lustre—(लस्टर) *n.* brightness. आभा।

luxurious—(लक्ज़ूरियस) *adj.* indulging in luxury. सुखभोगी।

luxury—(लक्ज़री) *n.* expensive living, easy going life. आनन्दमय जीवन।

M

machinery—(मशीनरी) *n.* machines in general. यन्त्रप्रणाली।

machinist—(मशीनिस्ट) *n.* a machine maker. यंत्र बनाने वाला।

mad—(मैड) *adj.* insane. पागल, दीवाना।

madam—(मैडम) *n.* a courteous form of address to a lady. श्रीमती।

magic—(मैजिक) *n.* witch craft conjuring. मंत्र, जादू।

magician—(मैजिशियन) *n.* one who knows magic. जादूगर।

mail—(मेल) *n.* bag of letters, post. डाक का थैला, डाक।

maintain—(मेनटेन) *v. t.* to affirm, to assert, to support. पालन, संभालना।

maintenance—(मेनटेनैन्स) *n.* keep in working order. अनुरक्षण।

majority—(मजॉरटी) *n.* full of age, the greater number. वयस्कता, अधिक भाग।

maladministration—(मैलऐडमिनिस्ट्रेशन) *n.* faulty administration. बुरा शासन।

malice—(मैलिस) *n.* spite, ill feeling. बुरी भावना, ईर्षा, द्वेष।

malpractice—(मैलप्रैक्टिस) *n.* improper conduct. कुचरित्र।

mammoth —(मैमथ) *adj.* huge, big, very large. बहुत बड़ा।

manage—(मैनेज) *v. t.* & *i.* to handle, to control, to contrive. व्यवस्था करना, इन्तजाम करना।

manageable—(मैनेजेबल) *adj.* fit for managing. प्रबन्ध करने योग्य।

management—(मैनेजमेण्ट) *n.* administration. प्रबन्ध।

manager—(मैनेजर) *n.* a controller. प्रबन्धक।

manhood—(मैनहुड) *n.* the state of being a man. मनुष्यत्व।

manifold—(मैनीफ़ोल्ड) *adj.* numerous and varied, complicated. पेचीदा।

mankind—(मैनकाइण्ड) *n.* the human species. मनुष्य जाति।

manoeuvre—(मैनूवर) *n.* skilful movement, stratagem. कुशलता, कपट प्रयोग; *v. t.* to manage artfully. चतुराई से प्रबन्ध करना।

manual—(मैनुअल) *n.* a hand book. छोटी पुस्तक; *adj.* pertaining to or done with hand. हाथ का।

manufacture—(मैनुफ़ैक्चर) *v. t.* the making on a large scale. बड़ी मात्रा में शिल्प द्वारा बनाना।

marble—(मार्बल) *n.* a very hard stone with polish. संगमरमर; *v. t.* to paint like marble. संगमरमर की भांति रंगना।

mariner—(मैरिनर) *n.* a sailor. नाविक।

mark—(मार्क) *n.* a sign of note, target. चिन्ह, लक्ष्य; *v. t.* to make a mark. देखना, अंक लगाना।

marking—(मार्किंग) *n.* impression with a mark. चिन्ह, छाप।

maroon—(मैरून) *n.* a brownish crimson colour. भूरा लाल रंग।

marriageable—(मैरिजेबल) *adj.* able to be married. शादी करने योग्य।

martyrdom—(मार्टिरडम) *n.* suffering of a martyr. बलिदान, कष्ट।

marvellous—(मार्वलस) *adj.* wonderful, astonishing. अद्भुत।

masculine—(मैस्कुलिन) *adj.* manly, of the male sex. पुरुष जाति का।

masque—(मास्क) *n.* an entertainment, consisting of pageantry, a masked person. ऐसा नाटक जिसमें पात्र मुख पर चेहरा लगाए रहते हैं, नकाबपोश।

massage—(मसाज) *n.* a form of cure by rubbing and kneading the body. मालिश।

massive—(मैसिव) *adj.* large, bulky, heavy. बड़ा, भारी।

masterpiece—(मास्टरपीस) *n.* greatest work in quality. सबसे बढ़िया काम।

match—(मैच) *v. t.* & *i.* to be of proper value, to correspond. अनुकूल होना, मुकाबिला करना।

mathematics—(मैथेमेटिक्स) *n.* the science of magnitude and number. गणित।

matinee—(मैटिनी) *n.* a show held in the day time. दिन का सिनेमा इत्यादि।

matrimony—(मैट्रीमनी) *n.* marriage. विवाह।

matron—(मेट्रन) *n.* married woman, female superintendent in a hospital, school etc. विवाहित स्त्री, अस्पताल, स्कूल आदि की अधीक्षिका।

matter—(मैटर) *n.* substance, cause of trouble, subject. पदार्थ, विषय, झगड़े का कारण, सार।

mature—(मैट्यूर) *adj.* ripe, fully developed. पूरा, पक्का।

maturity—(मैच्युरिटी) *n.* fully developed state. पक्कापन, बलिग होने की अवस्था।

mauve—(मोव) *n.* a bright purple dye. चमकीला बैंगनी रंग।

maxim—(मैक्सिम) *n.* a proverb, maxim gun, a small gun. कहावत, बन्दूक।

maximum—(मैक्सिमम्) *n.* the greatest side or number. अधिक से अधिक.

meantime—(मीनटाइम) *n.* the interval between two given times. मध्यकाल.

meanwhile—(मीनव्हाइल) *n.* in the interval. इसी बीच में.

measure—(मेज़र) *n.* that by which something is estimated. नाप.

measures—(मेज़रस) *n. plural.* means to an end. उपाय, तदबीर.

mechanic—(मेकैनिक) *n.* a skilled workman, an artisan. कारीगर; *adj.* relating to machines. यंत्र सम्बन्धी.

mechanical—(मेकैनिकल) *adj.* relating to machines, unintelligent. यंत्र सम्बन्धी.

medal—(मेडल) *n.* metal worked in the form of a coin. पदक.

meddle—(मेड्ल) *v. i.* to interfere. विघ्न डालना.

medium—(मीडियम) *n.* the middle, means, agent. मध्य, माध्यम.

melancholy—(मेलनकलि) *n.* & *adj.* sad feeling of dullness, gloomy. उदास, खिन्नता.

memorable—(मेमोरेबल) *adj.* able to be remembered. याद रखने योग्य.

memory—(मेमरी) *n.* remembrance. स्मरण शक्ति.

menses—(मेन्सेस) *n.* the monthly discharge from the uterus. स्त्रियों का मासिक धर्म, आर्तव.

mentality—(मेण्टैलिटी) *n.* intellectual power. मानसिक शक्ति.

mentionable—(मेन्शनेबल) *adj.* that may be mentioned. निर्देश या चर्चा करने योग्य.

menu—(मेनू) *n.* a list of dishes available. व्यन्जन सूची.

mercury—(मरकरी) *n.* a planet, quick silver. एक ग्रह, बुद्ध तारा, पारा.

merely—(मियरली) *adv.* simply. केवल

merriment—(मेरीमेण्ट) *n.* enjoyment, mirth. विनोद.

mesmerize—(मेसमेराइज़) *v. t.* bring to a hypnotic state. सम्मोहित करना.

message—(मैसेज) *n.* communication. संदेश, समाचार, खबर.

messenger—(मैसेन्जर) *n.* one who brings message. दूत, समाचार लाने वाला.

metaphor—(मेटाफ़र) *n.* figurative use of words. रूपक, लक्षण.

mew—(म्यू) *n.* cry of cat, sound like cat; बिल्ली की आवाज़; *v. i.* to cry like cat. बिल्ली की तरह रोना.

midnight—(मिडनाइट) *n.* the middle of night. मध्य रात्रि.

midst—(मिड्स्ट) *n.* the middle. मध्य; *adv.* in the middle. बीच में.
(amidst—बीच में.)

midwife—(मिडवाइफ़) *n.* a woman who assists another in child birth. प्रसव के समय की सहायिका.

might—(माइट) *n.* power, strength. ताकत.

milky—(मिल्की) *adj.* of milk. दूध का.

miller—(मिलर) *n.* a worker of a mill. मिल में काम करने वाला.

million—(मिलियन) *n.* one thousand thousands. दस लाख.

millionaire—(मिलियनैर) *n.* a very rich person. धनी, लखपति.

minimize—(मिनिमाइज़) *v. t.* to reduce to the smallest amount. अति सूक्ष्म करना.

minimum—(मिनिमम) *n.* the least amount. अति सूक्ष्म परिमाण.

minor—(माइनर) *adj.* smaller, less, unimportant. छोटा, कम.

minority—(माइनॉरिटी) *n.* state of being a minor. नाबालिगी.

minute—(मिनिट) *n.* very small, trifling, of little consequence, exact. एक घंटे का साठवां अंश.

miracle—(मिरैकेल) *n.* a marvel, natural event. चमत्कार.

miraculous—(मिरैकुलस) *adj.* wonderful, surprising. विलक्षण.

mirror—(मिरर) *n.* a looking glass. दर्पण.

mirth—(मिर्थ) *n.* joy, glee. आनन्द, खुशी.

misguide—(मिसगाइड) *v. t.* to lead into error. भटकाना.

mislead—(मिसलीड) *v. t.* to lead, wrongly. भटकाना.

mismanage—(मिसमैनेज) *v. t.* to manage wrongly. कुप्रबन्ध करना.

misplace—(मिसप्लेस) *v. t.* to place in a wrong place. कुठौर में रखना.

misprint—(मिसप्रिंट) *n.* mistake in printing. छपाई की गल्ती; *v. t.* to print incorrectly. अशुद्ध छापना.

mistake—(मिसटेक) *v. t.* to understand wrongly. भ्रम में पड़ना.

misunderstanding — (मिसअंडरस्टैंडिंग. *n.* misconception. अशुद्ध विचार, गलत ख्याल, भ्रमपूर्ण धारणा.

mockery—(मॉकरी) *n.* ridicule. छल, हंसी, विडम्बना.

modernity—(मॉडर्निटी) *n.* the state of being modern. आधुनिक होने की स्थिति.

moist—(मॉइस्ट) *adj.* damp, slightly wet. तर, भीगा हुआ.

momentary—(मोमेण्टरी) *adj.* lasting for a moment. क्षणिक.

momentous—(मोमेण्टस) *adj.* important. महत्त्व का.

Monday—(मण्डे) *n.* the second day of the week. सोमवार.

mono—(मोनो) *n.* in the sense of single, alone. अकेला.

monogram—(मोनोग्राम) *n.* two or more letters interwoven in a figure. शब्दों के जोड़ से बना हुआ ठप्पा.

monologue—(मोनोलॉग) *n.* a speech spoken by one person alone. एक मनुष्य द्वारा बोली हुई उक्ति.

monopolize—(मोनोपलाइज़) *v. t.* to obtain monopoly of. एकाधिकार प्राप्त करना.

monopoly—(मोनौप्ली) *n.* the sole right of dealing in any thing. एकाधिकार.

monotony—(मोनोट्नी) *n.* uniformity of tone. स्वर की समानता, समता.

monthly—(मंथली) *adj., adv.* & *n.* recurring every month. मासिक.

moody—(मूडी) *adj.* in ill humour. बिगड़ी तबीयत का.

morality—(मोरैलिटी) *n.* virtue. सदाचार.

moreover—(मोरओवर) *adv.* besides, in addition. अलावा, इससे अधिक.

morn—(मॉर्न) *n.* poetical form of morning. प्रातः काल.

mortality—(मोर्टैलिटी) *n.* death, destruction. मरण, नाश.

mount—(माउण्ट) *n.* a hill. पहाड़ी; *v. t.* to rise, ascend. चढ़ना.

mourn—(मोर्न) *v. t.* to lament. शोक करना.

novables—(मूवेबल्स) *n.* personal property. चल सम्पत्ति.

movement—(मूवमेंट) *n.* change of position. हरकत, गति, चाल.

muddy—(मडी) *adj.* full of mud, dirty. कीचड़ से गन्दा.

multimillionaire — (मल्टीमिलियनएर) *n.* a person with millions of money. करोड़पति.

multitude—(मल्टीट्यूड) *n.* a large number, a crowd. भीड़, बड़ी संख्या.

mum—(मम) *adj.* silent. मूक.

murmur—(मरमर) *n.* a low indistinct sound, a complaint; *v. t.* to make a low continuous sound. बड़बड़ाना.

museum—(म्यूज़ियम) *n.* building where object of art and science are kept for show. अजायबघर.

mushroom—(मशरूम्) *n.* a kind of plant fungus. कुकुरमुत्ता.

music—(म्यूज़िक) *n.* melody, pleasant sound. संगीत.

musician—(म्यूज़ीशियन) *n.* one who is skilled in the practice of music. गाने वाला.

mutiny—(म्यूटिनी) *n.* rebellion against constituted authority. विद्रोह, बगावत, गदर.

myself—(माइसेल्फ) *pron.* reflexive form of a writer or a speaker. मैं, स्वयं.

mythology—(माइथौलोजी) *n.* the science of myth पुराण शास्त्र.

N

nab—(नैब) *v. t.* to catch, to arrest. पकड़ना.

nail—(नेल) *n.* a claw, a horny growth. नाखून; *v. t.* to fasten with nail. कील से जड़ना.

naive—(नेव) *adj.* unaffected, simplicity. प्राकृतिक, सीधा.

naked—(नेकेड) *adj.* bare. नंगा.

namesake—(नेमसेक) *n.* one having the same name. नाम राशि.

napkin—(नैपकिन) *n.* a small cloth for wiping hand. तौलिया.

narration—(नैरेशन) *n.* act of relating. वर्णन, कथन.

narrow—(नैरो) *adj.* limited in size, of little width. संकुचित; *v. t. & i.* to make narrower. संकुचित करना.

nationality—(नैशनैलिटी) *n.* patriotic sentiment. राष्ट्रभक्ति.

nationalise—(नैशनलाइज़) *v. t.* to make national. राष्ट्रीय बनाना.

naturally—(नैचुरली) *adv.* according to nature. प्राकृतिक रूप से.

nature—(नेचर) *n.* innate character, the universe, essential qualities, natural disposition, kind. प्राकृतिक, प्रवृत्ति, प्रकृति, प्राकृतिक रूप से.

navigation—(नैवीगेशन) *n.* the act of navigating. समुद्री यात्रा, नौ परिवहन.

necessary—(नेसेसरी) *adj.* indispensable. आवश्यक.

necessity—(नेसेसिटी) *n.* imperative need, poverty. आवश्यकता, गरीबी.

needle—(नीडल) *n.* a sharp pointed piece of steel for sewing. सूई.

negation—(निगेशन) *n.* a denial, refusal. निषेध.

neglect—(निग्लेक्ट) *v. t.* to have no care, to disregard, to leave undone. सुध न लेना, असावधानी करना.

negligence—(नेग्लीजेंस) *n.* carelessness. भूल.

negotiate—(निगोशिएट) *v. t.* to manage, to exchange for value. तय करना, व्यापार करना.

negotiation — (निगोशिएशन) *n.* transacting of business. सौदा.

neither—(नाइदर) *adv., conj. & pron.* not either. दोनों में से कोई नहीं.

nerveless—(नर्वलेस) *adj.* useless, weak. निर्बल, कमज़ोर, बेकार.

net—(नेट) *adj.* free from all deductions. बिना दलाली या छूट का.

netting—(नेटिंग) *n.* the act of forming a network. जाली का काम.

neuter—(न्यूटर) *adj.* neither masculine nor feminine. बेजानदार, नपुंसक.

(neuter gender—नपुंसक लिंग.)

new—(न्यू) *n. adj.* fresh. नया.

news—(न्यूज़) *n.* tidings. समाचार.

nicely—(नाइसली) *adv.* finely. अच्छी तरह से.

nickname—(निकनेम) *n.* an added name, a by name. उपनाम, चिढ़ाने का नाम.

niece—(नीस) *n.* a daughter of one's brother or sister. भतीजी या भान्जी.

nightingale—(नाइटिंगेल) *n.* a small singing bird. बुलबुल.

nominee—(नॉमीनी) *n.* a designated person. नियुक्त पुरुष.

nonetheless— (ननदिलेस) *adv.* never the less. तथापि.

noon —(नून) *n.* midday. मध्यान्ह; *adj.* pertaining to noon. दोपहर सम्बन्धी.

normality —(नॉर्मैलिटी) *n.* regularity. नियमितता.

northward—(नॉर्थवर्ड) *adj.* towards the north. उत्तर की ओर.

notable—(नोटेबल) *n.* a famous person or thing. प्रसिद्ध मनुष्य या वस्तु.

noteworthy—(नोटवर्दी) *adj.* remarkable. विचार करने योग्य, उल्लेखनीय.

numerous —(न्यूमेरस) *adj.* many in numbers. अनेक.

nun—(नन) *n.* a woman who leads a religious secluded life. भक्तिन.

novelty—(नावेल्टी) *n.* something unusual. कौतुक वस्तु.

nowhere—(नोव्हेयर) *adv.* not anywhere. कहीं भी नहीं.

numberless—(नम्बरलेस) *adj.* countless. असंख्य.

nursery—(नर्सरी) *n.* a room for infants, a place where trees and plants are reared. शिशु पालनगृह, ज़ख़ीरा, पौधाघर.

nurture—(नरचर) *n.* training. शिक्षा, पालन; *v. t.* to train, to nourish. पालना, शिक्षा देना.

nutrition—(न्यूट्रिशन) *n.* act or process of nourishing, food. आहार प्रक्रिया, पोषाहार.

nut—(नट) *n.* the fruit of a tree, a wooden or iron piece with screw. अखरोट फल, ढिबरी; *v. t.* to gather. इकट्ठा करना.

O

oath—(ओथ) *n.* a solemn affirmation to God. शपथ.

obedience—(ओबीडियन्स) *n.* submission to another's rule. आज्ञा पालन.

object—(ऑब्जैक्ट) *n.* end purpose, a thing which one causes or feels. प्रयोजन, उद्देश्य, कर्म.

objectionable—(ऑब्जैक्शनेबल) *adj.* disagreeable, unpleasant. आपत्तिजनक.

oblique—(ऑब्लीक) *adj.* slanting. झुका हुआ.

obscene—(ऑब्सीन) *adj.* indecent, lewd. अश्लील, गंदा.

observer—(ऑब्जर्वर) *n.* one who observes. निरीक्षक.

obstacle—(ऑब्सटेकूल) *n.* an impediment, a hinderance. बाधा, रुकावट.

obstruction — (ऑबस्ट्रक्शन) *n.* persistent opposition. रुकावट.

obtain—(ऑबटेन) *v. t. & i.* to get, to gain, to prevail. प्राप्त करना.

obviously—(ऑबवियसली) *adv.* clearly, evidently. स्पष्ट रूप से.

occasional—(ओकेज़नल) *adj.* occurring at times. कभी-कभी होने वाला.

occupation—(ऑक्यूपेशन) *n.* employment, business, possession. व्यवसाय, अधिकार.

occurrence—(अकरेन्स) *n.* an incident. घटना.

ocean—(ओशन) *n.* the main body of water on the earth. जलनिधि, समुद्र, सागर.

ochre—(ओकर) *n.* a kind of pale yellow clay and its colour. पीली मिट्टी.

odd—(ऑड) *adj.* not even, strange, peculiar. अनोखा, बेढगा; at odds, in disagreement. विरोध में; odds and ends. फुटकर.

odorous—(ओडरस) *adj.* fragrant. सुगन्धित.

odour—(ओडर) *n.* smell, perfume. सुगन्ध.

of—(ऑफ़) *prep.* का.

off—(ऑफ़) *adj. & adv.* away farther. दूर, दूर का.

(off hand—बिना तैयारी के.)

(well off—धनी, मालदार.)

offensive—(ऑफ़ेंसिव) *adj.* hateful, disgusting. घृणित, दुखदाई.

offering—(ऑफ़रिंग) *n.* a gift, a sacrifice. भेंट, वरदान, बलिदान

official—(ऑफ़िशल) *n. & adj.* relating to an office. कार्यालय सम्बन्धी

oil-painting—(ऑयलपेंटिंग) *n.* a painting in oil colours. तेल-चित्र.

ointment—(ऑइन्टमेण्ट) *n.* a greasy substance used for applying on wounds. लेप, मरहम.

omission—(ओमीशन) *n.* failure, neglect. त्याग, भूल.

omnipotent—(ऑम्नीपोटेण्ट) *adj.* almighty. सर्वशक्तिमान.

omniscient— (ऑम्नीसियण्ट) *adj.* all knowing. त्रिकाल दर्शी, सर्वज्ञ.

omnipresence— (ऑम्नीप्रेज़ेन्स) *n.* presence everywhere. सर्वव्यापकता

onwards—(ऑनवर्ड्स) *adv.* towards the front. आगे की ओर.

opaque—(ओपेक) *adj.* not transparent, not able to be seen through. अपारदर्शक.

operator—(ऑपरेटर) *n.* one who operates. संचालक, परिचालक.

opinion—(ओपीनियन) *n.* belief, notion, idea. राय, विचार.

opportunity— (ऑपॉरच्युनिटी) *n.* chance, favourable time or occasion. अवसर.

oppose—(अपोज़) *v. t.* to speak or act against, to resist. विरोध करना.

opposite—(अपोज़िट) *adj.* adverse, contrary. प्रतिकूल.

optimism—(ऑप्टिमिज़्म) *n.* hopefulness. आशावाद.

optional—(ऑपशनल) *adj.* according to one's choice. वैकल्पिक.

oral—(ओरल) *adj.* spoken, verbal. मौखिक.

orator—(ओरेटर) *n.* a good public speaker. व्याख्यान दाता.

ordinarily—(ऑर्डीनेरीली) *adv.* usually. साधारण रूप से.

organization—(ऑर्गेनाइज़ेशन) *n.* act of organizing, structure. रचना, निर्माण.

oriental—(ओरियण्टल) *n.* eastern, eastern country. *adj.* पूर्वी देश.

ornament—(ऑर्नामेण्ट) *n.* a thing that adorns. आभूषण.

orphan—(ऑर्फन) *n.* a parentless child. अनाथ बालक.

otherwise—(अदरवाइज़) *adv.* in another manner. नहीं तो.

ought—(ऑट) *v. aux.* to be bound in duty, to need to be done. चाहना, योग्य होना.

our—(आवर) *pron.* belonging to us. हमारा.

ours—(आवर्स) *pron.* belonging to us. हम लोगों का.

outcome—(आउटकम) *n.* result. नतीजा, फल, परिणाम

outdoor—(आइटडोर) *adj.* outside the house. बाहरी.

outing—(आउटिंग) *n.* an excursion. सैर.

outline—(आउटलाइन) *n.* boundary line, a description. बाह्यसीमा, रूपरेखा; *v. t.* to make sketch. आकार बनाना.

output—(आउटपुट) *n.* product, the quantity prepared at a time. पैदावार, उत्पादन.

outrage—(आउटरेज) *v. t.* to insult, to ravish. अपमान करना, पतित करना.

outright—(आउटराइट) *adv.* completely. पूर्णरूप से.

outrun—(आउटरन) *v. i.* to pass the line. सीमा के बाहर जाना.

outsider—(आउटसाइडर) *n.* a person outside a special class. परदेशी पुरुष.

outstanding—(आउटस्टैंडिंग) *adj.* prominent, unpaid. प्रमुख, बिना चुकाया हुआ.

outward—(आउटवर्ड) *adj.* exterior. बाहरी.

outwit—(आउटविट) *v. t.* to defeat by superior wisdom. हरा देना, कान काटना.

overact—(ओवरैक्ट) *v. t.* to act too much. अधिक काम करना.

overbid—(ओवरबिड) *v. t.* to offer more than value. अधिक कीमत लगाना, बढ़ कर बोली बोलना.

overhear—(ओवरहियर) *v. t.* to hear stealthily. छिपकर सुनना.

overlook—(ओवरलुक) *v. t.* to inspect, to forgive, निरीक्षण करना, क्षमा करना.

overnight—(ओवरनाइट) *adv.* on the preceding night. रात भर में.

oversight—(ओवरसाइट) *n.* a mistake. भ्रम, भूल.

overstate—(ओवरस्टेट) *v. t.* to exaggerate. बहुत बढ़कर कहना.

overtake—(ओवरटेक) *v. t.* to follow and catch. पीछा करके पकड़ना.

overtop—(ओवरटॉप) *v. t.* to rise above the top of. शिखर के ऊपर चढ़ना.

overweight—(ओवरवेट) *n.* excessive weight. अधिक भार.

overwhelm—(ओवरव्हैल्म) *v. t.* to win, to conquer, to overpower. जीतना.

ownership—(ओनरशिप) *n.* possession. अधिकार, स्वामित्व.

ox—(ऑक्स) *n.* bull. बैल.

oxygen—(ऑक्सीजन) *n.* gas in atmosphere essential to life. ऑक्सीजन, प्राणप्रद वायु.

P

pabulum—(पैब्यूलम) *n.* food. भोजन.

pace—(पेस) *n.* single step. पग, गति; *v. i. & t.* to walk, to regulate speed. गति ठीक करना.

pacify—(पैसीफ़ाइ) *v. t.* to calm. शान्त करना.

package—(पैकेज) *n.* a small bundle. छोटी गठरी.

painting—(पेंटिंग) *n.* a painted picture. रंगीन चित्र.

palace—(पैलेस) *n.* royal residence, stately mansion. महल, राजभवन.

palm—(पाम) *n.* the inner surface of the hand. हथेली.

palm—(पाम) *n.* a tree. ताड़ का पेड़.

palmist—(पामिस्ट) *n.* one versed in palmistry. हस्तरेखा का पंडित.

palpitation—(पैलपिटेशन) *n.* throbbing. धड़कन, कम्पन.

panacea—(पैनेसिया) *n.* cure for all ills, universal remedy. रामबाण, सब बीमारियों को ठीक करने की दवा.

panner—(पैनर) *n.* a general fault finder. सब का दोष खोजने वाला.

pantaloon—(पैंटलून) *n.* trousers. पायजामा, पैंट.

paper—(पेपर) *n.* material used for writing. कागज़.

parable—(पैरेब्ल) *n.* a proverb. कहावत.

paraffin oil—(पैराफ़िन ऑयल) *n.* refined petroleum. साफ पेट्रोल.

paragon—(पैरागॉन) *n.* a perfect pattern. आदर्श.

parallel—(पैरालेल) *adj.* similar. समानान्तर; *v. t.* to equal. समानान्तर करना.

paralysis—(पैरालीसिस) *n.* a total or partial loss of motion. लकवा रोग.

paramount—(पैरामाउण्ट) *adj.* supreme, chief. सर्वोच्च, प्रधान.

parasite—(पैरासाइट) *n.* a flatterer. चाटुवादी.

parliamentarian—(पारलियामेण्टरियन) *n.* an M.P. सांसद.

parody—(पैरोडी) *n.* a comical imitation. अनुकरण काव्य; *v. t.* to imitate ridiculously. बुरी तरह से नकल करना.

parity—(पैरिटी) *n.* equality. समानता.

paronym—(पैरोनिम) *n.* words alike in sound but different in spelling. एक उच्चारण के परन्तु भिन्न अर्थ के शब्द.

partiality—(पार्शिऐलिटी) *n.* a tendency to favour. पक्षपात.

participate—(पार्टिसिपेट) *v. i.* to have a part in. भाग लेना.

participation—(पार्टिसिपेशन) *n.* the sharing in common with other. बटवारा.

particle—(पार्टिकल) *n.* a very small part. एक भाग.

particular—(पार्टिक्यूलर) *adj.* special, careful. मुख्य, सावधान.

particularity—(पार्टिक्यूलैरिटी) *n.* exactness. विवरण.

particularly—(पार्टिक्यूलर्ली) *adv.* in detail. ब्योरेवार.

partner—(पार्टनर) *n.* a sharer. भागी.

partnership—(पार्टनरशिप) *n.* joint ownership. सहकारिता.

pass-book—(पास-बुक) *n.* a bankers book. रुपये लेने-देने की पुस्तक.

passenger—(पैसेन्जर) *n.* a traveller in a public vehicle. यात्री.

passion—(पैशन) *n.* deep feeling. उत्कण्ठा.

passionate—(पैशनेट) *n.* easily moved to anger, moved by strong emotions. क्रोधी, भावुक.

pastime—(पास्टाइम) *n.* recreation. आमोद-प्रमोद, क्रीड़ा.

patent—(पेटेण्ट) *n.* permit given by Government. विशिष्ट आज्ञा.

paternal—(पैटर्नल) *adj.* fatherly. पैत्रिक.

path—(पाथ) *n.* a foot-way. राह, पगडंडी.

patience—(पेशेन्स) *n.* calm ness, endurance. धैर्य *adj.* perserving. धैर्ययुक्त.

patient—(पेशेण्ट) *n.* a person under medical treatment. रोगी.

patricide—(पेट्रीसाइड) *n.* murder of father. पिता की हत्या.

patriotism—(पैट्रिऑटिज़्म) *n.* love of one's own country. स्वदेश प्रेम.

patron—(पेट्रन) *n.* protector. शुभ चिन्तक, संरक्षक, सहायक.

pattern—(पैटर्न) *n.* model. सांचा, नमूना.

payable—(पेएबल) *adj.* due. देय, कर्ज.

payee—(पेई) *n.* one to whom money is paid. धन पाने वाला.

payer—(पेयर) *n.* one who pays. रुपये देने वाला.

payment—(पेमेण्ट) *n.* act of paying. भुगतान.

peacemaker—(पीसमेकर) *n.* one who makes peace. शान्ति प्रदान करने वाला.

peacock—(पीकॉक) *n.* a kind of bird. मोर.

pearl—(पर्ल) *n.* a substance formed within the shell of an oyster. मोती.

pearly—(पर्ली) *adj.* resembling pearls. मोती की तरह.

peasant—(पैजेण्ट) *n.* a rustic, farmer. कृषक, किसान.

peasantry—(पैजेण्ट्री) *n.* peasants of a region. कृषकगण.

peculiar—(पिक्यूलियर) *adj.* strange. अजीब, विलक्षण.

pedant—(पीडैण्ट) *n.* who makes show of learning. पाण्डित्य दिखाने वाला.

penal—(पीनल) *adj.* pertaining to the punishment. दण्ड सम्बन्धी.

penalize—(पीनालाइज़) *v. t.* to lay under a penalty. दण्डनीय बनाना.

penance—(पीनैन्स) *n.* art of self mortification. तपस्या.

penetrate—(पेनिट्रेट) *v. t. & i.* to pierce into. प्रवेश करना.

penetration—(पेनिट्रेशन) *n.* act of piercing, insight. प्रवेश, बुद्धि.

penguin—(पेन्गुइन) *n.* a kind of sea fowl. समुद्री पक्षी.

pension—(पेन्शन) *n.* a payment after retirement. पूर्व सेवा वृत्त.

pensionable—(पेन्शनेब्ल) *adj.* able to obtain pension. पेन्शन पाने लायक.

peonage—(पिऑनेज) *n.* service. नौकरी.

perambulator—(पैरेम्ब्यूलेटर) *n.* a child's carriage. बच्चों की गाड़ी.

percept—(परसेप्ट) *n.* mental product. कल्पना.

percentage—(परसेण्टेज) *n.* प्रतिशत, दर.

perfect—(परफ़ेक्ट) *adj.* complete, exact. प्रवीण, पूरा, उचित, उत्तम; *v. t.* to render faultless. पूर्ण करना.

perfection—(परफ़ेक्शन) *n.* faultless. निर्दोषता.

perfumery—(परफ्यूमरी) *n.* perfumes in general. इत्र इत्यादि.

perhaps—(परहैप्स) *adv.* by chance. कदाचित.

period—(पिरियड) *n.* age, a portion of time. समय, काल, युग.

periodic (al)—(पिरिऑडिक) *n.* happening at regular interval of time. नियत काल का.

perish—(पेरिश) *v. i.* to die. to decay. मरना, नष्ट होना.

perishable—(पेरिशेब्ल) *adj.* liable to perish. नाश होने योग्य.

permanent—(परमानेण्ट) *adj.* lasting. स्थाई.

permissible—(परमिसिब्ल) *adj.* allowable. आज्ञा पाने योग्य.

permission—(परमिशन) *n.* leave, consent. आज्ञा.

permissive—(परमिसिव) *adj.* allowing. आज्ञा योग्य.

permit—(परमिट) *n.* a written permission. आज्ञा पत्र; *v.t.* to allow. आज्ञा देना.

permittance—(परमीटैन्स) *n.* allowance. प्रवेश, आज्ञा.

perpetual—(परपेच्युअल) *adj.* everlasting. नित्य.

perpetuation—(परपेच्युएशन) *n.* continuity. स्थिरता.

perplex—(परप्लेक्स) *v. t.* to puzzle. उलझाना, परेशान करना.

perplexity—(परप्लेक्सिटी) *n.* puzzled state. व्याकुलता, घबराहट.

persevere—(पर्सीवियर) *v. t.* to persist, to try again & again. निरन्तर प्रयत्न करना, बारबार कोशिश करना.

personnel—(पर्सनेल) *n.* the persons employed in public service. अधिकारी वर्ग.

perturbed—(परटरब्ड) *adj.* agitated. व्याकुल.

perusal—(पेरुज़ल) *n.* careful reading. अध्ययन.

pervert—(परवर्ट) *v. t.* to turn from right course. सन्मार्ग से विचलित होना.

pessimism—(पेसिमिज़्म) *n.* looking at the worst of things. सब पदार्थ में बुराई देखने का सिद्धान्त.

petticoat—(पेटिकोट) *n.* garment worn by lady. पेटिकोट, धोती या साड़ी के नीचे पहनने का वस्त्र.

phantasm—(फैनटेज़्म) *n.* an illusion. दृष्टिभ्रम.

pharmacy—(फारमेसी) *n.* art of preparing medicine. औषधि बनाने की विद्या.

phenomenon—(फिनॉमिनन्) *n.* anything remarkable. अद्भुत पदार्थ या व्यक्ति.

philology—(फिलॉलॉजी) *n.* the study of languages. भाषा विज्ञान.

philosopher—(फिलॉसफर) *n.* expert in philosophy. दार्शनिक.

phone—(फोन) *n.* telephone. टेलीफोन.

photography—(फोटोग्राफी) *n.* the art of producing pictures by photographic camera. चित्र खींचने की विधि.

physical—(फिज़िकल) *adj.* pertaining to physics, bodily. पदार्थ-विज्ञान सम्बन्धी, शारीरिक.

physician—(फीज़िशियन) *n.* a doctor of medicines. वैद्य.

pickle—(पिक्कल) *n.* vegetable preserved. अचार, मुरब्बा; *v. t.* to preserve in pickle. अचार या मुरब्बा बनाना.

pickpocket—(पिकपॉकेट) *n.* one who steals from another's pocket. जेबकतरा.

pictorial—(पिक्टोरियल) *adj.* of pictures. चित्रमय, सचित्र.

picture—(पिक्चर) *n.* a beautiful object, a visible image. चित्र, आकर्षक वस्तु; *v. t.* to draw.

picturesque—(पिक्चेरैस्क) *adj.* vivid, effective like picture. स्पष्ट, सुन्दर, चित्र के समान.

pierce—(पियर्स) *v. t. & i.* to thrust into. छेदना.

pilgrim—(पिलग्रिम) *n.* one who goes to holy places. तीर्थ यात्री.

pilgrimage—(पिलग्रिमेज) *n.* journey to holy places. तीर्थ यात्रा.

pillow—(पिलो) *n.* a soft cushion for the head. तकिया; *v. t.* to lay on pillow. तकिया लगाना.

pinch—(पिच) *v. t. & i.* to nip, to urge, to distress. कष्ट देना.

Pisces—(पिसीज़) *n.* fish, the twelfth sign of zodiac. मीन, राशि.

pitcher—(पिचर) *n.* a vessel for carrying liquids. घड़ा.

pitiful—(पिटीफुल) *adj.* full of pity. दयापूर्ण, दर्दनाक, दया के योग्य.

pity—(पिटी) *n.* compassion. दया; *v. t.* to have pity. दया करना.

plaintiff—(प्लेनटिफ़) *n.* one who commences action at law. मुद्दई, वादी.

plan—(प्लैन) *n.* scheme, map, drawing, project, design. योजना, उपाय, नक्शा, ढांचा.

plane—(प्लेन) *n.* a flat level surface. समतल.

playfellow—(प्लेफेलो) *n.* play mate. साथी, हमजोली, साथ-साथ खेलने वाले.

pleasant—(प्लैज़ैन्ट) *adj.* agreeable. मनोहर, रमणीय.

pleasure—(प्लैज़र) *n.* satisfaction, delight. आनंद, प्रसन्नता, संतोष.

pledge—(प्लेज) *n.* promise. प्रतिज्ञा; *v. t.* to pawn. गिरवी रखना.

plenty—(प्लेण्टी) *n.* quite enough. अधिकता, बहुतायत.

plot—(प्लॉट) *n.* a plan, a piece of ground. योजना, भू-भाग; *v. t.* to conspire. षडयन्त्र करना.

plural—(प्लूरल) *adj.* consisting more than one. अनेक, बहुवचन.

pocketful—(पॉकेटफुल) *n.* as much as a pocket can hold. जेबभर.

poetry—(पोयट्री) *n.* poems. पद्य.

policy—(पॉलिसी) *n.* statecraft. नीति.

poisonous—(पॉयज़नस) *adj.* full of poison. ज़हर युक्त.

politeness—(पोलाइटनेस) *n.* courtesy. विनय.

politics—(पॉलिटिक्स) *n.* science of government, strife of parties. राजनीति.

politician—(पॉलिटिशिअन्) *n.* one versed in politics. नीतिज्ञ.

pollute—(पॉल्यूट) *v. t.* to defile. नष्ट करना, गन्दा करना.

pollution—(पॉलूशन) *n.* defilement. अपवित्रता, प्रदूषण.

polygon—(पॉलीगन) *n.* a five sided figure. पंचभुज क्षेत्र, बहुभुज.

pomade—(पॉमेड) *n.* a perfumed ointment for hair. बालों का सुगन्धित लेप या मलहम.

pompous—(पॉम्पस) *adj.* splendid, showy. शानदार, दिखावटी.

ponder—(पौण्डर) *v. t.* to think, meditate. सोचना, विचारना.

poorness—(पुअरनेस) *n.* lack of good quality. गुणों का अभाव.

popularity—(पॉपुलैरिटी) *n.* state of being liked or admired. सर्वप्रियता, शोहरत.

population—(पॉपुलेशन) *n.* the people of a country. जनसंख्या.

portable—(पोर्टेब्ल) *adj.* movable, light. उठाने योग्य, हल्का.

portfolio—(पोर्टफ़ोलियो) *n.* a portable case for keeping loose papers, office of a minister of state. बस्ता, कार्यभाग.

portrait—(पोरट्रेट) *n.* a photograph. चित्र.

positively—(पोज़िटिवली) *adv.* in a positive manner. स्पष्ट रूप से.

possession—(पज़ेशन) *n.* state of owning. अधिकार, कब्ज़ा.

possibly—(पॉसीब्ली) *adv.* perhaps. कदाचित.

postal—(पोस्टल) *adj.* connected with post. डाक सम्बन्धी.

poster—(पोस्टर) *n.* a placard. विज्ञापन.

post-date—(पोस्ट-डेट) *v. t.* to put on date after the actual time of writing. बाद की तिथि डालना.

post-mortem— (पोस्ट-मॉर्टम) *adj.* examination after death. मृत्यु के बाद की जांच.

postpone—(पोस्टपोन) *v. t.* to adjourn, to delay. टालना, मुल्तवी करना, देरी करना.

potency—(पोटेन्सी) *n.* power. शक्ति.

poverty—(पावर्टी) *n.* the state of being poor. गरीबी.

practicable—(प्रैक्टिकेबल) *adj.* that may be carried out. साध्य, वास्तविक, सम्भव.

practical—(प्रैक्टिकल) *adj.* relating to practice. अभ्यास सम्बन्धी.

practise—(प्रैक्टिस) *v. i. & t.* to put in practice. साधना करना.

praying—(प्रेइंग) *n.* the act of praying. प्रार्थना.

preach—(प्रीच) *v. t. & i.* to advocate, to deliver sermon. उपदेश देना, शिक्षा देना, बताना.

precede—(प्रिसीड) *v. i.* to go before in time or rank. आगे होना.

precious—(प्रेशस) *adj.* costly, dear. बहुमूल्य.

precis—(प्रेसी) *n.* brief summary. सारांश.

precise—(प्रिसाइज़) *adj.* exact. ठीक.

predicate—(प्रेडीकेट) *n.* that is affirmed. विधेय.

pre-existence— (प्री-एकजिसटेन्स) *n.* existing beforehand. पूर्व जीवन.

preface—(प्रीफ़ेस) *n.* an introduction to a book. भूमिका; *v. i.* to make introductory remarks. भूमिका लिखना.

prefix—(प्रीफ़िक्स) *n.* a particle placed before a word. उपसर्ग.

pregnancy—(प्रैग्नैन्सी) *n.* state of being pregnant. गर्भावस्था.

prejudice—(प्रिजुडिस) *n.* an unreasonable bias. पक्षपात, दुराग्रह.

premature—(प्रिमैच्योर) *adj.* done or happening too soon. समय के पूर्व होने वाला.

prematurity—(प्रिमैच्योरिटी) *n.* happening untimely. असामयिकता.

premier—(प्रिमियर) *n.* chief. मुख्य.

preparation—(प्रेपरेशन) *n.* previous arrangement. तैयारी.

prescription—(प्रिस्क्रिपशन) *n.* medicine prescribed. नुस्खा.

preservation—(प्रिज़र्वेशन) *n.* act of keeping safe. बचाव, सुरक्षा.

preside—(प्रिसाइड) *v. t.* to have control over. अध्यक्ष होना.

presidency—(प्रेसीडेन्सी) *n.* the office of a president. अध्यक्ष का पद.

pressure—(प्रेशर) *n.* force, compulsion. दबाव.

prestige—(प्रेस्टीज) *n.* high reputation, influence on account of past success. गौरव, प्रतिष्ठा.

prevention—(प्रिवेन्शन) *n.* obstruction. रुकावट.

priceless—(प्राइसलेस) *adj.* invaluable. बहुमूल्य, बेशकीमती.

pride—(प्राइड) *n.* self esteem. घमंड; *v. t.* to take pride in. घमंड करना.

primitive—(प्रिमिटिव) *adj.* ancient. प्राचीन.

principal—(प्रिंसिपल) *adj.* main, chief. मुख्य; *n.* head of a college. कालिज का अध्यक्ष.

principle—(प्रिंसिपल) *n.* a fundamental rule or truth. मूल सिद्धान्त.

priority—(प्रायॉरिटी) *n.* precedence. पूर्वता.

prisoner—(प्रिज़नर) *n.* criminal, one confined in a prison. बन्दी, कैदी.

privacy—(प्राइवेसी) *n.* seclusion. एकान्त.

privilege—(प्रिविलेज) *n.* monopoly. विशेषाधिकार: *v. t.* to bestow special right. विशेष अधिकार देना.

probability—(प्रोबेबिलिटी) *n.* likelihood. सम्भावना.

probation—(प्रोबेशन) *n.* trial. परीक्षा-काल.

probe—(प्रोब) *v. i.* to search into. परीक्षा करना, जांचना.

procedure—(प्रोसीजर) *n.* manner of legal action. विधि, नियम.

proceeding—(पोसीडिंग) *n.* course of action. कार्रवाई.

process—(प्रोसेस) *n.* summons, writ, method, course, state of going on. परवाना, हुक्मनामा, याचिका, विधि, रीति, तरीका, प्रणाली, उन्नति.

procession—(प्रोसेशन) *n.* a number of persons proceeding in orderly succession. सवारी, जलूस.

proclamation— (प्रोक्लेमेशन) *n.* notice to the public. घोषणा.

producer—(प्रोड्यूसर) *n.* generator. पैदा करने वाला.

product—(प्रोडक्ट) *n.* a result, yield. फल, परिणाम.

production—(प्रोडक्शन) *n.* the act of producing. उत्पादन, प्रस्तुति.

professional— (प्रोफ़ेशनल) *adj.* pertaining to a profession. पेशा सम्बन्धी.

profitable—(प्रॉफ़िटेबल) *adj.* useful. हितकर.

profound—(प्रोफ़ाउण्ड) *adj.* very deep, mysterious. विचित्र, गम्भीर.

progress—(प्रोग्रेस) *n.* improvement, increse. उन्नति, वृद्धि, अग्रगमन; *v. t.* to advance, to improve. आगे बढ़ना, उन्नति करना.

progressive—(प्रोग्रेसिव) *adj.* advancing. क्रमिक विकास.

prohibition—(प्रोहिबिशन) *n.* the act of forbidding. निषेध.

project—(प्रोजेक्ट) *n.* a plan of purpose. उपाय; *v. t. & i.* to plan. उपाय करना.

prologue—(प्रोलोग) *n.* a preface. प्रस्तावना.

prominent—(प्रामिनेंट) *adj.* famous. प्रसिद्ध, विशिष्ट.

pronoun—(प्रोनाउन) *n.* a word used in place of a noun. सर्वनाम.

pronounce—(प्रोनाउन्स) *v. t. & i.* to utter. उच्चारण करना.

proof—(प्रूफ़) *n.* test, evidence, demonstration, impression taken for correction. प्रमाण, परीक्षा, सबूत, छपाई का प्रूफ.

propagate—(प्रॉपेगेट) *v. t.* to increase, to spread. बढ़ाना, प्रचारित करना.

property—(प्रॉपर्टी) *n.* wealth, attribute. धन, गुण.

prophet—(प्रॉफ़ेट) *n.* a foreteller. भविष्य वक्ता.

proposal—(प्रोपोज़ल) *n.* a scheme. प्रस्ताव.

propose—(प्रोपोज़) *v. t. & i.* to offer, to plan. प्रस्ताव रखना, विचार रखना.

proposition—(प्रपोज़ीशन) *n.* a formal statement. प्रस्ताव.

proprietor—(प्रोपराइटर) *n.* owner. मालिक, स्वामी.

propriety—(प्रोप्राइटी) *n.* fitness, rightness, good character. योग्यता, शुद्ध चरित्र, औचित्य.

prose—(प्रोज़) *n.* non-metrical form of speech. गद्य; *v. i.* to talk in prose. गद्य में बात करना.

prosper—(प्रॉस्पर) *v. i.* to thrive. सफल होना.

prosperity—(प्रॉस्पेरिटी) *n.* flourishing state. समृद्धि.

prostitute—(प्रॉस्टीट्यूट) *n.* a harlot. रन्डी, वेश्या.

protein—(प्रोटीन) *n.* an albuminoid. एक रासायनिक तत्त्व.

prototype—(प्रोटोटाइप) *n.* a model. आदर्श नमूना.

protrude—(प्रोट्यूड) *v. i. & t.* to project, to thrust out. बाहर की ओर निकलना.

provocation—(प्रोवोकेशन) *n.* act of provoking. उत्तेजना.

provoke—(प्रोवोक) *v. t.* to excite. उकसाना, उत्तेजित करना.

prudence—(प्रूडेन्स) *n.* foresight, wisdom. बुद्धिमानी, दूरदर्शिता, पूर्व विचार.

prudent—(प्रूडेण्ट) *adj.* wise, foresighted. बुद्धिमान, दूरदर्शी, सावधान.

pseudo—(स्यूडो) *prefix.* false, deceptive. मिथ्या, कृत्रिम.

pseudonym—(स्यूडोनिम) *n.* a fictitious name. उपनाम.

publication—(पब्लिकेशन) *n.* the act of making known publicly. प्रकाशन.

publicity—पब्लीसिटी) *n.* the state of being public. लोक प्रसिद्ध.

pun—(पन) *n.* a play o words. अनेक अर्थ का शब्द; *v. i* to make use of puns. इनका प्रयोग करना.

punctual—(पंक्चुअल) *adj.* exact as to time. सामयिक.

punctuality—(पंक्चुएलिटी) *n.* extreme exactness of time. समय का पालन.

punctuation—(पंक्चुएशन) *n.* the act of dividing sentence by marking. लेखन में विरामादि चिन्हों (जैसे ,;:!? आदि) का प्रयोग.

punish—(पनिश) *v. t.* to chastise. ताड़ना देना.

punishment—(पनिशमेण्ट) *n.* penalty imposed for an offence. दण्ड.

purchase—(पर्चेज़) *v. t.* to buy. खरीदना; *n.* buying, thing bought. खरीद, 'खरीदा' हुआ सामान.

purgatory—(परगेटरी) a place of spiritual purification. पाप से निर्मुक्त करने का स्थान.

purification—(प्योरीफ़िकेशन) *n.* the act of purifying. शुद्धिकरण.

puritan—(प्यूरिटन) *n.* a person professing strict purity. साधु, पवित्र रहने वाला.

purpose—(परपज़) *n.* idea or aim. अभिप्राय; *v. i.* to have an intimation. अभिप्राय करना.

purposely—(परपज़ली) *adv.* intentionally. जानबूझ कर.

pursuance—(परसुएन्स) *n.* following after. अनुसरण.

pursue—(परस्यू) *v. t.* to aim at, to follow. पीछा करना.

puzzle—(पज़ल) *n.* a riddle, a difficult problem. पहेली, प्रश्न; *v. t.* to bewilder. परेशान करना, घबराना.

pyorrhoea—(पायरिया) *n.* discharge of pus from the gums. दांतों का रोग.

pygmy—(पिगमी) *n.* dwarf. बौना.

Q

Q-boat—(क्यू बोट) *n.* a warship disguised as a merchant ship. व्यापारी जहाज़ के भेष में लड़ाकू जहाज़.

quadrate—(क्वॉडरेट) *v. t.* to make square. चौकोर बनाना.

quail—(क्वेल) *n.* a small bird. लावा, *v. t.* to fear, to lose heart. भय से कांपना.

qualification—(क्वॉलिफ़िकेशन) *n.* thing that qualifies. योग्यता.

qualified—(क्वॉलीफ़ाइड) *adj.* modified. योग्य.

qualify—(क्वॉलीफ़ाइ) *v. t.* to modify. योग्य करना.

quality—(क्वालिटी) *n.* rank, virtue. गुण.

qualmish—(क्वामिश) *adj.* affected with nausea. जी मचलाने वाला.

quantity—(क्वॉटिटी) *n.* amount. परिमाण.

quarrel—(क्वॉरल) *n.* angry dispute. झगड़ा, लड़ाई; *v. i.* to dispute, to find fault with. लड़ना, झगड़ना.

(quarrelled—p. t. & p.p.)

(quarrelling—present participle.)

quarrelsome— (क्वॉरलसम) *adj.* irritable. झगड़ालू.

quarry—(क्वॉरी) *n.* a place where stones are dug out. खान, लक्ष्य; *v. i.* to dig stones from quarry. पत्थर निकालना.

quarterly—(क्वॉर्टली) *adj., adv.* & *n.* once a quarter. त्रैमासिक.

quarto—(क्वॉर्टो) *n.* a book consisting of sheets folded in four parts. चार परत की कागज़ की पुस्तक.

quasi—(क्वासी) *adv.* as if, unreal. काल्पनिक.

queenly—(क्वीनली) *adj.* like a queen. रानी के समान.

quell—(क्वेल) *v. i.* to suppress, to quieten. दबाना.

quench—(क्वेंश) *v. t.* to slake, to satisfy thirst, to put out fire. प्यास बुझाना, आग बुझाना.

query—(क्विरी) *n.* a question. प्रश्न, पूछताछ. *v. t.* to doubt. प्रश्न करना, सन्देह करना.

quest—(क्वेस्ट) *n.* a search. खोज; *v. i.* & *t.* to make a search for. खोजना.

questionable— (क्वेश्चनेबल) *adj.* doubtful. सन्देहयुक्त.

questioner—(क्वेश्चनर) *n.* one who asks questions. प्रश्नकर्त्ता.

questionnaire— (क्वेश्चनेअर) *n.* list of questions drawn for gathering information. प्रश्नावली.

queue—(क्यू) *n.* a line of persons. पंक्ति.

quinine—(क्विनीन) *n.* a drug obtained from the cinchona tree. कुनैन.

quit—(क्विट) *v. t.* to leave, to repay. त्यागना, चुकाना.

quite—(क्वाइट) *adv.* altogether. सर्वथा.

quiver—(क्विवर) *v. t.* to shake. कांपना.

quiz—(क्विज़) *v. t.* to make fun of. मज़ाक बनाना; *n.* a general knowledge test, one given to quizzing. प्रश्नोत्तर, दिल्लगी बाज़, मज़ाकिया.

quorum—(कोरम) *n.* number required for a valid meeting. कोरम, सभा की कार्यवाही के लिए सदस्यों की अभीष्ट संख्या.

quota—(क्वोटा) *n.* part, share. भाग, अंश, अभ्यंश.

quotation—(कोटेशन) *n.* that which is quoted, current price. उद्धरण, बाज़ार भाव, प्रचलित मूल्य.

quote—(कोट) *v. t.* to repeat words, to refer, to state price. ग्रंथ के वचन कहना, प्रमाण देना, मूल्य बताना.

R

rabbi—(रेबाइ) *n.* a jewish doctor of law. यहूदी धर्माधिकारी.

racial—(रेशियल) *adj.* pertaining to race. कुल अथवा जाति सम्बन्धी.

rack—(रैक) *n.* a frame for holding fodder. नाद, कठौती, बर्तन; *v. t.* to torture. कष्ट देना.

radian—(रेडियन) *n.* the angle at the centre of a circle. वृत्त के केन्द्र का कोण.

radiance—(रैडियन्स) *n.* brilliant lustre. आभा, चमक.

radiant—(रैडियण्ट) *adj.* shining. चमकता हुआ.

radium—(रेडियम) *n.* a costly metal which emits rays. एक चमकीली धातु.

radiate—(रेडिएट) *v. t.* & *i.* to send forth rays. किरण फ़ेकना.

radiator—(रैडिएटर) *n.* a kind of heating apparatus. गर्म करने का एक यंत्र.

rain—(रेन) *n.* water falling in drops from cloud. वर्षा; *v. i.* to rain. वर्षा होना.

rainbow—(रेनबो) *n.* a bow of seven colours. इन्द्रधनुष.

rainfall—(रेनफ़ॉल) *n.* shower of rain. वर्षा.

rap—(रैप) *n.* a smart blow. धक्का; *v. t.* to strike with blow. घूसा मारना.

rape—(रेप) *n.* sexual intercourse with a woman without her consent. बलात्कार; *v. t.* to ravish, to take away by force. बलात्कार करना, छीन लेना, लूट लेना.

rapid—(रैपिड) *adj.* swift. तेज़.

rare—(रेअर) *adj.* uncommon अनूठा, दुर्लभ, असाधारण.

rational—(रैशनल) *adj.* sensible. विचारयुक्त.

raze—(रेज़) *v. t.* to erase. खुरचना, मिटाना.

razor—(रेज़र) *n.* an instrument used in shaving hair. उस्तरा.

reach—(रीच) *v. t.* & *i.* to arrive at. पहुंचना.

reaction—(रिऐक्शन) *n.* action in response to something. प्रतिक्रिया.

readable—(रीडेबल) *adj.* able to be read. पढ़ने योग्य.

readily—(रेडिली) *adv.* quickly, easily. जल्दी से, सुगमतापूर्वक.

readjust—(रिएडजस्ट) *v. t.* to adjust again. पुनः ठीक करना, फिर से क्रम में रखना.

readmit—(रिएडमिट) *v. t.* to admit again. पुनः दाखिल करना.

readmission—(रिएडमीशन) *n.* state of being admitted again. पुनः प्रवेश, दुबारा दाखिला.

realistic—(रियलिस्टिक) *adj.* true to fact. सत्य रूप का.

reality—(रिएलिटी) *n.* actual existence. सचमुच.

reap—(रीप) *v. t.* & *i.* to cut down crop. फ़सल काटना.

reappear—(रिएपियर) *v. i.* to appear again. दुबारा प्रकट होना, पुनः शामिल होना.

reappoint—(एिअपॉइण्ट) *v. t.* appoint again. पुनः नियुक्त करना.

reason—(रीज़न) *n.* power of reasoning, cause, rational faculty, argument. बुद्धि, तर्क, कारण, प्रयोजन; *v. t.* to discuss, to argue, to infer. तर्क करना, विचार करना, परिणाम निकालना.

reassure—(रिअश्योर) *v. t.* to give confidence to. विश्वास दिलाना.

rebellion—(रेबीलियन) *n.* a revolt. राजद्रोह, विद्रोह.

reception—(रिसेप्शन) *n.* the act of receiving. ग्रहण.

recital—(रिसाइटल) *n.* narration, reading. आख्यान, प्रसतुति, प्रपठन.

recognize—(रिकगनाइज़) *v. t.* to identify. पाहचानना

recognition—(रिकगनिशन) *n.* taking notice, a formal acknowledgement. पहचानना, प्रमाण देना.

recognizable—(रिकॉगनाइज़ेब्ल) *adj.* able to be recognized. पहिचानने योग्य.

recognizance— (रिकॉगनीज़ैन्स) *n.* a legal bond. अंगीकार पत्र.

recommendation— (रिकमण्डेशन) *n.* statement meant to recommend. सिफारिश, समर्थन.

recovery—(रिकवरी) *n.* state of having recovered. उपलब्धि वसूली, पुनः प्राप्ति.

recreation—(रिक्रिएशन) *n.* enjoyment. मनोरंजन.

recruit—(रिक्रूट) *v. t.* to enlist soldiers. भर्ती करना; *n.* newly recruited soldier. भर्ती किया हुआ सैनिक, रंगरूट.

rectangle—(रेक्टेंगल) *n.* a four-sided right-angled figure. समकोण चतुर्भुज.

rectify—(रेक्टिफ़ाई) *v. t.* to refine. शुद्ध करना.

rectitude—(रेक्टीट्यूड) *n.* honesty. सच्चाई, पवित्रता.

recur—(रेकर) *v. t.* to occur again, to be repeated. फिर से ध्यान आना, दुबरा होना.

reccurring—(रैकरिंग) *adj.* coming again. दुबारा आने वाला.

reduce—(रिड्यूस) *v. t.* to bring down, to lower, to degrade. घटाना, पद से उतार देना, कम करना.

reduction—(रिडक्शन) *n.* the act of reducing. कमी.

reference—(रेफ़रेन्स) *n.* act of referring. निर्देश, संकेत, संदर्भ.

referendum—(रेफ़रेन्डम) *n.* the submitting of a proposed law to the electorate for decision. लोकनिर्णय, जनमत.

refinement—(रिफाइमेण्ट) *n.* the act of refinement. शुद्धता, संशोधन.

reform—(रिफ़ॉर्म) *n.* the act of improving. सुधार.

reformer—(रिफ़ॉमर) *n.* one who reforms. सुधारक.

refrain—(रिफ़्रेन) *n.* chorus of song. गीत में टेक; *v. t. & i.* to restrain. रोकना, संयम करना.

refreshing—(रिफ़्रेशिंग) *adj.* invigorating. आनन्द देने वाला.

refreshment—(रिफ़्रेशमेण्ट) *n.* light food or drink. जलपान.

refuge—(रिफ़्यूज) *n.* a shelter or safe place. सुरक्षित स्थान.

refugee—(रिफ़्यूजी) *n.* one who takes refuge. शरणार्थी.

refusal—(रिफ़्यूज़ल) *n.* a rejection. अस्वीकृति.

refuse—(रिफ़्यूज़) *n.* waste matter, dross. बचा हुआ हिस्सा, बेकार भाग.

refutable—(रिफ़्यटेबल) *adj.* able to be refuted, disprovable. खंडन करने योग्य, गलत.

regain—(रिगेन) *v. t.* to recover possession of, to gain back. पुनः अधिकार पाना, फिर से

regard—(रिगार्ड) *v. t. & i.* to esteem. आदर करना.

regarding—(रिगार्डिंग) *prep.* concerning. विषय में.

regime—(रिजीम) *n.* time of government. शासन काल.

regiment—(रेजीमेण्ट) *n.* a body of troops commanded by a colonel, rule, control. सैन्यदल, शासन, अनुशासन.

regional—(रीजनल) *adj.* pertaining to regions. प्रदेशीय.

registered—(रजिस्टर्ड) *adj.* recorded in a register. रजिस्टर में लिखा हुआ, पंजीकृत.

regret—(रेग्रेट) *v. t.* to be sorry. दुख प्रकट करना.

regrettable—(रिग्रेटेबल) *adj.* to be regretted, worthy of regret. पछताने योग्य, शोचनीय

regulate—(रेग्यूलेट) *v. t.* to control, to adjust. व्यवस्था करना.

rehearse—(रिहर्स) *v. t.* to repeat. दोहराना.

reign—(रेन) *n.* a rule, kingdom. राजत्व, राज्य; *v. i.* to rule as a king. शासन करना.

rein—(रेन) *n.* the strap of a bridle. लगाम; *v. t.* to check, to control. संयम या काबू में करना.

reinforce—(रीइनफ़ोर्स) *v. t.* to add strength to. शक्ति बढ़ाना.

reinstate—(रीइनस्टेट) *v. t.* to put back in the former state. पुनः स्थापित करना.

reiterate—(रीइटरेट) *v. t.* to repeat again and again. बारम्बार दोहराना.

rejection—(रीजैक्शन) *n.* refusal. अस्वीकृति.

rejoice—(रीजॉयस) *v. t.* to feel great joy. प्रसन्न होना.

rejoin—(रीजॉइन) *v. t. & i.* to join again. पुनः सम्मिलित होना, पुनः मिलना.

rejoinder—(रिजाइण्डर) *n.* an answer to a reply. प्रत्युत्तर.

relate—(रिलेट) *v. t. & i.* to tell, to report. कहना, सूचना देना.

relaxation—(रिलैक्सेशन) *n.* act of relaxing, partial remission. विश्राम, शिथिलता, छूट.

relevance—(रेलेवैन्स) *n.* pertinence. अनुरूपता.

relevant—(रेलेवैन्ट) *adj.* applicable. अनुरूप.

reliable—(रेलायब्ल) *adj.* able to be trusted. विश्वास करने योग्य.

reliance—(रेलायन्स) *n.* confidence. भरोसा.

reluctant—(रेलक्टैण्ट) *adj.* unwilling. जो राजी न हो.

remain—(रिमेन) *v. t.* to continue, to stay behind. कायम रहना, बाकी रहना.

remark—(रिमार्क) *n.* observation. निरीक्षण; *v. t. & i.* to notice, to say something. देखना, कहना.

remember—(रिमेम्बर) *v. t.* to keep in mind. याद करना.

rememberance— (रिमेम्बरैन्स) *n.* memory. यादगार.

remit—(रेमिट) *v. t.* to forgo, to send money. छोड़ना, रुपया भेजना

remittance—(रेमिटेन्स) *n.* money sent. भेजा हुआ धन.

remorse—(रेमोर्स) *n.* regret. पश्चाताप.

removable—(रिमूवेबल) *adj.* able to be removed. हटाने योग्य.

remove—(रिमूव) *v. t. & i.* to move from a place, to dismiss. स्थान बदलना.

renaissance—(रिनेसेन्स) *n.* the revival of arts and literature. कला कौशल की जागृति का द्वंद्वकाल, पुनर्जागरण.

rencounter—(रेनकाउण्टर) *n.* encounter, sudden conflict. द्वन्द्व, आकस्मिक टक्कर.

render—(रेण्डर) *v. t.* to give in return, to submit. देना, सौंपना, समर्पित करना.

renew—(रिन्यू) *v. t. & i.* to repeat, to make again. नया करना, फिर से करना.

renewal—(रिन्यूअल) *n.* revival. नवीनीकरण.

renounce—(रिनाउन्स) *v. t. & i.* to reject, to give up. त्यागना.

renowned—(रिनाउण्ड) *adj.* famous. मशहूर, प्रसिद्ध.

renunciation— (रिननसिएशन) *n.* self denial. बलिदान, त्याग.

repair—(रिपेअर) *v. t.* to mend. मरम्मत करना.

reparable—(रेपेयरेबल) *adj.* able to be mended. सुधारने योग्य.

repeatedly—(रिपीटेड्ली) *adj.* over and over again. बारम्बार.

repent—(रिपेण्ट) *v. t.* to regret about. पछताना.

repentance—(रिपेन्टेन्स) *n.* sorrow, regret. पछतावा.

repetition—(रिपिटेशन) *n.* act of repeating. दोहराना.

reporter—(रिपोर्टर) *n.* one who makes a report. सम्वाददाता.

represent—(रिप्रेजेण्ट) *v. t.* to show, to describe, to act for. प्रकट करना, वर्णन करना, प्रतिनिधित्व करना.

reproduce—(रिप्रोड्यूस) *v. t.* to produce again, to produce copy of. पुनः उत्पन्न करना, प्रतिलिपि बनाना.

republic—(रिपब्लिक) *n.* a commonwealth government without monarch where power is with people and their elected representatives. प्रजातन्त्र, गणराज्य.

require—(रिक्वायर) *v. t.* to demand, to want. मांगना चाहना.

requirement— (रिक्वायरमेण्ट) *n.* demand. आकांक्षा.

rescuer—(रेस्क्यूअर) *n.* one who rescues. बचाने वाला, मुक्त करने वाला.

research—(रिसर्च) *n.* a careful investigation. खोज.

resemblance—(रिज़ेम्बलैन्स) *n.* similarity. तुल्यता, समरूपता.

resemble—(रिज़ेम्बल) *v. t.* to be like or similar to. तुल्य होना.

resembling—(रेज़ेम्बलिंग) *adj.* similar. समान

resent—(रिज़ेण्ट) *v. t.* to take ill, to be angry at. क्रोध करना.

resentful—(रेजेन्टफुल) *adj.* irritable. क्रोधी.

resentment—(रिज़ेण्टमेण्ट) *n.* anger. क्रोध.

reservation—(रिज़र्वेशन) *n.* the act of reserving. आरक्षण, संरक्षण.

residence—(रेज़ीडेन्स) *n.* a place where one lives. निवास,

resident—(रैज़ीडेण्ट) *n.* one who resides in a place. निवासी.

residential—(रेज़ीडेन्शल) *adj.* relating to residence. निवास सम्बन्धी.

residue—(रेज़ीड्यू) *n.* remainder. अवशेष, बचा हुआ

residuum—(रेज़ीड्यूम) *n.* that which is left. बचा हुआ भाग.

resign—(रिज़ाइन) *v. t.* to give up office, to surrender. त्याग पत्र देना, इस्तीफा देना, छोड़ना.

resignation— (रेज़िग्नशन) *n.* the act of resigning. पद-परित्याग, त्यागपत्र.

resist—(रेज़िस्ट) *v. t.* to oppose. अवरोध करना.

resistance—(रेज़िस्टेंन्स) *n.* opposition. विरोध.

respect—(रिस्पेक्ट) *n.* & *v. t.* to honour, to esteem. प्रतिष्ठा करना.

respectable— (रिस्पेक्टेबल) *adj.* deserving respect. पूज्य, आदरणीय.

respectively— (रिस्पेकिटवली) *adv.* relatively. यथाक्रम.

respond—(रिस्पॉण्ड) *v. t.* to answer. उत्तर देना.

(responded—p. t. & p.p.)

respondent—(रिसपॉण्डेण्ट) *n.* & *adj.* answering. प्रतिवादी.

response—(रिस्पॉन्स) *n.* an answer. प्रतिवचन, उत्तर.

responsibility— (रिस्पॉन्सिबिलिटी) *n.* the charge for which one is responsible. उत्तरदायित्त्व.

responsible— (रिस्पॉन्सिबल) *adj.* answerable. जिम्मेदार.

restoration—(रेस्टोरिशन) *n.* restoring. उद्धार.

restore—(रेस्टोर) *v. t.* to give back, to build up again, to renew. लौटाना, सुधारना, नया करना.

restrain—(रेस्ट्रेन) *v. t.* to check, to hinder. रोकना, थामना.

restraint—(रेस्ट्रेण्ट) *n.* check. रुकावट.

restriction—(रेसट्रिक्शन) *n.* act of restricting. बन्धन, मर्यादा, नियन्त्रण. प्रतिबन्ध.

retail—(रिटेल) *v. t.* & *i.* to sell in small quantities. फुटकर बिक्री.

retailer—(रिटेलर) *n.* one who retails. फुटकर विक्रेता.

retain—(रिटेन) *v.t.* to hold back, to engage. रोकना, धारण करना, अटका रखना.

retaliation—(रिटैलिएशन) *n.* revenge, return. बदला, प्रतिफल.

retard—(रिटार्ड) *v. t.* to hinder. कम करना.

retention—(रिटेनशन) *n.* act of retaining. धारण करने की शक्ति, ग्रहण.

retina—(रेटिना) *n.* sensitive layer of the eyes. आंख के पिछले भाग की पर्त, दृष्टिपटल.

retire—(रिटायर) *v. t.* to draw back, to go to bed. वापिस आना, सोने जाना.

retirement—(रिटायरमेण्ट) *n.* privacy. एकान्त स्थान.

retouch—(रीटच) *v. t.* to improve by fine touches. महीन लाइन से चित्र अंकित करना.

retraceable—(रीट्रेसेबल) *adj.* able to be retraced. खोजने योग्य.

retract—(रिट्रैक्ट) *v. t.* & *i.* to revoke, to draw back. विमुख होना, पलटना, वापिस लेना.

retrench—(रीट्रेन्च) *v, i.* to lessen, to curtail. काटना, कम करना.

retrievable—(रिट्रीवेबल) *adj.* recoverable. दुबारा पाऩे जाने योग्य.

retrieve—(रिट्रीव) *v. t.* to recover, to save, to rescue. पुन: प्राप्त करना, बचाना, सुधारना.

retrim—(रीट्रिम) *v. t.* to trim again. काट छांट करना.

return—(रिटर्न) *v. t.* & *i.* to come back, to give back. लौटना, वापस आना, लौटाना, वापस करना; *n.* **act of returning.** वापसी; official report. हिसाब का लेखा.

reveal—(रिवील) *v. t.* to disclose. प्रतक्ष करना.

revenge—(रिवेन्ज) *n.* a retaliation. बदला; *v. t.* to return injury for injury. बैर करना.

revere—(रिवियर) *v. t.* to venerate. पवित्र मानना.

reverend—(रेवरेंड) *n. adj.* deserving reverence. माननीय.

reverse—(रिवर्स) *n.* defeat, contrary condition. हार, विपरीत अवस्था; *adj.* opposite. उल्टा; *v. t.* to invert. उलटना.

revertible—(रिवर्टेबल) *adj.* able to be reverted. पलटने योग्य.

reviewer—(रिव्यूअर) *n.* a writer of reviews. समालोचक.

revise—(रिवाइज़) *v. t.* to re-examine, to amend faults. दुबारा परीक्षा करना, गल्तियां सुधारना.

revivable—(रिवाइवेबल) *adj.* what may be revived. जिलाने योग्य, सचेत करने योग्य.

revival—(रिवाइवल) *n.* a recovery to life. नव जागरण, पुनर्जीवन.

revive—(रिवाइव) *v. t.* & *i.* to bring back to life, to vigour. जीवित करना, जान पड़ना.

revocation—(रीवोकेशन) *n.* cancellation. खण्डन.

revoke—(रीवोक) *v. t.* to cancel. खण्डन करना.

revolt—(रिवोल्ट) *v. t.* & *i.* to rebel, to feel disgust for. राजद्रोह करना, विरक्त होना.

revolve—(रिवॉल्व) *v. t.* to move about a centre, to rotate. चक्कर लगाना, घूमना.

rewardless—(रिवॉर्डलेस) *adj.* having no reward. बिना पारितोषिक का.

rheum—(रूम) *n.* discharge from the nose. नज़ला.

rheumatism—(रूमेटिज़्म) *n.* a painful disorder of joints. गठिया रोग.

rich—(रिच) *adj.* costly, wealthy, fertile. धनी, उपजाऊ.

riches—(रिचेज़) *n.* wealth. धन.

richness—(रिचनेस) *n.* wealth. धन.

rider—(राइडर) *n.* one who rides. सवार.

ridiculous—(रिडीक्युलस) *adj.* causing laughter. भद्दा, हास्योत्पादक.

rifle corps—(राइफ़ल कोर) *n.* volunteers armed with rifles. बन्दूक से सुसज्जित सैनिक दल.

rift—(रिफ़्ट) *n.* a cleft, an opening. दरार, छेद; *v. t.* to burst open. चीरना.

riftless—(रिफ़्टलेस) *adj.* without a rift. बिना दरार का.

rifty—(रिफ़्टी) *adj.* having cracks. दरारदार.

right—(राइट) *adj.* correct, lawful, according to rule, opposed to left, straight. ठीक, उचित, शुद्ध, सीधा, दाहिना.

righteous—(राइचियस) *adj.* upright, honest, just, lawful. न्यायी, सीधा, ईमानदार, धर्मात्मा.

rigid—(रिजिड) *adj.* stiff. कड़ा.

rigidity—(रिजिडिटी) *n.* stiffness. कठोरता, दृढ़ता.

ring—(रिंग) *n.* an ornament worn on the finger. अंगूठी.

rinse—(रिन्स) *v. t.* to clean in water. पानी से साफ करना.

rinsing—(रिन्सिग) *n.* washing. धुलाई.

risky—(रिस्की) *adj.* hazardous. आपत्तिपूर्ण.

rival—(राइवल) *n.* a competitor. प्रतिस्पर्धा; *adj.* competing. स्पर्धा करने वाला; *v. t.* to emulate. स्पर्धा करना.

roam—(रोम) *v. i.* to wander. घूमना

roast—(रोस्ट) *v. t.* to bake, to cook on open fire. भूनना, सेंकना.

robe—(रोब) *n.* a gown. लबादा; *v. t. & i.* to dress with a robe. लबादा धारण करना.

rock—(रॉक) *n.* a large mass of stone. चट्टान.

rogue—(रोग) *n.* a knave. धूर्त; *v. t. & i.* to cheat. धोखा देना.

roguish—(रोगिश) *adj.* knavish, mischievous, villanous. धूर्त.

romance—(रोमान्स) *n.* a love story. रोमांच, प्रेम कहानी.

romantic—(रोमाण्टिक) *adj.* marvellous. रोमांचक.

room—(रूम) *n.* a space, a separative division of a house. स्थान, कमरा.

rot—(रॉट) *n.* decay. नाश; *v. t. & i.* to decay. सड़ना.

rotary—(रोटरी) *adj.* revolving. घूमने या चक्कर मारने वाला.

rotate—(रोटेट) *v. t. & i.* to revolve, to cause to revolve. घूमना, घुमाना.

rotation—(रोटेशन) *n.* the act of turning. भ्रमण.

rotten—(रॉटन) *adj.* decayed. सड़ा हुआ.

rough—(रफ) *adj.* not smooth, uncivil. भद्दा, खुरदरा, असभ्य

roughen—(रफेन) *v. t & i.* to make rough. खुरदरा बनाना.

roundish—(राउण्डिश) *adj.* somewhat round. कुछ गोल.

roundly—(राउण्डली) *adv.* completely, boldly. पूरी तरह से, स्पष्ट रूप से.

route—(रूट) *n.* road, way. मार्ग, सड़क.

routine—(रूटीन) *n.* a regular course of action. कार्यक्रम.

rowdy—(राउडी) *n.* disorderly person. उपद्रवी; *adj.* noisy. कोलाहल.

rubbish—(रबिश) *n.* waste matter, trash. कूड़ा, तुच्छ पदार्थ.

rumour—(र्‌यूमर) *n.* hearsay. उड़ती हुई खबर, लोक वार्ता.

rupee—(रूपी) *n.* a coin of India, Indian currency. रुपया, भारतीय मुद्रा.

rustic—(रस्टिक) *adj.* of the country. ग्रामीण, देहाती.

rusticity—(रस्टिसिटी) *n.* rustic manner. ग्रामीणता.

rusticate—(रस्टिकेट) *v. t.* to banish from the institution. संस्था से निकाल देना.

ruthless—(रूथलेस) *adj.* pitiless. निर्दयी, क्रूर.

S

sabbath—(सैबथ) *n.* the divinely appointed day of rest. छुट्टी का पवित्र दिन.

sabotage—(सैबोटेज) *n.* intentional damage. हानि, तोड़-फोड़.

sacred—(सेक्रेड) *adj.* holy, divine. धार्मिक, पवित्र.

sacrifice—(सैक्रीफाइस) *n.* an offering to God, a loss. बलिदान, होम; *v. t. & i.* to give up, to resign, to offer to God. अर्पण करना, बलिदान देना.

sad—(सैड) *adj.* sorrowful. दुःखी, उदास.

safeguard—(सेफ़गार्ड) *n.* protection. रक्षा; *v. t.* to guard. रक्षा करना.

safety—(सेफ्टी) *n.* freedom from danger, security. सुरक्षा.

saint—(सेण्ट) *n.* a sage, a holy man. मुनि, सन्त.

saleable—(सेलेबल) *adj.* fit for sale. विक्रय योग्य.

salary—(सैलरी) *n.* pay. वेतन; *v. t.* to pay a regular salary. नियम से वेतन देना.

sale—(सेल) *n.* selling. बिक्री.

salt—(सॉल्ट) *n.* a substance formed by action of acid and base or metal. लवण; *adj.* नमकीन; *v. t.* to season with salt. नमकीन करना.

salvation—(सैलवेशन) *n.* freedom from sin. मोक्ष, मुक्ति.

salve—(सैल्व) *n.* a healing ointment. मलहम; *v. t.* to rescue. नाश होने से बचाना.

sample—(सैम्पल) *n.* specimen, model. नमूना.

sandwich—(सैण्डविच) *n.* two slices of bread with any sort of food in between them. सैण्डविच.

sane—(सेन) *adj.* of sound mind. स्वस्थ चित्त.

sanitary—(सैनिटरी) *adj.* pertaining to health. स्वास्थ्य सम्बन्धी, सफ़ाई का.

sap—(सैप) *n.* the vital juice circulating in plants. सार.

satellite—(सैटिलाइट) *n.* a planet revolving round another, a hanger on. उपग्रह, अनुचर.

satire—(सैटायर) *n.* irony, sarcasm. ताना, व्यंग्य.

Saturday—(सैटरडे) *n.* the seventh day of the week. शनिवार.

Saturn—(सैटर्न) *n.* the name of a planet. शनिग्रह.

sauce—(सॉस) *n.* liquid or dressing to food for taste. चटनी.

saucer—(सॉसर) *n.* a small plate. तश्तरी.

saving—(सेविंग) *adj.* protecting, preserving. मुक्त करने वाला, रक्षा करने वाला.

savings—(सेविंग्स) *n.* something kept from being expended. संग्रह, बचत.

saying—(सेइंग) *n.* a proverb. कहावत.

scale—(स्केल) *n.* a thin layer. पतली तह; *v. i.* to come off in scales. परत उतरना.

scandal—(स्कैण्डल) *n.* reproach, shame, calumny. आक्षेप, निन्दा.

scant—(स्कैण्ट) *n.* scarcity. कमी; *adj.* scarce. कम; *adv.* scarely. कम मात्रा में.

scarce—(स्केअर्स) *adj.* scanty, in small quantity. अपर्याप्त, कम.

scarcity—(स्केयरसिटी) *n.* rarity, famine. कमी, अकाल.

scarf—(स्कार्फ़) *n.* a piece of cloth worn round the neck. रुमाल, स्कार्फ.

schedule—(शेड्यूल) *n.* a list. सूची, *v. t.* to place in list or catalogue. सूचीपत्र बनाना.

scheme—(स्कीम) *n.* a system, plan. कार्य योजना, विन्यास; *v. t.* to plan. प्रबन्ध करना, उपाय करना.

scholar—(स्कॉलर) *n.* one who learns, one who is learned. विद्वान.

scholarship—(स्कॉलरशिप) *n.* learning, a money allowance made to a student. विद्वता, छात्रवृत्ति.

scientist—(साइण्टिस्ट) *n.* one who knows or practises science. वैज्ञानिक.

scissors—(सिज़र्स) *n.* a cutting instrument of two blades moving on a pin. कैंची.

scope—(स्कोप) *n.* range, that at which one aims. क्षेत्र, अभिप्राय, उद्देश्य.

scorn—(स्कॉर्न) *n.* extreme disdain. निन्दा; *v. t.* to hate. घृणा करना

sea—(सी) *n.* the ocean. समुद्र.

search—(सर्च) *n.* an examination. खोज; *v. t. & i.* to seek out, to investigate. खोजना.

sculpture—(स्कल्पचर) *n.* work of an sculptor. मूर्तिकला, मूर्ति

secrecy—(सीक्रेसी) *n.* privacy. गुप्तता.

secret—(सीक्रेट) *n* a mystery. भेद, रहस्य; *adj.* hidden, private, concealed. गूढ़, गुप्त.

secretariat—(सेक्रेटेरिएट) *n.* the office of a secretary. सचिव का कार्यालय.

secretary—(सेक्रेटरी) *n.* one who writes letters, a government official. सचिव, मन्त्री.

secular—(सेक्यूलर) *adj.* worldly. लौकिक, धर्म निरपेक्ष.

securable—(सिक्योरेबल) *adj.* able to be secured. दृढ़ करने योग्य.

security—(सिक्योरिटी) *n.* safety. रक्षा.

seesaw—(सिसॉ) *n.* game in which two children sit and swing. बच्चों का झूला, ढेंकी.

seize—(सीज़) *v. t.* to catch. पकड़ना.

seizure—(सीज़र) *n.* a sudden attack. धावा.

seldom—(सेल्डम) *adv.* rarely, not often. कभी-कभी, कदाचित.

self—(सेल्फ़) *n.* a person's identity or private interest. निजत्व.

selfish—(सेलफ़िश) *adj.* concerning only oneself. स्वार्थी मतलबी.

semi—(सेमी) *prefix.* in sense of half. अर्ध, उपसर्ग.

semicolon—(सेमीकोलन) *n.* a mark of punctuation. (;) सेमीकोलन नामक चिन्ह.

sensibility—(सेन्सिबिलिटी) *n.* capacity to feel. बोध, मालूम करने की शक्ति.

sensible—(सेन्सिबिल) *adj.* appreciable. समझदार

sensitive—(सेन्सिटिव) *adj.* easily moved. भावुक.

sensuality—(सेन्सुऐलिटी) *n.* gratification of appetites. इन्द्रिय जनित सुख.

sensuous—(सेन्सुअस) *adj.* derived from the senses. इन्द्रिय जनित.

separable—(सेपरेब्ल) *n.* & *adj.* that can be separated. अलग करने योग्य.

separate—(सेपरेट) *adj.* divided. अलग; *v. t.* & *i.* to divide. पृथक करना.

separation—(सेपरेशन) *n.* disjoining. भिन्नता, वियोग.

serene—(सिरीन) *adj.* clear, calm. शान्त, निर्मल.

sergeant—(सारजेण्ट) *n.* a noncommissioned officer in the army. सामान्य सेनाधिकारी.

serviceable—(सर्विसेबल) *adj.* useful. उपयोगी.

settlement—(सेट्लमेण्ट) *n.* the act of settling. निर्णय.

sever—(सेवर) *v. t.* & *i.* to separate. अलग करना.

several—(सेवेरल) *adj.* separate. पृथक.

severe—(सिवियर) *adj.* harsh, strict. सख्त, कठोर.

sex—(सेक्स) *n.* **the characteristics which distinguish a male from a female. लिंग.**

sexual—(सेक्स्युअल) *adj.* pertaining to sex. लिंग सम्बन्धी.

shade—(शेड) *n.* a place sheltered from the sun. छाया; *v. t.* to screen, to shelter. छाया करना.

shady—(शेडी) *adj.* dark, gloomy. छायादार.

shake—(शेक) *v. t.* & *i.* to move, to vibrate. कांपना, हिलना.

shallow—(शैलो) *adj.* not deep, trivial. छिछला, ओछा.

shampoo—(शैम्पू) *v. t.* to wash and rub the head with lather. सिर धोना.

share—(शेयर) *n.* a portion, an allotment. अंश; *v. t.* to divide. भाग करना.

sheep—(शीप) *n.* a woolly animal. भेड़.

sheepish—(शीपिश) *adj.* timid डरपोक.

sheer—(शियर) *adj.* utter, mere, absolute. बिल्कुल,सीधा, निरा, एकदम.

sheet—(शीट) *n.* a broad piece of paper, a sail. कागज़ का ताव, पतवार.

shiftiness—(शिफ़्टीनेस) *n.* the state of being shifty. कपट.

shield—(शील्ड) *n.* armour for defence. ढाल, कवच, प्रतिरक्षक.

shining—(शाइनिंग) *adj.* brilliant. चमकदार.

shipping—(शिपिंग) *adj.* relating to ships. जहाज़ सम्बन्धी.

shock—(शॉक) *n.* a collision, a sudden jerk. आघात, धक्का.

shocking—(सौकिंग) *ad.* offensive. क्षुब्ध या स्तम्भित करने वाला.

short—(शॉट) *adj.* having little height, hasty. अल्प, छोटा; *adv.* suddenly. तुरन्त.

shortcoming—(शॉर्टकमिंग) *n.* a fault. कमी, गलती, त्रुटि.

shortage—(शॉर्टेज) *n.* an insufficient supply. कमी.

shorten—(शॉर्टन) *v. t.* to make short. कम करना, घटाना.

shout—(शाउट) *v. t.* to cry loudly. चिल्लाना; *n.* loud cry. शोर, चिल्लाहट.

shrewd—(श्रूड) *adj.* keen witted, cunning. चतुर, होशियार.

shrinkable—(श्रिंकेब्ल) *adj.* able to contract. सिकुड़ने योग्य.

shun—(शन) *v. t.* to avoid. घृणा करना, दूर रहना.

shut—(शट) *v. t.* & *i.* to confine, to close, to separate. बन्द करना, रोकना.

sigh—(साई) *n.* long breath आह; *v. t.* to mourn, to grieve. ठंडी सांस भरना, दुःख प्रकट करना.

sign—(साइन) *n.* a symptom, a gesture, a distinctive work. चिन्ह, संकेत, लक्षण; *v. t.* to mark with a sign. चिन्ह करना, हस्ताक्षर करना.

signature—(सिग्नेचर) *n.* person's name written by himself. हस्ताक्षर.

significance—(सिगिनफिकेन्स) *n.* meaning, importance. तात्पर्य, अर्थ, महत्व.

silence—(साइलेन्स) *n.* stillness. शान्ति; *v. t.* to make silent. शान्त करना.

silent—(साइलेण्ट) *adj.* calm, quiet, still. शांत, मौन, खामोश.

silliness—(सिलीनेस) *n.* the quality of being silly. अनाड़ीपन.

simile—(सिमिली) *n.* a figure of speech. उपमा.

simplicity—(सिम्पलीसिटी) *n.* innocence. सरलता.

sin—(सिन) *n.* wickedness. पाप; *v. i.* to commit sin. पाप करना.

since—(सिन्स) *adv. prep.* & *conj.* ago, in the past time, after, through the period between past and present. तबसे.

sincere—(सिनसियर) *adj.* honest, true. ईमानदार, सच्चा.

sincerity—(सिनसियरिटी) *n.* सच्चाई, खरापन.

singular—(सिंग्यूलर) *adj.* single, rare, remarkable. अकेला, अनोखा, विचित्र.

sir—(सर) *n.* a word used in addressing a master or elder. महाशय.

sire—(सायर) *n.* a senior, a master, father, ancestor, a title. श्रीमन, पूर्वज, हुज़ूर, पिता, महाराज.

situate—(सिचुएट) *adj.* place. रखना, स्थापित करना.

sketch—(स्केच) *n.* an outline. रुपरेखा, खाका; *v. t.* to draw an outline. खाका बनाना.

skin—(स्किन) *n.* hide, rind. खाल, चमड़ा, छाल; *v. t.* to strip off the skin. खाल उतारना.

skip—(स्किप) *v. i.* to leap. कूदना.

slaughter—(स्लॉटर) *n.* a killing. हत्या, संहार; *v. t.* to murder. वध करना.

slave—(स्लेव) *n.* one who is held in bondage, a helpless victim. दास; *v. i.* to work like a slave. दास की तरह काम करना.

slay—(स्ले) *v. t.* to kill. मार डालना.

sleep—(स्लीप) *n.* slumber. नींद; *v. i.* to slumber. सोना.

slip—(स्लिप) *n.* a mistake. भूल; *v. t.* & *i.* to glide, to make a false step, to err. फिसलना, भूल करना.

slum—(स्लम) *n.* a dirty area. गंदी बस्ती.

small—(स्मॉल) *n.* a slender part. छोटा या थोड़ा भाग; *adj.* of little size and strength. लघु.

smile—(स्माइल) *n.* look of pleasure. मुस्कुराहट, प्रसन्नता; *v. i.* to laugh slightly. मुस्कुराना.

smoke—(स्मोक) *n.* fog, gases, vapour. धुंआ; *v. t.* & *i.* to give forth smoke. धूंआ निकलना.

smuggle—(स्मग्ल) *v. t.* to import or export goods without paying custom duties. चोरी से माल लाना या ले जाना.

snake—(स्नेक) *n.* a serpent, a slow lazy person. सांप, धूर्त मनुष्य.

sneeze—(स्नीज़) *v. t.* to eject air through the nose violently with an audible sound. छींकना.

snow—(स्नो) *n.* frozen vapour falling in white flakes. तुषार, पाला, बर्फ़; *v. i.* to fall in snow. बर्फ़ पड़ना.

soap—(सोप) *n.* a compound of fats and alkalies, a washing substance. साबुन; *v. t.* to wash with soap. साबुन से साफ करना.

sociable—(सोशेबल) *adj.* friendly, fit for company. मिलनसार.

solemn—(सॉलेम) *adj.* serious, grave. गम्भीर.

solicit—(सॉलिसट) *v. t.* & *i.* to try to obtain. प्राप्त करने की कोशिश करना.

solid—(सॉलिड) *adj.* whole, compact. सम्पूर्ण.

solidarity—(सॉलीडैरिटी) *n.* joint liability. परस्पर आधीनता.

solitude—(सॉलीट्यूड) *n.* loneliness. अकेलापन.

soluble—(सॉल्यूबल) *adj.* capable of being dissolved. घुलनशील.

solvable—(सॉल्वेबिल) *adj.* that may be solved. व्याख्या करने योग्य.

something—(समथिंग) *n.* an unknown event. अज्ञात घटना.

soon—(सून) *adv.* in a short time, promptly. शीघ्र, तुरंत.

sorrow—(सॉरो) *n.* grief, regret. शोक, रंज; *v. t.* to regret. शोक प्रकट करना.

sound—(साउण्ड) *adj.* healthy, unhurt. स्वस्थ; *v. t.* & *i.* to fathom the depth of water. गहराई नापना.

sound—(साउण्ड) *n.* that can be heard. आवाज़; *v. t.* to utter aloud. बोलना.

soup—(सूप) *n.* liquid food. रसा.

sow—(सो) *n.* a female pig. सुअरी; *v. t.* to spread seeds. बोना.

sparable—(स्पैरेबल) *n.* a headless nail used by shoe-makers. बिना माथे की कील.

spare—(स्पेयर) *v. t.* to save. बचाना; *adj.* frugal, thin. अल्प, थोड़ा, दुर्बल.

sparkle—(स्पार्कल) *n.* a little spark. *v. i.* to glitter. चमकना.

specific—(स्पैसिफ़िक) *n.* & *adj.* definite, precise, distinct, a sure remedy. प्रधान, मुख्य, अचूक औषधि.

specification— (स्पैसिफ़िकेशन) *n.* a particular mention of anything. विशेष, विस्तार पूर्वक, विशिष्ट विवरण.

spectacle—(स्पेक्टेक्ल) *n.* show, sight. दृश्य, तमाशा. (spectacles—*n.* चश्मा.)

speech—(स्पीच) *n.* the faculty of speaking. वाणी, भाषा.

spendthrift—(स्पेण्ड्थ्रिफ़्ट) *adj.* person who wastes his money. अधिक खर्च करने वाला, फिज़ूल खर्च.

spin—(स्पिन) *v. t.* & *i.* to make thread by drawing out and twisting threads. कातना.

spine—(स्पाइन) *n.* the back bone. रीढ.

spirit—(स्प्रिट) *n.* the soul, courage, disposition, energy, आत्मा, शक्ति, प्राण.

spiritual—(स्प्रिचुअल) *adj.* holy. पवित्र, ईश्वरीय.

sport—(स्पोर्ट) *n.* a game, jest. खेल, क्रीड़ा; *v. t.* & *i.* to trifle. हंसी करना, कौतुक करना.

sprinkling—(स्प्रिंक्लिग) *n.* the act of scattering in drops. छिडकाव.

sprout—plant. पौधे का अंकुर. *v. t.* to grow. उगना.

spurn—(स्पर्न) *v. t.* to treat contemptuously. तिरस्कार करना.

spy—(स्पाई) *n.* secret agent, one who watches secretly. जासूस, गुप्तचर.

squash—(स्कवैश) *n.* a crush. कुचला पदार्थ; *v. t.* to crush, to reduce to pulp. कुचलना, भुरता बना देना, ठूसना.

squeezable—(स्क्वीज़ेबल) *adj.* able to be squeezed. निचोड़ने योग्य.

squeeze—(स्क्वीज़) *v. t.* & *i.* to press, to extort money. दबाना, निचोड़ना, रुपया ऐंठना.

stable—(स्टेबल) *adj.* firmly fixed. निश्चय.

stable—(स्टेबल) *n.* a building for lodging horses. अस्तबल, घुड़साल; *v. t.* to keep in stable. अस्तबल में रखना, घुड़साल में रखना.

stadium—(स्टेडियम) *n.* an athletic ground. अखाड़ा.

stage—(स्टेज) *n.* a raised platform, scene, the dramatic art. रंगमंच, नाटक, मचान; *v. t.* & *i.* to play on the stage. नाटक खेलना.

stagnant—(स्टैगनैण्ट) *n.* dull. मन्द.

stamina—(स्टैमिना) *n.* strength. सहनशक्ति.

stammer—(स्टैमर) *v. t.* to speak with hesitation. हकलाना.

standardize—(स्टैण्डरडाइज) *v. t.* to conform to standard. प्रमाण या स्तर के अनुसार करना.

stark—(स्टार्क) *adj.* stiff. कठिन; *adj.* quite. बिल्कुल.

starting—(स्टार्टिंग) *n.* departure. प्रस्थान.

starvation—(स्टारवेशन) *n.* the act of starving. उपवास, आहार-हीनता.

starve—(स्टार्व) *v. t.* & *i.* to cause to starve, to die or die for want of food. भूखों मरना.

stationary—(स्टेशनरी) *adj.* fixed. स्थिर.

stationery—(स्टेशनरी) *n.* writing materials. लेखन सामग्री.

statue—(स्टेच्यू) *n.* a cast image. खोदी हुई मूर्ति.

stature—(स्टेचर) *n.* the natural height of the body. आकार, कद.

status—(स्टेटस) *n.* rank, social position. पद.

stay—(स्टे) *n.* stop. रुकाव; *v. t.* & *i.* to remain, to stop. रुकना, थमना, ठहरना.

steadfast—(स्टेडफ़ास्ट) *adj.* firm. अटल.

steadily—(स्टेडिली) *adv.* firmly. स्थिरता से.

steely—(स्टीली) *adj.* made of steel. कठोर.

steep—(स्टीप) *n.* a precipitous place. ढलुआ स्थान; *adj.* sloping. ढालू.

stenography—(स्टेनोग्राफी) *n.* short hand. संकेत लिपि.

sterile—(स्टेराइल) *adj.* barren, unfruitful. बांझ, ऊसर; निष्फल.

sterling—(स्टर्लिंग) *adj.* genuine, of solid worth. निर्मल, खरा, असली; *n.* English coin. अंग्रेज़ी मुद्रा.

sterility—(स्टर्लिटी) *n.* barrenness. ऊसरपन.

sterilization— (स्टेरिलाइजेशन) *n.* the act of sterilizing. कीटाणु का दूर करना.

stimulate—(स्टिम्युलेट) *v. i.* to incite. उकसाना.

stimulation—(स्टिम्युलेशन) *n* the act of exciting. उत्तेजना.

stirring—(स्टर्रिग) *adj.* exciting. उत्तेजना.

stitch—(स्टिच) *n.* a single pass of needle in sewing. टांका; *v. t.* to sew. सीना.

stomach—(स्टमक) *n.* an organ in which food is digested. पेट, उदर ; *v. t.* to suffer patiently. धैर्य से सहना.

stone—(स्टोन) *n.* piece of rock, a gem, a monumental tablet. पत्थर, रत्न, शिला पत्थर.

stop—(स्टॉप) *n.* halt, a pause. विश्राम; *v. t.* to halt, to pause. रुकना.

stoppage—(स्टॉपेज) *n.* obstruction. रुकावट.

storey—(स्टोरी) *n.* the horizontal division of a building. मकान की मंजिल, तल्ला.

story—(स्टोरी) *n.* legend, tale, short narrative. कहानी.

stout—(स्टाउट) *adj.* strong. मज़बूत.

straight—(स्ट्रेट) *adj.* honest, not bent. सच्चा, सीधा.

straighten—(स्ट्रेटन) *v. t.* to make straight. सीधा करना.

straightforward—(स्ट्रेटफॉरवड) *adj.* frank, honest. सत्यवादी.

straightway—(स्ट्रेटवे) *adv.* at once. तुरन्त.

strained—(स्ट्रेण्ड) *adj.* unnatural. तना हुआ.

strand—(स्ट्रैण्ड) *n.* shore, beach. तट, किनारा; *v. t.* to drive ashore. किनारे पर लगाना

stranger—(स्ट्रेन्जर) *n.* a foreigner. परदेशी.

strap—(स्ट्रैप) *n.* a long narrow strip, usually of leather. तस्मा, फीता, पट्टी.

strategy—(स्ट्रैटेजी) *n.* military tactics. युद्ध विद्या, रण कौशल.

straw—(स्ट्रॉ) *n.* dry corn, stock. पुआल, भूसा.

stream—(स्ट्रीम) *n.* a body of running water. स्रोत धारा; *v. t.* & *i.* to flow in a stream. धारा में बहना.

streamlet—(स्ट्रीमलेट) *n.* a little stream. छोटा सोता.

strength—(स्ट्रेंथ) *n.* power, force, vigour, intensity, शक्ति, प्रभाव.

strengthen—(स्ट्रेंथ) *v. t.* & *i.* to make strong. शक्तिशाली बनाना.

stress—(स्ट्रेस) *n.* pressure, strain, force, effort. भार, बोझ, दबाव, ज़ोर.

stretch—(स्ट्रेच) *n.* extent. विस्तार; *v. t.* to lengthen, to extend. फैलाना.

stretcher—(स्ट्रेचर) *n.* an appliance for carrying a sick and disabled person. स्ट्रेचर.

strike—(स्ट्राइक) *n.* refusal of workman to work, till the grievance is removed. हड़ताल, कार्यबन्दी.

striking—(स्ट्राईकिंग) *adj.* impressive. प्रभावशाली.

string—(स्ट्रिंग) *n.* a fine cord. डोरी.

strive—(स्ट्राइव) *v. i.* to try hard, to struggle. प्रयत्न करना.

structure—(स्ट्रक्चर) *n.* construction, form. ढांचा, रचना.

stubborn—(स्टूबर्न) *adj.* obstinate. हठी, जिद्दी.

studious—(स्टूडिअस) *adj.* thoughtful, devoted to study. विचारवान, अध्ययनशील, पढ़ने वाला.

study—(स्टडी) *n.* meditation, careful reading. अध्ययन; *v. t.* & *i.* to contemplate. ध्यान, विचार, अध्ययन करना.

stupid—(स्टुपिड) *adj.* dull. मूर्ख.

stupidity—(स्टुपिडिटी) *n.* foolishness. मूर्खता.

sturdiness— (स्ट्र्डीनेस) *n.* the state of being sturdy. दृढ़ता.

sturdy—(स्टर्डी) *adj.* strong. पुष्ट.

stutterer—(स्टट्ररर) *n.* a stammerer. हकला कर बोलने वाला.

style—(स्टाइल) *n.* manner. ढंग, रूप; manner of writing or speaking. लिखने या बोलने का तरीका.

subdivision—(सबडिवीज़न) *n.* a subordinate department उप-विभाग.

subdue—(सबड्यू) *v. t.* to conquer. जीतना.

subjugate—(सबज्यूगेट) *v. t.* to bring under control. अधिकार में लाना.

sublet—(सबलेट) *v. t.* to underlet or lease to another person. किसी दूसरे को अपना ठेका देना

sublime—(सबलाइम) *n.* majestic style. प्रौढ़ रीति; *adj.* noble, exalted. महान, प्रतापी.

submission—(सबमिशन) *n.* obedience to authority. आज्ञा पालन.

submit—(सबमिट) *v. t. & i.* to yield. हार मानना, स्वीकार करना.

subscribe—(सब्सक्राइब) *v. t. & i.* to sign, to assent. नाम लिखना, ग्राहक बनाना.

subsequent—(सब्सीक्वेण्ट) *adj.* following after. उत्तरकालीन.

subsidiary—(सब्सिडियरी) *adj.* helping. सहायक.

subsidy—(सब्सिडी) *n.* assistance, aid in money. आर्थिक सहायता.

substance—(सब्सटेन्स) *n.* the essential part. सार, तत्त्व.

substantial— (सब्सटैंशल) *adj.* essential, real, material. महत्त्वपूर्ण, वास्तविक, धनी.

substitute—(सब्सटीट्यूट) *v. t.* to put in other's place. दूसरे की जगह रखना; *n.* person or thing doing the work of another. प्रतिनिधि

subvention—(सबवेन्शन) *n.* support. सहारा.

subversion—(सबवर्ज़न) *n.* ruin. नाश.

succeed—(सकसीड) *v. t. & i.* to be successful, to follow after. सफल होना, बाद में होना.

success—(सक्सेस) *n.* a favourable result. सफलता.

succession—(सक्सेशन) *n.* relation, line. परम्परा, वंश, पंक्ति.

successor—(सकसेसर) *n.* one who succeeds. उत्तराधिकारी.

such—(सच) *adj.* of the same kind, similar. उसी तरह का.

sudden—(सडेन) *adj.* happening unexpectedly. आकस्मिक.

suffer—(सफ़र) *v. t. & i.* to endure. सहना.

suffering—(सफ़रिंग) *n.* distress. पीड़ा.

suffice—(सफ़ाइस) *v. t. & i.* to be enough. पर्याप्त होना.

sufficiency—(सफ़िशिएन्सी) *n.* ability, capacity. समर्थता.

sufficient—(सफ़िशिएण्ट) *adj.* adequate. पर्याप्त.

suffix—(सफ़िक्स) *n.* a letter or syllable appended to a word. प्रत्यय.

suicide—(स्यूसाइड) *n.* death by one's own hand. आत्महत्या.

suit—(स्यूट) *n.* a petition. प्रार्थना.

suitability—(स्यूटेबिलीटी) *n.* suitableness. योग्यता.

sum—(सम) *n.* total, a question. योग, प्रश्न; *v. t.* to total. जोड़ना.

summarize—(समराइज़) *v. t.* to present briefly. संक्षेप करना.

summary—(समरी) *n.* a short, concise statement. सारांश; *adj.* brief. संक्षेप.

sunny—(सनी) *adj.* bright, cheerful. चमकीला.

superhuman—(सुपरह्यूमन) beyond human power. अतिमानवीय.

superintendence— (सुपरिन्टेण्डेण्स) *n.* management. प्रबन्ध.

superintendent— (सुपरिन्टेण्डेण्ट) *n.* an overseer. निरीक्षक.

superior—(सुपीरियर) *adj.* higher in place. श्रेष्ठ.

superiority—(सुपीरियॉरिटी) *n.* pre-eminence. श्रेष्ठता.

superlative—(सुपरलेटिव) *adj.* supreme. सर्वोत्तम.

supersede—(सुपरसीड) *v. t.* to override. पीछे छोड़ देना.

superstition—(सुपरस्टीशन) *n.* false religion. झूठा मत, मिथ्या धर्म, अंध विश्वास.

supervise—(सुपरवाइज़) *v. t.* to watch and direct the work. निगरानी करना, देख-भाल करना.

supplement—(सप्लीमेण्ट) *n.* addition. शेष, परिशिष्ट; *v. t.* to add. जोड़ना, बढ़ाना.

supplementary—(सप्लीमेण्टरी) *adj.* additional. पूरक.

suppose—(सपोज़) *v. t. & i.* to think, to imagine. सोचना, कल्पना करना.

supremacy—(सुप्रीमैसी) *n.* highest authority. श्रेष्ठता.

supreme—(सुप्रीम) *adj.* highest in authority. श्रेष्ठ.

sur—(सर) *over.* अधिक.

surcharge—(सरचाज) *n.* over charge. अधिक भार; *v. t.* to over charge. अधिक कर लगाना.

surely—(श्योरली) *adv.* certainly. अवश्य.

surgeon—(सर्जन) *n.* expert in surgery. सर्जन, शल्य चिकित्सा का विशेषज्ञ.

surgery—(सर्जरी) *n.* the science and art of a surgeon. शल्य विद्या.

surmount—(सर्माउण्ट) *v. t.* to conquer. जीतना, परास्त करना.

surname—(सरनेम) *n.* one's family name. उपनाम, कुलनाम.

surplus—(सरप्लस) *n.* a quantity which exceeds beyond what is wanted. बचत.

surprising—(सरप्राईज़िंग) *adj.* exciting wonder. आश्चर्यजनक.

surroundings— (सराउण्डिंग्स) *n.* circumstances. परिस्थिति.

surveillance—(सरवेलैन्स) *n.* inspection. चौकसी.

survive—(सर्वाइव) *v. t.* to continue to live. जीवित रहना.

suspicion—(समपिशन) *n.* mistrust, doubt. संदेह, शक.

suspicious—(ससपिशस) *adj.* doubtful. शंकायुक्त

sustain—(ससटेन) *v. t.* to support. सम्भालना.

sweat—(स्वेट) *n.* toil, labour, perspiration. परिश्रम, पसीना; *v. i.* to labour, to perspire. परिश्रम करना, पसीना निकलना.

sweep—(स्वीप) *n.* act of sweeping. झाड़ू देने की क्रिया; *v. t. & i.* to clear with a brush. बुहारना.

swell—(स्वेल) *n.* increase. बढ़ती; *v. t. & i.* to become larger, to increase, to expand. बढ़ाना, फैलाना, फुलाना.

swift—(स्विफ़्ट) *adj.* active, quick. तेज़, द्रुतगामी.

swim—(स्विम) *v. t. & i.* to move on water by the movements of limbs. तैरना.

sword—(सोर्ड) *n.* a keen edged cutting weapon. तलवार.

symbol—(सिम्बल) *n.* a sign. चिन्ह, प्रतीक.

symbolize—(सिम्बालाइज़) *v. t.* to represent by symbol. लक्षण द्वारा दरसाना.

symmetry—(सिमेट्री) *n.* right proportion of parts. संहति.

sympathetic — (सिम्पेथेटिक) *adj.* having common feeling with another. सहानुभूतिशील.

sympathy—(सिम्पथी) *n.* compassion. सहानुभूति.

symptom—(सिम्टम) *n.* indication. लक्षण, चिन्ह.

synonym—(सिनॉनिम) *n.* a word having the same meaning and signification as another. पर्याय.

synopsis—(सिनॉप्सिस) *n.* a summary. संग्रह, सार.

syrup—(सिरप) *n.* a saturated solution of sugar, the juice of fruits boiled with sugar. शर्बत.

systematic—(सिस्टेमैटिक) *adj.* methodical. क्रमिक, यथा क्रम.

syntax—(सिन्टैक्स) *n.* the grammatical and due arrangement of words in a sentence. बाक्य रचना.

synthesis—(सिन्थेसिस) *n.* a building up. संयोग समन्वय.

syringe—(सिरिन्ज) *n.* a pipe furnished with a piston. पिचकारी; *v. t.* to spray with a syringe. पिचकारी देना.

T

tab—(टैब) *n.* a tag. फीता.

tabby—(टैबी) *adj.* of different colours. विचित्र रंग, चितकबरा.

table—(टेबल) *n.* a flat smooth surface, a flat surface supported on legs. चौकी, मेज़; *v. t.* to form into a list. सूचीपत्र बनाना.

tablet—(टैब्लेट) *n.* a small table, pills of medicine. छोटी मेज़, दवाई की गोली.

taboo—(टैबू) *n.* something prohibited. निषेध; *v. t.* to prohibit by authority. निषेध करना.

tackle—(टैकिल) *n.* an appliance for lifting or lowering heavy weights. भारी पदार्थों को चढ़ाने या उतारने का यंत्र; *v. t.* to seize. पकड़ना.

tact—(टैक्ट) *n.* adroitness, cleverness. कुशलता.

tactics—(टैकटिक्स) *n.* manner of proceeding. युक्ति.

tale—(टेल) *n.* a story. कहानी.

talent—(टैलेण्ट) *n.* high mental ability. असाधारण बुद्धि, योग्यता.

talkative—(टॉकेटिव) *adj.* loquacious. बकवादी.

tamper—(टैम्पर) *v. t. & i.* to meddle. विघ्न डालना, गुप्त व्यवहार करना.

tamperer—(टैम्परर) *n.* one who tampers. गुप्त व्यवहार करने वाला.

tangle—(टैंगल) *n.* complication. उलझन; *v. t.* to knit together confusedly. उलझन.

tape—(टेप) *n.* a narrow band. फीता; *v. t.* to bind with tape. फीते से बांधना.

tardiness—(टार्डिनेस) *n.* sluggishness. धीमापन.

tax—(टैक्स) *n.* a charge made by government on property. कर; *v. t.* to impose a tax. कर लगाना.

taxation—(टैक्सेशन) *n.* the act of taxing. कर निर्धारण.

taxi—(टैक्सी) *n.* a motor-car plying on hire. भाड़े की मोटर.

teaching—(टीचिंग) *n.* instruction. शिक्षा.

tearless—(टियरलेस) *adj.* without tars, easy. अश्रुहीन, सरल.

technique— (टेकनिक) *n.* mechanical art or skill. यंत्र कला.

technology—(टेकनॉलॉजी) *n.* the science of industrial arts. शिल्पकला विज्ञान.

tedious—(टीडिअस) *adj.* wearisome, irksome. दुखदायी, कष्टकारक, कठिन, थकाने वाला.

temper—(टेम्पर) *n.* temperament, passion. स्वभाव, प्रकृति.

temperance—(टेम्परेन्स) *n.* self restraint. संयम.

tempest—(टेम्पेस्ट) *n.* tumult, a violent storm. हलचल, आंधी.

temporary—(टैम्परारी) *adj.* lasting for a short time only. अस्थाई.

tempt—(टेम्प्ट) *v. t.* to try, to allure. प्रयत्न करना, ललचाना.

tenacity—(टीनैसिटी) *n.* obstinacy. हठ, दृढ़ता.

tenant—(टेनेण्ट) *n.* one who occupies a house on rent. किरायेदार.

tendency—(टेण्डेन्सी) *n.* direction. प्रवृत्ति, झुकाव.

tenor—(टेनर) *n.* a course, direction. क्रम, तात्पर्य.

tension—(टेन्शन) *n.* state of being stretched. तनाव.

tentative—(टेनटेटिव) *adj.* made or done as an experiment. प्रयोग सम्बन्धी.

terminate—(टरमिनेट) *v. t. & i.* to put to end. समाप्त करना.

terrible—(टेरीबल) *adj.* frightful. भयानक.

terrify—(टेरीफ़ाई) *v. t.* to alarm, to frighten. डराना.

territory—(टेरीटरी) *n.* a region. प्रदेश, भूमि.

testament—(टेस्टामेण्ट) *n.* a will. मृत्यु लेख, वसीयतनामा.

textual—(टेक्सचुअल) *adj.* pertaining to text. मौलिक.

texture—(टेक्सचर) *n.* tissue, a web. रचना बनावट.

thankless— (थैंक्लेस) *adj.* ungrateful. कृतघ्न.

thanks—(थैन्क्स) *n.* an expression of gratitude. धन्यवाद.

theft—(थेफ़्ट) *n.* stealing a thing. चोरी.

theist—(थीइस्ट) *n.* a believer in existence of God. आस्तिक.

theme—(थीम) *n.* topic, subject. विषय, प्रकरण, प्रसंग.

therefore—(देअरफ़ोर) *adv.* इसलिए.

thermometer—(थर्मामीटर) *n.* an instrument for measuring temperature. तापमापक यंत्र.

thesis—(थीसिस) *n.* an essay. लेख, विषय.

thief—(थीफ़) *n.* one who steals. चोर.

thirst—(थर्स्ट) *n.* desire for drink. प्यास, तृष्णा; *v. i.* to have desire for drink. प्यास लगना.

thither—(दिदर) *adv.* to that place. वहां, उस स्थान पर.

thoroughfare—(थरोफेअर) *n.* a public road. सड़क, राजमार्ग.

though—(दो) *adv. & conj.* notwithstanding. यद्यपि.

thousand—(थाउजैण्ड) *n.* the number of ten hundred. हजार.

threat—(थ्रैट) *n.* declaration of an intention to punish. धमकी.

threaten—(थ्रैटन) *v. t.* to menace. धमकाना.

thrice—(थ्राइस) *adv.* three times. तीन बार.

thrift—(थ्रिफ़्ट) *n.* frugality. मितव्ययिता.

throat—(थ्रोट) *n.* the gullet. गला, गरेठी.

through—(थ्रू) *prep.* from one end to the other. आरपार.

throughout—(थ्रूआउट) *adv. & prep.* in every part. प्रत्येक भाग में.

Thursday—(थर्सडे) *n.* the fifth day of week. गुरुवार.

tighten—(टाइटेन) *v. t.* to draw tight. कसा, कसना.

timely—(टाइमली) *adj. & adv.* early. शीघ्र, समय पर.

timid—(टिमिड) *adj.* fearful. कायर.

title—(टाइटिल) *n.* a name of distinction. पदवी, अधिकार.

toady—(टोडी) *n.* a mean, flatterer. नीच, मिथ्या प्रशंसक; *v. t.* to flatter meanly. नीचता से प्रशंसा करना.

tobacco—(टुबैको) *n.* a plant whose leaves are used in eating and chewing. तम्बाकू.

toe—(टो) *n.* a digit of the foot. पैर की उंगली, अग्रभाग.

tolerance— (टॉलेरेन्स) *n.* patience. धैर्य.

toil—(टॉयल) *n.* hard labour. परिश्रम; *v. i.* to labour. परिश्रम करना.

tolerable—(टॉलरेबल) *adj.* endurable. काम चलाऊ.

tomorrow—(टुमॉरो) *n. & adv.* the following day. कल, आने वाला दिन.

tongue—(टंग) *n.* the organ of speech, taste and language. जीभ.

tonsil—(टॉन्सिल) *n.* one of the two glands at the root of the tongue. गिल्टी.

tooth—(टूथ) *n.* the hard substance in the jaws used for chewing. दांत; *v. t.* to indent. दांतेदार बनाना.

topaz—(टोपाज़) *n.* a gem. एक रत्न, पोखराज.

torpedo—(टॉरपीडो) *n.* a submarine weapon. पानी के अंदर छोड़ा जाने वाला गोला.

tortoise—(टॉरटॉएज़) *n.* a kind of turtle. कछुआ.

torture—(टॉरचर) *n.* extreme pain of mind or body. कष्ट, पीड़ा; *v. t.* to vex, to inflict, pain. कष्ट देना.

totality—(टोटैलिटी) *n.* the whole sum. पूर्ण संख्या.

touching—(टचिंग) *adj.* moving. करुणात्मक.

tough—(टफ) *adj.* strong, hard, difficult to break. कठिन, कठोर, सख्त.

tourist—(टूरिस्ट) *n.* one who travels for sightseeing. दर्शनीय स्थानों को देखने वाला यात्री.

towel—(टॉवल) *n.* a cloth used for drying the body. तौलिया.

traceable—(ट्रेसेबल) *adj.* that may be traced. पता लगाने योग्य.

tradition—(ट्रैडीशन) *n.* unwritten body of beliefs. परम्परा.

traditional—(ट्रैडिशनल) *adj.* according to old custom or practice. परम्परागत.

training—(ट्रेनिंग) *n.* act of educating. शिक्षण.

traitor—(ट्रेटर) *n.* a deceiver. छली.

traitorous—(ट्रटेरस) *adj.* guilty of treason. कपटी.

transferable—(ट्रान्सफ़रेबल) *adj.* negotiable, that which can be transferred. बदलने योग्य.

transform—(ट्रान्सफ़ॉर्म) *v. t.* to change the form. रूप बदलना.

transformation—(ट्रान्सफॉर्मेशन) *n.* change from one form to another. रूपान्तर.

transition—(ट्रान्सिशन) *n.* a change from one place to another. परिवर्तन.

travel—(ट्रैवेल) *v. t.* to go from one place to another. यात्रा करना.

travelling—(ट्रैवेलिंग) *n.* a journey. यात्रा.

treacherous—(ट्रैचरस) *adj.* violating, not to be trusted. विश्वासघाती.

treachery—(ट्रेचरी) *n.* breach of trust. विश्वासघात.

treasure—(ट्रेज़र) *n.* great wealth. कोष, खज़ाना; *v. t.* to store up. बटोरना, इकट्ठा करना.

treasury—(ट्रैज़री) *n.* place where treasure is kept. खज़ाना.

treaty—(ट्रीटी) *n.* signed contract, agreement. संधि, सुलह.

tremble—(ट्रेम्बल) *v. i.* to shake. कांपना.

tribute—(ट्रीब्यूट) *n.* praise, acknowledgement, gift. प्रशंसा, उपहार, भेंट, नज़र, अंशदान.

trifle—(ट्राइफ़ल) *n.* a thing of small value. तुच्छ; *v. t.* to waste time. समय नष्ट करना.

trifling—(ट्राइफ़लिंग) *adj.* of little value. तुच्छ.

trim—(ट्रिम) *adj.* neat. स्वच्छ; *v. t. & i.* to decorate. सजाना.

triple—(ट्रिपल) *adj.* threefold. तिगुना.

triplicate—(ट्रिप्लीकेट) *adj.* made three at a time. तिगुना; *v. i.* to make three copies. तीन प्रतियां बनाना.

triumph—(ट्राइम्फ़) *n.* a great victory. विजय; *v. t.* to gain a victory. विजयी होना.

trivial—(ट्रिवियल) *adj.* of little worth. अधम.

troublesome—(ट्रबलसम) *adj.* annoying. दुःखदायी.

trustworthy—(ट्रस्टवर्दी) *adj.* reliable. विश्वास योग्य.

tuberculosis—(ट्यूबरकुलोसिस) *n.* consumption. क्षयरोग.

Tuesday—(ट्यूज़डे) *n.* the third day of the week. मंगल वार.

tuitional—(टुइशनल) *adj.* pertaining to tuition. अध्यापन सम्बन्धी.

tumidity—(ट्यूमिडिटी) *n.* the state of being swollen. सूजन.

tumour—(ट्यूमर) *n.* morbid growth or swelling. व्रण; गिल्टी.

turbine—(टरबाइन) *n.* a water wheel. जल चक्की.

tutor—(ट्यूटर) *n.* private teacher. घर पर पढ़ाने वाला अध्यापक.

tutorial—(ट्यूटोरियल) *adj.* pertaining to teaching. शिक्षा सम्बन्धी.

twain—(ट्वेन) *n.* two, a pair. दो, जोड़ा; *adv.* twice. दुगुना, दो बार.

twelve—(ट्वेल्व) *n. & adj.* two and ten. बारह.

twelfth—(ट्वेल्फ़्थ) *adj.* next in order of eleventh. बारहवां.

twentieth—(ट्वेंटीएथ) *adj.* the ordinal of twenty. बीसवां.

twenty—(ट्वेण्टी) *n. & adj.* twice ten. बीस.

twice—(ट्वाइस) *adv.* two times. दोबारा.

twin—(ट्विन) *n.* one of two born at the same time. जुड़वां.

twinkle—(ट्विन्कल) *v. i.* to shine with spark light. चमकना.

twofold—(टूफ़ोल्ड) *adj.* double. दूना.

tying—(टाइंग) *n.* knot, string, ribbon. गांठ, रस्सी, फीता.

type—(टाइप) *n.* symbol, specimen, letter used in printing. चिन्ह, नमूना, छापे के अक्षर

typhoid—(टाइफॉइड) *n. & adj.* a type of fever संक्रामक ज्वर.

typical—(टिपिकल) *adj.* symbolical. आदर्शभूत.

tyranny—(टिरेनी) *n.* severity. निर्दयता.

tyrant—(टाय्ररण्ट) *n.* an oppressive ruler. निष्ठुर, शासक.

tyre—(tire)—(टायर) *n.* a band of iron or rubber which encircles a wheel. टायर.

tyro—(टायरो) *n.* beginner. नव सिखिया.

U

udal—(यूडैल) *n.* a free hold state. कर रहित भूमि

udder—(अडर) *n.* one of the mammary gland of animals. थन.

ugly—(अग्ली) *adj.* not good looking, hateful. कुरूप, घृणित.

ulcer—(अलसर) *n.* a painful sore from which matter flows. फोड़ा, नासूर.

ultimate—(अल्टीमेट) *adj.* farthest, last. अन्तिम.

ultra—(अल्ट्रा) in the sense of beyond. अतिशय का उपसर्ग.

un—(अन) *pfx.* used before nouns, pronouns, adjectives signifying a negative meaning. "रहित" या "हीन" का उपसर्ग.

unanimous—(यूनैनीमस) *adj.* agreeing. एकमत.

unaware—(अनअवेअर) *adj.* ignorant. बेखबर, अभिज्ञ.

unclose—(अनक्लोज़) *v. t.* to open. खोलना.

unclothe—(अनक्लोद) *v. t.* to make naked. नंगा करना.

undergo—(अण्डरगो) *v. t.* to bear, to endure. सहना, बर्दाश्त करना.

underrate—(अण्डररेट) *v. t.* to value below the true worth. कम मूल्य लगाना.

understand—(अण्डरस्टैण्ड) *v. t. & i.* to know the meaning of. समझना.

undertake—(अण्डरटेक) *v. t. & i.* to attempt, to take upon oneself, to be bound. प्रयत्न करना, अपनी जिम्मेदारी पर काम आरम्भ करना, वचन देना.

undo—(अण्डू) *v. t.* to ruin, to repeal. नष्ट करना, रद्द करना.

undoing—(अण्डूइंग) *n.* ruin. नाश.

uneven—(अनईवन) *adj.* odd, not smooth. असमान, असमतल.

unfair—(अनफ़ेयर) *adj.* unjust. अन्यायपूर्ण.

unfold—(अनफ़ोल्ड) *v. t.* to disclose. खोलना, रहस्योद्घाटन करना.

uniform—(यूनीफॉर्म) *adj.* distinctive dress, regular. वर्दी, अभिन्न, एक समान, एक रूप.

uniformity—(यूनीफ़ॉर्मिटी) *n.* similiarity. समानता.

unimportant—(अनइम्पॉर्टेण्ट) *adj.* not important, unessential. अनावश्यक.

unique—(यूनीक) *adj.* without an equal. असमान, अनोखा.

unite—(यूनाइट) *v. t. & i.* to join together. मिलाना.

unity—(यूनिटी) *n.* the state of being one. मेल, ऐक्य.

universality—(यूनिवर्सैलिटी) *n.* the state of being universal. विश्वव्यापकता सार्वभौमता.

unmoved—(अनमूव्ड) *adj.* calm, firm. शान्त, अटल.

unrest—(अन्रेस्ट) *n.* uneasiness. अशांति, बेचैनी.

until—(अन्टिल) *prep. & conj.* till such time. जब तक.

unto—(अन्टू) *prep.* to. को.

unwell—(अन्वेल) *adj.* indisposed. अस्वस्थ, रोगी.

up—(अप) *adv.* aloft, on high. ऊंचा.

uphold—(अपहोल्ड) *v. t.* to devote, to support, to approve or confirm. समर्थन करना, पुष्ट करना, उठाना, सही मानना.

uplift—(अपलिफ़्ट) *v. t.* to raise, to exalt. उठाना, उद्धार करना.

upon—(अपॉन) *prep.* on the surface of. ऊपर की ओर.

upset—(अपसेट) *v. t.* to disturb, to overthrow. परेशान करना, उलटना.

urgent—(अरजेण्ट) *adj.* important. अति आवश्यक.

use—(यूज़) *n.* profit, custom, utility, employment, using. उपयोग, प्रयोग, रीति, आवश्यकता; *v. t. & i.* to employ for a purpose, to be accustomed, to consume. खर्च करना, प्रयोग करना, अभ्यस्त होना, लाभ उठाना, व्यवहार में लाना.

usual—(यूज़अल) *adj.* common. सामान्य रूप से.

usually—(यूज़अली) *adj.* ordinarily. साधारण रीति से.

utter—(अटर) *adj.* complete, total. पूर्ण; *v. t.* to speak, to pronounce. कहना, उच्चारण करना.

utterance—(अटरेन्स) *n.* the act of uttering. उच्चारण, कथन.

V

vacancy—(वेकेन्सी) *n.* the state of being vacant. खाली.

vacant—(वेकेण्ट) *adj.* empty. शून्य, खाली.

vacation—(वेकेशन) *n.* the period of rest. छुट्टी.

vacationist—(वकेशनिस्ट) *n.* one who enjoys holiday. छुट्टी बिताने वाला.

vaccination—(वैक्सीनेशन) *n.* injection. टीका.

vaccinator—(वैक्सीनेटर) *n.* one who vaccinates. टीका लगाने वाला.

vacuum—(वैक्यूम) *n.* empty space. शून्य स्थान, रिक्तता.

vagabond—(वैगाबॉण्ड) *n.* one who wanders. स्वेच्छाचारी; *adj.* wandering. आवारा.

vague—(वेग) *adj.* uncertain. अस्पष्ट.

vain—(वेन) *adj.* empty, showy. व्यर्थ, निस्सार.

valid—(वैलिड) *adj.* legal, strong. प्रबल, वैध, कानूनी.

validity—(वैलीडिटी) *n.* justness. प्रबलता, मान्यता.

valuable—(वैल्यूब्ल) *adj.* costly. बहुमूल्य.

valuation—(वैलुएशन) *n.* the act of valuing. दाम लगाना.

value—(वैल्यू) *n.* worth, importance. महत्त्व, उपयोगिता; *v. t.* to estimate. दाम आंकना.

vanish—(वैनिश) *v. i.* to pass away, to disappear. नष्ट होना, गायब होना.

vanishing—(वैनिशिंग) *adj.* passing from sight. अदृश्य होता हुआ.

vanity—(वैनिटी) *n.* empty pride. अहंकार.

vapour—(वेपर) *n.* gas, steam. वाष्प, भाप.

variable—(वैरिएबल) *adj.* fickle, changeable. चंचल, परिवर्तनशील.

variety—(वैराइटी) *n.* change, difference. परिवर्तन, विविधता.

various—(वेरियस) *adj.* different. भिन्न.

vary—(वैरी) *v. t. & i.* to make different, to diversify, to express variously, to alter. भिन्न-भिन्न करना, बदलना, अलग करना.

vegetable—(वेजीटेबल) *n.* a plant used for food. शाक, वनस्पति.

vegetarian—(वेजीटेरियन) *n.* one who eats only vegetable. शाकाहारी.

valiantly—(वैलियण्टली) *adv.* bravely. बहादुरी से.

vehicle—(वेहिकिल) *n.* a carriage, medium. गाड़ी.

veil—(वेल) *n.* a curtain. घूंघट; *v. t.* to hide. छिपाना, परदा करना.

vender, vendor—(वेण्डर) *n.* one who sells. बेचने वाला, विक्रेता.

venerable—(वेनरेबल) *adj.* worthy of reverence. पूज्य.

venerate—(वेनरेट) *v.* to pay great respect, to revere. सम्मान करना.

ventilator—(वेण्टिलेटर) *n.* a contrivance to let in fresh air. रोशनदान.

venture—(वेनचर) *n.* chance, risk. साहस; *v. t. & i.* to dare to a risk. साहस करना.

venturous—(वेनचरस) *adj.* bold. साहसी.

verbose—(वरबोस) *adj.* containing too many words. अनेक शब्दों का प्रयोग

verbosity—वर्बौसिटी) *n.* the quality of being verbose. वाक प्रपंच.

verse—(वर्स) *n.* a line of poetry. पद्य.

version—(वर्ज़न) *n.* translation, account.

via—(वाया) *n.* a way, by way of. मार्ग से.

vertical—(वर्टिकल) *adj.* upright, perpendicular. लम्बरूप, खड़े रूप का.

veteran—(वेटेरन) *n.* old and of long experience, *adj.* वृद्ध तथा अनुभवी.

veto—(वीटो) *n.* an authoritative prohibition, the power of prohibiting. रोक, निषेधाधिकार; *v. t.* to forbid. निषेध करना. निषेध करना.

vex—(वेक्स) *v. t.* to annoy, to tease, to harass, to distress. दुःखी करना, पीड़ित करना, सताना.

vibration—(वाइब्रेशन) *n.* oscillation, quivering. कंप-कंपी, थरथरी.

vice—(वाइस) *n.* fault, evil practice. दोष, बुराई ; *prefix.* in place of. प्रतिनिधि, स्थान पर.

vicious—(विशस) *adj.* corrupt, wicked. दुराचारी, पापी.

viciousness—(विशसनेस) *n.* wickedness. दुष्टता.

victim—(विकटिम) *n.* a sufferer.

victor—(विक्टर) *n.* a conqueror, one who wins in a contest. विजयी, युद्ध में जीतने वाला.

victory—(विक्टरी) *n.* triumph, conquest. विजय, जीत.

vigour—(विगर) *n.* strength, force. शक्ति, ताकत.

vigorous—(विगरस) *adj* strong, energetic. बलवान, प्रबल.

villain—(विलेन) *n.* a very wicked person. दुष्ट मनुष्य.

vim—(विम) *n.* energy. बल, शक्ति.

vindicate—(विण्डिकेट) *v. t.* to defend, to support, to justify. प्रमाणित करना, समर्थन करना, स्थिर करना.

vindication—(विण्डिकेशन) *n.* defence, justification. रक्षा, पुष्टि.

vine—(वाइन) *n.* the creeper which bears grapes. अंगूर की लता.

vineyard—(वाइनयार्ड) *n.* plantation of vine. अंगूर का बाग.

violate—(वाएलेट) *v. t.* to use violence, to break. बल का प्रयोग करना, भंग करना.

violation—(वायलेशन) *n.* act of violating. नियम का उल्लंघन.

violence—(वायलेन्स) *n.* injury, outrage. आघात, अपराध.

violet—(वाइलेट) *n.* a plant with purple flowers. बनफशा, बैंगनी रंग; *adj.* dark blue. गहरा नीला रंग.

virgin—(वर्जिन) *n.* a maiden. कुमारी, कन्या; *adj.* maidenly, pure, chaste. कन्या, पवित्र.

virtue—(वर्चू) *n.* moral, worth, excellence, chastity. धर्म, सदाचार, नैतिक गुण.

virtuous—(वर्चुअस) *adj.* morally good. सच्चरित्र, धार्मिक.

vision—(विज़न) *n.* sight, dream, imagination. दृश्य, स्वप्न, कल्पना.

visitor—(विज़िटर) *n.* one who visits. आगन्तुक.

vital—(वाइटल) *adj.* essential, affecting life, animated. आवश्यक, जीवन सम्बन्धी, जोशपूर्ण.

vitality—(वाइटैलिटी) *n.* principle of life. चेतना, प्राण, जीवन शक्ति.

vitalize—(वाइटलाइज़) *v. t.* to put life into. जीवन प्रदान करना.

vitamin—(विटामिन) *n.* any of numerous organic substances, accessory food factors, present in nutritive foods and essential for the health of animal organism. विटामिन, पौष्टिक तत्त्व.

viva-voce—(वाइवा-वोसी) *adv.* orally, by word of mouth. मौखिक, सम्भाषण द्वारा.

vivid—(विविड) *adj.* full of life, lively, active, clear. सजीव, स्पष्ट, तीव्र.

viz—(विज़) *n.* (contraction of videlicet) that is, namely. अर्थात्.

vocabulary—(वोकेब्यूलरी) *n.* a collection of words arranged in alphabetical order and explained, dictionary. शब्दकोश.

vocal—(वोकल) *adj.* relating to voice. वाचिक, वाणी सम्बन्धी.

vocation—(वोकेशन) *n.* calling in life, profession. पुकार, व्यवसाय, पेशा.

volume—(वॉल्यूम) *n.* a book, space occupied, size, bulk. पुस्तक, ग्रन्थ, विस्तार, परिमाण, घनफल.

voluminous—(वॉल्यूमिनस) *adj.* consisting of many volumes, lengthy, bulky. अनेक ग्रन्थों का, विस्तृत, भारी.

voluntary—(वॉलण्टरी) *adj.* of one's own free will, spontaneous. इच्छापूर्वक.

volunteer—(वॉलंटियर) *n.* one who joins to serve with one's free will. स्वयं सेवक; *v. t.* to offer oneself. स्वयं सेवक बनाना.

vomit—(वॉमिट) *n.* to throw up from the stomach. वमन; *v. t. & i.* वमन (कैय) करना.

votary—(वोटरी) *n.* one devoted to any cause or vow. समर्थक, अनुगामी, भक्त, उपासक.

vowel—(वॉवेल) *n.* a letter which can be sounded by itself. स्वर.

voyage—(वॉएज) *n.* a long journey by water. समुद्री यात्रा.

vulgar—(वल्गर) *adj.* mean, low. नीच, अधम.

vulgarity—(वल्गैरिटी) *n.* vulgar manner. अशिष्टता.

vulnerable—(वलनरेब्ल) *adj.* able to be damaged. नष्ट करने योग्य.

vulture—(वल्चर) *n.* a large bird of prey. गिद्ध.

W

wabble—(वॉब्ल) *v. t.* to wobble, to move to and fro. इधर-उधर घूमना.

wafer—(वेफ़र) *n.* a small thin sweet cake. पतला बिस्किट, वेफर, माल पुआ, पतली रोटी.

wages—(वेजेज़) *n.* sum paid for work done. वेतन.

wagon—(वैगन) *n.* a railway truck. रेल का डिब्बा.

wail—(वेल) *v. i.* to lament. रोना, विलाप करना; *n.* lament. विलाप, शोक.

waist—(वेस्ट) *n.* part of the human body between ribs and hips. कमर.

waistcoat—(वेस्टकोट) *n.* a short, tight, sleeveless coat. वासकट, सदरी, कुर्ती.

wait—(वेट) *v. t. & i.* to stay. प्रतीक्षा करना.

waiter—(वेटर) *n.* a servant. दास, बैरा.

wake—(वेक) *v. t. & i.* to arouse. जागना, जगाना.

walk—(वॉक) *n.* manner of walking. चाल; *v. i.* to go on foot.

wander—(वॉण्डर) *v. i.* to roam. घूमना.

wanderer—(वॉण्डरर) *n.* a walker. घूमने वाला.

want—(वॉण्ट) *n.* need, poverty. अभाव, गरीबी; *v. t. & i.* to need. कमी होना.

wantage—(वॉण्टेज) *n.* deficiency. अभाव.

wanton—(वॉण्टन) *adj.* playful, irresponsible, wild. चंचल, अनियांत्रत, उत्तेजित.

warden—(वॉर्डन) *n.* a guardian. रक्षक.

wardrobe—(वॉर्डरोब) *n.* a cupboard where clothes are kept. अलमारी.

warfare—(वॉरफ़ेयर) *n.* engaging in war, armed contest. लड़ाई.

warm—(वॉर्म) *adj.* ardent, zealous, earnest. गरम, तीव्र.

warmth—(वॉर्म्थ) *adj.* zeal. उत्साह.

warning—(वॉर्निंग) *n.* caution. चेतावनी.

warrior—(वॉरियर) *n.* a champion, a fighter. योद्धा, वीर.

washable—(वॉशेबल) *adj.* able to be washed. धोने योग्य.

washerman—(वॉशरमैन) *n.* one who washes clothes. धोबी.

wasp—(वॉस्प) *n.* a stinging winged insect. बर्र, ततैया.

wastage—(वेस्टेज) *n.* loss by waste. क्षय.

waste—(वेस्ट) *n.* spoil, refuse. तलछट, बेकार; *adj.* useless, wild. निरर्थक, बेकार; *v. t. & i.* to damage, to spoil. उड़ाना, नाश करना.

waterman—(वॉटरमैन) *n.* a boat man. मांझी.

waterproof—(वॉटरप्रूफ़) *n. & adj.* impervious to water. जल के प्रभाव से वंचित, जल से मुक्त.

watt—(वॉट) *n.* an electrical unit of power. बिजली की इकाई.

wave—(वेव) *n.* a vibration of water. लहर, तरंग; *v. t. & i.* to make wave. लहराना.

wavy—(वेवी) *adj.* full of waves. लहरदार.

wax—(वैक्स) *n.* sealing wax, honey शहद, मधु, मोम; *v. t. & i.* to rub with wax. मोम रगड़ना.

we—(वी) *pron.* हम, हम लोग.

weakly—(वीकली) *adj.* infirm. दुर्बल.

weakness—(वीकनेस) *n.* feebleness. दुर्बलता.

wealthy—(वेल्थी) *adj.* rich. धनी.

weapon—(वेपन) *n.* an instrument of offence or defence. हथियार.

weather—(वेदर) *n.* the state of atmosphere. मौसम; *v. t.* to expose to the air. वायु के सम्मुख करना.

web—(वेब) *n.* that which is woven. जाला.

wedding—(वेडिंग) *n.* marriage. विवाह.

wedlock—(वेडलॉक) *n.* marriage. विवाहित अवस्था.

week—(वीक) *n.* a period of seven days. सप्ताह.

weekly—(वीकली) *n., adj. & adv.* happening once a week. साप्ताहिक.

weep—(वीप) *v. i.* to lament. रोना, आंसू बहाना.

weeping—(वीपिंग) *n.* lamentation. विलाप.

weigh—(वे) *v. t. & i.* to measure. मापना, तौलना.

weight—(वेट) *n.* heaviness, burden. तौल, वज़न; *v. t.* to load with a weight. बोझ लादना.

welcome—(वेलकम) *adj.* received with gladness. स्वागत; *v. t.* to receive with gladness. स्वागत करना.

welfare—(वेलफ़ेयर) *n.* well being. राज़ी ख़ुशी, कुशल मंगल.

westward—(वेस्टवार्ड) *adv.* towards the west. पश्चिम की ओर.

wheat—(व्हीट) *n.* a plant with edible seeds. गेहूं.

wheel—(व्हील) *n.* circular frame. पहिया, घेरा, चाक; *v. i.* to revolve. घूमना-फिरना, चक्कर काटना.

whence—(व्हेन्स) *adv.* from what place. कैसे.

whenever—(व्हेनएवर) *adv.* at whatever time. जिस किसी समय.

whensoever—(व्हेनसोएवर) *adv.* at whatever time. कभी भी.

whipping—(व्हिपिंग) *n.* the act of beating with whip. चाबुक से मारने की क्रिया.

whispering—(व्हिस्परिंग) *n.* speaking secretly. कानाफूसी.

white—(व्हाइट) *n.* anything white. सफेद पदार्थ; *adj.* pure, spotless, of the colour of snow. साफ, सफेद; *v. t.* to make white. सफेद करना.

whitewash—(वहाइटवॉश) *n. & v. t.* to put whitewash on. पुताई करना, सफेदी करना.

whither—(व्हिदर) *adv.* to what or which place. जिधर, जहा.

whole—(होल) *adj.* complete, entire. पूर्ण, सब; *n.* complete thing. सब भाग, सम्पूर्णता.

wholesale—(होलसेल) *n.* sale of goods in large quantities. थोक बिक्री; *adj.* in large quantities. थोक.

wholly—(होली) *adv.* entirely. पूर्णरूप से.

width—(विड्थ) *n.* extent from one side to the other. चौड़ाई.

widow—(विडो) *n.* a woman whose husband is dead. विधवा.

widower—(विडोअर) *n.* a man whose wife is dead. रंडुआ.

wild—(वाइल्ड) *adj.* savage, untamed. जंगली, अशिक्षित, क्रोधी.

wilful—(विलफुल) *adj.* obstinate. ज़िद्दी.

will—(विल) *n.* wish, the faculty of deciding. रुचि; *v. t.* to order, to resolve. संकल्प करना.

window—(विण्डो) *n.* an opening in a wall to admit air and light. खिड़की.

wireless—(वायरलेस) *n.* communication through electromagnetic waves without wire. बेतार.

wisdom—(विज़डम) *n.* prudence. चतुराई, बुद्धिमानी.

wishful—(विशफुल) *adj.* desirous. इच्छुक.

witch—(विच) *n.* a woman having magical power. जादूगरनी; *v. t.* to enchant. जादू करना.

withdraw—(विदड्रॉ) *v. t. & i.* to retire. वापस लेना.

withdrawal—(विदड्रॉअल) *n.* act of withdrawing. वापसी.

withhold—(विदहोल्ड) *v. t. & i.* to hold back, to stay back. रोकना, थामना, दबा देना.

witness—(विटनेस) *n.* testimony. साक्षी, प्रमाण; *v. t. & i.* to attest. प्रमाणित करना.

woeful—(वोफुल) *adj.* sorrowful. दुःखमय, दयनीय.

wolf—(वुल्फ़) *n.* a wild animal. भेड़िया.

womanhood—(वुमनहुड) *n.* the state of being a woman. स्त्रित्व.

wonder—(वण्डर) *n.* a miracle. आश्चर्य, विस्मय; *v. t.* to marvel. चकित होना.

wonderful—(वण्डरफुल) *adj.* strange. अजीब.

work—(वर्क) *n.* labour, effort employment. कार्य, परिश्रम, उद्योग.

workmanship—(वर्कमैनशिप) *n.* skill, quality, कारीगरी, दस्तकारी.

worry—(वरी) *n.* anxiety. चिन्ता, परेशानी; *v. t.* to trouble, to harass. कष्ट देना, परेशान करना.

worship—(वरशिप) *n.* devotion, reverence पूजा, आराधना *v. t.* to adore. आदर करना, पूजा करना।

worshipper—(वरशिपर) *n.* a devotee. पूजक.

worth—(वर्थ) *n.* value, merit. मूल्य, कीमत, गुण.

worthwhile—(वर्थव्हाइल) *adj.* suitable. योग्य, उचित.

worthless—(वर्थलेस) *adj.* of no value.

wound—(वूण्ड) *n.* injury, hurt by cut. घाव, ज़ख्म; *v. t.* to injure, to inflict wound on. घाव करना, घायल करना.

wounded—(वूण्डेड) *adj.* injured. घायल.

wrap—(रैप) *v. t.* to cover, to fold together. तह करना, लपेटना.

wreath—(रीथ) *n.* garland. हार, माला.

wrestle—(रेस्ल) *v. t.* & *i.* to struggle. मल्ल युद्ध करना.

wrestling—(रेसलिंग) *n.* a struggle. मल्ल युद्ध.

wrinkle—(रिन्कल) *n.* slight ridge on surface. झुर्री, शिकन; *v. i.* to become wrinkled. झुर्री डालना.

writ—(रिट) *n.* a writing, legal documents. लेख, आज्ञा पत्र.

wrong—(रौंग) *n.* harm, an injury. अधर्म, अपराध; *adj.* not right. अशुद्ध; *v. t.* to treat unjustly. अपराध करना.

X

X-rays—(एक्सरेज) *n.* the invisible rays emitted by an electric current by means of which the interior of solids are photographed. क्ष-किरण.

xylography—(ज़िलोग्राफी) *n.* art of engraving on wood. लकड़ी पर नक्काशी करने की कला.

Y

yean—(यीन) *v. t.* to bring forth young. बच्चा जनना.

year—(ईअर) *n.* time of twelve months. साल, वर्ष.

yearn—(यर्न) *v. t.* to have an eager desire of. उत्सुक होना.

yeast—(इस्ट) *n.* the froth consisting of fungi used in making beer. मद्यफेन, खमीर, झाग.

yellowish—(यैलोइश) *adj.* somewhat yellow. कुछ पीला.

yester—(यस्टर) *adj.* last. बीता हुआ.

yesterday—(यस्टरडे) *n.* the day before today. गतदिवस.

yet—(यैट) *adv.* still, besides afterall. तो भी, तथापि.

yielding—(यील्डिंग) *adj.* giving way, inclined to submit. सीधा, नम्र.

yoke—(योक) *n.* frame of wood placed on oxen, subject, bond. जुआ, बंधन, दासता.

young—(यंग) *adj.* not yet old, not far advanced, inexperienced. नौजवान, नवयुवक, अनुभवहीन.

youngster—(यंगस्टर) *n.* a lad, a young boy. बच्चा, लड़का.

youthful—(यूथफुल) *adj.* young. युवा मनुष्य.

Z

zealous—(ज़ेलस) *adj.* fervent. उत्साही, लवलीन.

zest—(ज़ेस्ट) *n.* a relish, flavour. स्वाद, अभिरुचि; *v. t.* to give relish to. स्वादिष्ट बनाना.

zigzag—(ज़िगज़ैग) *n.* something that has a sharp turn. टेढ़ा-मेढ़ा; *v. i.* to turn smartly. शीघ्रता से आगे बढ़ना.

zink—(ज़िंक) *n.* a white metal. जस्ता.

zoo—(ज़ू) *n.* a zoological garden. पशु-वाटिका.

zoology—(ज़ूलॉजी) *n.* the science of animal life. प्राणी-विज्ञान.

Some Difficult Words Commonly Misspelt

कुछ कठिन शब्द, जिनके लिखने में प्रायः भूल हो जाती है

Correct	*Incorrect*
Absorption	absorpshun, absorpsion
abundant	abundent, aboundant
abyss	abiss, abis
access	acces
accident	accidant
acquaintance	acquintance
advertisement	advertismant, advartisement
aerial	airial, aireal
aggregate	aggregat, agregrate
alcohol	alchohol, alkohal
altar	altre.
aluminium	alluminium, alumminium
amateur	amature, ameture
analysis	analisis, analises
appropriate	appropriat. apropriate
aquatic	acquatic.
ascertain	assertain, asertain
ascetic	asetic, aestik
autumn	autamn, autum
Balloon	baloon, ballon
banana	bannana.
banquet	bankuet, banquette
barrier	berrier, barriar.
beneficent	beneficient, benificent
bequeath	bequethe, bequith
besiege	besige, beseege
bouquet	bokuet, bequett
buoyant	boyant, bouyant
Calendar	calender, calandar
calumny	calumni, calamny
candour	candoar, cander
canvas	canvass
canvass	canvas
career	carrier
carcass	carcas, carcese
catalogue	catalog, catalaug
certain	sertain, certen
chew	choo, cheu
coffee	cofee, coffe
coincide	concide, conecide
commission	comission, commison
committee	comittee
Decease (death)	disease, dicease
disease (ill-health)	decease, dicease
deceive	decieve, deceeve
defendant	defendent
depth	deapth
descendant	discendant
desperate	desparate, disperate
detector	detecter
develop	develope, devalop
diamond	daimond
director	directer
discipline	descipline
Element	eliment, elemant
elementary	elimentary, elementory
embarrassed	embarassed
endeavour	endevour, endeavur
entrance	enterance
Fascinate	facinate, fashinat
fibre	fiber
fiery	firy, firey
forfeit	forfit
fusion	fushion
furniture	farniture, furnetur
Gaiety	gayty, gaity
galloping	gallopping, galopping
gorgeous	gorgeus, gorgias
Hammer	hammar, hamer
handicraft	handecraft
hindrance	hinderance, hindrence
humour	humor (American), humar
hygiene	hygeine, higiene
Illiterate	illitrate, illetrate.
indigenous	indigenus, indeginous
influential	influensial, influntial
ingenious	ingeneaus, inginious
ingenuous	inginuous
irresistible	irrestable
Jealous	jelous, zelus
jester	jestor
jugglery	juglery, jugglary
Kerosene	kerosin, kerosine
knack	nack.
Laboratory	labrartory, laboratery
language	languege,
leopard	lepard, leppard
library	liberary, librery
licence (noun)	license

Correct	Incorrect
license (verb)	licence
lieutenant	leftenant, leiutenant
lily	lilly.
limited	limitid
literary	litrary
livelihood	livlihood, livelyhood
lustre	luster, lustar
Maintenance	maintainance
manageable	managable, managible
manoeuvre	manover, manour
marvellous	marvelous, marvellus
millionaire	millioner.
miscellaneous	misellaneous, miscellcnous
mischief	meschief
modelled	modled, moddled
moustache	moustashe, mustance
mystery	mystry, mistery
Nasal	nazal.
necessity	nescity, necesity
neighbour	naghbour, neighber
noticeable	noticable, notiseable
Obedient	obidient, obdiant
occasion	occesion, ocasion
occurred	occured
occurrence	occurance
odour	odor, oder
offence	offense
offensive	offensev
offered	offerrd
offering	offerring
omelette	omlette, oumlet
omitted	ometted, ommitted
opportunity	oppurtunity, oportunity
orator	orater, oratar
Parallel	paralel
parlour	parler
persuade	pursuade, parsuade
philosophy	phylosophy
physique	physic
persuasion	persuation
pleasant	plesant, plesant
professor	proffessor, professer
profession	proffession, profesior
proprietor	propritor, propriter
prominent	prominant
Quinine	quinin.
quotation	quotetion, quottation
Rabbit	rabit, rabitt
railing	raillings, relling

Correct	Incorrect
realm	relm, rilm
receipt	receit, reciept.
recur	recurr.
recurred	recured
recurrence	recurrence, recurrance
referred	refered
reference	referrence
regrettable	regretable, regretteble
relieve	releive, relive.
removable	removeable.
repetition	repeatition, repitition
Salutary	salutory
saviour	savior, saviur
scholar	scholer, skolare
scissors	sissors, scisors
separate	separat, saparate
several	severel, sevarel
shield	sheild, shild
shyly	shily, shiely
smoky	smokey
sombre	somber
sovereignty	sovereinty
spectre	spector, specter
sufficient	sufficent.
summary	summury, sumary
superintendent	superintandant
susceptible	suseptible, susesptible
Technique	technic
tolerance	tolerence.
tranquillity	tranquilitey, tranquilty
transferred	transfered
tributary	tributory, tributery
tuition	tution
Unintelligible	uninteligeble
unmistakable	unmistakeable
utterance	utterence
vaccinate	vaxinate, veccinate
vacillate	vascilate, vacillate
valley	valey, velley
veil	vail.
ventilator	vantilatar, ventilater
verandah	varanda, varandah
victuals	victuels.
vigorous	vigorus, vigorus
visitor	visiter, visitar
wield	weild, wilde
wilful	willful, wilfull
woollen	wollen, wollen
Yawn	yan, yaun
yearn	yern

Technical Terms

Correct	Incorrect	Correct	Incorrect	Correct	Incorrect
algebra	algabra	dynamo	dinomo	oxygen	oxigen
arithmetic	arithmatic	eclipse	eclypse	peninsula	pennisula
adjacent	adjcent	electricity	elektricity	parliament	parleament
ambiguous	ambigous	equilibrium	equilibriam	plateau	plato
apparatus	aparatus	executive	exeketive	positive	posetive
artillery	artillary	expedition	expidition	percentage	percentege
barley	barly	formulae	formuli	phenomenon	phenomenun
barometer	barometre	governor	governer	phosphorus	phosforus
circumference	circumferance	government	governmant	quotient	quoshent
carnivorous	carnivorus	hypothesis	hipothisis	route	rute
corollary	corolary	insect	insact	revenue	ravenue
chocolate	chokolate	lens	lensce, or lense	season	seeson
compass	compas	liquid	lequid	sepoy	sepoi
conqueror	conqerer	league	leegue	science	sience
column	colum	mammal	mamal	secretary	secretery
concave	conkave	mathematics	mathametics	subtraction	subtrection
convex	conveks	machinery	machinary	sulphur	sulpher
cocoa	coco	metre	mitter	temperate	tamperate
cyclone	syklone	mercury	mercary	theoretical	theoreticle
cylinder	cylindar	mineral	minarel	triangle	trangle
diagonal	digonal	microscope	microskope	tobacco	tobacco
diagram	digram	neutral	netural	veins	vains
decimal	decimale	negative	negetive	vacuum	vaccum

Proper nouns

Correct	Incorrect	Correct	Incorrect	Correct	Incorrect
Alexander	Alexendar	Buddhism	Budhism	Guinea	Gunea
Andes	Andis	Buenos Aires	Bonus Aeres	John	Jhon
Antarctic	Antratic	Caesar	Ceaser	Mediterranean	Maditeranion
Arctic	Arktic	Calcutta	Calcatta	Muhammad	Mohammad
Atlantic	Atlantik	Delhi	Dehli	Napoleon	Napolian
Bombay	Bombai	Egypt	Egipt	Philip	Phillip
Buddha	Budha	Europe	Erope	Switzerland	Swizerland
Buddhist	Budhist	European	Europian	Scotch	Scoch

Words which are erroneously combined

Correct	Incorrect	Correct	Incorrect	Correct	Incorrect
all right	alright	at least	atleast	some one	someone
all round	alround	in spite of	inspite of	some time	sometime
at once	atonce	per cent	percent	up till	uptil

Words which are erroneously divided

Correct	Incorrect	Correct	Incorrect	Correct	Incorrect
anyhow	any how	into	in to	sometimes	some times
anything	any thing	instead of	in stead of	somebody	some body
almost	all most	madman	mad man	schoolboy	school boy
already	all ready	moreover	more over	somehow	some how
anybody	any body	nobody	no body	together	to gether
afterwards	after wards	newspaper	news paper	today	to day
cannot	can not	nowadays	now-a-days	tomorrow	to morrow
everybody	every body	ourselves	our selves	utmost	ut most
everywhere	every where	otherwise	other wise	welfare	well fare
elsewhere	else where	outside	out side	welcome	wellcome

पत्र-लेखन

(LETTER WRITING)

प्रभावी पत्रलेखन के लिए कुछ आवश्यक दिशा निर्देश

आप चाहे किसी को भी पत्र लिख रहे हों, उसकी विषय-वस्तु कुछ भी हो यदि आप निम्नलिखित बातों का ध्यान रखेंगे तो आपको पत्र लिखने में काफी सहायता मिलेगी।

1. यदि आप संबंधियों, मित्रों या परिचितों को पत्र लिख रहे हों तो आपका प्रयास यह रहना चाहिये कि आप अपने हाथ से पत्र लिखें। यदि आपकी लिखाई साफ़ नहीं है तो आप टाइप करा कर भी पत्र भेज सकते हैं।

2. पत्र के दाएं हाथ (Top right margin) पर अपना पता लिखें।

411/5- Mohalla Maharam,
Shahdara, Delhi-110 032

3. पते के ठीक नीचे तारीख डालें। तारीख लिखते समय आप निम्न विधियों में से किसी एक विधि को अपना सकते हैं।

4th October, 1986
Friday, 4th October, 1986
October 4, 1986.
4.10.1986

4. **पत्र का प्रारम्भ कैसे करें? (How to start a letter?)**
पत्र की शुरूआत काफी महत्वपूर्ण होती है। इसमें उस व्यक्ति को संबोधित किया जाता है, जिसे पत्र लिखा जाता है। संबोधन इस बात पर निर्भर करता है कि आप किसे पत्र लिख रहे हैं। अलग-अलग श्रेणी के व्यक्तियों के लिये अलग-अलग संबोधनों (salutations) का प्रयोग होता है। कुछ ज्यादा प्रयोग में आने वाले संबोधन नीचे दिये गये हैं।

- माता-पिता व रिश्ते में बड़े अन्य संबंधियों को–
  My dear father/papa/uncle,
  Dear aunt/mother/mummy,
- माता-पिता द्वारा बच्चों को–
  My dear Umesh,
  Dear Renu,
  My dear son,
  My dear daughter Sapna,
- भाई-बहन तथा मित्रों में–
  My dear brother/sister,
  My dear sister Pushpa,
  My dear Anand,
  My dear friend Anand,
- अपने से बड़े अधिकारियों तथा व्यवसायिक फर्म के मालिक/मालिकों को–
  Sir,
  Dear Sirs,
  Dear Mr. Ramesh,

5. **पत्र का मुख्य भाग (Body of the letter)**

इसे मोटे रूप से तीन भागों में बांटा जा सकता है। सबसे पहले संदर्भ दीजिए अर्थात आप पत्र क्यों लिख रहे हैं। इसके बाद संदेश दीजिए या जिस बात का उत्तर मांगा गया है, लिखिए। अंत में बड़ों-छोटों को यथायोग्य अभिवादन देते हुए पत्र के मुख्य भाग को समाप्त कीजिए। तीनों का एक-एक उदाहरण नीचे दिया जा रहा है।

- संदर्भ (Reference):
  I have just received your letter.
- संदेश (Message):
  Meet Mr. Gajraj and give him the money.
- अंत (End):
  Please give my best regards/love/wishes to.....

6. **पत्र का समापन कैसे करें? (How to close a letter?)**

पत्र के समापन का ढंग भी इस बात पर निर्भर करता है कि आप किसे पत्र लिख रहे हैं। इसे हस्ताक्षरकरण (subscription) कहते हैं। पत्र किसे लिखा जा रहा है उसके अनुसार अलग-अलग subscriptions होते हैं। इसमें पत्र-लेखक के हस्ताक्षर भी सम्मिलित रहते हैं।

- **माता-पिता व रिश्ते में बड़े संबंधियों को–**

  Affectionately yours, Yours affectionately, Your affectionate son/daughter/nephew/niece,

- **माता-पिता, चाचा, चाची आदि द्वारा बच्चों को–**

  Affectionately yours, Yours affectionately, Your affectionate father/uncle/mother/auntie,

- **मित्रों को–**

  Sincerely yours, Yours sincerely, Yours very sincerely,

- **अपने से बड़े अधिकारियों को तथा व्यवसायिक फर्म के मालिकों को–**

  Yours faithfully,

- **भाई-बहन में पत्र-व्यवहार–**

  Your loving brother, Your loving sister,

7. **यदि पत्र-समापन के बाद कोई बात लिखने से छूट जाए तो पत्र के नीचे P.S. (Post-Script) लिख कर अपनी बात लिखें।**

8. **कुल मिला कर पत्र कसा हुआ, अपना संदेश स्पष्टतः अभिव्यक्त करने वाला एवं ऐसी भाषा में होना चाहिए, जो पत्र पाने वाले के स्तर के अनुरूप हो। अनावश्यक विस्तार भी पत्र को उबाऊ बना देता है– इसलिए भावाभिव्यक्ति में संक्षिप्त रहने की चेष्टा कीजिए। यथा-समय पत्र भेजने का भी बड़ा महत्त्व होता है– सदा चेष्टा कीजिए कि आपका पत्र समय पर पहुंच जाये और उसमें सभी अपेक्षित सूचनाए दे दी गयी हों।**

1. शुभकामना-पत्र (Letters of Greetings)

शुभकामना व्यक्त करने वाले पत्रों का मुख्य प्रयोजन होता है—दूसरे की खुशी बांटना, अपनी प्रसन्नता दूसरों तक पहुंचाना, अपनी याद दिलाना और इस प्रकार पत्रों के माध्यम से व्यक्तिगत/सामाजिक बन्धनों को उत्तरोत्तर मधुरतर बनाना। यद्यपि ये पत्र औपचारिक व छोटे होते हैं किन्तु इनमें जितनी आत्मीयता की छाप रहेगी, पत्र उतना ही प्रभावशाली होगा। इन पत्रों की भाषा किताबी न होकर बोल-चाल की भाषा होती है। पत्र, पाठक को ऐसा प्रतीत हो मानो पत्र का लेखक उसके सामने बैठा सहज भाव से अपनी प्रसन्नता व्यक्त कर रहा है। ऐसे पत्र नव-वर्ष, होली, दीवाली, ईद, दशहरा, क्रिसमस, जन्मदिन आदि जैसे शुभ अवसरों पर प्रेषित किए जाते हैं।

प्रसन्नता व्यक्त करने वाले वाक्य से पत्र शुरू कीजिये :

1. I was pleasantly surprised to know.............
2. Please accept my heartiest greetings on the eve of.............
3. Please accept my best wishes on this happy occasion.
4. My wife and kids join me in expressing our warmest greetings on the occasion of.............

बधाई देने के पश्चात् सुखी भविष्य के लिये शुभकामनाएं व्यक्त कीजिये:

5. May this occasion bring you all happiness and prosperity!
6. May every day of your future be as pleasant and auspicious as this day!
7. May God grant you every success in the coming years!
8. I wish this day to be as happy and gay as lily in May!

स्वयं उपस्थित न हो पाने की मजबूरी प्रकट कीजिये :

9. I would have joined you so happily in the celebrations but for my visit on urgent official business.
10. I regret my absence on this happy day owing to my illness.
11. How eager I am to be with you but my family occupation prevents me from doing so.

कोई उपहार/भेंट देने के बारे में इशारा कीजिये :

12. But you will soon receive a gift as a token of my affection for you on this happy occasion.
13. I hope you like the small gift/bouquet I sent to you today to convey my warm feelings.

पुनः शुभकामनाएं प्रकट करते हुए पत्र समाप्त कीजिये :

14. Once again I convey my sincerest greetings on this auspicious occasion.
15. Wishing you all the best in life.
16. Looking forward to hearing more from you.

Sample letter

My dear.......,

Please accept my heartiest greetings on your birthday. (2) May this occasion bring you perfect happiness and prosperity in the coming years! (7) I regret my absence on this happy day owing to my illness. (10) But you will soon receive a gift as a token of my affection for you on this happy occasion. (12).

Yours sincerely,

2. बधाई-पत्र (Letters of Congratulations)

बधाई-पत्र आमतौर से शुभकामना व्यक्त करने वाले पत्रों की तुलना में अधिक भावपूर्ण होते हैं और इनमें वैयक्तिक उत्साह अधिक झलकता है। ऐसे पत्रों के द्वारा किसी की व्यक्तिगत उपलब्धि की सराहना करते हुए गर्मजोशी से अपनी खुशी को व्यक्त किया जाता है और पत्र पाने वाले के भविष्य के प्रति शुभकामनाएं भी व्यक्त की जाती हैं। ये पत्र शुभकामनाओं के पत्रों की तुलना में कुछ अधिक लंबे होते हैं। इन्हें परीक्षा में सफलता, व्यापार में उन्नति, पुस्तक के विमोचन या ऐसे ही अन्य खुशी के अवसरों पर भेजा जाता है।

पत्र का आरम्भ प्रसन्नता व्यक्त करते हुए करें :

1. I am so happy to know..........
2. We are thrilled to hear from our mutual friend.
3. My heart is filled with joy to learn about.......
4. My happiness knew no bound the other day when I came to know about.......
5. I was beside myself with joy the other day when I came to know about.......

मधुर शब्दों में बधाई दें :

6. Please accept my heartiest congratulations on.......
7. My wife joins me in congratulating you/your son....... on your/your son's grand success.
8. It is really a splendid achievement and we are all proud of you.
9. I am delighted to learn that you have realized your cherished ambition.

उज्ज्वल भविष्य के लिए अपनी शुभकामनाएं प्रकट कीजिये :

10. Your grand success will make you bask in the glory of good fortune all through your life.
11. May God continue to grant you similar successes all through your life.
12. I am sure you would bring great laurels to your profession and the organization you joined.
13. Having attained a firm footing in your life, I am sure you would go very far on the path of achievements.

भावी कार्यक्रम के बारे में पूछने से सम्बन्धों में आत्मीयता प्रकट होगी :

14. Do you plan to celebrate the occasion?
15. When are you intending to join........?
16. Do you plan to go abroad for higher studies?

पत्र की समाप्ति दोबारा अपना शुभकामनाएं/बधाइयां देते हुए और सफलता के कारणों की ओर इंगित करते हुए करें:

17. Once again I congratulate you on your well deserved success.
18. Your success is a fitting reward of your merit/painstaking labour.
19. God has duly rewarded your sincere efforts.
20. Accept once again my felicitations on this grand occasion.

Sample Letter

My dear........,

I was beside myself with joy the other day when I came to know about your topping the list of the successful candidates in the Civil Services Examination. (5) It is really a splendid achievement and we are all proud of you. (8) May God continue to grant you similar successes all through your life. (11) Do you plan to celebrate the occasion? (14) Your success is a fitting reward of your merit/painstaking labour. (18)

Yours sincerely,

3. सहानुभूति-पत्र (Letters of Sympathy)

दुखद अवसरों पर लिखे जाने वाले सहानुभूति के पत्र मोटे रूप से चार वर्गों में बांटे जा सकते हैं: आर्थिक हानि, दुर्घटना, बीमारी, परीक्षा या नौकरी में असफलता। सहानुभूति के पत्र में संवेदना-पत्र की अपेक्षा भावुकता का अंश स्वाभाविक रूप से कम ही होता है, क्योंकि संपत्ति-हानि, प्राण-हानि की तुलना में कम महत्त्वपूर्ण है। फिर भी पाठक को पत्र-लेखक की सच्ची सहानुभूति मिलनी चाहिए।

अपना पत्र समाचार मिलने पर खेद से प्रारम्भ करें :

1. I am extremely sorry to hear of the fire that ravaged your factory on 10th Sept.
2. **I was much distressed to learn about the theft committed in your house last Monday.**
3. I was extremely worried to know about your illness the other day by our mutual friend.
4. It was with profound shock that I learnt about your car accident from the newspaper.
5. I was quite disturbed to know about your supercession in service.
6. It was with great sadness that I learnt from the newspaper about your failure in the examination.

अधिक हानि न होने पर संतोष व्यक्त करें :

7. However, it is a matter of great relief that the damage caused was not major.
8. At the same time I am quite relieved to know that the loss is not much.
9. But I am sure the regular treatment will make you get rid of it in no time.
10. But I feel greatly relieved to know that you are physically safe.
11. Do not worry, if you could not get your promotion this time you may get it next year.
12. Success and failure are a part of life and should be taken in stride.

पत्र-पाठक का दोष न होने का विश्वास प्रकट करें और कोई उल्लेखनीय बात हो तो लिखें :

13. Do not get upset about it as I am told it was insured.
14. I am glad that the police is hotly pursuing the case with some useful clues.
15. Take full rest and follow the doctor's instruction. You will get well soon.
16. Success or failure are a matter of luck. Do not lose your heart and work hard with redoubled vigour. Success shall be yours.

अपनी ओर से सहायता का प्रस्ताव रखें :

17. I know some important personnel in the Insurance company. I will speak to them.
18. Please do not hesitate in asking any financial help from me in case you need.
19. Why do not you come to my place for the convalescence. We'll have good time.
20. Henceforth be careful in driving and, also get your car brakes thoroughly checked.
21. Sincere efforts always bring reward, so continue trying.

पुनः संवेदना व्यक्त करें:

22. You have all my sympathies on this unfortunate incident.
23. I feel greatly concerned about your loss.
24. Please convey my heart-felt sympathies to your entire family.
25. May you recover speedily.
26. May God grant you your well-deserved success next time.

Sample Letter

My dear......,

I was extremely sorry to hear of the fire that ravaged your factory on 10th Sept.(1) However, it is a matter of great relief that the damage caused was not major.(7) Do not get upset about it as I am told it was insured.(13) I know some important personnel in the Insurance company. I will speak to them.(17) You have all my sympathies on this unfortunate incident.(22)

Yours sincerely,

4. खेद प्रकट करने के पत्र (Letters of Regret)

निमंत्रण की अस्वीकृति भेजने या किसी वजह से निमंत्रित अवसर पर न पहुंच पाने का संदेश देने वाले पत्र इस श्रेणी में आंते हैं। अनुपस्थित होने की सूचना देने वाले पत्र थोड़े बड़े हो जाते हैं, क्योंकि इनमें न आ पाने का कारण भी बताया जाता है।

प्रारम्भ में निमन्त्रण के लिये धन्यवाद दें :

1. Thanks a lot for your kind invitation to attend.............
2. I was extremely happy to receive your letter of invitation to attend.............
3. It was so kind of you to have remembered me on the occasion of.............
4. It was an honour to have received your courteous invitation letter.

इसके पश्चात् निमंत्रण की अस्वीकृति के लिये खेद प्रकट करें :

5. I would have been so much delighted to be with you but.............
6. I was thrilled to receive your invitation and was looking forward to meeting you all but owing to.............
7. I regret to inform you that in spite of my ardent wish I would not be able to make it for reasons beyond my control.
8. We were all very keen to participate in.............but..........
9. I have much pleasure in accepting your invitation but deeply regret having to refuse owing to a previous engagement.

निम्नांकित वाक्यांशों में से उचित अंश उपयुक्त वाक्य में जोड़ कर वाक्य पूरा करें :

10. Unfortunately I am not well.
11. Owing to my urgent business trip abroad, I would not be able to attend it.
12. ....but I am preoccupied with the arrival of guests on the same dates.
13. ....but I am going out on the same dates to attend my sister's wedding.

शुभ अवसर के लिये अपनी शुभकामनाएं प्रकट करें :

14. Nevertheless I convey my heartiest good wishes for the happy occasion.
15. All the same, let me congratulate you most heartily on this happy event of your life.
16. My family joins me in wishing you all the best.
17. Best wishes for this grand event of your life.

अन्त में अनुपस्थिति के लिये पुनः क्षमा-प्रार्थना करें :

18. How I wish I would have reached there. I hope you would appreciate my position.
19. I do hope you would accept my sincere apologies for my absence.
20. You can't imagine how perturbed I am at not being able to make it.
21. I sincerely regret the disappointment I am causing to you.

Sample Letter

My dear......,

It was an honour to have recieved your courteous invitation letter. (4) I would have been so much delighted to be with you. (5) but unfortunately I am not well. (10) I sincerely regret the disappointment I am causing to you. (21) Nevertheless I convey my heartiest good wishes for the happy occasion. (14)

Sincerely yours,

5. अवकाश-आवेदन पत्र (Leave Applications)

इस प्रकार के पत्र, छोटे परन्तु मन्तव्य स्पष्ट करने वाले होते हैं। चाहे स्कूल से छुट्टी लेनी हो या ऑफिस से, ऐसे आवेदन पंत्रों का इस्तेमाल सब को ही करना पड़ता है। ऐसे पत्रों में संबंधित अधिकारी को उचित सम्मान देते हुए अवकाश लेने का कारण स्पष्ट करते हुए, अवकाश प्रदान करने के लिए प्रार्थना की जाती है।

पहले कारण स्पष्ट कीजिये :

1. Respectfully I beg to state that I have been suffering from fever since........
2. With due respect I wish to bring to your kind notice that my niece is getting married on...........
3. I submit that I have to attend an interview at........on.......
4. I have to state that I am having a very important work to do on............

फिर छुट्टी की प्रार्थना कीजिये :

5. Therefore, I request you to grant me leave for........days.
6. Hence you are requested to grant me leave of absence for........
7. I, therefore, request you to grant me leave for...........to enable me to attend to this work.

अन्त में धन्यवाद देते हुए पत्र समाप्त कीजिये :

8. I shall be highly grateful.
9. I shall be much obliged to you.

Sample Letter

Sir,

Respectfully I beg to state that I have been suffering from fever since last night.(1) Therefore, I request you to grant me leave for three days.(5) I shall be much obliged to you. (9)

Thanking you,

Yours faithfully,

6. धन्यवाद के पत्र (Letters of Thanks)

धन्यवाद के पत्रों में मूल भाव कृतज्ञता ज्ञापन का होता है। किसी अवसर विशेष पर किसी के द्वारा याद किए जाने अथवा उपहार इत्यादि दिए जाने के प्रत्युत्तर में इन्हें लिखा जाता है। यद्यपि ये पत्र भी औपचारिक पत्रों की श्रेणी में आते हैं, परन्तु ध्यान रहे कृतज्ञ-भाव की अभिव्यक्ति करते समय औपचारिकता प्रकट नहीं होनी चाहिए। ये पत्र छोटे किन्तु बहुत आवश्यक होते हैं क्योंकि आगामी संबंधों की मधुरता बहुत कुछ ऐसे पत्रों पर ही निर्भर करती है।

पत्र का आरम्भ धन्यवाद देते हुए कृतज्ञता-ज्ञापन से करें :

1. I thank you from the core of my heart for your letter/sending me the gift etc.
2. I express my profound gratitude for your having cared to remember me/send me the beautiful gift etc.
3. It was very kind of you to have.......
4. Thanks a lot for.......... (your letter/beautiful gift etc.). Indeed I am grateful.

उपहार/ पत्र के विषय और उसके महत्त्व की चर्चा कीजिए :

5. Your letter/gift is the most precious possession that I have.
6. Your sentiments expressed through the letter/gift has really boosted my morale.
7. Your letter/gift has really strengthened our bonds of affection.
8. The exquisite gift/warm feelingful letter was most befitting the occasion.

पुनः धन्यवाद देते हुए पत्र समाप्त कीजिए :

9. Thank you once again for your kind letter/gift.
10. Very many thanks for caring to remember me.
11. Thanks a lot for the letter/gift, although your personal presence would have made quite a difference.
12. Thanks again. We are looking forward to meeting you soon.

Sample letter

My dear.......,

I thank you from the core of my heart for your letter/sending me the gift. (1) Your letter/gift is the most precious possession that I have. (5) Very many thanks for caring to remember me. (10)

Yours sincerely,

7. संवेदना के पत्र (Letters of Condolence)

संवेदना का पत्र किसी परिचित को प्राय: उसके घर में किसी अप्रिय घटना होने पर लिखा जाता है। इन पत्रों का मूल भाव संवेदना का ही होता है। ऐसे पत्र छोटे होते हैं और अप्रिय समाचार सुनते ही तुरन्त भेजे जाते हैं। ऐसे पत्र मात्र औपचारिक न होकर भावनाप्रधान होने चाहिए। इनमें मृतक के सद्‌गुणों का उल्लेख श्रद्धा या स्नेह (पत्र-लेखक से छोटा या बड़ा जैसा भी हो) के साथ करना चाहिए। यदि पत्र-लेखक मृतक के रिश्तेदार या संबंधी (जिसको पत्र लिख रहा है) की उसके दुखद काल में कुछ सहायता करने में सक्षम हैं तो उसका भी जिक्र होना चाहिए।

समाचार मिलने पर शोक प्रकट करें :

1. It was with deep regret that we learnt the shocking news of the passing away of..........
2. I was greatly saddened to know about....... from the newspaper/telephone call/letter.
3. I was rudely shocked to know about the sudden demise........ from.......
4. I was deeply distressed to learn about the sudden demise of.......

मृतक के सद्‌गुणों का उल्लेख करें :

5. He was such a lovable person.
6. In his death in the prime of life God has snatched a bright jewel from our midst.
7. His sociable nature and cultural refinement would keep him alive in the hearts of his admirers.
8. His death has caused a grievous loss not only to your family but to all of us.
9. He was a source of strength and inspiration to many of his fellowbeings.
10. His remarkable achievements would transcend his memory beyond his physical death.
11. Some of his pioneering work will go a long way to benefit many future generations.

अंत में पुनः संवेदना व्यक्त करें :

12. Please accept my sincerest condolences on this sad occasion.
13. May God grant you enough courage and forbearance to withstand this shock.
14. May his soul rest in peace in heaven and guide you for years to come.
15. We express our most sincere sympathy to you in your great bereavement.
16. We hope that the tree he has planted thrives well to provide protection to his family.

Sample letter

My dear.......,

It was with deep regret that we learnt the shocking news of the passing away of your father. (1) His death has caused a grievous loss not only to your family but to all of us. (8) We express our sincerest sympathy to you in your great bereavement. (15) May God grant you enough courage and forbearance to withstand this shock. (13)

Yours sincerely,

8. प्रेम-पत्र (Love Letters)

प्रेम-पत्र मुख्यत: दो प्रकार के होते हैं — पति-पत्नी के बीच के प्रेम-पत्र एवं प्रेमी-प्रेमिका के बीच के प्रेम-पत्र। पहली श्रेणी के प्रेम-पत्रों में प्रेम के साथ-साथ घर-परिवार की समस्याओं का भी जिक्र होता है, जबकि दूसरी श्रेणी के पत्रों में प्रेम, भावना और कल्पनालोक की बातें अधिक होती हैं। इन पत्रों की सीमा का कोई निर्धारण नहीं हो सकता, अत: इन्हें किसी निश्चित रूपरेखा या नियमों में नहीं बांधा जा सकता।

पत्र का प्रारंभ प्यार भरी बातों से करें :

1. Your loving letter this morning has come like a ray of sun-shine.
2. Your sweet letter has enveloped me in the sweet fragrance of our love.
3. Your letter has flooded me with sheer happiness.
4. Your affectionate letter has dispelled the depression that surrounded me earlier.

फिर प्रासंगिक बातों पर आ जायें :

5. Everything is fine here except that I miss you so badly.
6. Has our little daughter (write her name) recovered from flu.
7. Nights really seem unending in your absence.
8. Is all well at home?

पुनः प्यार भरी बातें करें :

9. I am longing/dying to meet you.
10. Once again I must tell you how deeply do I love you.
11. Write back soon as your letters provide me a great emotional support.
12. I am counting the days when I will meet you.

पुनः प्रशंसा भरे वाक्यों से पत्र समाप्त करें :

13. You are the sweetest dream of my life.
14. Your memory keeps me radiant.
15. I am desperately waiting to meet you my sweetheart!
16. You are the greatest thing that happened to my life.

Sample letter

Dearest.......,

Your sweet letter has enveloped me in the sweet fragrance of our love. (2) Everything is fine here except that I miss you so badly. (5) Write back soon as your letters provide me a great emotional support. (11) You are the greatest thing that happened to my life. (16)

Love,

Yours ever

9. आमंत्रण-पत्र (Letters of Invitation)

इन पत्रों के मूल में उत्साह, खुशी और सम्मान का भाव निहित होता है। पत्र प्राप्त करने वाले को यह महसूस होना चाहिए कि बहुत जोर देकर और अतीव सम्मान के साथ उसे आमंत्रित किया जा रहा है। यह पत्र पूरे विवरणों के साथ लिखा जाना चाहिए जैसे कहां का आमंत्रण है और कब जाना है आदि। ऐसे पत्र विवाह, जन्म-दिन, गृह-प्रवेश आदि के अवसरों पर लिखे जाते हैं।

प्रारंभ में आमंत्रण का अवसर, तारीख, समय और जगह का विवरण दीजिये :

1. It is with great pleasure that I inform you that (I am/my son is, getting engaged on 16th February, 1986 at Taj Palace's Crystal Room at 6 p.m.)
2. This is to bring to your kind notice that ....
3. Most respectfully I inform you that ....
4. I am pleased to inform you that.............

अब व्यक्तिगत रूप से आमंत्रित करें :

5. I request you to kindly come with your family to grace the occasion.
6. I would be delighted if you could spare some time from your busy schedule to attend the above mentioned function/celebration.
7. It would be a great pleasure to have you among the guests.
8. Please do come with your family at the appointed place and time.

एक बार पुनः अवश्य पधारने का आग्रह करें:

9. You know how important is your presence on this occasion for us. So please do come.
10. I am sure you would not disappoint us.
11. I would be greatly honoured if you could come on this occasion.
12. My whole family is very eagerly awaiting your arrival.

Sample lette

My dear.......,

It is with great pleasure I inform you that my son is getting engaged on 16th Feb. 1986 at Taj Palace's Crystal Room at 6 p.m. (1) I request you to kindly come with your family to grace the occasion. (5) My whole family is very eagerly awaiting your arrival. (12)

Yours sincerely,

10. शिक्षा-संबंधी पत्र / प्रार्थना-पत्र
(Letters and Applications on Educational Matters)

माता-पिता तथा अध्यापक के बीच पत्र-व्यवहार के अवसर प्राय: उपस्थित होते रहते हैं। अधिकतर ऐसे पत्र शिक्षा-संबंधी ही होते हैं जैसे प्रमाण-पत्र प्राप्त करने के लिए लिखे गए पत्र, बच्चे की पढ़ाई से संबंधित प्रश्न पूछने वाले पत्र इत्यादि। इनकी भाषा औपचारिक होती है और पत्र में सीधे-सीधे मूल मुद्दे पर बात की जाती है।

पत्र के आरंभ में पत्र लिखने का कारण स्पष्ट करें:

1. This is to bring to your kind notice that I am leaving the town and I want to have my son's transfer certificate from your reputed school/college etc.
2. I have been watching my son's studies and find him to be still quite weak in mathematics.
3. I am deeply pained to learn from my son about the callous attitude of some of the teachers towards the students.
4. Since my daughter....... a student of your school, class....... wishes to compete for the science talent competition, I should be grateful if you could issue the relevant certificates.

अन्त में धन्यवाद व्यक्त करते हुए प्रार्थना-पत्र समाप्त करें :

5. Kindly arrange to issue the certificate at your earliest. Thank you.
6. I would be grateful if some special attention is given to my son........
7. You are requested to send the relevant certificates by.......(give date)
8. I again request to get the needful done at your end.

Sample Letter

Dear Sir (or Madam),

Since my daughter Neeta, a student of Class XI in your school, wishes to compete for the science talent competition, I should be grateful if you could issue relevant certificates.(4) I again request you to get the needful done at your end. (8)

Yours sincerely,

11. वैवाहिक विज्ञापनों के उत्तर
(Replies to Matrimonial Advertisements)

आजकल, विशेषकर बड़े शहरों में, वैवाहिक संबंध अखबारी विज्ञापनों के माध्यम से भी होते हैं। ऐसे विज्ञापन ध्यान से पढ़े जाते हैं। इनके द्वारा अनेक विवाह संपन्न होते हैं। उन विज्ञापनों के जवाब में पत्र इस प्रकार लिखने चाहिए, जिनमें विज्ञापन का पूरा हवाला हो, वर / वधू के बारे में पूरा ब्यौरा हो, परिवार का ब्यौरा हो, पूरी आर्थिक-स्थिति का खुलासा हो, फोटो भेजने का आग्रह हो, प्रत्युत्तर की आशा हो इत्यादि। यह पत्र यथार्थपरक होते हैं इसलिए ब्यौरे अधिक से अधिक स्पष्ट होने चाहिए।

प्रारंभ में विज्ञापन पढ़ने की जानकारी दें :

1. In response to your matrimonial advertisement published in the (newspaper's name and date) I furnish hereunder the relevant particulars about my daughter/son.
2. This is in reference to your matrimonial advertisement published in (name of the newspaper) on.........(date) that I give below the details of my daughter/son and my family.
3. I have seen your recent advertisement for a suitable bridegroom/bride for your daughter/son and would like to furnish the following particulars about myself/my son.

उसके बाद लड़के/लड़की का ब्यौरा दें :

4. Name, age, education, appearance and earnings.
5. Brothers, sisters and their description.
6. Parents and their description.
7. Caste/sub-caste or community details.

पत्र का अंत ऐसे करें :

8. In case you are interested, please send to me more details about the boy/girl along with his/her one recent photograph.
9. If you require more information, I would be pleased to furnish it.
10. If you have belief in astrology we will send the horoscope also.
11. Since we want marriage at the earliest, a prompt reply will be highly appreciated.

Sample letter

Dear Sir.......,

In response to your matrimonial advertisement published in The Hindustan Times on 20th Sept. 1986, I furnish here the relevant particulars of my daughter (give the relevant details). (1) If you have belief in astrology, we will send the horoscope also. (10) Since we want marriage at the earliest, a prompt reply will be highly appreciated. (11)

Yours sincerely,

12. वैवाहिक विज्ञापनों द्वारा प्राप्त पत्रों का उत्तर

(Letter to the responses received from Matrimonial Ads)

इन पत्रों का उत्तर एकदम संयत भाषा में होना चाहिए क्योंकि ये पत्र आपकी इच्छा-पूर्ति की दिशा में उठा हुआ पहला कदम होते हैं। जो भी ब्यौरा मांगा जाए, उसका सही-सही बयान होना चाहिए। एक प्रकार से इन पत्रों की भाषा व्यावसायिक पत्रों की भांति होती है, अत: ये तथ्यपरक और छोटे होते हैं।

पहले पत्र-प्राप्ति की स्वीकृति देते हुए प्रसन्नता व्यक्त कीजिए :

1. I was delighted to receive your letter in response to our ad in the newspaper.
2. Received your letter soliciting further enquiry into our likely matrimonial alliance.

उसके बाद जो पूछा गया है, उसका पूरा ब्यौरा दीजिए :

3. My sister is a post graduate in Economics from Allahabad University.
4. At present my daughter is teaching in Cannosa convent school.
5. Enclosed photograph is a recent shot of....... (name) my sister.

आगे भी और ब्यौरा देने के लिए आश्वासन देते हुए अपनी जानकारी हेतु कुछ प्रश्न पूछिए :

6. Should you have any further query, I would be most willing to satisfy it. When is Amit coming for holidays?
7. I hope this satisfies your query. Kindly care to send a recently shot photograph of Amit too.
8. If you need ask anything still, we can meet at Lodhi Hotel between 14th to 16th instt. where I shall be staying during my next visit to Delhi.

आगामी सम्बन्धों की मधुरता के प्रति आश्वस्त होने का भाव दर्शाते हुए पत्र समाप्त कीजिए :

9. Hope to see our proposal to fruition soon.
10. Expecting to hear from you soon.
11. Looking forward to our coming meeting.

Dear Mr.........,

I was delighted to receive your letter in reply to our ad in the newspaper. (1) At present my daughter is teaching in Cannosa convent school. (2) I hope this satisfies your query. Kindly care to send a recently shot photograph of Amit too. (7) Looking forward to our coming meeting.(11)

Yours truly,

13. पारिवारिक पत्र : बराबर वालों के बीच

(Family Letters : Between Equals)

पारिवारिक पत्रों को भी किसी निश्चित क्रम में नहीं बांटा जा सकता, न उनकी कोई सीमा ही निर्धारित की जा सकती है। इन पत्रों के विषय अनन्त हो सकते हैं—व्यक्तिगत समस्याओं से लेकर साधारण प्रसंग तक। फिर भी इन पत्रों का एक विशेष गुम होता है—स्नेहयुक्त अनौपचारिकता। साधारणतया यह पत्र लंबे होते हैं और बोलचाल की भाषा में लिखे जाते हैं। बराबर वालों के पत्रों का लहजा ज़रा दोस्ताना होता है, जिसमें थोड़ी आपसी छींटाकशी भी चलती है, जो पारस्परिक स्नेह को दृढ़तर करती है।

प्रसन्नता दर्शाते हुए पत्र लिखने के कारण का उल्लेख करें :

1. It was indeed a great pleasure to receive your letter.
2. I received your letter and was delighted to go through its contents.
3. Received your letter after ages.
4. So, at long last you cared to remember me!

फिर व्यक्तिगत/पारिवारिक सूचनाएं दें :

5. Of late I have not been keeping in good health.
6. Father is now better but his movements are somewhat restricted.
7. After the cataract operation, mother's eyesight has improved considerably.
8. Pappoo secured 86% marks and IVth rank in his annual exams.
9. The other day my wife met your cousin at Sheela's marriage.

फिर कुछ उलाहना और आत्मीयता प्रदर्शन करने वाली बातों का उल्लेख करें :

10. What about your tea-addiction, still going 20 cups strong a day?
11. How are you getting along in your new affair. Any help needed?
12. Are you really so busy as not to be able to correspond frequently?
13. When are you going to marry—in old age?

पुनः मिलने की आकांक्षा प्रकट करते हुए पत्र समाप्त करें :

14. Hoping to meet you in the Dussera vacation.
15. I hope you would be coming over to this side at Rahul's marriage. Then we will meet.

Sample Letter

Dear Ramesh,

So, at long last you cared to remember me! (4) Of late I have not been keeping in good health. (5) What about your tea-addiction, still going 20 cups strong a day?(10)I hope you would be coming over to this side at Rahul's marriage. Then we will meet.(15)

With loving regards,

Yours affectionately,

14. पारिवारिक पत्र : बड़े और छोटे के बीच

(Family Letters : From Elder to Younger)

बड़ों के छोटों के प्रति पत्रों में स्नेह के साथ-साथ थोड़ी अनुशासनात्मक दृढ़ता भी झलकती है और उनके भविष्य-जीवन के प्रति उत्सुकता भी। ऐसे पत्रों का भी कोई सीमा-निर्धारण नहीं हो सकता, यह व्यक्तिगत आवश्यकता पर ही निर्भर करता है।

प्रसन्नता दर्शाते हुए पत्र लिखने के कारण का उल्लेख करें :

1. I was happy to receive your letter the other day.
2. It is surprising that since last one month you haven't cared to drop even a single letter to us.
3. The photographs sent by you are really marvellous. We were delighted to see them.
4. Mr. Saxena met me yesterday and told me about his meeting you on 10th instant.

फिर व्यक्तिगत/पारिवारिक सूचना दें :

5. Ramesh's competitive exams would start from 21st Oct.
6. Your Sushma auntie expired on September 9 last. She was unwell for some time.
7. Since Reeta's marriage has been fixed on 9th January, I expect you to be here at least a week earlier to help me in the arrangements.
8. Your nephew Bittoo is unhappy as you did'nt send him the promised watch.

अब पत्र-पाठक के हाल-चाल पूछें:

9. How are you doing in your new assignment? Is it really taxing?/Hope it is exciting.
10. I hope you are taking proper care of your health.
11. Tell Asha that I miss the delicious dosas prepared by her.
12. How is Pintoo in his studies?

पुनः मिलने की आकांक्षा/आदेश प्रकट करते हुए पत्र समाप्त करें:

13. I hope you would be punctual in your letter-writing to us and would come on Dussera.
14. Be careful about your health in this rainy season and continue writing letters.
15. Apply for your leave well in advance so that you are in time for Reeta's marriage.
16. More when we meet.

Sample Letter

My dear Ram,

It is surprising that since last one month you haven't cared to drop even a single letter to us. (2) Since Reeta's marriage has been fixed on 9th January, I expect you to be here at least a week earlier to help me in the arrangements. (7) I hope you are taking proper care of your health. (10) More when we meet. (16)

With love,

Yours affectionately,

15. पारिवारिक पत्र : छोटे और बड़े के बीच

(Family Letters : From Younger to Elder)

छोटों द्वारा बड़ों के प्रति लिखे गए पत्रों में स्नेह के साथ सम्मान अधिक झलकता है। ये पत्र भी अनौपचारिक होते हैं और इनकी कोई सीमा निर्धारित नहीं हो सकती। ये पत्र थोड़े भावुकता भरे भी होते हैं।

प्रसन्नता दर्शाते हुए पत्र लिखने के कारणों का उल्लेख करें:

1. I was very happy to receive your letter after a long while.
2. I was thrilled to receive the sweets sent by mummy through Mrs. Jindal.
3. Have you people completely forgotten me? No letters!
4. I am writing this letter to ask you to send Rs. 250/- for my fees at your earliest.

फिर व्यक्तिगत/पारिवारिक सूचनाएं दें:

5. You will be glad to know that I have been selected in the debating group going to U.S.A. for one month.
6. This year owing to extra-classes in Dussera holidays I won't be able to come.
7. Tell Mohan Dada that I need a tennis racket as I have been selected in the college Tennis team.
8. Asha wants to go to her parents place at Diwali. She will go only if you permit.

अब पत्र-पाठक का कुशल-क्षेम पूछें:

9. Is Mummy O.K.? How is her arthritis?
10. I hope your blood-pressure must now be under control.
11. Has Sarla auntie returned from Hardwar?
12. Would Munna be going to watch the cricket test match at Kotla ground?

पुनः मिलने की आकांक्षा/इच्छा प्रकट करते हुए पत्र समाप्त करें:

13. I hope to come for 10 days in Christmas vacation.
14. I might come there during this month for a day.
15. Hope to talk to you over phone when I go to chacha ji's place.
16. More when we meet.

Sample letter

Respected Brother,

I was very happy to receive your letter after a long while. (1) You will be glad to know that I have been selected in the debating group going to U.S.A. for one month. (5) Is Mummy O.K.? How is her arthritis? (9) More when we meet. (16)

With regards to elders and love to youngers.

Yours affectionately,

16. नियुक्ति/इंटरव्यू इत्यादि से संबंधित प्राप्त पत्रों का पूरक पत्र
(Letters supplementing the queries arising out of your receiving of the Appointment/Interview Letters)

यह पत्र प्रायः छोटे होते हैं क्योंकि यह पूरक पत्र हैं और पिछले पत्र की अपेक्षा में कम विषयों से संबंधित होते हैं। यह पत्र भी तथ्यपरक और छोटे होते हैं। ऐसे पत्रों का उत्तर जल्दबाजी में नहीं दिया जाना चाहिए। भाषा पूरी तरह संयत और सधी हुई होनी चाहिए। अंत में थोड़ा भावुकता प्रदर्शन भी उचित रहता है।

पत्रारंभ अपने प्रार्थना-पत्र का उत्तर आने की प्रसन्नता प्रकट करते हुए कीजिए :

1. I was glad to receive your query in response to my application.
2. Delighted to receive the questionnaire sent by your office.
3. Extremely pleased to get a favourable response from your side.

अब मुख्य बात को स्पष्ट करते हुए अपनी समस्या या उलझन बताइये :

4. But your letter does not mention anything about the T.A. I am entitled to receive for travelling to attend the interview.
5. There appears to be some discrepancy between the grade given in the ad and the one given in your letter.
6. Owing to my illness I won't be able to attend the interview on the scheduled date. Could I get a date fifteen days later than the scheduled one.

अन्त में उस कम्पनी में काम करने की उत्सुकता व्यक्त करते हुए, पूरा सम्मान दर्शाते हुए पत्र का समापन कीजिए :

7. Avidly awaiting the interview date/answer to my query.
8. Looking forward to a bright future in your esteemed organisation.
9. I hope you would kindly care to send the required clarifications on the mentioned points to enable me to attend the interview/or, join the concern.

Sample Letter

Sir,

I was glad to receive your query in response to my application. (1) But your letter does not mention anything about the travelling allowance I am entitled to receive for travelling to attend the interview. (4) Avidly awaiting the interview date. (7)

Yours faithfully,

17. नौकरी हेतु प्रार्थन-पत्र (Job Applications)

नौकरी इत्यादि के लिए लिखे गए आवेदन-पत्रों में भाषा की संयतता और मूल उद्देश्य की स्पष्टता का बहुत महत्त्व होता है क्योंकि ऐसे पत्र का पाठक प्राय: एक अपरिचित व्यक्ति होता है। आपकी सफलता बहुत कुछ उसकी कृपा और सहानुभूति पर निर्भर करती है। ऐसे पत्र वैसे तो छोटे व औपचारिक होते हैं परंतु वैयक्तिक ब्यौरों के कारण इनकी भी सीमा का निर्धारण नहीं किया जा सकता।

पत्र का प्रारंभ उस हवाले से कीजिये, जिससे आपको इस नौकरी के बारे में ज्ञात हुआ हो:

1. I have come to know through some reliable sources that you have a vacancy for the post of....... in your renowned organisation.
2. I come to know from your advertisement published in the Hindustan Times on....... that you have vacancy for the post of....... in your esteemed organisation.
3. Being given to understand by your advertisement in.......

अब अपने आवेदन की शुरुआत कीजिये:

4. Since I meet all the required qualifications and experience conditions, I wish to offer my candidature for the same and supply hereunder my details relevant to the job.
5. In response to the aforementioned advertisement I wish to offer my candidature for the same and supply hereunder my particulars relevant to the job.
6. As I possess the requisite qualification so I beg to offer my services for the same.

अब अपनी योग्यता का विश्वास दिलाते हुए किसी नौकरी विशेष के लिये चुने जाने की प्रार्थना कीजिये:

7. I assure you, sir, that if selected I shall do my work most conscientiously.
8. In case you select me I assure you that I will do my work very sincerely.
9. If given the appointment I am sure I will prove an asset for your organisation.
10. If you favour me with an appointment I shall do my best to work to the entire satisfaction of my superiors.

अब अपना पूरा उपयुक्त ब्यौरा दीजिये :

Name, Address, Date of Birth, Educational qualification, Experience, Extra-curricular activities etc.

Sample Application

Sir,

I came to know from your advertisement published in the Hindustan Times of 8th August, 1986 that you have a vacancy for the post of Administrative Officer in your esteemed organisation. (2) Since I meet all the required qualifications and experience conditions, I wish to offer my candidature for the same and supply hereunder my details relevant to the job. (4) I assure you, sir, that if selected I shall do my work most conscientiously. (7)

Name : Date of Birth :

Address : Qualification :

Experience : Extra-curricular Activities :

Yours faithfully,

18. शिकायत-पत्र (Letters of Complaints)

ये पत्र विशुद्ध रूप से औपचारिक होते हैं और अधिकतर किसी सरकारी विभाग/अफसर को प्रेषित किए जाते हैं। इनमें अपनी सब तकलीफों परेशानियों का पूरी तरह उल्लेख करते हुए, बड़े तर्क-पूर्ण ढंग से शिकायत की जाती है। अपनी शिकायत कड़े शब्दों में करने के बाद उस विभाग की योग्यता की थोड़ी तारीफ भी की जानी चाहिए।

पत्र की शुरुआत अपनी तकलीफ़ का ज़िक्र करते हुए पाठक के प्रति पूरे सम्मान से कीजिये:

1. It is with great agony that I wish to bring to your kind notice the callousness shown by some employee of your Deptt.
2. I am pained to draw your attention to the following lapse committed by your men.

अब थोड़े विस्तार से अपनी तकलीफ़ बताइये:

3. For the last fifteen days....... (mention the cause) and in spite of my several reminders no action has been taken by your men.
4. In spite of my repeated oral complaints and your department's oral assurances no concrete action has been taken yet to solve this problem.
5. It is indeed sad that your department has turned a deaf ear to our written complaint followed by several reminders.

अब संबन्धित विभाग की तारीफ करके अपनी परेशानी पर दुबारा गौर करने का अनुरोध करते हुए पत्र समाप्त कीजिये :

6. It is really surprising that such an efficient department as that of yours is not heeding to our complaints. Please get the needful done without any further loss of time.
7. It is difficult to believe that such thing should have happened under your efficient control. Please get the needful done at the earliest.
8. I can hardly believe that a department like yours which is reputed for its efficiency should be taking so much time in doing the needful.

पत्र का समापन शिकायत के शीघ्र दूर हो जाने की संभावनाओं के साथ कीजिए:

9. I am quite hopeful that you will take a prompt action and oblige.
10. I feel confident of receiving a favourable and helpful reply.

Dear Sir,

It is with great agony that I wish to bring to your kind notice the callousness shown by your Deptt's personnel. (1) For the last fifteen days my phone is lying dead and in spite of several reminders no action has yet been taken by your men. (3) It is really surprising that such an efficient Deptt. as that of yours is not heeding to our complaints. Please get the needful done without any further loss of time. (6).

Yours faithfully,

19. होटल में आवास-उपलब्धि से संबंधित पत्र

(Letters of Enquiry regarding Hotel Accommodation)

यह पत्र विशुद्ध व्यावसायिक होते हैं क्योंकि आप पत्र-पाठक को व्यक्तिगत रूप से नहीं जानते। इसलिए ये तथ्यपरक और छोटे होने चाहिए लेकिन ठहरने की अवधि, पहुंचने का समय इत्यादि का ब्यौरा बिल्कुल स्पष्ट होना चाहिए। यदि होटल के संबंधित अधिकारी का पद न मालूम हो तो उसी तरह संबोधित किया जाना चाहिए जैसे किसी फर्म को लिखते समय किया जाता है।

पहले अपने कार्यक्रम इत्यादि की पूरी सूचना दीजिये :

1. I shall be coming by the Delhi Express and arrive at your hotel around 5.30 A.M.
2. I want you to book an A.C. room for me from 17th Oct to 20th, both inclusive.
3. Book a single bedded and sea facing room in your hotel betweem 17th Oct. to 20th Oct. from your time of check in and check out.

अब अगर कोई आपकी खास हिदायत हो तो उसका भी निर्देश दीजिये :

4. Please collect all my mail reaching your hotel before my arrival on 17th Oct. morning.
5. Please make sure I get an air conditioned room.
6. Please arrange a taxi to take me out around 10.30 A.M. the same day i.e. 17th October.

अब उस होटल की थोड़ी तारीफ करते हुए पत्र समाप्त कीजिये :

7. I am sure this visit shall also be as comfortable as it was the last time.
8. You are an added attraction for me to visit your city.
9. Looking forward to a comfortable stay in your hotel.

Sample Letter

Maurya Sheraton,
New Delhi.

Dear Sirs,

I want to book an A.C. room for me from 17th to 20th Oct, both inclusive. (2) Please collect all my mail reaching your hotel before my arrival on 17th Oct. morning. (4) Please arrange a taxi to take me out around 10.30 A.M. the same day i.e. 17th October. (6)

Looking forward to a comfortable stay in your hotel. (9)

Yours truly,

20. बैंकों से पत्र-व्यवहार (Letters to Banks)

बैंक आजकल हमारे जीवन का अभिन्न अंग बन चुके हैं। जिन कारणों से बैंकों को पत्र लिखे जाते हैं, उनमें मुख्य हैं — नया खाता खोलने का अनुरोध करना, ओवरड्राफ्ट की सुविधा देने के लिए प्रार्थना करना, किसी चेक के खो जाने की सूचना देना, आदि। ये पत्र त्रुटिहीन, सार्थक व शिष्ट होने चाहिए व इनको लिखते समय जरा भी लापरवाही नहीं बरती जानी चाहिए।

पत्र का प्रारम्भ उस उद्देश्य को स्पष्ट करते हुए करें, जिसके लिए आप को पत्र लिखना पड़ा है:

1. I have recently moved into this town and opened a general store at the address given above. On the recommendation of my friend Vijay I wish to open a current account with your bank.
2. I have been recently posted to (.......) from (.......). I am interested in opening a savings account in your bank.
3. With the approach of Diwali we expect a big increase in the sales of our shop/company. As we have just entered this field the wholesale dealers are unwilling to give us the credit facility. Therefore we have to request for overdraft for Rs.......
4. I wish to inform you that I have been transferred to (.......). This being the case it will not be possible for me to continue my account with your bank in future. Hence I request you to close my account.
5. This is with reference to my personal discussion with you regarding overdraft. I, therefore, now request for allowing me to overdraw on my account (No.......) up to Rs. 3000/- between 1st January, 1987 to 1st July 1987.
6. I am writing to ask you to stop the payment of cheque (No....... amount.......) drawn payable to M/s Karan & Karan, Delhi as this cheque has been lost in the post.

अब यदि रेफरी (Referee) या जमानती (guarantor) की आवश्यकता हो तो उनके विषय में जानकारी प्राप्त कीजिए या उनके विषय में लिखिए:

7. Please send me the necessary form and also let me know if any referee is required for opening a new account.
8. I will provide references should you require them.
9. We have debentures worth Rs....... which we are prepared to deposit as security.
10. As I have no investments to offer as security, I should be grateful if you could make an advance against my personal security.
11. As our past commitments regarding overdrafts have always been honoured hence we find no reason for you to turn down our proposal.

अब आशाजनक उत्तर की उम्मीद प्रकट कीजिए:

12. I shall be grateful for an early reply.
13. Hoping for a favourable reply.
14. We shall highly appreciate a sympathetic response to our above request.
15. We shall be grateful if you could grant the overdraft asked for.
16. We should be highly thankful, if you could accede to our request.

Sample letter

Dear Sir,

I have recently moved into this town and opened a general store at the address given above. On the recommendation of my friend Vijay I wish to open a current account with your bank. (1) Please send me the necessary form and also let me know if any referee is required for opening a new account. (7) I shall be grateful for an early reply. (12)

Yours faithfully,

21. बीमा कंपनी को भेजे जाने वाले पत्र
(Letters to an Insurance Company)

ये पत्र भी व्यावसायिक पत्रों की श्रेणी में आते हैं और इनकी भाषा विशुद्ध रूप से औपचारिक होती है। चूंकि आजकल बीमा कंपनियों की अधिकता के कारण उनकी पारस्परिक प्रतिस्पर्धा बड़े जोर-शोर से चलती है, इसलिए हर कंपनी अपनी प्रदत्त सुविधाओं को थोड़ा बढ़ा-चढ़ाकर विज्ञापित करने को तैयार रहती है और इसलिए ऐसे पत्रों का बड़ा महत्त्व है। इस प्रकार के पत्र लेखन में ब्यौरा हमेशा पूरा देना चाहिए।

प्रारम्भ में बीमा-विषय की स्पष्टता से बात शुरू कीजिए, अर्थात बीमा किसका कराना है इत्यादि :

1. I want to have my life insurance policy for the sum of Rs.....
2. I want to get my car insured by your company for Rs. 1 lakh.
3. I wish to have the house-holder's insurance policy covering both building and contents in the sums of (give the cost of the building) and (the cost of the contents) respectively.

अब उनके द्वारा प्रदत्त सुविधाओं की जानकारी लीजिये :

4. We wish to take out insurance cover against loss of cash on our factory/shop premises by fire, theft or burglary.
5. What rebate or concession you offer on an insurance policy for Rs. 2 lakhs?
6. Is there any loan-facility after a fixed period in the policy you offer?
7. What modes of premium payments you offer?

Claim के विषय में लिखें :

8. I am sorry to report an accident to (mention the property insured). We estimate replacement cost of the damaged property at (give the amount).
9. I regret to report that a fire broke out in our factory stores last night. We estimate the damage to the stores at about (give the amount).
10. We regret to report that our employee (give name of the employee) has sustained serious injuries while doing his work. Doctors estimate that it will take him about a month to be fit to work again.

अब आगे की कार्रवाई के विषय में लिखें:

11. Please arrange for your representative to call at our factory premises and let me know your instructions regarding the claim.
12. Should your representative visit to inspect the damaged property, please let me know the day of his visit.
13. We, therefore, wish to make a claim under the policy (give the name of the policy) and shall be glad if you send us the necessary claim form.

पत्रोत्तर की शीघ्र कामना करते हुए पत्र समाप्त कीजिए :

14. I hope you would care to send to me an early reply.
15. Please answer this letter as soon as possible.
16. An early reply to my query shall be greatly appreciated.
17. Please send me particulars of your terms and conditions for the policy along with a proposal form, if required.
18. Please quote your terms and conditions for providing the required cover.

Sample Letter

Dear Sir,

I want to get my car insured by your company, for Rs. 1 lakh. (2) What modes of premium payments you offer? (7) Please send me particulars of your terms and conditions for the policy along with a proposal form, if required.(17) An early reply to my query shall be greatly appreciated. (16)

Yours faithfully

22. शिकायत-पत्र : व्यापारिक
(Letters of Complaints : Business)

यह पत्र आमतौर पर किसी ऐसी संस्था या कंपनी को प्रेषित किए जाते हैं जिसकी बनाई हुई कोई वस्तु आपने खरीदी है और वह ठीक काम नहीं कर रही। इन पत्रों में खरीद की तारीख, जगह और दुकान इत्यादि का नाम विस्तार से देने के बाद अपनी शिकायत का पूरा उल्लेख किया जाता है। यह पत्र विशुद्ध औपचारिक श्रेणी के होते हैं लेकिन शिकायत का पूरा ब्यौरा देने के कारण लंबे भी हो सकते हैं।

पत्र की शुरुआत पत्र-पाठक द्वारा निर्मित वस्तु की खरीद के ब्यौरे से कीजिये:

1. On....... (date) I bought from....... (place) an instant geyser manufactured by your renowned concern.
2. Your salesmen delivered the (name the product) on....... (date) one instant geyser we had ordered.
3. I was shocked to find the instant geyser purchased....... on (date) at (place) by us did not function well.

अब उस कम्पनी की साख का हवाला देते हुए अपनी शिकायत बताइये :

4. It is a matter of shame for your esteemed organisation to have brought out such products in the market without proper quality control.
5. It is shocking to find the appliance having faulty wiring system.
6. I am sorry to point out the defect in the geyser......(write your complaint)

इस आशा के साथ कि आपकी शिकायत शीघ्र दूर की जायेगी, पत्र समाप्त कीजिये:

7. I am confident that a reputed concern like that of yours can ill afford to lose your reputation and shall get the needful done at the earliest.
8. I hope you would send your salesman/woman to replace the mentioned product of yours.
9. Need I remind you that such product should be lifted/replaced without much fuss.

Sample Letter

(Name of the concern and its
concerned officer)

Dear Sir,

On 10.9.86 I bought from the Diplomatic store an instant geyser manufactured by your reputed concern. (1) It is shocking to find the appliance having faulty wiring system. (5) I am confident that a reputed concern like that of yours can ill afford to lose your reputation and shall get the needful done at the earliest. (7)

Yours faithfully.

23. क्षमा याचना के पत्र (Letters of Apology)

हम सभी अक्सर कोई न कोई गलती करते हैं। सभ्य नागरिक होने का प्रमाण है अपनी गलती स्वीकारना। क्षमा-याचना के पत्र द्वारा ऐसा किया जा सकता है। यद्यपि गलती जान-बूझ कर नहीं की गई, फिर भी यदि किसी दूसरे को कष्ट हुआ है तो स्पष्टीकरण देना आवश्यक हो जाता है। ऐसे पत्र निष्कपट भाव से तुरंत भेजे जाने चाहिए, अन्यथा इन पत्रों को भेजने का मूल उद्देश्य ही विफल हो जाता है।

पहले क्षमा-याचना करने का कारण लिखिये :

1. My son informed me that my cat had eaten away your chickens.
2. My wife told me about our driver's ramming my car into your boundary wall.

फिर क्षमा-याचना कीजिये :

3. I am extremely sorry to know about it and render my sincere apologies.
4. I apologise deeply for the inconvenience caused to you.
5. My sincere apologies.

तदुपरान्त अपनी निष्कपटता प्रकट करें और भूल-सुधार के लिए स्वयं को प्रस्तुत करें:

6. Although it happened inadvertently yet I am prepared to compensate for your loss.
7. I wish I were there to prevent it. Any way you can penalize me as you want.
8. Kindly care to inform me the loss you have incurred owing to (name the culprit)....... this negligence.

पुनः ऐसी गलती न होने का विश्वास दिलायें :

9. I promise that in future I shall be extra-vigilant to see it does not happen again.
10. I have admonished my......and he will be careful in future.
11. I assure you that such things will never happen in future.

अन्त में पुनः क्षमा याचना करते हुए पत्र समाप्त करें :

12. In the end I again ask for your forgiveness.
13. Once again with profound apologies.
14. Repeatedly I express my profuse apologies.

Sample letter

Dear Sir,

My wife told me about our driver's ramming my car into your boundary wall. (2) My sincere apologies. (5) Although it happened inadvertently yet I am prepared to compensate for your loss. (6) I assure you that such things will never happen in future. (11) Once again with profound apologies. (13)

Yours faithfully,

24. कार्यालय संबंधी पत्र (Letters on Official Matters)

अपने दफ्तरों/कार्यालयों में काम करते हुए कई ऐसे अवसर आते हैं, जब हमें अपने कार्यालयों को पत्र लिखने होते हैं। विषय पदोन्नति के लिए प्रार्थना से लेकर व्यक्तिगत असुविधा तक कुछ भी हो सकता है। ऐसे पत्र छोटे, स्पष्ट और किंचित भावपूर्ण भी हो सकते हैं।

पत्र का आरम्भ अपने कार्य निष्पादन एवं अपनी स्थिति से करें:

1. As your honoured self must be aware that I am working in....... Deptt. in the capacity of a Junior clerk.
2. For the last twenty years I am the....... (position) in the factory.
3. I am officiating in the capacity of....... for last two years.

अब पत्र लिखने का कारण बतायें :

4. Now I have been transferred to.........
5. Owing to my domestic problems. I request you to change.........
6. On account of my health problems I would not be able to.........
7. Owing to my...........(reason) I can not function in the same position any more.
8. On health grounds I have been advised to leave this city.
9. My family duties have constrained me to seek my transfer.

तदुपरान्त अपने सुझाव देते हुए मुख्य बात पर आयें :

10. Looking at such a changed situation I won't be able to work in the present position.
11. As such, I request you to change my working/shift hours.
12. In the light of the above I request you to transfer me to....... (section) or place.

अन्त में अपने सुझाव/ परेशानी पर सहानुभूतिपूर्वक विचार करने की प्रार्थना से पत्र समाप्त करें :

13. Hence I request you to expedite/order my desired transfer to.......
14. You are, therefore, requested to release me at the earliest.
15. I pray you to consider my case sympathetically.
16. In view of my loyalty and past performance I am sure you would condescend to grant me the desired wish.
17. I am sure to get a sympathetic response from your side to my genuine problem.
18. With earnest hope I crave your special sympathy in my case.

Sample letter

Sir,

As your honoured self must be aware I am working in Sales Deptt. in the capacity of a Junior Clerk. (1) Owing to my domestic problems I request you to change my place of work. (5) In the light of the above facts I pray you to transfer me to Purchase Deptt. (12) In view of my loyalty and past performance I am sure you would condescend to grant me the desired wish. (16)

Yours faithfully,

25. मकान मालिक का पत्र किराएदार को
(Letters from a Landlord to a Tenant)

आज के शहरी जीवन में किराएदारों व मकान मालिकों के बीच प्राय: ऐसे अवसर आते रहते हैं, जब दोनों के बीच पत्रों का आदान-प्रदान आवश्यक हो जाता है। चूंकि ऐसे पत्रों में विशेष रूप से दोनों ओर से किसी समस्या का उल्लेख होता है, अत: उनकी भाषा संयत होनी चाहिए। इन पत्रों की भाषा ऐसी होनी चाहिए, जिससे ये मुकद्दमेबाजी की स्थिति में दस्तावेज न बन सकें।

पहले आप अपनी किसी शिकायत का संदर्भ अथवा किरायेदार से जो पत्र प्राप्त हुआ है उसका संदर्भ दें :

1. I feel constrained to inform you that due to recent increase in the house-tax, I have been left with no alternative but to increase the house rent by Rs. 50/- per month w.e.f. first of next month.
2. It has come to my notice that your children make so much noise when they play that it causes disturbance to other tenants.
3. I am in receipt of your letter regarding the leaking of the roof of your house.
4. I have noted your complaint about the rent payment receipts.

अब शिकायत के निवारण के लिए लिखिए अथवा किरायेदार के पत्र का उत्तर दीजिए :

5. I hope you will not mind this increase in rent as I have retired from service recently and my only source of income is the house rent received from you.
6. I am sure you will give the necessary instructions to your children in this connection.
7. I like to assure you that we are arranging for the necessary repairs at the earliest.
8. The receipts in question will be issued on coming Monday.

पत्र की समाप्ति किरायेदार से सहयोग की आशा प्रगट करते हुए कीजिए :

9. I hope you won't find this increase burdensome.
10. I hope you will be able to understand and appreciate my point of view.
11. I expect you to bear with me for a few days only.
12 I am sure you will extend your co-operation as always.

Dear Sir,

I am in receipt of your letter regarding the leaking of the roof of your house. (3) I like to assure you that we are arranging for the necessary repairs at the earliest. (7) I expect you to bear with me for a few days only. (11)

Yours sincerely,

26. किराएदार की ओर से मकान मालिक को पत्र
(Letters from the Tenant to the Landlord)

पत्र का प्रारम्भ अपनी शिकायत अथवा मकानमालिक की ओर से यदि कोई पत्र मिला है तो उसके संदर्भ से कीजिए:

1. I have to inform you that the roof of the house we are occupying leaks during rains causing great inconvenience to our family.
2. I am sorry to point out that despite several reminders you haven't issued the rent payment receipts for the last three months.
3. Please refer to your letter regarding increase in the rent of the house we are occupying.
4. We have noted your complaint regarding our carelessness in switching off the light at the main gate.

अब अपनी शिकायत के निवारण के लिए या मकान मालिक के पत्र के जवाब में लिखिए :

5. Hence you are requested to get the necessary repairs done at the earliest.
6. I, therefore, request you to issue the above mentioned receipts without any further delay.
7. I regret to write that whatever cogent reason you may have for increasing the house rent but my financial means don't permit me to pay a higher rent.
8. Rest assured that we will be careful in future regarding switching off the light at the main gate.

अन्त में मकान मालिक से मधुर संबंध बनाए रखने पर जोर दें :

9. I hope you will understand our problem and cooperate.
10. Hoping for a favourable reply.
11. I am sure you will appreciate my financial problem and withdraw your rent increase proposal.
12. We are sure that this assurance is enough to set to rest all your doubts in this regard.

Sample Letter

Dear Sir,

I am sorry to point out that despite several reminders you haven't issued the rent payment receipts for the last three months. (2) I, therefore, request you to issue the above mentioned receipts without any further delay. (6) Hoping for a favourable reply. (10).

Yours sincerely,

रैपिडैक्स एजूकेशनल कैसेट स्क्रिप्ट

कुछ महत्वपूर्ण निर्देश

यह कोर्स आम कैसेट नहीं है, बल्कि हमारे लंबे अनुभव और लाखों लोगों के बीच की गयी वस्तुनिष्ठ खोज का नतीजा है; इसलिए, इस कैसेट से सही मायने में लाभ के लिए, नीचे दिये गये निर्देशों को जरूर पढ़ लें।

- यह कैसेट इस पुस्तक का ही एक हिस्सा है, सिर्फ कैसेट सुनकर अंग्रेज़ी सीखने की बात को अपने मन से निकाल दें।
- कैसेट का प्रयोग पुस्तक को, कम-से-कम कन्वर्सेशन तक, पढ़ कर ही करें। इससे आगे का भाग - परिशिष्ट आपकी अतिरिक्त व विशेष जानकारी के लिए है।
- कैसेट के शुरू के ABC आदि शब्दों के उच्चारण को हमने जानबूझ कर रखा है (हम जानते हैं कि पुस्तक को पढ़कर आपको अच्छी-खासी अंग्रेज़ी आ गयी होगी), इसके अभ्यास से अंग्रेज़ी शब्दों का उच्चारण आप बिलकुल सही करने लगेंगे।
- कैसेट के बीच-बीच में इसे रिवाइंड करके अभ्यास करने के निर्देश दिये गये हैं। उनका पालन करने में आप पूरी तरह से स्वतंत्र हैं। अपनी सुविधा के अनुसार आप जहां से भी चाहें कैसेट को रिवाइंड करें, और उसके साथ अभ्यास करें। जो निर्देश कैसेट में नहीं हैं, उन्हें यहां, स्क्रिप्ट में, बॉक्स में दिया गया है।
- कन्वर्सेशन (बातचीत) का अभ्यास करते समय हो सकता है आपसे कुछ शब्द या वाक्य छूट जाएं और आपको लगे कि वाक्य जल्दी-जल्दी बोले जा रहे हैं, जबकि असल में ऐसी बात नहीं है। बातचीत में ऐसी गति का होना स्वाभाविक है और हम यह चाहते हैं कि आपकी बातचीत में भी ऐसी ही गति हो, इसलिए जो शब्द या वाक्य आपसे छूट जाएं, उनकी परवाह किये बिना अगले वाक्यों-शब्दों को पकड़ कर उनके साथ-साथ बोलने का अभ्यास करें। कुछ समय के अभ्यास के बाद होने वाले परिवर्तन को आप स्वयं महसूस करेंगे — आपकी गति भी वैसी ही स्वाभाविक हो जाएगी, जैसी की कैसेट की है।
- बोलचाल में सबसे ज्यादा 'लोग क्या कहेंगे?' यह सोच रुकावट बनती है। इससे उबरने के लिए पहले पढ़-पढ़कर वाक्यों का अभ्यास करें, फिर कैसेट के साथ बोल-बोल कर। इसी ही तरह से यदि इस अभ्यास को शीशे के सामने होकर करें, आप अपने ही चेहरे पर पाएंगे अपनी बात को बेहिचक कह पाने का आत्मविश्वास। तब न तो आप हिचकेंगे, न ही अटकेंगे।
- और अंत में, इस बात को अपने मन में बैठा लीजिए। अंग्रेज़ी बोलना आप दो-चार दिनों में नहीं सीख जाएंगे, उसके लिए आपको करना होगा पूरे मन से बार-बार अभ्यास।

The Tape Script

Introduction

दोस्तो, रैपिडेक्स इंगलिश स्पीकिंग कोर्स के साथ यह कैसेट और इसकी बुक आपको हमारी ओर से एक विशेष भेंट है। यह कैसेट आपको जहां अंग्रेजी शब्दों और वाक्यों का सही प्रोनन्सिएशन सिखायेगी वहीं आपस में अंग्रेजी बोलने का आपको एक माहौल भी देगी। इस प्रकार आप पढ़ने के साथ ही सुनकर और उस सुने हुए के साथ-साथ दोहरा कर अंग्रेजी बोलचाल के लिए पूरी तरह से अपने-आपको तैयार कर लेंगे।

इसमें आप पहले सीखेंगे अंग्रेजी वर्णमाला के उच्चारण, सप्ताह के दिनों व बारह महीनों के नाम, एक से सौ तक की गिनती और फिर कुछ ऐसे वाक्य, जिनका प्रयोग हम अपनी रोजमर्रा की जिंदगी में अक्सर किया करते हैं।

कैसेट की इस ओर अलग-अलग अवसरों व स्थितियों में की जाने वाली बातचीत के वाक्य भी दिये गये हैं, जिनसे आपको उन विशेष परिस्थितियों में अपनी बात को कहने व दूसरे की बात को समझने में किसी तरह की कोई परेशानी नहीं होगी।

तो आइए, अपने अभ्यास का शुभारंभ करें।

Unit-1: Exercise-1

आइये, सबसे पहले हम अंग्रेज़ी के 26 वर्णों का उच्चारण सीखें। उच्चारण ध्यान से सुनिए और प्रत्येक वर्ण को सही ढंग से दोहराइये व कहना सीखिए।

वर्णमाला

A ए	B बी	C सी	D डी	E ई	F ऐफ़	G जी
H एच	I आइ	J जे	K के	L ऐल	M ऐम	N ऐन
O ओ	P पी	Q क्यू	R आर	S ऐस	T टी	U यू
V वी	W डब्ल्यू	X ऐक्स	Y वाइ	Z ज़ैड		

उच्चारण का अभ्यास करने के लिए कैसेट को rewind करके सभी वर्णों को दोहराइए और सही ढंग से बोलना सीखिए।

सप्ताह के सातों दिनों के नाम

सोमवार — Monday — मंडे

मंगलवार — Tuesday — ट्यूसडे

बुधवार — Wednesday — वेंज़डे

बृहस्पतिवार — Thursday — थर्सडे

शुक्रवार — Friday — फ्राइडे

शनिवार — Saturday — सैटर्डे

रविवार — Sunday — संडे

वर्ष के बारह महीनों के नाम: आइये, अब वर्ष के बारह महीनों के नामों का सही अंग्रेज़ी उच्चारण सीखें। ध्यान से सुनिए और साथ-साथ बोलिए —

जनवरी	January	जैनुअरी	मई	May	मे	सितम्बर	September	सेप्टेम्बर
फरवरी	February	फैब्रुअरी	जून	June	जून	अक्टूबर	October	ऑक्टोबर
मार्च	March	मार्च	जुलाई	July	जुलाइ	नवम्बर	November	नवेम्बर
अप्रैल	April	एप्रिल	अगस्त	August	औगस्ट	दिसम्बर	December	डिसेम्बर

कैसेट को फिर से Rewind कीजिए तथा सभी नामों को ध्यान से सुनकर दोहराइए और अच्छी तरह आज के पाठ का अभ्यास कीजिए।

Unit-1: Exercise-2

आइये, इस पाठ में अंग्रेज़ी में गिनती का उच्चारण सीखें। साथ-साथ बोलिए —

1	2	3	4	5	6	7	8	9	10
वन	टू	थ्री	फ़ोर	फ़ाइव	सिक्स	सेवन	एट	नाइन	टेन
11	12	13	14	15	16	17	18	19	20
इलेवन	ट्वेल्व	थर्टीन	फ़ोर्टीन	फ़िफ़्टीन	सिक्सटीन	सेवंटीन	एटीन	नाइंटीन	ट्वेंटी
21	29	30	31	40	50	60	70	80	90
ट्वेंटी वन	ट्वेंटी नाइन	थर्टी	थर्टी वन	फ़ोर्टी	फ़िफ़्टी	सिक्स्टी	सेवंटी	ऐटी	नाइंटी
100									
हंड्रेड									

अब कैसेट को rewind करके सभी नंबर्ज़ को फिर से बोल कर अभ्यास कीजिए।

जिन अंकों का उच्चारण कैसेट में नहीं किया गया है, उनका अभ्यास आप अलग से स्वयं कर सकते हैं।

Unit-2: Exercise-1

अभिवादन

आइये, अंग्रेज़ी में अभिवादन करना सीखें। अंग्रेज़ी में औपचारिक अभिवादन दिन के समय के साथ-साथ बदलता है। दिन में अलग-अलग लोगों से मिलने पर, अलग-अलग समय पर कैसे अभिवादन करना चाहिए? आइये सीखें। ध्यान से सुनिए —

औपचारिक यानी फॉर्मल (formal) अभिवादन!

सुबह से दोपहर बारह बजे तक मिलने पर

Good morning Grandpa! गुड मॉर्निंग ग्रैंडपा!

Good morning Rohit! गुड मॉर्निंग रोहित!

Good morning Madam! गुड मॉर्निंग मैडम!

Good morning children! गुड मॉर्निंग चिल्ड्रन!

दोपहर 12 बजे से शाम 5 बजे तक मिलने पर

Good afternoon Sir! गुड ऑफ़्टर नून सर!

Good afternoon Dheeraj! गुड ऑफ़्टर नून धीरज!

Good afternoon Simi! गुड ऑफ़्टर नून सिमी!

शाम 5 बजे के बाद मिलने पर

Good evening Mrs. Sharma!	गुड ईवनिंग मिसिज़ शर्मा!
Good evening Uncle!	गुड ईवनिंग अंकल!
Good evening Saurabh!	गुड ईवनिंग सौरभ!

अनौपचारिक यानी इनफॉर्मल (informal) अभिवादन

इसका उपयोग, किसी समय भी अपने बराबर के लोगों, नज़दीकी रिश्तेदारों व मित्रों के साथ किया जाता है। आजकल यह अभिवादन आम प्रचलन में आ गया है।

Hello Sumit!	हलो सुमित!
Hello Mrs. Batra!	हलो मिसिज़ बतरा!
Hi Kitty!	हाइ किटी!

इन सभी अभिवादन शब्दों का उच्चारण सही ढंग से सीखने के लिए टेप को बार-बार चला कर अभ्यास कीजिए।

> यह याद रखना आवश्यक है कि औपचारिक (Formal) तथा अनौपचारिक (Informal) अभिवादनों का कब और कहां प्रयोग किया जाए।

विदा लेते समय

आमतौर पर किसी से विदा लेते समय आपको कहना चाहिए —

Goodbye Seema! गुड बाइ सीमा!
या फिर
Bye Deepak! बाइ दीपक!

लेकिन यदि आप शाम को या रात्रि में किसी से विदा ले रहे हैं, जिसके बाद आपको उस व्यक्ति से दोबारा मिलने की संभावना नहीं है, तो कहिए —

Good night Sir!	गुड नाइट सर!
Good night Sunil!	गुड नाइट सुनील!

> अब ऐक बार फिर से टेप चलाकर सुनिए और वाक्यांशों का अभ्यास कीजिए।

Unit-3: Exercise-1

कुछ उपयोगी वाक्य

निर्देशों के साथ वाक्यों को ध्यान से सुनिए! अलग-अलग अवसरों के अनुसार उपयुक्त वाक्यों को सीख कर उनका प्रयोग कीजिए। वाक्यों को ध्यान से सुनकर, उच्चारण व कहने के ढंग को याद रखते हुए दोहराइये। कैसेट को कम से कम एक बार दोबारा rewind करके शुरू से सुनिए।

1. किसी से मिलने पर उसका हालचाल
   इस तरह पूछें — Hello, how are you? हलो, हाउ आर यू?
   और जब आपसे कोई ऐसे पूछे, तो जवाब दें— Fine, thank you, and you? फ़ाइन, थैंक्यू ऐंड यू?
2. बहुत दिनों बाद किसी दोस्त से मिलने पर — Hello Deepak, long time no see! हलो दीपक, लौंग टाइम नो सी!

3. मेहमान का स्वागत करते हुए उसे अपने कमरे में इस तरह बुलाएं — Welcome, please come in. वेलकम, प्लीज़ कम इन.

4. कुर्सी की तरफ इशारा करते हुए उसे बैठने के लिए इस प्रकार कहें — Please have a seat. प्लीज़ हैव अ सीट.

5. किसी को विदा करते समय आप कह सकते हैं — Please keep in touch. प्लीज़ कीप इन टच.

6. विशेष स्थिति में धन्यवाद देने के लिए कहिए — Thank you! That's very kind of you. थैंक्यू! दैट्स वेरी काइंड ऑफ़ यू.

7. और धन्यवाद के उत्तर में हमेशा कहिए — You are welcome. यू आर वेल्कम.

8. अनुमति इस तरह मांगिए —
   यदि आप सिगरेट पीना चाहते हैं, तो पूछिए — May I smoke here? मे आइ स्मोक हिअर?
   किसी के टेलीफोन से फोन करना चाहते हैं तो — May I use your phone please? मे आइ यूज़ योर फ़ोन प्लीज़?
   यदि आप किसी के कमरे में जाना चाहते हैं तो पूछिए — May I come in please? मे आइ कम इन प्लीज़?
   और यदि आप बाहर जाना चाहते हैं तो— May I go now? मे आइ गो नाउ? इस प्रकार जाने की अनुमति लीजिए।

9. यदि ऊपर दिए गए सवाल आपसे पूछे तो आप अनुमति देने की स्थिति में कह सकते हैं — Yes, of course. येस ऑफ़ कोर्स.
   या फिर — Yes please. येस प्लीज़.
   और यदि अनुमति न देना चाहें तो — Sorry you can't. सॉरी यू कान्ट.

सभी वाक्यों को ध्यान से सुनिए। टेप Rewind को करके उच्चारण को दोहराने और वाक्यों को सही लहज़े में बोलने का अभ्यास कीजिए। उचित अवसर पर उचित वाक्य का उपयोग कीजिए। इसके बाद अगले पाठ में दिये गये वाक्यों को फिर से, ध्यान से, सुनिए।

Unit-3: Exercise-2

आमतौर पर किसी बात पर खेद व्यक्त करने के लिए आप कहिए — Oh, I am really sorry! ओ, आइ ऐम रिअली सॉरी!

लेकिन यदि किसी की बीमारी पर खेद प्रकट करना हो तो आप कहेंगे — I'm really sorry to hear about your father's illness. आइम रिअली सॉरी टु हिअर अबाउट योर फ़ादर्ज़ इलनेस

अगर आप समय देकर लेट पहुंचते हैं तो इस तरह से खेद प्रकट कीजिए — I'm sorry for being late. आइम सॉरी फॉर बींग लेट.
या फिर— I am sorry to have kept you waiting. आइम सॉरी टु हैव केप्ट यू वेटिंग.

और जब आपसे कोई ऐसा कहे, तो आप कह सकते हैं — That's all right. दैट्स ऑल राइट.

किसी व्यक्ति से पेन इस प्रकार मांगिए — May I borrow your pen please? मे आइ बॉरो योर पेन प्लीज़?

और यदि आपसे कोई पैन मांगे तो कहिए — Thankyou! You are welcome. थैंक्यू! यू आर वेल्कम.

यदि आप प्यासे हैं तो पानी इस तरह मांगिए — Get me a glass of water please? गेट मी अ ग्लास ऑफ़ वॉटर प्लीज़?

कैसे पूछें?

समय-समय पर आपको जाने-अनजाने लोगों से बहुत-कुछ पूछना पड़ता है और पूछे जाने पर उसका जवाब भी देना होता है। ये वाक्य उसी के उदाहरण हैं:

डाकिए से, अपने परिवार वालों या फिर अपने साथियों से आप अपने आने वाले पत्र के बारे में इस तरह पूछिए —	Is there any letter for me? इज़ देअर ऐनी लेटर फ़ॉर मी?
जिसे आपने पोस्ट करने के लिए पत्र दिया है, उसने उसे पोस्ट किया है या नहीं, इस बारे में जानने के लिए आप उससे पूछिए —	Did you post my letter Ravi? डिड यू पोस्ट माइ लेटर रवि?
किसी वस्तु, जैसे कि पुस्तक के न मिलने पर आप पूछेंगे —	Did you see my book any where? डिड यू सी माइ बुक ऐनी वेअर?
यदि वह उसके पास होगी तो वह जवाब देगा —	Yes, here it is. येस, हिअर इट इज़.
लेकिन यदि वह उसके पास नहीं होगी तो उसका जवाब होगा —	No, I didn't. नो,आइ डिडन्ट.
किसी को काफ़ी समय से न देखने पर जब आप अपने साथी से पूछेंगे —	Have you seen Neena today? हैव यू सीन नीना टुडे?
तो उसका जवाब हो सकता है —	Yes, she is in the library. येस, शी इज़ इन द लायब्रेरी.
या फिर —	No, I didn't see her. नो, आइ डिडन्ट सी हर.
अनजान व्यक्ति के बारे में जानने के लिए जब आप यह सवाल पूछेंगे —	Uncle, who is he? अंकल, हू इज़ ही?
तो हो सकता है, उनका जवाब हो —	He is our new tenant. ही इज़ ऑवर न्यू टेनेन्ट. या फिर कुछ और।
आपने दुकानदार से किसी वस्तु की ओर इशारा करके पूछा —	What is this? वॉट इज़ दिस?
उसका जवाब हो सकता है —	This is a video game. दिस इज़ अ वीडियो गेम.
किसी की उम्र जानने के लिए आपको उससे इस तरह पूछना होगा —	How old are you? हाउ ओल्ड आर यू?
और यदि आपसे कोई यह सवाल करे तो आप उसका उत्तर देंगे— (या आपकी जितनी उम्र है)	I am fifty five. आइ ऐम फ़िफ़्टी फ़ाइव.
स्थान की दूरी के बारे में पूछिए —	How far is it? हाउ फ़ार इज़ इट?
कोई जब आपसे पूछे तो जवाब दीजिए— (या फिर जितनी दूरी हो।)	About five kilometres. अबाउट फ़ाइव किलोमीटर्ज़.
समय जानने के लिए आपको पूछना होगा—	What is the time please? वॉट इज़ द टाइम प्लीज़?
और ऐसा पूछे जाने पर— (या जो भी समय हो।)	Four thirty. फ़ोर थर्टी.
लेट होने का कारण आप इस तरह पूछेंगे —	Why are you late? वाइ आर यू लेट?
और यही सवाल जब आपसे पूछा जाए तो आप कह सकते हैं —	I missed my bus. आइ मिस्ड माई बस.

ऊपर दिये गये वाक्यों का अभ्यास करने के लिए एक बार फिर से टेप चलाकर सुनिए।

Unit-3: Exercise-3

किसी को अपनी बात सुनाने के लिए कहिए — Listen please लिसन प्लीज़.

और पास बुलाने के लिए — Please come here. प्लीज़ कम हिअर.

काम को जल्दी निपटाने के लिए आपको कहना होगा— Hurry up please. हरी अप प्लीज़.

यदि आप किसी से मदद मांग रहे हैं तो कहिए — Please help me. प्लीज़ हेल्प मी.

या फिर— Please do me a favour. प्लीज़ डू मी अ फ़ेवर.

किसी तरह की गलती हो जाने पर सामने वाले से कहिए — Please forgive me. प्लीज़ फॉरगिव मी.

किसी की बात समझ न आने पर आपको उससे कहना होगा — Beg your pardon. बेग योर पार्डन.

अपने मित्र की बीमार मां का हालचाल आप इस तरह पूछेंगे — How is your mother now? हाउ इज़ योर मदर नाउ?

और उसका उत्तर होगा — She is better, thank you. शी इज़ बेटर, थैंक्यू.

लेकिन यदि तबीयत अभी भी खराब है तो — She is still not well. शी इज़ स्टिल नॉट वेल.

किसी दोस्त या छोटे को शाबाशी देते हुए कहिए — Well done! वेल डन!

हैरानगी

किसी अनहोनी घटना को देख या सुनकर हैरानगी प्रकट करते हुए आप कह सकते हैं —

अरे बाप रे! Oh my God! ओ माइ गॉड!

कितने दुख की बात है। How sad! हाउ सैड!

How terrible! हाउ टेरिबल!

कितनी शर्म की बात है? What a shame! वॉट अ शेम!

सुन कर दुख हुआ! I'm sorry to hear that! आइ ऐम सॉरी टु हिअर दैट.

कैसेट को Rewind करके सभी वाक्यों को सुनिए व उनका अभ्यास कीजिए।

Unit-3: Exercise-4

अलग-अलग अवसरों पर शुभकामनाएं कुछ इस प्रकार दीजिए:

भाग्य आपका साथ दे! Wish you best of luck. विश यू बेस्ट ऑफ़ लक!

यात्रा शुभ हो! Wish you happy journey! विश यू हैपी जरनी!

नव वर्ष शुभ हो! Wish you a happy new year! विश यू अ हैपी न्यू ईयर!

शुभ दीपावली! Happy Diwali! हैपी दिवाली!

जन्म दिन शुभ हो! Happy birthday! हैपी बर्थ डे!

शादी की वर्षगांठ शुभ हो! Happy wedding anniversary! हैपी वेडिंग ऐनिवर्सरी!

सफलता या किसी भी अवसर पर बधाई— Congratulations. कौंग्रेच्युलेशन्ज़.

कृपया याद रखिए: नववर्ष या त्योहारों की बधाई के उत्तर में कहिए — Thank you, Same to you. थैंक्यू, सेम टु यू.

पर बाकी सभी शुभकामनाओं के उत्तर में केवल कहिए — Thank you. थैंक्यू.

आम शारीरिक तकलीफ़ों को कुछ इस प्रकार प्रकट करिए:

सिर दर्द होने पर —	I have a headache. आइ हैव अ हेडेक.
पेट दर्द हो रहा हो तो —	I have a stomachache. आइ हैव अ स्टमकेक.
थकान की हालत में —	I am very tired. आइ ऐम वेरी टायर्ड.
अस्वस्थ लगने पर —	I am not feeling well. आइ ऐम नॉट फ़ीलिंग वेल.
थोड़ा ठीक होने पर —	I am feeling better. आइ ऐम फ़ीलिंग बेटर.
और पूरी तरह से स्वस्थ होने पर —	I am perfectly all right. आइ ऐम पर्फ़ेक्टली ऑल राइट.
किसी का ध्यान आकर्षित करने के लिए, छींक आने पर या लोगों के बीच से उठ कर जाने से पहले कहना न भूलें—	Excuse me. एक्सक्यूज़ मी.
रेस्टोरेंट, होटल या पार्टी में वेटर को टिप देते समय कहें —	Keep the change. कीप द चेन्ज़.
किसी को चुप इस प्रकार करायें —	Please keep quiet. प्लीज़ कीप क्वायट.

कैसेट को Rewind करके ध्यान से सुनिए व वाक्यों का अभ्यास कीजिए।

आइए, अब सुनिए कि विभिन्न अवसरों पर बातचीत किस प्रकार की जाती है।

Unit-4: Exercise-1

Introducing Self and Others इन्ट्रोड्यूसिंग सेल्फ ऐंड अदर्ज़ परिचय : अपना व दूसरों का

Raghav : Excuse me, may I sit here please?	एक्सक्यूज मी, मे आइ सिट हिअर प्लीज़.
Sudhir : Yes please.	येस प्लीज़.
Raghav : Thank you. I am Raghav Rai.	थैंक्यू. आइ ऐम राघव राय.
Sudhir : I am Sudhir Sen.	आइ ऐम सुधीर सेन.
Raghav : What do you do Mr. Sen?	वॉट डू यू डू मिस्टर सेन?
Sudhir : I am a sales representative in Mega Electricals. What about you?	आइ ऐम अ सेल्ज़ रिप्रेजेन्टेटिव इन मेगा इलेक्ट्रिकल्ज़. वॉट अबाउट यू?
Raghav : I am an accountant in the Bank of India.	आइ ऐम ऐन अकाउंटेंट इन द बैंक ऑफ़ इंडिया.
Sudhir : Where are you from?	वेअर आर यू फ्रॉम?
Raghav : I am from Mumbai. But now I am settled in Delhi. And you?	आइ ऐम फ्रॉम मुंबई. बट नाउ आइ ऐम सैटल्ड इन डेलही. ऐंड यू?
Sudhir : I am from Delhi itself.	आइ ऐम फ्रॉम डेलही इटसेल्फ़.
Raghav : O I see! My stop. O.K. Bye Sudhir.	ओ आइ सी! माइ स्टॉप. ओ.के. बाइ सुधीर.
Sudhir : Bye.	बाइ.

(when they meet again. वेन दे मीट अगेन.)

Sudhir : Hello Raghav. Nice to see you again. How are you?	हलो राघव. नाइस टु सी यू अगेन. हाउ आर यू?
Raghav : Hello Sudhir, I'm fine, thank you, and you?	हलो सुधीर, आइम फ़ाइन, थैंक्यू, ऐंड यू?
Sudhir : Fine. Here, meet my wife Meeta, my son Mohit and my daughter Neha.	फाइन. हिअर, मीट माइ वाइफ़ मीता, माइ सन मोहित ऐंड माइ डॉटर नेहा.
Raghav : Hello Mrs. Sen! Hello Children! My wife Shefali and my daughter Saumya.	हलो मिसिज़ सेन! हलो चिल्ड्रन! माइ वाइफ़ शेफाली ऐंड माइ डॉटर सौम्या.
Sudhir : Hello.	हलो.
Meeta : *(to Shefali)* Hello Shefali!	*(शेफ़ाली से)* हलो शेफ़ाली!
Shefali : Hello Meeta.	हलो मीता.
Meeta : Do you work Shefali?	डू यू वर्क शेफाली?
Shefali : No, I am a housewife. What about you?	नो, आइ ऐम अ हाउस वाइफ़. वॉट अबाउट यू?
Meeta : I teach in a school.	आइ टीच इन अ स्कूल.
Shefali : Which School?	विच स्कूल?
Meeta : Nehru Public School.	नेहरू पब्लिक स्कूल.
Shefali : O, I see. Where do you live Meeta?	ओ, आइ सी. वेअर डू यू लिव मीता?
Meeta : In Model Town, and you?	इन मॉडल टाउन, ऐंड यू?
Shefali : We are in Shalimar Bagh. Please drop in sometime	वी आर इन शालीमार बाग. प्लीज़ ड्रॉप इन सम टाइम.
Meeta : Sure, you too.	श्योर, यू टू.

Unit-4: Exercise-2

Asking the Way आस्किंग द वे रास्ते की पूछताछ

Rohit : Excuse me. Could you tell me the way to the Express Building please?	एक्सक्यूज़ मी. कुड यू टेल मी द वे टु द एक्सप्रेस बिल्डिंग प्लीज़?
The man : Yes, go straight, take the first left turn, and keep walking. You will reach Bahadurshah Zafar Road. The Express Building is on that Road.	येस, गो स्ट्रेट, टेक द फ़र्स्ट लेफ़्ट टर्न, ऐंड कीप वॉकिंग. यू विल रीच बहादुरशाह ज़फ़र रोड. द एक्सप्रेस बिल्डिंग इज़ ऑन दैट रोड.
Rohit : Thank you.	थैंक्यू.
Rohit : *(to a lady)* Excuse me Madam. From where can I get a bus to Connaught Place?	एक्सक्यूज़ मी मैडम. फ्रॉम वेअर कैन आइ गेट अ बस टु कनॉट प्लेस?
Lady : From that bus stop near the bridge.	फ्रॉम दैट बस स्टॉप निअर द ब्रिज.
Rohit : Thank you.	थैंक्यू.
Rohit : Is it going to Jantar Mantar?	इज़ इट गोइंग टु जंतर मंतर?
Conductor : Yes. Get in fast.	येस. गेट इन फास्ट.
Rohit : *(to a passenger)* Would you please tell me when we reach Jantar Mantar?	वुड यू प्लीज़ टेल मी वेन वी रीच जंतर मंतर?
Passenger : Yes, I will.	येस, आइ विल.
Rohit : Can I get a bus to Shalimar Bagh from there?	कैन आइ गेट अ बस टु शालीमार बाग फ्रॉम देअर?
Passenger : Yes, easily.	येस, ईज़िली.
Rohit : O, thank you.	ओ, थैंक्यू.

Unit-4: Exercise-3

A Boy Talks to a Girl अ बॉय टॉक्स टु अ गर्ल एक लड़के की लड़की से बातचीत

Sumit : Hi Reena!	हाइ रीना!
Reena : Hi! How are you?	हाइ! हाउ आर यू?
Sumit : Fine and you?	फ़ाइन ऐंड यू?
Reena : Fine, thanks.	फ़ाइन, थैंक्स.
Sumit : Where are you going?	वेअर आर यू गोइंग?
Reena : Actually I am free in this period. I was just wondering what to do.	ऐक्चुअली आइ ऐम फ्री इन दिस पीरिअड. आइ वॉज़ जस्ट वंडरिंग वॉट टु डू.
Sumit : I was going to the canteen. Care to join!	आइ वॉज़ गोइंग टु द कैंटीन. केअर टु जॉइन?
Reena : O.K	ओके.
Sumit : What do you like, coke or something else?	वॉट डु यू लाइक, कोक ऑर समथिंग एल्स?
Reena : Coke is fine.	कोक इज़ फ़ाइन.
Sumit : Here you are.	हिअर यू आर.
Reena : Thanks.	थैंक्स.
Sumit : Where do you live Reena?	वेअर डू यू लिव रीना?

Reena : In Model Town, and you?	इन मॉडल टाउन, ऐंड यू?
Sumit : In Janakpuri. Are you mostly free in the fifth period?	इन जनकपुरी. आर यू मोस्टली फ्री इन द फ़िफ़्थ पीरिअड?
Reena : Yes mostly, except on Fridays when we have tutorials. I have to go now. Thanks for the coke Sumit.	येस मोस्टली, एक्सेप्ट ऑन फ्राइडेज़ वेन वी हैव ट्यूटोरियल्ज़. आइ हैव टु गो नाउ. थैंक्स फॉर द कोक सुमित.
Sumit : Bye, see you.	बाइ सी यू.

(When they meet again. वेन दे मीट अगेन.)

Sumit : Hi Reena, coming from the library?	हाइ रीना, कमिंग फ्रॉम द लायब्रेरी?
Reena : Yes. How are you?	येस. हाउ आर यू?
Sumit : Fine. Reena, what are you doing this Sunday?	फ़ाइन. रीना, वॉट आर यू डूइंग दिस संडे?
Reena : Nothing special, Why?	नथिंग स्पेशल, वाइ?
Sumit : We friends are planning to see a movie this Sunday. Want to join us?	वी फ्रेंड्ज़ आर प्लैनिंग टु सी अ मूवी दिस संडे. वॉन्ट टु जॉइन अस?
Reena : Which movie?	विच मूवी?
Sumit : We haven't decided yet. May be the new English movie on Chanakya.	वी हैवन्ट डिसाइडिड येट. मे बी द न्यू इंग्लिश मूवी ऑन चाणक्या.
Reena : How many persons are going there?	हाउ मेनी पर्सन्ज़ आर गोइंग देअर?
Sumit : Five, two boys and three girls. Mona is also coming.	फ़ाइव, टू बॉयज़ ऐंड थ्री गर्ल्ज़. मोना इज़ ऑलसो कमिंग.
Reena : O. K., Can I bring a friend along?	ओ.के., कैन आइ ब्रिंग अ फ्रेंड अलौंग?
Sumit : Yes of course.	येस ऑफ़कोर्स.
Reena : How much for the ticket?	हाउ मच फ़ॉर द टिकिट?
Sumit : I'll take the money after we buy the tickets.	आइल टेक द मनी आफ़्टर वी बाइ द टिकिट्स.
Reena : Fine, see you soon. Bye Sumit.	फ़ाइन, सी, यू सून. बाइ सुमित.
Sumit : Bye, Reena.	बाइ, रीना.

Unit-4: Exercise-4

Complaining about a faulty equipment कम्प्लेनिंग अबाउट अ फ़ॉल्टी इक्वीपमेंट मशीन में नुक्स की शिकायत

Salesman : Good morning madam. Can I help you?	गुड मॉर्निंग मैडम. कैन आइ हेल्प यू?
Customer : Yes, I have a complaint.	येस, आइ हैव अ कम्प्लेंट.
Salesman : Yes please.	येस प्लीज़.
Customer : I bought this mixer grinder last week from your shop. It doesn't work properly.	आइ बॉट दिस मिक्सर ग्राइंडर लास्ट वीक फ्रॉम योर शॉप. इट डज़न्ट वर्क प्रॉपर्ली.
Salesman : Let me see. What is the problem madam?	लेट मी सी. वॉट इज़ द प्रॉब्लम मैडम?
Customer : The grinder makes too much noise and doesn't grind anything fine. And the blender doesn't mix anything properly.	द ग्राइंडर मेक्स टू मच नॉइज़ ऐंड डज़न्ट ग्राइन्ड ऐनीथिंग फ़ाइन. ऐंड द ब्लेंडर डज़न्ट मिक्स ऐनीथिंग प्रॉपर्ली.
Salesman : I see. Does it have a guarantee?	आइ सी. डज़ इट हैव अ गारंटी?

Customer : Yes, one year.	येस, वन ईयर.
Salesman : Do you have the receipt please?	डू यू हैव द रिसीट प्लीज?
Customer : Yes, here it is.	येस, हिअर इट इज़.
Salesman : Alright madam. Leave the machine with us. I will send it to the company's workshop for repair.	ऑलराइट मैडम. लीव द मशीन विद अस. आइ विल सेंड इट टु द कम्पनीज़ वर्कशॉप फ़ॉर रिपेअर.
Customer : Can't you change the piece or refund the money?	कान्ट यू चेन्ज द पीस ऑर रिफ़ंड द मनी?
Salesman : We will change the piece if the fault can't be repaired. But we can't refund the money.	वी विल चेन्ज़ द पीस इफ़ द फ़ॉल्ट कान्ट बी रिपेअर्ड. बट वी कान्ट रिफ़न्ड द मनी.
Customer : When should I come back?	वेन शुड आइ कम बैक?
Salesman : Next week Wednesday.	नेक्स्ट वीक वेंज़डे.
Customer : Alright. Thank you.	ऑलराइट. थैंक्यू.

Unit-4: Exercise-5

An Interview for a Job ऐन इंटरव्यू फ़ॉर अ जॉब	**नौकरी के लिए इंटरव्यू**
Candidate : May I come in sir?	मे आइ कम इन सर?
Interviewer : Yes please.	येस प्लीज़.
Candidate : Good morning sir.	गुड मॉर्निंग सर.
Interviewer : Good morning! Please sitdown.	गुड मॉर्निंग! प्लीज़ सिटडाउन.
Candidate : Thank you.	थैंक्यू.
Interviewer : What is your name?	वॉट इज़ योर नेम?
Candidate : Seema Vishwas.	सीमा विश्वास.
Interviewer : Married or unmarried?	मैरिड ऑर अनमैरिड?
Candidate : Married.	मैरिड.
Interviewer : You have applied for the post of a personal assistant. Right?	यू हैव ऐप्लाइड फ़ॉर द पोस्ट ऑफ़ अ पर्सनल असिस्टेंट. राइट?
Candidate : Yes sir.	येस सर.
Interviewer : What are your qualifications?	वॉट आर योर क्वॉलिफ़िकेशन्ज़?
Candidate : I am B.Sc. I have also done a diploma in typing and shorthand, and a secretarial course from the Govt. Polytechnic Gaziabad.	आइ ऐम बी.ऐस.सी. आइ हैव ऑल्सो डन अ डिप्लोमा इन टाइपिंग ऐंड शॉर्टहैंड, ऐंड अ सेक्रेटेरिअल कोर्स फ्रॉम द गवर्नमेंट पॉलीटेक्नीक गाज़ियाबाद.
Interviewer : What is your speed in typing and shorthand?	वॉट इज़ योर स्पीड इन टाइपिंग ऐंड शॉर्टहैंड?
Candidate : Typing is fifty and shorthand is hundred word per minute	टाइपिंग इज़ फ़िफ़्टी ऐंड शॉर्टहैंड इज़ हंड्रेड वर्ड्स पर मिनिट.
Interviewer : Can you work on a computer?	कैन यू वर्क ऑन अ कम्प्यूटर?
Candidate : I can do the word processing on it.	आइ कैन डू द वर्ड प्रोसेसिंग ऑन इट.
Interviewer : Have you worked in an office before?	हैव यू वर्कड इन ऐन ऑफ़िस बिफ़ोर?

Candidate : Yes, I have worked as P.A. to the manager in D.K. Industries. — येस, आइ हैव वर्क्ड ऐज़ पी.ए. टु द मैनेजर इन डी.के. इंडस्ट्रीज़.

Interviewer : Have you left them? — हैव यू लेफ़्ट देम?

Candidate : No. But I am looking for a change now. — नो. बट आइ ऐम लुकिंग फ़ॉर अ चेन्ज नाउ.

Interviewer : Why? — वाइ?

Candidate : The place is very far. Besides the salary is not enough. — द प्लेस इज़ वेरी फ़ार. बिसाइड्ज़ द सैलरी इज़ नॉट इनफ़.

Interviewer : What is your present salary? — वॉट इज़ योर प्रेज़ेंट सैलरी?

Candidate : Twenty one hundred rupees per month. — ट्वेन्टी वन हंड्रेड रुपीज़ पर मंथ.

Interviewer : What salary do you expect? — वॉट सैलरी डू यू एक्सपेक्ट?

Candidate : Around 3000/- rupees. — अराउंड थी थाउजेंड रुपीज

Interviewer : Can you communicate in English fluently? — कैन यू कम्यूनिकेट इन इंग्लिश फ़्लुएंटली?

Candidate : Ofcourse I can. — ऑफ़कोर्स आइ कैन.

Interviewer : One last but very important question. A personal assistant may have to stay back late in office sometimes. Can you do that? — वन लास्ट बट वेरी इम्पॉर्टेन्ट क्वेश्चन. अ पर्सनल असिस्टेंट मे हैव टु स्टे बैक लेट इन ऑफ़िस समटाइम्ज़. कैन यू डू दैट?

Candidate : Only once in a while sir, not always, I have a small baby. — ओनली वन्स इन अ वाइल सर, नॉट ऑलवेज़, आइ हैव अ स्मॉल बेबी.

Interviewer : All right Mrs. Vishwas. That will do. We will let you know soon. — ऑल राइट मिसिज़ विश्वास. दैट विल डू. वी विल लेट यू नो सून.

Candidate : Thank you sir. — थैंक्यू सर.

Unit-4: Exercise-6

Boss and Secretary बॉस एंड सेक्रेटरी — **बॉस और सेक्रेटरी**

Secretary : Good morning sir. — गुड मॉर्निंग सर.

Boss : Good morning Joyace. Please take down this letter and fax it immediately. — गुड मॉर्निंग जॉयेस. प्लीज़ टेक डाउन दिस लेटर ऐंड फ़ैक्स इट इमीडिएटली.

Secretary : O.K. Sir, you have an apppointment with Mr. Mehta of N.K. Industries at 11.30 today. — ओ.के. सर, यू हैव ऐन अपॉइंटमेंट विद मिस्टर मेहता ऑफ़ ऐन.के. इंडस्ट्रीज़ ऐट इलेवन थर्टी टुडे.

Boss : Alright, remind me about it at eleven O'clock. — ऑलराइट, रिमाइंड मी अबाउट इट ऐट इलेवन ओ क्लॉक.

Secretary : Yes sir. This is the letter from their company and a copy of the reply sent by us. — येस सर. दिस इज़ द लेटर फ्रॉम देअर कंपनी ऐंड अ कॉपी ऑफ़ द रिप्लाइ सेंट बाइ अस.

Boss : Alright, send me the concerned file. — ऑलराइट, सेंड मी द कन्सर्न्ड फ़ाइल.

Secretary : These are two applications. Mr. Sahil has reported sick and Mrs. Choudhary has applied for an extension of her leave. — दीज़ आर टू ऐप्लीकेशन्ज़. मिस्टर साहिल हैज़ रिपोर्टिड सिक ऐंड मिसिज़ चौधरी हैज़ ऐप्लाइड फ़ॉर ऐन एक्स्टेंशन ऑफ़ हर लीव.

Boss : How many days? — हाउ मेनी डेज़?

Secretary : Three days, 25th to 28th of April. — थ्री डेज़, ट्वेन्टी फ़िफ़्थ टु ट्वेन्टी एट्थ ऑफ़ एप्रिल.

Boss : Anything else? — एनीथिंग एल्स?

Secretary : This is the electrician's bill. And also, I've sent for the plumber. The toilet flush is not working again. — दिस इज़ द इलेक्ट्रीशियन्ज़ बिल. ऐंड ऑलसो, आइव सेन्ट फ़ॉर द प्लंबर. द टॉयलट फ़्लश इज़ नॉट वर्किंग अगेन.

Boss : Have you sent the reminder to Meghraj and Sons? — हैव यू सेंट द रिमाइंडर टु मेघराज ऐंड सन्ज़?

Secretary : Yes sir. — येस सर.

Secretary : Hello, Vishal Industries. Please hold on. *(to the boss)* Sir, this is Mrs. D'souza from Pustak Mahal Publishers. She wants an appointment, this afternoon. — हलो, विशाल इंडस्ट्रीज़. प्लीज़ होल्ड ऑन. *(बॉस से)* सर, दिस इज़ मिसिज़ डिसूज़ा फ़्रॉम पुस्तक महल पब्लिशर्ज़. शी वॉन्ट्स ऐन अपॉइंटमेंट, दिस आफ़्टरनून.

Boss : Is there any other appointment? — इज़ देअर ऐनी अदर अपाइंटमेंट?

Secretary : No sir. — नो सर.

Boss : Alright. Call her at 4 O'clock. — ऑलराइट. कॉल हर ऐट फ़ोर ओ क्लॉक.

Secretary : O.K. Mrs. D'souza you can come at four O'clock. — ओ.के. मिसिज़ डिसूज़ा यू कैन कम ऐट फ़ोर ओ क्लॉक.

Boss : Have our new brochures arrived? — हैव आवर न्यू ब्रोशर्ज़ अराइव्ड?

Secretary : Yes sir. This is the list of the companies, we are sending them to. — येस सर. दिस इज़ द लिस्ट ऑफ़ कम्पनीज़, वी आर सेंडिंग देम टु.

Boss : O.K. send all the brochures today without fail. Also send this packet by courier. — ओ.के. सेन्ड ऑल द ब्रोशर्ज़ टुडे विदाउट फ़ेल. ऑलसो सेंड दिस पैकिट बाइ कूरिअर.

Secretary : Yes sir. — येस सर.

Unit-4: Exercise-7

First Meeting Between a Boy & a Girl For a Marriage Proposal
फ़र्स्ट मीटिंग विट्वीन अ बॉय एंड अ गर्ल फ़ॉर मैरिज़ प्रपोज़ल — पहली मुलाकात, लड़के और लड़की के साथ शादी के लिए

Rahul : Which college did you attend? — विच कॉलेज डिड यू अटेंड?

Renu : Gargi college. — गार्गी कॉलेज.

Rahul : What were your subjects? — वॉट वर योर सब्जेक्ट्स?

Renu : History, Economics and English. — हिस्ट्री, इक्नॉमिक्स ऐंड इंग्लिश.

Rahul : What are your hobbies? — वॉट आर योर हॉबीज़?

Renu : Cooking and designing clothes. In my spare time I also read novels and listen to music. — कुकिंग ऐंड डिज़ाइनिंग क्लोद्ज़. इन माइ स्पेअर टाइम आइ ऑलसो रीड नॉवल्ज़ ऐंड लिसन टु म्यूज़िक.

Rahul : What type of music? — वॉट टाइप ऑफ़ म्यूज़िक?

Renu : Light film songs and gazals. — लाइट फ़िल्म सौंग्ज़ ऐंड गज़ल्ज़.

Rahul : What are your expectations from a husband? — वॉट आर योर एक्सपेक्टेशन्ज़ फ़्रॉम अ हस्बैंड?

Renu : *(shyly)* He should be loving, caring and understanding. — *(शायली)* ही शुड बी लविंग, केअरिंग ऐंड अंडरस्टैंडिंग.

Rahul : Do you want to work after marriage? — डू यू वॉन्ट टु वर्क आफ़्टर मैरिज?

Renu : That depends on my in-laws and the circumstances after marriage. — दैट डिपेंड्ज़ ऑन माइ इनलॉज़ ऐंड द सर्कमस्टैंसिज़ आफ़्टर मैरिज़.

Rahul : One last but very important question. Being the only son I'll always stay with my parents. Can you adjust in the family? — वन लास्ट बट वेरी इंम्पॉर्टेंट क्वेश्चन. बींग द ओनली सन आइल ऑलवेज़ स्टे विद माइ पेरेन्ट्स. कैन यू एडजस्ट इन द फ़ैमिली?

Renu : Yes sure. — येस श्योर.

Rahul : Now you too can ask me whatever you want. — नाउ यू टू कैन आस्क मी वॉटएवर यू वॉन्ट.

Renu : I would also like to know about your expectations from your wife. — आइ वुड ऑलसो लाइक टु नो अबाउट योर एक्स्पेक्टेशन्ज़ फ़्रॉम योर वाइफ़.

Rahul : I want her to be my true friend and life partner. — आइ वॉन्ट हर टु बी माइ ट्रू फ्रेन्ड ऐंड लाइफ़ पार्टनर.

Unit-4: Exercise-8

An Official party ऐन ऑफ़िशियल पार्टी एक ऑफ़िशियल पार्टी

(Mr. Nigam, the Director of Vishal Industries thrown a party to celebrate the opening of new production line. Mr. Nigam, Mrs. Nigam and his marketing executive Sandeep receive the guests. The guests greets and congratulate the hosts. मिस्टर निगम, द डायरेक्र ऑफ़ विशाल इंडस्ट्रीज़ थ्रोन अ पार्टी टु सेलिब्रेट द ओपनिंग ऑफ़ न्यू प्रोडक्शन लाइन। मिस्टर निगम, मिसिज़ निगम ऐंड हिज मार्केटिंग एक्ज़ीक्यूटिव संदीप रिसीव द गेस्ट्स। द गेस्ट्स ग्रीट्स ऐंड कौंग्रेच्युलेट द होस्ट्स.)

Mr. Joshi : Good evening Mr. Nigam, congratulations. — गुड ईवनिंग मिस्टर निगम, कौंग्रेच्युलेशंज़.

Mr. Nigam : Thank you Mr. Joshi, welcome please meet my wife Neelima. — थैंक्यू मिस्टर जोशी, वेल्कम प्लीज़ मीट माई वाइफ़ नीलिमा.

Mr. Joshi : Hello Mrs. Nigam. My wife Asha. — हलो मिसिज़ निगम. माइ वाइफ़ आशा.

Mrs. Nigam : Hello and welcome. Come let me introduce you to the other ladies. — हलो एंड वेल्कम. कम लेट मी इंट्रोड्यूस यू टु दी अदर लेडीज़.

Dilip : Good evening sir, congratulations. — गुड ईवनिंग सर, कौंग्रेच्युलेशंज़.

Mr. Nigam : Thanks and welcome Dilip. — थैंक्स ऐंड वेल्कम दिलीप.

Sandeep : Hello Mr. Mittal, come have a drink. — हलो मिस्टर मित्तल,कम हैव अ ड्रिंक.

Dilip : Thanks. So how is business Mr. Patil? — थैंक्स. सो हाउ इज़ बिज़नेस मि. पाटिल?

Sandeep : Business is fine sir. But I am expecting a bigger order from you this time. — बिज़नेस इज़ फ़ाइन सर. बट आइ ऐम एक्सपेक्टिंग अ बिगर ऑर्डर फ़्रॉम यू दिस टाइम.

Dilip : Sure. I would love to do that but you got to make prices a bit more competitive. — श्योर. आइ वुड लव टु डू दैट बट यू गॉट टु मेक प्राइसिज़ अ बिट मोर कॉम्पिटिटिव.

Sandeep : I have quoted the lowest possible prices for you. — आइ हैव कोटिड द लोएस्ट पॉसिबल प्राइसिज़ फ़ॉर यू.

Dilip : But fifteen percent discount isn't enough. You see I've been offered much better price than that. — बट फ़िफ़्टीन पर्सेंट डिस्काउंट इजन्ट इनफ़. यू सी आइव बीन ऑफ़र्ड मच बेटर प्राइस दैन दैट.

Sandeep : All right, let me speak to my boss sir. Could I get back to you in a day or two? — ऑल राइट, लेट मी स्पीक टु माइ बॉस सर. कुड आइ गेट बैक टु यू इन अ डे ऑर टू?

Dilip : Yes, no problem.	येस, नो प्रॉब्लम.
Sandeep : Thanks. Come have some snacks sir. These cutlets are very nice.	थैंक्स. कम हैव सम स्नैक्स सर. दीज़ कट्लेट्स आर वेरी नाइस.

(In the meanwhile Mr. Nigam talks to his guests. इन द मीनवाइल मिस्टर निगम टॉक्स टु हिज़ गेस्ट्स.)

Mr. Nigam : How is everything Mr. Nayar?	हाउ इज़ एवरीथिंग मिस्टर नायर?
Mr. Nayar : Fine. Thanks Mr. Nigam, what about you?	फ़ाइन. थैंक्स मिस्टर निगम,. वॉट अबाउट यू?
Mr. Nigam : Fine, by God's grace. Only this project has kept me very busy.	फ़ाइन, बाइ गॉड्स ग्रेस. ऑनली दिस प्रोजेक्ट हैज केप्ट मी वेरी बिज़ी.
Mr. Nayar : Naturally. When are you going to start production.	नैचुरली. वेन आर यू गोइंग टु स्टार्ट प्रोडक्शन?
Mr. Nigam : If all goes well, in the first week of October I suppose.	इफ़ ऑल गोज़ वेल, इन द फ़र्स्ट वीक ऑफ़ ऑक्टोबर आइ सपोज.
Mr. Nayar : Good, I'd like to visit your factory one of these davs.	गुड! आइड लाइक टु विज़िट योर फ़ैक्टरी वन ऑफ़ दीज़ डेज़.
Mr. Nigam : My pleasure. By the way, have you seen our new brochures?	माइ प्लैज़र. बाइ द वे, हैव यू सीन आवर न्यू ब्रोशर्ज़?
Mr. Nayar : No. I haven't.	नो. आइ हैवन्ट.
Mr. Nigam : I will have them sent to you tomorrow itself. Now that we are expanding. I look forward to a stronger and mutually beneficial business relationship with you.	आ विल हैव देम सेंट टु यू टुमॉरो इटसेल्फ़. नाउ दैट वी आर एक्सपेंडिंग. आइ लुक फॉरवर्ड टु अ स्ट्रॉनार ऐंड म्यूचुअली बेनिफ़िशियल बिज़नेस रिलेशनशिप विद यू.
Mr. Nayar : Yes. Ofcourse Mr. Nigam. Please come over to my office one day. We can sit together and work out the details.	येस. ऑफ़कोर्स मिस्टर निगम. प्लीज़ कम ओवर टु माइ ऑफ़िस वन डे. वी कैन सिट टुगेदर ऐंड वर्क आउट द डीटेल्ज़.
Mr. Nigam : Sure.	श्योर.
Sandeep : Please come for the dinner sir.	प्लीज़ कम फ़ॉर द डिनर सर.

(And when the guests start leaving after the dinner. ऐंड वेन द गेस्ट्स स्टार्ट लीवींग ऑफ़्टर द डिनर.)

Mr. Nayar : Thank you very much Mrs. Nigam. It was a wonderful evening.	थैंक्यू वेरी मच मिसिज़ निगम. इट वाज़ अ वंडरफ़ुल ईवनिंग.
Mrs. Nigam : Thanks for coming Mr. Nayar.	थैंक्स फ़ॉर कमिंग मिस्टर नायर.
Sandeep : Excuse me sir. Could I see you in the office this Tuesday?	एक्सक्यूज़ मी सर. कुड आइ सी यू इन द ऑफ़िस दिस ट्यूसडे?
Mr. Nayar : Yes. Fix up the time with my P.A. please.	येस. फ़िक्स अप द टाइम विद माइ पी.ए. प्लीज़.
Sandeep : Yes sir, good night sir.	येस सर, गुड नाइट सर.

(अब आप टेप बार-बार सुनें, साथ-साथ बोलने का अभ्यास करें, इससे आपकी झिझक दूर होगी और कुछ ही समय में आप बेझिझक अंग्रेज़ी बोलने लगेंगे। हमारी शुभकामनाएं आपके साथ हैं।)

रैपिडैक्स® इंगलिश स्पीकिंग कोर्स

14 भाषाओं में प्रकाशित:

हिंदी, गुजराती, तेलुगु, तमिल, मराठी, बंगला, कन्नड़, नेपाली, मलयालम, असमिया, उड़िया, उर्दू, अरबी तथा *पंजाबी। *(without cassette)

प्रत्येक में बड़े साइज के 400 से अधिक पृष्ठ

*मूल्य: **110/-** प्रत्येक (ऑडियो कैसेट के साथ)*

डाकखर्च: 15 से 20/- रुपये प्रति पुस्तक अतिरिक्त

अंग्रेजी बोलचाल सीखने का एकमात्र सोर्स रैपिडैक्स इंगलिश स्पीकिंग कोर्स

कॉन्वेंट स्तर की शुद्ध व फरटिदार अंग्रेजी सिखलाने वाली ऐसी पुस्तक, जो भारत के कोने-कोने में फैली, जिसे हर भाषा के लोगों ने पसंद किया तथा समाज के हर वर्ग ने अपनाया।

आपकी मातृभाषा कोई भी हो, आप 60 दिवसीय कोर्स के माध्यम से धाराप्रवाह अंग्रेजी सीख सकते हैं। 60 पाठों वाली यह पुस्तक 60 दिनों में आपको इतनी अंग्रेजी सिखा देगी कि आप बिना किसी परेशानी के अपनी बात अंग्रेजी में कह सकेंगे। अब तक यह पुस्तक 10 करोड़ लोगों के हाथों में पहुंच चुकी है। एक एक पुस्तक को कम-से-कम 10 पाठकों ने पढ़ा होगा।

यह किताब इतनी लोकप्रिय क्यों हैं?

- ❖ इसलिए कि पुस्तक सरल पद्धति में लिखी गई है।
- ❖ इसे अपना कर पाठकों के मन से अंग्रेजी बोलने का डर बिल्कुल गायब हो जाता है और वे अंग्रेजी इस तरह बोलने लगते हैं, मानो वह उनकी मातृभाषा हो।
- ❖ वाक्य रचना, व्याकरण, सही उच्चारण सभी कुछ सिखाने वाली पुस्तक।

Rapidex® Language Learning Series

A 12-Volume series teaching you 6 Regional Languages through Hindi & vice versa

Hindi Learning Courses through Regional Languages	Regional Language Learning Courses through Hindi
Bangla-Hindi	Hindi-Bangla
Gujarati-Hindi	Hindi-Gujarati
Malayalam-Hindi	Hindi-Malayalam
Tamil-Hindi	Hindi-Tamil
Kannada-Hindi	Hindi-Kannada
Telugu-Hindi	Hindi-Telugu

About 250 Big size pages in each volume

Price: Rs. 75/- each
Postage: Rs. 15/- each

Rapidex® Self Letter Drafting Course

Big size • Pages: 376
Price: Rs. 110/- • Postage: 15/-

Rapidex® Professional Secretary's Course

Big size • Pages: 262
Price: Rs. 120/- • Postage: 15/-

Rapidex® Television Technician's Course

Big size • Pages: 424 + maps
Price: Rs. 150/- • Postage: 25/-

चिल्ड्रन्स नॉलेज बैंक (छः खण्डों में)

बच्चों को इंटेलीजेंट बनाने वाला अद्भुत नॉलिज बैंक

छः खण्डों की इस श्रृखला में

- 1300 बड़े आकार के पृष्ठ
- 1100 से अधिक चित्र
- 5,00,000 शब्दों की पाठ्य सामग्री
- 1050 प्रश्नों के सुबोध उत्तर

आठ अन्य भाषाओं में प्रकाशितः **अंग्रेजी, बंगला, कन्नड़, तेलुगु, तमिल*, मलयालम, गुजराती, और मराठी*** *में भी प्रकाशित*

बड़ा आकार • मूल्यः **60/-** *प्रत्येक • मराठीः* **68/-**, *तमिलः* **68/-** *प्रत्येक*
डाकखर्चः अतिरिक्त।

पॉपुलर साइंस

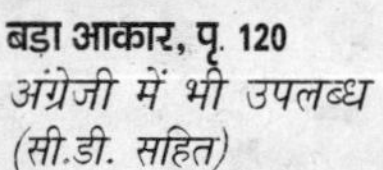

बड़ा आकार, पृ. 120
अंग्रेजी में भी उपलब्ध
(सी.डी. सहित)

बड़ा आकार, पृ. 112 प्रत्येक
अंग्रेजी में भी उपलब्ध

बड़ा आकार, पृ. 48

बड़ा आकार, पृ. 106

Big size, pp: 196

चिल्ड्रन्स साइंस लायब्रेरी

भारत में पहली बार बच्चों के लिए विशेष रूप से तैयार की गई एक सम्पूर्ण साइंस लायब्रेरी। पाठ्य सामग्री सरल भाषा में। हर पुस्तक अपने आप में पूर्ण व सुंदर रेखाचित्रों से सुसज्जित।

- ✔ पृथ्वी
- ✔ संचार
- ✔ प्रकाश
- ✔ ध्वनि
- ✔ परिवहन
- ✔ ऊर्जा
- ✔ ब्रह्माण्ड
- ✔ पृथ्वी पर जीवन
- ✔ वनस्पति जगत
- ✔ जंतु जगत
- ✔ मानव शरीर
- ✔ विद्युत और चुम्बकत्व
- ✔ खनिज और धातुएं
- ✔ बल और गति
- ✔ पर्यावरण और प्रदूषण
- ✔ रसायन का विकास
- ✔ वैज्ञानिक और आविष्कार

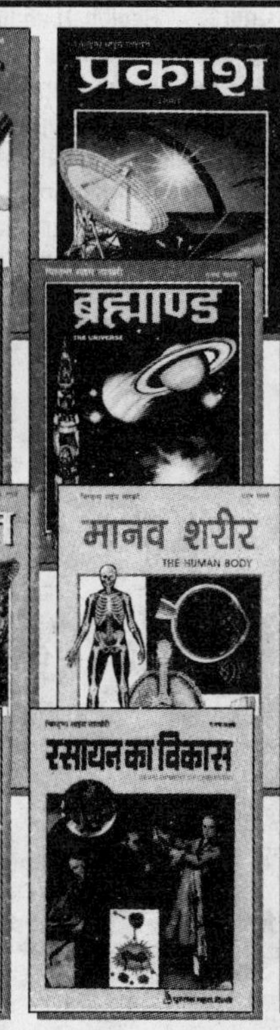

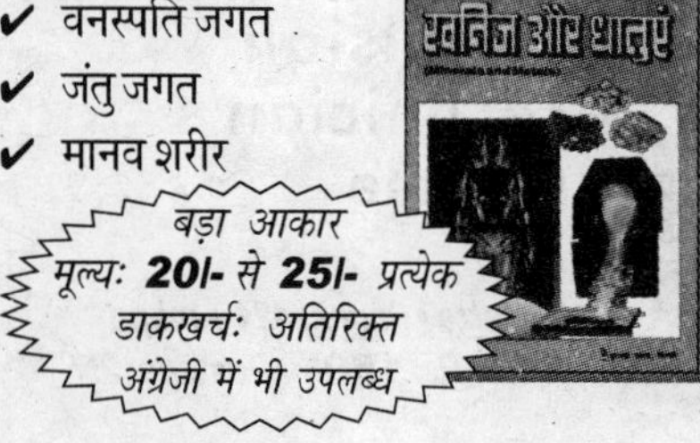

डिमाई आकार, पृ. 350
अंग्रेजी में भी उपलब्ध

डिमाई आकार, पृ. 266
अंग्रेजी में भी उपलब्ध

डिमाई आकार, पृ. 380

डिमाई आकार, पृ. 192

डिमाई आकार, पृ. 144
अंग्रेजी में भी उपलब्ध

बड़ा आकार, पृ. 188

डिमाई आकार, पृ. 216

डिमाई आकार, पृ. 122

डिमाई आकार, पृ. 800
हार्डबाइंड

डिमाई आकार, पृ. 144

डिमाई आकार, पृ. 200

डिमाई आकार, पृ. 160

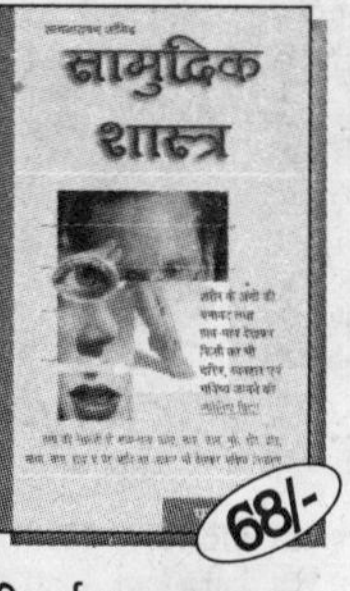

डिमाई आकार, पृ. 176

डिमाई आकार, पृ. 122

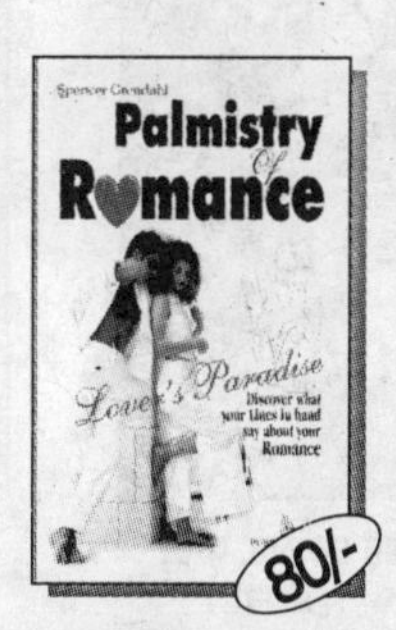

Demy size, pp: 180

Demy size, pp: 92

Demy size, pp: 144

Demy size, pp: 152

Big size, pp: 248

Big size, pp: 264

Other Books in English:

Numerology	96.00
Hypnotism for Beginners	68.00
Who will Survive 1999 Nostradamus	75.00
Palmistry for Beginners	88.00
Numerology for Romance	80.00
Healing Power of Gems & Stones	80.00
Marriage-Matching Astrologically	80.00
Chakra & Kundalini	110.00
Self Hypnosis	88.00
Numerology— Know Your Lucky Number	68.00
Astrology for Layman	80.00
Richer Life Through Hypno Meditation	80.00

डाकखर्चः 15 से 25/- रुपये प्रत्येक पुस्तक अतिरिक्त।

बड़ा आकार, पृ. 248 • रंगीन चित्र
अंग्रेजी में 160/-

डिमाई आकार, पृ. 200

डिमाई आकार, पृ. 176

डिमाई आकार, पृ. 218

डिमाई आकार, पृ. 216

डिमाई आकार, पृ. 192

डिमाई आकार, पृ. 480

डिमाई आकार, पृ. 212

डिमाई आकार, पृ. 32

डिमाई आकार, पृ. 64

बड़ा आकार, पृ. 224
रंगीन चित्रों से सुसज्जित

डिमाई आकार, पृ. 160

डिमाई आकार, पृ. 32
(रंगीन)

पृष्ठः 80 (रंगीन)

बड़ा आकार, पृ. 328
रंगीन चित्र

Pre-School Primers

My first step of: **Alphabet** **Numbers** **Birds & Animals** **Vegetables & Fruits** **Nursery Rhymes** **Picture book of Alphabet**

• क • ख • ग

Big size. Fully coloured and illustrated. Can be cleaned wiped off.

Price: Rs. 15/- each

डाकखर्चः 15 से 25/- रुपये प्रत्येक पुस्तक अतिरिक्त।

डिमाई आकार, पृ. 110
अंग्रेजी में भी उपलब्ध

डिमाई आकार, पृ. 160
अंग्रेजी तथा बंगला
में भी उपलब्ध

स्वेट मार्डेन
जीवन में
सफल होने
के उपाय
48/-

डिमाई आकार, पृ. 144

डिमाई आकार, पृ. 120

चिंता छोड़ें,
सुख से जिएं
पुस्तक महल
60/-

डिमाई आकार, पृ. 144

मन को नियंत्रित कर
तनावमुक्त
कैसे रहें
60/-

डिमाई आकार, पृ. 112

डिमाई आकार, पृ. 168

डिमाई आकार, पृ. 128

डिमाई आकार, पृ. 136

डिमाई आकार, पृ. 128

डिमाई आकार, पृ. 112

डिमाई आकार, पृ. 128

डिमाई आकार, पृ. 128

विनाशकारी शत्रु
क्रोध एवं अहंकार
को कैसे जीतें
पुस्तक महल
48/-

डिमाई आकार, पृ. 144

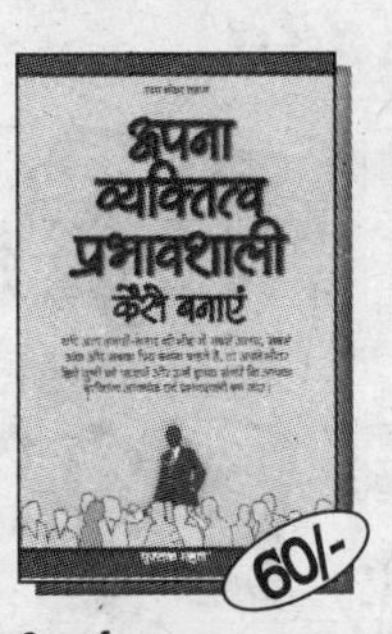

डिमाई आकार, पृ. 144

डिमाई आकार, पृ. 128

डिमाई आकार, पृ. 136

मन के हारे
हार
मन के जीते
जीत
पुस्तक महल
60/-

डिमाई आकार, पृ. 128

डिमाई आकार, पृ. 160

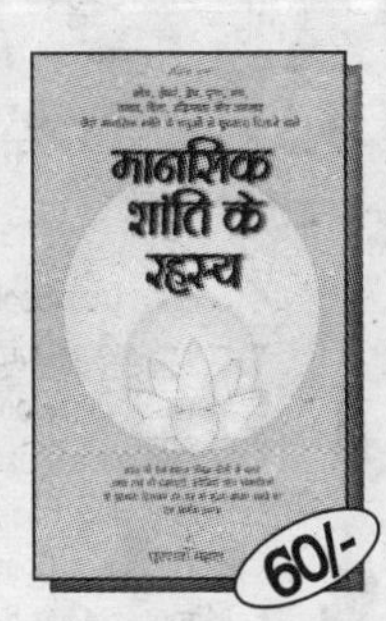

डिमाई आकार, पृ. 112

डिमाई आकार, पृ. 144

डिमाई आकार, पृ. 128

डिमाई आकार, पृ. 112

डिमाई आकार, पृ. 112

डाकखर्चः 15 से 25/- रुपये प्रत्येक पुस्तक अतिरिक्त।

डिमाई आकार, पृ. 140
अंग्रेजी में भी उपलब्ध

डिमाई आकार, पृ. 160

डिमाई आकार, पृ. 152

डिमाई आकार, पृ. 160

डिमाई आकार, पृ. 144

डिमाई आकार, पृ. 120

डिमाई आकार, पृ. 200

डिमाई आकार, पृ. 136

डिमाई आकार, पृ. 144
अंग्रेजी में भी उपलब्ध

डिमाई आकार, पृ. 186

खेल

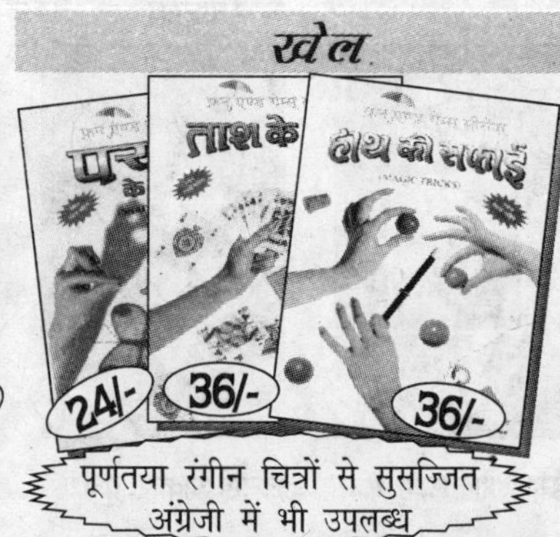

पूर्णतया रंगीन चित्रों से सुसज्जित
अंग्रेजी में भी उपलब्ध

क्विज़ बुक्स

बड़ा आकार, पृ. 128

बड़ा आकार, पृ. 467

डिमाई आकार, पृ. 224

सभी पुस्तकें
सचित्र

बड़ा आकार, पृ. 208

रॉयल आकार, पृ. 240

डिमाई आकार, पृ. 256

- Science Quiz Book 60/-
- Environment Quiz Book 60/-
- Medical Quiz Book 48/-
- Mathematics Quiz Book 60/-
- History Quiz Book 60/-
- Electronics & Computer Quiz Book 60/-
- Astronomy Quiz Book 60/-
- Birds & Animals Quiz Book 60/-

डाकखर्चः 15 से 25/- रुपये प्रत्येक पुस्तक अतिरिक्त।

डिमाई आकार, पृ. 144

डिमाई आकार, पृ. 144
अंग्रेजी में भी उपलब्ध

डिमाई आकार, पृ. 72
अंग्रेजी में भी उपलब्ध

डिमाई आकार, पृ. 128
अंग्रेजी में भी उपलब्ध

डिमाई आकार, पृ. 80

बड़ा आकार, पृ. 296

डिमाई आकार, पृ. 116
अंग्रेजी में भी उपलब्ध

डिमाई आकार, पृ. 156

डिमाई आकार, पृ. 88

डिमाई आकार, पृ. 48
अंग्रेजी में भी उपलब्ध

डिमाई आकार, पृ. 168

डिमाई आकार, पृ. 120

डिमाई आकार, पृ. 128

डिमाई आकार, पृ. 168

डिमाई आकार, पृ. 184

डिमाई आकार, पृ. 312

डिमाई आकार, पृ. 160

बड़ा आकार, पृ. 320

डिमाई आकार, पृ. 112

डिमाई आकार, पृ. 252

डिमाई आकार, पृ. 176

डिमाई आकार, पृ. 312

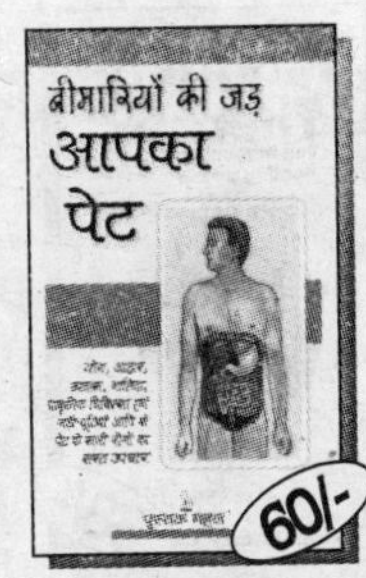

डिमाई आकार, पृ. 120

बड़ा आकार, पृ. 388

डाकखर्चः 15 से 25/- रुपये प्रत्येक पुस्तक अतिरिक्त।

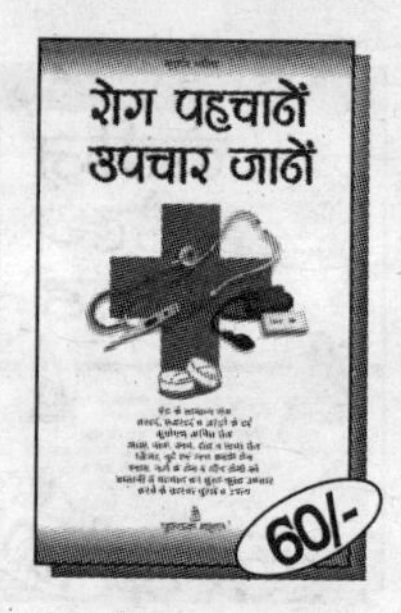

डिमाई आकार, पृ. 200

डिमाई आकार, पृ. 152

डिमाई आकार, पृ. 144

डिमाई आकार, पृ. 118
अंग्रेजी में भी उपलब्ध

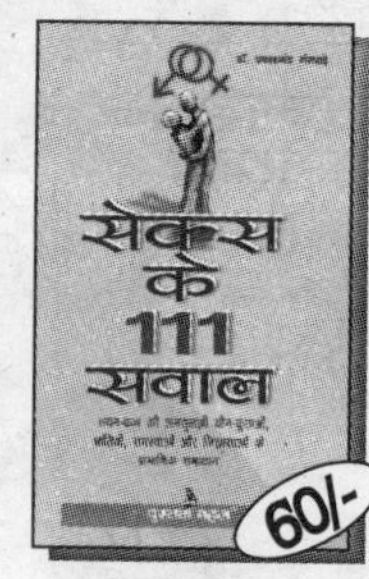

डिमाई आकार, पृ. 120

डिमाई आकार, पृ. 220

Demy size, pp: 242

Demy size, pp: 280

Demy size, pp: 64

Demy size, pp: 144

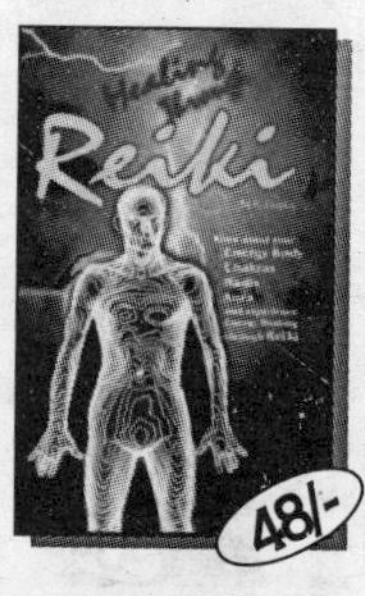

Demy size, pp: 104

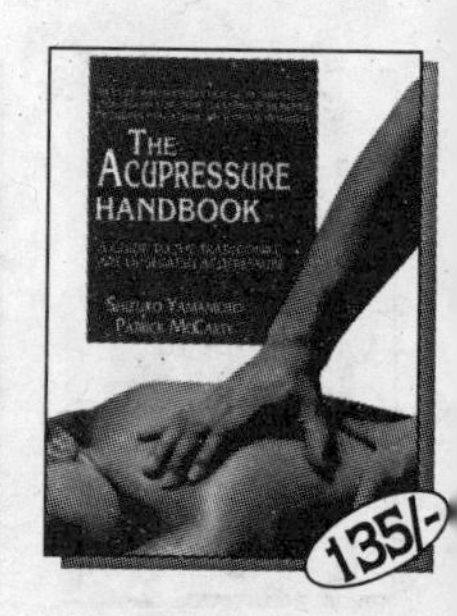

Big size, pp: 264

Demy size, pp: 304

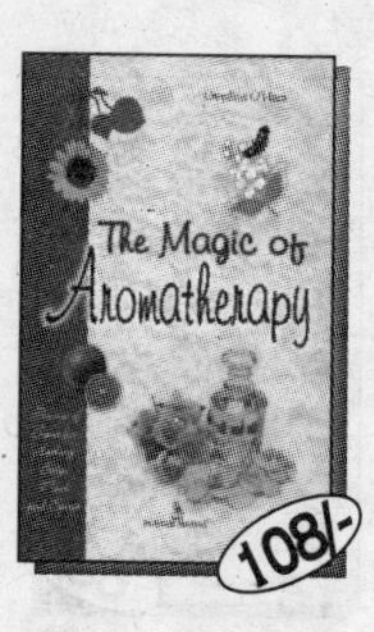

Demy size, pp: 264

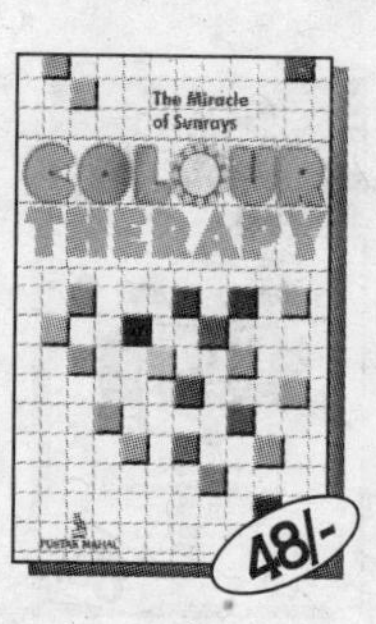

Demy size, pp: 84

Demy size, pp: 112

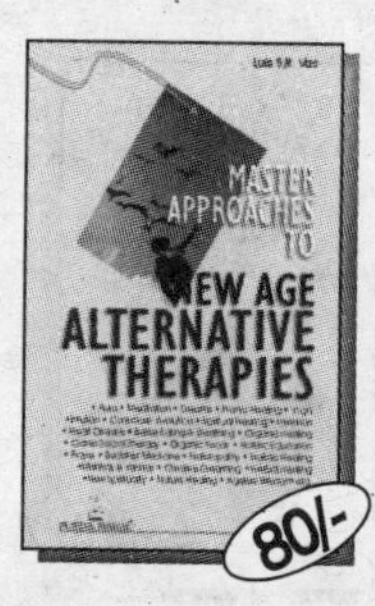

Demy size, pp: 200

Big size, pp: 168

Demy size, pp: 112

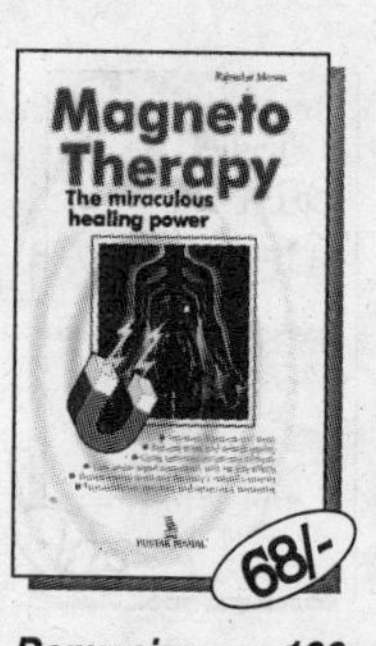

Demy size, pp: 128

Demy size, pp: 144

Demy size, pp: 136

Demy size, pp: 128

Demy size, pp: 200

डाकखर्चः 15 से 25/- रुपये प्रत्येक पुस्तक अतिरिक्त।

डिमाई आकार, पृ. 160

डिमाई आकार, पृ. 186

डिमाई आकार, पृ. 135

डिमाई आकार, पृ. 188

डिमाई आकार, पृ. 144

बड़ा आकार, पृ. 192

बड़ा आकार, पृ. 32
अंग्रेजी में भी उपलब्ध

बड़ा आकार, पृ. 32
अंग्रेजी में भी उपलब्ध

बड़ा आकार, पृ. 32
अंग्रेजी में भी उपलब्ध

बड़ा आकार, पृ. 100

बड़ा आकार, पृ. 128

बड़ा आकार, पृ. 120

डिमाई आकार, पृ. 120

डिमाई आकार, पृ. 336

छोटा आकार, पृ. 32
(रंगीन)

डिमाई आकार, पृ. 136

डिमाई आकार, पृ. 168

बड़ा आकार, पृ. 320

डिमाई आकार, पृ. 144

डिमाई आकार, पृ. 144

डिमाई आकार, पृ. 152

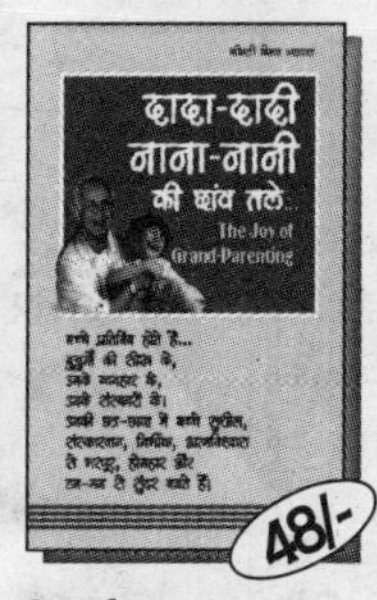

डिमाई आकार, पृ. 96

बड़ा आकार, पृ. 52
अंग्रेजी में भी उपलब्ध

बड़ा आकार, पृ. 206

डाकखर्चः 15 से 25/- रुपये प्रत्येक पुस्तक अतिरिक्त।

विश्व-प्रसिद्ध श्रृंखला

3 भागों में

पृष्ठः 120 से 160 प्रत्येक • मूल्यः **48/-** से **60/-** प्रत्येक

उपयोगी कलाएं

बड़ा आकार, पृ. 120
अंग्रेजी में भी उपलब्ध

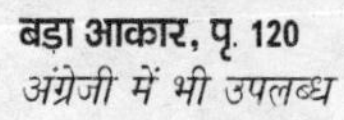

बड़ा आकार, पृ. 172

डिमाई आकार, पृ. 160
अंग्रेजी में भी उपलब्ध

बड़ा आकार, पृ. 192

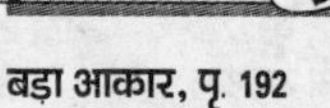

डिमाई आकार, पृ. 88

बड़ा आकार, पृ. 296

फर्नीचर

Pages: 256

Pages: 132

Pages: 136

Pages: 52

Pages: 56

Pages: 88

Pages: 88

Pages: 88

Pages: 200

वाद्य एवं संगीत

सभी पुस्तकें बड़े आकार में।

डिमाई आकार

डाकखर्चः 15 से 25/- रुपये प्रत्येक पुस्तक अतिरिक्त।

डिमाई आकार, पृ. 90

डिमाई आकार, पृ. 112

डिमाई आकार, पृ. 112

डिमाई आकार, पृ. 104

डिमाई आकार, पृ. 120

डिमाई आकार, पृ. 104

डिमाई आकार, पृ. 125

डिमाई आकार, पृ. 104

डिमाई आकार, पृ. 100

डिमाई आकार, पृ. 96

डिमाई आकार, पृ. 88

डिमाई आकार, पृ. 104

डिमाई आकार, पृ. 104

डिमाई आकार, पृ. 80

बड़ा आकार, पृ. 144

कुकरी (6 पुस्तकों का सैट)

आपकी बचत 20%
6 पुस्तकों का सेट 288/- के स्थान पर 240/- में

मूल्यः 48/-
प्रत्येक पुस्तक

सेट का मूल्यः 240/-

- सूखी और भरवां सब्जियां
- 151 स्वादिष्ट नाश्ते*
- अचार-चटनी और मुरब्बे*
- सलाद की बहार*
- केक, पुडिंग, आइसक्रीम एवं मिठाइयां
- रसेदार सब्जियां*

सौंदर्य

मॉडर्न हेयर स्टाइल्स — 48/-

होम ब्यूटी क्लीनिक — 80/-

छोटा आकार, पृ. 152
पूर्णतया रंगीन पुस्तक
अनेक चित्रों से सुसज्जित

डाकखर्चः 15 से 25/- रुपये प्रत्येक पुस्तक अतिरिक्त।

डिमाई आकार, पृ. 136

Big size, pp: 48 (Coloured)

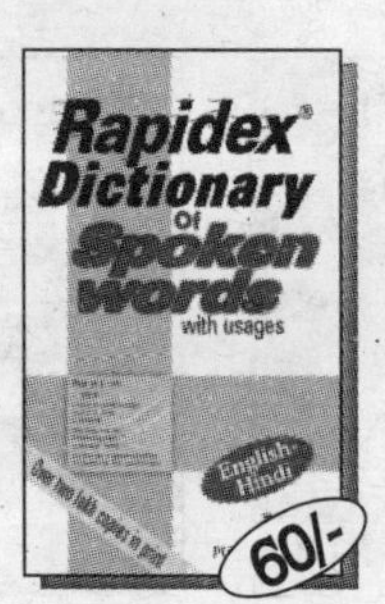

Demy size, pp: 192

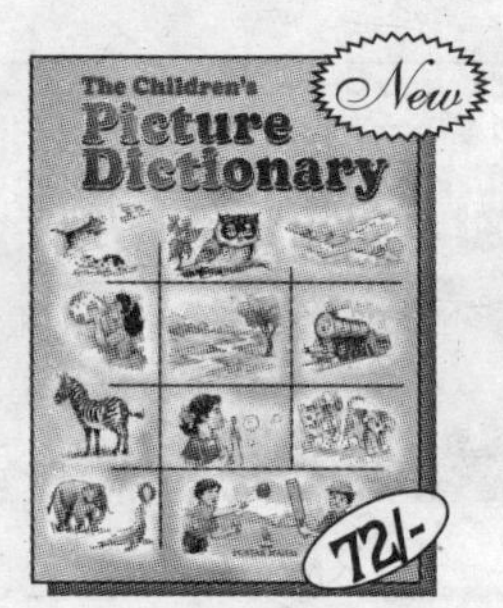

Big size, pp: 52 (Coloured)

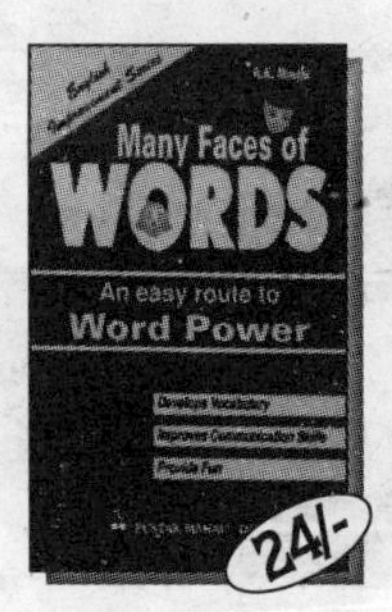

डिमाई आकार, पृ. 152

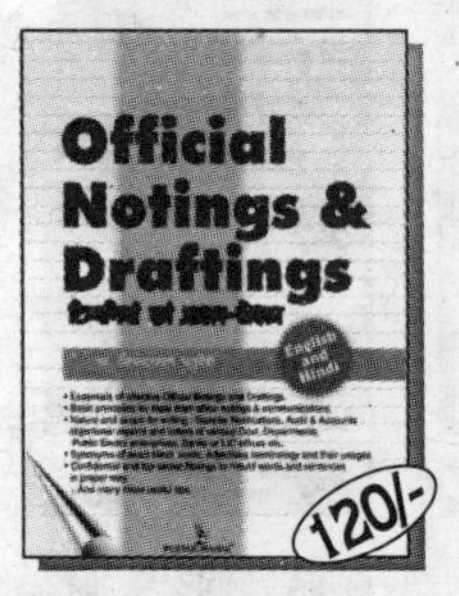

Big size, pp: 231

Demy size, pp: 128

Demy size, pp: 452

Demy size, pp: 344

Big size, pp: 98 (Double Coloured)

रंगीन एवं हार्ड बाउंड पुस्तक
बड़ा आकार, पृ. 384
अंग्रेजी में भी उपलब्ध

हार्ड बाउंड
बड़ा आकार, पृ. 320

रंगीन एवं हार्ड बाउंड पुस्तक
बड़ा आकार, पृ. 252

रंगीन एवं हार्ड बाउंड पुस्तक
बड़ा आकार, पृ. 650

Demy size, pp: 128

Small size • pp: 220

Small size • pp: 136

Bloomsbury Pocket Dictionaries

- Dictionary of Phrase & Fable
- English Thesaurus
- Spelling Dictionary
- Dictionary of English Usage
- Medical Dictionary
- Dictionary of Calories
- English Dictionary*
- Dictionary of Grammar*
- Dictionary of Proverbs*
- Dictionary of Quotations*

Rs. 30/- each

*A set of 4 Dictionaries Rs. 70/-

डाकखर्चः 15 से 25/- रुपये प्रत्येक पुस्तक अतिरिक्त।

Big size • pp: 352
Also available in English

Big size • pp: 560
(FREE CD-ROM, Mouse Pad & SMS Language Book)
Also available in English

Big size • pp: 164
Also available in English

Big size • pp: 264

रैपिडैक्स 'इन इज़ी स्टेप्स'

- रैपिडैक्स वर्ड 2000 इन इज़ी स्टेप्स
- रैपिडैक्स इंटरनेट/ई-मेल इन इज़ी स्टेप्स
- रैपिडैक्स ऐक्सेल 2000 इन इज़ी स्टेप्स
- रैपिडैक्स विंडोज़ 98 इन इज़ी स्टेप्स
- रैपिडैक्स ऐक्सेस 2000 इन इज़ी स्टेप्स

- Low-cost Web Site
- Internet Marketing & Promotions

Big size, pp: over 400 each

Big size
pp: approx. 200 each
MS Outlook 2000 : 125/-
MS FrontPage 98 : 90/-

Big size • pp: 448

Big size • pp: 520

Demy size • pp: 296

Big size • pp: 416

Big size • pp: 136

Demy size • pp: 164

Big size • pp: 360

Big size • pp: 144

Rapidex Straight to the point series

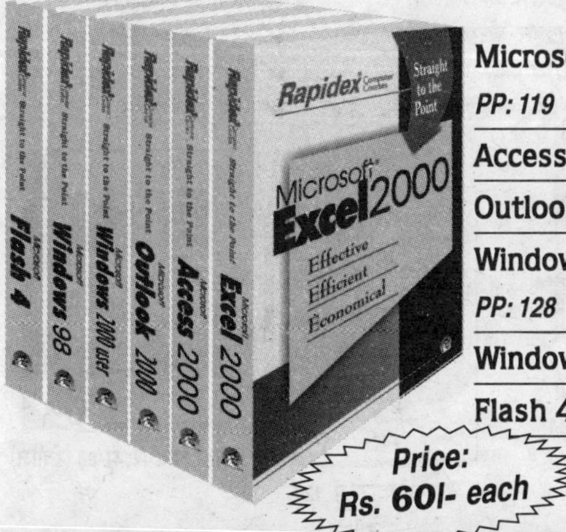

- Microsoft Excel 2000, PP: 119
- Access 2000, PP: 124
- Outlook 2000, PP: 117
- Windows 2000 User, PP: 128
- Windows 98, PP: 115
- Flash 4, PP: 123

Price: Rs. 60/- each

Rapidex Condensed Users Guides

- Core Java 2
- Java Script & VB Script
- Windows NT Server 4
- Windows NT 4 Workstation

Price: Rs. 140/- each
Pages: 216 to 316 each

डाकखर्चः 15 से 25/- रुपये प्रत्येक पुस्तक अतिरिक्त।

3 भागों में • पृ. 24 प्रत्येक
रंगीन • अंग्रेजी में भी उपलब्ध

2 भागों में • पृ. 56 एवं 60 प्रत्येक
रंगीन • अंग्रेजी में भी उपलब्ध

पृ. 24 • रंगीन
अंग्रेजी में भी उपलब्ध

पृ. 224

2 भागों में • पृ. 56 प्रत्येक
रंगीन • अंग्रेजी में भी उपलब्ध

5 भागों में • पृ. 60 से 68 प्रत्येक
रंगीन • अंग्रेजी में भी उपलब्ध

पृ. 304 (संयुक्त संस्करण)
रंगीन • अंग्रेजी में भी उपलब्ध

पृ. 122
अंग्रेजी में भी उपलब्ध

पृ. 152

भारतीय लोक कथाएं
पृ. 48
अंग्रेजी में भी उपलब्ध

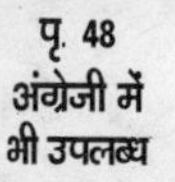

प्रेस में
परियों की कहानियां

हंसो और हंसाओ श्रृंखला

पृष्ठः 128 से 144 प्रत्येक
मूल्यः **30/-** प्रत्येक

- ✔ किस्से ही किस्से
- ✔ सिंहासन बत्तीसी
- ✔ रंगारंग हास्य कवि सम्मेलन
- ✔ व्यंग्य भरे कटाक्ष
- ✔ पंचतंत्र की कथाएं
- ✔ कचोटती व्यंग्य कथाएं
- ✔ सत्ता के गलियारे में पनपता व्यंग्य पिटारा
- ✔ पहेलियां ही पहेलियां
- ✔ अकबर बीरबल के किस्से
- ✔ व्यंग्य कथाओं का संसार
- ✔ शान-ए-महफिल चुनिन्दा शे'र
- ✔ विश्व के महान लेखकों द्वारा लिखित लघु अपराध कथाएं
- ✔ रंगारंग मुशायरा
- ✔ प्रेरक प्रसंग
- ✔ सास-बहू की नोक-झोंक
- ✔ हंसीले-कंटीले व्यंग्य
- ✔ आओ हंस लें
- ✔ सुपर-हिट जोक्स
- ✔ क्या खूब चुटकुले
- ✔ मूर्खों के चुटकुले
- ✔ मयखाना
- ✔ दिलकश ग़ज़लें

डिमाई आकार, पृ. 144

बड़ा आकार, पृ. 120 (रंगीन)

बड़ा आकार, पृ. 88 (रंगीन)

डाकखर्चः 15 से 25/- रुपये प्रत्येक पुस्तक अतिरिक्त।

डिमाई आकार, पृ. 136

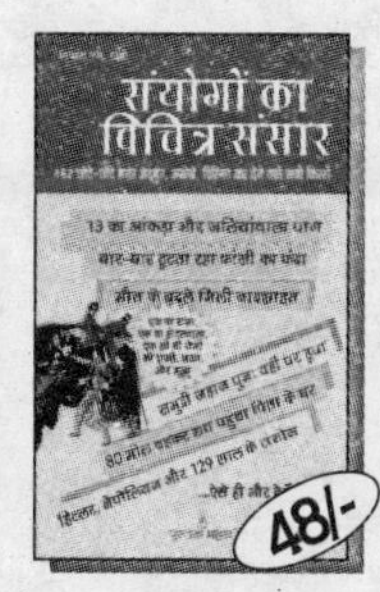

डिमाई आकार, पृ. 112

डिमाई आकार, पृ. 152

डिमाई आकार, पृ. 120

डिमाई आकार, पृ. 96

डिमाई आकार, पृ. 120

डिमाई आकार, पृ. 120

डिमाई आकार, पृ. 144

डिमाई आकार, पृ. 104
अंग्रेजी में भी उपलब्ध

डिमाई आकार, पृ. 128
अंग्रेजी में भी उपलब्ध

डिमाई आकार, पृ. 112
अंग्रेजी में भी उपलब्ध

डिमाई आकार, पृ. 152

डिमाई आकार, पृ. 120
अंग्रेजी में भी उपलब्ध

डिमाई आकार, पृ. 112
अंग्रेजी में भी उपलब्ध

डिमाई आकार, पृ. 112
अंग्रेजी में भी उपलब्ध

डिमाई आकार, पृ. 112
अंग्रेजी में भी उपलब्ध

बड़ा आकार, पृ. 112
अंग्रेजी में भी उपलब्ध

बड़ा आकार, पृ. 224

'हम जीव-जन्तु'
30/-
बड़ा आकार, पृ. 116

डिमाई आकार, पृ. 104

डिमाई आकार, पृ. 176

डिमाई आकार, पृ. 144

Books in English:

101 Magic Tricks (Colour)	88.00
501 Fascinating Facts	48.00
Magic for You	40.00
Magic for Fun	48.00
Magic for Children	48.00
101 Brain Teasers	48.00
Incredible But True	48.00
Fun with Numbers	40.00
501 Astonishing Facts	48.00
How to Solve Crosswords	60.00
Spicy Sides of Speeches	48.00
The Funny Side of English	68.00
Strange But True Facts	80.00

डाकखर्चः 15 से 25/- रुपये प्रत्येक पुस्तक अतिरिक्त।